Teacher Wraparound Edition

GLENCOE FRENCH

Bon voyage!

WITH FEATURES BY

NATIONAL GEOGRAPHIC SOCIETY

Conrad J. Schmitt • Katia Brillié Lutz

Glencoe McGraw-Hill

New York, New York   Columbus, Ohio   Chicago, Illinois   Peoria, Illinois   Woodland Hills, California

Glencoe/McGraw-Hill

A Division of The **McGraw·Hill** *Companies*

Send all inquiries to:
Glencoe/McGraw-Hill
8787 Orion Place
Columbus, Ohio 43240-4027

ISBN 0-07-821258-8

ISBN 0-07-824681-4 (Teacher Wraparound Edition)

Printed in the United States of America

2 3 4 5 6 7 8 9 10   027   08 07 06 05 04 03 02

From the Authors

Dear French Teacher,

Welcome to the continuing journey with **Bon voyage! Level 3.** Many of you who teach Levels 3 and 4 have expressed a desire to have more flexibility in a text at this level. We have taken your suggestions into account in developing **Bon voyage! Level 3.** With this text, teachers can select the material they present in depth based on the abilities, needs, and interests of their students.

The text is divided into eight chapters that adhere to a very general theme as indicated in the chapter title—for example **Les voyages, La santé,** etc. Each chapter contains short lessons on the following topics: Culture, Conversation, Language, Review Grammar, Journalism, Advanced Grammar, and Literature. Within each chapter, you choose the sections and selections that you will emphasize and those that you may even skip. To assist you in your selection, we have labeled each section of each lesson as easy, intermediate, or difficult. If your students are less able or not well prepared, you may decide to skip or postpone teaching a literary selection that is rated difficult and opt to do only those that are easy and/or intermediate. On the other hand, if your students are more advanced, you may find that you can skip all or most of the Review Grammar. Having a range of difficulty levels in a textbook makes it easy for you to customize lessons for each of your classes.

We would also like to point out that the material in **Bon voyage! Level 3** does not get progressively more difficult. Students often become frustrated when they realize that the material gets harder with each page. Rather, at this level, students should begin to get a feeling of satisfaction from what they can do in French. In **Bon voyage! Level 3,** students may encounter a somewhat challenging selection, but that doesn't mean the next one will be more challenging. It might even be easier.

The many diverse topics presented in **Bon voyage! Level 3** enable students to continue to acquire proficiency in both spoken and written French, as they also continue to learn about the fascinating cultures of the immense Francophone world.

We hope that your yearlong journey with each of your classes will indeed be a **Bon voyage!**

Bien amicalement,
Conrad J. Schmitt • *Katia Brillié Lutz*

Teacher Edition

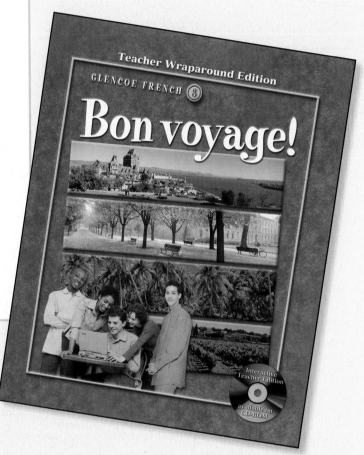

Student Edition

Expand your students' view of the Francophone world

Glencoe's **Le monde francophone** will take your students to the many places where they will be able to use their French.

The French geographer Onésime Reclus first coined the word *francoph* to designate geographical entities where French was spoken. Today, *la fr* refers to the collective body of over one hundred million people all over who speak French, exclusively or in part, in their daily lives. The term refers to the diverse official organizations, governments, and countrie the use of French in economic, political, diplomatic, and cultural exch Politically, French remains the second most important language in th Francophone nations, French is the official language (France), or th language (Cameroon); in others, it is spoken by a minority who sh cultural heritage (Andorra). The French language is present in Eur Americas, and Oceania.

Maps, facts, and figures will serve as a valuable resource for you and your students throughout your journey.

L'Europe

La principauté d'Andorre
CAPITAL
Andorre-la-Vieille
POPULATION
66,000
FUN FACT
Andorra is a co-principality governed by France's president and a Spanish bishop.

La Belgique
CAPITAL
Bruxelles
POPULATION
10,225,000
FUN FACT
Belgium is a rather small country but one of the world's most densely populated. Belgium has two distinct cultures—Flemish in the North and French in the South.

La France
CAPITAL
Paris
POPULATION
59,067,000
FUN FACT
France is a country known for its savoir vivre, delicious cuisine, and beautiful scenery, which changes dramatically from province to province.

Le grand-duché de Luxembourg
CAPITAL
Luxembourg
POPULATION
432,000
FUN FACT
Luxembourg is smaller than the state of Rhode Island. The native Luxembourgers all speak three languages fluently: Luxembourgish, German, and French.

La principauté de Monaco
CAPITAL
Monaco
POPULATION
33,000
FUN FACT
Monaco is one of the world's smallest sovereign states. It is located on a horseshoe-shaped strip of land bathed by the Mediterranean on one side and shielded by alpine peaks on the other.

La Suisse
CAPITAL
Berne
POPULATION
7,119,000
FUN FACT
The beautiful country of Switzerland is dominated by the Alps. Yet its population density is among the lowest in Europe. Thus, it has fabulous wide-open spaces.

xxi

Awaken your students' interest with an introduction to the chapter theme in a cultural context

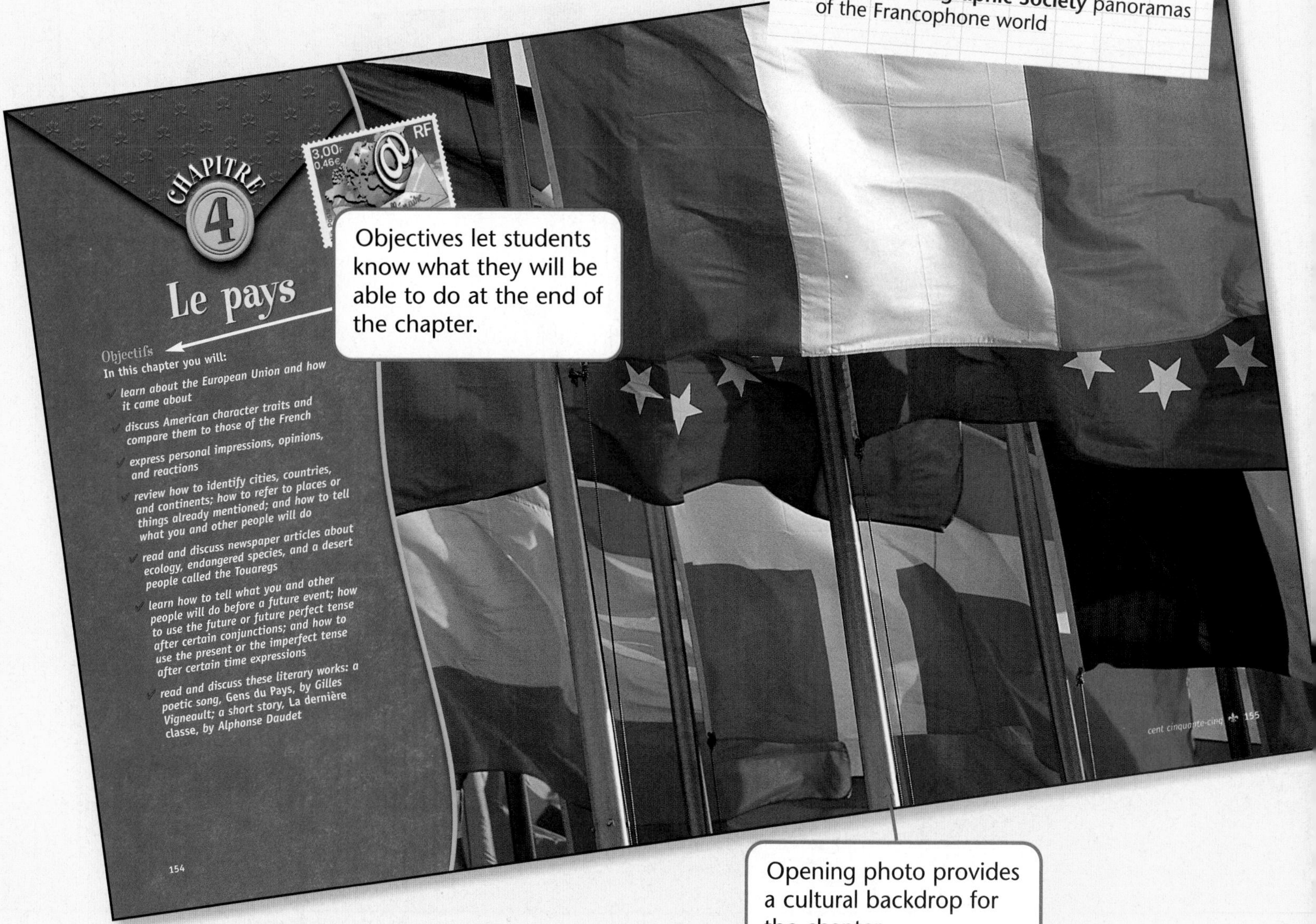

CHAPITRE 4

3,00F 0,46€ RF

Le pays

Objectifs
In this chapter you will:

- learn about the European Union and how it came about
- discuss American character traits and compare them to those of the French
- express personal impressions, opinions, and reactions
- review how to identify cities, countries, and continents; how to refer to places or things already mentioned; and how to tell what you and other people will do
- read and discuss newspaper articles about ecology, endangered species, and a desert people called the Touaregs
- learn how to tell what you and other people will do before a future event; how to use the future or future perfect tense after certain conjunctions; and how to use the present or the imperfect tense after certain time expressions
- read and discuss these literary works: a poetic song, Gens du Pays, by Gilles Vigneault; a short story, La dernière classe, by Alphonse Daudet

Objectives let students know what they will be able to do at the end of the chapter.

Opening photo provides a cultural backdrop for the chapter.

cent cinquante-cinq 155

154

❖ **T7**

Heighten students' awareness of Francophone cultures

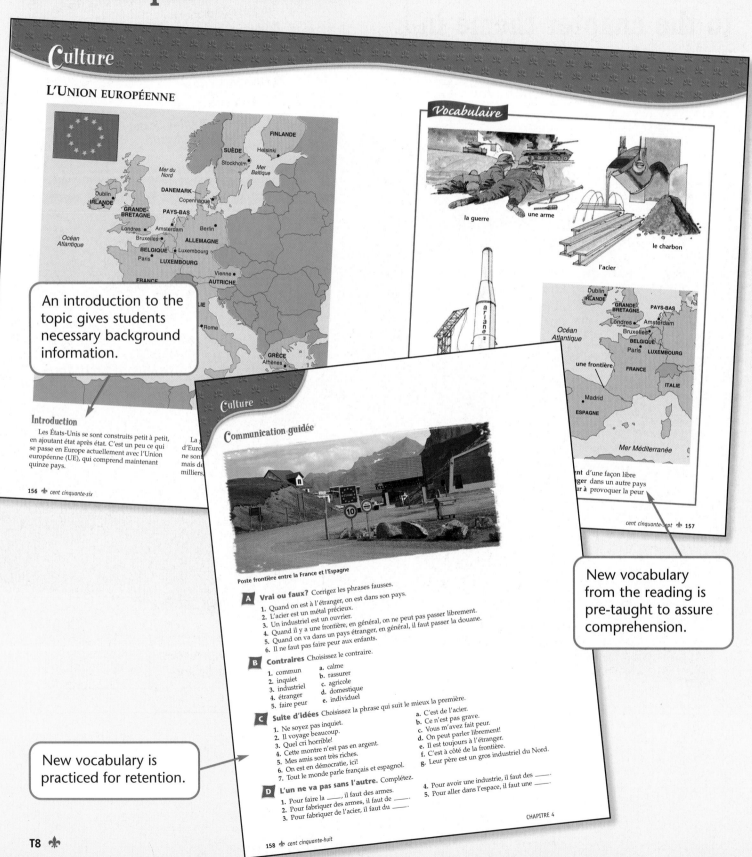

Culture

L'UNION EUROPÉENNE

> An introduction to the topic gives students necessary background information.

Introduction

Les États-Unis se sont construits petit à petit, en ajoutant état après état. C'est un peu ce qui se passe en Europe actuellement avec l'Union européenne (UE), qui comprend maintenant quinze pays.

La   d'Euro ne sont mais de milliers...

156   cent cinquante-six

Vocabulaire

la guerre   une arme

le charbon

l'acier

une frontière

> New vocabulary from the reading is pre-taught to assure comprehension.

...ent d'une façon libre
...ger dans un autre pays
...r à provoquer la peur

cent cinquante-sept   157

Culture

Communication guidée

Poste frontière entre la France et l'Espagne

A   **Vrai ou faux?** Corrigez les phrases fausses.
1. Quand on est à l'étranger, on est dans son pays.
2. L'acier est un métal précieux.
3. Un industriel est un ouvrier.
4. Quand il y a une frontière, en général, on ne peut pas passer librement.
5. Quand on va dans un pays étranger, en général, il faut passer la douane.
6. Il ne faut pas faire peur aux enfants.

B   **Contraires** Choisissez le contraire.
1. commun   a. calme
2. inquiet   b. rassurer
3. industriel   c. agricole
4. étranger   d. domestique
5. faire peur   e. individuel

C   **Suite d'idées** Choisissez la phrase qui suit le mieux la première.
1. Ne soyez pas inquiet.   a. C'est de l'acier.
2. Il voyage beaucoup.   b. Ce n'est pas grave.
3. Quel cri horrible!   c. Vous m'avez fait peur.
4. Cette montre n'est pas en argent.   d. On peut parler librement!
5. Mes amis sont très riches.   e. Il est toujours à l'étranger.
6. On est en démocratie, ici!   f. C'est à côté de la frontière.
7. Tout le monde parle français et espagnol.   g. Leur père est un gros industriel du Nord.

> New vocabulary is practiced for retention.

D   **L'un ne va pas sans l'autre.** Complétez.
1. Pour faire la ——, il faut des armes.
2. Pour fabriquer des armes, il faut de ——.
3. Pour fabriquer de l'acier, il faut du ——.
4. Pour avoir une industrie, il faut des ——.
5. Pour aller dans l'espace, il faut une ——.

CHAPITRE 4

158   cent cinquante-huit

Improve students' cultural knowledge and their proficiency in French at the same time

Culture

Culture is taught using level-appropriate French.

Strasbourg: Le Parlement européen

La fusée

Photos and illustrations aid comprehension.

de vendre librement à
coopération avec des in
forcent à moderniser leu
Finalement, l'économie
CEE est en pleine expans

**La CEE s'agrandit et de
l'Union européenne**
En 1973, la Grande-Breta
Danemark entrent dans la C
pas encore aussi puissante[3] q
ou le Japon, mais elle représe
dans le monde.
Aux six premiers états mem
• la Grèce (1981)
• l'Espagne et le Portugal (198
• l'Autriche, la Finlande et la S

[3] puissante *powerful*
[4] représente *is*

160 ✤ *cent soixante*

L'HISTOIRE DE L'UNION EUROPÉENNE

La Communauté européenne du charbon et de l'acier
Après la Deuxième Guerre mondiale, deux Français, Jean Monnet et Robert Schuman, proposent que les pays européens mettent en commun leur charbon et leur acier, puisque[1] ces deux matières peuvent servir à fabriquer des armes. Les deux hommes pensent que cela rendra la guerre impossible entre Européens. Six pays acceptent: la France, l'Allemagne, la Belgique, les Pays-Bas, le Luxembourg et l'Italie. Ils signent un traité, le traité de Paris, en 1951.

[1] puisque *since, seeing that*

La Communauté économique européenne ou Marché commun
C'est un Belge, Paul-Henri Spaak, qui a l'idée de mettre en commun toute l'économie de ces pays. C'est le traité de Rome, signé en 1957, qui forme la CEE, la Communauté économique européenne. Tous les produits pourront éventuellement circuler librement dans les pays membres de la Communauté: il n'y aura plus de frontières, plus de douane[2].
L'idée du Marché commun fait peur à beaucoup d'industriels, parce que la Communauté prend beaucoup de décisions communes dans les domaines de l'industrie, l'énergie, les monnaies, etc. Mais la possibilité

[2] douane *customs*

ntement parce qu'elle
sont très différents: se
chies, huit pays sont a
pays sont grands, d'a
hes, d'autres moins
ues différentes, sans
nales comme le bas

i, l'Europe est une
billent plus ou moins
tent plus ou moins la

À l'heure actuelle[6], de nombreux pays européens, en particulier de l'Europe de l'Est, s'intéressent à faire partie de l'Union européenne. Les «États-Unis d'Europe» ne sont pas loin.

[6] à l'heure actuelle *at the present time*

Vue de l'Europe et de l'Afrique du Nord, prise par le satellite de météorologie «Météosat»

cent soixante et un ✤ 161

Photos and illustrations provide opportunities to start conversations.

La signature du traité de Paris, en 1951

CULTURE

cent cinquante-neuf ✤ 159

Give students the opportunity to tell you what they have learned

Après la lecture checks students' comprehension of the vocabulary and the reading.

Students are able to apply new cultural knowledge to personalized discussions in French.

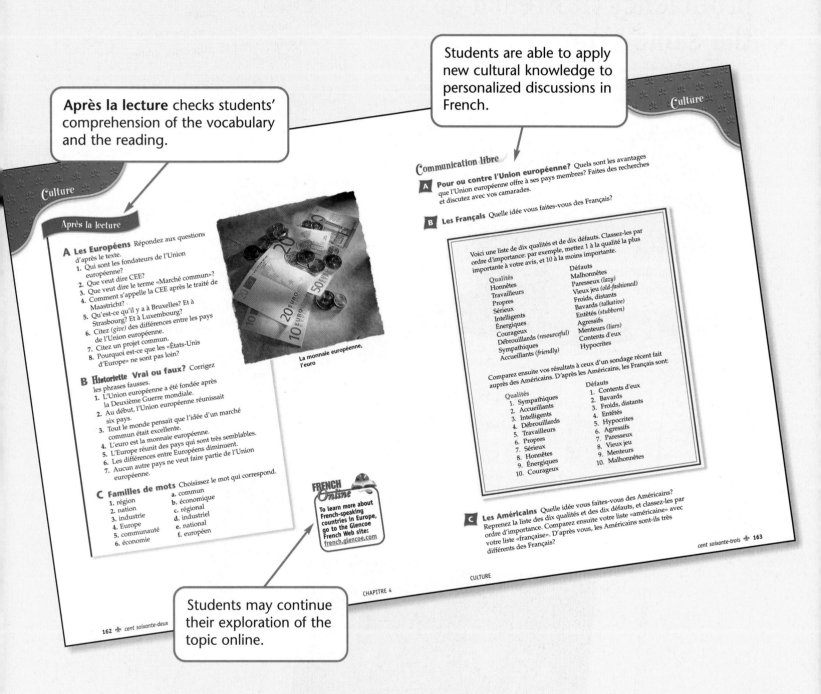

Culture

Après la lecture

A Les Européens Répondez aux questions d'après le texte.
1. Qui sont les fondateurs de l'Union européenne?
2. Que veut dire CEE?
3. Que veut dire le terme «Marché commun»?
4. Comment s'appelle la CEE après le traité de Maastricht?
5. Qu'est-ce qu'il y a à Bruxelles? Et à Strasbourg? Et à Luxembourg?
6. Citez (give) des différences entre les pays de l'Union européenne.
7. Citez un projet commun.
8. Pourquoi est-ce que les «États-Unis d'Europe» ne sont pas loin?

B Historiette Vrai ou faux? Corrigez les phrases fausses.
1. L'Union européenne a été fondée après la Deuxième Guerre mondiale.
2. Au début, l'Union européenne réunissait six pays.
3. Tout le monde pensait que l'idée d'un marché commun était excellente.
4. L'euro est la monnaie européenne.
5. L'Europe réunit des pays qui sont très semblables.
6. Les différences entre Européens diminuent.
7. Aucun autre pays ne veut faire partie de l'Union européenne.

C Familles de mots Choisissez le mot qui correspond.
1. région   a. commun
2. nation   b. économique
3. industrie   c. régional
4. Europe   d. industriel
5. communauté   e. national
6. économie   f. européen

La monnaie européenne, l'euro

FRENCH Online
To learn more about French-speaking countries in Europe, go to the Glencoe French Web site: french.glencoe.com

Students may continue their exploration of the topic online.

Culture

Communication libre

A Pour ou contre l'Union européenne? Quels sont les avantages que l'Union européenne offre à ses pays membres? Faites des recherches et discutez avec vos camarades.

B Les Français Quelle idée vous faites-vous des Français?

Voici une liste de dix qualités et de dix défauts. Classez-les par ordre d'importance: par exemple, mettez 1 à la qualité la plus importante à votre avis, et 10 à la moins importante.

Qualités	Défauts
Honnêtes	Malhonnêtes
Travailleurs	Paresseux *(lazy)*
Propres	Vieux jeu *(old-fashioned)*
Sérieux	Froids, distants
Intelligents	Bavards *(talkative)*
Énergiques	Entêtés *(stubborn)*
Courageux	Agressifs
Débrouillards *(resourceful)*	Menteurs *(liars)*
Sympathiques	Contents d'eux
Accueillants *(friendly)*	Hypocrites

Comparez ensuite vos résultats à ceux d'un sondage récent fait auprès des Américains. D'après les Américains, les Français sont:

Qualités	Défauts
1. Sympathiques	1. Contents d'eux
2. Accueillants	2. Bavards
3. Intelligents	3. Froids, distants
4. Débrouillards	4. Entêtés
5. Travailleurs	5. Hypocrites
6. Propres	6. Agressifs
7. Sérieux	7. Paresseux
8. Honnêtes	8. Vieux jeu
9. Énergiques	9. Menteurs
10. Courageux	10. Malhonnêtes

C Les Américains Quelle idée vous faites-vous des Américains? Reprenez la liste des dix qualités et des dix défauts, et classez-les par ordre d'importance. Comparez ensuite votre liste «américaine» avec votre liste «française». D'après vous, les Américains sont-ils très différents des Français?

Engage students in real conversation

Itinerary for Success
✓ Exposure to Francophone culture
✓ Clear expectations and goals
✓ Thematic, contextualized vocabulary
✓ Useful and thematically linked structure
✓ Progressive practice
✓ Real-life conversation
✓ Cultural readings in the target language
✓ Connections to other disciplines . . . in French!
✓ Recycling and review
✓ **National Geographic Society** panoramas of the Francophone world

> Students expand their vocabulary in preparation for the conversation.

> Students have the opportunity to practice their new words.

Conversation

AMÉRICAINS ET FRANÇAIS

Vocabulaire

Cette femme est pressée.

Du pain!!!

Cet homme est nerveux. Il s'énerve facilement.

Communication guidée

A Vrai ou faux? Corrigez les phrases fausses.
1. Si on se préoccupe du qu'en-dira-t-on, on est très heureux.
2. Quand on est frappé par une chose, on est très heureux.
3. Quand on est pressé, on a le temps de faire ce qu'on veut.
4. Quand on reconnaît une chose, on refuse d'admettre qu'elle est vraie.
5. Quand on est chauvin, on est fanatique.
6. Quand on est calme, on s'énerve facilement.

B Définitions Trouvez le mot qui correspond.
1. le contraire de calme
2. ce que les autres disent de vo—
3. se retrouver
4. disposé à
5. à égal—

Conversation

Semblables ou pas?

PAUL: Moi, tu vois, ce qui m'a tout de suite frappé chez les Américains, c'est leur calme. On dit toujours qu'ils sont relax, et je crois que, de base, c'est vrai. Ils ne s'énervent pas facilement comme les Français. C'est peut-être parce qu'ils se préoccupent moins que nous du qu'en-dira-t-on.

ÉRIC: Oh, écoute, il ne faut pas exagérer! Qui est-ce qui a inventé le stress? C'est tout de même pas les Français. Bon, maintenant, on en souffre aussi, mais c'est parce qu'on imite tout ce que font les Américains: la musique, la télé, les vêtements, et maintenant, le stress.

PAUL: Oui, mais ce n'est pas le stress à la française, où tout le monde est nerveux, est toujours pressé, n'écoute pas ce que les autres disent.

ÉRIC: Moi, je ne sais pas, mais je trouve que les Américains sont très sur la défensive. Si tu fais la plus petite critique des États-Unis, ils voient rouge et te tombent dessus à bras raccourcis[1]!

PAUL: Là, tu exagères! Ils ne sont pas plus chauvins que les Français, les Anglais ou n'importe quel autre peuple! C'est sûr, chacun défend son pays, mais je trouve que les Américains sont assez prêts à reconnaître une supériorité culturelle, historique et artistique aux pays du «Vieux Monde».

ÉRIC: Oui, tu as peut-être raison. Enfin moi, finalement, j'ai l'impression que les Américains commencent à avoir les problèmes que les Européens ont depuis toujours, et que nous, nous commençons à profiter de la vie «à l'américaine». Alors on finira bien par se rencontrer à mi-chemin!

[1] te tombent... bras raccourcis *jump all over you*

> Students use what they have practiced to comprehend a thematically related conversation.

Après la conversation

A Historiette Les arguments de Paul Complétez.
1. Les Américains sont calmes. Ils ne —— pas comme les Français.
2. Le stress à l'américaine n'est pas le —— stress.
3. En France, on est toujours en train de courir partout; on est toujours ——.
4. Les Américains ne sont pas plus —— que n'importe quel autre peuple.
5. La —— du «Vieux Monde» en matière artistique est reconnue par les Américains.

B Historiette Les arguments d'Éric Complétez.
1. Éric trouve que Paul ——.
2. Les Français —— du stress.
3. Les Français font comme les Américains; ils les ——.
4. Les Américains défendent tout de suite leur pays: ils sont ——.
5. Éric n'en est pas sûr, mais il —— que les Américains commencent à avoir les mêmes problèmes que les Européens.
6. Éric pense qu'Américains et Européens finiront par se rencontrer

Communication libre

A Imitation D'après ce que vous venez d'apprendre ou d'après ce que vous savez, en quoi est-ce que les Européens imitent les Américains? En quoi est-ce que les Américains imitent les Européens? Travaillez avec un(e) camarade.

B Être ou ne pas être chauvin Faites une liste de tous les arguments que quelqu'un de chauvin pourrait présenter en faveur des États-Unis. Faites une liste des arguments qui seraient présentés par quelqu'un qui n'est pas chauvin. Travaillez avec un(e) camarade.

C Supériorité ou infériorité Vous discutez avec un(e) Européen(ne) de vos supériorités et infériorités respectives. Travaillez avec un(e) camarade.

> Follow-up activities check comprehension and give students a chance to express their points of view.

cent soixante-sept ❧ 167

CONVERSATION

Enable students to express their thoughts and feelings

Langage helps students learn the appropriate expressions for many situations.

Students apply newly learned vocabulary and structures to real-life situations.

Langage introduces students to the finer points of French.

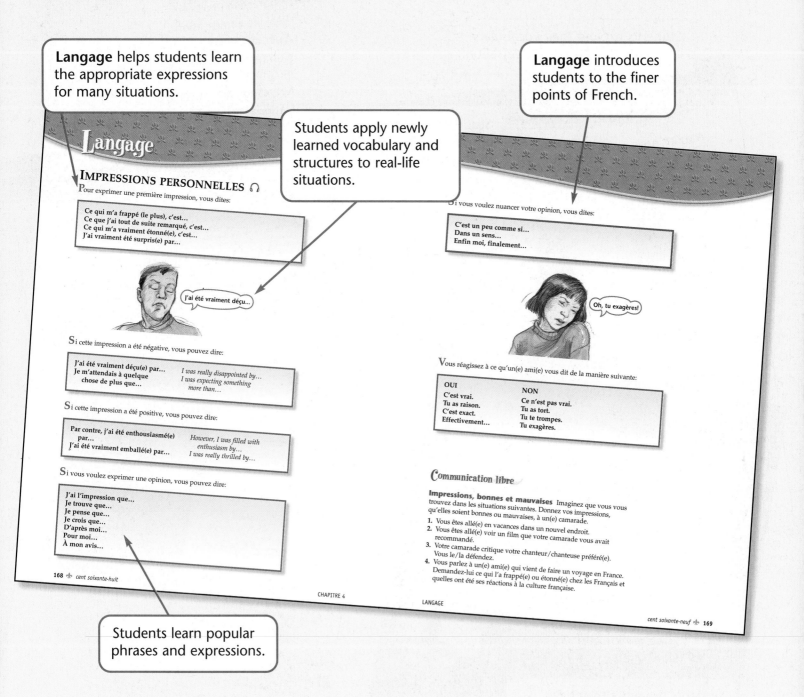

Langage

IMPRESSIONS PERSONNELLES 🎧

Pour exprimer une première impression, vous dites:

> Ce qui m'a frappé (le plus), c'est...
> Ce que j'ai tout de suite remarqué, c'est...
> Ce qui m'a vraiment étonné(e), c'est...
> J'ai vraiment été surpris(e) par...

J'ai été vraiment déçu...

Si cette impression a été négative, vous pouvez dire:

J'ai été vraiment déçu(e) par...	*I was really disappointed by...*
Je m'attendais à quelque chose de plus que...	*I was expecting something more than...*

Si cette impression a été positive, vous pouvez dire:

Par contre, j'ai été enthousiasmé(e) par...	*However, I was filled with enthusiasm by...*
J'ai été vraiment emballé(e) par...	*I was really thrilled by...*

Si vous voulez exprimer une opinion, vous pouvez dire:

> J'ai l'impression que...
> Je trouve que...
> Je pense que...
> Je crois que...
> D'après moi...
> Pour moi...
> À mon avis...

Si vous voulez nuancer votre opinion, vous dites:

> C'est un peu comme si...
> Dans un sens...
> Enfin moi, finalement...

Oh, tu exagères!

Vous réagissez à ce qu'un(e) ami(e) vous dit de la manière suivante:

OUI	NON
C'est vrai.	Ce n'est pas vrai.
Tu as raison.	Tu as tort.
C'est exact.	Tu te trompes.
Effectivement...	Tu exagères.

Communication libre

Impressions, bonnes et mauvaises Imaginez que vous vous trouvez dans les situations suivantes. Donnez vos impressions, qu'elles soient bonnes ou mauvaises, à un(e) camarade.

1. Vous êtes allé(e) en vacances dans un nouvel endroit.
2. Vous êtes allé(e) voir un film que votre camarade vous avait recommandé.
3. Votre camarade critique votre chanteur/chanteuse préféré(e). Vous le/la défendez.
4. Vous parlez à un(e) ami(e) qui vient de faire un voyage en France. Demandez-lui ce qui l'a frappé(e) ou étonné(e) chez les Français et quelles ont été ses réactions à la culture française.

Students learn popular phrases and expressions.

Reinforce students' language skills

> Structure I may be presented as a review for reinforcement or considered optional.

Structure I

Talking about cities, countries, and continents
Les prépositions avec des noms géographiques

1. À and de are used with names of cities to express the English prepositions *in, at, to,* and *from.*

Le parlement européen est à Strasbourg.
La tour Eiffel est à Paris.
Nous sommes à Amsterdam.

Nos amis français viennent de Strasbourg.
Nous téléphonons de Paris.
Je vous écris d'Amsterdam.

There are very few exceptions to the above rule. Cities such as La Nouvelle-Orléans, Le Caire, Le Havre, which have articles as part of their name, retain the article. The article le is combined with à or de.

au Caire
au Havre

du Caire
du Havre

2. En and de are used with feminine geographical names. The gender of most countries, continents, and provinces of France is feminine. As a general rule of thumb, all names that end in a silent -e are feminine.

Il passe ses vacances en Espagne.
Nous voyageons en Europe.
Elle habite en Provence.

Ces touristes viennent de Belgique.
Elles reviennent d'Asie.
Ils viennent de Bourgogne.

En and de are also used with masculine names beginning with a vowel. There is a liaison sound with en and elision with de.

J'habite en Israël.
Je viens d'Israël.

Un joli village en Provence

Le Québec: la vallée du Saint-Laurent en automne

3. Au and du are used with masculine geographical names beginning with a consonant. All names of countries that do not end in a silent -e are masculine. There are a few exceptions, such as: le Mexique, le Cambodge.

au Japon
au Portugal
au Canada
au Maroc
au Mexique

du Japon
du Portugal
du Canada
du Maroc
du Mexique

4. Aux and des are used with names of countries which are in the plural, such as les États-Unis or les Pays-Bas.

Nous vivons aux États-Unis.
Elle va aux Pays-Bas.

Nous venons des États-Unis.
Elle revient des Pays-Bas.

5. For masculine names of states or provinces beginning with a consonant, dans le is used, unless these states or provinces are thought of as quasi-countries, in which case, au is used.

Il habite dans le Vermont.
Elle vit dans le Poitou.

Il vient du Vermont.
Elle vient du Poitou.

Il habite au Texas.
Elle vit au Québec.

Il vient du Texas.
Elle vient du Québec.

Note that au Québec/du Québec refers to the province, which is called le Québec. To refer to the city, which is just Québec, you say à Québec/de Québec.

STRUCTURE I

170 ❖ cent soixante

cent soixante et onze ❖ 171

> Structure I reviews previously taught structures.

> Graphic organizers and clear examples aid comprehension.

Provide practice for proficiency

Ample practice is provided for Structure I presentations.

Activities progress from easier to more difficult.

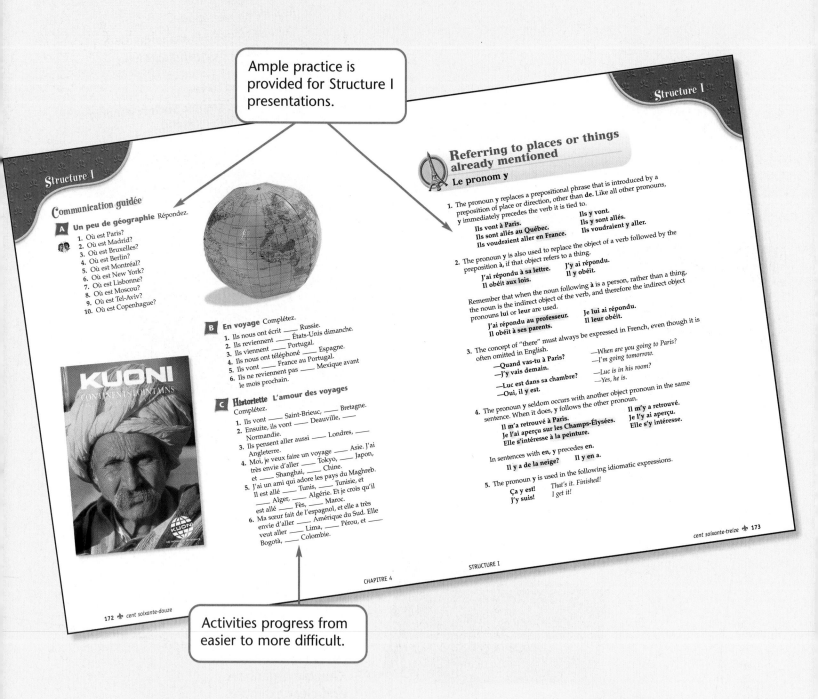

Communication guidée

A Un peu de géographie Répondez.

1. Où est Paris?
2. Où est Madrid?
3. Où est Bruxelles?
4. Où est Berlin?
5. Où est Montréal?
6. Où est New York?
7. Où est Lisbonne?
8. Où est Moscou?
9. Où est Tel-Aviv?
10. Où est Copenhague?

KUONI
CONTINENTS LOINTAINS

B En voyage Complétez.

1. Ils nous ont écrit _____ Russie.
2. Ils reviennent _____ États-Unis dimanche.
3. Ils viennent _____ Portugal.
4. Ils nous ont téléphoné _____ Espagne.
5. Ils vont _____ France au Portugal.
6. Ils ne reviennent pas _____ Mexique avant le mois prochain.

C Historiette L'amour des voyages
Complétez.

1. Ils vont _____ Saint-Brieuc, _____ Bretagne.
2. Ensuite, ils vont _____ Deauville, _____ Normandie.
3. Ils pensent aller aussi _____ Londres, _____ Angleterre.
4. Moi, je veux faire un voyage _____ Asie. J'ai très envie d'aller _____ Tokyo, _____ Japon, et _____ Shanghai, _____ Chine.
5. J'ai un ami qui adore les pays du Maghreb. Il est allé _____ Tunis, _____ Tunisie, et _____ Alger, _____ Algérie. Et je crois qu'il est allé _____ Fès, _____ Maroc.
6. Ma sœur fait de l'espagnol, et elle a très envie d'aller _____ Amérique du Sud. Elle veut aller _____ Lima, _____ Pérou, et _____ Bogotà, _____ Colombie.

Referring to places or things already mentioned
Le pronom y

1. The pronoun **y** replaces a prepositional phrase that is introduced by a preposition of place or direction, other than **de**. Like all other pronouns, **y** immediately precedes the verb it is tied to.

   Ils vont à Paris.   **Ils y vont.**
   Ils sont allés au Québec.   **Ils y sont allés.**
   Ils voudraient aller en France.   **Ils voudraient y aller.**

2. The pronoun **y** is also used to replace the object of a verb followed by the preposition **à**, if that object refers to a thing.

   J'ai répondu à sa lettre.   **J'y ai répondu.**
   Il obéit aux lois.   **Il y obéit.**

   Remember that when the noun following **à** is a person, rather than a thing, the noun is the indirect object of the verb, and therefore the indirect object pronouns **lui** or **leur** are used.

   J'ai répondu au professeur.   **Je lui ai répondu.**
   Il obéit à ses parents.   **Il leur obéit.**

3. The concept of "there" must always be expressed in French, even though it is often omitted in English.

   —Quand vas-tu à Paris?   —When are you going to Paris?
   —J'y vais demain.   —I'm going tomorrow.

   —Luc est dans sa chambre?   —Luc is in his room?
   —Oui, il y est.   —Yes, he is.

4. The pronoun **y** seldom occurs with another object pronoun in the same sentence. When it does, **y** follows the other pronoun.

   Il m'a retrouvé à Paris.   **Il m'y a retrouvé.**
   Je l'ai aperçu sur les Champs-Élysées. **Je l'y ai aperçu.**
   Elle s'intéresse à la peinture.   **Elle s'y intéresse.**

   In sentences with **en**, **y** precedes **en**.

   Il y a de la neige?   **Il y en a.**

5. The pronoun **y** is used in the following idiomatic expressions.

   Ça y est!   That's it. Finished!
   J'y suis!   I get it!

Build students' abilities and confidence

Students learn more about the chapter theme through journalism.

Vocabulary is pre-taught and practiced.

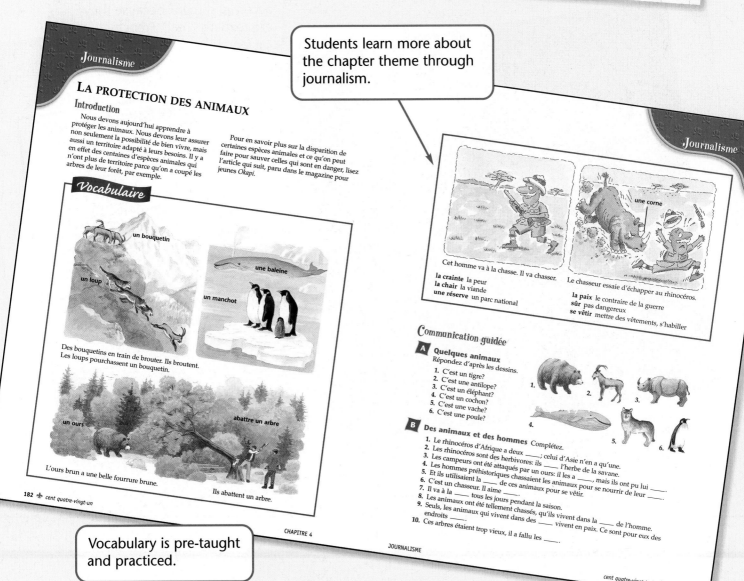

Journalisme

LA PROTECTION DES ANIMAUX

Introduction

Nous devons aujourd'hui apprendre à protéger les animaux. Nous devons leur assurer non seulement la possibilité de bien vivre, mais aussi un territoire adapté à leurs besoins. Il y a en effet des centaines d'espèces animales qui n'ont plus de territoire parce qu'on a coupé les arbres de leur forêt, par exemple.

Pour en savoir plus sur la disparition de certaines espèces animales et ce qu'on peut faire pour sauver celles qui sont en danger, lisez l'article qui suit, paru dans le magazine pour jeunes *Okapi.*

Vocabulaire

un bouquetin

un loup

une baleine

un manchot

Des bouquetins en train de brouter. Ils broutent.
Les loups pourchassent un bouquetin.

un ours

abattre un arbre

L'ours brun a une belle fourrure brune.

Ils abattent un arbre.

CHAPITRE 4

une corne

Cet homme va à la chasse. Il va chasser.

la crainte la peur
la chair la viande
une réserve un parc national

Le chasseur essaie d'échapper au rhinocéros.

la paix le contraire de la guerre
sûr pas dangereux
se vêtir mettre des vêtements, s'habiller

Communication guidée

A **Quelques animaux**
Répondez d'après les dessins.
1. C'est un tigre?
2. C'est une antilope?
3. C'est un éléphant?
4. C'est un cochon?
5. C'est une vache?
6. C'est une poule?

1. 2. 3. 4. 5. 6.

B **Des animaux et des hommes** Complétez.
1. Le rhinocéros d'Afrique a deux ——; celui d'Asie n'en a qu'une.
2. Les rhinocéros sont des herbivores: ils —— l'herbe de la savane.
3. Les campeurs ont été attaqués par un ours: il les a ——, mais ils n'ont pu lui ——.
4. Les hommes préhistoriques chassaient les animaux pour se nourrir de leur ——.
5. Et ils utilisaient la —— de ces animaux pour se vêtir.
6. C'est un chasseur. Il aime ——.
7. Il va à la —— tous les jours pendant la saison.
8. Les animaux ont été tellement chassés, qu'ils vivent dans la —— de l'homme.
9. Seuls, les animaux qui vivent dans des —— vivent en paix. Ce sont pour eux des endroits ——.
10. Ces arbres étaient trop vieux, il a fallu les ——.

JOURNALISME

Encourage students to investigate the Francophone world through authentic journalism

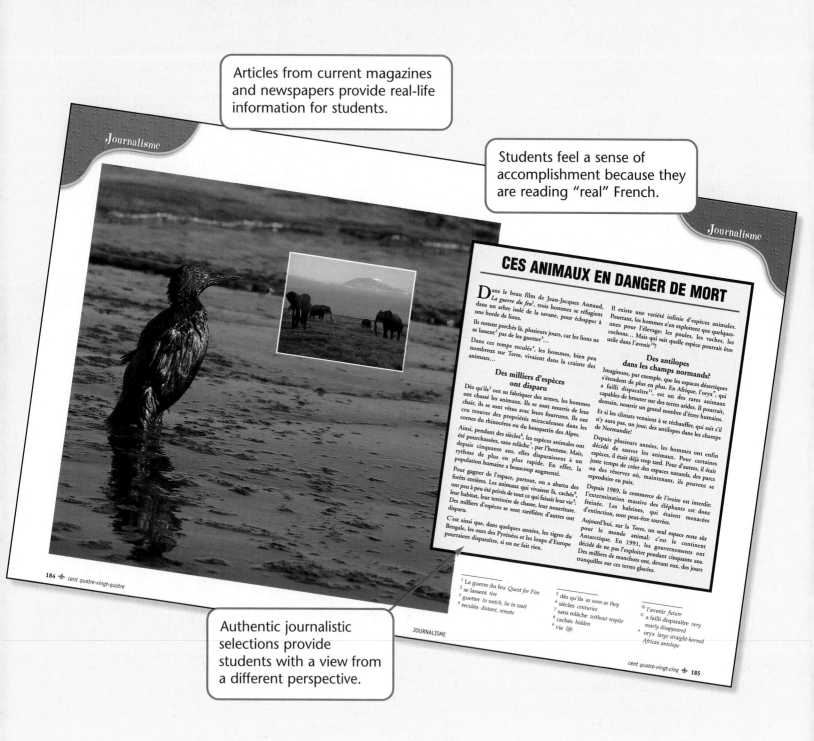

Articles from current magazines and newspapers provide real-life information for students.

Students feel a sense of accomplishment because they are reading "real" French.

Authentic journalistic selections provide students with a view from a different perspective.

Give students an opportunity to tell you what they have learned

Après la lecture checks students' comprehension of the selection.

Après la lecture

A Sauvons les animaux!
Répondez d'après le texte.
1. Pourquoi les premiers hommes avaient-ils peur des animaux?
2. Quand les hommes ont-ils commencé à chasser les animaux?
3. Dans quoi les hommes ont-ils trouvé des propriétés miraculeuses?
4. Qu'ont fait les hommes pour gagner de l'espace?
5. Quel en a été le résultat?
6. Quelles espèces animales pourraient bien disparaître?
7. Quels sont les animaux que les hommes utilisent pour l'élevage?
8. Quels autres animaux pourraient-ils un jour utiliser?
9. Comment a-t-on freiné l'extermination des éléphants?
10. Pourquoi les manchots peuvent-ils dormir tranquillement?

B Vrai ou faux? Corrigez les phrases fausses.
1. Il y a très longtemps, les hommes avaient peur des animaux.
2. Les hommes chassaient les animaux pour se nourrir et s'habiller.
3. Depuis cinquante ans, les espèces animales disparaissent de plus en plus vite.
4. Les hommes exploitent beaucoup d'espèces animales pour l'élevage.
5. L'oryx d'Afrique a besoin de beaucoup d'eau pour vivre.
6. On trouve déjà des antilopes en Normandie.
7. De nos jours, les éléphants et les baleines sont sauvés.
8. On ne pourra pas chasser sur le continent Antarctique jusqu'en 2041.

Communication libre

A La chasse
Faites une liste des arguments en faveur de la chasse et une liste des arguments contre la chasse. Faites un sondage dans votre classe pour savoir la position de vos camarades sur ce sujet.

B Être ou ne pas être végétarien
Doit-on manger de la viande ou pas? Faites une liste des arguments en faveur et une liste des arguments contre. Faites un sondage dans votre classe.

C Animaux en voie de disparition
Le texte cite trois espèces animales qui pourraient bien disparaître: le tigre du Bengale, l'ours des Pyrénées et le loup d'Europe. Connaissez-vous d'autres espèces qui sont en voie de disparition (en train de disparaître)? Faites un exposé sur une espèce animale en danger dans votre pays ou ailleurs (elsewhere).

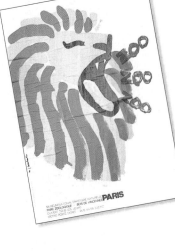

Communication libre gives students a chance to express their opinions and to expand upon the theme.

Perfect students' language skills

> Structure II introduces new grammar skills.

> Practice activities help students internalize these new structures.

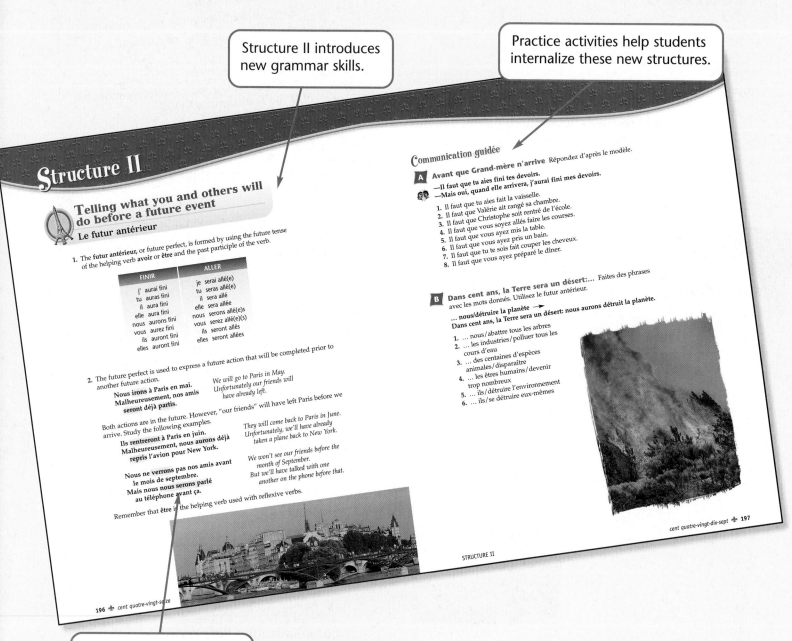

Structure II

Telling what you and others will do before a future event
Le futur antérieur

1. The **futur antérieur**, or future perfect, is formed by using the future tense of the helping verb **avoir** or **être** and the past participle of the verb.

FINIR	ALLER
j' aurai fini	je serai allé(e)
tu auras fini	tu seras allé(e)
il aura fini	il sera allé
elle aura fini	elle sera allée
nous aurons fini	nous serons allé(e)s
vous aurez fini	vous serez allé(e)(s)
ils auront fini	ils seront allés
elles auront fini	elles seront allées

2. The future perfect is used to express a future action that will be completed prior to another future action.

Nous irons à Paris en mai. Malheureusement, nos amis seront déjà partis.
We will go to Paris in May. Unfortunately our friends will have already left.

Both actions are in the future. However, "our friends" will have left Paris before we arrive. Study the following examples.

Ils rentreront à Paris en juin. Malheureusement, nous aurons déjà repris l'avion pour New York.
They will come back to Paris in June. Unfortunately, we'll have already taken a plane back to New York.

Nous ne verrons pas nos amis avant le mois de septembre. Mais nous nous serons parlé au téléphone avant ça.
We won't see our friends before the month of September. But we'll have talked with one another on the phone before that.

Remember that **être** is the helping verb used with reflexive verbs.

> Graphic organizers help students grasp these more complex structures.

STRUCTURE II

Communication guidée

A Avant que Grand-mère n'arrive Répondez d'après le modèle.

—Il faut que tu aies fini tes devoirs.
—Mais oui, quand elle arrivera, j'aurai fini mes devoirs.

1. Il faut que tu aies fait la vaisselle.
2. Il faut que Valérie ait rangé sa chambre.
3. Il faut que Christophe soit rentré de l'école.
4. Il faut que vous soyez allés faire les courses.
5. Il faut que vous ayez mis la table.
6. Il faut que vous ayez pris un bain.
7. Il faut que tu te sois fait couper les cheveux.
8. Il faut que vous ayez préparé le dîner.

B Dans cent ans, la Terre sera un désert:... Faites des phrases avec les mots donnés. Utilisez le futur antérieur.

... nous/détruire la planète →
Dans cent ans, la Terre sera un désert: nous aurons détruit la planète.

1. ... nous/abattre tous les arbres
2. ... les industries/polluer tous les cours d'eau
3. ... des centaines d'espèces animales/disparaître
4. ... les êtres humains/devenir trop nombreux
5. ... ils/détruire l'environnement
6. ... ils/se détruire eux-mêmes

Develop students' reading skills

Structure II

Communication guidée

A **Personnellement** Répondez.
1. Depuis quelle date habitez-vous dans la ville où vous habitez maintenant?
2. Depuis quand connaissez-vous votre meilleur(e) ami(e)?
3. Depuis combien de temps êtes-vous dans la même école?
4. Depuis combien de temps faites-vous du français?
5. Depuis combien de temps vos parents se connaissent-ils?
6. Depuis combien d'années faites-vous des maths? Et de l'anglais?

B **Historiette** **Combien de temps?** Complétez.
1. Mon frère Serge _____ de l'espagnol depuis deux ans quand il _____ d'apprendre le français. (faire, décider)
2. Depuis longtemps, il _____ aller à Madrid, et puis tout d'un coup, il _____ d'aller à Bruxelles. (vouloir, choisir)
3. Ça ne faisait que deux jours qu'il _____ à Bruxelles quand il _____ Eugénie. (être, rencontrer)
4. Il y avait un an qu'il _____ Carol lorsqu'il _____ amoureux d'Eugénie. (connaître, tomber)
5. Et maintenant, ça fait deux mois qu'il _____ à Eugénie, et moi ça fait deux mois que je _____ avec Carol! (écrire, sortir)

Une fête à Bruxelles

> Pre-reading activities prepare your students to read excerpts from authentic literary pieces.

Littérature

Gens du Pays Gilles Vigneault

Avant la lecture

La vie qui passe est un thème souvent chanté par les poètes. Essayez de penser à ce que veulent dire pour vous les mots «jeunesse» et «vieillesse».

Vocabulaire

semer

récolter

un ruisseau

un étang

La neige fond au soleil.

> Pre-reading activities set the scene for the literature.

Enhance appreciation of literature and culture

Continue to improve students' reading skills.

Littérature

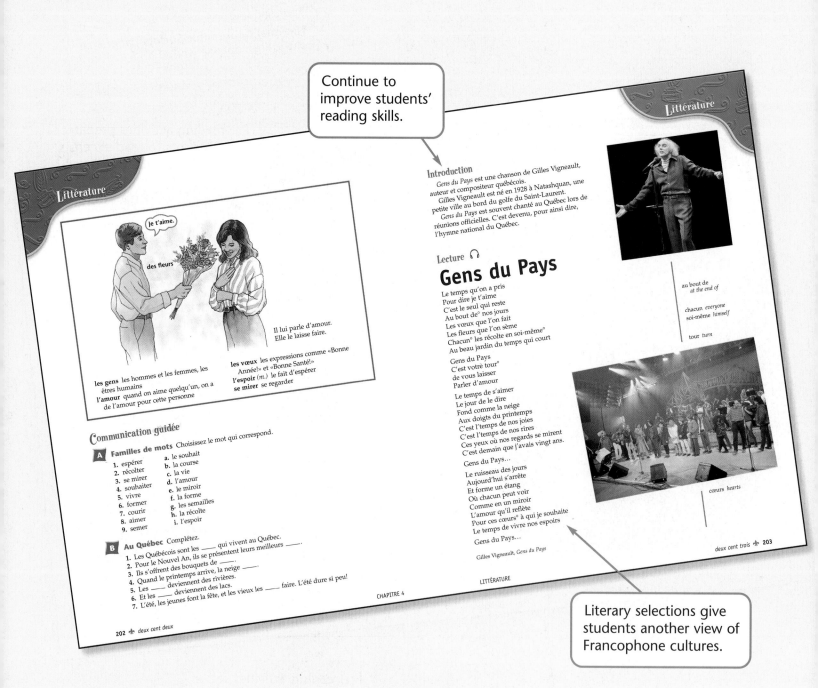

Je t'aime.

des fleurs

Il lui parle d'amour.
Elle le laisse faire.

les gens les hommes et les femmes, les êtres humains
l'amour quand on aime quelqu'un, on a de l'amour pour cette personne

les vœux les expressions comme «Bonne Année!» et «Bonne Santé!»
l'espoir (m.) le fait d'espérer
se mirer se regarder

Communication guidée

A **Familles de mots** Choisissez le mot qui correspond.

1. espérer
2. récolter
3. se mirer
4. souhaiter
5. vivre
6. former
7. courir
8. aimer
9. semer

a. le souhait
b. la course
c. la vie
d. l'amour
e. le miroir
f. la forme
g. les semailles
h. la récolte
i. l'espoir

B **Au Québec** Complétez.

1. Les Québécois sont les ____ qui vivent au Québec.
2. Pour le Nouvel An, ils se présentent leurs meilleurs ____.
3. Ils s'offrent des bouquets de ____.
4. Quand le printemps arrive, la neige ____.
5. Les ____ deviennent des rivières.
6. Et les ____ deviennent des lacs.
7. L'été, les jeunes font la fête, et les vieux les ____ faire. L'été dure si peu!

CHAPITRE 4

Littérature

Introduction

Gens du Pays est une chanson de Gilles Vigneault, auteur et compositeur québécois.
Gilles Vigneault est né en 1928 à Natashquan, une petite ville au bord du golfe du Saint-Laurent.
Gens du Pays est souvent chanté au Québec lors de réunions officielles. C'est devenu, pour ainsi dire, l'hymne national du Québec.

Lecture 🎧
Gens du Pays

Le temps qu'on a pris
Pour dire je t'aime
C'est le seul qui reste
Au bout de° nos jours
Les vœux que l'on fait
Les fleurs que l'on sème
Chacun° les récolte en soi-même°
Au beau jardin du temps qui court

Gens du Pays
C'est votre tour°
de vous laisser
Parler d'amour

Le temps de s'aimer
Le jour de le dire
Fond comme la neige
Aux doigts du printemps
C'est l'temps de nos joies
C'est l'temps de nos rires
Ces yeux où nos regards se mirent
C'est demain que j'avais vingt ans.

Gens du Pays...

Le ruisseau des jours
Aujourd'hui s'arrête
Et forme un étang
Où chacun peut voir
Comme en un miroir
L'amour qu'il reflète
Pour ces cœurs° à qui je souhaite
Le temps de vivre nos espoirs

Gens du Pays...

Gilles Vigneault, *Gens du Pays*

au bout de
at the end of

chacun *everyone*
soi-même *himself*

tour *turn*

cœurs *hearts*

LITTÉRATURE

Literary selections give students another view of Francophone cultures.

Cultivate an appreciation of the diverse Francophone world with National Geographic Reflets

> Students learn to appreciate the expanse of the Francophone world.

1. Bayou du delta du Mississippi, près de La Nouvelle-Orléans
2. Canray Fontenot à un festival de musique zydeco à Plaisance
3. Vue de La Nouvelle-Orléans
4. Pêcheurs d'écrevisses dans le bassin de l'Atchafalaya
5. Balcons de fer forgé de Royal Street, à La Nouvelle-Orléans
6. Les vitraux de la rotonde de l'ancien capitole de Louisiane, à Baton Rouge
7. Char au défilé du mardi gras à La Nouvelle-Orléans

NATIONAL GEOGRAPHIC

REFLETS
de la Louisiane

> Stunning National Geographic photography illustrates the richness of the Francophone world.

Let us make your preparation easier

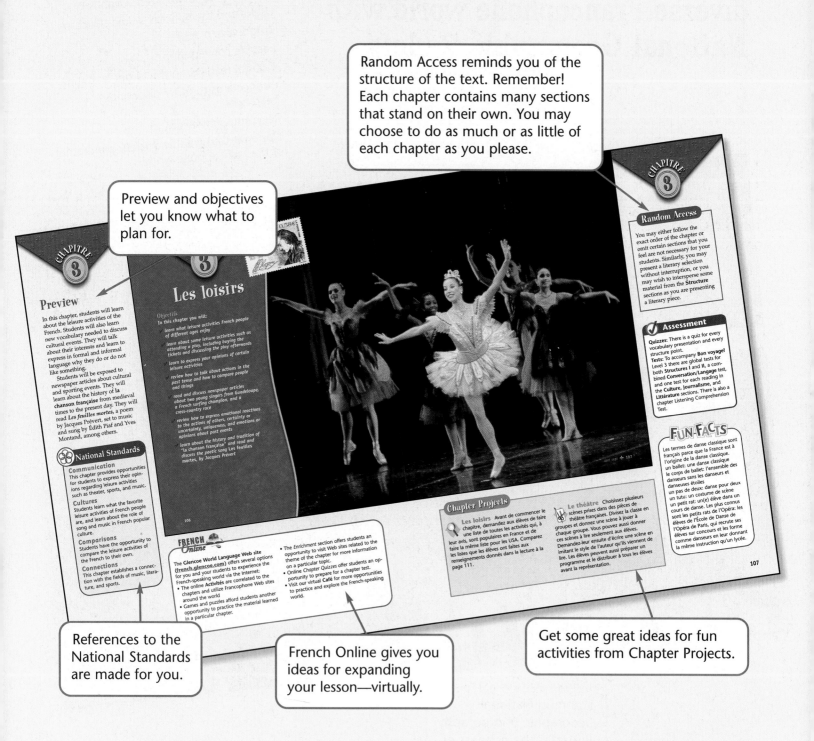

> Random Access reminds you of the structure of the text. Remember! Each chapter contains many sections that stand on their own. You may choose to do as much or as little of each chapter as you please.

> Preview and objectives let you know what to plan for.

CHAPITRE 3

Preview

In this chapter, students will learn about the leisure activities of the French. Students will also learn new vocabulary needed to discuss cultural events. They will talk about their interests and learn to express in formal and informal language why they do or do not like something.

Students will be exposed to newspaper articles about cultural and sporting events. They will learn about the history of **la chanson française** from medieval times to the present day. They will read *Les feuilles mortes*, a poem by Jacques Prévert, set to music and sung by Édith Piaf and Yves Montand, among others.

National Standards

Communication
This chapter provides opportunities for students to express their opinions regarding leisure activities such as theater, sports, and music.

Cultures
Students learn what the favorite leisure activities of French people are, and learn about the role of song and music in French popular culture.

Comparisons
Students have the opportunity to compare the leisure activities of the French to their own.

Connections
This chapter establishes a connection with the fields of music, literature, and sports.

CHAPITRE 3

Les loisirs

Objectifs
In this chapter you will:

- learn what leisure activities French people of different ages enjoy
- learn about some leisure activities such as attending a play, including buying the tickets and discussing the play afterwards
- learn to express your opinions of certain leisure activities
- review how to talk about actions in the past tense and how to compare people and things
- read and discuss newspaper articles about two young singers from Guadeloupe, a French surfing champion, and a cross-country race
- review how to express emotional reactions to the actions of others, certainty or uncertainty, uniqueness, and emotions or opinions about past events
- learn about the history and tradition of "la chanson française" and read and discuss the poetic song Les feuilles mortes, by Jacques Prévert

106

FRENCH Online

The Glencoe World Language Web site (french.glencoe.com) offers several options for you and your students to experience the French-speaking world via the Internet:
- The online **Activités** are correlated to the chapters and utilize Francophone Web sites around the world
- Games and puzzles afford students another opportunity to practice the material learned in a particular chapter.

- The *Enrichment* section offers students an opportunity to visit Web sites related to the theme of the chapter for more information on a particular topic.
- Online *Chapter Quizzes* offer students an opportunity to prepare for a chapter test.
- Visit our virtual **Café** for more opportunities to practice and explore the French-speaking world.

Random Access

You may either follow the exact order of the chapter or omit certain sections that you feel are not necessary for your students. Similarly, you may present a literary selection without interruption, or you may wish to intersperse some material from the **Structure** sections as you are presenting a literary piece.

Assessment

Quizzes: There is a quiz for every vocabulary presentation and every structure point.
Tests: To accompany **Bon voyage!** Level 3 there are global tests for both **Structures I** and **II**, a combined **Conversation/Langage** test, and one test for each reading in the **Culture, Journalisme,** and **Littérature** sections. There is also a chapter Listening Comprehension Test.

FUN FACTS

Les termes de danse classique sont français parce que la France est à l'origine de la danse classique: un ballet: une danse classique le corps de ballet: l'ensemble des danseurs sans les danseurs et danseuses étoiles un pas de deux: danse pour deux un tutu: un costume de scène un petit rat: un(e) élève dans un cours de danse. Les plus connus sont les petits rats de l'Opéra: les élèves de l'École de Danse de l'Opéra de Paris, qui recrute ses élèves sur concours et les forme comme danseurs en leur donnant la même instruction qu'un lycée.

Chapter Projects

Les loisirs Avant de commencer le chapitre, demandez aux élèves de faire une liste de toutes les activités qui, à leur avis, sont populaires en France et de faire la même liste pour les USA. Comparez les listes que les élèves ont faites aux renseignements donnés dans la lecture à la page 111.

Le théâtre Choisissez plusieurs scènes prises dans des pièces de théâtre françaises. Divisez la classe en groupes et donnez une scène à jouer à chaque groupe. Vous pouvez aussi donner ces scènes à lire seulement aux élèves. Demandez-leur ensuite d'écrire une scène en imitant le style de l'auteur qu'ils viennent de lire. Les élèves peuvent aussi préparer un programme et le distribuer à tous les élèves avant la représentation.

107

> References to the National Standards are made for you.

> French Online gives you ideas for expanding your lesson—virtually.

> Get some great ideas for fun activities from Chapter Projects.

Step-by-step hints help you through the chapter

Resource Manager lets you know which resources you will need for each part of the chapter.

Bellringer Reviews (also available in the Transparency Binder) provide quick checks of previously taught material.

History connection gives you extra information about the photos or the text. The research is done for you.

Assessment suggests formal and informal ways to check your students' progress.

Clear, step-by-step instruction guides your presentation of the lesson.

Additional Practice, Group Activity, and Independent Practice suggest ways to add variety to your class.

Clear presentation of structure makes it easier for you to reach your students

Suggestions for presentation help you plan.

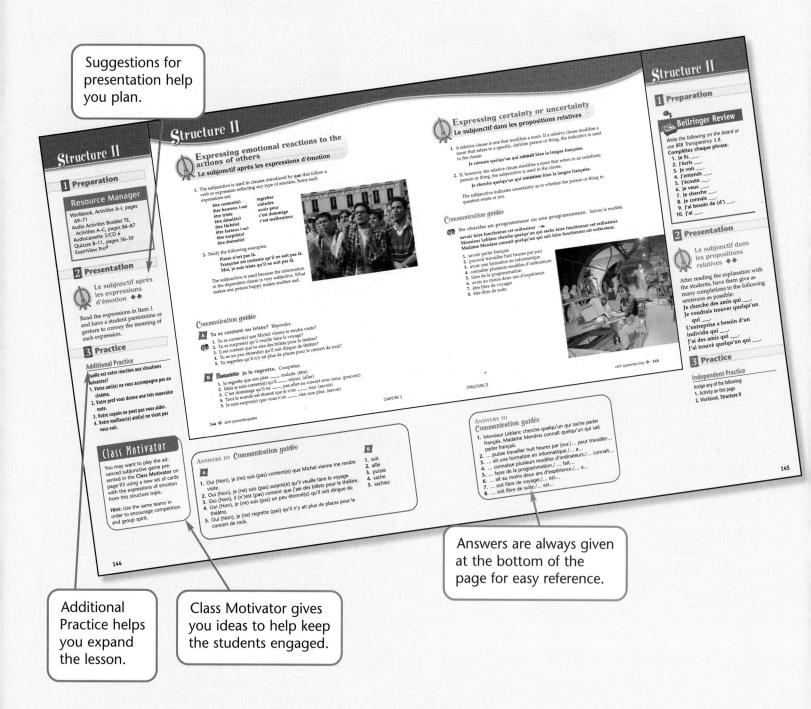

Additional Practice helps you expand the lesson.

Class Motivator gives you ideas to help keep the students engaged.

Answers are always given at the bottom of the page for easy reference.

Help your students master all skills

> Resource Manager points you toward related audio activities to improve listening and speaking skills.

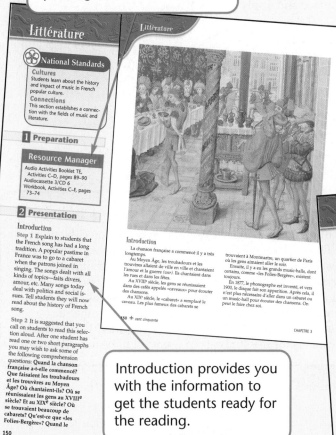

> Introduction provides you with the information to get the students ready for the reading.

> Literature Connection provides you with background information about authors and literary selections. You will not have to spend time researching, and your students will think you know everything.

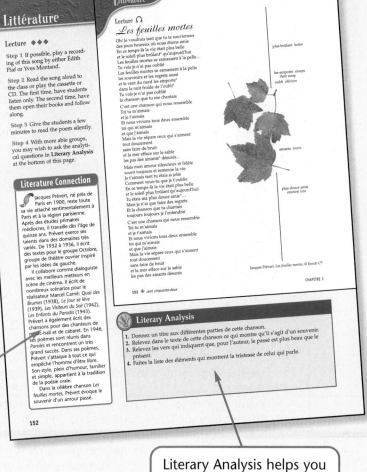

> Literary Analysis helps you encourage your students to use higher level thinking skills.

Bon voyage! Resources

Build proficiency in all language skills

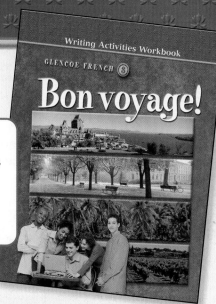

Provide More Practice!

The **Writing Activities Workbook** includes numerous activities to reinforce the material presented in the Student Edition. The activities are varied to provide several ways for the students to practice and apply what they have learned in class.

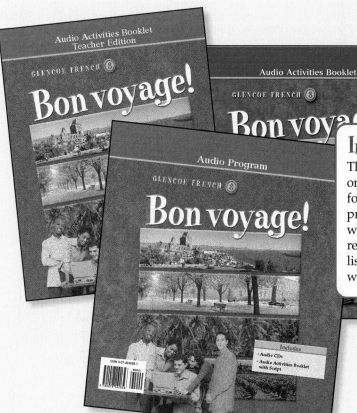

Improve Listening and Speaking Skills!

The **Bon voyage! Audio Program** (available on cassette or on CD) supports the Student Edition with listening practice for each section of the chapter. Many new activities are provided in addition to those signaled in the Student Edition with the earphones. The **Radio-Magazine** sections of each recorded chapter include more open-ended, authentic listening activities. The **Audio Activities Booklet** contains worksheets for the students to use with the Audio Program.

Enhance Your Lessons Visually!

The **Transparency Binder** includes several categories of transparencies:

- **Map** transparencies help you present the Francophone world.
- **Bellringer Review** transparencies provide a quick review activity to begin the class.
- **Vocabulary** transparencies support your presentation of the vocabulary and provide for continued reinforcement.
- **Fine Art** transparencies are full-color reproductions of works of famous artists. These transparencies can be used to reinforce cultural topics introduced in the text.

Bring French to life!

The **Bon voyage! Video Program** is a collage of authentic TV and film footage from diverse parts of the Francophone world. The episodes expand upon the textbook themes. The Video Activities Booklet provides pre-viewing, viewing, and post-viewing activities for the students. It also contains the script for the entire video along with cultural notes.

TPR Storytelling Booklet stories are written to reinforce the chapter themes and vocabulary. Once you have presented the chapter-specific story, your students will have fun acting it out and retelling it in their own words.

Situation Cards encourage students to communicate with a partner by suggesting a chapter-appropriate situation to discuss. The cards may be used for paired practice, assessment preparation, or assessment.

Glencoe French Online gives students many opportunities to review, practice, and explore. There are chapter-related activities, online quizzes, and many links to Web sites throughout the vast Francophone world. Go to <u>french.glencoe.com</u>

Bon voyage! Resources

Assess what they have learned!

Quizzes are provided to check the students' comprehension of each section of the chapter. These are short and easy to grade. They are ideal for immediate feedback.

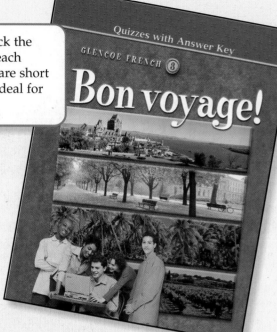

Test Booklet with Answer Key includes a chapter test for each section of the chapter, which can be administered together or separately. In addition to the Section Tests, a Comprehensive Test is included in case you have chosen to do the entire chapter. Recorded Listening Comprehension Tests are available on cassette or on CD.

ExamView®Pro will allow you to choose from an existing bank of questions, edit them, or create your own test questions to make a test in a matter of minutes.

We can help make your job easier!

Lesson Plans are written for you. The lesson plans include the incorporation of the Program Resources at their most appropriate point of use. Block Schedule Lesson Plans are provided for classes on the Block Schedule. These lesson plans also incorporate the Program Resources and are flexible for the various block-scheduling configurations.

The **Bon voyage! Interactive Teacher Edition (ITE)** is your entire Teacher Wraparound Edition on disk. It includes your printed ancillaries as well. This tool will ease your preparation time and lighten your book bag.

The Interactive Lesson Planner allows you to put your lesson plans into a customized calendar and to adjust them as necessary.

French Names

The following are some French boys' and girls' names
that you may wish to give to your students.

Garçons

Alain
Albert
Alexandre
Alexis
André
Antoine
Arnaud
Baptiste
Benjamin
Benoît
Bernard
Bertrand
Bruno
Cédric
Charles
Christian
Christophe
Claude
Clément
Daniel
David
Denis
Didier
Dominique
Édouard
Emmanuel
Éric
Étienne
Fabrice
Florian
François
Franck
Frédéric
Georges
Gérard
Gilbert
Gilles
Grégoire
Guillaume
Guy
Henri
Hervé
Hugo
Jacques
Jean
Jérôme
Joseph
Julien
Laurent

Loïc
Louis
Lucas
Marc
Marcel
Martin
Matthieu
Maxime
Michel
Nicolas
Olivier
Pascal
Patrice
Patrick
Paul
Philippe
Pierre
Quentin
Raoul
Raphaël
Raymond
Rémi
René
Richard
Robert
Roger
Roland
Romain
Sébastien
Serge
Stéphane
Sylvain
Théo
Thierry
Thomas
Tristan
Valentin
Victor
Vincent
Xavier
Yann
Yves

Filles

Alice
Anaïs
Andrée
Angèle
Anne
Annick
Antoinette
Arlette
Béatrice
Bénédicte
Bernadette
Brigitte
Camille
Carole
Caroline
Catherine
Cécile
Chantal
Chloé
Christiane
Christine
Clara
Claire
Claude
Claudine
Colette
Corinne
Danielle
Denise
Diane
Dominique
Dorothée
Élisabeth
Émilie
Emma
Ève
Évelyne
Florence
Francine
Françoise
Gabrielle
Geneviève
Hélène
Inès
Irène
Isabelle
Jacqueline
Janine
Jeanne

Julie
Juliette
Justine
Laura
Laure
Laurence
Léa
Liliane
Lise
Louise
Lucie
Madeleine
Magali
Manon
Marguerite
Marianne
Marie
Marine
Martine
Maryse
Mathilde
Michèle
Mireille
Monique
Morgane
Nadine
Nathalie
Nicole
Océane
Odile
Pascale
Patricia
Pauline
Renée
Sabine
Sandrine
Sarah
Simone
Solange
Sophie
Stéphanie
Suzanne
Sylvie
Thérèse
Valérie
Véronique
Virginie

Classroom Expressions

Below is a list of words and expressions frequently used when conducting a French class.

du papier	paper
une feuille de papier	sheet of paper
un cahier	notebook
un cahier d'exercices	workbook
un stylo	pen
un stylo-bille	ballpoint pen
un crayon	pencil
une gomme	(pencil) eraser
une craie	chalk
le tableau	chalkboard
une brosse	chalkboard eraser
la corbeille	wastebasket
un pupitre	desk
un rang	row
une chaise	chair
un écran	screen
un projecteur	projector
une cassette	cassette
un livre	book
une règle	ruler
un ordinateur	computer
une vidéo	video
un CD	CD

Viens.	Venez.	Come.
Va.	Allez.	Go.
Entre.	Entrez.	Enter.
Sors.	Sortez.	Leave.
Attends.	Attendez.	Wait.
Mets.	Mettez.	Put.
Donne-moi.	Donnez-moi.	Give me.
Dis-moi.	Dites-moi.	Tell me.
Apporte-moi.	Apportez-moi.	Bring me.
Répète.	Répétez.	Repeat.
Pratique.	Pratiquez.	Practice.
Étudie.	Étudiez.	Study.
Réponds.	Répondez.	Answer.
Apprends.	Apprenez.	Learn.
Choisis.	Choisissez.	Choose.
Prépare.	Préparez.	Prepare.
Regarde.	Regardez.	Look at.
Décris.	Décrivez.	Describe.
Commence.	Commencez.	Begin.
Prononce.	Prononcez.	Pronounce.
Écoute.	Écoutez.	Listen.
Parle.	Parlez.	Speak.
Lis.	Lisez.	Read.
Écris.	Écrivez.	Write.
Demande.	Demandez.	Ask.
Suis le modèle.	Suivez le modèle.	Follow the model.
Joue le rôle de…	Jouez le rôle de…	Take the part of . . .
Prends.	Prenez.	Take.
Ouvre.	Ouvrez.	Open.
Ferme.	Fermez.	Close.
Tourne la page.	Tournez la page.	Turn the page.
Efface.	Effacez.	Erase.
Continue.	Continuez.	Continue.
Assieds-toi.	Asseyez-vous.	Sit down.
Lève-toi.	Levez-vous.	Get up.
Lève la main.	Levez la main.	Raise your hand.
Tais-toi.	Taisez-vous.	Be quiet.
Fais attention.	Faites attention.	Pay attenion.

Attention.	Attention.
Attention, s'il vous plaît.	Your attention please.
Silence.	Quiet.
Encore.	Again.
Encore une fois.	Once again.
Un à un.	One at a time.
Tous ensemble.	All together.
À haute voix.	Out loud.
Plus haut, s'il vous plaît.	Louder, please.
En français.	In French.
En anglais.	In English.

Standards for Foreign Language Learning

 Bon voyage! has been written to help you meet the Standards for Foreign Language Learning as set forth by ACTFL. The focus of the text is to provide students with the skills they need to create language for communication. Culture is integrated throughout the text, from the basic introduction of vocabulary to the photographic contributions of the National Geographic Society. Special attention has been given to meeting the standard of Connections with a reading in French in each chapter about another discipline. Linguistic and cultural comparisons are made throughout the text. Suggestions are made for activities that encourage students to use their language skills in their immediate community and more distant ones. Students who complete the **Bon voyage!** series are prepared to participate in the Francophone World.

Specific correlations to each chapter are provided on the teacher pages preceeding each chapter.

Communication

Communicate in Languages Other Than English

Standard 1.1	Students engage in conversations, provide and obtain information, express feelings and emotions, and exchange opinions.
Standard 1.2	Students understand and interpret written and spoken language on a variety of topics.
Standard 1.3	Students present information, concepts, and ideas to an audience of listeners or readers on a variety of topics.

Cultures

Gain Knowledge and Understanding of Other Cultures

Standard 2.1	Students demonstrate an understanding of the relationship between the practices and perspectives of the culture studied.
Standard 2.2	Students demonstrate an understanding of the relationship between the products and perspectives of the culture studied.

Connections

Connect with Other Disciplines and Acquire Information

Standard 3.1	Students reinforce and further their knowledge of other disciplines through the foreign language.
Standard 3.2	Students acquire information and recognize the distinctive viewpoints that are only available through the foreign language and its cultures.

Comparisons

Develop Insight into the Nature of Language and Culture

Standard 4.1	Students demonstrate understanding of the nature of language through comparisons of language studied and their own.
Standard 4.2	Students demonstrate understanding of the concept of culture through comparisons of the cultures studied and their own.

Communities

Participate in Multilingual Communities at Home and Around the World

Standard 5.1	Students use the language both within and beyond the school setting.
Standard 5.2	Students show evidence of becoming life-long learners by using the language for personal enjoyment and enrichment.

GLENCOE FRENCH ③

Bon voyage!

WITH FEATURES BY

NATIONAL GEOGRAPHIC SOCIETY

Conrad J. Schmitt • Katia Brillié Lutz

Glencoe McGraw-Hill

New York, New York   Columbus, Ohio   Chicago, Illinois   Peoria, Illinois   Woodland Hills, California

About the Authors

Conrad J. Schmitt

Conrad J. Schmitt received his B.A. degree magna cum laude from Montclair State University. He received his M.A. from Middlebury College. He did additional graduate work at New York University.

Mr. Schmitt has taught Spanish and French at all levels—from elementary school to university graduate courses. He served as Coordinator of Foreign Languages for the Hackensack, New Jersey Public Schools. He also taught Methods of Teaching a Foreign Language at the Graduate School of Education, Rutgers University. Mr. Schmitt was Editor-in-Chief of Foreign Languages and ESL/EFL materials for the School Division of McGraw-Hill and McGraw-Hill International Book Company.

Mr. Schmitt has authored or co-authored more than one hundred books, all published by Glencoe/McGraw-Hill or by McGraw-Hill. He has addressed teacher groups and given workshops in all states of the United States and has lectured and presented seminars throughout the Far East, Latin America, and Canada. In addition, Mr. Schmitt has traveled extensively throughout France, French-speaking Canada, North Africa, French-speaking West Africa, the French Antilles, and Haiti.

Katia Brillié Lutz

Ms. Lutz has her **Baccalauréat** in Mathematics and Science from the Lycée Molière in Paris and her **Licence ès Lettres** in languages from the Sorbonne. She was a Fulbright scholar at Mount Holyoke College.

Ms. Lutz has taught French language at Yale University and French language and literature at Southern Connecticut State College. She also taught French at the United Nations in New York City.

Ms. Lutz was Executive Editor of French at Macmillan Publishing Company. She also served as Senior Editor at Harcourt Brace Jovanovich and Holt Rinehart and Winston. She was a news translator and announcer for the BBC Overseas Language Services in London.

Ms. Lutz is the author of many language textbooks at all levels of instruction.

Glencoe/McGraw-Hill

A Division of The **McGraw·Hill** Companies

Printed in the United States of America.

Send all inquiries to:
Glencoe/McGraw-Hill
8787 Orion Place
Columbus, OH 43240-4027

ISBN 0-07-821258-8 (Student Edition)
ISBN 0-07-824681-4 (Teacher Wraparound Edition)

2 3 4 5 6 7 8 9   027   06 05 04 03 02

Teacher Reviewers

We wish to express our appreciation to the numerous individuals throughout the United States and the French-speaking world who have advised us in the development of these teaching materials. Special thanks are extended to the people whose names appear below.

Anne-Marie Baumis
Bayside, NY

Claude Benaiteau
Austin, TX

Sr. M. Elayne Bockey, SND
St. Wendelin High School
Fostoria, OH

Linda Burnette
Rockville Junior/Senior
High School
Rockville, IN

Linda Butt
Loyola Blakefield
Towson, MD

Betty Clough
Austin, TX

Yolande Helm
Ohio University
Athens, OH

Jan Hofts
Northwest High School
Indianapolis, IN

Kathleen A. Houchens
The Ohio State University
Columbus, OH

Dominique Keith
Lake Forest, CA

Raelene Noll
Delmar, NY

Nancy Price
Fort Atkinson High School
Fort Atkinson, WI

Sally Price
Marysville-Pilchuck
High School
Marysville, WA

Bonita Sanders
Eisenhower High School
New Berlin, WI

Deana Schiffer
Hewlett High School
Hewlett, NY

Julia Sheppard
Delaware City Schools
Delaware, OH

James Toolan
Tuxedo High School
Tuxedo, NY

Mary Webster
Romeo High School
Romeo, MI

Marian Welch
Austin ISD
Austin, TX

Richard Wixom
Miller Middle School
Lake Katrine, NY

Brian Zailian
Tamalpais High School
Mill Valley, CA

Table des matières

La francophonie

CHAPITRE Les voyages

Objectifs

In this chapter you will:

✔ *learn about the travel habits of the French and about tourism in France*

✔ *learn how to make and cancel plane or train reservations*

✔ *review how to get the information you need in different travel situations*

✔ *review how to describe past actions*

✔ *read and discuss newspaper articles about Canada's "Acadie" region and the weather in France*

✔ *review how to talk about actions that may or may not take place; how to express wishes, preferences, necessity, or possibility*

✔ *read and discuss excerpts from these literary works:* Le petit prince, *a tale by Antoine de Saint-Exupéry, and* Le départ du petit Nicolas, *a story by Jean-Jacques Sempé and René Goscinny*

CHAPITRE 2   Le quotidien

Objectifs

In this chapter you will:

- ✔ learn how French youths keep up with current events and why they think it is important to do so
- ✔ learn how to handle everyday situations such as inviting somebody to go to lunch
- ✔ learn how to extend invitations, and how to accept or refuse them
- ✔ review how to ask questions formally or informally, how to make a sentence negative, and how to narrate in the past tense
- ✔ read and discuss magazine articles about French youths and their money, and everyday life in France in 1900
- ✔ review how to describe people and things, and how to express wishes, preferences, and demands concerning oneself or others
- ✔ read and discuss excerpts from these literary works: *La nausée*, a novel by Jean-Paul Sartre; *La réclusion solitaire*, a novel by Tahar Ben Jelloun

CHAPITRE 3 Les loisirs

Objectifs

In this chapter you will:

✔ *learn what leisure activities French people of different ages enjoy*

✔ *learn about some leisure activities such as attending a play, including buying the tickets and discussing the play afterwards*

✔ *learn to express your opinions of certain leisure activities*

✔ *review how to talk about actions in the past tense and how to compare people and things*

✔ *read and discuss newspaper articles about two young singers from Guadeloupe, a French surfing champion, and a cross-country race*

✔ *review how to express emotional reactions to the actions of others, certainty or uncertainty, uniqueness, and emotions or opinions about past events*

✔ *learn about the history and tradition of "la chanson française" and read and discuss the poetic song Les feuilles mortes, by Jacques Prévert*

vi

CHAPITRE ④ Le pays

Objectifs

In this chapter you will:

- ✔ learn about the European Union and how it came about
- ✔ discuss American character traits and compare them to those of the French
- ✔ express personal impressions, opinions, and reactions
- ✔ review how to identify cities, countries, and continents; how to refer to places or things already mentioned; and how to tell what you and other people will do
- ✔ read and discuss newspaper articles about ecology, endangered species, and a desert people called the Touaregs
- ✔ learn how to tell what you and other people will do before a future event; how to use the future or future perfect tense after certain conjunctions; and how to use the present or the imperfect tense after certain time expressions
- ✔ read and discuss these literary works: a poetic song, **Gens du pays,** by Gilles Vigneault; a short story, **La dernière classe,** by Alphonse Daudet

CHAPITRE 5 — Faits divers

Objectifs

In this chapter you will:

- ✔ *learn about social problems in France*
- ✔ *learn to handle petty crime situations such as having one's pocket picked, and how to report these crimes to the local police*
- ✔ *learn to express agreement or disagreement, and to discuss various subjects such as the news, social problems, etc., with others*
- ✔ *review how to tell what you do for others or what others do for you, and how to refer to people or things already mentioned*
- ✔ *read and discuss several news headlines and news items of the type that appear frequently in local newspapers*
- ✔ *learn to describe past actions in formal writing and review the use of the subjunctive after conjunctions*
- ✔ *read and discuss a chapter from* Les misérables, *by Victor Hugo*

CHAPITRE Les valeurs

Objectifs

In this chapter you will:

✔ learn what values are important to the French, both young and old, and compare them with yours

✔ talk about who does the chores in your house and decide whether the tasks are divided fairly among your family members

✔ learn how to express congratulations, best wishes, and condolences in typical real-life situations

✔ review how to express *some* and *any*, refer to things and people already mentioned, and express *who, whom, which,* and *that*

✔ read and discuss the daily announcements page of a French newspaper and a magazine article about young French people's opinions concerning gender equality and sex roles

✔ learn how to express *of which* and *whose*, how to write complex sentences using prepositions and relative pronouns, how to express certainty and doubt, and how to talk about past actions that precede other past actions

✔ read and discuss the poetic song **La mauvaise réputation** by Georges Brassens, and a fable by La Fontaine

CHAPITRE (7) Santé et bien-être

Objectifs

In this chapter you will:

✔ *learn about French people's concern about their health and physical fitness, and what they do to maintain both*

✔ *learn to handle health care situations such as having a medical checkup*

✔ *review how to tell what people do or did at one point in the past for themselves or for each other; how to ask* who, whom, *and* what

✔ *read and discuss magazine articles about the ear and noise, and snacking between meals*

✔ *review how to express* which one(s), this one, that one, these, *or* those; *learn more about telling what belongs to you and others*

✔ *read and discuss excerpts from the following literary works:* Le malade imaginaire, *a play by* Molière; *and* Knock ou le Triomphe de la médecine, *a play by Jules Romains*

CHAPITRE 8 Arts et sciences

Objectifs

In this chapter you will:

✔ learn about French people's passion for their artistic heritage and the pride they take in it, and about the latest achievements in French scientific research

✔ read about a visit to a French monument and learn to express your feelings about it

✔ learn to express your reactions (positive and negative) to works of art of all kinds

✔ review how to express conditions and how to ask for things politely; learn to describe actions that precede other actions in the past and then describe people, events, and simultaneous actions

✔ read and discuss a newspaper article by Italian movie director Federico Fellini about the French painter Toulouse-Lautrec, and an episode from the adventures of Tintin, the famous comic-strip hero

✔ learn to express what would have happened if certain conditions had prevailed; review how to tell what you and others have someone else do for you

✔ read and discuss the following literary works: Le jet d'eau *by Guillaume Apollinaire;* an excerpt from Sans dessus dessous, *a novel by Jules Verne;* La légende de la peinture, *a tale by Michel Tournier*

Handbook

Guide to Symbols

Throughout **Bon voyage!** you will see these symbols, or icons. They will tell you how best to use the particular part of the chapter or activity they accompany. Following is a key to help you understand these symbols.

Audio Link This icon indicates material in the chapter that is recorded on compact disk format and/or audiocassette.

Paired Activity This icon indicates sections that you can practice orally with a partner.

Group Activity This icon indicates sections that you can practice together in groups.

Le monde francophone

The French geographer Onésime Reclus first coined the word *francophonie* in 1880 to designate geographical entities where French was spoken. Today, *la francophonie* refers to the collective body of over one hundred million people all over the world who speak French, exclusively or in part, in their daily lives. The term *francophonie* refers to the diverse official organizations, governments, and countries that promote the use of French in economic, political, diplomatic, and cultural exchanges. Politically, French remains the second most important language in the world. In some Francophone nations, French is the official language (France), or the co-official language (Cameroon); in others, it is spoken by a minority who share a common cultural heritage (Andorra). The French language is present in Europe, Africa, the Americas, and Oceania.

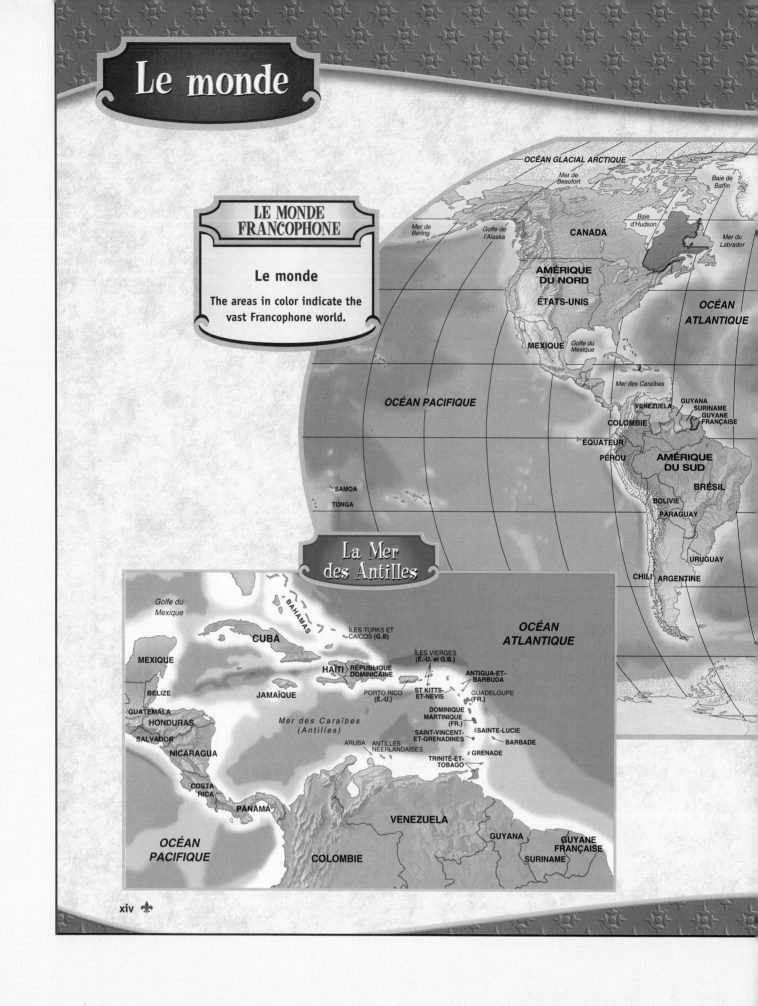

Le monde

LE MONDE FRANCOPHONE

Le monde

The areas in color indicate the vast Francophone world.

OCÉAN GLACIAL ARCTIQUE

Mer de Beaufort

Baie de Baffin

Mer de Bering

Golfe de l'Alaska

Baie d'Hudson

CANADA

Mer du Labrador

AMÉRIQUE DU NORD

ÉTATS-UNIS

OCÉAN ATLANTIQUE

MEXIQUE

Golfe du Mexique

OCÉAN PACIFIQUE

Mer des Caraïbes

VENEZUELA

GUYANA
SURINAME
GUYANE FRANÇAISE

COLOMBIE

ÉQUATEUR

PÉROU

AMÉRIQUE DU SUD

BRÉSIL

BOLIVIE

PARAGUAY

SAMOA

TONGA

URUGUAY

CHILI ARGENTINE

La Mer des Antilles

Golfe du Mexique

BAHAMAS

ÎLES TURKS ET CAICOS (G.B)

OCÉAN ATLANTIQUE

CUBA

MEXIQUE

HAÏTI

RÉPUBLIQUE DOMINICAINE

ÎLES VIERGES (É.-U. et G.B.)

ANTIGUA-ET-BARBUDA

JAMAÏQUE

PORTO RICO (É.-U.)

ST KITTS-ET-NEVIS

GUADELOUPE (FR.)

BELIZE

GUATEMALA

HONDURAS

DOMINIQUE
MARTINIQUE (FR.)

Mer des Caraïbes (Antilles)

SAINT-VINCENT-ET-GRENADINES

SAINTE-LUCIE

SALVADOR

ARUBA ANTILLES NÉERLANDAISES

BARBADE

NICARAGUA

GRENADE

TRINITÉ-ET-TOBAGO

COSTA RICA

PANAMÁ

VENEZUELA

GUYANA

GUYANE FRANÇAISE

OCÉAN PACIFIQUE

COLOMBIE

SURINAME

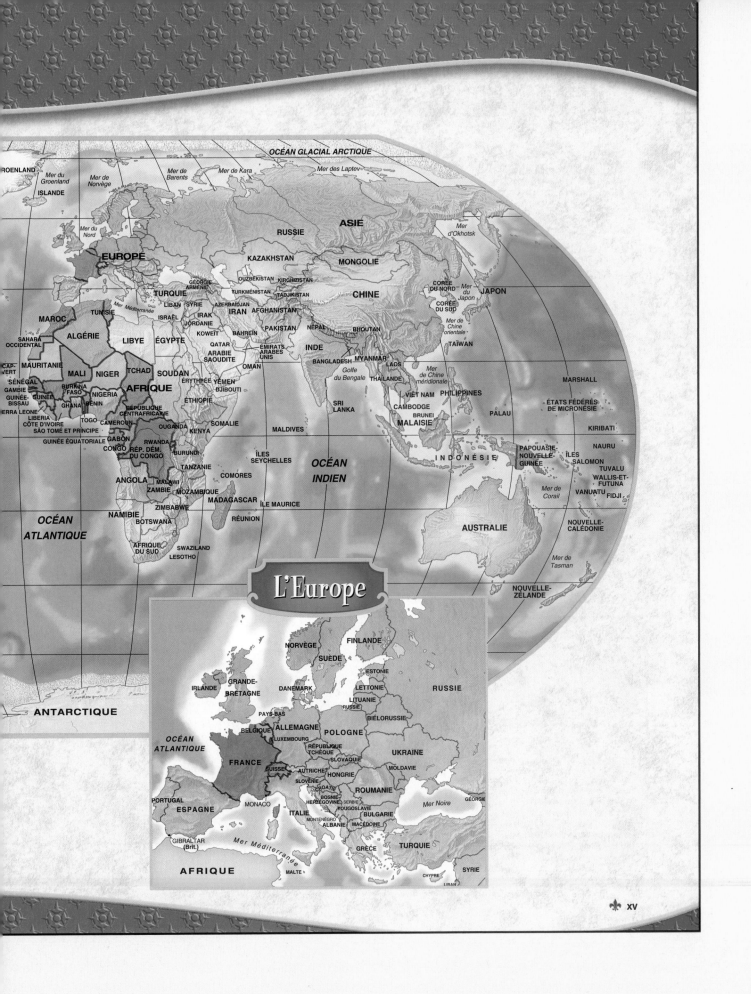

OCÉAN GLACIAL ARCTIQUE

GROENLAND
Mer du Groenland
ISLANDE
Mer de Norvège
Mer de Barents
Mer de Kara
Mer des Laptev
Mer d'Okhotsk

ASIE
RUSSIE
Mer du Nord
KAZAKHSTAN
MONGOLIE
EUROPE
GÉORGIE
ARMÉNIE
OUZBÉKISTAN
KIRGHIZISTAN
CORÉE DU NORD
Mer du Japon
JAPON
TURQUIE
TURKMÉNISTAN
TADJIKISTAN
CHINE
CORÉE DU SUD
LIBAN SYRIE
AZERBAIDJAN
Mer Méditerranée
ISRAËL
IRAK
JORDANIE
IRAN AFGHANISTAN
Mer de Chine orientale
TUNISIE
MAROC
NÉPAL
BHOUTAN
TAÏWAN
ALGÉRIE
LIBYE
ÉGYPTE
KOWEÏT
BAHREÏN
PAKISTAN
SAHARA OCCIDENTAL
QATAR
ÉMIRATS ARABES UNIS
INDE
BANGLADESH
MYANMAR
CAP-VERT
MAURITANIE
ARABIE SAOUDITE
OMAN
LAOS
MALI
NIGER
TCHAD
SOUDAN
ÉRYTHRÉE
YÉMEN
Golfe du Bengale
THAÏLANDE
Mer de Chine méridionale
MARSHALL
SÉNÉGAL
GAMBIE
GUINÉE-BISSAU
BURKINA FASO
NIGERIA
AFRIQUE
DJIBOUTI
VIÊT NAM
PHILIPPINES
ÉTATS FÉDÉRÉS DE MICRONÉSIE
GUINÉE
ÉTHIOPIE
SRI LANKA
CAMBODGE
PALAU
SIERRA LEONE
GHANA
BÉNIN
TOGO
CÔTE D'IVOIRE
LIBERIA
CAMEROUN
RÉPUBLIQUE CENTRAFRICAINE
OUGANDA
SOMALIE
KENYA
BRUNEI
MALAISIE
KIRIBATI
SÃO TOMÉ ET PRÍNCIPE
GUINÉE ÉQUATORIALE
GABON
CONGO
RWANDA
RÉP. DÉM. DU CONGO
BURUNDI
TANZANIE
MALDIVES
ÎLES SEYCHELLES
OCÉAN INDIEN
INDONÉSIE
PAPOUASIE-NOUVELLE-GUINÉE
ÎLES SALOMON
NAURU
TUVALU
WALLIS-ET-FUTUNA
ANGOLA
MALAWI
ZAMBIE
COMORES
MOZAMBIQUE
MADAGASCAR
ÎLE MAURICE
Mer de Corail
VANUATU
FIDJI
NAMIBIE
ZIMBABWE
BOTSWANA
RÉUNION
NOUVELLE-CALÉDONIE
OCÉAN ATLANTIQUE
AFRIQUE DU SUD
SWAZILAND
LESOTHO
AUSTRALIE
Mer de Tasman
NOUVELLE-ZÉLANDE

ANTARCTIQUE

L'Europe

NORVÈGE
FINLANDE
SUÈDE
ESTONIE
IRLANDE
GRANDE-BRETAGNE
DANEMARK
LETTONIE
RUSSIE
LITUANIE
RUSSIE
PAYS-BAS
BIÉLORUSSIE
ALLEMAGNE
BELGIQUE
POLOGNE
LUXEMBOURG
OCÉAN ATLANTIQUE
RÉPUBLIQUE TCHÈQUE
UKRAINE
FRANCE
SLOVAQUIE
SUISSE
AUTRICHE
HONGRIE
MOLDAVIE
SLOVÉNIE
CROATIE
ROUMANIE
PORTUGAL
MONACO
BOSNIE-HERZÉGOVINE
SERBIE
YOUGOSLAVIE
GÉORGIE
ESPAGNE
ITALIE
MONTÉNÉGRO
ALBANIE
BULGARIE
MACÉDOINE
Mer Noire
GIBRALTAR (Brit.)
Mer Méditerranée
GRÈCE
TURQUIE
AFRIQUE
MALTE
CHYPRE
LIBAN
SYRIE

La francophonie

L'Afrique

Le Bénin

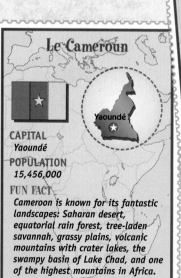

CAPITAL
Porto-Novo

POPULATION
6,186,000

FUN FACT
Benin has one of the most popular tourist attractions in all of West Africa—the fishing village of Ganvië built on stilts in the middle of a lagoon not far from the capital, Porto Novo.

Le Burkina Faso

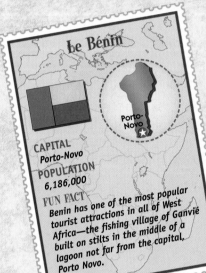

CAPITAL
Ouagadougou

POPULATION
11,576,000

FUN FACT
Burkina Faso is known for its friendly people. Villagers are fond of allowing foreigners to live in their homes and take part in village life.

Les Comores

CAPITAL
Moroni

POPULATION
563,000

FUN FACT
The beautiful Comores Islands in the Indian Ocean are known for their lovely, isolated beaches. These islands are among the few areas in the world where natural beauty reigns.

La République du Congo

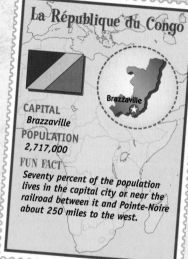

CAPITAL
Brazzaville

POPULATION
2,717,000

FUN FACT
Seventy percent of the population lives in the capital city or near the railroad between it and Pointe-Noire about 250 miles to the west.

Le Burundi

CAPITAL
Bujumbura

POPULATION
5,736,000

FUN FACT
Burundi was first under German control. It then became Ruanda-Urundi under Belgian control. It became independent in 1962.

Le Cameroun

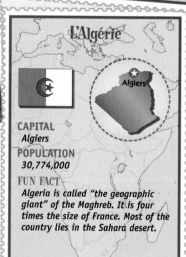

CAPITAL
Yaoundé

POPULATION
15,456,000

FUN FACT
Cameroon is known for its fantastic landscapes: Saharan desert, equatorial rain forest, tree-laden savannah, grassy plains, volcanic mountains with crater lakes, the swampy basin of Lake Chad, and one of the highest mountains in Africa.

L'Algérie

CAPITAL
Algiers

POPULATION
30,774,000

FUN FACT
Algeria is called "the geographic giant" of the Maghreb. It is four times the size of France. Most of the country lies in the Sahara desert.

La République Centrafricaine

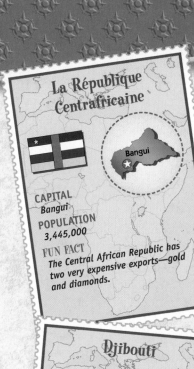

CAPITAL
Bangui

POPULATION
3,445,000

FUN FACT
The Central African Republic has two very expensive exports—gold and diamonds.

Le Gabon

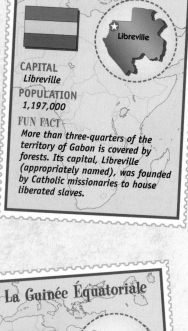

CAPITAL
Libreville

POPULATION
1,197,000

FUN FACT
More than three-quarters of the territory of Gabon is covered by forests. Its capital, Libreville (appropriately named), was founded by Catholic missionaries to house liberated slaves.

La Guinée

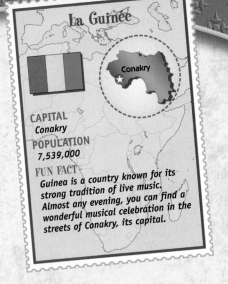

CAPITAL
Conakry

POPULATION
7,539,000

FUN FACT
Guinea is a country known for its strong tradition of live music. Almost any evening, you can find a wonderful musical celebration in the streets of Conakry, its capital.

Djibouti

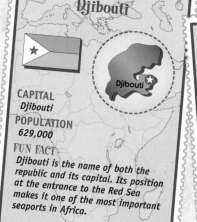

CAPITAL
Djibouti

POPULATION
629,000

FUN FACT
Djibouti is the name of both the republic and its capital. Its position at the entrance to the Red Sea makes it one of the most important seaports in Africa.

La Guinée Équatoriale

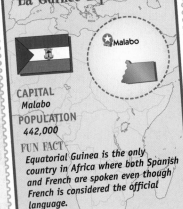

CAPITAL
Malabo

POPULATION
442,000

FUN FACT
Equatorial Guinea is the only country in Africa where both Spanish and French are spoken even though French is considered the official language.

Madagascar

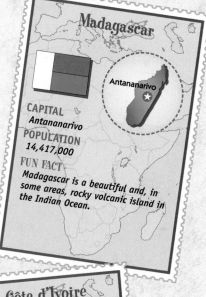

CAPITAL
Antananarivo

POPULATION
14,417,000

FUN FACT
Madagascar is a beautiful and, in some areas, rocky volcanic island in the Indian Ocean.

La République Démocratique du Congo

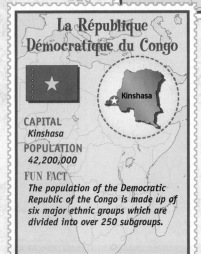

CAPITAL
Kinshasa

POPULATION
42,200,000

FUN FACT
The population of the Democratic Republic of the Congo is made up of six major ethnic groups which are divided into over 250 subgroups.

La Côte d'Ivoire

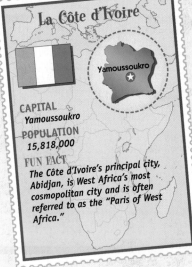

CAPITAL
Yamoussoukro

POPULATION
15,818,000

FUN FACT
The Côte d'Ivoire's principal city, Abidjan, is West Africa's most cosmopolitan city and is often referred to as the "Paris of West Africa."

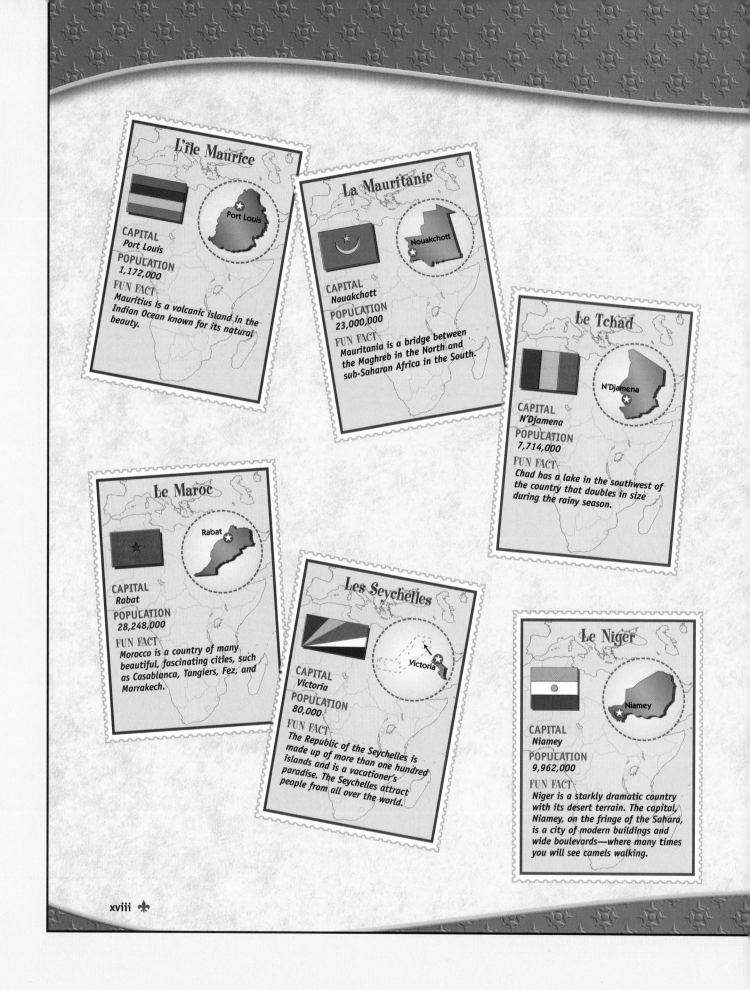

L'île Maurice

CAPITAL
Port Louis

POPULATION
1,172,000

FUN FACT
Mauritius is a volcanic island in the Indian Ocean known for its natural beauty.

La Mauritanie

CAPITAL
Nouakchott

POPULATION
23,000,000

FUN FACT
Mauritania is a bridge between the Maghreb in the North and sub-Saharan Africa in the South.

Le Tchad

CAPITAL
N'Djamena

POPULATION
7,714,000

FUN FACT
Chad has a lake in the southwest of the country that doubles in size during the rainy season.

Le Maroc

CAPITAL
Rabat

POPULATION
28,248,000

FUN FACT
Morocco is a country of many beautiful, fascinating cities, such as Casablanca, Tangiers, Fez, and Marrakech.

Les Seychelles

CAPITAL
Victoria

POPULATION
80,000

FUN FACT
The Republic of the Seychelles is made up of more than one hundred islands and is a vacationer's paradise. The Seychelles attract people from all over the world.

Le Niger

CAPITAL
Niamey

POPULATION
9,962,000

FUN FACT
Niger is a starkly dramatic country with its desert terrain. The capital, Niamey, on the fringe of the Sahara, is a city of modern buildings and wide boulevards—where many times you will see camels walking.

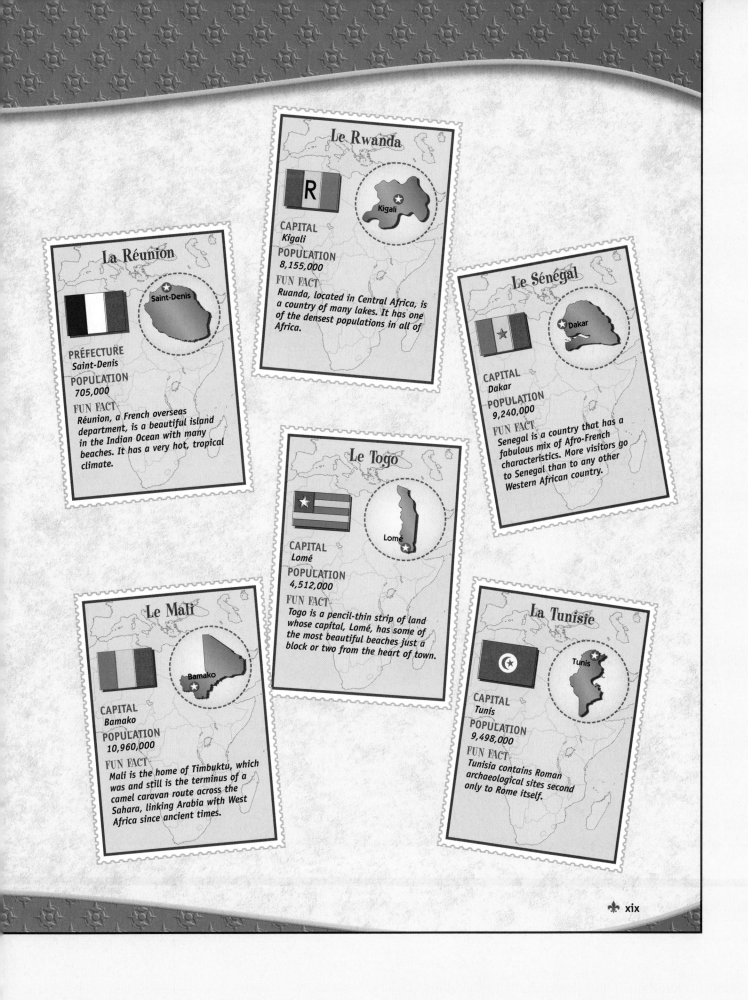

La Réunion

PRÉFECTURE
Saint-Denis

POPULATION
705,000

FUN FACT
Réunion, a French overseas department, is a beautiful island in the Indian Ocean with many beaches. It has a very hot, tropical climate.

Le Rwanda

CAPITAL
Kigali

POPULATION
8,155,000

FUN FACT
Ruanda, located in Central Africa, is a country of many lakes. It has one of the densest populations in all of Africa.

Le Sénégal

CAPITAL
Dakar

POPULATION
9,240,000

FUN FACT
Senegal is a country that has a fabulous mix of Afro-French characteristics. More visitors go to Senegal than to any other Western African country.

Le Togo

CAPITAL
Lomé

POPULATION
4,512,000

FUN FACT
Togo is a pencil-thin strip of land whose capital, Lomé, has some of the most beautiful beaches just a block or two from the heart of town.

Le Mali

CAPITAL
Bamako

POPULATION
10,960,000

FUN FACT
Mali is the home of Timbuktu, which was and still is the terminus of a camel caravan route across the Sahara, linking Arabia with West Africa since ancient times.

La Tunisie

CAPITAL
Tunis

POPULATION
9,498,000

FUN FACT
Tunisia contains Roman archaeological sites second only to Rome itself.

L'Amérique du Nord et du Sud

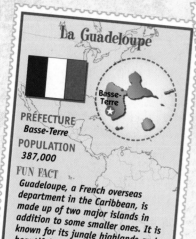

La Guadeloupe

PRÉFECTURE
Basse-Terre

POPULATION
387,000

FUN FACT
Guadeloupe, a French overseas department in the Caribbean, is made up of two major islands in addition to some smaller ones. It is known for its jungle highlands and beautiful seaside resorts.

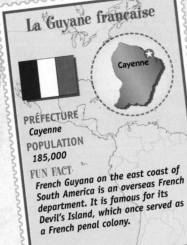

La Guyane française

PRÉFECTURE
Cayenne

POPULATION
185,000

FUN FACT
French Guyana on the east coast of South America is an overseas French department. It is famous for its Devil's Island, which once served as a French penal colony.

Haïti

CAPITAL
Port-au-Prince

POPULATION
7,751,000

FUN FACT
Haiti shares the island of Hispaniola with the Dominican Republic. Its friendly people are known for their musical and artistic talents. Haitian art is sought after in art galleries around the world.

La province de Québec

CAPITAL
Québec

POPULATION
7,040,000

FUN FACT
Quebec is the oldest and largest of Canada's provinces. About 90 percent of Quebec's inhabitants are French-speaking.

La Martinique

PRÉFECTURE
Fort-de-France

POPULATION
359,500

FUN FACT
Martinique, like Guadeloupe, is a French overseas department in the Caribbean Sea. It is a highly developed island famous for its beautiful, exotic flowers—orchids, hibiscus, and flamingo flowers.

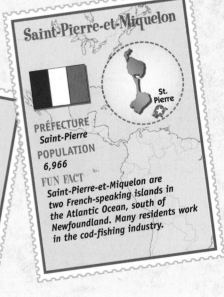

Saint-Pierre-et-Miquelon

PRÉFECTURE
Saint-Pierre

POPULATION
6,966

FUN FACT
Saint-Pierre-et-Miquelon are two French-speaking islands in the Atlantic Ocean, south of Newfoundland. Many residents work in the cod-fishing industry.

L'Europe

La Belgique

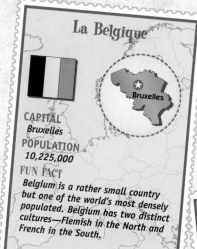

CAPITAL
Bruxelles

POPULATION
10,225,000

FUN FACT
Belgium is a rather small country but one of the world's most densely populated. Belgium has two distinct cultures—Flemish in the North and French in the South.

La principauté d'Andorre

CAPITAL
Andorre-la-Vieille

POPULATION
66,000

FUN FACT
Andorra is a co-principality governed by France's president and a Spanish bishop.

La France

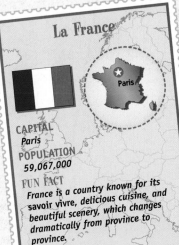

CAPITAL
Paris

POPULATION
59,067,000

FUN FACT
France is a country known for its savoir vivre, delicious cuisine, and beautiful scenery, which changes dramatically from province to province.

Le grand-duché de Luxembourg

CAPITAL
Luxembourg

POPULATION
432,000

FUN FACT
Luxembourg is smaller than the state of Rhode Island. The native Luxembourgers all speak three languages fluently: Luxembourgish, German, and French.

La principauté de Monaco

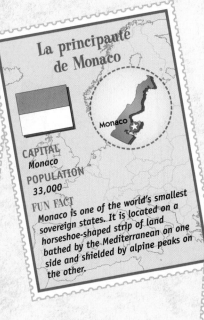

CAPITAL
Monaco

POPULATION
33,000

FUN FACT
Monaco is one of the world's smallest sovereign states. It is located on a horseshoe-shaped strip of land bathed by the Mediterranean on one side and shielded by alpine peaks on the other.

La Suisse

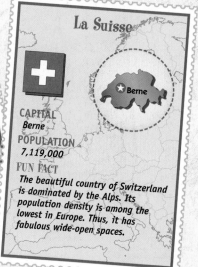

CAPITAL
Berne

POPULATION
7,119,000

FUN FACT
The beautiful country of Switzerland is dominated by the Alps. Its population density is among the lowest in Europe. Thus, it has fabulous wide-open spaces.

L'Océanie

La Nouvelle-Calédonie

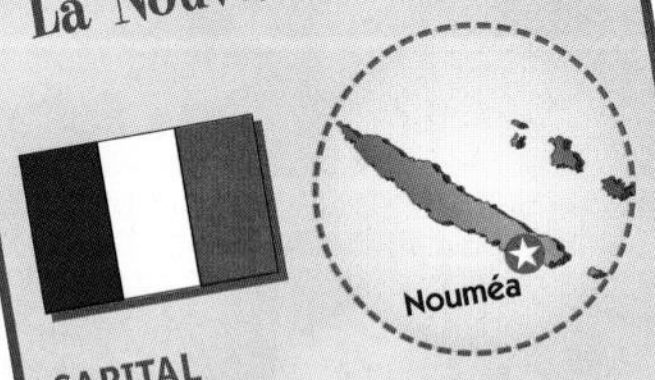

CAPITAL
Nouméa

POPULATION
212,000

FUN FACT
New Caledonia is a French overseas territory in the South Pacific. It is made up of one large island and numerous small, beautiful coral islands.

Nouméa

Vanuatu

Port-Vila

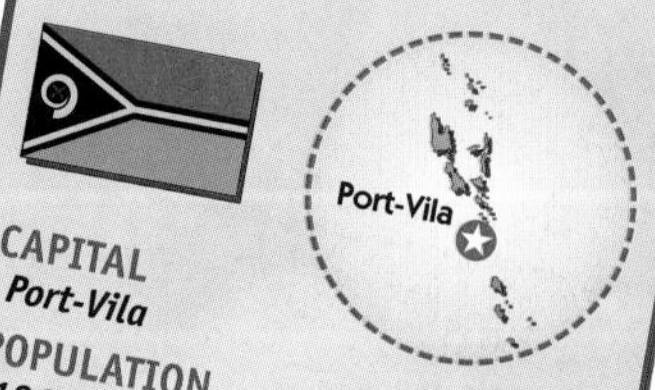

CAPITAL
Port-Vila

POPULATION
186,000

FUN FACT
The republic of Vanuatu is an archipelago in the South Pacific, made up of forty islands of volcanic origin. Some of the volcanoes are still active.

La Polynésie française

Papeete

CAPITAL
Papeete

POPULATION
234,000

FUN FACT
French Polynesia is a French overseas territory made up of approximately 130 islands. The islands are known for their volcanic mountains, tropical climate, and beautiful bays and coves.

Wallis-et-Futuna

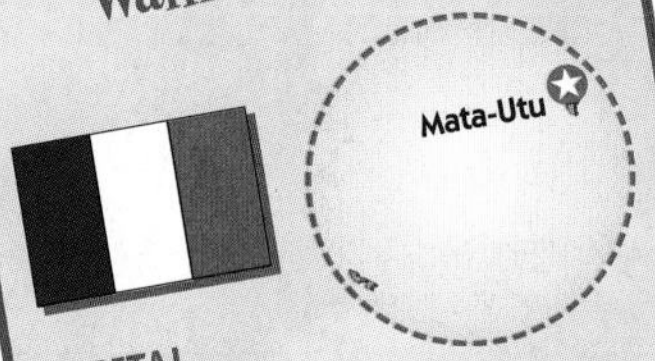

Mata-Utu

CAPITAL
Mata Utu

POPULATION
14,000

FUN FACT
Wallis-et-Futuna is a French overseas territory in the South Pacific. The mountainous islands of the archipelago are surrounded by coral reefs.

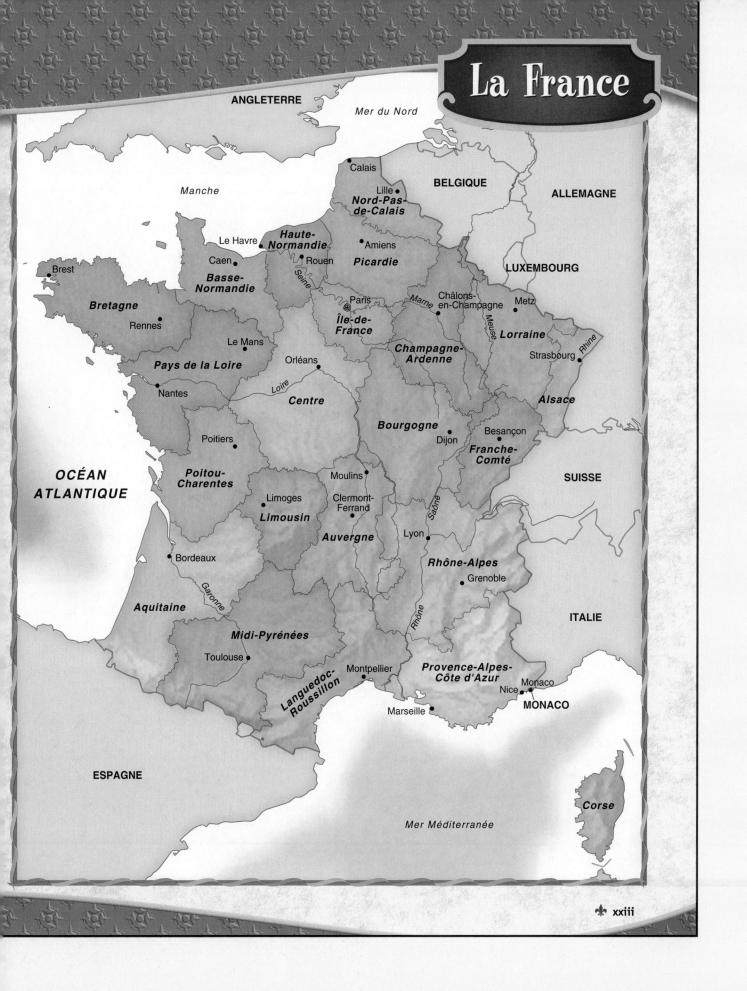

La France

ANGLETERRE

Mer du Nord

BELGIQUE

ALLEMAGNE

Manche

Calais

Lille

Nord-Pas-de-Calais

LUXEMBOURG

Le Havre

Haute-Normandie

Amiens

Picardie

Caen

Rouen

Brest

Basse-Normandie

Seine

Paris

Île-de-France

Châlons-en-Champagne

Metz

Bretagne

Rennes

Champagne-Ardenne

Lorraine

Meuse

Strasbourg

Rhine

Le Mans

Orléans

Pays de la Loire

Loire

Centre

Alsace

Nantes

Bourgogne

Besançon

Dijon

Franche-Comté

Poitiers

OCÉAN ATLANTIQUE

Poitou-Charentes

Moulins

Limoges

Clermont-Ferrand

SUISSE

Limousin

Auvergne

Saône

Lyon

Bordeaux

Rhône-Alpes

Grenoble

Garonne

Aquitaine

Rhône

ITALIE

Midi-Pyrénées

Toulouse

Montpellier

Provence-Alpes-Côte d'Azur

Monaco

Languedoc-Roussillon

Nice

MONACO

Marseille

ESPAGNE

Corse

Mer Méditerranée

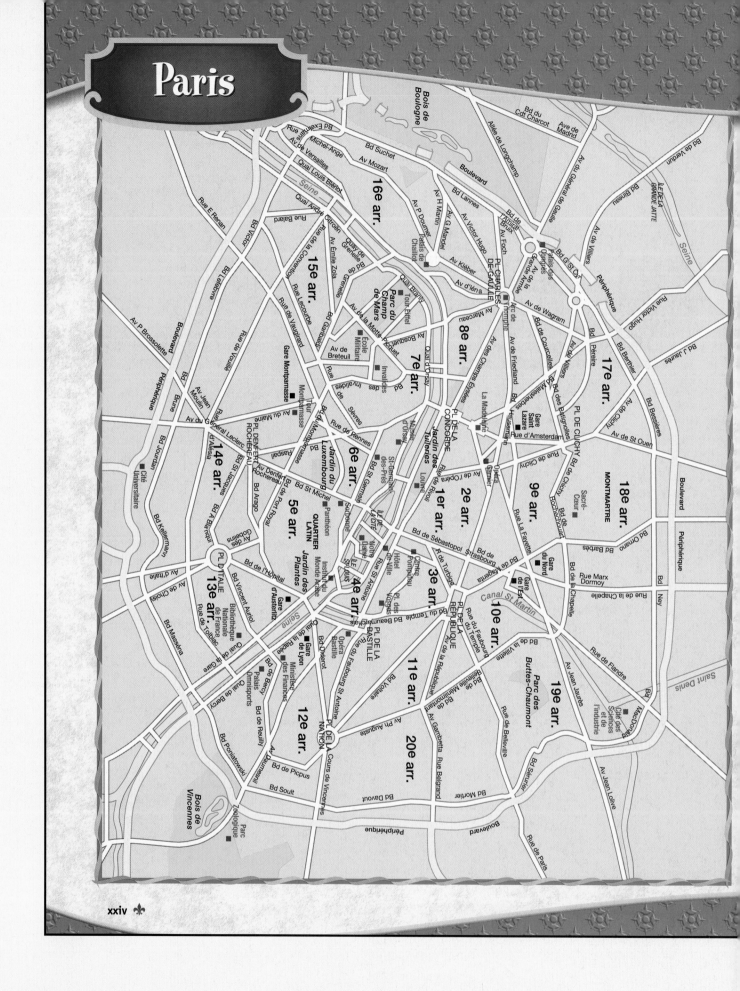

Paris

La Courneuve–8 Mai 1945

Bobigny-Pablo Picasso

Bobigny-Pantin Raymond Queneau

Mairie des Lilas

Pré-St-Gervais

Porte des Lilas

Gallieni

Mairie de Montreuil

Créteil-Préfecture

Créteil-Université

Créteil-L'Échat

Gambetta

Nation

Porte de La Chapelle

St-Denis Université

Porte de Clignancourt

Basilique de St-Denis

Gare du Nord

Gare de l'Est

Louis Blanc

Stalingrad

La Chapelle

Château Rouge

Barbès Rochechouart

Simplon

Marcadet Poissonniers

Château Landon

Gabriel Péri Asnières-Gennevilliers

Mairie de St-Ouen

Porte de Clichy

Mairie de Clichy

Pont de Levallois-Bécon

Gare St-Lazare

Madeleine

Opéra

Châtelet

Gare de Lyon

Gare d'Austerlitz

Bibliothèque

Place d'Italie

Mairie d'Ivry

Villejuif–Louis Aragon

Ch. de Gaulle-Étoile

Porte Dauphine

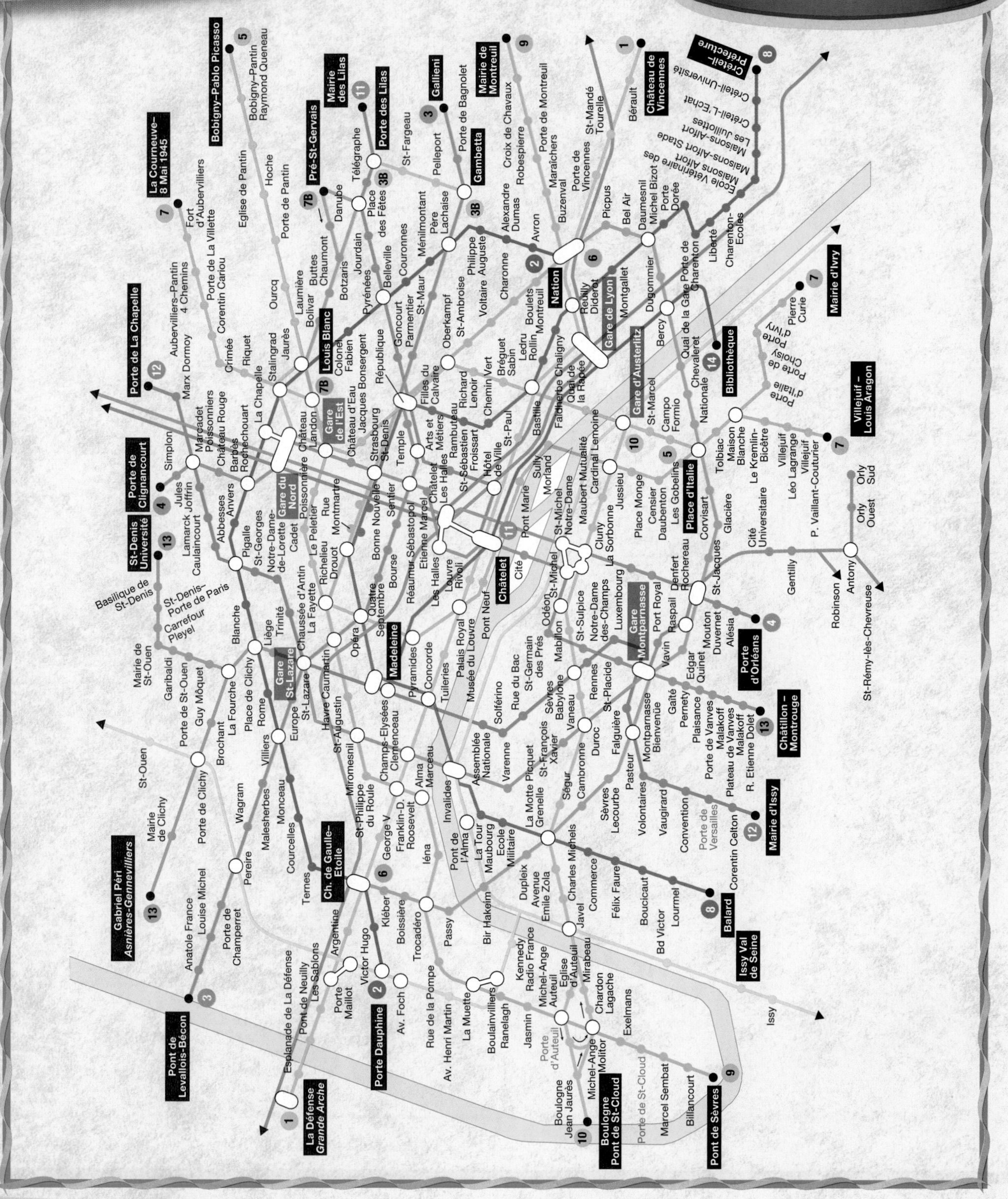

La Défense Grande Arche

Gare Montparnasse

Porte d'Orléans

Châtillon–Montrouge

Mairie d'Issy

Balard

Issy Val de Seine

Pont de Sèvres

Boulogne Pont de St-Cloud

St-Rémy-lès-Chevreuse

Orly Ouest

Orly Sud

Antony

Robinson

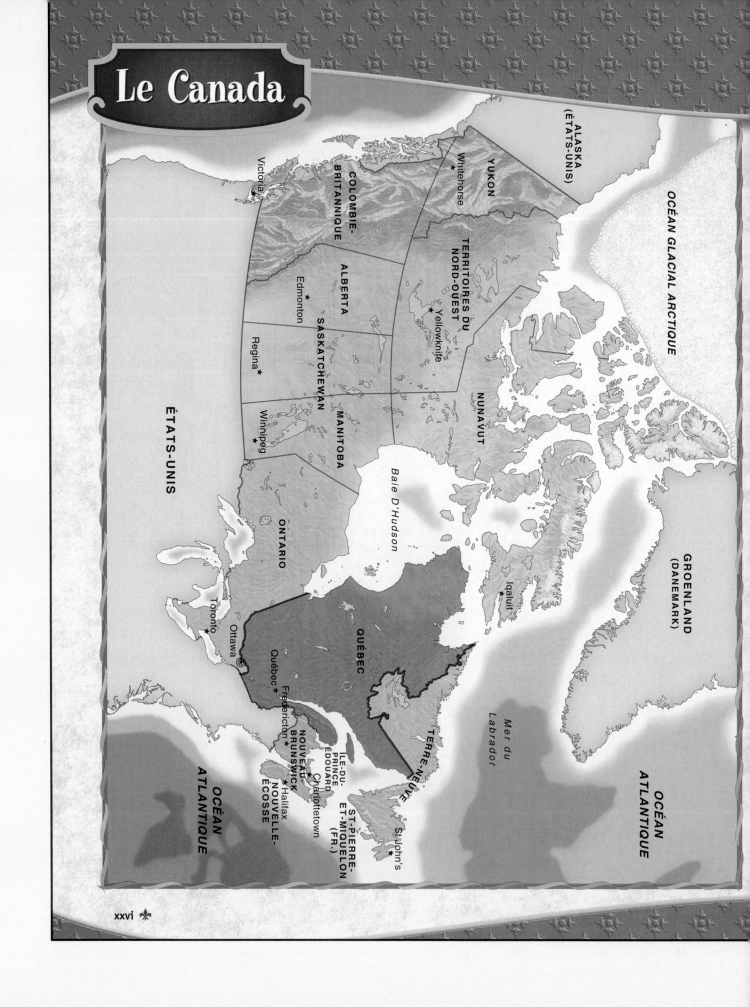

Le Canada

OCÉAN GLACIAL ARCTIQUE

ALASKA (ÉTATS-UNIS)

YUKON

Whitehorse

COLOMBIE-BRITANNIQUE

Victoria

TERRITOIRES DU NORD-OUEST

ALBERTA

Edmonton

Yellowknife

SASKATCHEWAN

Regina

MANITOBA

NUNAVUT

Winnipeg

Baie D'Hudson

GROENLAND (DANEMARK)

ÉTATS-UNIS

ONTARIO

Toronto

Ottawa

Québec

QUÉBEC

Iqaluit

Mer du Labrador

TERRE-NEUVE

OCÉAN ATLANTIQUE

Fredericton

NOUVEAU-BRUNSWICK

ÎLE-DU-PRINCE-ÉDOUARD

Charlottetown

Halifax

NOUVELLE-ÉCOSSE

ST-PIERRE-ET-MIQUELON (FR.)

St-John's

OCÉAN ATLANTIQUE

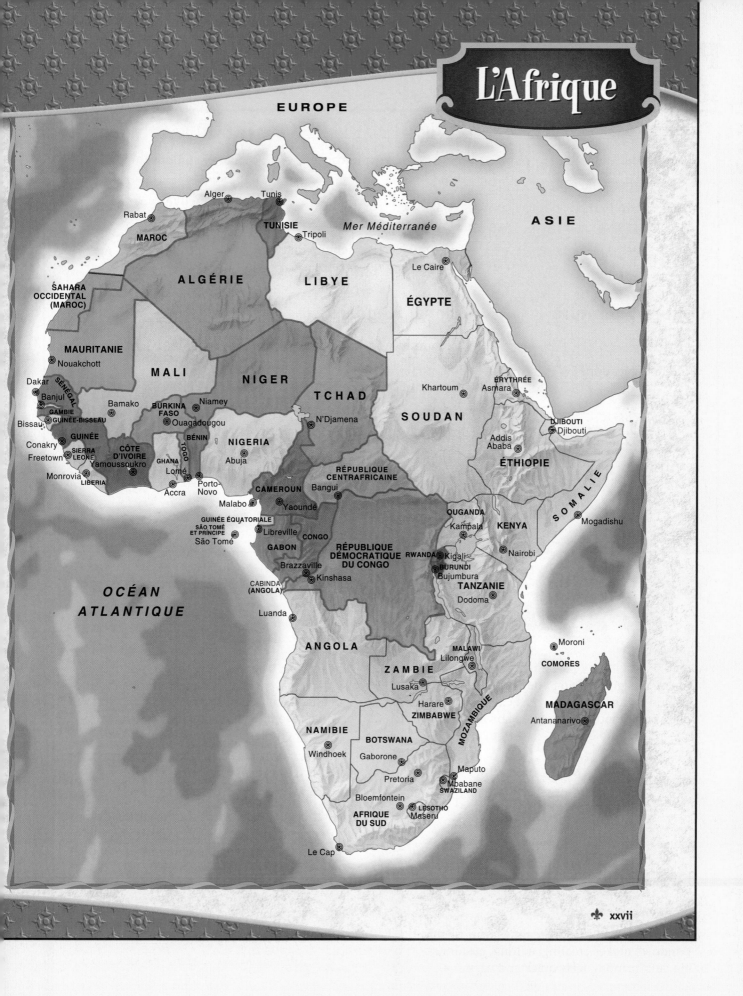

L'Afrique

EUROPE

ASIE

Mer Méditerranée

Alger
Tunis
TUNISIE
Tripoli
Rabat
MAROC

Le Caire

ALGÉRIE
LIBYE
ÉGYPTE

SAHARA
OCCIDENTAL
(MAROC)

MAURITANIE
Nouakchott

MALI
NIGER
TCHAD
SOUDAN

Khartoum
ÉRYTHRÉE
Asmara

Dakar
SÉNÉGAL
Banjul
GAMBIE
GUINÉE-BISSEAU
Bissau
GUINÉE
Conakry
SIERRA
LEONE
Freetown
Monrovia
LIBERIA

Bamako
BURKINA
FASO
Niamey
Ouagadougou
BÉNIN
NIGERIA
Abuja
CÔTE
D'IVOIRE
Yamoussoukro
GHANA
TOGO
Lomé
Accra
Porto-
Novo
Malabo

N'Djamena

Addis
Ababa
DJIBOUTI
Djibouti

ÉTHIOPIE

SOMALIE

CAMEROUN
Yaoundé
GUINÉE ÉQUATORIALE
SÃO TOMÉ
ET PRINCIPE
São Tomé
Libreville
CONGO
GABON
Brazzaville
CABINDA
(ANGOLA)
Luanda

RÉPUBLIQUE
CENTRAFRICAINE
Bangui

RÉPUBLIQUE
DÉMOCRATIQUE
DU CONGO
Kinshasa

OUGANDA
Kampala
KENYA
RWANDA
Kigali
BURUNDI
Bujumbura
TANZANIE
Dodoma

Nairobi

Mogadishu

OCÉAN
ATLANTIQUE

ANGOLA

Moroni

MALAWI
Lilongwe
ZAMBIE
Lusaka
Harare
ZIMBABWE
MOZAMBIQUE

COMORES

MADAGASCAR
Antananarivo

NAMIBIE
Windhoek
BOTSWANA
Gaborone
Pretoria
Maputo
Mbabane
SWAZILAND
Bloemfontein
LESOTHO
Maseru
AFRIQUE
DU SUD
Le Cap

Planning for Chapter 1

SCOPE AND SEQUENCE PAGES 1–51

Topics

* Travel and tourism
* Newspaper articles
* Weather in France

Functions

* How to make and cancel reservations
* How to get information
* How to describe past actions
* How to describe actions that may or may not take place

Structure

* **Passé composé** with **avoir** and **être**
* Subjunctive

Culture/Literature

Culture

* French vacations

Literature

* *Le petit prince*
* *Le départ du petit Nicolas*

National Standards

* Communication Standard 1.1 pages 4, 9, 13, 15, 17, 19, 22, 30, 36, 37, 38, 39
* Communication Standard 1.2 pages 7, 12, 27, 36, 37, 38, 39, 45, 51
* Communication Standard 1.3 pages 7, 17, 30, 32, 39, 45, 51
* Cultures Standard 2.1 pages 2, 3, 5–6, 20, 24, 26, 27
* Cultures Standard 2.2 pages 31, 32
* Connections Standard 3.1 pages 24, 26, 31, 42–44, 45, 48–51
* Connections Standard 3.2 pages 5–6, 26
* Comparisons Standard 4.2 pages 5–6, 26, 32

Timesaving Teacher Tools

ite Interactive Teacher Edition
Imagine having your Teacher's Edition and all resources on a CD-ROM. Click on a resource and it appears on your screen, ready to be printed, sorted, or planned.

Interactive Lesson Planner
The Interactive Lesson Planner CD-ROM helps you organize your lesson plans for a week, month, semester, or year. Look at this planning tool for easy access to your Chapter 1 resources.

ExamView Pro®
Test Bank software for Macintosh and Windows makes creating, editing, customizing, and printing tests quick and easy.

Technology Resources

FRENCH Online
In the **Bon voyage!** Level 3 Internet activity, you will have a chance to learn more about language, culture, history, geography, and current events in the Francophone world. Visit <u>french.glencoe.com</u>

NATIONAL GEOGRAPHIC SOCIETY
See the National Geographic Teacher's Corner on pages 104–105, 214–215, 310–311, 428–429 for reference to additional technology resources.

***Bon voyage!* Video Program**
Bon voyage! Video and Video Activities Booklet, Chapter 1.

DIFFICULTY LEVELS

Each reading selection in **Culture, Journalisme,** and **Littérature,** each **Conversation,** and each structure topic is rated below according to difficulty level to assist you in planning.

◆ Easy   ◆◆ Intermediate   ◆◆◆ Difficult

Please note that the material in **Bon voyage!** does not get progressively more difficult. Within each chapter there are easy and difficult sections. The overall rating for this chapter is: ◆ Easy.

SECTION	DIFFICULTY LEVEL
Culture	
Les Français et les voyages	
Les vacances des Français	◆◆
Conversation	
Avion ou train?	◆
Structure I	
Le passé composé avec **avoir:** verbes réguliers	◆
Le passé composé avec **avoir:** verbes irréguliers	◆
Le passé composé avec **être**	◆◆
Le passé composé de certains verbes avec **être** et **avoir**	◆◆◆
Journalisme	
L'Acadie	
L'accueil acadien	◆◆
La météo	
Météorologie	◆◆
Structure II	
Le subjonctif: verbes réguliers	◆◆◆
Le subjonctif: verbes irréguliers	◆◆◆
Le subjonctif avec les expressions de volonté	◆◆◆
Le subjonctif avec les expressions impersonnelles	◆◆◆
Littérature	
Le petit prince	◆◆
Le départ du petit Nicolas	◆◆

Using Your Resources for Chapter 1

RESOURCE GUIDE

SECTION	PAGES	SECTION RESOURCES
Culture		
Les Français et les voyages *Les vacances des Français*	2–7	🔖 Vocabulary Transparency 1.1 🎧 Audiocassette 1/CD 1 💿 Audio Activities Booklet TE, pages 1–2 📕 Workbook, pages 1–2 📕 Quiz 1, page 1 📕 Chapter Section Test, pages 5–7
Conversation		
Avion ou train? *À l'aéroport* *Dans un taxi* *À la gare*	8–13 10 11 11	🔖 Vocabulary Transparency 1.2 🎧 Audiocassette 1/CD 1 💿 Audio Activities Booklet TE, pages 3–7 📕 Workbook, page 3 📕 Quiz 2, page 2
Langage		
En voyage!	14–15	🎧 Audiocassette 1/CD 1 💿 Audio Activities Booklet TE, pages 7–8 📕 Workbook, pages 4–5 📕 Quiz 3, page 3 📕 Chapter Section Test, pages 8–9
Structure I		
Le passé composé avec **avoir:** verbes réguliers Le passé composé avec **avoir:** verbes irréguliers Le passé composé avec **être** Le passé composé de certains verbes avec **être** et **avoir**	16–17 18–20 21–22 23	🎧 Audiocassette 1/CD 1 💿 Audio Activities Booklet TE, pages 8–10 📕 Workbook, pages 6–10 📕 Quizzes 4–7, pages 4–7 📕 Chapter Section Test, pages 10–12

CHAPITRE 1

Preview

In this chapter, students will learn about the vacation habits of the French. While they are learning this new material a great deal of information from **Bon voyage!** Levels 1 and 2 will be reincorporated. In the **Conversation** section students will review vocabulary dealing with air and train travel. Additional vocabulary needed to resolve more complex travel problems such as canceled flights or missed trains will be presented.

National Standards

Communication
In Chapter 1, students will communicate in spoken and written French on the following topics:
- holiday travel
- the weather
- transportation

Cultures
Students will learn about French attitudes toward vacations, and where French people like to go on their vacations. They will also learn about a region of the United States that has a rich French heritage.

Connections
This chapter establishes a connection with the fields of geography, history, American literature, and meteorology.

CHAPITRE 1

Les voyages

Objectifs
In this chapter you will:

✓ learn about the travel habits of the French and about tourism in France

✓ learn how to make and cancel plane or train reservations

✓ review how to get the information you need in different travel situations

✓ review how to describe past actions

✓ read and discuss newspaper articles about Canada's "Acadie" region and the weather in France

✓ review how to talk about actions that may or may not take place; how to express wishes, preferences, necessity, or possibility

✓ read and discuss excerpts from these literary works: Le petit prince, a tale by Antoine de Saint-Exupéry, and Le départ du petit Nicolas, a story by Jean-Jacques Sempé and René Goscinny

The **Glencoe Foreign Language Web site** (**french.glencoe.com**) offers several options for you and your students to experience the French-speaking world via the Internet:
- The online **Activités** are correlated to the chapters and utilize Francophone Web sites around the world.
- Games and puzzles afford students another opportunity to practice the material learned in a particular chapter.

- The *Enrichment* section offers students an opportunity to visit Web sites related to the theme of the chapter for more information on a particular topic.
- Online *Chapter Quizzes* offer students an opportunity to prepare for a chapter test.
- Visit our virtual **Café** for more opportunities to practice and explore the French-speaking world.

Random Access

You may either follow the exact order of the chapter or omit certain sections that you feel are not necessary for your students. Similarly, you may present a literary selection without interruption, or you may wish to intersperse some material from the **Structure** sections as you are presenting a literary piece.

Assessment

Quizzes: There is a quiz for every vocabulary presentation and every structure point.

Tests: To accompany **Bon voyage!** Level 3 there are global tests for both **Structures I** and **II**, a combined **Conversation/Langage** test, and one test for each reading in the **Culture, Journalisme,** and **Littérature** sections. There is also a chapter Listening Comprehension Test.

Learning from Photos

You may wish to ask your students the following questions about **la plage des Salines à la Martinique:** À votre avis, où cette photo a-t-elle été prise? Décrivez ce que vous voyez. On parle quelle langue dans cette île? On parle français dans d'autres îles de cette région? Lesquelles? Racontez tout ce dont vous vous souvenez au sujet de cette île.

Chapter Projects

 Une enquête Divisez la classe en quatre groupes. Faites une enquête sur le sujet suivant: comment les membres de votre groupe passent leurs vacances d'été. Comparez vos résultats aux habitudes des Français.

Une affiche Choisissez une région ou une ville en France, au Canada, aux Caraïbes ou en Afrique du Nord et faites une affiche pour cette région ou cette ville.

 Un dépliant Choisissez une région des États-Unis et faites un dépliant touristique pour inciter les Français à visiter cet endroit.

Une nouvelle Vous allez être auteur. Écrivez une nouvelle au sujet d'un voyage. Votre voyage peut être réel ou imaginaire, sérieux ou drôle, réaliste ou absurde.

Les Français et les voyages

Bellringer Review

Write the following on the board or use BRR Transparency 1.1.

Faites des phrases avec les mots suivants.
au bord de la mer
la plage
bronzer
la crème solaire
nager
faire du ski nautique, de la planche à voile
se promener, faire une promenade

2 Presentation

Introduction

Step 1 Have students read the **Introduction** silently, or call on individuals to read it aloud.

Step 2 Call on one or two individuals to explain the **Introduction** in a few sentences. If students were reading the **Introduction** aloud, ask comprehension questions after each paragraph, such as: **Qu'est-ce que la plupart des gens aiment? Est-ce que cela dépend de la nationalité? Qu'est-ce que les Français aiment faire de temps en temps?**

LES FRANÇAIS ET LES VOYAGES

Cannes: la plage en été

Introduction

La plupart des gens aiment voyager, quelle que soit leur nationalité. Et les Français ne sont pas l'exception. Eux aussi, ils aiment faire un petit voyage de temps en temps.

Quand voyagent-ils? Ils voyagent bien sûr pendant leurs vacances, et comme la majorité a ses vacances en été, beaucoup de Français voyagent en août—le mois des grandes vacances.

Combien de semaines de vacances les Français ont-ils? Le Français typique a cinq semaines de vacances: quatre semaines en été et une semaine en hiver.

Geography Connection

 Cannes est une station balnéaire sur la Côte d'Azur. Chaque année dans cette ville a lieu le festival de films le plus célèbre du monde.

Vocabulaire

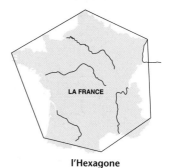

LA FRANCE

l'Hexagone

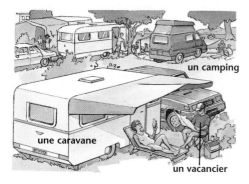

un camping

une caravane

un vacancier

le paysage

le cyclisme

la planche à voile

la pêche

augmenter devenir plus grand
attirer avoir la préférence, séduire
s'initier commencer à apprendre
souhaiter désirer
la baisse la diminution, le fait de devenir plus bas
la hausse le fait de devenir plus haut, le contraire de baisse
le sens la direction
un stage une période d'études pratiques

fort vigoureux, solide
faible le contraire de fort, qui manque de vigueur
proche pas loin, le contraire de lointain
croissant qui devient plus grand, qui augmente
ne… guère pas beaucoup
malgré en dépit de, contre la volonté de quelqu'un
par rapport à en comparaison avec

Vocabulaire

Step 1 Have students open their books to page 3 and repeat the vocabulary words after you or Audiocassette 1/CD 1.

Step 2 Definitions: Give students several minutes to peruse the definitions silently. Then call on individuals to read the definitions aloud.

♻ Recycling

- Have students look at the photo on page 2 and identify as many items as they can. (Beach vocabulary was presented initially in **Bon voyage!** Level 1, Chapter 11.)
- You may wish to have students tell you about a beach vacation in their own words.
- Have students make a list of some summer weather expressions.

Vocabulary Expansion

De nombreux noms sont formés en ajoutant **-ation** à la racine du verbe correspondant:
augmenter   **augmentation**
initier   **initiation**
Les noms qui se terminent en **-ation** sont généralement féminins.

Additional Practice

You may wish to ask the following easy questions to get students using some of the words defined here.

1. Quand on construit beaucoup d'hôtels dans une station balnéaire, est-ce que le tourisme augmente? Le nombre de touristes qui visitent cet endroit est en baisse ou en hausse?

2. Est-ce que les jolies plages attirent beaucoup de touristes? Les touristes s'initient à faire de la planche à voile? Ils font un stage? Est-ce que les planchistes préfèrent les vents forts on faibles?

3

Culture

3 Practice

Communication guidée

Historiette Each time **Historiette** appears, the answers to the activity form a short story. Encourage students to look at the title of the **Historiette**, since it can help them do the activity.

 Paired Activity
Have students work in pairs to do the following activity.
You are leaving on a trip. With a partner make a list of all the preparations necessary to arrange transportation to your destination, your finances, and the care of your home, mail, and pets in your absence.

Independent Practice

Assign any of the following:
1. Workbook, **Culture**
2. Activités A–D on this page

Culture

Communication guidée

A **Historiette** Vacances en France Répondez d'après le dessin.

1. Il y a beaucoup de vacanciers?
2. Ils passent leurs vacances dans un camping?
3. Ils ont des caravanes ou des tentes?
4. Est-ce que le paysage est beau?
5. Les jeunes font du cyclisme ou de la planche à voile?
6. Ils vont à la pêche?

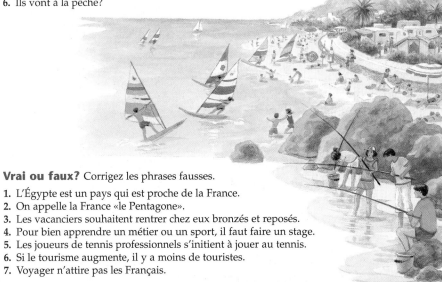

B **Vrai ou faux?** Corrigez les phrases fausses.

1. L'Égypte est un pays qui est proche de la France.
2. On appelle la France «le Pentagone».
3. Les vacanciers souhaitent rentrer chez eux bronzés et reposés.
4. Pour bien apprendre un métier ou un sport, il faut faire un stage.
5. Les joueurs de tennis professionnels s'initient à jouer au tennis.
6. Si le tourisme augmente, il y a moins de touristes.
7. Voyager n'attire pas les Français.

C **Synonymes** Exprimez d'une autre façon ce qui est en italique.

1. Le nombre de voyageurs ne varie *pas beaucoup*.
2. *En dépit du* mauvais temps, les vacanciers vont à la plage.
3. Un nombre *plus grand* de Français souhaitent prendre des vacances.
4. Les migrations vont dans *la direction* nord-sud.
5. *En comparaison avec* les Allemands ou les Hollandais, les Français ne vont pas beaucoup à l'étranger.
6. Il *désire* s'amuser pendant ses vacances.
7. Il a *très peu de* travail.

D **Contraires** Donnez le contraire des mots suivants.

1. baisser   3. fort   5. la hausse
2. descendant   4. lointain

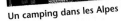
Un camping dans les Alpes

4 ❖ *quatre*   CHAPITRE 1

ANSWERS TO Communication guidée

A
1. Oui, il y a beaucoup de vacanciers.
2. Oui, ils passent leurs vacances dans un camping.
3. Ils ont des caravanes.
4. Oui, le paysage est beau.
5. Les jeunes font de la planche à voile.
6. Oui, ils vont à la pêche.

B
1. L'Égypte est un pays qui est loin de la France. (L'Espagne est un pays qui est proche de la France.)
2. On appelle la France «l'Hexagone».
3. Oui.
4. Oui.
5. Les joueurs de tennis professionnels ne s'initient pas à jouer au tennis. (Les joueurs de tennis débutants s'initient à jouer au tennis.)
6. Si le tourisme augmente, il y a plus de touristes.
7. Voyager attire les Français.

C
1. ... ne varie *guère*.
2. *Malgré* le mauvais temps,...
3. Un nombre *croissant* de Français...
4. ... dans le *sens* nord-sud.
5. *Par rapport aux* Allemands...
6. Il *souhaite* s'amuser...
7. Il *n'a guère de* travail.

D
1. augmenter
2. croissant
3. faible
4. proche
5. la baisse

LES VACANCES DES FRANÇAIS

La grande majorité des vacanciers français reste fidèle[1] à l'Hexagone, bien que le nombre des séjours à l'étranger augmente faiblement. La mer et son complément naturel, le soleil, ont de plus en plus la préférence des Français.

France, avec sa variété de paysages et son patrimoine[2] culturel. La seconde est le caractère plutôt casanier[3] et peu aventureux des Français. Enfin, les contraintes financières ont pesé d'un poids croissant au cours des années récentes, avec la stagnation ou parfois la régression du pouvoir d'achat[4], et l'accroissement récent des inégalités de revenus.

87% des vacanciers restent en France

Cette très forte proportion ne varie guère dans le temps, malgré la baisse des prix des transports aériens. Elle reste très supérieure à celle que l'on mesure dans d'autres pays.

On peut voir trois raisons à ce phénomène. La première est la richesse touristique de la

13% des vacanciers vont à l'étranger

Un Français sur huit va à l'étranger passer ses vacances. C'est très peu par rapport aux autres Européens.

Un grand hôtel à Marrakech, au Maroc

La quête du soleil explique que les plus grands courants de migration se font dans le sens nord-sud. La plupart des départs se font pour des destinations européennes proches comme l'Espagne et le Portugal, qui repré-sentent à elles deux le tiers[5] des départs.

---

[1] fidèle *faithful*

Touristes à Saint-Paul-de-Vence, en Provence

---

[2] le patrimoine *heritage*
[3] casanier *homebody*
[4] le pouvoir d'achat *buying power*
[5] le tiers *one-third*

FUN-FACTS

Saint-Paul-de-Vence est un joli village provençal sur la Côte d'Azur pas très loin de Cannes. C'est un centre touristique et artistique. La Fondation Maeght, un musée d'art contemporain, se trouve tout près du village. Une partie du musée est en plein air. On y trouve des œuvres de Chagall, Braque, Derain et Matisse.

Culture

LES VACANCES DES FRANÇAIS ◆◆

 National Standards

Cultures
This reading familiarizes students with French attitudes toward travel and vacations.

Connections
Students further their knowledge of geography.

1 Preparation

Resource Manager

Audio Activities Booklet TE, Activity C, page 2
Audiocassette 1/CD 1
Workbook, Activities D–E, page 2

Bellringer Review

Write the following on the board or use BRR Transparency 1.2.
Décrivez un ou plusieurs des endroits suivants.
Nice
Cannes
Èze
La Baule
La Martinique ou la Guadeloupe

2 Presentation

Note: Based on your interests and the interests and needs of your students, you can determine the degree of thoroughness with which you wish to present this reading. You may want to do an in-depth reading of the entire selection or you may wish to have students read it silently. You may wish to do some sections more thoroughly than others.

5

Culture

2 Presentation (continued)

Step 1 Tell students to look for the following important information as they read:

- **Où est-ce que la plupart des Français aiment passer leurs vacances?**
- **Qu'est-ce qui influence les préférences des Français?**
- **Quel est le rôle du soleil?**
- **Qu'est-ce que les Français aiment faire pendant leurs vacances? Quelles sont leurs activités préférées?**

Step 2 You may wish to call on individuals to read sections of the reading selection aloud. Or, you may wish to read the selection (or parts of it) to the class as the students follow along in their books. Or, you may have students read the selection silently and then proceed to the exercises.

Step 3 Go over the **Après la lecture** activities on page 7.

L'Afrique du Nord est une destination de plus en plus fréquente. Des pays lointains (comme l'Égypte, la Thaïlande ou l'Amérique du Sud) attirent de plus en plus les Français depuis quelques années.

Cyclisme en Alsace

Les activités sportives restent les plus pratiquées...

Pour beaucoup, les vacances constituent une occasion unique de s'initier à la pratique d'un sport ou de s'y perfectionner. Les préférences vont au tennis et au cyclisme, suivis de près par la planche à voile. Les stages d'initiation ou de perfectionnement connaissent depuis quelques années un succès considérable. Après le tennis, le golf attire chaque été un nombre croissant de vacanciers.

...mais les activités culturelles sont de plus en plus recherchées[6]

Un nombre croissant de Français souhaitent profiter des vacances pour enrichir leurs connaissances et découvrir des activités

---

[6] recherchées *sought after*

auxquelles ils n'avaient jamais eu l'occasion de s'intéresser. Les possibilités qui leur sont offertes sont aussi de plus en plus nombreuses, que ce soit pour s'initier à l'informatique, à la pratique d'un instrument de musique ou à la dégustation[7] des vins. Les organisateurs de vacances multiplient les formules culturelles—artistiques, traditionnelles ou récentes—qui permettent à chacun de faire apparaître ou de réveiller une vocation enfouie[8].

La Côte d'Azur

Vacances = détente[9]

Les vacanciers français qui se rendent au bord de la mer recherchent en priorité la détente, avant le soleil, l'eau, la santé, la plage, les sports nautiques, la famille, l'aventure et la pêche.

---

[7] la dégustation *tasting*
[8] enfouie *buried, hidden*
[9] détente *relaxation*

Après la lecture

A Que font-ils pour les vacances? Répondez d'après le texte.
1. Qu'est-ce que l'Hexagone?
2. Où la grande majorité des Français passe-t-elle ses vacances?
3. Quelles sont les raisons pour lesquelles les Français aiment passer leurs vacances en France?
4. Quand les Français vont à l'étranger, quels sont les deux pays où ils vont le plus souvent?
5. Qu'est-ce qui explique la migration nord-sud des Français?
6. Quels sont les sports préférés des Français?
7. Quel type de vacances commence à intéresser les Français?

B Vrai ou faux? Corrigez les phrases fausses.
1. La plupart des Français préfèrent passer leurs vacances à la montagne.
2. La plupart des Français voyagent à l'étranger.
3. Les prix des transports aériens ont augmenté.
4. La situation économique en France a été très favorable aux grands voyages, ces dernières années.
5. Les Français voyagent à l'étranger plus que les autres Européens.

C Familles de mots Choisissez le mot qui correspond.
1. préférer   a. lointain
2. les vacances   b. un achat
3. bas   c. la préférence
4. acheter   d. le départ
5. haut   e. le vacancier
6. partir   f. le perfectionnement
7. loin   g. la connaissance
8. initier   h. la baisse
9. perfectionner   i. la hausse
10. connaître   j. l'initiation

Communication libre

A La France, pays touristique Les statistiques indiquent que la France est le premier pays touristique en Europe, et le deuxième dans le monde. Vous avez beaucoup appris sur la France. Écrivez un paragraphe qui explique pourquoi les touristes du monde entier aiment tant aller en France.

Touristes étrangers sur la place du Tertre, à Paris

B Vous allez en France Imaginez que vous allez faire un voyage en France. Préparez une liste de tout ce que vous allez faire et voir.

Post-reading

Après la lecture

A, B If desired, have students do these activities in small groups. Each group chooses a leader, then students work together on the activities. The leader makes all the final corrections in the paragraph and on the list, then shares his or her corrections with the other members of the group to ascertain if there is a consensus of opinion.

Independent Practice
Assign any of the following:
1. **Après la lecture** and **Communication libre** activities on this page
2. Workbook, **Culture**

✓ Assessment
Use these resources at the end of the **Culture** section for review and assessment.
    Quiz 1
    Test Booklet, pages 5–7
    ExamView Pro®
    Situation Cards

ANSWERS TO Communication libre

A, **B** *Answers will vary.*

ANSWERS TO Après la lecture

A *Answers will vary but may include:*
1. C'est la France.
2. En France.
3. Les Français aiment passer leurs vacances en France à cause de la richesse touristique de la France, du caractère peu aventureux des Français, et de leurs contraintes financières.
4. En Espagne et au Portugal.
5. La quête du soleil explique la migration nord-sud des Français.
6. Le tennis, le cyclisme et la planche à voile.
7. Les vacances culturelles commencent à intéresser les Français.

B
1. La plupart des Français préfèrent passer leurs vacances à la mer.
2. La plupart des Français restent en France.
3. Les prix des transports aériens ont baissé.
4. La situation économique en France n'a pas été très favorable aux grands voyages ces dernières années.
5. Les Français voyagent à l'étranger moins que les autres Européens.

C
1. c
2. e
3. h
4. b
5. i
6. d
7. a
8. j
9. f
10. g

AVION OU TRAIN?

1 Preparation

Vocabulaire

Resource Manager

Vocabulary Transparency 1.2
Audio Activities Booklet TE,
  Activity A, page 3
Audiocassette 1/CD 1
Workbook, Activities A–B, page 3
Quiz 2, page 2
ExamView Pro®

2 Presentation

Step 1 Have students open their books to page 8. Have them repeat each word, expression, or sentence after you or Audiocassette 1/CD 1.

Step 2 Call on a student to read the words and definitions. You may wish to have one student read the word, and another the definition. You can intersperse the questions from **Activité A** as you are presenting the vocabulary.

Step 3 In more able groups, you may call on individuals to use the new words in an original sentence.

Note: You may wish to point out to students that the word **aérogare,** which they learned in Levels 1 and 2 as the city airport bus terminal, also means the airline terminal at the airport.

AVION OU TRAIN?

Vocabulaire

une aérogare

Le voyageur est pressé.
Il a raté son avion.

une station
de taxis

un orage

un embouteillage

le compteur

Il a composté son billet.

prévoir considérer comme probable
verser de l'argent donner de l'argent

le montant le total, la somme
un retard un délai, le fait d'arriver tard

Critical Thinking Activity

Identifying consequences
Quelle influence le mauvais temps exerce-t-il sur les transports? Quelles en sont les conséquences?

Communication guidée

A **Historiette** **Embouteillage** Répondez d'après le dessin.

1. Il y a un orage?
2. Il y a un embouteillage?
3. Cette femme ne peut pas avancer?
4. Cette femme est pressée?
5. Où va-t-elle?
6. Comment y va-t-elle?
7. Le train est déjà parti?
8. Elle a raté son train?

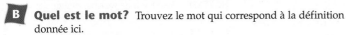

B **Quel est le mot?** Trouvez le mot qui correspond à la définition donnée ici.

1. file de voitures qui ne peuvent pas avancer
2. endroit où on peut trouver un taxi
3. somme totale
4. mauvais temps
5. faire un pronostic
6. dans un taxi: appareil qui indique le prix à payer
7. gare pour voyageurs qui prennent l'avion

C **Familles de mots** Choisissez le mot qui correspond.

1. retarder	a. le compteur
2. verser	b. le composteur
3. monter	c. le versement
4. rembourser	d. une indication
5. compter	e. le remboursement
6. indiquer	f. le montant
7. composter	g. le retard

---

3 Practice

Communication guidée

A **Extension:** Students can describe the illustration in their own words.

B **C** **Extension:** You can do **Activité C** a second time. Have students cover the second column and come up with the word on their own. In more able groups you may have the students use the words in **Activités B** and **C** in original sentences.

Independent Practice

Assign any of the following:
1. **Activités A–C** on this page
2. Workbook, **Conversation**

ANSWERS TO *Communication guidée*

A

1. Oui, il y a un orage.
2. Oui, il y a un embouteillage.
3. Oui, cette femme ne peut pas avancer.
4. Oui, elle est pressée.
5. Elle va à la gare.
6. Elle y va en taxi.
7. Oui, le train vient de partir.
8. Oui, elle a raté son train.

B

1. un embouteillage
2. une station de taxis
3. le montant
4. un orage
5. prévoir
6. le compteur
7. une aérogare

C

1. g
2. c
3. f
4. e
5. a
6. d
7. b

Conversation

CONVERSATION ◆

National Standards

Communication

Students learn to deal with travel problems such as canceled flights. They also learn to make train reservations.

1 Preparation

Resource Manager

Audio Activities Booklet TE,
   Activities B–E, pages 4–7
Audiocassette 1/CD 1
Workbook, Activity C, page 3

Bellringer Review

Write the following on the board or use BRR Transparency 1.3.
Écrivez dix mots dont on pourrait se servir à l'aéroport.

2 Presentation

Note: You may wish to divide the conversation into three parts or present the entire conversation at once.

Step 1 Have students listen to the **Conversation** on Audiocassette 1/CD 1 with their books closed.

Step 2 Call on students to read the **Conversation** aloud. Each one takes a different part.

Step 3 You may wish to do the corresponding **Après la conversation** activity each time you complete a section of the **Conversation.**

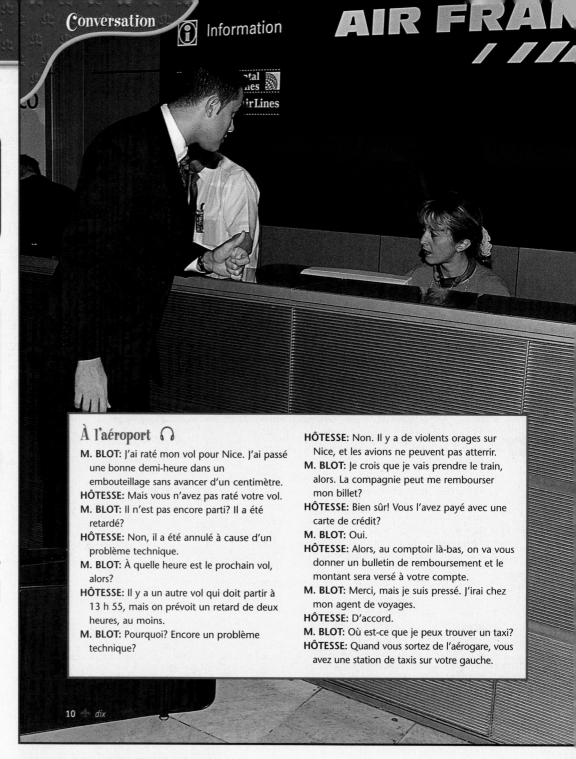

À l'aéroport

M. BLOT: J'ai raté mon vol pour Nice. J'ai passé une bonne demi-heure dans un embouteillage sans avancer d'un centimètre.

HÔTESSE: Mais vous n'avez pas raté votre vol.

M. BLOT: Il n'est pas encore parti? Il a été retardé?

HÔTESSE: Non, il a été annulé à cause d'un problème technique.

M. BLOT: À quelle heure est le prochain vol, alors?

HÔTESSE: Il y a un autre vol qui doit partir à 13 h 55, mais on prévoit un retard de deux heures, au moins.

M. BLOT: Pourquoi? Encore un problème technique?

HÔTESSE: Non. Il y a de violents orages sur Nice, et les avions ne peuvent pas atterrir.

M. BLOT: Je crois que je vais prendre le train, alors. La compagnie peut me rembourser mon billet?

HÔTESSE: Bien sûr! Vous l'avez payé avec une carte de crédit?

M. BLOT: Oui.

HÔTESSE: Alors, au comptoir là-bas, on va vous donner un bulletin de remboursement et le montant sera versé à votre compte.

M. BLOT: Merci, mais je suis pressé. J'irai chez mon agent de voyages.

HÔTESSE: D'accord.

M. BLOT: Où est-ce que je peux trouver un taxi?

HÔTESSE: Quand vous sortez de l'aérogare, vous avez une station de taxis sur votre gauche.

10 ❖ *dix*

Learning from Photos

Ask students the following question: **Qu'est-ce qui se passe au comptoir? Imaginez une autre conversation entre le passager et l'agent.**

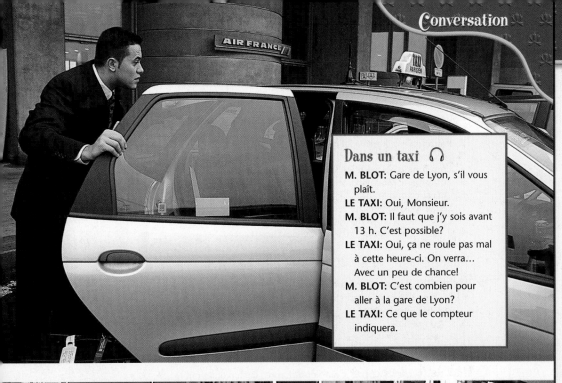

Dans un taxi 🎧

M. BLOT: Gare de Lyon, s'il vous plaît.

LE TAXI: Oui, Monsieur.

M. BLOT: Il faut que j'y sois avant 13 h. C'est possible?

LE TAXI: Oui, ça ne roule pas mal à cette heure-ci. On verra… Avec un peu de chance!

M. BLOT: C'est combien pour aller à la gare de Lyon?

LE TAXI: Ce que le compteur indiquera.

À la gare 🎧

M. BLOT: Le prochain train pour Nice part à quelle heure, s'il vous plaît?

EMPLOYÉE: À 13 h 24.

M. BLOT: C'est un express?

EMPLOYÉE: C'est un TGV.

M. BLOT: Il arrive à quelle heure?

EMPLOYÉE: À 20 h 22.

M. BLOT: Bien, alors donnez-moi un aller simple en seconde, s'il vous plaît.

EMPLOYÉE: Très bien. Ça fait 75 euros et 6 euros pour la réservation. Ça fait 81 euros en tout… Et voilà votre billet, Monsieur. Surtout n'oubliez pas de le composter.

onze ❖ 11

Critical Thinking Activity

Supporting statements with reasons, problem-solving

1. Donnez votre opinion. M. Blot a-t-il bien fait quand il a décidé d'aller à la gare et de prendre le train? Pourquoi?

2. Qu'est-ce que vous auriez fait si vous aviez été M. Blot?

Conversation

Après la conversation

A, B, C After you go over each activity, call on a student to retell the corresponding part of the conversation in his or her own words.

Extension: Have students make up and answer their own questions about the conversation.

B This activity can be done in pairs or small groups.

Après la conversation

A Historiette À l'aéroport Répondez d'après la conversation.
1. Où va M. Blot?
2. Pourquoi est-il arrivé à l'aéroport en retard?
3. Son vol est parti?
4. Pourquoi le vol a-t-il été annulé?
5. Pourquoi le prochain vol partira-t-il en retard?
6. Qu'est-ce que M. Blot décide de faire?
7. La compagnie peut lui rembourser l'argent qu'il a payé?
8. Qu'est-ce qu'on va lui donner?
9. Pourquoi M. Blot ira-t-il à son agence de voyages?
10. Comment veut-il aller à la gare?
11. Où est-ce qu'il peut trouver un taxi?

B Historiette Dans un taxi Répondez d'après la conversation.
1. M. Blot va à quelle gare?
2. Il veut y être quand?
3. C'est possible?
4. Pourquoi?
5. C'est combien pour aller de l'aéroport d'Orly à la gare de Lyon?

C Historiette À la gare Complétez d'après la conversation.
1. Le prochain train pour Nice part _____.
2. C'est un _____.
3. Il arrive à Nice _____.
4. M. Blot prend _____.
5. Le billet lui a coûté _____.

La gare de Lyon, à Paris

ANSWERS TO Après la conversation

A
1. M. Blot va à Nice.
2. Il est arrivé en retard parce qu'il a passé une bonne demi-heure dans un embouteillage.
3. Non, son vol n'est pas parti. Il a été annulé.
4. Le vol a été annulé à cause d'un problème technique.
5. Le prochain vol partira en retard parce qu'il y a de violents orages sur Nice et les avions ne peuvent pas atterrir.
6. Il décide de prendre le train.
7. Oui, la compagnie peut lui rembourser l'argent qu'il a payé.
8. On va lui donner un bulletin de remboursement.
9. Il ira à son agence de voyages parce qu'il est pressé.
10. Il veut aller à la gare en taxi.
11. Il peut trouver un taxi dans une station de taxis, à la sortie de l'aérogare.

B
1. Il va à la gare de Lyon.
2. Il veut y être avant 13 heures.
3. Oui, c'est possible.
4. Parce que ça roule pas mal à cette heure-là.
5. C'est ce que le compteur indiquera.

C
1. à 13 h 24
2. TGV
3. à 20 h 22
4. un aller simple en seconde
5. 81 euros en tout

12

Communication libre

 À l'aéroport Charles-de-Gaulle Vous allez de Paris à New York. Vous êtes au comptoir de la compagnie aérienne. Votre vol a du retard. Préparez une conversation avec un(e) camarade de classe qui sera l'agent de la compagnie aérienne. Voici des mots que vous avez déjà appris et dont vous aurez peut-être besoin:

> **le départ, les bagages, la porte, le vol, l'avion, l'appareil, décoller, atterrir, faire enregistrer les bagages, à destination de, en provenance de**

B **À la gare de Lyon** Vous allez de Paris à Marseille. Vous êtes à la gare de Lyon à Paris. Vous avez peur d'avoir raté votre train. Préparez une conversation avec un(e) camarade qui sera l'employé(e) du chemin de fer (*railway*). Voici des mots que vous avez déjà appris et dont vous aurez peut-être besoin:

> **la salle d'attente, attendre le prochain train, un haut-parleur, une annonce, partir à l'heure, en avance, en retard, le guichet, un billet aller-retour, en première, en seconde, monter en voiture, changer de train**

Nice: la baie des Anges et l'hôtel Negresco

C **À l'hôtel** Vous venez de passer une semaine à Nice. Malheureusement, vous devez repartir aujourd'hui pour les États-Unis. Vous êtes à la réception de votre hôtel pour payer votre facture. Vous voulez aussi un taxi pour aller à l'aéroport. Préparez une conversation avec un(e) camarade qui sera le/la réceptionniste. Voici des mots que vous avez déjà appris et dont vous aurez peut-être besoin:

> **libérer la chambre, rendre sa clé, vérifier les frais, descendre les bagages, demander la facture, payer avec une carte de crédit, avec un chèque de voyage, en espèces**

Conversation

Communication libre

Note: These activities have students practice their "survival skills" in French in the types of real-life situations that they might encounter while on a trip to France. It is recommended that you not correct all errors made by the students as they do these activities. They would certainly make errors if they were communicating in real situations in a French-speaking country.

A, B, C You may wish to have students select the activity they prefer to do. It is not necessary that all students do all activities.

You can do these activities as paired activities, or they can be done in a group. Students assist one another in polishing the final version of their conversations.

Have different pairs or groups present their conversation to the class.

♻ Recycling

These activities recycle vocabulary associated with air travel (Level 1, Chapter 8; Level 2, Chapter 4), train travel (Level 1, Chapter 9; Level 2, Chapter 4) and checking in and out of a hotel (Level 2, Chapter 9).

Cooperative Learning

Have students work in groups of four. Each group member discusses the advantages and disadvantages of travel by train, airplane, and car. The group decides on a preferable mode of transportation and reports to the class.

Independent Practice

Assign any of the following:
1. **Après la conversation** and **Communication libre** activities on pages 12–13
2. Workbook, **Conversation**

ANSWERS TO Communication libre

A, B, C *Answers will vary.*

13

Langage

EN VOYAGE!

National Standards

Communication
Students improve their travel survival skills and their ability to communicate with various types of service personnel.

---

1 Preparation

Resource Manager

Audio Activities Booklet TE,
  Activities A–B, pages 7–8
Audiocassette 1/CD 1
Workbook, Activities A–C,
  pages 4–5
Quiz 3, page 3

Bellringer Review

Write the following on the board or use BRR Transparency 1.4.
Écrivez cinq lieux que vous voudriez visiter si vous visitiez une grande ville française. Indiquez ce que vous voudriez y faire.

Note: This **Langage** section gives students the opportunity to use real-life expressions they would need in all types of travel situations.

---

2 Presentation

Step 1 It is suggested that you read the explanatory information to the class.

Step 2 Have the class repeat the expressions. This can be done in unison. Have the students use as much expression as possible. Pay particular attention to intonation.

Langage

EN VOYAGE! ⌒

Bon voyage!

À quelqu'un qui part en voyage, vous dites:

> Bon voyage!
> Bonnes vacances!
> Amuse-toi bien!

Quand vous êtes en vacances ou quand vous voyagez, il faut prendre toutes sortes de renseignements. Il faut toujours savoir où, quand, à quelle heure quelque chose aura lieu. Si vous voulez demander des renseignements à quelqu'un, pour être poli(e), vous pouvez commencer par:

> Pardon, Monsieur/Madame/Mademoiselle!
> Excusez-moi, mais…
> Pardon, pourriez-vous me dire…
> Pardon, vous pouvez me dire…
> … où se trouve la poste, s'il vous plaît?
> … quand a lieu le concert?
> … à quelle heure part le train pour Lyon?

Si vous voulez savoir comment faire quelque chose, vous pouvez demander:

> Comment dois-je faire pour…
> … téléphoner aux États-Unis?
> … réserver une place dans le TGV?
> … aller à la gare de Lyon?

Si vous voulez savoir si quelque chose est disponible, vous pouvez demander:

> Vous auriez…
> … une chambre pour une personne?
> … une table de libre?
> … une place côté fenêtre?
> Il y a encore des places?

14 ⚜ *quatorze*

CHAPITRE 1

Register

You may wish to give students some information concerning register as they learn to ask questions.

FORMAL
Pardon, pourriez-vous me dire…
Auriez-vous…

LESS FORMAL
Pardon, vous pouvez me dire…
Vous avez…

MORE FORMAL
Quel est le prix de ce chemisier, s'il vous plaît?

LESS FORMAL
Il coûte combien, ce chemisier?

14

Il vaut mieux savoir le prix de quelque chose avant de l'acheter. Aussi, vous pouvez demander:

> **Quel est le prix de ce chemisier?**
> **Ça coûte combien, cette chambre?**
> **C'est combien l'aller-retour?**
> **À combien sont les pommes?**
> **Ça fait combien, tout ça?**

Si quelqu'un vous demande quelque chose et que vous ne pouvez pas lui répondre, vous pouvez dire:

> **Je suis désolé(e)…**
> **… mais je ne suis pas d'ici.**
> **… mais je ne sais pas.**

Communication libre

Prenez tous les renseignements Imaginez que vous voyagez en France et que vous vous trouvez dans les situations suivantes. Travaillez avec un(e) camarade.

1. Vous voulez aller de Paris à Madrid en avion. Allez voir votre agent de voyages et prenez tous les renseignements dont vous avez besoin.
2. Vous voulez aller de Paris à Marseille par le train. Allez dans une gare prendre tous les renseignements dont vous avez besoin, et achetez votre billet.
3. Vous êtes à l'aéroport de Nice et vous voulez aller à Cannes en taxi. Parlez d'abord à l'agent des renseignements, puis à un chauffeur de taxi.
4. Vous arrivez, avec des amis, dans un hôtel à Saint-Malo, en Bretagne. Demandez tous les renseignements nécessaires pour obtenir de bonnes chambres pour vous et vos trois amis.
5. Votre chanteur préféré est à Paris. Vous voulez aller à son concert. Posez toutes les questions nécessaires à la réceptionniste de votre hôtel parisien pour pouvoir aller à ce concert.

6. Vous voulez savoir où vous pouvez acheter un journal en anglais près de votre hôtel. Demandez à la réceptionniste.
7. Vous voulez savoir comment utiliser un téléphone public. Demandez à un(e) passant(e).
8. Vous êtes dans un magasin de vêtements. Il y a des choses qui vous intéressent et que vous aimeriez acheter. Demandez les prix.

3 Practice

Communication libre

Note: The major objective of this activity is to have students formulate questions correctly.

Prenez tous les renseignements Have students select the activity they wish to do.

You may wish to assign partners or have students select partners.

As a final step, call on pairs to present their conversation to the class.

♻ Recycling

This activity recycles vocabulary dealing with the following communicative topics: **la gare, l'aéroport, dans le taxi, à l'hôtel, des activités culturelles, des achats, un appel téléphonique.**

Independent Practice

Assign any of the following:
1. Activity on this page
2. Workbook, **Langage**

✓ Assessment

Use these resources at the end of the **Conversation** and **Langage** sections for review and assessment.
Quizzes 2–3
Test Booklet, pages 8–9
ExamView Pro®
Situation Cards

ANSWERS TO
Communication libre

Answers will vary.

15

Structure I

1 Preparation

Resource Manager

Workbook, Activities A–G,
   pages 6–10
Audio Activities Booklet TE,
   Activities A–C, pages 8–10
Audiocassette 1/CD 1
Quizzes 4–7, pages 4–7
ExamView Pro®

Bellringer Review

Write the following on the board or use BRR Transparency 1.5.
Mettez les phrases suivantes au présent.
1. J'ai passé toute la journée à la plage.
2. J'ai vu mes amis.
3. Nous avons nagé.
4. Nous avons bronzé.
5. Nathalie a loué un petit bateau.
6. Robert n'a pas fini son travail.
7. Nous n'avons pas attendu Robert à la plage.

2 Presentation

Le passe composé avec **avoir**: verbes réguliers ◆

Note: Many groups should be able to skip the review of this topic.

Step 1 Have students repeat the past participles. Write them on the board and underline the ending.

Step 2 Have students open their books and read the paradigms aloud.

Step 3 Call on students to read the expressions and model sentences in Items 5, 6, and 7.

Describing past actions
Le passé composé avec **avoir**: verbes réguliers

1. The **passé composé**, or conversational past tense, is used for actions that both began and ended in the past. The **passé composé** of most verbs is formed by using the present tense of **avoir** and the past participle of the verb.

2. The past participle of regular verbs is formed by dropping the ending of the infinitive and adding **-é** to the **-er** verbs, **-i** to the **-ir** verbs, and **-u** to the **-re** verbs.

La fontaine Stravinski près du Centre Pompidou

parler   →   parl-é   →   parlé
finir   →   fin-i   →   fini
attendre   →   attend-u   →   attendu

All regular past participles end in the sounds /é/, /i/, or /ü/.

/é/	/i/	/ü/
parlé	fini	perdu
regardé	choisi	attendu

3. Review the forms of the **passé composé** of regular verbs.

PARLER		FINIR		ATTENDRE	
j'	ai parlé	j'	ai fini	j'	ai attendu
tu	as parlé	tu	as fini	tu	as attendu
il	a parlé	il	a fini	il	a attendu
elle	a parlé	elle	a fini	elle	a attendu
nous	avons parlé	nous	avons fini	nous	avons attendu
vous	avez parlé	vous	avez fini	vous	avez attendu
ils	ont parlé	ils	ont fini	ils	ont attendu
elles	ont parlé	elles	ont fini	elles	ont attendu

4. The verbs **dormir**, **servir**, and **sentir** have regular past participles.

dormir → dormi   servir → servi   sentir → senti

5. The **passé composé** is often used with the following time expressions:

hier hier matin la semaine dernière
hier soir avant-hier l'année dernière

J'ai parlé à Mathieu hier soir.
Il a fini ses cours avant-hier.

6. The negative of the **passé composé** is formed by putting **ne (n')** before the form of **avoir** and **pas** after it.

Il a voyagé avec elle.
Il n'a pas voyagé avec elle.

7. Note how questions are formed in the **passé composé**.

Tu as voyagé avec elle?
Est-ce que tu as voyagé avec elle?
As-tu voyagé avec elle?

Communication guidée

A **Historiette** **Hier soir**
Donnez des réponses personnelles.

1. Tu as dîné en famille hier soir?
2. Qu'est-ce que vous avez mangé?
3. Après le dîner, tu as préparé tes leçons?
4. Tu as beaucoup étudié?
5. Tu as fini tes devoirs à quelle heure?
6. Ensuite, tu as regardé la télé?
7. Tu as choisi quel programme?
8. Le téléphone a sonné?
9. Qui a répondu au téléphone?
10. Tu as parlé au téléphone?
11. Qui a téléphoné?
12. Vous avez parlé en anglais ou en français?

B **Historiette** **Les voyageurs**
Mettez au passé composé.

1. Les voyageurs attendent le train.
2. J'entends l'annonce du départ du train.
3. Le contrôleur crie «En voiture!»
4. Je cherche ma place.
5. Tous les voyageurs louent leurs places à l'avance.
6. Je trouve ma place.
7. Tu dors pendant le voyage?
8. On sert un repas aux voyageurs?

3 Practice

Communication guidée

A , **B** Note that we have used the conversational word order in these questions—rising intonation at end of the question. These activities can be done with books closed, open, or once each way.

Extension: Have students give the information from these activities in their own words.

Cooperative Learning
After completing the activities on this page, have students do the following activity. Have students work in groups of four. Give them the following verbs and phrases: **voyager, travailler, attendre le train.** Students 1–3 will prepare a miniconversation for each verb or phrase, and Student 4 will report to the class.

É1: Avec qui as-tu voyagé?
É2: J'ai voyagé avec mon ami.
É3: Quand avez-vous voyagé?
É2: Nous avons voyagé l'été dernier.
É4 (à la classe): É2 et son ami ont voyagé l'été dernier.

Independent Practice

Assign any of the following:
1. Activities on this page
2. Workbook, **Structure I**

ANSWERS TO Communication guidée

A
Answers will vary.

B

1. Les voyageurs ont attendu le train.
2. J'ai entendu l'annonce du départ du train.
3. Le contrôleur a crié: «En voiture!»
4. J'ai cherché ma place.
5. Tous les voyageurs ont loué leurs places à l'avance.
6. J'ai trouvé ma place.
7. Tu as dormi pendant le voyage?
8. On a servi un repas aux voyageurs?

Structure I

Structure I

1 Preparation

Bellringer Review

Write the following on the board or use BRR Transparency 1.6.

Complétez au présent.

1. Je le ___ et vous le ___. (dire)
2. Il ___ et nous ___. (rire)
3. Le prof ___ et les élèves ___. (comprendre)
4. Elle ___ et nous ___. (écrire)
5. Je l' ___ mais tu ne l' ___ pas. (avoir)
6. Je ___ , mais ils ne ___ pas. (pouvoir)

2 Presentation

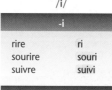

Le passé composé avec **avoir**: verbes irréguliers ◆

Step 1 Explain to students who need this review that most irregular past participles end in the same sounds as regular past participles. The sound /i/ can have several spellings.

Step 2 Have students read the past participles aloud. Tell them to focus their attention on the spelling as they read.

Teaching Tip: To avoid doing large segments of grammar at one time, you may wish to intersperse the grammar points as you are doing other sections of the chapter. If your students need to do the review grammar, you may wish to go over these points as you are doing the **Culture, Conversation,** and **Langage** sections of the chapter. If you prefer, however, you can spend two or three class periods in succession doing the review grammar.

Describing past actions

Le passé composé avec **avoir**: verbes irréguliers

1. The past participle of most irregular verbs ends in either the sound /i/ or /ü/. Note, however, that the spellings of the /i/ sound can vary. Review the following irregular past participles of commonly used verbs.

/i/

-i	
rire	ri
sourire	souri
suivre	suivi

-is	
mettre	mis
permettre	permis
prendre	pris
apprendre	appris
comprendre	compris

-it	
dire	dit
écrire	écrit
conduire	conduit
produire	produit

/ü/

-u	
devoir	dû
avoir	eu
boire	bu
lire	lu
pouvoir	pu
voir	vu
croire	cru
connaître	connu
recevoir	reçu
vouloir	voulu
falloir	fallu
courir	couru
vivre	vécu

2. The past participles of the following verbs end in **-ert.**

ouvrir	ouvert
couvrir	couvert
découvrir	découvert
offrir	offert
souffrir	souffert

3. The past participles of **être** and **faire** are also irregular.

être ➔ été   faire ➔ fait

Communication guidée

A **Historiette** **Au café** Répondez par «oui».

1. Jacques a fait un voyage?
2. Il a été content?
3. Il a regardé les gens?
4. Il a vu des copains?
5. Il a bu un café?
6. Il a lu le journal?
7. Il a ouvert sa correspondance?
8. Il a reçu beaucoup de lettres?
9. Il a écrit des cartes postales?
10. Il a mis des timbres sur ses cartes?

B **Un magazine de voyages** Répondez par «oui».

1. Tu as voulu acheter un magazine français?
2. Tu as lu ce magazine?
3. Tu l'as compris?
4. Tu as beaucoup appris?
5. Tu as mis le magazine sur la table?
6. Ton ami a vu le magazine?
7. Il a ouvert le magazine?

C **Historiette** **Un voyage au Canada**

Mettez au passé composé.

1. Nathalie fait un voyage au Canada.
2. Elle prend sa voiture.
3. Elle conduit prudemment.
4. Elle met sa ceinture de sécurité.
5. Elle lit les panneaux en français.
6. Elle les comprend.
7. Elle doit payer beaucoup de péage.
8. Elle veut visiter Montréal.
9. Elle peut faire du ski au Mont-Tremblant.
10. Elle suit ses amis jusqu'à Québec.

Station de ski au Québec, et le château Frontenac à Québec

Structure I

3 Practice

Communication guidée

C This activity recycles vocabulary from Level 2 relating to cars and driving.

FUN-FACTS

- Le château Frontenac est un site célèbre de Québec. C'est un hôtel. Frontenac est le nom du gouverneur général de la Nouvelle-France de 1672 à 1682.
- La ville de Québec a été fondée par Samuel de Champlain en 1608. C'est le premier village français en Amérique du Nord. Jusqu'en 1763, c'est la capitale de la Nouvelle-France, c'est-à-dire, le centre administratif d'un immense territoire qui va du golfe du St-Laurent au golfe du Mexique et des Appalaches aux Montagnes Rocheuses. De nos jours, Québec est la capitale de la province du Québec. Québec attire chaque année de nombreux touristes, surtout au moment des célébrations du Mardi Gras, présidées par Bonhomme Carnaval.

ANSWERS TO Communication guidée

A

1. Oui, Jacques a fait un voyage.
2. Oui, il a été content.
3. Oui, il a regardé les gens.
4. Oui, il a vu des copains.
5. Oui, il a bu un café.
6. Oui, il a lu le journal.
7. Oui, il a ouvert sa correspondance.
8. Oui, il a reçu beaucoup de lettres.
9. Oui, il a écrit des cartes postales.
10. Oui, il a mis des timbres sur ses cartes.

B

1. Oui, j'ai voulu acheter un magazine français.
2. Oui, j'ai lu ce magazine.
3. Oui, je l'ai compris.
4. Oui, j'ai beaucoup appris.
5. Oui, j'ai mis le magazine sur la table.
6. Oui, mon ami a vu le magazine.
7. Oui, il a ouvert le magazine.

C

1. Nathalie a fait un voyage au Canada.
2. Elle a pris sa voiture.
3. Elle a conduit prudemment.
4. Elle a mis sa ceinture de sécurité.
5. Elle a lu les panneaux en français.
6. Elle les as compris.
7. Elle a dû payer beaucoup de péage.
8. Elle a voulu visiter Montréal.
9. Elle a pu faire du ski au Mont-Tremblant.
10. Elle a suivi ses amis jusqu'à Québec.

3 Practice (continued)

Note: Note that although the major objective of these activities is the review of irregular past participles and verbs in the **passé composé,** students learn some interesting historical information from the activities. **Activité D** deals with the châteaux of the Loire Valley. **Activité E** gives information concerning the discovery and colonization of Canada.

D , **E** Because of the historical information in these activities, you may wish to have students who do not really need a review of the **passé composé** do them anyway.

Have students prepare these activities before going over them in class.

Extension: Give students four minutes to write down all the information they recall from the activities.

Independent Practice

Assign any of the following:
1. Activities on pages 19–20
2. Workbook, **Structure I**

En 1534, Cartier traverse l'Atlantique en 20 jours—un voyage rapide à cette époque!

D **Historiette** **Une excursion aux châteaux de la Loire** Complétez au passé composé.

1. La semaine dernière, la classe de Serge _____ une excursion aux châteaux de la Loire. (faire)
2. Malheureusement, ils n'_____ pas _____ le temps de les visiter tous. (avoir)
3. Serge _____ plusieurs heures au château de Chambord. (passer)
4. Dans ce beau château, le roi Louis XIV _____ représenter des pièces de Molière. (faire)
5. Molière est un grand écrivain du XVIIᵉ siècle qui _____ beaucoup de comédies. (écrire)
6. Après leur visite du château de Chambord, Serge et ses camarades _____ quelques heures au château de Chenonceaux. (passer)
7. On _____ le château de Chenonceaux au XVIᵉ siècle. (construire)
8. À Chenonceaux, Serge _____ les appartements des rois. (voir)
9. Plusieurs rois de France _____ dans les appartements de Chenonceaux. (vivre)
10. En 1733, le fermier général Dupin _____ le château. (acheter)
11. Au XVIIIᵉ siècle, le château _____ de résidence à beaucoup d'écrivains et de philosophes, comme Voltaire et Rousseau. (servir)

E **Historiette** **Un Malouin célèbre** Complétez au passé composé.

Saint-Malo est une jolie ville sur la côte bretonne. Cette ville __1__ (voir) naître plusieurs personnages célèbres, tels que Jacques Cartier.

Cartier __2__ (quitter) la Bretagne en 1534 pour chercher une route vers l'Asie par le nord du Nouveau-Monde. Arrivé dans la région de Terre-Neuve, il __3__ (découvrir) l'estuaire du Saint-Laurent. Il __4__ (croire) que c'était l'estuaire d'un grand fleuve d'Asie.

Dans la langue des Hurons, les Indiens de la région, le mot «canada» signifie «village». C'est Jacques Cartier qui __5__ (donner) le nom de Canada au pays. Il __6__ (prendre) possession du Canada au nom du roi de France.

Cartier __7__ (être) le «découvreur» du Canada, mais ce n'est pas lui qui __8__ (coloniser) le pays. C'est Samuel de Champlain qui __9__ (être) le colonisateur du Canada français et qui __10__ (fonder) la ville de Québec en 1608.

Jacques Cartier, d'après une peinture de P. Gendon

ANSWERS TO Communication guidée

D

1. a fait
2. ont eu
3. a passé
4. a fait
5. a écrit
6. ont passé
7. a construit
8. a vu
9. ont vécu
10. a acheté
11. a servi

E

1. a vu
2. a quitté
3. a découvert
4. a cru
5. a donné
6. a pris
7. a été
8. a colonisé
9. a été
10. a fondé

Describing past actions
Le passé composé avec être

1. Review the following verbs that are conjugated with **être,** rather than **avoir,** in the **passé composé.** Note that many verbs conjugated with **être** express motion to or from a place.

aller → allé	arriver → arrivé	rester → resté
venir venu	partir parti	devenir devenu
entrer entré	passer passé	tomber tombé
sortir sorti	retourner retourné	naître né
rentrer rentré	monter monté	mourir mort
revenir revenu	descendre descendu	

2. With verbs conjugated with **être,** the past participle must agree in number (singular or plural) and gender (masculine or feminine) with the subject.

ALLER	NAÎTRE
je suis allé(e)	je suis né(e)
tu es allé(e)	tu es né(e)
il est allé	il est né
elle est allée	elle est née
nous sommes allé(e)s	nous sommes né(e)s
vous êtes allé(e)(s)	vous êtes né(e)(s)
ils sont allés	ils sont nés
elles sont allées	elles sont nées

Communication guidée

A **Historiette En France!** Répondez d'après les indications.

1. Tu es allé(e) où? (en France)
2. Tu y es allé(e) avec qui? (mon prof de français)
3. Comment êtes-vous allés en France? (en avion)
4. L'avion est parti à l'heure? (oui)
5. Il est arrivé à l'heure? (oui)
6. Vous êtes partis de quel aéroport? (Kennedy à New York)
7. Vous êtes arrivés à quel aéroport? (Charles-de-Gaulle à Paris)
8. Tu es resté(e) combien de jours à Paris? (cinq)
9. Vous êtes montés en haut de la tour Eiffel? (oui)
10. Vous êtes descendus dans les Catacombes? (non)
11. Tu es passé(e) devant l'Élysée? (oui)

STRUCTURE I

vingt et un ❖ **21**

Structure I

1 Preparation

Bellringer Review

Write the following on the board or use BRR Transparency 1.7.
Récrivez au présent.
1. Nous sommes allés à la plage.
2. Robert est venu avec nous.
3. Nous sommes descendus à la plage.
4. Nous sommes restés toute la journée à la plage.

2 Presentation

Le passé composé avec **être** ◆◆

Step 1 Read Item 1 to students and have them repeat the past participles aloud.

Step 2 Have students repeat the paradigms aloud in unison.

3 Practice

A **Extension:** Have students answer the questions, supplying alternate answers to those given in parentheses.

ANSWERS TO Communication guidée

A

1. Je suis allé(e) en France.
2. J'y suis allé(e) avec mon prof de français.
3. Nous sommes allés en France en avion.
4. Oui, l'avion est parti à l'heure.
5. Oui, il est arrivé à l'heure.
6. Nous sommes partis de l'aéroport Kennedy à New York.
7. Nous sommes arrivés à l'aéroport Charles-de-Gaulle à Paris.
8. Je suis resté(e) cinq jours à Paris.
9. Nous sommes montés en haut de la tour Eiffel.
10. Non, nous ne sommes pas descendus dans les Catacombes.
11. Oui, je suis passé(e) devant l'Élysée.

FUN FACTS

The entrance to Paris's Catacombs is in the Place Denfert-Rochereau in the 14th arrondissement. The catacombs were originally Gallo-Roman excavations that were dug at the bases of three mountains: Montparnasse, Montsouris, and Montrouge. They were turned into ossuaries in 1785. Several million skeletons from the Innocents and other cemeteries were then transported to the catacombs. During World War II, the Resistance movement established its headquarters in the catacombs.

3 Practice *(continued)*

B This activity can be done with books closed, open, or once each way.

C It is suggested that you have students prepare this activity before going over it in class.

Extension: Upon completion of **Activité C,** have one student give the class all the information in his or her own words.

Paired Activity
Have students do the following paired activity.
Travaillez avec un(e) camarade. Parlez de tout ce que vous avez fait l'été dernier. Dites à la classe si vous avez fait la même chose ou des choses différentes.

History Connection

The original gare d'Orsay was opened on July 14, 1900 for the **Exposition universelle.** Because of electrification, the main-line trains **(les grandes lignes)** moved to the gare d'Austerlitz and only suburban trains used the gare d'Orsay. The building was about to be demolished, but in 1973 it was classified as a historical monument. The new museum opened in 1987.

Independent Practice

Assign any of the following:
1. Activities on pages 21–22
2. Workbook, **Structure I**

B **Historiette** **Au cinéma** Répondez.

1. Tu es sorti(e) hier soir?
2. Tu es sorti(e) avec qui?
3. Vous êtes allé(e)s au cinéma?
4. Vous êtes arrivé(e)s au cinéma à quelle heure?
5. Et vous êtes sorti(e)s à quelle heure?
6. Tu es rentré(e) chez toi à quelle heure?
7. Et ton copain, à quelle heure est-il rentré?
8. Et ta copine, à quelle heure est-elle rentrée?

Le grand hall du musée d'Orsay

C **Historiette** **Au musée d'Orsay** Complétez d'après les indications.

1. Hier, Camille _____ au musée d'Orsay avec des copains. (aller)
2. Ils _____ voir l'exposition Renoir. (aller)
3. Camille _____ du métro à la station Musée d'Orsay. (descendre)
4. Elle _____ au musée à quatorze heures. (arriver)
5. Elle _____ dans le musée avec ses copains. (entrer)
6. Ils _____ au deuxième étage. (monter)
7. Ils _____ une heure à regarder les tableaux de Renoir. (rester)
8. Renoir, le célèbre peintre impressionniste, _____ en 1841 et il _____ en 1919. (naître, mourir)
9. Camille et ses copains _____ de l'exposition à quinze heures trente. (sortir)
10. Ils _____ à la station de métro ensemble. (aller)
11. Le train _____ et ils _____. (arriver, monter)
12. Camille _____ chez elle à seize heures trente. (rentrer)
13. L'ascenseur _____ en panne. (tomber)
14. Camille _____ à pied à son appartement. (monter)

Pierre Auguste Renoir: *Jeunes filles au piano*

ANSWERS TO
Communication guidée

B *Answers will vary.*

C
1. est allée
2. sont allés
3. est descendue
4. est arrivée
5. est entrée
6. sont montés
7. sont restés
8. est né, est mort
9. sont sortis
10. sont allés
11. est arrivé, sont montés
12. est rentrée
13. est tombé
14. est montée

Describing past actions
Le passé composé de certains verbes avec être et avoir

Verbs conjugated with **être** do not take a direct object. However, verbs such as **monter, descendre, sortir, rentrer, retourner,** and **passer** can be used with a direct object. When they are, their meaning changes, and the **passé composé** is formed with **avoir,** rather than **être.** Compare the following sentences:

Without direct object	With direct object
Elle est montée à pied.	Elle a monté ses bagages.
Elle est sortie en voiture.	Elle a sorti le chien.

Communication guidée

Historiette **Visite à Notre-Dame** Mettez au passé composé.

1. Les touristes montent en haut des tours de Notre-Dame.
2. Ils montent 387 marches.
3. Ils descendent l'escalier beaucoup plus vite qu'ils ne le montent.
4. Ils sortent de la cathédrale après une visite d'une demi-heure.
5. Après la visite, Anne sort des pièces de monnaie de sa poche pour le guide.
6. Les touristes rentrent à l'hôtel pour le dîner.
7. Avant le dîner, ils montent dans leurs chambres.
8. Ils montent les souvenirs qu'ils ont achetés.

Notre-Dame de Paris

Presentation

Le passé composé de certains verbes avec être et avoir ◆◆◆

Note: This particular point is quite confusing for many students. The more examples the students get, the better they seem to understand. Some additional examples you may wish to give are:

Elle est montée.
Elle a monté l'escalier.

Elles sont descendues.
Elles ont descendu leurs bagages.

Il est sorti.
Il a sorti son argent de sa poche.

Ils sont passés par ici.
Ils m'ont passé les légumes.

Informal Assessment

Now that all types of verbs have been reviewed in the **passé composé,** have students respond to the following.
1. Qu'est-ce que tu as fait hier soir?
2. Tes copains et toi, qu'est-ce que vous avez fait hier?
3. Qu'est-ce que tu as fait pendant les vacances?
4. Qu'est-ce que tu as fait hier à l'école?

Have students give as many answers as possible to each question.

Independent Practice

Assign any of the following:
1. Activity on this page
2. Workbook, **Structure I**

 Assessment

Use these resources at the end of the **Structure I** section for review and assessment.
   Quizzes 4–7
   Test Booklet, pages 10–12
   ExamView Pro®

ANSWERS TO
Communication guidée

1. sont montés
2. ont monté
3. ont descendu, l'ont monté
4. sont sortis
5. a sorti
6. sont rentrés
7. sont montés
8. ont monté

FUN FACTS

During the French Revolution, Notre-Dame was pillaged and fell into severe disrepair. When Napoleon was crowned emperor in the cathedral on December 2, 1804, tapestries and drapes covered the walls to hide the worst damage (see *Le Sacre*, page 377). It took the publication of Victor Hugo's novel *Notre-Dame de Paris* in 1831 to stimulate interest in the restoration of the cathedral.

Journalisme

L'Acadie

1 Preparation

Resource Manager

Vocabulary Transparency 1.3
Audio Activities Booklet TE, Activity A, page 11
Audiocassette 1/CD 1
Workbook, Activity A, page 11
Quiz 8, page 8
ExamView Pro®

Bellringer Review

Write the following on the board or use BRR Transparency 1.8.
Écrivez au moins quatre choses que vous vous rappelez au sujet du Canada.

2 Presentation

Introduction

Step 1 Explain to students: **Dans cette introduction vous allez vous familiariser un peu avec l'histoire d'une région du Canada. Quelque chose de très triste y est arrivé—le «Grand Dérangement».**

Step 2 Have students locate the following on a map: **la Nouvelle-Écosse, le Nouveau-Brunswick, la Louisiane.**

Step 3 You can have students read this introduction aloud or silently.

Step 4 After the reading ask: **Qu'est-ce que le «Grand Dérangement»?**

Literature Connection

Have students read the poem "Evangeline" and analyze their feelings about it in French.

L'expulsion, gravure sur bois de F. O. C. Darley, et la statue d'Évangéline à Saint-Martinville en Louisiane

Introduction

L'Acadie est une ancienne région du Canada qui correspond à ce qui est aujourd'hui la Nouvelle-Écosse et le Nouveau-Brunswick. Cette région a été cédée par la France à l'Angleterre en 1713.

En 1755, les Anglais ont expulsé les Acadiens de leur région. Après leur expulsion, qu'ils ont appelée le «Grand Dérangement», la plupart des Acadiens sont partis vers la Louisiane. À cette époque, la Louisiane était encore un territoire français. Beaucoup ne sont jamais arrivés: ils ont disparu en mer, le long de la côte est des États-Unis. Ceux qui sont arrivés en Louisiane sont devenus les «Cajuns»— déformation d'«Acadiens».

Le poète américain Henry Wadsworth Longfellow a immortalisé le Grand Dérangement dans son poème *Évangéline.* Évangéline est une Acadienne qui a passé toute sa vie à chercher son fiancé, Gabriel, dont elle avait été séparée pendant le Grand Dérangement.

L'article que vous allez lire est une publicité qui a paru dans un journal canadien, pour encourager le tourisme dans la région acadienne. Cette publicité s'adresse-t-elle aux Canadiens anglophones ou aux Canadiens francophones? À vous de décider en la lisant.

FUN FACTS

En s'aidant des cartes du cours du Mississippi établies par les explorateurs Jolliet et Marquette, Robert Cavelier de La Salle entreprend de descendre le Mississippi jusqu'au Golfe du Mexique. Il part de Fort Frontenac sur le Saint-Laurent, en 1679. Il arrive dans le delta du Mississippi en avril 1682. Cavelier de La Salle donne aux nouveaux territoires qu'il vient de découvrir le nom de Louisiane, en l'honneur du roi de France, Louis XIV.

Après avoir été expulsés d'Acadie, beaucoup d'Acadiens vont à La Nouvelle-Orléans, mais ils y sont mal reçus parce que ce sont des paysans, alors que les Français de la Nouvelle-Orléans sont des aristocrates. Les Acadiens décident donc d'aller s'installer plus loin à l'intérieur des terres, dans les bayous.

Vocabulaire

une auberge

Les Acadiens sont accueillants.
Ils accueillent avec le sourire.
Leur accueil est chaleureux.

Les Acadiens aiment giguer.
Ils giguent au son des violons.

abriter donner un endroit où habiter
surmonter réussir à passer un obstacle

le dépaysement état d'une personne qui
vient de changer d'environnement
les mets *(m.)* les aliments, la nourriture

Communication guidée

Visitez la région acadienne. Complétez.

1. Quand les gens vont à l'étranger, ils ressentent un ____.
2. ____ des étrangers peut être chaleureux ou hostile.
3. On a plus de chance de recevoir un accueil chaleureux dans une ____ que dans un grand hôtel.
4. Beaucoup d'Acadiens habitent cette région. Cette région ____ beaucoup d'Acadiens.
5. Beaucoup de gens n'aiment pas manger des ____ trop épicés, trop piquants.
6. Il faut travailler dur pour ____ les obstacles.
7. La danse traditionnelle des Acadiens est la gigue. Les Acadiens aiment ____ au son des ____.
8. Les Acadiens ____ les gens avec le sourire. Ils sont ____.

Vocabulaire

Step 1 Have students look at the illustrations on page 25 as you present the sentences.

Step 2 You may wish to intersperse your presentation with the following questions: **Comment sont les Acadiens? Avec quoi accueillent-ils les visiteurs? Comment est leur accueil? Qu'est-ce qu'ils aiment faire?**

Step 3 **Definitions:** Call on one student to read the new word. Another reads the definition.

Step 4 Proceed with the accompanying exercise.

3 Practice

Communication guidée

After students have finished the **Activité,** call on individuals to read the completed sentences aloud.

Extension: Have students make up questions about each statement.

Cooperative Learning

Have students work in small groups. They all answer with one or more responses. **Avez-vous surmonté des obstacles dans votre vie? Lesquels?** The group will then decide **qui a réussi à surmonter l'obstacle le plus important.**

Independent Practice

Assign any of the following:
1. Activity on this page
2. Workbook, **Journalisme**

ANSWERS TO
Communication guidée

1. dépaysement
2. L'accueil
3. auberge
4. abrite
5. mets
6. surmonter
7. giguer, violons
8. accueillent, accueillants

Journalisme

L'ACCUEIL ACADIEN ◆◆

National Standards

Communication
Students read about and discuss an area of the United States with a rich French heritage.

Connections
Students broaden their knowledge of history and geography. The reading also establishes a connection with American literature.

1 Preparation

Resource Manager

Audio Activities Booklet TE, Activity B, page 12
Audiocassette 1/CD 1
Workbook, Activity B, page 11

Bellringer Review

Write the following on the board or use BRR Transparency 1.9.
En cinq ou six phrases, décrivez la région où vous habitez.

2 Presentation

Step 1 Ask students to try to determine for whom this article was written.

Step 2 You may wish to have the students read this selection aloud. Intersperse their reading with questions from **Activité A.**

Step 3 **L'idée principale: À votre avis, quelle est l'idée principale de cet article? (Une possibilité: La joie de vivre existe toujours chez les Acadiens. Elle est contagieuse.)**

Step 4 Ask: **Pour qui cet article a-t-il été écrit? (les Canadiens francophones)**

L'ACCUEIL ACADIEN

«Évangéline, Évangéline! Tout chante ici ton noble nom…» Évangéline, c'est cette héroïne romantique par laquelle l'Acadie a été connue au-delà des frontières d'espace et de temps, grâce à la plume[1] de Longfellow.

Évangéline, c'est aussi la région de l'Île-du-Prince-Édouard dont les habitants perpétuent la joie de vivre, l'hospitalité de l'héroïne, sa culture et sa langue, qui est aussi la vôtre, à quelques pointes d'accent près[2].

Située dans la partie sud-ouest du «Jardin du Golfe», la région Évangéline abrite une population d'environ 2 000 Acadiens de langue maternelle française. La région Évangéline vous offre le dépaysement sans avoir à surmonter l'insécurité que cause une langue inconnue; le rythme de vie, basé ici sur les humeurs[3] d'une mer omniprésente, ne manquera pas de vous séduire. Et combien réparateur[4], ce regard porté sur l'eau, jusqu'à un horizon sans limites.

Le Musée acadien de l'Île, situé à Miscouche, est considéré comme la porte d'entrée de cette région. La porte s'ouvre et vous voilà lancé à l'aventure. Vous découvrez, à Mont-Carmel, un concentré de culture acadienne, Le Village de l'Acadie, site du populaire et unique souper-spectacle français de l'Île. Vous découvrez les mets acadiens, la musique et la danse acadiennes… Vous découvrez la chaleur de l'accueil acadien qui vous suivra dans votre visite des nombreuses attractions de la région. À l'Auberge du Village de l'Acadie, vous trouverez un repos tranquille, bercé[5] au son des vagues, après avoir pris le pouls, plus rapide et plus fatigant, des villes et des autres régions touristiques de la province.

Notre joie de vivre proverbiale est contagieuse et vous sentez déjà dans vos jambes l'envie de giguer au son de nos violons? Communiquez avec nous, à l'Association touristique Évangéline, et nous vous ferons parvenir toute l'information que vous désirez sur nos nombreux festivals et fêtes, sur notre histoire peu commune et sur notre culture. Nos violons sont accordés[6], prêts pour la fête. Joignez-vous à nous!

Association touristique Évangéline, Case postale 12, Wellington (Î.-P.-É) C0B 2E0, tél. (902) 854-3321.

---

[1] la plume *pen*
[2] à quelques… près *apart from a hint of an accent*
[3] humeurs *moods*
[4] réparateur *refreshing*
[5] bercé *lulled*
[6] accordés *tuned*

FUN-FACTS

Prince Edward Island is located in the Gulf of Saint Lawrence off the coast of New Brunswick. Because of its warm ocean currents, beautiful red or white sandy beaches, and good fishing, the island is a popular summer resort.

FUN-FACTS

Saint-Martinville est le cœur du pays cajun. C'est là, sur le Bayou Tèche, que se réfugient de nombreux Acadiens (Cajuns) après le Grand Dérangement. C'est à Saint-Martinville que l'héroïne du poète Longfellow retrouve son grand amour Gabriel. Le poème *Evangeline* est basé sur une histoire vraie: l'histoire d'Emmeline Labiche et de Louis Arceneaux.

Après la lecture

A Évangéline Répondez d'après le texte.
1. Qui est Évangéline?
2. Qui a écrit *Evangeline*?
3. Évangéline est aussi autre chose. Qu'est-ce que c'est?
4. Où se trouve la région Évangéline?
5. Combien d'Acadiens y a-t-il dans cette région?
6. Quelle est leur langue maternelle?
7. Quel est l'instrument de musique favori des Acadiens?

B D'après vous Analysez.
1. Quelles sont les phrases de cet article qui indiquent qu'il s'adresse aux Canadiens francophones?
2. Pourquoi la mer est-elle «omniprésente»? Pourquoi y a-t-il «un horizon sans limites»?

L'Île-du-Prince-Édouard

Communication libre

A Attractions Préparez une liste des attractions qui attendent le touriste dans la région acadienne.

B Renseignements Vous voulez aller visiter l'Île-du-Prince-Édouard. Écrivez une lettre à l'Association touristique Évangéline. Dites ce que vous aimeriez recevoir comme renseignements sur les Acadiens et la région acadienne.

C Les Cajuns Préparez un exposé sur les Cajuns de la Louisiane.

Saint-Martinville en Louisiane: une vieille maison acadienne

Post–reading

Communication libre

C If you receive a particularly interesting report on **les Cajuns,** have the student who prepared it present it to the class.

Independent Practice

Assign any of the following:
1. **Après la lecture** activities on this page
2. Workbook, **Journalisme**

History Connection

 L'Île-du-Prince-Édouard est abordée par Jacques Cartier en 1534. Champlain la baptise Isle Saint-Jean. Elle fait partie avec la Nouvelle-Écosse et le Nouveau-Brunswick de ce qui s'appelait l'Acadie. Ses habitants français sont expulsés de l'île en 1755 (le Grand Dérangement) pour faire place aux immigrés anglais.

✓ Assessment

Use these resources at the end of the **L'Acadie** section for review and assessment.
Quiz 8
Test Booklet, pages 13–14
ExamView Pro®

ANSWERS TO Après la lecture

A
1. Évangéline est une héroïne romantique.
2. Longfellow a écrit *Evangeline*.
3. Évangéline est aussi une région de l'Île-du-Prince-Édouard.
4. Évangéline se trouve dans la partie sud-ouest du «Jardin du Golfe».
5. Il y a environ 2 000 Acadiens dans cette région.
6. Leur langue maternelle est le français.
7. Leur instrument favori est le violon.

B *Answers will vary but may include:*
1. «… et sa langue, qui est aussi la vôtre, à quelques pointes d'accent près»,
   «… sans avoir à surmonter l'insécurité que cause une langue inconnue».
2. La mer est «omniprésente» parce que l'île est entourée de la mer. Il y a un «horizon sans limites» parce que l'île est dans l'océan Atlantique et qu'on ne voit pas d'autres pays quand on regarde la mer.

ANSWERS TO Communication libre

 *Answers will vary.*

27

Journalisme

LA MÉTÉO

Journalisme

LA MÉTÉO

Introduction

Le temps intéresse toujours les voyageurs. Le mauvais temps peut créer des problèmes de transport et forcer les voyageurs à annuler leurs excursions. Et le beau temps fait sourire—les gens ont le sourire quand le ciel est bleu et que le soleil brille très fort. Alors presque tout le monde lit la météo pour savoir quel temps il fera. Le bulletin météorologique que vous allez lire a paru dans *Le Figaro* pour les 18 et 19 décembre.

Vocabulaire

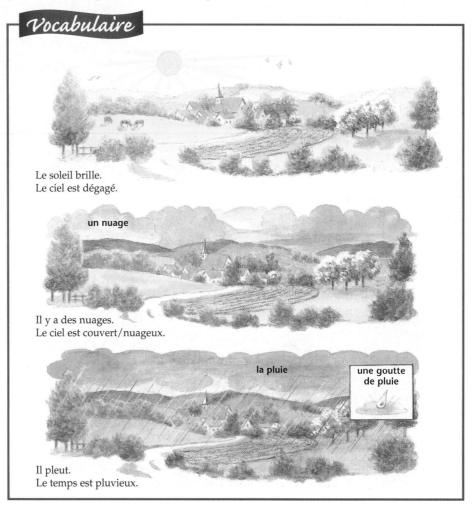

Le soleil brille.
Le ciel est dégagé.

un nuage

Il y a des nuages.
Le ciel est couvert/nuageux.

la pluie

une goutte de pluie

Il pleut.
Le temps est pluvieux.

---

1 Preparation

Resource Manager

Vocabulary Transparencies 1.4 and 1.5
Audio Activities Booklet TE, Activity C, page 12
Audiocassette 1/CD 1
Workbook, Activity A, page 12
Quiz 9, page 9
ExamView Pro®

Bellringer Review

Write the following on the board or use BRR Transparency 1.10.
Écrivez quatre phrases pour décrire: Le temps en été et le temps en hiver là où vous habitez.

2 Presentation

Introduction

Step 1 Recycling: Have students make a list of all the weather expressions they have already learned.

Step 2 Before reading the **Introduction,** ask students to make a list of adjectives under each type of weather they came up with for the Recycling activity above. Now ask volunteers to describe how the weather affects them emotionally.

Vocabulaire

Step 1 Have students open their books to page 28 and repeat each expression after you or Audiocassette 1/CD 1.

Step 2 Upon completion of the vocabulary presentation, have students list storms according to severity: **une averse, un orage, une tempête.**

Journalisme

Il va y avoir un orage.   Il fait chaud.
Le temps est orageux.   Il y a de gros nuages noirs.

la grêle

un éclair

le tonnerre

Il fait de l'orage.
Il tombe de la grêle.

La pluie tombe.   La mer est agitée.   Le ciel se dégage.
Le vent souffle.   Il y a une tempête.   Il y a une éclaircie.
                                              Le soleil brille à nouveau.

une averse pluie soudaine et abondante

une éclaircie endroit clair dans un ciel
nuageux

une rafale coup de vent violent et
momentané

la bruine petite pluie fine

la brume un peu d'humidité dans l'air

le brouillard beaucoup d'humidité dans
l'air, des nuages près du sol

changeant variable

agité avec des perturbations, le contraire
de calme

Vocabulary Expansion

Notez les intempéries et les
adjectifs correspondants.
la pluie pluvieux
un orage orageux
un nuage nuageux
la brume brumeux
le soleil ensoleillé
la neige enneigé

Journalisme

3 Practice

Communication guidée

 This activity can be done orally with books closed or open as soon as the vocabulary presentation is completed.

 , These activities can be assigned first and then gone over in class.

Informal Assessment

Have students give a complete description of today's weather.

Learning from Photos

Have students write the weather report for the type of weather pictured in the top photo.

Independent Practice

Assign any of the following:
1. Activities on this page
2. Workbook, **Journalisme**

Journalisme

Communication guidée

 Quel temps fait-il? Donnez des réponses personnelles.

1. Il pleut souvent là où vous habitez?
2. Le temps est pluvieux aujourd'hui?
3. Le ciel est nuageux ou dégagé?
4. Il y aura des éclaircies cet après-midi?
5. Il y a du vent? Le vent souffle?
6. La mer est calme ou agitée?
7. En quelle saison y a-t-il de la grêle?
8. En quelle saison y a-t-il beaucoup d'averses?
9. En quelle saison y a-t-il des orages?
10. En quelle saison y a-t-il de grosses tempêtes?

 Synonymes Exprimez d'une autre façon.

1. Il pleut.
2. Il tombe une petite pluie fine.
3. Il y a beaucoup d'humidité dans l'air.
4. Le ciel est couvert.
5. Il y aura des nuages.
6. Le temps est variable.
7. Le ciel se dégagera.
8. Il y aura des coups de vent violents.
9. Il fait un temps orageux.
10. Il y a des éclairs et du tonnerre.
11. Il y a un peu d'humidité dans l'air.
12. Il y aura une pluie soudaine et abondante.
13. Il tombe des gouttes de pluie.

Le palais de Chaillot et le jardin du Trocadéro à Paris

 Familles de mots Donnez un mot apparenté.

1. un orage	3. un nuage	5. changer
2. la pluie	4. éclaircir	6. agiter

CHAPITRE 1

ANSWERS TO Communication guidée

A *Answers will vary.*

B *Answers will vary but may include:*
1. La pluie tombe.
2. Il tombe de la bruine.
3. Il y a du brouillard.
4. Il y a des nuages.
5. Le ciel sera nuageux.
6. Le temps est changeant.
7. Il y aura des éclaircies.
8. Il y aura des rafales.
9. Il fait de l'orage. (Le temps est orageux.)
10. Il y a un (Il fait de l') orage.
11. Il y a de la brume.
12. Il y aura une averse.
13. Il pleut. (La pluie tombe.)

C
1. orageux
2. (il) pleut
3. nuageux
4. l'éclaircie
5. changeant
6. agité(e)

Météorologie

Évolution probable du temps en France entre le lundi 18 et le mardi 19 décembre à 24 heures.

Le temps restera très agité. Une première vague nuageuse et pluvieuse traversera le pays dans la journée de lundi et la nuit suivante. Après une accalmie temporaire, le vent se renforcera à nouveau mardi après-midi, avec l'arrivée d'une nouvelle perturbation.

Mardi: éclaircies et averses, couvert et pluvieux sur l'ouest dans l'après-midi. À l'est d'un axe Normandie-Centre-Provence-Côte d'Azur et Corse, le temps sera très changeant. Éclaircies et passages nuageux se succéderont rapidement. Nul ne sera à l'abri[1] d'averses passagères mais violentes, parfois orageuses, accompagnées de grêle et de fortes rafales de vent. En cours d'après-midi, les ondées[2] se raréfieront[3] nettement. C'est en début de matinée et en fin d'après-midi, excepté sur l'Ouest où le ciel se voilera, que le soleil effectuera ses plus belles percées[4].

De la Bretagne au Limousin, au Midi-Pyrénées et aux côtes atlantiques, il ne faudra pas se fier[5] au temps relativement clément[6] du début de journée. Le ciel se voilera progressivement. Les premières gouttes de pluie tomberont près des côtes à la mi-journée, puis le temps pluvieux s'installera dans l'après-midi. Seules les régions proches des Pyrénées seront épargnées[7]. Attention, le vent de sud-ouest se renforcera à nouveau pour souffler très fort.

Sur le Languedoc-Roussillon, la tramontane et le mistral* dégageront le ciel. Ils faibliront en soirée.

Malgré une baisse sensible, les températures resteront très douces[8]. Elles seront comprises entre 7 et 12 degrés au lever du jour, entre 10 et 15 degrés dans l'après-midi, avec des pointes à 20 degrés dans le Midi.

SITUATION LE 18 DÉCEMBRE À 0 HEURE

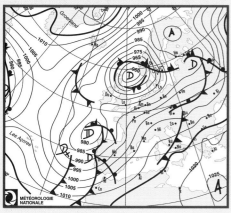

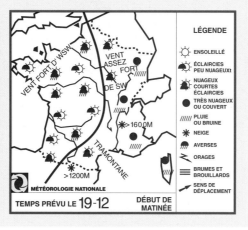

---

[1] nul ne sera à l'abri *no one will be spared*
[2] les ondées *showers*
[3] se raréfieront *will become less frequent*
[4] percées *breakthroughs*
[5] se fier *to go by*
[6] clément *mild*
[7] épargnées *spared*
[8] douces *mild*
* la tramontane, le mistral *strong cold winds that blow from the north/northwest toward the Mediterranean*

FUN FACTS

- **La tramontane** est un vent qui vient du Nord sur la côte méditerranéenne ou qui vient de l'autre côté des montagnes—les Alpes ou les Pyrénées.
- **Le mistral** est un vent violent qui souffle du Nord vers la mer, dans la vallée du Rhône vers la Méditerranée.

MÉTÉOROLOGIE ◆◆

✿ National Standards

Connections
Students will further their knowledge of meteorology.

1 Preparation

Resource Manager

Audio Activities Booklet TE, Activity D, page 13
Audiocassette 1/CD 1
Workbook, Activities B–C, page 12

2 Presentation

Step 1 Ask students to scan the article to find out what day and month this weather report is for. Now ask them: **Quel temps fait-il en décembre en France?** Try to elicit as many answers as possible.

Step 2 Have some students who like science convert the temperatures in the reading from Celsius to Fahrenheit. (To find the Fahrenheit equivalent, multiply the Celsius temperature by 9, divide the result by 5, then add 32.)

Step 3 You may also wish to review compass directions with the students before beginning the reading.

Step 4 It is suggested that you have students read this selection silently as if they were leisurely reading the newspaper.

Journalisme

Post-reading

Independent Practice

Assign any of the following:
1. **Après la lecture** activities on this page
2. Workbook, **Journalisme**

Assessment

Use these resources at the end of the **La météo** section for review and assessment.

Quiz 9
Test Booklet, pages 15–17
ExamView Pro®
Situation Cards

Journalisme

Après la lecture

A La météo Répondez d'après le texte.
1. C'est la météo pour quels jours?
2. Les conditions atmosphériques sont-elles calmes ou agitées?
3. Qu'apportera la première perturbation?
4. Quand cette première vague traversera-t-elle le pays?
5. L'accalmie sera temporaire ou permanente?
6. Quand la nouvelle perturbation arrivera-t-elle?
7. Comment sera le temps sur l'est du pays, mardi?
8. Qu'est-ce qui se succédera?
9. Quand le soleil effectuera-t-il de belles percées?
10. Comment sera le temps sur l'ouest du pays, mardi matin? Et l'après-midi?
11. Dans quelle région souffleront le mistral et la tramontane?
12. Comment seront les températures?

B Le temps—le lundi 18 décembre
Répondez d'après le tableau des températures ci-contre. Suivez le modèle.

—Il a fait quel temps à Dakar?
—Il a fait chaud: entre 23 et 27 degrés centigrades. Et le ciel était nuageux.

1. Il a fait quel temps à Genève?
2. Et à Montréal?
3. Et à Rio-de-Janeiro?
4. Et à Moscou?
5. Et à Marrakech?
6. Et à Paris?
7. Et à Oslo?

TEMPÉRATURES maxima - minima et temps observé

FRANCE							
AJACCIO	18	10	D	BERLIN	12	10	D
BIARRITZ	19	16	N	BRUXELLES	14	10	N
BORDEAUX	17	10	P	LE CAIRE	22	10	D
BOURGES	15	8	N	COPENHAGUE	7	6	P
BREST	12	9	P	DAKAR	27	23	N
CAEN	13	9	P	DELHI	23	7	B
CHERBOURG	11	9	P	DJERBA	22	11	D
CLERMONT-FER.	16	7	N	GENÈVE	14	4	C
DIJON	15	2	D	HONGKONG	21	18	P
GRENOBLE St-M-H	20	13	D	ISTANBUL	15	11	D
LILLE	13	9	P	JÉRUSALEM	17	7	D
LIMOGES	13	6	C	LISBONNE	17	12	A
LYON	16	8	N	LONDRES	12	6	P
MARSEILLE-MAR.	20	12	C	LOS ANGELES	18	8	D
NANCY	16	7	N	LUXEMBOURG	12	7	C
NANTES	15	10	P	MADRID	15	11	P
NICE	16	11	P	MARRAKECH	28	15	D
PARIS-MONTS	14	9	P	MEXICO	24	10	N
PAU	18	9	C	MILAN	15	6	B
PERPIGNAN	22	10	D	MONTRÉAL	-13	-18	N
RENNES	13	10	P	MOSCOU	-7	-13	P
ST-ÉTIENNE	16	7	D	NAIROBI	26	15	C
STRASBOURG	15	7	-	NEW-YORK	3	-6	C
TOURS	14	9	P	OSLO	-3	-3	*
TOULOUSE	19	8	N	PALMA-DE-MAJ	21	11	P
POINTE-À-PITRE	30	20	D	PÉKIN	4	4	N
				RIO-DE-JANEIRO	33	23	N
ÉTRANGER				ROME	19	15	D
				SINGAPOUR	30	24	C
ALGER	30	16	D	STOCKHOLM	-1	-2	B
AMSTERDAM	13	9	A	SYDNEY	22	15	D
ATHÈNES	18	13	C	TOKYO	15	7	D
BANGHKOK	31	20	D	TUNIS	25	13	D
BARCELONE	20	10	C	VARSOVIE	9	7	N
BELGRADE	21	11	D	VENISE	15	7	P
				VIENNE	13	6	P

A	B	C	D	N	O	P	T	*
averse	brume	ciel couvert	ciel dégagé	ciel nuageux	orage	pluie	tempête	neige

Communication libre

A Quel temps fait-il aujourd'hui? Quel temps fait-il aujourd'hui là où vous habitez? Donnez tous les détails.

B Bulletin météo en français Lisez la météo pour votre région dans le journal ou écoutez-la à la radio ou à la télévision. Ensuite, préparez la même météo en français et présentez-la comme si c'était une émission télévisée.

C Le temps et les saisons Décrivez le temps qu'il fait dans votre région à chaque saison de l'année. Dites quelle saison vous préférez et pourquoi.

CHAPITRE 1

ANSWERS TO Communication libre

 Answers will vary.

ANSWERS TO Après la lecture

A
1. … pour le lundi 18 et le mardi 19 décembre.
2. … sont agitées.
3. … nuages et pluie.
4. … dans la journée de lundi et la nuit suivante.
5. … temporaire.
6. … mardi après-midi.
7. … Le temps sera très changeant.
8. Éclaircies et passages nuageux se succéderont.
9. … en début de matinée et en fin d'après-midi.
10. Mardi matin, le ciel se voilera et l'après-midi, le temps sera couvert et pluvieux.
11. … sur le Languedoc-Roussillon.
12. Les températures seront très douces.

B
1. Il a fait froid: entre 4 et 14 degrés centigrades. Et le ciel était couvert.
2. Il a fait très froid: entre –18 et –13 degrés centigrades. Et le ciel était nuageux.
3. Il a fait chaud: entre 23 et 33 degrés centigrades. Et le ciel était nuageux.
4. Il a fait très froid: entre –13 et –7 degrés centigrades. Et il a plu.
5. Il a fait chaud: entre 15 et 28 degrés centigrades. Et le ciel était dégagé.
6. Il a fait froid: entre 9 et 14 degrés centigrades. Et il a été pluvieux.
7. Il a fait froid: –3 degrés centigrades. Et il a neigé.

Structure II

Talking about what may or may not happen

Le subjonctif: verbes réguliers

1. The verb tenses studied thus far have been mostly in the indicative mood. The subjunctive mood is also used a great deal in French. The subjunctive is most frequently used to express an action that may occur. It depends upon something else.

2. Compare the following sentences:

   Robert fait tous ses devoirs.
   Ses parents veulent que Robert fasse tous ses devoirs.
   Il faut que Robert fasse tous ses devoirs.

   The first sentence above is an independent statement of fact: *Robert does his homework.* The next two sentences contain a dependent clause: *that Robert do his homework.* Although Robert's parents want him to do his homework and although it is necessary that Robert do his homework, it is not certain that he will. The action in the dependent clause may or may not occur. For this reason, the verb must be in the subjunctive. Clauses containing the subjunctive are always introduced by **que.**

3. The present subjunctive is formed by dropping the **-ent** ending from the third person plural (**ils/elles**) form of the present indicative and adding the subjunctive endings to this stem.

Infinitive	PARLER	FINIR	VENDRE
Stem	ils **parl**ent	ils **finiss**ent	ils **vend**ent
Subjunctive	que je parle	que je finisse	que je vende
	que tu parles	que tu finisses	que tu vendes
	qu'il parle	qu'il finisse	qu'il vende
	qu'elle parle	qu'elle finisse	qu'elle vende
	que nous parlions	que nous finissions	que nous vendions
	que vous parliez	que vous finissiez	que vous vendiez
	qu'ils parlent	qu'ils finissent	qu'ils vendent
	qu'elles parlent	qu'elles finissent	qu'elles vendent

---

1 Preparation

Resource Manager

Workbook, Activities A–G, pages 13–14
Audio Activities Booklet TE, Activities A–C, pages 17–18
Audiocassette 1/CD 2
Quizzes 10–13, pages 10–13
ExamView Pro®

2 Presentation

Le subjonctif: verbes réguliers
◆ ◆ ◆

Note: If students have already completed most of **Bon voyage!** Level 2, this section will be review.

Teaching Tips: You may wish to intersperse the grammar as you present other parts of the lesson. For example:

- You may wish to present the present subjunctive as you are doing the **Conversation** or one of the **Journalisme** selections.
- Or, you may wish to present **Le subjonctif présent des verbes réguliers** and **Le subjonctif des verbes irréguliers** in one class period, then do a selection from another section of the chapter followed by **Le subjonctif avec les expressions de volonté** and **Le subjonctif avec les expressions impersonnelles.**

Step 1 Go over Items 1 and 2.

Step 2 Have students repeat the model sentences aloud.

Structure II

2 Presentation (continued)

Step 3 On the board, write the **ils** form of each verb from the chart. Cross out the ending and have students repeat the subjunctive forms.

Note: The most important concept for the students to grasp is that the indicative is used when reporting an objective, real fact. The subjunctive is used when reporting something that is not necessarily real, or that depends upon something else. It, therefore, may or may not happen. When students understand this concept, they no longer have to memorize the long lists of expressions that are followed by the subjunctive. It is a question of logic.

3 Practice

Communication guidée

The purpose of this activity is to have students use the verbs in the subjunctive form.

Extension: Have students redo the activity with **Mes parents veulent que nous ___.**

 Paired Activity
Have students do the following paired activity.
Travaillez avec un(e) camarade. Vous lui direz des choses que vos parents veulent que vous fassiez. Votre camarade vous dira si ses parents veulent qu'il/elle fasse les mêmes choses. Ensuite vous déciderez ce que vos parents ont en commun.

Independent Practice

Assign any of the following:
1. The activity on this page
2. Workbook, **Structure II**

---

4. Since the third person plural of the present indicative serves as the stem for the present subjunctive forms, most verbs that have an irregularity in the **ils/elles** form of the present indicative maintain that irregularity in the present subjunctive.

Infinitive	Stem	Subjunctive	
ouvrir	ils ouvrent	que j'ouvre	que nous ouvrions
courir	ils courent	que je coure	que nous courions
offrir	ils offrent	que j'offre	que nous offrions
partir	ils partent	que je parte	que nous partions
dormir	ils dorment	que je dorme	que nous dormions
servir	ils servent	que je serve	que nous servions
mettre	ils mettent	que je mette	que nous mettions
lire	ils lisent	que je lise	que nous lisions
écrire	ils écrivent	que j'écrive	que nous écrivions
suivre	ils suivent	que je suive	que nous suivions
dire	ils disent	que je dise	que nous disions
conduire	ils conduisent	que je conduise	que nous conduisions
connaître	ils connaissent	que je connaisse	que nous connaissions

Communication guidée

 Des parents exigeants Suivez le modèle.

lire beaucoup →
Les parents de Paul veulent qu'il lise beaucoup.

1. parler anglais couramment
2. étudier beaucoup
3. choisir un bon métier
4. finir ses études
5. vendre sa vieille moto
6. ouvrir un compte d'épargne
7. lire de bons livres
8. écrire à ses grands-parents
9. suivre des cours de tennis
10. leur dire tout ce qu'il fait
11. partir en vacances avec eux
12. descendre les valises
13. mettre les valises dans le coffre
14. conduire avec prudence

ANSWERS TO Communication guidée

1. Les parents de Paul veulent qu'il parle anglais couramment.
2. ... qu'il étudie beaucoup.
3. ... qu'il choisisse un bon métier.
4. ... qu'il finisse ses études.
5. ... qu'il vende sa vieille moto.
6. ... qu'il ouvre un compte d'épargne.
7. ... qu'il lise de bons livres.
8. ... qu'il écrive à ses grands-parents.
9. ... qu'il suive des cours de tennis.
10. ... qu'il leur dise tout ce qu'il fait.
11. ... qu'il parte en vacances avec eux.
12. ... qu'il descende les valises.
13. ... qu'il mette les valises dans le coffre.
14. ... qu'il conduise avec prudence.

Talking about what may or may not happen
Le subjonctif présent des verbes irréguliers

1. The following commonly used verbs are irregular in the present subjunctive.

ÊTRE		AVOIR		ALLER		FAIRE	
que je	sois	que j'	aie	que j'	aille	que je	fasse
que tu	sois	que tu	aies	que tu	ailles	que tu	fasses
qu'il	soit	qu'il	ait	qu'il	aille	qu'il	fasse
qu'elle	soit	qu'elle	ait	qu'elle	aille	qu'elle	fasse
que nous	soyons	que nous	ayons	que nous	allions	que nous	fassions
que vous	soyez	que vous	ayez	que vous	alliez	que vous	fassiez
qu'ils	soient	qu'ils	aient	qu'ils	aillent	qu'ils	fassent
qu'elles	soient	qu'elles	aient	qu'elles	aillent	qu'elles	fassent

SAVOIR		POUVOIR		VOULOIR	
que je	sache	que je	puisse	que je	veuille
que tu	saches	que tu	puisses	que tu	veuilles
qu'il	sache	qu'il	puisse	qu'il	veuille
qu'elle	sache	qu'elle	puisse	qu'elle	veuille
que nous	sachions	que nous	puissions	que nous	voulions
que vous	sachiez	que vous	puissiez	que vous	vouliez
qu'ils	sachent	qu'ils	puissent	qu'ils	veuillent
qu'elles	sachent	qu'elles	puissent	qu'elles	veuillent

2. The verbs **pleuvoir** and **falloir** are used in the third person only.

pleuvoir → qu'il **pleuve**
falloir → qu'il **faille**

Communication guidée

 Recommandations Suivez le modèle.

faire le voyage →
Il faut que vous fassiez le voyage.

1. aller au consulat
2. avoir votre passeport
3. être en bonne santé
4. pouvoir partir tout de suite
5. savoir parler français
6. vouloir s'adapter
7. faire des efforts

STRUCTURE II

Structure II

Structure II

1 Preparation

Le subjonctif avec les expressions de volonté ◆◆◆

Step 1 Reinforce the idea that the information that follows **que** may or may not take place, which is why the subjunctive is used. Understanding this concept is more important than memorizing the expressions that take the subjunctive.

Step 2 Have the students read the model sentences aloud.

2 Presentation

Communication guidée

A, **B** First do these activities orally with books closed. Then have students read the sentences for additional reinforcement.

Paired Activities
Activités A–C, pages 36–37: You may wish to have students work in pairs. One student reads the question and the other answers. They then reverse roles. After everyone has had time to do all the exercises orally, call on selected pairs to give the answers.

Hint: As students work, you may wish to circulate to listen to the students and help them with individual questions and problems.

Expressing wishes, preferences, and demands concerning others
Le subjonctif avec les expressions de volonté

1. The subjunctive must be used after the following verbs which express a wish, a preference, or a demand.

vouloir que	to want
désirer que	to desire
aimer (mieux) que	to like (better)
préférer que	to prefer
souhaiter que	to wish
exiger que	to demand
insister pour que	to insist

2. All the above verbs are followed by the subjunctive because they describe personal wishes or desires concerning other people's actions. Even though one wishes, prefers, demands, or insists that another person do something, one can never be sure that the other person will in fact do it. It may or may not occur, and the subjunctive must be used.

> Les parents de Patrick **désirent** qu'il **ait** beaucoup de succès.
> Ils **souhaitent** qu'il **puisse** réussir.
> Ils **exigent** qu'il **fasse** tout pour réussir.
> Ils **veulent** qu'il **soit** premier en tout.

Communication guidée

A **Historiette** **À l'agence de voyages** Répondez par «oui».

1. Tu veux que Charles téléphone à l'agence de voyages?
2. Tu préfères qu'il y aille en personne?
3. Tu aimerais qu'il fasse les réservations?
4. Tu insistes pour qu'il choisisse les hôtels?
5. Tu souhaites qu'il choisisse bien?
6. Tu voudrais qu'il mette les frais sur sa carte de crédit?

B **Le prof d'anglais est exigeant?** Répondez.

1. Il exige que vous fassiez vos devoirs?
2. Il exige que vous lisiez beaucoup de livres?
3. Il exige que vous écriviez des rédactions?
4. Il exige que vous écoutiez tout ce qu'il dit?
5. Il exige que vous soyez silencieux quand il parle?

ANSWERS TO Communication guidée

A

1. Oui, je veux que Charles téléphone à l'agence de voyages.
2. Oui, je préfère qu'il y aille en personne.
3. Oui, j'aimerais qu'il fasse les réservations.
4. Oui, j'insiste pour qu'il choisisse les hôtels.
5. Oui, je souhaite qu'il choisisse bien.
6. Oui, je voudrais qu'il mette les frais sur sa carte de crédit.

B

1. Oui (Non), il (n') exige (pas) que je fasse (nous fassions) mes (nos) devoirs.
2. Oui (Non), il (n') exige (pas) que je lise (nous lisions) beaucoup de livres.
3. Oui (Non), il (n') exige (pas) que j'écrive (nous écrivions) des rédactions.
4. Oui (Non), il (n') exige (pas) que j'écoute (nous écoutions) tout ce qu'il dit.
5. Oui (Non), il (n') exige (pas) que je sois silencieux (nous soyons silencieux) quand il parle.

C Tu veux que j'y aille avec toi? Répondez.

1. Tu veux que je t'accompagne chez le médecin?
2. Tu préfères que je conduise la voiture?
3. Tu veux que je t'attende?
4. Tu ne veux pas que le médecin te fasse une piqûre?
5. Tu insistes pour que je lui parle?
6. Tu exiges que je sois avec toi dans le cabinet?
7. Tu aimerais que le médecin te donne de bonnes nouvelles?

D Historiette Qu'est-ce qu'elle veut? Suivez le modèle.

Je suis là. ⟶ Elle veut que je sois là.

1. Je fais le voyage avec elle.
2. Je vais au Canada avec elle.
3. Je conduis sa voiture.
4. Nous allons dans la région Évangéline.
5. Nous visitons l'Île-du-Prince-Édouard.
6. Les excursions sont intéressantes.
7. Les gens font le maximum pour nous accueillir.

E Qu'est-ce que vous voulez que je fasse?
Répondez d'après le modèle.

Vous venez avec moi. ⟶ Je voudrais que vous veniez avec moi.

1. Vous m'attendez.
2. Vous sortez avec moi.
3. Vous avez votre voiture.
4. Vous allez faire des courses avec moi.
5. Vous m'aidez à trouver un cadeau pour Suzanne.
6. Vous ne dites rien à Suzanne.

F Historiette Un voyage ensemble
Complétez.

1. Elle veut que je _____ ce voyage en France. (faire)
2. Mais moi, j'aimerais qu'elle y _____ aussi. (aller)
3. Je voudrais qu'elle me _____ qu'elle est libre. (dire)
4. Je préférerais qu'elle _____ avec moi. (venir)
5. Je souhaite qu'elle _____ m'accompagner. (pouvoir)
6. Je veux qu'elle _____ que je ne partirai pas sans elle. (savoir)
7. J'exigerai qu'elle _____ toujours la meilleure chambre. (avoir)
8. J'insisterai pour qu'elle _____ toujours bien servie. (être)

Des touristes américains devant le pont Alexandre III, à Paris

Group Activity
Have students do the following activity.
Travaillez en petits groupes. Décidez ce que vous voulez que vos professeurs ne fassent pas. Indiquez ce que vous préféreriez qu'ils fassent. Préparez une liste définitive.

Independent Practice

Assign any of the following:
1. Activities on pages 36–37
2. Workbook, **Structure II**

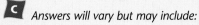

Answers to Communication guidée

C *Answers will vary but may include:*

1. Oui, je veux que tu m'accompagnes (vous m'accompagniez) chez le médecin.
2. … que tu conduises (vous conduisiez)…
3. … que tu m'attendes (vous m'attendiez).
4. … que le médecin me fasse…
5. … que tu lui parles (vous lui parliez).
6. … que tu sois (vous soyez)…
7. … que le médecin me donne…

D

1. Elle veut que je fasse le voyage avec elle.
2. … que j'aille…
3. … que je conduise…
4. … que nous allions…
5. … que nous visitions…
6. … que les excursions soient…
7. … que les gens fassent…

E

1. Je voudrais que vous m'attendiez.
2. … que vous sortiez…
3. … que vous ayez…
4. … que vous alliez faire…
5. … que vous m'aidez…
6. … que vous ne disiez rien…

F

1. fasse
2. aille
3. dise
4. vienne
5. puisse
6. sache
7. ait
8. soit

Structure II

1 Presentation

Le subjonctif avec les expressions impersonnelles
◆◆◆

Read the explanation with the students. Have them repeat the model sentences.

Class Motivator

Set up Before class, prepare two sets of cards, one with expressions and verbs that take the subjunctive and the other with any verbs that the students know.

Expression/verbes
exiger que
aimer mieux que
il faut que
il est important que

D'autres verbes
dormir
lire
être
attendre

Jeu Give the students several cards from each pile. Have students work together in teams to make as many sentences as possible combining the expressions and verbs from both sets of cards. They can write on butcher paper and have other teams check their work, or they can turn the work in for a grade.

Hint: Use a timer to keep students focused on their work.

Expressing necessity or possibility
Le subjonctif avec les expressions impersonnelles

1. The subjunctive is used after the following impersonal expressions.

il faut que	il est juste que
il est indispensable que	il vaut mieux que
il est nécessaire que	il se peut que
il est important que	il est possible que
il est bon que	il est impossible que
il est temps que	

Il vaut mieux que nous soyons là.
Il est important que je le sache.
Il faut qu'ils me disent quelque chose.
Il est indispensable que nous arrivions à un accord.

2. Note that the above expressions are followed by the subjunctive since the action of the verb in the dependent clause may or may not occur. Although it is important, necessary, or good that someone do something, it is not definite that he/she will actually do it. It may or may not happen.

Communication guidée

A Quelques problèmes possibles Répondez.

1. Il faut que tu y ailles en avion?
2. Il est indispensable que tu sois là demain?
3. Il est possible que l'avion parte en retard?
4. Il se peut que le vol soit annulé?
5. Il vaut mieux que tu partes aujourd'hui?

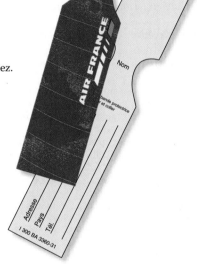

ANSWERS TO
Communication guidée

A

1. Oui (Non), il (ne) faut (pas) que j'y aille en avion.
2. Oui (Non), il (n') est (pas) indispensable que je sois là demain.
3. Oui (Non), il (n') est (pas) possible que l'avion parte en retard.
4. Oui (Non), il (ne) se peut (pas) que le vol soit annulé.
5. Oui (Non), il (ne) vaut (pas) mieux que je parte aujourd'hui.

B **Historiette** **Un voyage** Complétez.

1. Il est nécessaire que nous _____ ce voyage. (faire)
2. Il faut que nous _____ nos places. (réserver)
3. Il vaut mieux que nous _____ nos places à l'avance. (choisir)
4. Il est important que tu _____ à l'agence de voyages. (aller)
5. Il est indispensable que tu lui _____ que nous voulons un vol sans escale. (dire)
6. Mais il est possible qu'il n'y _____ pas de vols sans escale. (avoir)
7. En ce cas, il se peut que nous _____ ailleurs. (aller)
8. Il vaut peut-être mieux que nous _____ le train. (prendre)

C **Que de choses à faire!** Donnez des réponses personnelles.

1. Dites ce qu'il faut que vous fassiez demain.
2. Dites ce que vos parents exigent que vous fassiez.
3. Dites ce que vos parents souhaitent que vous fassiez.
4. Dites ce qu'il est possible que vous fassiez dans l'avenir.

STRUCTURE II

Structure II

2 Practice

Communication guidée

B **Extension:** To contrast verb forms, you may wish to do **Activité B** again. This time have students use the following subjects:

1. je	5. vous
2. je	6. il (no change)
3. je	7. je
4. vous	8. je

C Have students make up as many different answers as possible when doing this activity.

Extension: Have students work in small groups. Assign different questions from **Activité C** to each group and have them work together to come up with as many answers as possible. When the time is up, allow students to circulate in the room to add answers to the other groups' lists or have each group present its list orally to the class.

 Paired Activity
Have students do the following paired activity.
Travaillez avec un(e) camarade. Dites-lui tout ce qu'il faut que vous fassiez avant de faire un voyage en avion. Il/Elle vous dira tout ce qu'il faut qu'il/elle fasse. Faites une liste de toutes les choses que vous faites tous (toutes) les deux.

Independent Practice

Assign any of the following:
1. Activities on pages 38–39
2. Workbook, **Structure II**

ANSWERS TO
Communication guidée

B

1. fassions
2. réservions
3. choisissions
4. ailles
5. dises
6. ait
7. allions
8. prenions

C

Answers will vary.

 Assessment

Use these resources at the end of the **Structure II** section for review and assessment.
Quizzes 10–13
Test Booklet, pages 18–19
ExamView Pro®

Le petit prince

Littérature

1 Preparation

Resource Manager

Vocabulary Transparency 1.6
Audio Activities Booklet TE, Activity A, page 19
Audiocassette 1/CD 2
Workbook, Activity A, page 15
Quiz 14, page 14
ExamView Pro®

2 Presentation

Avant la lecture

Have students do the pre-reading activity. They will encounter many of these terms in the reading following the vocabulary presentation.

Vocabulaire

Step 1 Have students repeat the new words and expressions after you or Audiocassette 1/CD 2.

Step 2 To vary the procedure, you may wish to read definitions to the students. To help the students better understand the words being defined, you may wish to use them in sentences: **Monsieur flâne dans son jardin. L'agent de police l'interroge. Il veut savoir s'il a vu ce qui est arrivé. La guerre entraîne beaucoup de problèmes. Elle fournira tous les matériaux dont vous aurez besoin. Ce style s'est démodé. On ne le voit plus. Le savant travaille dans son laboratoire.**

Vocabulary Expansion

Le préfixe **dé-** indique l'idée d'éloignement, de séparation.

se démoder:	qui n'est plus à la mode
se déshabiller:	enlever ses habits

Le petit prince   Antoine de Saint-Exupéry

Avant la lecture

Qu'est-ce que la géographie? Faites une liste de tous les termes géographiques que vous connaissez en français.

Vocabulaire

une fleur
une épine
une pierre

L'homme flâne dans le jardin.
Il jette un coup d'œil sur les fleurs.

Cette fleur a des épines.

un bureau

Elle taille son crayon.

Elle met de l'encre dans son stylo.

flâner se promener sans but, aller ça et là
interroger poser des questions à quelqu'un
entraîner causer, produire
fournir donner, produire quelque chose

se démoder ne plus être à la mode
un savant personne qui, par ses connaissances et ses recherches, contribue aux progrès d'une science

Communication guidée

A **Synonymes** Exprimez d'une autre façon ce qui est en italique.

1. L'homme *va ça et là* dans son jardin.
2. Il *regarde rapidement* ses fleurs.
3. Elle *pose des questions au* savant.
4. Elle lui *donne* tous les matériaux nécessaires.
5. La guerre *cause* beaucoup de maux et de souffrances.

B **Le mot juste** Complétez.

1. Les roses sont de belles _____.
2. Les roses ont des _____.
3. Son crayon n'a plus de pointe. Il faut le _____.
4. Ce stylo est vide. Il faut y mettre de _____.
5. Un stylo à bille ou un feutre n'a pas besoin d'_____.
6. Ce stylo n'est plus à la mode. Il s'est _____. Achète-toi un feutre.
7. Les touristes aiment beaucoup _____ dans les rues de Paris.
8. À Paris, toutes les maisons sont en _____.

C **Définitions** Donnez le mot qui correspond.

1. se promener sans avoir de destination
2. regarder rapidement
3. une rose, une violette, une orchidée
4. une personne qui contribue aux progrès d'une science
5. ce que font beaucoup d'agents de police et de détectives

3 Practice

Communication guidée

A, **B**, **C** It is recommended that you have the students prepare these activities before going over them in class.

Independent Practice

Assign any of the following:
1. **Activités A–C** on this page
2. Workbook, **Littérature**

ANSWERS TO Communication guidée

A
1. flâne
2. jette un coup d'œil sur
3. interroge le
4. fournit
5. entraîne

B
1. fleurs
2. épines
3. tailler
4. l'encre
5. encre
6. démodé
7. flâner
8. pierre

C
1. flâner
2. jeter un coup d'œil
3. une fleur
4. un savant
5. interroger

Introduction

Antoine de Saint-Exupéry, appelé aussi «Saint-Ex», est né à Lyon en 1900. Il a fait ses études à l'École Navale et à l'École des Beaux-Arts. Pendant son service militaire, il a commencé à piloter des avions. Après son service, il a été pilote de ligne entre Toulouse et Dakar. Il a vécu les débuts de la liaison aérienne entre la France et l'Amérique du Sud. De 1929 à 1931, il a été chef du service aéropostal à Buenos Aires, en Argentine.

Saint-Exupéry était aussi journaliste et écrivain. Ce sont ses romans qui l'ont rendu célèbre. Dans *Courrier-Sud*, il parle de ses vols entre Toulouse, Casablanca et Dakar. Dans *Vol de nuit*, trois pilotes attendent un autre pilote à l'aéroport de Buenos Aires. Le pilote qu'ils attendent n'arrivera pas. Il a disparu dans le ciel d'une nuit d'Amérique. Dans *Terre des hommes*, Saint-Exupéry parle de ses camarades qui sont morts. Il parle d'une vie d'action qui unit les hommes pour toujours—même après la mort.

Pendant la Deuxième Guerre mondiale, Saint-Exupéry a écrit, et illustré lui-même, un conte pour enfants: *Le petit prince.* Dans ce conte, l'auteur évoque la nostalgie de l'amitié. Il cherche aussi à définir le sens de l'action et des valeurs morales dans une société vouée au progrès technique. Il met en scène un personnage imaginaire, le petit prince, qui quitte sa planète pour voyager dans l'univers. Chez lui, le petit prince a une fleur qu'il adore, mais il l'a laissée toute seule parce qu'il voulait voyager. Un pilote, perdu dans le désert, rencontre le petit prince. Le petit prince lui parle de ses voyages à diverses planètes. Voici ce qu'il dit de sa visite à la sixième planète et de l'étrange savant qui l'habite.

Lecture

Le Petit Prince

La sixième planète (…) était habitée par un vieux Monsieur qui écrivait d'énormes livres.

—Tiens! Voilà un explorateur! dit-il en voyant le petit prince.
Le petit prince s'était assis sur la table, car il était très fatigué.
Il avait déjà tant voyagé!
—D'où viens-tu? lui dit le vieux Monsieur.
—Quel est ce gros livre? dit le petit prince. Que faites-vous ici?
—Je suis géographe, dit le vieux Monsieur.
—Qu'est-ce qu'un géographe?
—C'est un savant qui connaît où se trouvent les mers, les fleuves, les villes, les montagnes et les déserts.
—Ça, c'est bien intéressant, dit le petit prince. Ça c'est enfin un véritable métier! Et il jette un coup d'œil autour de lui sur la planète du géographe. Il n'avait jamais vu encore une planète aussi majestueuse.

CHAPITRE 1

---

1 Preparation

Resource Manager

Audio Activities Booklet TE, Activities B–C, pages 19–21
Audiocassette 1/CD 2
Workbook, Activities B–E, pages 15–16

Bellringer Review

Write the following on the board or use BRR Transparency 1.11.
Écrivez une phrase avec chacun des verbes suivants.
voyager   explorer
voler   rentrer
découvrir

2 Presentation

Introduction

Step 1 You may have students read the **Introduction** aloud or silently. Tell them: **Vous allez lire une biographie de l'auteur, Antoine de Saint-Exupéry.**

Step 2 After going over the **Introduction,** have students give three or four salient points about Saint-Exupéry's life.

Lecture ◆◆

Reading Strategies

Context: Explain to students that one of the tactics that they will use to guess the meaning of unknown words is guessing from context. Tell them not to worry if they encounter a word that they do not know. They can often guess the meaning from the entire sentence. Point out to them that they do not understand everything when they read in their own language. But unconsciously, they guess from the context. Such guessing can be based on:

—Elle est bien belle, votre planète. Est-ce qu'il y a des océans?

—Je ne peux pas le savoir, dit le géographe.

—Ah! (Le petit prince était déçu°.) Et des montagnes?　　　déçu *disappointed*

—Je ne peux pas le savoir, dit le géographe.

—Et des villes et des fleuves et des déserts?

—Je ne peux pas le savoir non plus, dit le géographe.

—Mais vous êtes géographe!

—C'est exact, dit le géographe, mais je ne suis pas explorateur. Je manque°　　　manque *lack*
absolument d'explorateurs. Ce n'est pas le géographe qui va faire le compte°　　　faire le compte *count*
des villes, des fleuves, des montagnes, des mers, des océans et des déserts. Le
géographe est trop important pour flâner. Il ne quitte pas son bureau. Mais il
reçoit les explorateurs. Il les interroge, et il prend en note leurs souvenirs. Et
si les souvenirs de l'un d'entre eux lui paraissent° intéressants, le géographe　　　paraissent *seem*
fait faire une enquête° sur la moralité de l'explorateur.　　　enquête *investigation*

—Pourquoi ça?

—Parce qu'un explorateur qui mentirait° entraînerait des catastrophes　　　mentirait *would lie*
dans les livres de géographie…

—Je connais quelqu'un, dit le petit prince, qui serait mauvais explorateur.

—C'est possible. Donc, quand la moralité de l'explorateur paraît bonne,
on fait une enquête sur sa découverte°.　　　découverte *discovery*

—On va voir?

—Non, c'est trop compliqué. Mais on exige de l'explorateur qu'il
fournisse des preuves. S'il s'agit par exemple de la découverte d'une grosse
montagne, on exige qu'il en rapporte de grosses pierres.

Le géographe soudain s'émeut°.　　　s'émeut *gets excited*

—Mais toi, tu viens de loin! Tu es explorateur! Tu vas me décrire ta
planète!

Et le géographe, ayant ouvert son grand livre, commence à tailler son
crayon. On note d'abord au crayon les récits° des explorateurs. On attend,　　　les récits *accounts*
pour noter à l'encre, que l'explorateur ait fourni des preuves.

—Alors? demande le géographe.

—Oh! chez moi, dit le petit prince, ce n'est pas très intéressant, c'est tout
petit. J'ai trois volcans. Deux volcans en activité, et un volcan éteint°. Mais　　　éteint *extinct*
on ne sait jamais.

—On ne sait jamais, dit le géographe.

—J'ai aussi une fleur.

—Nous ne notons pas les fleurs, dit le géographe.

LITTÉRATURE

Literary Analysis

1. Divisez ce texte en différentes parties et donnez un titre à chaque partie.
2. D'après ce texte, dites précisément en quoi consiste le métier de géographe et celui d'explorateur.
3. Relevez les symboles contenus dans le texte.
4. Relevez les passages du texte qui montrent une certaine ironie.
5. D'après cet extrait, que pouvez-vous dire de la personnalité du petit prince?
6. Comment comprenez-vous la dernière réponse du géographe?

Littérature

- plain common sense. On page 44, the word **épine** is what roses have to defend themselves.
- knowledge of the world around us.
- use of synonyms or antonyms in the text surrounding the unknown word or expression. On page 43, students may be able to guess the meaning of the word **éteint** as the opposite of **en activité.**

Illustrations: Have the students look at the illustrations and anticipate what the story may be about. The drawing of the little prince appears right at the beginning of the story, alongside the title, which is a cognate. In a less obvious way, the illustration of the geographer behind his desk can make the meaning of **bureau** clear.

Glosses: These also help students read, of course. However, you may ask your students to hide them at first and see if they can guess the meaning of the words glossed.

Cognates: Help students recognize less obvious cognates or those whose meaning in French is slightly different from their meaning in English. For example, on page 43, souvenirs are not things that tourists buy, but memories. Most of the cognates in *Le petit prince* are straightforward. However, point out the **faux amis** whenever they occur.

Word derivation: It may be difficult at first, but students should be asked whenever possible what familiar word they can recognize in a derived word or expression.

Group activities: It may be useful to have students work in small groups and share their problem-solving strategies so that they become aware of the various techniques available.

Littérature

2 Presentation (continued)

Step 1 Before doing the reading, ask students the following questions:

• **Imaginez que vous êtes un enfant perdu dans un monde inconnu. Quels sont vos sentiments, vos craintes? Qu'est-ce qui peut vous rassurer?**

• **Regardez le dessin du géographe à la page 43. D'après ce dessin quelle sorte de personne est-ce? Pensez-vous qu'il puisse comprendre le petit prince? Est-ce une personne sympathique? Comparez ce dessin à celui du petit prince à la page 44.**

Step 2 Tell students: **Nous allons lire l'aventure du petit prince sur la sixième planète. Il parle à un géographe. Le petit prince est un peu déçu, surpris, choqué car il y a des choses que le géographe ne sait pas. Le géographe dit quelque chose qui rend le petit prince triste. Qu'est-ce que c'est?**

Step 3 Give the students some time to read the selection silently, either at home or in class.

Step 4 Pick out the sections that you find most interesting and have pairs of students read them aloud to the class. One will be the **petit prince,** the other **le géographe.**

Step 5 After each pair of students has read about twenty lines, you may wish to ask some questions.

Step 6 With more able groups, you may wish to ask the analytical questions in **Literary Analysis** at the bottom of page 43.

Paired Activity
Have students work in pairs to do the following activity.
Vous êtes explorateur et vous décrivez au géographe la planète Terre.

44

—Pourquoi ça! C'est le plus joli!

—Parce que les fleurs sont éphémères.

—Qu'est-ce que signifie°: «éphémère»?

signifie *mean*

—Les géographies, dit le géographe, sont les livres les plus sérieux de tous les livres. Elles ne se démodent jamais. Il est très rare qu'une montagne change de place. Il est très rare qu'un océan se vide° de son eau. Nous écrivons des choses éternelles.

se vide *empties*

—Mais, les volcans éteints peuvent se réveiller, dit le petit prince. Qu'est-ce que signifie «éphémère»?

—Que les volcans soient éteints ou soient éveillés°, ça revient au même pour nous, dit le géographe. Ce qui compte pour nous, c'est la montagne. Elle ne change pas.

éveillés *active*

—Mais qu'est-ce que signifie «éphémère»? répète le petit prince qui, de sa vie, n'avait jamais renoncé à° une question, une fois qu'il l'avait posée.

renoncé à *given up on*

—Ça signifie «qui est menacé de disparition prochaine».

—Ma fleur est menacée de disparition prochaine?

—Bien sûr.

Ma fleur est éphémère, se dit le petit prince, et elle n'a que quatre épines pour se défendre contre le monde! Et je l'ai laissée toute seule chez moi!

C'est là son premier mouvement de regret°. Mais il reprend courage:

mouvement de regret *pang of remorse*

—Que me conseillez-vous d'aller visiter? demande-t-il.

—La planète Terre, lui répond le géographe. Elle a une bonne réputation…

Et le petit prince s'en va, songeant à° sa fleur.

songeant à *thinking about*

Antoine de Saint-Exupéry, *Le petit prince* © Éditions Gallimard

Après la lecture

A Le géographe Répondez d'après la lecture.
1. Qui habitait la sixième planète?
2. Que faisait le vieux Monsieur?
3. Qu'est-ce qu'un géographe?
4. Selon le géographe, qui fait le compte des villes, des fleuves, des mers, etc.?
5. Quand le vieux savant écrit-il ses notes à l'encre?
6. Que signifie «éphémère»?

B Vrai ou faux? Corrigez les phrases fausses.
1. En voyant le petit prince, le vieux Monsieur dit: «Tiens! Voilà un géographe!»
2. Le petit prince a trouvé la planète du géographe vraiment majestueuse.
3. Le géographe quitte souvent son bureau pour flâner sur sa planète.
4. Le géographe va voir ce que l'explorateur a découvert.
5. Le géographe exige de l'explorateur qu'il fournisse des preuves de sa découverte.

C Le point de vue du géographe Expliquez d'après la lecture.
1. Pourquoi le géographe ne peut-il pas savoir s'il y a des montagnes, des villes, des fleuves, etc., sur sa planète?
2. Pourquoi les fleurs n'intéressent-elles pas le géographe?
3. Pourquoi est-ce que le géographe ne veut pas savoir si un volcan est éveillé ou éteint?

Communication libre

A Géographie Faites une liste de tous les termes géographiques qui se trouvent dans la lecture. Utilisez chaque terme dans une phrase.

B Voyage imaginaire Décrivez un voyage imaginaire que vous allez faire. Vous allez traverser quel océan, explorer quel désert, escalader quelle montagne, naviguer sur quel fleuve, flâner dans quelle ville?

C Le petit prince et sa fleur Voici le petit prince sur sa planète: il arrose sa fleur qu'il adore et soigne avec amour. Cette fleur est comme une amie pour lui. Expliquez pourquoi le petit prince est triste quand le savant lui donne la définition du mot «éphémère». Qu'est-ce que cette fleur symbolise?

LITTÉRATURE

quarante-cinq ❧ 45

Post–reading

 Group Activity
Have students work in groups to invent a new planet for the Little Prince to visit. Ask each group to write a conversation between the Little Prince and the inhabitant of the new planet and have them sketch the planet and its inhabitant(s).

Independent Practice

Assign any of the following:
1. **Après la lecture** and **Communication libre** activities on this page
2. Workbook, **Littérature**

✓ Assessment

Use these resources after completing the *Le petit prince* reading for review and assessment.
 Quiz 14
 Test Booklet, pages 20–22
 ExamView Pro®
 Situation Cards

ANSWERS TO Communication libre

A, **B**, **C** *Answers will vary.*

ANSWERS TO Après la lecture

A
1. Un vieux Monsieur (le géographe) habitait la sixième planète.
2. Il écrivait d'énormes livres.
3. Un géographe est un savant qui connaît où se trouvent les mers, les fleuves, les villes, les montagnes et les déserts.
4. Selon le géographe, c'est l'explorateur qui fait le compte des villes, des fleuves, des mers, etc.
5. Quand l'explorateur a fourni des preuves, le vieux savant écrit ses notes à l'encre.
6. «Éphémère» signifie «ce qui est menacé de disparition prochaine».

B
1. En voyant le petit prince, le vieux Monsieur dit: «Tiens! Voila un explorateur!»
2. Oui.
3. Non, il ne quitte pas son bureau.
4. Non, il interroge l'explorateur et prend des notes sur ses souvenirs.
5. Oui.

C
1. Le géographe ne peut pas savoir s'il y a des montagnes, des villes, des fleuves, etc. sur sa planète parce qu'il n'est pas explorateur.
2. Les fleurs n'intéressent pas le géographe parce qu'elles sont éphémères.
3. Le géographe ne veut pas savoir si un volcan est éveillé ou éteint parce que ça revient au même pour lui. Ce qui compte pour lui, c'est la montagne.

Littérature

Le départ du petit Nicolas

Littérature

Le départ du petit Nicolas

Jean-Jacques Sempé et René Goscinny

1 Preparation

Resource Manager

Vocabulary Transparency 1.7
Audio Activities Booklet TE, Activity
  D, pages 21–22
Audiocassette 1/CD 2
Workbook, Activity A, page 16
Quiz 15, page 15
ExamView Pro®

2 Presentation

Avant la lecture

Step 1 Have students read the **Avant la lecture** aloud. Call on individuals to answer the embedded questions.

Step 2 You may also want to ask the following questions: **Qui dans la classe est allé dans une colonie de vacances? Elle était où? C'était bien? Tu y as passé combien de temps? Tu y as fait de nouveaux copains? Tu as participé à quelles activités?**

Vocabulaire

Step 1 Call on students to read aloud the sentences that accompany the art.

Step 2 Call on a student or students who like to perform to act out the following:
L'enfant a fait des bêtises.
Ses parents l'ont grondé.
L'enfant a vidé sa valise.
Il a cherché ses billes.
Il a trouvé ses billes.
Il a joué aux billes.
Il a crié.

Avant la lecture

Quand vous étiez petit(e), êtes-vous jamais parti(e) en vacances sans vos parents? Avez-vous jamais passé quelques semaines avec d'autres enfants loin de vos parents? En France, une colonie de vacances est un centre où les parents envoient parfois leurs enfants pendant les vacances scolaires d'été. Ces colonies de vacances se trouvent au bord de la mer, à la montagne ou à la campagne. Les enfants y passent en général un mois. Ils font du sport, des excursions… et se font de nouveaux copains.

Vocabulaire

des billes (f.)

Le garçon a vidé sa valise.
Il cherchait ses billes.
Les billes étaient au fond de la valise.

L'enfant a fait des bêtises.
Ses parents l'ont grondé.

des tas de beaucoup de

une pancarte

CAMP BLEU

Tout le monde criait et faisait du bruit.

Communication guidée

A **Une bêtise** Répondez.

1. Le garçon a vidé sa valise?
2. Pourquoi? Qu'est-ce qu'il cherchait?
3. Où étaient ses billes?
4. Ce petit garçon a fait une bêtise?
5. Pourquoi est-ce que ses parents l'ont grondé?
6. Il y avait des tas d'enfants à la gare?
7. Ils criaient et faisaient du bruit?
8. Le moniteur avait une pancarte?

B **Comment dit-on... ?** Exprimez d'une autre façon ce qui est en italique.

1. Tout le monde *parlait très, très fort.*
2. Il y avait *beaucoup de* gens.
3. Il a fait des *choses stupides.*
4. Ses parents l'ont *réprimandé.*

Colonie de vacances dans les Hautes-Alpes

LITTÉRATURE

Littérature

3 Practice

Communication guidée

Have students prepare the activities at home, and then go over them in class. If, however, the group is quite good, you may want to go over them immediately after the presentation of the new vocabulary.

Independent Practice

Assign any of the following:
1. Activities on this page
2. Workbook, **Littérature**

ANSWERS TO Communication guidée

A

1. Oui, il a vidé sa valise.
2. Il a vidé sa valise parce qu'il cherchait ses billes.
3. Elles étaient au fond de la valise.
4. Oui, il a fait une bêtise.
5. Ils l'ont grondé parce qu'il a fait une bêtise.
6. Oui, il y avait des tas d'enfants à la gare.
7. Oui, ils criaient et faisaient du bruit.
8. Oui, il avait une pancarte.

B

1. Tout le monde criait.
2. Il y avait des tas de gens.
3. Il a fait des bêtises.
4. Ses parents l'ont grondé.

47

Littérature

Littérature

1 Preparation

Resource Manager

Audio Activities Booklet TE,
  Activities E–F, pages 22-23
Audiocassette 1/CD 2
Workbook, Activity B, page 16

2 Presentation

Introduction

Read the **Introduction** aloud to the students. Ask: **Quel est votre dessinateur d'humour préféré? Vous trouvez ses dessins où? Vous lisez des bandes dessinées? Lesquelles?**

Lecture ◆◆

Option 1

Step 1 Call on a student to read a short paragraph.

Step 2 After a student reads aloud, you may want to ask detailed questions such as the following (for paragraph 1): **Le petit Nicolas part pour où? Il est content ou pas? Mais il y a une chose qui l'ennuie. C'est quoi? D'après Nicolas, pourquoi ses parents sont-ils tristes?**

Step 3 When you get to the dialogue sections, call on students to take parts.

Step 4 After reading three or four paragraphs, have students look at the sidenotes to familiarize themselves with the new words they will encounter.

Option 2

Step 1 If you do not wish to do the story in the in-depth manner suggested in **Option 1** above, you can have the students read the selection at home and prepare the accompanying **Après la lecture** activities.

Introduction

Jean-Jacques Sempé (1932–) est un dessinateur d'humour[1] français très célèbre. Il a publié plusieurs albums de dessins humoristiques. Il se moque[2] avec tendresse de notre mode de vie compliqué.

René Goscinny (1926–1977) a écrit les dialogues de nombreuses bandes dessinées[3] humoristiques. Avec *Lucky Luke* et *Astérix*, il a renouvelé l'art de la bande dessinée. En 1956, en collaboration avec Sempé, il publie le premier livre des *Aventures du petit Nicolas*. *Le petit Nicolas* a immédiatement beaucoup de succès auprès des enfants… et des adultes.

[1] dessinateur d'humour *cartoonist*
[2] se moque *makes fun*
[3] bande dessinée *comic strip*

Lecture 🎧

Le départ du petit Nicolas

Aujourd'hui, je pars en colonie de vacances et je suis bien content. La seule chose qui m'ennuie, c'est que Papa et Maman ont l'air un peu tristes; c'est sûrement parce qu'ils ne sont pas habitués à rester seuls pendant les vacances.

Maman m'a aidé à faire ma valise, avec les chemisettes, les shorts, les espadrilles, les petites autos, le maillot de bain, les serviettes, la locomotive du train électrique, les œufs durs, les bananes, les sandwiches au saucisson et au fromage, le filet pour les crevettes, le pull à manches longues, les chaussettes et les billes. Bien sûr, on a dû faire quelques paquets parce que la valise n'était pas assez grande, mais ça ira.

Moi, j'avais peur de rater le train, et après le déjeuner, j'ai demandé à Papa s'il ne valait pas mieux partir tout de suite pour la gare. Mais Papa m'a dit que c'était encore un peu tôt, que le train partait à 6 heures du soir et que j'avais l'air bien impatient de les quitter. Et Maman est partie dans la cuisine avec son mouchoir, en disant qu'elle avait quelque chose dans l'œil.

Je ne sais pas ce qu'ils ont°, Papa et Maman, ils ont l'air bien embêtés°. Tellement embêtés que je n'ose° pas leur dire que ça me fait une grosse boule° dans la gorge quand je pense que je ne vais pas les voir pendant presque un mois. Si je le leur disais, je suis sûr qu'ils se moqueraient de moi et qu'ils me gronderaient.

ce qu'ils ont *what's the matter with them*
embêtés *upset*
ose *dare*
boule *lump*

CHAPITRE 1

FUN-FACTS

Jean-Jacques Sempé est né à Bordeaux en 1932. Il a publié ses premiers dessins dans la presse parisienne. En 1954 Goscinny lui a apporté l'histoire du *Petit Nicolas*. Sempé a illustré les nombreuses aventures de cet écolier et de ses copains. Il a eu du succès en France et aux États-Unis.

Goscinny a écrit les dialogues de nombreuses bandes dessinées. Après le *Petit Nicolas* Goscinny, avec Uderzo, a créé Astérix en 1959. Il a lancé Astérix dans le premier numéro du magazine *Pilote* qu'il avait fondé avec Uderzo et Charlier. À cause du succès mondial d'Astérix il a pu lancer dans *Pilote* une nouvelle génération d'auteurs de bandes dessinées qui s'adressaient à des lecteurs plus adultes.

Moi, je ne savais pas quoi faire en attendant l'heure de partir, et Maman n'a pas été contente quand j'ai vidé la valise pour prendre les billes qui étaient au fond.

—Le petit ne tient plus en place°, a dit Maman à Papa. Au fond, nous ferions peut-être mieux de partir tout de suite.

—Mais, a dit Papa, il manque encore une heure et demie jusqu'au départ du train.

—Bah! a dit Maman, en arrivant en avance, nous trouverons le quai vide et nous éviterons les bousculades° et la confusion.

—Si tu veux, a dit Papa.

Nous sommes montés dans la voiture et nous sommes partis. Deux fois, parce que la première, nous avons oublié la valise à la maison.

À la gare, tout le monde était arrivé en avance. Il y avait plein de gens partout, qui criaient et faisaient du bruit. On a eu du mal à trouver une place pour mettre la voiture, très loin de la gare, et on a attendu Papa, qui a dû revenir à la voiture pour chercher la valise qu'il croyait que c'était Maman qui l'avait prise. Dans la gare, Papa nous a dit de rester bien ensemble pour ne pas nous perdre. Et puis il a vu un monsieur en uniforme, qui était rigolo parce qu'il avait la figure toute rouge et la casquette de travers.

—Pardon, monsieur, a demandé Papa, le quai numéro 11, s'il vous plaît?

—Vous le trouverez entre le quai numéro 10 et le quai numéro 12, a répondu le monsieur. Du moins, il était là-bas la dernière fois que j'y suis passé.

—Dites donc, vous… a dit Papa; mais Maman a dit qu'il ne fallait pas s'énerver° ni se disputer; qu'on trouverait bien le quai tout seuls.

Nous sommes arrivés devant le quai, qui était plein, plein, plein de monde, et Papa a acheté, pour lui et Maman, trois tickets de quai. Deux pour la première fois et un pour quand il est retourné chercher la valise qui était restée devant la machine qui donne les tickets.

—Bon, a dit Papa, restons calmes. Nous devons aller devant la voiture Y.

Comme le wagon qui était le plus près de l'entrée du quai, c'était la voiture A, on a dû marcher longtemps, et ça n'a pas été facile, à cause des gens, des chouettes° petites voitures pleines de valises et de paniers et du parapluie du gros monsieur qui s'est accroché° au filet à crevettes, et le monsieur et Papa se sont disputés, mais Maman a tiré Papa par le bras, ce qui a fait tomber le parapluie du monsieur qui était toujours accroché au filet à crevettes. Mais ça s'est très bien arrangé, parce qu'avec le bruit de la gare on n'a pas entendu ce que criait le monsieur.

Devant le wagon Y, il y avait des tas de types de mon âge, des papas, des mamans et un monsieur qui tenait une pancarte où c'était écrit «Camp Bleu». C'est le nom de la colonie de vacances où je vais. Tout le monde criait. Le monsieur à la pancarte avait des papiers dans la main, Papa lui a dit mon nom, le monsieur a cherché dans ses papiers et il a crié: «Lestouffe! Encore un pour votre équipe!»

Et on a vu arriver un grand, il devait avoir au moins dix-sept ans.

ne… place *can't sit still*

bousculades *pushing and shoving*

s'énerver *to get upset*

chouettes *nice, cool*
accroché *caught in*

Step 2 Go over the **Après la lecture** activities on page 51 in class.

Step 3 Call on students to give some of the salient points of the story.

—Bonjour, Nicolas, a dit le grand. Je m'appelle Gérard Lestouffe et je suis ton chef d'équipe. Notre équipe, c'est l'équipe Œil-de-Lynx.

Et il m'a donné la main. Très chouette.

—Nous vous le confions°, a dit Papa en rigolant.

—Ne craignez rien°, a dit mon chef; quand il reviendra, vous ne le reconnaîtrez plus.

Et puis Maman a encore eu quelque chose dans l'œil et elle a dû sortir son mouchoir.

Et puis on a entendu un gros coup de sifflet et tout le monde est monté dans les wagons en criant.

Des papas et des mamans criaient des choses en demandant qu'on n'oublie pas d'écrire, de bien se couvrir et de ne pas faire de bêtises. Il y avait des types qui pleuraient et d'autres qui se sont fait gronder parce qu'ils jouaient au football sur le quai, c'était terrible.

Tout le monde a embrassé tout le monde et le train est parti pour nous emmener à la mer.

Moi, je regardais par la fenêtre, et je voyais mon papa et ma maman, tous les papas et toutes les mamans, qui nous faisaient «au revoir» avec leurs mouchoirs. J'avais de la peine. C'était pas juste, c'était nous qui partions, et

Nous… confions
*We leave him in
your care*
Ne craignez rien
Don't worry

CHAPITRE 1

eux ils avaient l'air tellement plus fatigués que nous. J'avais un peu envie de pleurer, mais je ne l'ai pas fait, parce qu'après tout les vacances, c'est fait pour rigoler et tout va très bien se passer.

Et puis, pour la valise, Papa et Maman se débrouilleront° sûrement pour me la faire porter par un autre train.

se débrouilleront *will manage*

Jean-Jacques Sempé et René Goscinny, *Les vacances du petit Nicolas*, © Éditions Denoël

Après la lecture

A Le départ Répondez.
1. Le petit Nicolas part en vacances avec ses parents?
2. Qu'est-ce qu'il a mis dans sa valise?
3. Pourquoi le petit Nicolas veut-il partir tout de suite?
4. Qu'est-ce qu'ils ont oublié à la maison?
5. Ils sont revenus chez eux pour aller chercher la valise?
6. Le train part de quel quai?
7. Où est-ce qu'ils ont oublié la valise?
8. Comment s'appelle la colonie de vacances?
9. Comment s'appelle le moniteur de Nicolas?
10. Qu'est-ce que Nicolas n'avait pas quand le train est parti?

B Des émotions Décrivez.
1. Trouvez les phrases qui indiquent les sentiments et les émotions des parents du petit Nicolas.
2. Dites tout ce que ses parents font pour essayer de ne pas montrer leur émotion.
3. D'après vous, pourquoi oublient-ils toujours la valise de Nicolas?

Communication libre

Un voyage d'enfance Quand vous étiez petit(e), avez-vous jamais voyagé seul(e)? Décrivez votre voyage: où vous êtes allé(e), quels étaient vos sentiments et ceux de vos parents. Si vous n'avez jamais voyagé seul(e), racontez un voyage fictif.

Littérature

Post–reading

Project
Have some students work in a group and redo this episode of *Petit Nicolas* as a **bande dessinée**.

Independent Practice
Assign any of the following:
1. Activities on this page
2. Workbook, **Littérature**

✓ Assessment

Use these resources after completing the *Le départ du petit Nicolas* reading for review and assessment.
Quiz 15
Test Booklet, pages 23–24
ExamView Pro®
Situation Cards

Use these resources after completing Chapter 1.
Quizzes
Test Booklet: Comprehensive Chapter Test, Listening Comprehension Test
ExamView Pro®

ANSWERS TO Après la lecture

A
1. Non, il part seul en vacances.
2. Il y a mis des chemisettes, des shorts, des espadrilles, des petites autos, un maillot de bain, des serviettes, la locomotive du train électrique, des œufs durs, des bananes, des sandwiches au saucisson et au fromage, un filet à crevettes, un pull à manches longues, des chaussettes et des billes.
3. Il veut partir tout de suite parce qu'il a peur de rater le train.
4. Ils ont oublié la valise à la maison.
5. Oui, ils sont revenus chez eux.
6. Le train part du quai numéro 11.
7. Ils ont oublié la valise devant la machine qui donne les tickets.
8. La colonie de vacances s'appelle le Camp Bleu.
9. Le moniteur s'appelle Gérard Lestouffe.
10. Il n'avait pas sa valise.

B *Answers will vary.*

ANSWERS TO Communication libre

Answers will vary.

Planning for Chapter 2

SCOPE AND SEQUENCE PAGES 52–103

Topics

* French youths' lifestyles and opinions
* France in 1900

Functions

* How to extend, accept, and refuse an invitation
* How to ask questions formally and informally
* How to narrate in the past
* How to express wishes, preferences, and demands

Structure

* Interrogatives
* Negative expressions
* **L'imparfait**
* Adjectives
* Subjunctive
* Subjunctive or infinitive

Culture/Literature

Culture

* French youths and current events
* French youths and their money
* France in 1900

Literature

* *La nausée*
* *La réclusion solitaire*

National Standards

* Communication Standard 1.1 pages 58, 64, 66, 69, 72, 74, 80, 97
* Communication Standard 1.2 pages 58, 64, 72, 74, 75, 80, 86, 97, 102
* Communication Standard 1.3 pages 58, 64, 80, 91, 103
* Cultures Standard 2.1 pages 54, 57–58, 63, 76, 78–79, 100–101
* Connections Standard 3.1 pages 83–85, 96–97, 100–101
* Connections Standard 3.2 pages 96–97, 100–101
* Comparisons Standard 4.1 pages 65, 71
* Comparisons Standard 4.2 pages 59, 65, 80, 87
* Communities Standard 5.1 page 87

Timesaving Teacher Tools

Interactive Teacher Edition
Imagine having your Teacher's Edition and all resources on a CD-ROM. Click on a resource and it appears on your screen, ready to be printed, sorted, or planned.

Interactive Lesson Planner
The Interactive Lesson Planner CD-ROM helps you organize your lesson plans for a week, month, semester, or year. Look at this planning tool for easy access to your Chapter 2 resources.

ExamView Pro®
Test Bank software for Macintosh and Windows makes creating, editing, customizing, and printing tests quick and easy.

Technology Resources

FRENCH Online
In the **Bon voyage!** Level 3 Internet activity, you will have a chance to learn more about language, culture, history, geography, and current events in the Francophone world. Visit <u>french.glencoe.com</u>

NATIONAL GEOGRAPHIC SOCIETY
See the National Geographic Teacher's Corner on pages 104–105, 214–215, 310–311, 428–429 for reference to additional technology resources.

Bon voyage! Video Program
Bon voyage! Video and Video Activities Booklet, Chapter 2.

DIFFICULTY LEVELS

Each reading selection in **Culture, Journalisme,** and **Littérature,** each **Conversation,** and each structure topic is rated below according to difficulty level to assist you in planning.

◆ Easy ◆◆ Intermediate ◆◆◆ Difficult

Please note that the material in **Bon voyage!** does not get progressively more difficult. Within each chapter there are easy and difficult sections. The overall rating for this chapter is: ◆◆ Intermediate.

SECTION	DIFFICULTY LEVEL
Culture	
Les jeunes Français et l'actualité	
Les médias dans la vie des lycéens	◆
Conversation	
Au bureau	◆◆
Structure I	
L'interrogation	◆
Les expressions négatives	◆
L'imparfait	◆◆
Journalisme	
Les jeunes Français et l'argent	
L'argent de poche	◆◆
La France en 1900	
Comment vivait-on en 1900?	◆◆
Structure II	
Les adjectifs	◆
Le subjonctif ou l'infinitif	◆
D'autres verbes au présent du subjonctif	◆◆◆
Littérature	
La nausée	◆
La réclusion solitaire	◆◆

Using Your Resources for Chapter 2

RESOURCE GUIDE

SECTION	PAGES	SECTION RESOURCES
Culture		
Les jeunes Français et l'actualité *Les médias dans la vie des lycéens*	54–59	📠 Vocabulary Transparency 2.1 🎧 Audiocassette 2/CD 3 💿 Audio Activities Booklet TE, pages 32–34 📕 Workbook, pages 25–26 📘 Quiz 1, page 16 📘 Chapter Section Test, pages 27–29
Conversation		

Au bureau
    Lundi matin
    Lundi midi
	60–64
	62
	63
		📠 Vocabulary Transparencies 2.2–2.3
		🎧 Audiocassette 2/CD 3
		💿 Audio Activities Booklet TE, pages 34–37
		📕 Workbook, pages 27–28
		📘 Quiz 2, page 17

Langage		
Invitations	65–66	🎧 Audiocassette 2/CD 3 💿 Audio Activities Booklet TE, pages 38–39 📕 Workbook, page 29 📘 Quiz 3, page 18 📘 Chapter Section Test, pages 30–31
Structure I		
L'interrogation Les expressions négatives L'imparfait	67–69 70–72 73–75	🎧 Audiocassette 2/CD 3 💿 Audio Activities Booklet TE, pages 40–43 📕 Workbook, pages 30–34 📘 Quizzes 4–6, pages 19–21 📘 Chapter Section Test, pages 32–33

Preview

In this chapter, students will learn more about the French and their daily lives. Topics covered are the role of TV, radio, and newspaper in everyday life; some of the conveniences and inconveniences of modern life contrasted with those of the past; and teen spending habits. This chapter also touches on the problems of minorities in France as seen through the eyes of the prize-winning novelist Tahar Ben Jelloun. In addition, students will learn how to accept and turn down invitations politely and how to get more information before committing themselves.

 ## National Standards

Communication
In Chapter 2, students will communicate in spoken and written French on the following topics:
• information media
• spending money
• everyday life now and in the past

Cultures
Students will learn how their French counterparts spend their money and what they think of news media and the importance of keeping informed of current events.

Connections
This chapter establishes a connection with the field of history.

Comparisons
Students compare their own attitudes toward spending money and keeping informed with those of French teens.

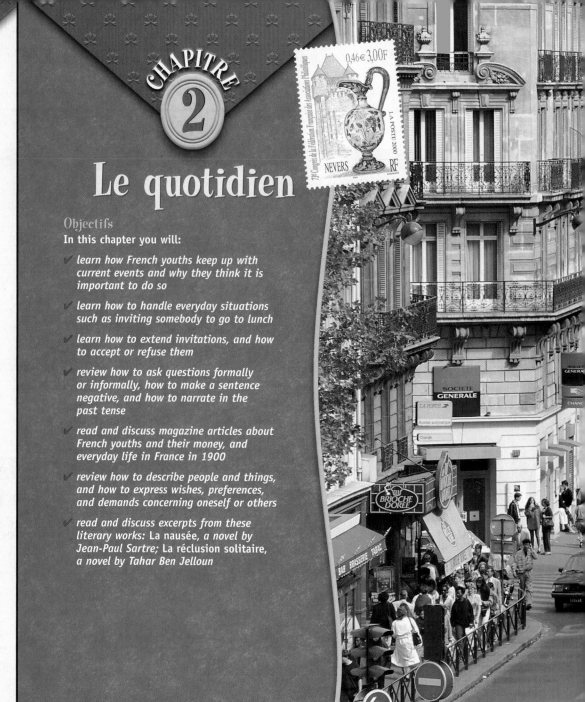

CHAPITRE 2

Le quotidien

Objectifs
In this chapter you will:

✓ learn how French youths keep up with current events and why they think it is important to do so

✓ learn how to handle everyday situations such as inviting somebody to go to lunch

✓ learn how to extend invitations, and how to accept or refuse them

✓ review how to ask questions formally or informally, how to make a sentence negative, and how to narrate in the past tense

✓ read and discuss magazine articles about French youths and their money, and everyday life in France in 1900

✓ review how to describe people and things, and how to express wishes, preferences, and demands concerning oneself or others

✓ read and discuss excerpts from these literary works: La nausée, a novel by Jean-Paul Sartre; La réclusion solitaire, a novel by Tahar Ben Jelloun

52

FRENCH
Online

The **Glencoe World Language Web site** (**french.glencoe.com**) offers several options for you and your students to experience the French-speaking world via the Internet:
• The online **Activités** are correlated to the chapters and utilize Francophone Web sites around the world
• Games and puzzles afford students another opportunity to practice the material learned in a particular chapter.

• The *Enrichment* section offers students an opportunity to visit Web sites related to the theme of the chapter for more information on a particular topic.
• Online *Chapter Quizzes* offer students an opportunity to prepare for a chapter test.
• Visit our virtual **Café** for more opportunities to practice and explore the French-speaking world.

Random Access

You may either follow the exact order of the chapter or omit certain sections that you feel are not necessary for your students. Similarly, you may present a literary selection without interruption, or you may wish to intersperse some material from the **Structure** sections as you are presenting a literary piece.

✔ Assessment

Quizzes: There is a quiz for every vocabulary presentation and every structure point.
Tests: To accompany **Bon voyage!** Level 3 there are global tests for both **Structures I** and **II**, a combined **Conversation/Langage** test, and one test for each reading in the **Culture, Journalisme,** and **Littérature** sections. There is also a chapter Listening Comprehension Test.

Learning from Photos
Have students say as much as they can about the photo.

Chapter Projects

🔍 **L'actualité** Les élèves doivent lire des journaux ou des magazines français et faire un exposé sur l'actualité. S'il est impossible de se procurer des journaux français, utilisez des journaux de la région et dites aux élèves de faire un exposé en français sur l'actualité en Europe et aux États-Unis.

⚖ **L'argent** Les élèves doivent noter tous les jours leurs dépenses pendant une période de deux semaines. Ils doivent noter également l'argent qu'ils gagnent ou qu'ils reçoivent. Ils vont proposer un budget et le comparer à ceux des étudiants des pages 78–79. Vous pouvez analyser les notes des élèves et déterminer la manière la plus courante dont les élèves obtiennent de l'argent, et à quoi ils le dépensent.

LES JEUNES FRANÇAIS ET L'ACTUALITÉ

LES JEUNES FRANÇAIS ET L'ACTUALITÉ

1 Preparation

Resource Manager

Vocabulary Transparency 2.1
Audio Activities Booklet TE,
  Activities A–B, pages 32–33
Audiocassette 2/CD 3
Workbook, Activities A–C, page 25
Quiz 1, page 16
ExamView Pro®

Bellringer Review

Write the following on the board or use BRR Transparency 2.1.
Faites une liste en français des médias que vous connaissez.

2 Presentation

Introduction

Step 1 Ask students: **Qu'est-ce que c'est, l'actualité?** If there is any difficulty answering, ask: **Qu'en pensez-vous? L'actualité, c'est le passé? Non? Qu'est-ce que c'est alors? (C'est le présent, c'est tout ce qui se passe aujourd'hui.)**

Step 2 Have students read the **Introduction** aloud or silently. Tell them to look for a misconception.

Step 3 Ask students if they think that American teenagers are as interested in current events as their parents. What do they think is the most popular source of news for American teens? Ask students how many of them read the newspaper.

Introduction

Tous les jours, la télévision, la radio, les journaux nous présentent une masse d'informations que nous digérons plus ou moins bien.

D'une façon générale, on croit que les jeunes s'intéressent moins à l'actualité que leurs parents, et que leur seule source de renseignements est la télévision. Eh bien, en France, ce n'est pas le cas. D'après un récent sondage, non seulement les jeunes Français lisent plus la presse que leurs parents, mais ils se montrent plus critiques à l'égard des informations reçues.

Vocabulary Expansion

You may wish to give students the adjective **actuel(le)**, which corresponds to the noun **l'actualité** and means *present, current.* It occurs in the frequently used expression **à l'heure actuelle** *(currently, right now).*

Learning from Photos

You may wish to ask students the following questions about the photo on this page: **Que font les jeunes gens sur la photo? À votre avis, ils lisent les infos? Ils sont américains ou français? Comment le savez-vous?**

Vocabulaire

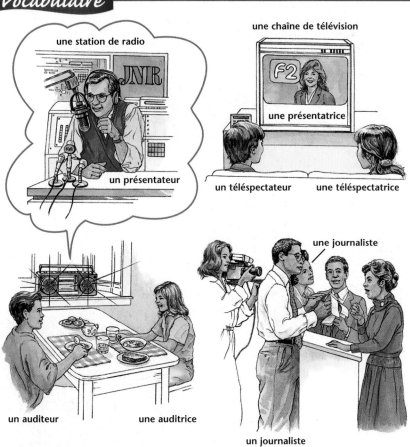

une station de radio

une chaîne de télévision

F2

une présentatrice

un présentateur

un téléspectateur   une téléspectatrice

une journaliste

un auditeur   une auditrice

un journaliste

l'actualité (f.) l'ensemble des événements actuels/récents
un sondage une enquête
l'info (f.) l'information
les infos le journal parlé ou télévisé, les nouvelles
un quotidien un journal publié tous les jours
un hebdomadaire un magazine publié toutes les semaines

la une la première page d'un journal
les faits divers les nouvelles peu importantes
agir produire un effet, exercer une influence, transformer
se tenir informé(e) rester informé(e)
être au courant être informé(e)

Step 1 Have students repeat the new words in unison after you or Audiocassette 2/CD 3.

Step 2 To vary the procedure, give students several minutes to read the definitions silently to familiarize themselves with them.

Step 3 Have the class repeat each new word or phrase once or twice in unison.

Step 4 Give the definition. Let individuals volunteer to give the new word being defined.

Step 5 You may wish to go over **Activités A** and **B** on page 56 immediately.

Step 6 Have students study the new words at home and write the activities on page 56.

Vocabulary Expansion

Un(e) journaliste is a newspaper journalist but may also be a radio or TV news correspondent.

55

Culture

3 Practice

 A, **B**, **C** As suggested on page 55, assign these activities for homework. Go over them the next day in class.

Extension: After going over the activities, have students volunteer to give an original sentence using a new word.

Independent Practice

Assign any of the following:
1. Workbook, **Culture**
2. **Activités A–C** on this page

Culture

Communication guidée

A **Radio, télévision ou presse?** Décidez s'il s'agit de la radio, de la télévision, de la presse écrite ou des trois.

1. une chaîne
2. une station
3. un hebdomadaire
4. un auditeur
5. une téléspectatrice
6. un quotidien
7. un journaliste
8. une présentatrice
9. la une
10. les infos
11. les faits divers

B **Associations** Choisissez les mots qui sont associés.

1. une chaîne	a. un téléspectateur
2. la radio	b. un présentateur
3. un auditeur	c. une station
4. les informations	d. la télévision
5. un journaliste	e. un hebdomadaire
6. un quotidien	f. les nouvelles

C **Définitions** Donnez le mot qui correspond.

1. un magazine qui est publié toutes les semaines
2. des événements qui se passent au moment où l'on parle
3. être informé(e)
4. quelqu'un qui présente une émission
5. quelqu'un qui écrit des articles dans un journal
6. quelqu'un qui écoute la radio
7. quelqu'un qui regarde la télévision
8. une enquête
9. un journal qui est publié tous les jours
10. produire un effet sur quelque chose
11. l'information
12. rester informé(e)

56 ❖ *cinquante-six*

CHAPITRE 2

ANSWERS TO Communication guidée

A
1. la télévision
2. la radio
3. la presse écrite
4. la radio
5. la télévision
6. la presse écrite
7. les trois
8. la radio et la télévision
9. la presse écrite
10. la radio et la télévision
11. les trois

B
1. d (c, f)
2. c (f)
3. a (b, f)
4. f (b, d)
5. b (d, f)
6. e (f)

C
1. un hebdomadaire
2. l'actualité
3. être au courant
4. un présentateur (une présentatrice)
5. un(e) journaliste
6. un auditeur (une auditrice)
7. un téléspectateur (une téléspectatrice)
8. un sondage
9. un quotidien
10. agir
11. l'info
12. se tenir informé(e)

56

LES MÉDIAS DANS LA VIE DES LYCÉENS

ESSENTIEL

A votre avis, est-il important, pour un lycéen, de se tenir informé de l'actualité ?

NON
4 %

OUI
96 %

Pourquoi est-ce important ?

Pour mon intérêt personnel, ma propre curiosité ——— 63%
Pour s'insérer¹dans la vie de la société ——— 48%
Pour réussir dans la vie professionnelle ——— 35%
Pour pouvoir voter en connaissance de cause² — 26%
Pour réussir au lycée 22%
Pour pouvoir agir sur le monde ——18%
NSPP³ 1%

Total supérieur à 100 en raison des réponses multiples

Mais oui! Ils s'informent.

En France, 96% des lycéens pensent qu'il est important de se tenir informé de l'actualité (99% pour les filles, 99% dans l'enseignement privé). Soit la quasi-totalité⁴.

Pourquoi? Pour des raisons assez peu scolaires, en somme: pour «leur intérêt personnel», pour «s'insérer dans la société», pour «réussir leur vie professionnelle». Comme si l'info, pour eux, n'avait aucune fonction utilitaire immédiate. Comme si sa seule fonction, c'était de les ouvrir au monde et de faire d'eux des citoyens⁵. «C'est important d'être informé pour ne pas être isolé, juge Nathalie, 16 ans.

Plus tard, ce sera à nous de prendre les rênes⁶. On ne peut pas rester ignorants, ou alors on devient une plaie⁷ pour la société.»

Succès de la presse écrite

Comment s'informent-ils? Par la télévision bien sûr, la radio, mais aussi, et c'est là la surprise de ce sondage, par la presse écrite.

Un lycéen sur quatre (26%) lit régulièrement un quotidien national (Le Figaro, Libération, Le Monde…). Soit un peu plus que les adultes (22%). La presse quotidienne régionale remporte elle aussi un franc succès⁸ (45% des lycéens la lisent au moins une fois par semaine),

---

¹ s'insérer to become part
² en connaissance de cause with full knowledge of the facts
³ NSPP (Ne Se Prononcent Pas) no opinion
⁴ la quasi-totalité just about everybody
⁵ citoyens citizens

⁶ prendre les rênes to take command, to be in charge
⁷ une plaie liability
⁸ remporte un franc succès is very successful

LES MÉDIAS DANS LA VIE DES LYCÉENS ◆

National Standards

Cultures
Students will learn what teenagers in France think of the importance of keeping informed about current events and what they do to keep informed.

Comparisons
Students will compare French teens' attitudes toward keeping informed with those of American teens.

1 Preparation

Resource Manager

Audio Activities Booklet TE, Activity C, pages 33–34
Audiocassette 2/CD 3
Workbook, Activities D–E, page 26

Bellringer Review

Write the following on the board or use BRR Transparency 2.2.
Donnez des réponses personnelles.
1. **Quel journal lisez-vous? C'est un hebdomadaire ou un quotidien?**
2. **Vous le lisez tous les jours?**
3. **Combien d'heures par jour regardez-vous la télé?**
4. **Quelle est votre émission favorite?**
5. **Quel(s) magazine(s) aimez-vous lire?**

Culture

2 Presentation

Step 1 Mais oui! Ils s'informent: This section contains some very useful vocabulary. Call on several students to read this section aloud. Ask: **Pourquoi les jeunes Français veulent-ils savoir ce qui se passe dans le monde? Expliquez: «Ce sera à nous de prendre les rênes.»**

Step 2 Succès de la presse écrite: Have students read this section silently. Tell them: **Après avoir lu ce paragraphe, dites-moi en quoi consiste «la surprise».**

Step 3 Paraphrasing: Have students paraphrase the following:
- «… même si les chiffres sont un peu inférieurs à ceux de leurs aînés…» (They may say: «un peu plus bas que ceux des gens plus âgés, comme, par exemple, leurs parents ou leurs grands-parents».)
- «La moitié des lycéens…» (They may say: «50 pour cent des lycéens, un lycéen sur deux.»)

Until students become accustomed to paraphrasing, it may be necessary to give them a fair amount of assistance.

Step 3 La radio, aussi: Have students read this section silently and look for the following information: **Quand les jeunes Français écoutent la radio, que choisissent-ils le plus souvent, la musique ou les infos?**

Step 4 Assign the activities on page 59 and in the Workbook, **Culture.**

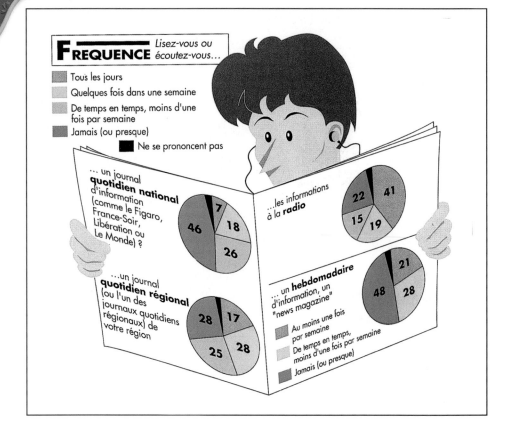

même si les chiffres sont un peu inférieurs à ceux de leurs aînés[9] (49%). La moitié[10] des lycéens, enfin, lit de temps en temps un hebdomadaire d'informations générales *(Le Nouvel Observateur, L'Express, Le Point…).*

La radio, aussi

Ils s'informent aussi par la radio. 41% des lycéens écoutent tous les jours les infos à la radio.

C'est énorme. Mais quand on leur demande quelles stations ils écoutent, on constate[11] que la première des grandes stations nationales, *Europe 1,* n'arrive qu'en sixième position, loin derrière les trois grandes de la FM: *NRJ*[12], *Skyrock* et *Fun.* Autrement dit, c'est la musique qu'ils choisissent, et pas les infos, qu'ils écoutent—sans doute—par hasard[13].

---

[9] aînés *elders*
[10] la moitié *half*

[11] on constate *one notices*
[12] NRJ *pronounced like "énergie"*
[13] par hasard *by chance*

CHAPITRE 2

Paired Activity
Have students work in pairs. One student asks the other which radio station he or she prefers and why. Then they switch roles. Each student tries to persuade the other to listen to his or her favorite station.

Group Activity
Have students work in teams. Each team is responsible for designing a day's programming for a local radio station. They need to choose material that is appropriate for certain audiences at certain times of day. Each team then reports their ideas to the class.

Communication guidée

A **Historiette** **Être au courant** Répondez aux questions d'après le texte.

1. Dans quelles proportions les lycéens français pensent-ils qu'il est important de se tenir informé(e) de l'actualité?
2. Pour quelles raisons pensent-ils que c'est important?
3. Quelle est pour eux la seule fonction de l'information?
4. Que feront les jeunes plus tard?
5. D'après Nathalie, si les jeunes sont ignorants, qu'arrivera-t-il?
6. Quels sont les différents moyens d'information?
7. Qu'est-ce qu'un quotidien national? Et un quotidien régional?
8. Pour quelle raison les jeunes Français choisissent-ils une station de radio plus qu'une autre?

B **Vrai ou faux?** Corrigez les phrases fausses.

1. Les jeunes Français veulent se tenir informés de l'actualité pour des raisons scolaires.
2. Ils peuvent se servir immédiatement de ce qu'ils ont appris sur l'actualité.
3. Ils pensent qu'être au courant de l'actualité les rend moins isolés.
4. Ils n'ont pas d'ambitions pour plus tard.
5. Il est bien connu que les jeunes Français lisent beaucoup les journaux.
6. Très peu de lycéens français lisent un hebdomadaire.
7. Ils écoutent les informations tous les jours.

C **Familles de mots** Choisissez le mot qui correspond.

1. mois	a. trimestriel
2. semaine	b. annuel
3. an	c. quotidien
4. jour	d. horaire
5. heure	e. hebdomadaire
6. trimestre	f. semestriel
7. semestre	g. mensuel

FRENCH Online
To read actual French newspapers, go to the Glencoe French Web site:
french.glencoe.com

Communication libre

A **À la une** Faites une liste des sujets que vous aimeriez voir mieux traités dans les médias. Dites pourquoi.

B **Presse, télé ou radio?** Une des jeunes filles interrogées pour le sondage pense que «l'information est plus neutre à la télévision. Le présentateur ne donne jamais son avis. Les journaux expriment toujours plus ou moins une opinion politique. Et puis l'image, ça ne trompe pas.» Qu'en pensez-vous? Êtes-vous d'accord ou pas?

Post-reading
Communication libre

A You may wish to have students work together on this activity. Have them divide into small groups and choose a leader. The leader polls his or her group about what subjects they would like to see covered more extensively in the press and reports the results to the class.

Independent Practice

Assign any of the following:
1. Activities on this page
2. Workbook, **Culture**

 Assessment

Use these resources at the end of the **Culture** section for review and assessment.
Quiz 1
Test Booklet, pages 27–29
ExamView Pro®
Situation Cards

ANSWERS TO *Communication guidée*

A
1. 96% des lycéens français.
2. Pour: «leur intérêt personnel»; «s'insérer dans la société»; «réussir leur vie professionnelle».
3. De les ouvrir au monde et de faire d'eux des citoyens.
4. Ils prendront les rênes.
5. Ils deviennent une plaie pour la société.
6. La radio, la télévision et la presse écrite.
7. ... publié tous les jours dans tout le pays / dans une région spécifique.

8. C'est selon la musique qu'ils préfèrent.

B
1. ... pour des raisons assez peu scolaires.
2. L'info n'a pour eux aucune fonction utilitaire immédiate.
3. Oui.
4. Plus tard ils devront prendre les rênes.
5. Non, c'est la surprise de ce sondage.
6. Oui.
7. Non, ils les écoutent par hasard.

C
1. g 2. e 3. b 4. c 5. d 6. a 7. f

ANSWERS TO *Communication libre*

A, **B** *Answers will vary.*

Conversation

AU BUREAU

1 Preparation

Vocabulaire

Resource Manager

Vocabulary Transparencies 2.2–2.3
Audio Activities Booklet TE,
 Activities A–B, pages 34–35
Audiocassette 2/CD 3
Workbook, Activities A–B, page 27
Quiz 2, page 17
ExamView Pro®

Bellringer Review

Write the following on the board or use BRR Transparency 2.3.
Écrivez toutes les professions et tous les métiers que vous connaissez.

2 Presentation

Step 1 As you present the new vocabulary, you may wish to ask the following questions: **Marc va monter. Il va aller en haut ou en bas? Marc va descendre. Il va aller en haut ou en bas? Où les employés de l'entreprise déjeunent-ils? Qu'en pensez-vous? Les entreprises américaines donnent à leurs employés des tickets-restaurant ou non? Y a-t-il des restaurants chinois là où vous habitez? Vous aimez la cuisine chinoise?**

Vocabulary Expansion

In everyday speech the word **restaurant** is often shortened to **restau** or **resto** (see page 63). Le **restau U** is student slang for **le restaurant universitaire**. Remind students that they have already learned **le café**, **la cafétéria**, and **la cantine**.

AU BUREAU

Vocabulaire

en haut

en bas

un restaurant d'entreprise

Tu vas bien?

Comme ci, comme ça.

des tickets-restaurant

un (restaurant) chinois

Elle a eu une idée de génie.

Il est crevé.

Additional Practice

Dites d'une autre façon:
1. Elle a eu une très bonne idée.
2. Ça, c'est une idée formidable.
3. Il est très fatigué.
4. Il a très sommeil.

Critical Thinking Activity

Locating causes
You may wish to do this activity after completing the vocabulary presentation.
1. **Elle a eu une idée de génie. Qu'est-ce qu'elle a fait? Qu'est-ce qu'elle a décidé?**
2. **Il est vraiment crevé. Pourquoi? Qu'est-ce qu'il a fait?**
3. **Ce travail l'a achevé. Pourquoi?**
4. **Il couve quelque chose. Pourquoi?**

un hypermarché

couver quelque chose sentir qu'on va tomber malade

ne pas être dans son assiette ne pas se sentir bien

achever quelqu'un rendre quelqu'un incapable de faire quoi que ce soit

retrouver trouver à nouveau

se remettre en route prendre la route à nouveau

avouer admettre

à tout casser au plus

en fin de compte finalement, après tout ça

Communication guidée

A **La vie quotidienne** Complétez.

1. Depuis qu'ils sont allés à Pékin, ils veulent toujours aller manger dans des restaurants _____.
2. Ils ne paient pas leur déjeuner avec de l'argent, mais avec des _____.
3. Elle a trop mangé. Elle ne se sent pas bien. Elle _____.
4. Lui, il a fait trop de jogging. Il est très fatigué. Il est _____.
5. Cet homme est content. Il avait perdu son portefeuille, et maintenant, il l'_____.
6. Elles vont faire leurs courses à *Carrefour*. C'est un _____.

B **Quel est le mot?** Trouvez le mot qui correspond à la définition donnée.

1. rendre quelqu'un complètement incapable de faire quoi que ce soit
2. avoir une très bonne idée
3. être obligé d'admettre
4. au dernier étage par rapport au premier
5. au premier étage par rapport au dernier
6. après tout ça
7. sentir la maladie qui approche
8. reprendre la route

C **Expressions amusantes** Complétez les phrases suivantes en décrivant les circonstances qui expliquent le début de la phrase.

1. Je ne suis pas dans mon assiette aujourd'hui parce que…
2. J'ai eu une idée de génie: je…
3. Je suis complètement crevé(e) parce que…
4. Comme ci, comme ça:…
5. Trente francs, à tout casser:…

ANSWERS TO Communication guidée

A
1. chinois
2. tickets-restaurant
3. n'est pas dans son assiette
4. crevé
5. a retrouvé
6. hypermarché

B
1. achever quelqu'un
2. avoir une idée de génie
3. avouer
4. en haut
5. en bas
6. en fin de compte
7. couver quelque chose
8. se remettre en route

C *Answers will vary.*

Conversation

Step 2 Call on individuals to read each new word or phrase and its definition. After each one, you may wish to ask questions similar to those that appear in **Additional Practice** below.

Vocabulary Expansion

You may wish to point out that **un hypermarché** (also called **un magasin à grande surface**) combines a supermarket with a full range of merchandise of all sorts. Ask students what the name **Carrefour** in the illustration suggests. (The word was introduced in Level 2, Chapter 11.) You may wish to tell them, too, that a shopping cart is **un chariot**.

Additional Practice

You may wish to ask the students the following questions: **Tu n'es pas dans ton assiette? Est-ce que tu as trop fait? Le travail t'a achevé(e)? C'est la cinquième fois aujourd'hui que tu as perdu tes lunettes. Où est-ce que tu les as retrouvées? Après avoir fait le plein, ils vont se remettre en route? Tu avoues avoir aimé ce mauvais film? En fin de compte, tu t'es amusé(e) ou pas à la fête?**

Independent Practice

Assign any of the following:
1. **Activités A–C** on this page
2. Workbook, **Conversation**

3 Practice

Communication guidée

It is recommended that you go over the activities in class after students have prepared them at home.

CONVERSATION ◆◆

National Standards

Communication

Students will talk about commuting problems. They will also discuss going out to lunch and making lunch arrangements.

1 Preparation

Resource Manager

Audio Activities Booklet TE, Activities C–E, pages 35–37
Audiocassette 2/CD 3
Workbook, Activities C–E, pages 27–28

Bellringer Review

Write the following on the board or use BRR Transparency 2.4.
Écrivez tout ce que vous avez fait ce matin avant de partir pour l'école.

2 Presentation

Step 1 Lundi matin: Call on two students with good pronunciation to read the conversation aloud to the class with as much expression as possible. Permit the others to follow along in their books as they listen.

Step 2 If you wish, you can intersperse the questions from **Activité A,** page 64, as you are presenting the conversation.

Lundi matin 🎧

ARNAUD: Bonjour, Gilles. Ça va?

GILLES: Ça va, merci. Et toi?

ARNAUD: Comme ci, comme ça. J'ai l'impression que je couve quelque chose.

GILLES: Ah oui? Pourquoi?

ARNAUD: Je ne sais pas. Je ne suis pas dans mon assiette, aujourd'hui. Je ne me sentais déjà pas bien la semaine dernière, mais il faut dire que le week-end m'a achevé!

GILLES: Ah oui, qu'est-ce que vous avez fait?

ARNAUD: Eh bien voilà. On avait décidé d'aller dans notre maison de campagne près de Saulieu, dans le Morvan. En général, on met trois heures, à tout casser. Mais là, trois heures après notre départ, on était tout juste à Auxerre. Alors, on a eu l'idée de génie de sortir de l'autoroute et d'aller faire quelques achats à *Carrefour!*

GILLES: Écoute! Tout le monde sait qu'on ne va pas faire des courses dans un hypermarché le samedi!

ARNAUD: Peut-être que tout le monde le sait, mais pas nous. Enfin, on a fait deux heures de queue pour payer. On sort, et… impossible de retrouver la voiture! En fin de compte, on est arrivé à Saulieu à deux heures du matin, complètement crevés.

GILLES: Vous n'avez pas beaucoup profité de la campagne, alors!

ARNAUD: Non, vu qu'on s'est levé à midi. On a déjeuné et on s'est remis en route pour le retour. Et là, rebelote*! Un énorme bouchon sur la A6†. On a mis sept heures pour revenir!

GILLES: Eh bien, mon pauvre, ça ne m'étonne pas que tu ne sois pas en forme.

---

* Rebelote! *Here we go again!*
† la A6 *highway that links Paris and Lyon*

62 *soixante-deux*   CHAPITRE 2

Lundi midi 🎧

GILLES: Alors, où va-t-on? On mange en bas?

SYLVIE: Oh non, j'en ai assez de la cuisine de restaurant d'entreprise, en général, et de celle de ton entreprise, en particulier.

GILLES: Oh, tu peux faire la difficile… Tu n'es pas obligée de manger de la cuisine d'entreprise tous les jours, puisqu'il n'y a pas de resto là où tu travailles!

SYLVIE: Tu avoueras que le système des tickets-restaurant* est nettement plus agréable…

GILLES: Surtout quand tu paies pour moi avec tes tickets!

SYLVIE: Mais bien sûr! Alors, ça te dit le chinois? Ça fait longtemps qu'on n'y est pas allés.

GILLES: D'accord, c'est une bonne idée.

---

* les tickets-restaurant *Half the cost of these tickets is paid by the employer, half by the employee. They are accepted in a very large number of restaurants.*

Conversation

Step 3 Lundi midi: Have two students read this section aloud. As the students read, intersperse the questions from **Activité B,** page 64.

Vocabulary Expansion

L'expression «rebelote» vient du jeu de cartes appelé la belote. Le jeu consiste à avoir les meilleures combinaisons possibles de cartes, puis de gagner des plis contenant les plus fortes cartes. La Belote est constituée du Roi et de la Dame d'atout et cette combinaison doit s'annoncer pendant le jeu. Le joueur qui la détient doit annoncer «belote» au moment de jouer la première carte et «rebelote» quand il joue l'autre. «Rebelote» est donc passé dans la langue de tous les jours pour indiquer quelque chose qui recommence.

Additional Practice

Have students use the following colloquial expressions on their own.

On a eu une idée de génie! (avec sarcasme)
Écoute!
Rebelote!
Tu fais le/la difficile.
Ça te dit (de)… ?

Conversation

Conversation

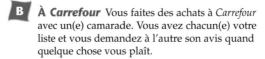

Après la conversation

A For this activity, have students give words they recall related to highway travel. (This vocabulary was originally presented in Level 2, Chapter 7.)

B For this activity, have students give words they recall related to shopping for food and merchandise of various sorts.

Learning from Photos

You may wish to ask students to say as much as they can about the photo on this page.

Independent Practice

Assign any of the following:
1. Activities on this page
2. Workbook, **Conversation**

Après la conversation

A Le matin Répondez d'après la conversation.
1. Que croit Arnaud?
2. Comment se sent-il? Comment se sentait-il la semaine d'avant?
3. Pourquoi Gilles passe-t-il du «tu» au «vous»?
4. Normalement, combien de temps met-on pour aller de Paris à Saulieu?
5. Quel genre de route prend-on?
6. Quel hypermarché se trouve à Auxerre?
7. Pendant combien de temps Arnaud et sa famille ont-ils fait la queue?
8. Que s'est-il passé quand ils sont sortis de l'hypermarché?
9. À quelle heure sont-ils arrivés dans leur maison de campagne?
10. Combien de temps ont-ils mis, le lendemain, pour revenir à Paris?

B À midi Répondez d'après la conversation.
1. Est-ce que Gilles et Sylvie travaillent pour la même entreprise?
2. Où se trouve le restaurant de l'entreprise de Gilles par rapport à l'endroit où sont les deux amis?
3. Est-ce que l'entreprise pour laquelle Sylvie travaille a un restaurant?
4. Où Sylvie déjeune-t-elle d'habitude?
5. Comment paie-t-elle ses repas?
6. Dans quelle sorte de restaurant veut-elle aller aujourd'hui?
7. Qui va payer l'addition?
8. Avec quoi va-t-elle la payer?

Communication libre

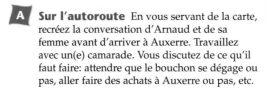

A **Sur l'autoroute** En vous servant de la carte, recréez la conversation d'Arnaud et de sa femme avant d'arriver à Auxerre. Travaillez avec un(e) camarade. Vous discutez de ce qu'il faut faire: attendre que le bouchon se dégage ou pas, aller faire des achats à Auxerre ou pas, etc.

B **À Carrefour** Vous faites des achats à *Carrefour* avec un(e) camarade. Vous avez chacun(e) votre liste et vous demandez à l'autre son avis quand quelque chose vous plaît.

C **À midi, à la cafétéria** Vous allez déjeuner avec un ou plusieurs amis à la cafétéria de votre école. Vous discutez (en français, bien sûr) des mérites de la cuisine de votre cafétéria.

Answers to Communication libre

, , **C** *Answers will vary.*

Answers to Après la conversation

A
1. Arnaud croit qu'il couve quelque chose.
2. Il n'est pas dans son assiette; il ne se sentait déjà pas bien la semaine d'avant.
3. Parce qu'il parle d'Arnaud et sa famille.
4. Normalement, on met trois heures.
5. On prend l'autoroute.
6. Carrefour.
7. Pendant deux heures.
8. Il leur a été impossible de retrouver leur voiture.
9. À deux heures du matin.
10. Ils ont mis sept heures pour revenir.

B
1. Non, ils ne travaillent pas pour la même entreprise.
2. Il se trouve en bas.
3. Non, son entreprise n'a pas de restaurant.
4. Dans un restaurant qui accepte les tickets-restaurant.
5. Avec des tickets-restaurant.
6. Un restaurant chinois.
7. Sylvie va payer l'addition.
8. Avec des tickets-restaurant.

INVITATIONS 🎧

Dans la vie de tous les jours, il est très courant de proposer à quelqu'un de faire quelque chose. Voici quelques façons de le faire:

> Tu es libre ce soir/jeudi prochain… ?
> Tu fais quelque chose ce soir/jeudi prochain… ?
> Qu'est-ce que tu fais ce soir/jeudi prochain… ?
> Tu (ne) veux (pas) venir avec nous samedi… ?
> Ça te dirait d'aller voir… ?
> Si on allait voir… ?
> On va prendre quelque chose?
> Allez viens. On va déjeuner. Je t'invite.

Notez bien que «Je t'invite» indique que c'est vous qui payez. Pour accepter une invitation, vous pouvez dire:

> Avec plaisir!
> (Très) volontiers!
> D'accord!
> Ce serait très sympa(thique).

Pour refuser une invitation, vous pouvez dire:

> Merci, mais je ne peux vraiment pas.
> Désolé(e), mais je suis déjà pris(e).
> Je regrette,…
> … mais c'est impossible.
> … mais il faut que je travaille.
> … mais je ne me sens pas très bien.

Il est parfois difficile d'accepter ou de refuser. Voici quelques façons de gagner du temps avant de donner une réponse catégorique:

> Ça dépend. Qu'est-ce que tu suggères?
> Je ne sais pas encore. Pourquoi?
> Je vais voir…

LANGAGE

soixante-cinq ✼ **65**

National Standards

Communication
Students will issue and accept or decline invitations.

INVITATIONS

1 Preparation

Resource Manager

Audio Activities Booklet TE,
  Activities A–C, pages 38–39
Audiocassette 2/CD 3
Workbook, Activities A–C, page 29
Quiz 3, page 18

2 Presentation

Step 1 Read the explanatory material to the class. Have the class repeat the expressions in unison.

Step 2 Call on individuals to complete the incomplete statements. For example: **Ça te dirait d'aller voir… ?** → **Ça te dirait d'aller voir un bon film?**

Vocabulary Expansion

You may wish to explain to students that the two idiomatic expressions **Ça te dirait d'(aller voir)…** and **Si on (allait voir)… ?** convey the meaning *How about (going to see)…?*

Additional Practice

After introducing the new expressions, have students do the following activity:
Invitez quelqu'un:
à une fête
à un restaurant
au match de foot
à prendre quelque chose au café
au cinéma

3 Practice

Communication libre

You may wish to have the class work in groups on the different situations in this activity and do them aloud in class.

Extension: Have students make up impromptu conversations dealing with an invitation. They can be funny and original, for example, a "yes" answer with romantic overtones, a "no" answer conveying "I have to get out of this."

Independent Practice

Assign any of the following:
1. Workbook, **Langage**
2. Activity on this page

✔ Assessment

Use these resources at the end of the **Conversation** and **Culture** sections for review and assessment.

Quizzes 2–3
Test Booklet, pages 30–31
ExamView Pro®
Situation Cards

Communication libre

Pour être sociable Vous vous trouvez dans les situations suivantes. Travaillez avec un(e) ou plusieurs camarades.

1. Les personnes suivantes vous demandent si vous êtes libre samedi prochain. Vous l'êtes, mais que répondez-vous…
   a. à un(e) ami(e) que vous aimez bien?
   b. à un membre du sexe opposé qui vous plaît beaucoup?
   c. à quelqu'un que vous n'aimez pas?
   d. à quelqu'un que vous aimez moyennement?
2. Vous voulez aller au cinéma. Vous essayez de trouver quelqu'un qui veuille y aller avec vous.
3. Un(e) de vos ami(e)s a été invité(e) à aller quelque part mais n'a pas envie d'y aller. Vous l'aidez à trouver des raisons pour refuser.
4. Vous suggérez à un(e) ami(e) de faire quelque chose ensemble. Déterminez quels jours vous êtes libres tou(te)s les deux, ce que vous allez faire, etc.

ANSWERS TO
Communication libre

Answers will vary.

Structure I

Asking questions formally or informally
L'interrogation

1. The simplest and most common way to ask a question in French is by using intonation, that is, by simply raising one's voice at the end of a statement.

Il travaille.	Il travaille?
Nous partons.	Nous partons?

2. Another way to form a question is to use **est-ce que** before a statement.

Il travaille.	Est-ce qu'il travaille?
Nous partons.	Est-ce que nous partons?

3. A third way to form a question is by inverting the subject and the verb (or its auxiliary). This inverted form is used in written and formal French, but it is less frequent in everyday conversation.

Vous parlez français.	Parlez-vous français?
Il a travaillé.	A-t-il travaillé?

   Inversion can also be made with a noun subject by adding a subject pronoun and inverting it with the verb. But again, intonation is more commonly heard in everyday French.

Isabelle parle français.	Isabelle parle-t-elle français?

4. The above questions were answered by *yes* or *no*. But many questions are "information" questions, that is, questions introduced by "question words."

—Où est-ce qu'il travaille?	—En banlieue.
—Comment est-ce qu'il va au bureau?	—En train.
—Pourquoi est-ce qu'il prend le train?	—La gare est tout près.
—Quand est-ce qu'il rentre?	—Vers 8 heures du soir.
—Combien est-ce qu'il gagne?	—Je ne sais pas exactement.

5. Inversion is also used with question words in more formal speech.

   Où travaille-t-il?
   Comment va-t-il au bureau?
   Quand rentre-t-il?
   Combien gagne-t-il?

   Note, however, that inversion is often used in common expressions such as:

   Comment vas-tu?
   Quel âge as-tu?
   Comment t'appelles-tu?

1 Preparation

Resource Manager

Workbook, Activities A–I,
 pages 30–34
Audio Activities Booklet TE,
 Activities A–G, pages 40–43
Audiocassette 2/CD 3
Quizzes 4–6, pages 19–21
ExamView Pro®

Bellringer Review

Write the following on the board or use BRR Transparency 2.5.
Écrivez une question avec chacun des mots suivants. Ensuite répondez à votre question.
Quand
Avec qui
Où
Comment
Pourquoi
Combien
Quel

2 Presentation

L'interrogation ◆

Step 1 With many groups you should be able to omit this point.

Step 2 Have the students read the model sentences aloud. Most students learn more from the examples than they do from the explanation.

67

6. However, in everyday language, people most often put **où, quand, combien,** and **comment** at the end of the question, and **pourquoi** at the beginning. They use an intonation that rises first and then falls.

> **Il travaille où?**
> **Il y va comment?**
> **Il rentre quand?**
> **Il gagne combien?**
> BUT: **Pourquoi il travaille?**

7. If the question is about a noun, the interrogative adjectives **quel, quelle, quels,** and **quelles** are used.

> **Dans quel restaurant est-ce que vous allez?**
> **Dans quelle cafétéria est-ce que vous allez?**
> **Avec quels amis est-ce que vous déjeunez?**
> **Avec quelles amies est-ce que vous déjeunez?**

8. Of course, inversion or intonation is also used in questions with **quel, quelle, quels,** and **quelles.**

> **Dans quel restaurant allez-vous?**
> **Vous allez dans quel restaurant?**

Communication guidée

A **On a faim.** Posez des questions qui correspondent aux mots en italique. Vous pouvez les poser de plusieurs façons.

1. On va *au restaurant*.
2. On va au restaurant *en métro*.
3. On va au restaurant *à midi*.
4. On va au restaurant chinois *parce que Jacques n'aime pas les restaurants d'entreprise*.
5. Le restaurant se trouve *dans la rue de Sèvres*.
6. Le restaurant sert le déjeuner *de midi à 3 heures*.
7. Le restaurant est ouvert *du lundi au samedi*.
8. Le restaurant est fermé *le dimanche*.

B **Encore un peu endormi** Voici les réponses de votre camarade. Quelles questions lui avez-vous posées?

1. Nous sommes le 12.
2. Nous sommes en janvier.
3. Il est 8 heures et demie.
4. Après, il y a cours d'anglais.

C **Frustrations** Répondez en utilisant une question. Suivez le modèle.

—Je n'ai pas assez d'argent pour le billet!
—Il te faut combien?

1. Je n'aime pas la cuisine chinoise.
2. Je n'ai pas assez dormi.
3. Je suis très pressé(e). Il faut que je parte.
4. Ma voiture est au garage pour une semaine.
5. Il faut que j'aille à Paris la semaine prochaine.
6. Cette année, nous ne partons pas en vacances.

STRUCTURE I

soixante-neuf ✦ **69**

Note: All of these activities can be done orally without previous preparation. As an additional reinforcement you may have students write the questions.

A **Extension:** Since there are several ways to ask a question for each of the sentences, you may wish to call on more than one student for each.

Learning from Photos
Have students work in groups to make up as many questions as they can about the photos on pages 68–69. Then call on students to ask their questions of students in other groups.

Independent Practice
Assign any of the following:
1. Activities on this page
2. Workbook, **Structure I**

ANSWERS TO Communication guidée

A *Answers will vary but may include the following:*
1. Où va-t-on?
2. Comment va-t-on au restaurant?
3. À quelle heure est-ce qu'on va au restaurant?
4. Pourquoi va-t-on au restaurant chinois?
5. Où se trouve le restaurant?
6. Quand est-ce que le restaurant sert le déjeuner?
7. Quels jours le restaurant est-il ouvert?
8. Le restaurant est fermé quel jour?

B
1. Quel jour sommes-nous?
2. En quel mois sommes-nous?
3. Quelle heure est-il?
4. Quel cours y a-t-il après?

C *Answers will vary.*

Structure I

Making a sentence negative
Les expressions négatives

1. The placement of the most commonly used negative expression, **ne… pas,** is as follows:

> Je **ne** travaille **pas.**
> Je **n'**ai **pas** travaillé.
> Je **ne** vais **pas** travailler.
> Je **ne** peux **pas** travailler.

When negating an infinitive, however, both **ne** and **pas** precede the infinitive.

> Je lui ai dit de **ne pas** travailler.

When a pronoun is involved, **ne** and **pas** go around the pronoun-verb (pronoun-auxiliary) block:

> Je **ne** lui téléphone **pas.**
> Je **ne** lui ai **pas** téléphoné.

2. Most of the following negative expressions follow the same pattern as **ne… pas.**

ne… pas du tout	*not at all*
ne… plus	*no longer, no more*
ne… jamais	*never*
ne… rien	*nothing*
ne… personne	*nobody*
ne… ni… ni	*neither… nor*

> Il **ne** travaille **plus.**
> Il **ne** peut **plus** travailler.
> Elle **n'**a **jamais** téléphoné.
> Elle **ne** m'a **jamais** parlé.
> Je lui ai demandé de **ne rien** dire.
> Je **ne** vois **personne.**
> Je **ne** téléphone **ni** à Paul, **ni** à Marie.

Note, however, the placement of **ne… personne** and **ne… ni… ni** in the **passé composé** or when two verbs are involved:

> Je **n'**ai vu **personne.**
> Je **n'**ai téléphoné **ni** à Paul, **ni** à Marie.

> Je **ne** veux voir **personne.**
> Je **ne** veux voir **ni** Paul, **ni** Marie.

3. To express *no, not any,* or *none,* **ne… aucun(e)** is used.

> —Il a des amis?   —Non, il **n'**a **aucun** ami.
>   —Non, **aucun.**
> —Il a reçu des lettres?   —Non, il **n'**a reçu **aucune** lettre.
>   —Non, **aucune.**

---

1 Preparation

Bellringer Review

Write the following on the board or use BRR Transparency 2.6.
Écrivez à la forme négative.
1. Il travaille.
2. Il est allé au bureau.
3. Il est content.
4. Il a un problème.

2 Presentation

Les expressions négatives ◆

Step 1 Most students should need little review of Items 1 and 2, with the possible exception of the position of **personne.**

Step 2 Call on individuals to read the model sentences.

Note: You may wish to remind students that **ne… que** follows the same rules for placement as the others, except in the **passé composé** when its placement resembles that of **ne… personne.** For example: **Je n'ai que deux dollars. Je ne téléphonais qu'à Sylvie. Je n'ai vu que trois films.**

4. In French, unlike in English, more than one negative can be used in the same sentence.

> **Il n'a rien dit à personne.**

5. The following adverbs are often used in question-negative answer exchanges.

Already —Il est déjà là?	**Not yet** —Non, il n'est pas encore là.
Still —Il est toujours là?	**No longer** —Non, il n'est plus là.
Always —Il est toujours en retard?	**Never**
Sometimes —Il est quelquefois en retard?	—Non, il n'est jamais en retard.
Often —Il est souvent en retard?	
Ever —Il a déjà été en retard?	—Non, il n'a jamais été en retard.

Structure

3 Practice

Communication guidée

Note: All of these activities can be done without previous preparation.

A, **C**, **D** These activities can be done orally with books closed.

Independent Practice

Assign any of the following:
1. Activities on this page
2. Workbook, **Structure I**

Communication guidée

A **Historiette** **Le chef ne va pas être content!** Répondez négativement.

1. Durand est là?
2. Vous avez fini de taper cette lettre?
3. Morel va rester ici pendant le déjeuner?
4. Pouvez-vous travailler tard ce soir?
5. Morel et Durand ont l'intention de finir leur rapport aujourd'hui?
6. Ils ont demandé des renseignements à quelqu'un?
7. Ils ont appris quelque chose?
8. Ils ont pu faire quelque chose?
9. Est-ce qu'on a des nouvelles de Langlois?
10. Est-ce qu'il y a des messages pour lui?

B **Pas d'impatience!** Répondez d'après le modèle.

faire ses devoirs →
Tu n'as pas encore fait tes devoirs!

1. finir sa rédaction
2. laver la vaisselle
3. promener le chien
4. mettre les lettres à la poste
5. ranger sa chambre
6. lire ce livre

C **Pas d'électricien!** Répondez négativement.

1. Il est déjà là?
2. Il est toujours là?
3. Il est déjà arrivé?
4. Il est déjà venu travailler ici?

D **Sondage** Répondez en utilisant une expression négative de votre choix.

1. Lisez-vous le journal tous les jours?
2. Écoutez-vous la radio tous les jours?
3. Vos parents regardent-ils la télévision?
4. Est-il important de se tenir informé de l'actualité?
5. Aimeriez-vous ne rien faire?
6. Vous intéressez-vous à l'actualité?
7. Vous sentez-vous isolé(e)?
8. Faites-vous confiance à la télévision ou à la radio pour vous tenir informé(e)?
9. Avez-vous rencontré un journaliste?
10. Avez-vous déjà écrit pour les journaux?

ANSWERS TO Communication guidée

A
1. Non, il n'est pas là.
2. Non, je n'ai pas fini de taper cette lettre.
3. Non, il ne va pas rester ici pendant le déjeuner.
4. Non, je ne peux pas travailler tard ce soir.
5. Non, ils n'ont pas l'intention de finir leur rapport aujourd'hui.
6. Non, ils n'ont demandé de renseignements à personne.
7. Non, ils n'ont rien appris.
8. Non, ils n'ont rien pu faire.
9. Non, on n'a pas de nouvelles de Langlois.
10. Non, il n'y a pas de messages pour lui.

B
1. Tu n'as pas encore fini ta rédaction!
2. Tu n'as pas encore lavé la vaisselle!
3. Tu n'as pas encore promené le chien!
4. Tu n'as pas encore mis les lettres à la poste!
5. Tu n'as pas encore rangé ta chambre!
6. Tu n'as pas encore lu ce livre!

C
1. Non, il n'est pas encore là.
2. Non, il n'est plus là.
3. Non, il n'est pas encore arrivé.
4. Non, il n'est jamais (il n'est pas encore) venu travailler ici.

D *Answers will vary.*

Narrating in the past tense
L'imparfait

1. Along with the **passé composé** and several other tenses, the imperfect tense is used to express past actions. First, review the forms of the imperfect tense. To get the stem for the imperfect, you take the **nous** form of the present tense and drop the **-ons** ending. The imperfect endings are then added to this stem.

Infinitive	PARLER	FINIR	VENDRE
Stem	nous parl-	nous finiss-	nous vend-
Imperfect	je parlais	je finissais	je vendais
	tu parlais	tu finissais	tu vendais
	il/elle/on parlait	il/elle/on finissait	il/elle/on vendait
	nous parlions	nous finissions	nous vendions
	vous parliez	vous finissiez	vous vendiez
	ils/elles parlaient	ils/elles finissaient	ils/elles vendaient

2. The only verb that has an irregular stem in the imperfect is the verb **être**: **ét-**. Here are its forms.

ÊTRE			
j'	étais	nous	étions
tu	étais	vous	étiez
il/elle/on	était	ils/elles	étaient

3. Note that verbs ending in **-cer** like **commencer**, and **-ger** like **manger**, have a spelling change to keep the sounds /s/ and /zh/ of the stem. A cedilla has to be added to the **c** of **-cer** verbs to preserve the sound /s/, and an **e** must be added to the **g** of **-ger** verbs to preserve the /zh/ sound, whenever the **c** or the **g** are followed by an **a**. These spelling changes occur in all forms of the verb, except **nous** and **vous**.

je commençais	je mangeais
tu commençais	tu mangeais
il commençait	il mangeait
ils commençaient	ils mangeaient

4. The imperfect is used to express habitual, repeated, or continuous actions in the past. When the event began or ended is not important. The imperfect is often accompanied by time expressions like **toujours, tous les jours, tous les ans, tout le temps, souvent, d'habitude, de temps en temps,** and **quelquefois.**

> **Tous les dimanches, nous avions un déjeuner en famille.**
> **De temps en temps, j'invitais des amis.**
> **Après, mon père faisait toujours une petite sieste.**

---

1 Preparation

Bellringer Review

Write the following on the board or use BRR Transparency 2.7.
Complétez au présent.
1. Nous ___. (dîner)
2. Nous ___. (finir)
3. Nous ___. (descendre)
4. Nous ___ là. (être)
5. Nous le ___. (faire)
6. Nous ___. (nager)
7. Nous ___. (commencer)

2 Presentation

L'imparfait ◆◆

Step 1 Items 1, 2, and 3: Have the students repeat the verb forms aloud. Permit them to read the explanatory material silently or omit it. Most students learn the forms by hearing, seeing, and using them.

Step 2 Item 4: Explain to the students that the important thing to keep in mind is continuity. The beginning and end times of the action are not important. Have students read the time expressions and the model sentences aloud.

73

Structure I

Structure I

2 Presentation (continued)

Step 3 Item 5: Have the students read all the sentences together to form a descriptive narrative.

Additional Practice

1. Travaillez avec un(e) camarade. Faites une liste de tout ce que vous faisiez toutes les semaines en Français I. Ensuite vous indiquerez ce que vous aimiez faire et ce que vous n'aimiez pas faire.
2. Travaillez avec un(e) camarade. Choisissez un personnage célèbre de l'histoire qui vous intéresse. Décrivez-le.

---

5. The imperfect is also used to describe persons, places, and things in the past.

> **C'était une belle soirée d'août.**
> **Il faisait très beau.**
> **Christophe avait 20 ans.**
> **Il était heureux d'être à Paris.**
> **Il trouvait que Paris était la plus belle ville du monde.**
> **Il voulait y passer toute sa vie.**

Note that the imperfect is used to describe location, time, weather, age, physical appearance, physical and emotional conditions or states, attitudes, and desires.

Communication guidée

A Avant Répondez d'après le modèle.

—**Nous écoutons les informations tous les jours.**
—**Nous aussi, avant, nous écoutions les informations tous les jours.**

—**J'écoute les informations tous les jours.**
—**Moi aussi, avant, j'écoutais les informations tous les jours.**

1. Nous discutons avec des amis tous les jours.
2. Nous allons au «Club Fitness» tous les jours.
3. Nous nageons dans la piscine tous les jours.
4. Nous nous exerçons dans le gymnase tous les jours.
5. Je joue au foot tous les jours.
6. Je lis le journal tous les jours.
7. Je prends le train tous les jours.
8. Je fais la vaisselle tous les jours.
9. Je mange des fruits tous les jours.
10. Je commence un livre tous les jours.

B Vous n'avez pas bien entendu. Posez les questions qui correspondent aux réponses de l'exercice précédent. Suivez le modèle.

—**Nous aussi, avant, nous écoutions les informations tous les jours.**
—**Qu'est-ce que vous écoutiez tous les jours?**

—**Moi aussi, avant, j'écoutais les informations tous les jours.**
—**Qu'est-ce que tu écoutais tous les jours?**

CHAPITRE 2

ANSWERS TO Communication guidée

A

1. Nous aussi, avant, nous discutions avec des amis tous les jours.
2. … nous allions…
3. … nous nagions…
4. … nous nous exercions…
5. Moi aussi, avant, je jouais au foot tous les jours.
6. … je lisais le journal…
7. … je prenais le train…
8. … je faisais…
9. … je mangeais…
10. … je commençais…

B

1. Avec qui est-ce que vous discutiez tous les jours?
2. Où est-ce que vous alliez tous les jours?
3. Où est-ce que vous nagiez tous les jours?
4. Où est-ce que vous vous exerciez tous les jours?
5. À quoi est-ce que tu jouais tous les jours?
6. Qu'est-ce que tu lisais…?
7. Qu'est-ce que tu prenais…?
8. Qu'est-ce que tu faisais…?
9. Qu'est-ce que tu mangeais tous les jours?
10. Qu'est-ce que tu commençais tous les jours?

C

1. Quand il était jeune, il était pauvre.
2. … elle voyageait en deuxième classe.
3. … il allait dans une auberge de jeunesse.
4. … elle achetait ses vêtements dans les hypermarchés.
5. … ils mangeaient dans les cafés.
6. … ils avaient un petit appartement.
7. … ils partaient en vacances pendant trois jours.

C Quand ils étaient jeunes Répondez d'après le modèle.

—**Maintenant il a une voiture. (un vélo)**
—**Quand il était jeune, il avait un vélo.**

1. Maintenant, il est riche. (pauvre)
2. Maintenant, elle voyage en première classe. (deuxième classe)
3. Maintenant, il va dans un grand hôtel. (une auberge de jeunesse)
4. Maintenant, elle achète ses vêtements chez un grand couturier. (dans les hypermarchés)
5. Maintenant, ils mangent dans les grands restaurants. (les cafés)
6. Maintenant, ils ont une grande maison. (un petit appartement)
7. Maintenant, ils partent en vacances pendant trois mois. (trois jours)

D Quand j'étais enfant Mettez au passé.

Nous avons une maison de campagne en Bourgogne. C'est une très belle maison, un ancien petit château. Il y a quinze pièces, un grand jardin et au fond du jardin, une petite rivière.

Comme la maison est grande, nous pouvons facilement inviter des amis. Nous y allons tous les quinze jours. Mes parents aiment beaucoup le calme de la Bourgogne.

En hiver, nous faisons de longues promenades dans la campagne, puis nous rentrons à la maison. Mon père allume un feu dans la cheminée, lui et ma mère lisent tranquillement, mes frères jouent au Monopoly, et moi j'écoute de la musique. Ou alors, je prépare de bons petits plats que toute la famille mange avec appétit.

En été, nous devenons plus sportifs: mes frères font du bateau sur le canal, mes parents vont à la pêche, et mes amis et moi, nous jouons au tennis. Et notre moyen de transport? La voiture? Non, pas du tout, nous roulons à vélo!

Semur-en-Auxois en Bourgogne

soixante-quinze ❧ 75

3 Practice

D Have students write this activity. Call on an individual to read each paragaph as the students correct their own papers.

👥 Group Activity
Travaillez en petits groupes. Un(e) élève sera le/la secrétaire du groupe. Dictez-lui une histoire d'épouvante (d'horreur) que vous créerez ensemble. Un(e) élève commencera par quelques phrases. Par exemple: «Il faisait nuit. Il n'y avait pas d'étoiles dans le ciel. On ne voyait rien.» Chaque élève donnera une phrase jusqu'à ce que vous ayez une histoire qui fait peur. Donnez des descriptions complètes et mystérieuses. Ensuite lisez votre histoire à la classe.

Independent Practice

Assign any of the following:
1. Workbook, **Structure I**
2. Activities on pages 74–75

History Connection

⚜ Au VIe siècle, la forteresse gallo-romaine de Sinemurum (Semur) a été remplacée par le château des ducs de Bourgogne.

Aujourd'hui, on visite Semur-en-Auxois pour voir ses bâtiments anciens, ses remparts et les vestiges d'un château des XIIe et XVIIe siècles.

✓ Assessment

Use these resources at the end of the **Structure I** section for review and assessment.
   Quizzes 4–6
   Test Booklet, pages 32–33
   ExamView Pro®

ANSWERS TO Communication guidée

D

Nous avions une maison de campagne en Bourgogne. C'était une très belle maison, un ancien petit château. Il y avait quinze pièces, un grand jardin et au fond du jardin, une petite rivière.

Comme la maison était grande, nous pouvions facilement inviter des amis. Nous y allions tous les quinze jours. Mes parents aimaient beaucoup le calme de la Bourgogne.

En hiver, nous faisions de longues promenades dans la campagne, puis nous rentrions à la maison. Mon père allumait un feu dans la cheminée, lui et ma mère lisaient tranquillement, mes frères jouaient au Monopoly, et moi j'écoutais de la musique. Ou alors, je préparais de bons petits plats que toute la famille mangeait avec appétit.

En été, nous devenions plus sportifs: mes frères faisaient du bateau sur le canal, mes parents allaient à la pêche, et mes amis et moi, nous jouions au tennis. Et notre moyen de transport? La voiture? Non, pas du tout, nous roulions à vélo!

LES JEUNES FRANÇAIS ET L'ARGENT

Journalisme

LES JEUNES FRANÇAIS ET L'ARGENT

Introduction

La plupart des jeunes Français reçoivent de l'argent de poche de leur famille. Comme cette somme n'est pas très élevée, nombreux sont les jeunes qui ont d'autres sources de revenus: les petits boulots du genre baby-sitting ou cours donnés à de jeunes élèves.

Le magazine français *Jeune et jolie* a interviewé plusieurs jeunes Français pour savoir d'où vient leur argent de poche et comment ils l'utilisent. Lisez ce que trois de ces jeunes gens ont répondu. Qu'est-ce que vous auriez dit si ce magazine vous avait interviewé(e)?

Vocabulaire

Ce jeune homme est coincé.

un animateur

une animatrice

une colonie de vacances

la progéniture les enfants
la fac(ulté) l'université
une bourse l'argent que les étudiants reçoivent de l'État pour faire leurs études
un bouquin un livre
une combine un système, un moyen

au bercail à la maison
s'en sortir se tirer d'une mauvaise situation
se moquer de ne pas attacher d'importance à
gratter sur économiser sur
se serrer la ceinture se refuser certaines choses, se priver

CHAPITRE 2

Journalisme

LES JEUNES FRANÇAIS ET L'ARGENT

1 Preparation

Resource Manager

Vocabulary Transparency 2.4
Audio Activities Booklet TE, Activities A–B, pages 44–45
Audiocassette 2/CD 3
Workbook, Activity A, page 35
Quiz 7, page 22
ExamView Pro®

Bellringer Review

Write the following on the board or use BRR Transparency 2.8.
Écrivez ce que vous faites de votre argent. Comment le dépensez-vous?

2 Presentation

Introduction

Step 1 Recycling: Have students tell what they remember about **l'argent de poche** and **la semaine.**

Step 2 Have students read the introduction silently. Then ask: **D'où vient votre argent de poche et comment l'utilisez-vous?**

Vocabulaire

Step 1 To vary the procedure, you may wish to have students go over the vocabulary on their own without oral presentation in class. It is quite easy to get the meaning of these words. Have students study them and prepare the activities on page 77.

Step 2 The next day, call on several students to read the new words and definitions aloud before going over the vocabulary activities.

FUN FACTS

You may wish to tell students: **Voici les résultats d'un sondage récent sur l'argent de poche des jeunes Français. Ils l'utilisent pour:
l'achat des disques et des livres (56%)
le cinéma ou les sorties (49%)
les vêtements (12%)
les fournitures scolaires (11%)
les transports scolaires (2%).**

Communication guidée

 On parle comme les étudiants. Les étudiants utilisent des mots d'un style familier. Trouver les mots qui correspondent dans la langue de tous les jours.

1. la fac
2. au bercail
3. s'en sortir
4. un bouquin
5. coincé(e)
6. une combine
7. gratter sur
8. se serrer la ceinture

a. en difficulté
b. économiser sur
c. se priver
d. se tirer d'une mauvaise situation
e. l'université
f. un livre
g. un moyen
h. à la maison

 Quelle catégorie? Classez les divers revenus et dépenses dans les catégories ci-dessous.

logement — transport — jobs d'été — loisirs — cadeaux de la famille

1. 25 euros pour mon anniversaire
2. un carnet de tickets
3. baby-sitting = 8 euros
4. dîner avec Bob = 15 euros
5. auberge de jeunesse = 10 euros
6. aller-retour Saulieu = 30 euros
7. cours de maths aux petits Dupont = 20 euros
8. cinéma = 8 euros

 Ils n'ont pas beaucoup d'argent. Complétez.

1. Leurs parents ont beaucoup d'enfants: ils ont une grande _____.
2. L'État leur donne une _____ pour faire leurs études.
3. L'été, ils travaillent dans une colonie de vacances: lui comme _____, elle comme _____.
4. Ils n'attachent pas beaucoup d'importance à l'argent. Ils se _____ de ne pas en avoir.

Vocabulary Expansion

The literal meaning of the adjective **coincé(e)** *(squeezed, wedged between, stuck)* is depicted in the illustration, but the word can also have a metaphorical meaning when it is used to refer to someone's financial situation.

3 Practice

Communication guidée

Assign the activities for homework and go over them the next day in class.

Independent Practice

Assign any of the following:
1. Activities on page 77
2. Workbook, **Journalisme**

 ANSWERS TO
Communication guidée

A
1. e 5. a
2. h 6. g
3. d 7. b
4. f 8. c

B
1. cadeaux de la famille
2. transport
3. jobs d'été
4. loisirs
5. logement
6. transport
7. jobs d'été
8. loisirs

C
1. progéniture
2. bourse
3. animateur; animatrice
4. moquent

L'ARGENT DE POCHE ◆◆

Cultures
Students will learn about French teenagers' attitudes toward pocket money.

Comparisons
Students will have a chance to compare their own attitudes toward pocket money with those of French teens.

1 Preparation

Resource Manager

Audio Activities Booklet TE, Activity C, page 45
Audiocassette 2/CD 3
Workbook, Activities B–E, pages 35–36

Bellringer Review

Write the following on the board or use BRR Transparency 2.9.
Donnez des réponses personnelles.
1. **Vous recevez une semaine?**
2. **Qui vous donne votre argent de poche?**
3. **Vous recevez à peu près combien par semaine?**
4. **Vous avez un job?**
5. **Vous travaillez combien d'heures par semaine?**
6. **Vous avez un job d'été? Qu'est-ce que vous faites?**

2 Presentation

Step 1 Have students read one or two sections at home and think about how they manage their monthly budget.

L'ARGENT DE POCHE

200 € par mois. C'est la somme moyenne allouée par les parents à leur chère progéniture. À cela s'ajoutent évidemment des extras plus ou moins nombreux et d'horizons divers et variés. Le tout constitue un mot magique: l'argent de poche. D'où vient-il, où va-t-il? Réponse à 1 000 balles!

KARINE: AUCUNE IDÉE

Budget mensuel: aucune idée!
Logement: chez ses parents
Participation des parents: 200 €
Jobs d'été: 2 000 €
Petits cadeaux de la famille: 500 €
Dépenses mensuelles: sorties 70 €, sport 20 €, livres et fournitures scolaires 300 €

Karine, 19 ans, en deuxième année de langues étrangères appliquées (LEA) à l'université de Paris 12 (Créteil). «Combien je dépense par mois? Je n'en ai aucune idée. Mes parents me payent tout, sauf les extras.» Bien que ceux-ci habitent à 30 km de sa fac, Karine a choisi de rester au bercail: «Je suis nourrie, logée, habillée, équipée, blanchie[1]... Je crois qu'en moyenne, mes parents me donnent 50 € par semaine (transport, déjeuners...), mais c'est très irrégulier. Mes économies (petits cadeaux et jobs d'été) me permettent de payer mes sorties: ciné, resto ou café. Pour moi, entre le lycée et la fac, rien n'a vraiment changé. Dépendre de mes parents ne me gêne[2] pas, dans la mesure où[3] ils peuvent et veulent me payer tout ce dont j'ai besoin.»

---

[1] je suis... blanchie *my laundry is done for me*
[2] gêne *bother*
[3] dans la mesure où *insofar as*

Additional Practice

After having gone over the reading, you may wish to ask students the following additional questions: **Faites-vous des économies? Sur quelles choses grattez-vous? Avez-vous un job d'été? Et pendant l'année scolaire? Combien d'argent gagnez-vous? Du point de vue de l'argent, à qui ressemblez-vous: Karine, Thierry ou Isabelle?**

👥 Paired Activity

Have students work in pairs. One student plays the role of the parent of the other student. They must negotiate a weekly allowance, taking into account spending needs, parental expectations, etc.

THIERRY: 550 €

Budget mensuel: 550 €
Bourse: 360 €
Participation des parents: 200 €
Jobs d'été: 2 400 €
Dépenses mensuelles: chambre en cité U[4] 117 €, livres et fournitures scolaires 20 €, repas 120 €, transport 63 €, sorties 30 €, natation 8 €

Thierry, 23 ans, étudiant en licence* d'information et communication à Grenoble. «Je suis toujours très juste[5]. Je me serre la ceinture, surtout sur les loisirs et les sorties, mais je m'en sors. Je travaille pendant toutes les vacances comme animateur de colonie de vacances. Cet argent me sert surtout les premiers mois de l'année scolaire, pour payer mes fournitures, mes bouquins, en attendant que ma bourse arrive. Je ne prends qu'une semaine de vacances par an. Je ne vais pratiquement jamais au restaurant ni au théâtre, et pas plus de deux fois par mois au cinéma… Mais dans le fond[6], je m'en moque un peu.»

ISABELLE: 700 €

Budget mensuel: 680 €
Participation des parents: 680 €
Jobs: 800 € pour l'année
Jobs d'été: 1 600 €
Dépenses mensuelles: loyer[7] 340 €, livres 60 €, repas 100 €, transport 36 € (et 376 € par an pour rentrer chez ses parents), sorties 70 €

Isabelle, 21 ans, est venue de Clermont-Ferrand pour poursuivre ses études de lettres à Paris. «Je fais des économies, au cas où mes parents seraient un peu coincés financièrement, et surtout pour moins dépendre d'eux. Avec ce qu'ils me donnent, je réussis à parer à[8] l'essentiel: appartement, nourriture et fournitures scolaires. Pour le reste, je fais toutes sortes de petits boulots (vendeuse, animatrice, baby-sitting, cours…), et j'essaye de tout payer à tarif réduit. Je mange dans des restos exotiques pour 6 €, j'ai mes adresses, mes combines, je m'habille aux puces… Je gratte sur tout. Ce qui me reste… c'est pour mes vacances.»

---

[4] cité U(niversitaire) *student dorms*
[5] je suis… juste *money is always a bit tight*
[6] dans le fond *really*

[7] loyer *rent*
[8] parer à *taking care of*
* la licence *university degree corresponding to a B.A.*

Critical Thinking Activity

Making inferences

1. Je me serre la ceinture. Qu'est-ce que je fais?
2. Marie fait des économies. Qu'est-ce qu'elle fait?
3. Les gens sont de temps en temps un peu coincés financièrement. Pourquoi?

Step 2 Divide the class and have some students read about Karine, others about Thierry, and others about Isabelle. Each group reports to the others about "their" person.

Step 3 Because of the usefulness of the vocabulary, you may wish to go over all sections thoroughly in class.

Step 4 Ask: **Combien d'argent dépensez-vous par mois? À quoi dépensez-vous de l'argent tous les mois? Combien de fois par mois allez-vous au cinéma? au concert? au restaurant? Dépendez-vous beaucoup de vos parents? Combien d'argent de poche vos parents vous donnent-ils?**

Step 5 Go over the **Après la lecture** activities on page 80.

Vocabulary Expansion

1. Have students go through the selections and pick out all the slang.
2. Have students give original sentences using the following words or expressions: **balles, les extras, la fac, le resto, la sortie, un job d'été, je me serre la ceinture, un bouquin, coincé (financièrement), le boulot.**

Additional Practice

Have the students write an article about themselves using Karine, Thierry, and Isabelle as a guide.

Journalisme

Independent Practice

Assign any of the following:
1. Activities on this page
2. Workbook, **Journalisme**

Assessment

Use these resources at the end of the **Les jeunes Français et l'argent** section for review and assessment.

    Quiz 7
    Test Booklet, pages 34–36
    ExamView Pro®
    Situation Cards

Journalisme

Après la lecture

A Karine Répondez d'après le texte.
1. Karine fait des études scientifiques ou littéraires?
2. Sait-elle combien d'argent elle dépense par mois?
3. Où habite-t-elle?
4. Qui paie tous ses frais?
5. Combien ses parents lui donnent-ils?
6. Pourquoi est-ce que cela ne la gêne pas que ses parents lui paient tout?

B Thierry Répondez d'après le texte.
1. Quel genre d'études fait Thierry?
2. Est-ce qu'il a beaucoup d'argent?
3. Sur quoi économise-t-il surtout?
4. Que fait-il pendant les vacances?
5. Que fait-il de l'argent qu'il gagne pendant les vacances?
6. Combien de fois par mois va-t-il au restaurant? Au théâtre? Au cinéma?
7. Est-il triste de ne pas pouvoir sortir très souvent?

C Isabelle Répondez d'après le texte.
1. Quel genre d'études fait Isabelle?
2. D'où vient-elle?
3. Est-ce qu'elle dépend beaucoup de ses parents?
4. Pourquoi fait-elle des économies?
5. Quels petits boulots fait-elle?
6. Comment économise-t-elle de l'argent?

Communication libre

A Budget Faites une liste de vos dépenses et une liste de vos revenus. Établissez ensuite un budget.

B Projet Vous et votre camarade avez besoin d'argent pour réaliser un projet: acheter une moto, faire un petit voyage, etc. Choisissez un projet, calculez la somme d'argent dont vous aurez besoin et préparez un plan d'action pour obtenir cet argent.

Le marché aux puces de la porte de Saint-Ouen

80 ✣ *quatre-vingts*

CHAPITRE 2

ANSWERS TO Communication libre

  Answers will vary.

ANSWERS TO Après la lecture

A
1. Karine fait des études littéraires.
2. Non, elle n'en a aucune idée.
3. Chez ses parents, à 30 km de Paris.
4. Ses parents paient tous ses frais.
5. En moyenne, ils lui donnent 50 euros par semaine.
6. Cela ne la gêne pas dans la mesure où ils peuvent et veulent lui payer tout ce dont elle a besoin.

B
1. Il est étudiant en licence d'information et communication.

2. Non, il est toujours très juste.
3. Sur les loisirs et les sorties.
4. Il travaille comme animateur de colonie de vacances.
5. L'argent lui sert à payer ses fournitures et ses bouquins, au début de l'année scolaire.
6. Il ne va pratiquement jamais au restaurant ni au théâtre et pas plus de deux fois par mois au cinéma.
7. Non, il s'en moque un peu.

C
1. Elle fait des études de lettres.

2. Elle vient de Clermont-Ferrand.
3. Non, elle ne dépend pas beaucoup d'eux.
4. Pour moins dépendre de ses parents au cas où ils seraient un peu coincés financièrement.
5. Elle est vendeuse, animatrice, fait du babysitting et donne des cours.
6. Elle essaie de tout payer à tarif réduit, elle mange dans des restos exotiques pour 6 euros, elle s'habille aux puces.

80

LA FRANCE EN 1900

Introduction

En France, 1900 c'est l'Exposition universelle et la tour Eiffel; c'est aussi le début de l'électricité et du cinéma. Mais comment les gens vivaient-ils au quotidien? Vous le saurez en lisant l'article qui suit. Il a paru dans *Okapi*, un magazine destiné aux jeunes.

Vocabulaire

un écriteau · Vitrier! · Chiffonnier! · Ramoneur! · un chiffon · un tailleur · une charrette

un allumeur de réverbères · un réverbère/un bec de gaz · un cocher · Le Soir! · une casquette · un fiacre · un gamin (des rues)

FUN FACTS

Les frères Auguste (1862–1954) et Louis (1864–1948) Lumière étaient respectivement biologiste et chimiste. Ils ont d'abord travaillé à des procédés pour améliorer la photographie. Ils se sont ensuite intéressés au cinéma et ce sont eux qui ont inventé le cinématographe. Le premier film fut projeté en public à Paris le 28 décembre 1895. Ce sont eux aussi qui ont réalisé la plaque autochrome, le premier procédé commercial de photographie en couleurs.

LA FRANCE EN 1900

1 Preparation

Resource Manager

Vocabulary Transparencies 2.5–2.6
Audio Activities Booklet TE, Activity D, page 46
Audiocassette 2/CD 3
Workbook, Activity A, page 37
Quiz 8, page 23
ExamView Pro®

Bellringer Review

Write the following on the board or use BRR Transparency 2.10.
Donnez une définition des mots suivants: une seconde, une minute, une heure, un jour, une semaine, un mois, un an, un siècle.

2 Presentation

Introduction

Tell the students: **Dans cette introduction on parle de la France en 1900, au début du vingtième siècle. Pourquoi dit-on que 1900, «c'est l'Exposition universelle et la tour Eiffel»? Qu'est-ce que cela veut dire? (Que l'Exposition universelle a eu lieu à Paris en 1900 et que la tour Eiffel venait d'être construite.) Le début de l'électricité et du cinéma datent aussi du début du siècle. Avec quel inventeur associez-vous l'électricité? (Edison) Et le cinéma? (Edison également, pour l'Amérique; les frères Lumière pour la France.)** See FUN FACTS for information on the latter.

Vocabulaire

Note: It is not necessary to emphasize the production of some of these words. They relate

Journalisme

2 Presentation (continued)

specifically to the magazine article that follows, but many of them are not in common usage. Present the new words and have students repeat them after you or Audiocassette 2/CD 3 two or three times in unison.

Literature Connection

 The student pictured in the illustration is reciting some lines from Victor Hugo's *La Légende des siècles, XLIX: «Le Temps présent, Après la Bataille».*
**Mon père, ce héros au sourire si doux,
Suivi d'un seul housard qu'il aimait entre tous,
Pour sa grande bravoure et pour sa haute taille,
Parcourait à cheval, le soir d'une bataille,
Le champ couvert de morts sur qui tombait la nuit.**

3 Practice

Communication guidée

Note: It is recommended that you go over these activities very quickly, since most of the vocabulary is needed for recognition only.

Independent Practice

Assign any of the following:
1. Activities on this page
2. Workbook, **Journalisme**

Vocabulaire

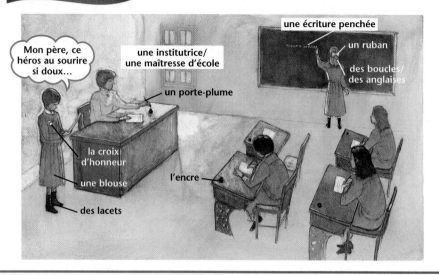

Communication guidée

A Associations Trouvez les mots qui correspondent.

1. un vitrier	**a.** un cheval
2. un ramoneur	**b.** les cheveux
3. un tailleur	**c.** une chaussure
4. un lacet	**d.** un âne
5. un porte-plume	**e.** une fenêtre
6. un réverbère	**f.** un allumeur
7. un fiacre	**g.** une cheminée
8. un chiffonnier	**h.** un chiffon
9. une charrette	**i.** des vêtements
10. un ruban	**j.** des boucles
11. des anglaises	**k.** l'encre

B Oui ou non? Corrigez.

1. Un bec de gaz donne de la lumière.
2. Un cocher répare les fenêtres.
3. Une blouse est ce que portaient les élèves en 1900.
4. Un mauvais élève porte la croix d'honneur.
5. Les gamins des rues portaient des rubans dans les cheveux.
6. Une institutrice enseigne dans une école secondaire.
7. Un écriteau est une écriture penchée.

CHAPITRE 2

ANSWERS TO Communication guidée

A

1. e	**7.** a
2. g	**8.** h
3. i	**9.** d
4. c	**10.** b
5. k	**11.** j
6. f	

B

1. Oui.
2. Un vitrier répare les fenêtres.
3. Oui.
4. Un bon élève porte la croix d'honneur.
5. Les gamins des rues portaient une casquette.
6. Une institutrice enseigne dans une école primaire.
7. Non. Un écriteau est un «panneau» qui se trouve au-dessus de la porte d'une boutique.

Comment vivait-on en 1900?

La rue est pleine de cris: «Vitrier! Ramoneur! Chiffonnier!» Les artisans travaillent dans la rue, avec leur atelier installé sur une charrette. Le chiffonnier

Le vendeur de poteries

tire¹ son âne. Il passe chez les couturiers et chez les tailleurs pour récupérer les bouts de chiffons et pour les vendre à une fabrique de papier.

En 1900, rien ne se jette. Tout se fabrique en solide et se réutilise. Et de nombreux artisans vivent ainsi, plus ou moins bien, de la réparation des objets que l'on utilise tous les jours.

Dans la rue, le cheval est roi. Trois chevaux tirent l'omnibus sur des rails, car la voie n'est pas encore électrifiée. Le cocher grimpe² avec quelques voyageurs sur l'étage supérieur qu'on appelle «l'impériale». Les taxis sont des fiacres décapotables à quatre roues, tirés par des chevaux.

Sur la façade des beaux immeubles, un écriteau signale le dernier confort: «Eau et

La rue

¹ tire *pulls*
² grimpe *climbs*

COMMENT VIVAIT-ON EN 1900? ◆◆

National Standards

Communication
Students will read and discuss some aspects of everyday life in the France of 1900 and compare them with present-day life.

Connections
This reading establishes a link with history.

1 Preparation

Resource Manager

Audio Activities Booklet TE, Activity E, pages 46–47
Audiocassette 2/CD 3
Workbook, Activities B–C, pages 37–38

Bellringer Review

Write the following on the board or use BRR Transparency 2.11.
Complétez à l'imparfait.
1. Comment ___-on en 1900? (vivre)
2. Les rues ___ animées. (être)
3. Les artisans ___ dans la rue. (travailler)
4. Les chevaux ___ l'omnibus. (tirer)
5. L'allumeur ___ dans la rue. (passer)
6. Il ___ les becs de gaz. (ouvrir)
7. Il les ___. (allumer)
8. Il ___ son travail vers vingt heures. (finir)

2 Presentation

Step 1 Tell students: **Vous allez lire comment était la vie en France en 1900. Il y aura sans doute des choses qui vous surprendront. En lisant l'article, cherchez les faits qui sont pour**

Journalisme

2 Presentation (continued)

vous les plus surprenants ou les plus intéressants.

Step 2 You may select certain paragraphs that you wish to discuss in depth and others that you prefer to have students read silently.

Step 3 Recycling: To reinforce the review grammar point, the imperfect, you may wish to have students redo the first paragraphs using the imperfect.

Step 4 If you wish, you may use the following reading comprehension aids:

• «L'idée ne vient encore à personne d'aller acheter ses lacets dans un grand magasin, car il en existe très peu.» Qu'est-ce que cela veut dire?
  a. Qu'il y a très peu de lacets
     ou
  b. Qu'il y a très peu de grands magasins?

• «Mais beaucoup de médecins vont payer de leur vie la découverte scientifique qui permet de dépister la tuberculose.» Qu'est-ce que cela veut dire?
  a. Que ce travail va coûter beaucoup d'argent
     ou
  b. Que les médecins vont en mourir?

gaz à tous les étages». L'eau n'est pas toujours à chaque évier, mais elle est disponible à chaque palier[3]. Dans les beaux appartements, on s'éclaire au gaz de ville. Ce soir, l'allumeur de réverbères va passer dans la rue pour ouvrir et allumer les becs de gaz. Demain matin, il viendra les éteindre.

Les petites filles de bonne famille portent des rubans dans les cheveux et des robes blanches. De longues boucles leur descendent en spirale dans le dos; c'est la mode des «anglaises».

Ce petit garçon porte la large casquette des gamins des rues parisiens. Il est vendeur de lacets. La loi[4] interdit le travail des enfants à l'usine. Mais, dès la fin de l'école primaire[5], beaucoup d'enfants exercent un métier.

L'idée ne vient encore à personne d'aller acheter ses lacets dans les grands magasins, car il en existe très peu. Et de toute façon, chacun trouve dans la rue tout ce qu'il veut acheter.

C'est le début de la radioscopie. Le médecin voit enfin à l'intérieur du corps, sans avoir besoin d'opérer. Et il voit surtout les cavernes creusées[6] dans les poumons par une terrible maladie: la tuberculose. Ce mal est responsable de la moitié des décès[7], dans les grandes villes, en 1900.

Mais beaucoup de médecins vont payer de leur vie la découverte scientifique qui permet de dépister[8] la tuberculose. Ils sont assis devant un simple meuble[9] de bois. Pendant tout le temps où ils observent leur malade, ils reçoivent des rayons X dans le corps. Comme rien ne les protège contre ces rayons dangereux, ils sont brûlés peu à peu. Certains en mourront.

Pour téléphoner, en 1900, il faut obligatoirement passer par «la demoiselle du téléphone». C'est elle qui vous relie à votre correspondant. On ne peut pas obtenir directement le numéro que l'on désire.

Il n'y a donc pas de cadran ni de chiffres sur le lourd téléphone noir dont on

Le vendeur de lacets

La radio des poumons

La demoiselle du téléphone

---

[3] palier *landing (of a staircase)*
[4] la loi *law*
[5] dès... primaire *as soon as they finish elementary school*

[6] les cavernes creusées *cavities burrowed*
[7] la moitié des décès *half of all deaths*
[8] dépister *to detect*
[9] un meuble *piece of furniture*

CHAPITRE 2

La salle de classe

dispose à la maison. Mais il y a une belle manivelle[10], pour faire venir le courant!

On compte, en France, 7 téléphones pour 10 000 habitants. L'abonnement[11] coûte cher, et ces drôles[12] d'appareils font un peu peur.

L'école n'a pas toujours été ouverte à tous. En 1881, le ministre Jules Ferry la rend gratuite[13] et obligatoire de 7 ans jusqu'à 12 ans. Le gouvernement forme et paye les instituteurs. Tout Français doit apprendre à lire, compter et écrire.

Pas de fantaisie dans la classe. L'élève porte une blouse noire boutonnée dans le dos, et le meilleur de la division reçoit la croix d'honneur.

La maîtresse donne le cours de morale: «Ne fais pas aux autres ce que tu ne voudrais pas qu'on te fît.» Bonne occasion d'apprendre en même temps l'imparfait du subjonctif: «fît». On va à l'école 6 heures par jour, sauf le jeudi et le dimanche.

L'examen du Certificat d'études termine de solides études primaires. Le candidat doit réussir sa dictée avec moins de cinq fautes. Il écrit d'une belle écriture penchée, à l'encre violette et au porte-plume. Il récite par cœur les départements, les fleuves[14] et les dates de l'histoire de France.

Le lycée est payant: il est plutôt réservé aux familles riches. Et rares sont les filles qui y ont droit[15]. Souvent, elles vont dans des institutions privées, où elles apprennent surtout la broderie[16] et la cuisson des confitures[17].

---

[10] une manivelle *crank*
[11] l'abonnement *phone service*
[12] drôles *funny, strange*
[13] gratuite *free*

[14] fleuves *rivers*
[15] y ont droit *are allowed to attend*
[16] la broderie *embroidery*
[17] la cuisson des confitures *jam making*

- «L'école n'a pas toujours été ouverte à tous.» Qu'est-ce que cela veut dire?
  a. Que tout le monde ne pouvait pas assister à l'école
  ou
  b. Que l'école n'ouvrait que quelques jours par semaine?

- «Le lycée est payant.» Qu'est-ce que cela veut dire?
  a. Qu'on payait les élèves pour aller en classe
  ou
  b. Qu'il fallait payer pour aller au lycée?

FUN FACTS

En France il y a annuellement un concours de dictée. Ce concours animé par Bernard Pivot, une personnalité de la télévision française, n'est pas seulement pour les jeunes. En fait, il est surtout pour les moins jeunes, qui le prennent très au sérieux. Tous les ans, ce concours se tient dans un lieu différent. Il y a quelques années, il s'est tenu dans la salle de l'Assemblée générale de l'ONU. Beaucoup de ceux qui se présentent à ce concours sont de véritables professionnels. Il y en a qui passent tout leur temps libre à apprendre le dictionnaire par cœur!

Journalisme

Journalisme

Post-reading

Après la lecture

Have students complete the **Après la lecture** activities as they are reading the selection. It is recommended that you allow them to look up the answers as they read rather than use the activities for factual recall.

Learning from Photos

You may want to ask students if they can guess from the following description what plant **le gui** is: Au jour de l'An, c'est la coutume de suspendre du gui dans l'encadrement de la porte d'entrée et de s'embrasser sous le gui. On dit que cela porte bonheur. Le gui était la plante sacrée chez les Gaulois. Tous les petits Français qui apprennent l'histoire de la France entendent parler et voient des illustrations des druides, les prêtres gaulois, en train de cueillir du gui.

Après la lecture

A La rue Vrai ou faux?
1. En 1900, les artisans avaient des ateliers.
2. On jetait ce qui était usé.
3. L'omnibus était tiré par des chevaux.
4. Les omnibus avaient deux étages.
5. Dans les beaux immeubles, les appartements étaient éclairés au gaz.
6. On éteignait et allumait les becs de gaz tous les jours.

B Le vendeur de lacets Vrai ou faux?
1. Les petites filles de bonne famille avaient les cheveux courts.
2. Beaucoup d'enfants travaillaient après l'école primaire.
3. La loi les autorisait à travailler.
4. Les grands magasins existaient déjà.
5. La plupart des gens achetaient ce qu'ils voulaient dans la rue.

C La radio des poumons Vrai ou faux?
1. On pouvait déjà faire des radioscopies des poumons.
2. Il n'y avait aucun cas de tuberculose.
3. Les médecins savaient que les rayons X étaient dangereux.
4. Aucun médecin n'est mort, brûlé par les rayons X.

D La demoiselle du téléphone Vrai ou faux? Corrigez les phrases fausses.
1. On pouvait téléphoner directement.
2. Il y avait un cadran et des chiffres sur les téléphones.
3. Il y avait une manivelle sur les téléphones.
4. Il y avait 1 téléphone pour 1 000 personnes.
5. Les gens n'hésitaient pas à se servir du téléphone.

E La salle de classe Vrai ou faux? Corrigez les phrases fausses.
1. C'est grâce à Jules Ferry que l'école primaire est devenue gratuite et obligatoire.
2. Les enfants allaient à l'école jusqu'à 14 ans.
3. Les élèves pouvaient s'habiller comme ils voulaient.
4. Les enfants allaient à l'école tous les jours sauf le samedi et le dimanche.
5. Les enfants devaient apprendre la géographie pour obtenir le Certificat d'études.
6. Toutes les filles allaient au lycée.

Le vendeur de gui

ANSWERS TO *Après la lecture*

A	B	C	D	E
1. Faux.	1. Faux.	1. Vrai.	1. Non, il fallait obligatoirement passer par «la demoiselle du téléphone».	1. Oui.
2. Faux.	2. Vrai.	2. Faux.	2. Non, il n'y avait ni cadran ni chiffres sur les téléphones.	2. Non, les enfants allaient à l'école jusqu'à 12 ans.
3. Vrai.	3. Faux.	3. Faux.	3. Oui.	3. Non, les élèves portaient une blouse noire boutonnée dans le dos.
4. Vrai.	4. Vrai.	4. Faux.	4. Non, il y avait sept téléphones pour 10 000 personnes.	4. Non, ils allaient à l'école tous les jours sauf le jeudi et le dimanche.
5. Vrai.	5. Vrai.		5. Non, les téléphones leur faisaient un peu peur.	5. Oui.
6. Vrai.				6. Non, très peu de filles allaient au lycée.

Communication libre

A   **Le téléphone**   Reprenez le texte sur le téléphone et mettez-le à l'imparfait.

B   **Vos parents**   Demandez à vos parents (ou à vos grands-parents) comment ils vivaient quand ils avaient votre âge. Faites une petite rédaction sur ce sujet.

C   **Votre ville**   Demandez aux élèves d'histoire de faire un exposé dans votre classe sur la vie dans votre ville ou village en 1900. Comparez avec eux la vie en France en 1900 et celle de votre ville. Ensuite, faites une petite rédaction sur ce sujet.

La marchande des quatre saisons

Communication libre

B , **C**   Have the "authors" read the most interesting papers.

Informal Assessment
After going over the activities once, you may want to do them again very quickly just to see how much of the factual information the students recall.

Independent Practice
Assign any of the following:
1. Activities on pages 86–87
2. Workbook, **Journalisme**

✓ Assessment
Use these resources at the end of the **La France en 1900** section for review and assessment.
  Quiz 8
  Test Booklet, pages 37–40
  ExamView Pro®
  Situation Cards

ANSWERS TO *Communication guidée*

A

Pour téléphoner, en 1900, il fallait obligatoirement passer par la «demoiselle du téléphone». C'était elle qui vous reliait à votre correspondant. On ne pouvait pas obtenir directement le numéro que l'on désirait.

Il n'y avait donc pas de cadran ni de chiffres sur le lourd téléphone noir dont on disposait à la maison. Mais il y avait une belle manivelle, pour faire venir le courant!

On comptait, en France, 7 téléphones pour 10.000 habitants. L'abonnement coûtait cher, et ces drôles d'appareils faisaient un peu peur.

B , **C**   *Answers will vary.*

87

Structure II

Describing persons or things
Les adjectifs

1. An adjective must agree in gender and number with the noun it describes or modifies. Most feminine adjectives are formed by adding an **-e** to the masculine form.

un homme intelligent	→	une femme intelligente
un veston noir	→	une chemise noire

2. To form the plural, an **-s** is added to the adjective.

des hommes intelligents	→	des femmes intelligentes
des vestons noirs	→	des chemises noires

3. Remember that final consonants are silent. However, when a final consonant is followed by an **-e,** it is pronounced. Therefore, many adjectives have a final consonant sound in the feminine that they don't have in the masculine.

Masculine →	Feminine
grand	grande
petit	petite
intelligent	intelligente

4. Some adjectives have irregular feminine forms. Review the following:

	Masculine →	Feminine	Masculine →	Feminine
No change	facile	facile	rapide	rapide
Double consonant	cruel	cruelle	gentil	gentille
	bon	bonne	breton	bretonne
	ancien	ancienne	parisien	parisienne
	gros	grosse	bas	basse
-eux → -euse	furieux	furieuse	généreux	généreuse
-f → -ve	sportif	sportive	actif	active
-er → -ère	cher	chère	étranger	étrangère
-et → -ète	complet	complète	inquiet	inquiète

Resource Manager

Workbook, Activities A–F, pages 39–42
Audio Activities Booklet TE, Activities A–D, pages 52–54
Audiocassette 2/CD 4
Quizzes 9–11, pages 24–26
ExamView Pro®

Bellringer Review

Write the following on the board or use BRR Transparency 2.12.
Décrivez votre meilleur(e) ami(e).

2 Presentation

Les adjectifs ◆

Note: It is recommended that you not spend a great deal of time on this point. Students at this level usually understand the concept but they need constant reinforcement in order to use the correct adjective form.

Step 1 Read the explanation to students and have the entire class repeat the model expressions and adjective forms aloud.

5. Some adjectives have irregular masculine plural forms. Review the following.

	Masculine singular	Masculine plural
No change: -s ➝ -s -x ➝ -x	le gros chien un ami généreux	les gros chiens des amis généreux
-al ➝ -aux	le groupe social	les groupes sociaux

6. Most adjectives follow the noun. However, some common ones precede it.

beau	bon	long
nouveau	mauvais	joli
vieux	petit	jeune
	grand	gros

7. The adjectives **beau, nouveau,** and **vieux** have special forms. Pay particular attention to the forms used before a masculine noun beginning with a vowel sound (i.e., **immeuble**).

Masculine		Feminine
un beau bureau de beaux bureaux	un bel immeuble de beaux immeubles	une belle maison de belles maisons
un nouveau bureau de nouveaux bureaux	un nouvel immeuble de nouveaux immeubles	une nouvelle maison de nouvelles maisons
un vieux bureau de vieux bureaux	un vieil immeuble de vieux immeubles	une vieille maison de vieilles maisons

Note that **de** and not **des** is used before an adjective preceding a plural noun. However, in everyday speech, **des** is commonly used.

8. A few adjectives have a different meaning when placed before or after the noun:

un grand homme	*a great man*
un homme grand	*a tall man*
un pauvre homme	*a poor man (unfortunate)*
un homme pauvre	*a poor man (who has no money)*

Structure II

3 Practice

Communication guidée

Note: All of these activities can be done orally without previous preparation. They should all also be assigned as homework, since a great deal of the problem is a written one.

Structure II

Communication guidée

A Les collègues Complétez.

1. Laure est très ____. Elle ne répète rien à personne. Mais attention à Marc. Il est très ____. Je t'assure qu'il répétera tout ce que tu lui diras. (discret, indiscret)
2. Hélène est très ____. Elle n'a jamais peur de rien. Mais je trouve que beaucoup de ses amis sont très ____. C'est bizarre. (courageux, timide)
3. Je sais qu'elle est ____, mais je crois que son fiancé est ____. (parisien, breton)

B Historiette Un nouveau patron Complétez.

1. En fait, notre nouveau patron est une femme. Il paraît qu'elle est très ____. (intelligent)
2. Elle est très ____. (sportif)
3. Elle aime les gens qui sont très ____. (direct)
4. Elle n'aime pas les gens qui sont trop ____. (sérieux)
5. Elle est aussi très ____. (généreux)
6. J'espère qu'elle est aussi ____. (sympathique)

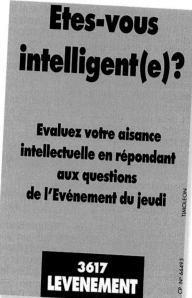

Etes-vous intelligent(e)?

Evaluez votre aisance intellectuelle en répondant aux questions de l'Evénement du jeudi

3617 LEVENEMENT

CP N° 66493

La plus belle radio

C Historiette Dans mon quartier Mettez au pluriel.

1. C'est un vieil immeuble.
2. Devant, il y a un bel arbre.
3. Dans la rue, il y a un nouveau magasin et une nouvelle boutique.
4. C'est le nouveau propriétaire.
5. C'est un bel homme.
6. C'est un homme original.
7. Sa boutique est originale aussi.

D Quand les autres vous énervent Complétez.

1. C'est un ____ idiot! (vieux)
2. C'est un ____ hypocrite! (vieux)
3. C'est un ____ imbécile! (beau)
4. C'est un ____ crétin! (beau)
5. C'est une ____ idiote! (beau)

ANSWERS TO Communication guidée

A
1. discrète, indiscret
2. courageuse, timides
3. parisienne, breton

B
1. intelligente
2. sportive
3. directs
4. sérieux
5. généreuse
6. sympathique

C
1. Ce sont de vieux immeubles.
2. Devant, il y a de beaux arbres.
3. Dans les rues, il y a de nouveaux magasins et de nouvelles boutiques.
4. Ce sont les nouveaux propriétaires.
5. Ce sont de beaux hommes.
6. Ce sont des hommes originaux.
7. Leurs (Ses) boutiques sont originales aussi.

D
1. vieil
2. vieil
3. bel
4. beau
5. belle

E **Comment sont-ils?** Décrivez-les physiquement et imaginez leur caractère.

1. Valérie
2. Christophe
3. Isabelle
4. Philippe
5. une grand-mère
6. un ancien combattant

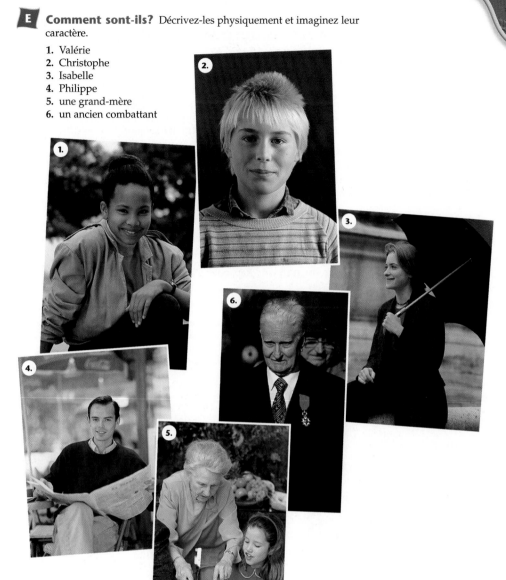

Recycling

You may also wish to have students describe some of the photos on this page in the past tense, which will recycle the imperfect (reviewed in **Structure I** of this chapter).

Paired Activity

Have students do the following activity.

Travaillez avec un(e) camarade. Faites une liste des qualités que vous recherchez chez un(e) ami(e). Comparez vos listes. Ensuite décrivez votre meilleur(e) ami(e). Indiquez aussi ses défauts. Ensuite comparez vos descriptions pour voir les qualités et défauts que vos ami(e)s ont en commun.

Independent Practice

Assign any of the following:
1. Activities on pages 90–91
2. Workbook, **Structure II**

STRUCTURE II

quatre-vingt-onze ✦ **91**

ANSWERS TO
Communication guidée

E *Answers will vary.*

Structure II

1 Preparation

Bellringer Review

Write the following on the board or use BRR Transparency 2.13.
Écrivez tout ce que vous voulez faire cette semaine.

2 Presentation

Le subjonctif ou l'infinitif ◆

Step 1 Read the explanation to students. Then, to reinforce the point, call on four students to read the example sentences.

Step 2 You may wish to have students role-play a parent-teenager confrontation. The "parent" gives an order with a verb expressing a wish or demand and the other student answers with **Je veux...** (plus the infinitive of the verb).

Class Motivator

1. Before class, prepare a list of situations that end with a verb or phrase requiring the subjunctive. For example: **Vous êtes toujours en retard. Je veux que...**
2. Divide the class into two or three teams with the leader from each team at the front of the class.
3. Read the situations to the class. Students write down an appropriate ending to the sentence within a time limit.
4. Each student reads his or her answer to the class, ending with the leader. The team gets a point for each answer that is identical or similar to the leader's.
   Hint: Teams can switch leaders at any time to give others the chance to be up front.

92

Expressing wishes, preferences, and demands concerning oneself or others

Le subjonctif ou l'infinitif

With expressions that require the subjunctive, the subjunctive is used only when the subject of the dependent clause is different from the subject of the main clause. When there is no change of subject in the sentence, the infinitive is used instead of a clause with the subjunctive.

Subjunctive	Infinitive
Je veux que tu lises le courrier.	Je veux lire le courrier.
Il faut que vous soyez à l'heure.	Il faut être à l'heure.

Communication guidée

A **Historiette** **Les ordres du patron.** Répondez d'après le modèle.

Il faut lire le courrier. →
Il faut que vous lisiez le courrier.

1. Il faut répondre aux lettres.
2. Il faut taper les lettres.
3. Il faut envoyer un fax à Florence Gallois.
4. Il faut téléphoner à Bernard Lemaire.
5. Il faut écouter les messages téléphoniques.
6. Il faut vérifier les factures.
7. Il faut aller à la réunion.
8. Il ne faut pas fumer.

B **Comment économiser.** Complétez.

1. Je voudrais _____ des économies. (je/faire)
2. Mon père voudrait _____ un compte. (je/ouvrir)
3. Il souhaite _____ de l'argent à la banque tous les mois. (je/mettre)
4. Il préfère _____ de l'argent de poche toutes les semaines. (il/me donner)
5. Il souhaite _____ l'argent que j'ai à la banque. (je/ne pas dépenser)
6. Je veux _____ des intérêts. (je/recevoir)

92 ✦ quatre-vingt-douze

CHAPITRE 2

ANSWERS TO Communication guidée

A

1. Il faut que vous répondiez aux lettres.
2. Il faut que vous tapiez les lettres.
3. Il faut que vous envoyiez un fax à Florence Gallois.
4. Il faut que vous téléphoniez à Bernard Lemaire.
5. Il faut que vous écoutiez les messages téléphoniques.
6. Il faut que vous vérifiiez les factures.
7. Il faut que vous alliez à la réunion.
8. Il ne faut pas que vous fumiez.

B

1. faire
2. que j'ouvre
3. que je mette
4. me donner
5. que je ne dépense pas
6. recevoir

More verbs expressing actions that may or may not take place
D'autres verbes au présent du subjonctif

1. Some verbs have two stems in the present subjunctive. All forms except **nous** and **vous** have the regular stem (based on the **ils/elles** form of the present indicative). The **nous** and **vous** forms have an irregular stem.

Infinitive	Present subjunctive	
prendre	que je prenne	que nous prenions
apprendre	que j' apprenne	que nous apprenions
comprendre	que je comprenne	que nous comprenions
venir	que je vienne	que nous venions
recevoir	que je reçoive	que nous recevions
devoir	que je doive	que nous devions

2. Verbs that have a spelling change in the present indicative keep the same spelling change in the present subjunctive.

Infinitive	Present subjunctive	
voir	que je voie	que nous voyions
croire	que je croie	que nous croyions
appeler	que j' appelle	que nous appelions
acheter	que j' achète	que nous achetions
répéter	que je répète	que nous répétions

Communication guidée

 A **Je veux que tu sois au courant.** Faites des phrases avec les expressions indiquées.

1. Tu viens avec moi téléphoner. (il faut que)
2. Tu appelles tes grands-parents. (j'exige que)
3. Tu reçois de bonnes nouvelles. (je souhaite que)
4. Tu achètes le journal. (je voudrais que)
5. Tu prends aussi un magazine. (j'aimerais que)
6. Tu comprends ce qui se passe. (il vaut mieux que)

 B **Je veux que vous soyez au courant.** Refaites l'Activité A en remplaçant **tu** par **vous.** Suivez le modèle.

 Vous venez avec moi téléphoner. (il faut que) →
Il faut que vous veniez avec moi téléphoner.

ANSWERS TO Communication guidée

A

1. Il faut que tu viennes avec moi téléphoner.
2. J'exige que tu appelles tes grands-parents.
3. Je souhaite que tu reçoives de bonnes nouvelles.
4. Je voudrais que tu achètes le journal.
5. J'aimerais que tu prennes aussi un magazine.
6. Il vaut mieux que tu comprennes ce qui se passe.

B

1. … vous veniez…
2. … vous appeliez…
3. … vous receviez…
4. … vous achetiez…
5. … vous preniez…
6. … vous compreniez…

Littérature

La nausée — Jean-Paul Sartre

National Standards

Communication

In this section students will read and discuss two literary excerpts that explore feelings of alienation and homesickness.

La nausée

1 Preparation

Resource Manager

Vocabulary Transparency 2.7
Audio Activities Booklet TE,
  Activity A, page 55
Audiocassette 2/CD 4
Workbook, Activity A, page 43
Quiz 12, page 27
ExamView Pro®

2 Presentation

Avant la lecture

Have students do the pre-reading activity.

Vocabulaire

Step 1 Have students repeat the new words and expressions after you or Audiocassette 2/CD 4.

Step 2 Ask: **Qu'est-ce que l'homme au bar essuie? La bonne s'essuie la main? Que porte la bonne? Que font les deux marins? Ils ont l'habitude de prendre un verre ensemble? Ce sont de bons amis? Ils s'entendent bien? Ils sont derrière les autres clients du café? Ils sont au fond de la salle, derrière les autres clients? Vous rappelez-vous tout ce que vous avez appris la semaine dernière ou l'avez-vous déjà oublié? Avant de quitter le lycée pour aller à la fac, viendrez-vous me faire vos adieux?**

Avant la lecture

Aux États-Unis, comme en France, il y a des endroits (clubs, bowlings, cafés, etc.) où les gens aiment se retrouver régulièrement. Quels sont ces endroits pour vous, pour vos parents, pour d'autres personnes que vous connaissez?

Vocabulaire

La bonne s'essuie la main.

un marin

un tablier

Il y a deux marins au fond de la salle.

Puis elle tend la main au jeune homme.

faire ses adieux dire au revoir
bien s'entendre bien s'aimer
prendre un verre boire
se rappeler se souvenir de
avoir l'habitude de être accoutumé(e) à

s'approcher de aller près de
s'ennuyer de quelqu'un souffrir de l'absence de quelqu'un
s'apercevoir prendre conscience, remarquer, noter

CHAPITRE 2

Vocabulary Expansion

You may wish to tell students that, in addition to meaning *at the back*, **au fond** can also mean *at the bottom* or *at the end* (of a hall, for instance).

Communication guidée

A **Synonymes** Exprimez d'une autre façon ce qui est en italique.

1. Il a *dit au revoir* à sa famille.
2. Je ne *me souviens plus de* son nom.
3. Elle *s'est séché* les mains.
4. Tous les matins, il *était accoutumé à* prendre un café au lait au café du coin.
5. Il travaille beaucoup. Il ne *remarque* pas que le temps passe.

B **Fin de phrase** Terminez les phrases suivantes.

1. Ils ne se disputent jamais, ils ____.
2. Elle voulait lui souhaiter la bienvenue, alors elle lui ____.
3. Ce n'est pas tous les jours que j'ai le plaisir de vous rencontrer. Allons donc au café ____.
4. Je veux bien faire la vaisselle, mais j'ai une robe toute propre, alors passe-moi un ____.
5. Il était trop loin et il n'entendait pas; alors il ____.
6. Le téléphone public, c'est ____.
7. Son mari est toujours parti en voyage. Elle ____.
8. Il travaille sur un bateau. Il est ____.
9. Elle habite chez des gens. Elle fait tout pour eux dans la maison. C'est leur ____.

Le Havre: le port

---

3 Practice

A, **B** Have students prepare the activities at home and then go over them in class. Call on individual students to read their responses. To save time, each student should do two or three items before the next student is called on.

Geography Connection

 Have students locate Le Havre on the map of France on page xxiii. You may wish to give students the following information about Le Havre:

Le Havre est le premier port de France. Une grande partie de la ville a été détruite pendant la Deuxième Guerre mondiale. La ville et le port ont été complètement reconstruits. À l'est du Havre la côte normande est célèbre pour ses falaises blanches qui ressemblent à celles de Douvres.

Independent Practice

Assign any of the following:
1. Activities on this page
2. Workbook, **Littérature**

ANSWERS TO Communication guidée

A

1. Il a fait ses adieux à sa famille.
2. Je ne me rappelle plus son nom.
3. Elle s'est essuyé les mains.
4. Tous les matins il avait l'habitude de prendre un café au lait au café du coin.
5. Il ne s'aperçoit pas que le temps passe.

B

1. s'entendent bien
2. a tendu la main
3. prendre un verre
4. tablier
5. s'est approché
6. au fond
7. s'ennuie de lui
8. marin
9. bonne

Littérature

Littérature

1 Preparation

Resource Manager

Audio Activities Booklet TE,
  Activities B–C, pages 56–57
Audiocassette 2/CD 4
Workbook, Activity B, page 43

2 Presentation

Introduction

Step 1 Read the **Introduction** to the class or paraphrase it.

Step 2 With more able groups you may wish to give students additional information about existentialism.

Lecture ◆

Step 1 You may wish to explain to students that «la nausée» refers to a mental state, not a physical one. Ask them if they can name some mental states (**l'ennui, la solitude,** etc.).

Step 2 You may wish to ask questions such as the following after every twelve lines: **Pourquoi Roquentin est-il allé au café? Où va-t-il s'installer? Qui l'invite à prendre quelque chose à boire? Qu'est-ce que Roquentin promet de faire? Pourquoi Mme Jeanne s'est-elle accoutumée à ne pas revoir ses clients pour deux ans ou plus? Et puis qu'est-ce qui se passe?**

Introduction

Jean-Paul Sartre (1905–1980) est un philosophe, un romancier et un auteur dramatique. Il fait ses études de philosophie à Paris. Il enseigne d'abord au Havre, à Laon, puis à Paris. Jean-Paul Sartre est certainement le plus éminent des philosophes existentialistes, car en plus de ses ouvrages philosophiques, il a illustré sa doctrine philosophique dans ses romans et ses pièces de théâtre.

Son roman *La nausée* (1938) met en scène un homme, Antoine Roquentin, qui vit en solitaire à Bouville (en réalité Le Havre). Après une longue crise d'angoisse existentielle, il décide d'aller s'installer à Paris.

Dans l'extrait qui suit, il vient faire ses adieux à la patronne du café dont il est un habitué. En lisant le texte, remarquez combien la patronne aime «son métier» et s'intéresse à ses clients.

Lecture

La nausée

«Je viens vous faire mes adieux.
—Vous partez, monsieur Antoine?
—Je vais m'installer à Paris, pour changer.
—Le veinard!° […]
«On vous regrettera°, dit la patronne. Vous ne voulez pas prendre quelque chose? C'est moi qui l'offre.»
On s'installe, on trinque°. Elle baisse° un peu la voix.
«Je m'étais bien habituée à vous, dit-elle avec un regret poli, on s'entendait bien.
— Je reviendrai vous voir.
—C'est ça, monsieur Antoine. Quand vous passerez par Bouville, vous viendrez nous dire un petit bonjour. Vous vous direz: «Je vais aller dire bonjour à Mme Jeanne, ça lui fera plaisir.» C'est vrai, on aime bien savoir ce que les gens deviennent. D'ailleurs, ici, les gens nous reviennent toujours. Nous avons des marins, pas vrai? des employés de la Transat*: des fois je reste deux ans sans les revoir, un coup qu'ils sont° au Brésil ou à New York ou bien quand ils font du service à Bordeaux sur un bateau des Messageries†. Et puis un beau jour, je les revois. «Bonjour, madame Jeanne.» On prend un verre ensemble. Vous me croirez si vous voulez, je me rappelle ce qu'ils ont l'habitude de prendre. À deux ans de distance! Je dis à

Le veinard! *Lucky devil!*
regrettera *will miss*

trinque *clink glasses*
baisse *lowers*

un coup qu'ils sont *sometimes they are*

---

* la Transat *short for "la Compagnie générale transatlantique," a French shipping company*
† les Messageries *short for "la Compagnie des Messageries maritimes," another French shipping company*

CHAPITRE 2

Literary Analysis

1. Relevez dans ce texte le vocabulaire qui se réfère à l'idée de boire.
2. Faites la liste des tournures familières employées par la patronne.
3. Soulignez le contraste entre ce que dit Roquentin et ce que dit la patronne. Que pouvez-vous en déduire sur leurs personnalités respectives?
4. D'après ce dialogue, comment imaginez-vous l'atmosphère de ce café?

Madeleine: «Vous servirez un vermouth sec à M. Pierre, un Noilly Cinzano à M. Léon.» Ils me disent: «Comment que vous vous rappelez ça, la patronne?» «C'est mon métier», que je leur dis.»

Au fond de la salle, il y a un gros homme qui […] l'appelle:

«La petite patronne!»

Elle se lève:

«Excusez, monsieur Antoine.»

La bonne s'approche de moi:

«Alors, comme ça vous nous quittez?

—Je vais à Paris.

—J'y ai habité, à Paris, dit-elle fièrement°. Deux ans. Je travaillais chez Siméon. Mais je m'ennuyais d'ici.»

Elle hésite une seconde puis s'aperçoit qu'elle n'a plus rien à me dire:

«Eh bien, au revoir, monsieur Antoine.»

Elle s'essuie la main à son tablier et me la tend:

«Au revoir, Madeleine.»

Jean-Paul Sartre, *La nausée,* © Éditions Gallimard

fièrement *proudly*

Après la lecture

A Les personnages Dites lesquels parmi les personnages suivants sont dans la salle du café:
M. Antoine, M. Pierre, Mme Jeanne, M. Léon, Madeleine, Siméon

B Bouville Cette ville se trouve au bord de la mer. Notez tout ce qui indique que c'est le cas.

C Mme Jeanne La patronne est fière *(proud)* de son café et de son métier. Notez tout ce qu'elle dit pour exprimer cette fierté.

Le café «La Coupole» à Paris, vers 1930

Communication libre

Les habitués Imaginez que M. Pierre ou M. Léon revient voir Mme Jeanne. Recréez leur dialogue. Travaillez avec un(e) camarade.

Littérature

Step 3 Paraphrasing: You may wish to have students find the following as expressed in the reading, or you may wish to give students these simple paraphrased versions as they read:
Je viens vous dire au revoir.
Je vais aller vivre à Paris.
Vous allez nous manquer.
C'est moi qui vous invite.
Elle parle plus bas.
Je vais revenir. On se reverra encore.
Vous viendrez nous rendre visite.
Je ne les vois pas pendant deux ans.
On va boire quelque chose ensemble.
Je me souviens de ce qu'ils sont accoutumés à prendre.
Deux ans après!
Pardon, monsieur Antoine.
Alors, comme ça vous partez (Vous vous en allez)?
Bouville me manquait.
Elle me donne la main.

Step 4 With more able groups, you may wish to ask the analytical questions in **Literary Analysis** on the bottom of page 96.

Additional Practice

You may wish to ask students the following questions:
1. **Choisissez trois métiers différents et donnez-en les caractéristiques.**
2. **Quel métier aimeriez-vous faire? Dites pourquoi.**

Independent Practice

Assign any of the following:
1. **Après la lecture** and **Communication libre** activities on this page
2. Workbook, **Littérature**

ANSWERS TO Après la lecture

A
M. Antoine, Mme Jeanne et Madeleine sont dans la salle du café.

B
Mme Jeanne parle des marins, des employés de la Transat.

C
«D'ailleurs, ici, les gens nous reviennent toujours.» «C'est mon métier, que je leur dis.»

ANSWERS TO Communication libre

Answers will vary.

 Assessment

Use these resources after completing the *La nausée* reading for review and assessment.
Quiz 12
Test Booklet, pages 44–46
ExamView Pro®

La réclusion solitaire

1 Preparation

Resource Manager

Vocabulary Transparency 2.8
Audio Activities Booklet TE,
  Activity D, page 58
Audiocassette 2/CD 4
Workbook, Activities A–B, page 44
Quiz 13, page 28
ExamView Pro®

2 Presentation

Avant la lecture

Step 1 Have students do the pre-reading activity.

Step 2 You may wish to have students read the items of furniture, books, etc. they listed in the pre-reading activity or you may wish to ask one student to tell which pieces of furniture are in his or her room, another student to tell which books, another to tell which paintings, and so forth.

Vocabulaire

Step 1 Have students repeat the new words several times after you or Audiocassette 2/CD 4.

Step 2 You may wish to ask the following questions as you present the vocabulary: **Faut-il avoir une corde à linge et des épingles à linge quand on a un sèche-linge? De quelle forme est la boîte? De quelle couleur? Ce livre est carré ou rectangulaire? Tu te laves les mains dans le lavabo ou dans l'évier de la cuisine? Cette ampoule est grillée? Tu as une autre ampoule?**

La réclusion solitaire Tahar Ben Jelloun

Avant la lecture

Faites une liste de tout ce qu'il y a dans votre chambre: meubles, livres, tableaux, affaires personnelles, etc.

Vocabulaire

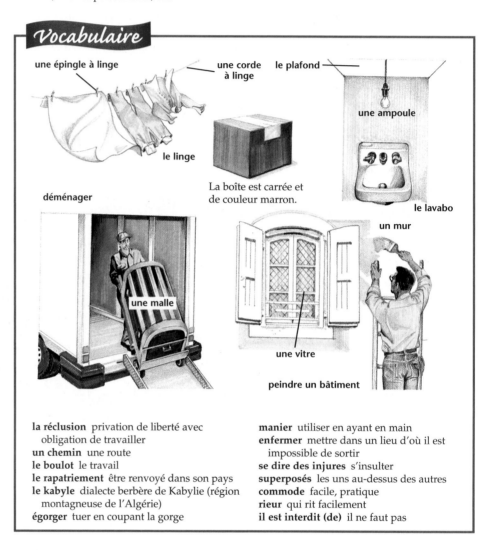

une épingle à linge
une corde à linge
le plafond
une ampoule
le linge
La boîte est carrée et de couleur marron.
le lavabo
déménager
un mur
une malle
une vitre
peindre un bâtiment

la réclusion privation de liberté avec obligation de travailler
un chemin une route
le boulot le travail
le rapatriement être renvoyé dans son pays
le kabyle dialecte berbère de Kabylie (région montagneuse de l'Algérie)
égorger tuer en coupant la gorge

manier utiliser en ayant en main
enfermer mettre dans un lieu d'où il est impossible de sortir
se dire des injures s'insulter
superposés les uns au-dessus des autres
commode facile, pratique
rieur qui rit facilement
il est interdit (de) il ne faut pas

Step 3 You may wish to give students the present tense of the verb **peindre.**

Step 4 Now ask the following questions: **Voici le peintre. Qu'est-ce qu'il peint maintenant? L'extérieur du bâtiment? Il peindra les vitres? Il va changer de domicile? Quand va-t-il déménager? Il va mettre toutes ses assiettes, tous ses verres, etc. dans une malle?**

Additional Practice

You may wish to ask students the following questions to give them the opportunity to use the new words: **Il y a de petits chemins dans la forêt? Que veut dire «Métro, boulot, dodo»? Il est contre le régime dans son pays. Le rapatriement lui fait peur ou pas? Comment ont-ils tué l'agneau? Ils l'ont égorgé? Il faut manier la poterie avec soin? Où les criminels sont-ils enfermés? Ces deux hommes se détestent. Ils se disent toujours des injures? Est-il interdit de fumer dans des lieux publics?**

Communication guidée

A **Synonymes** Exprimez d'une autre façon ce qui est en italique.

1. Il va *mettre de la peinture sur* le plafond.
2. Il *ne faut pas* fumer ici.
3. Il y a partout des piles de livres *les uns au-dessus des autres.*
4. N'oublie pas de repasser *les chemises, les serviettes et tout le reste.*
5. Nous voulons *changer d'appartement.*
6. Il a été condamné à *la privation de liberté.*
7. Pour tuer un mouton, il faut savoir *utiliser* un couteau.
8. *Être renvoyé dans son pays* lui fait peur.
9. Il va au *travail* à vélo.
10. *La route* est *facile.*

B **Définitions** Donnez le mot qui correspond.

1. récipient de porcelaine avec de l'eau courante qui sert à faire sa toilette
2. objet qui sert à attacher des vêtements quand ils sèchent
3. objet carré qui sert à enfermer quelque chose
4. façon de changer la couleur d'une chose
5. une très grosse valise
6. une construction
7. dialecte berbère de Kabylie

C **Associations** Choisissez les mots qui sont associés.

1. peinture	a. prison
2. ampoule	b. voyage
3. malle	c. mur
4. lavabo	d. tableau
5. linge	e. injure
6. se disputer	f. lessive
7. épingle à linge	g. marron
8. fenêtre	h. toilette
9. joyeux	i. lumière
10. enfermer	j. vitre
11. couleur	k. corde à linge
12. plafond	l. rieur

Port de pêche dans la Kabylie, en Algérie

3 Practice

Communication guidée
After the students have prepared the activities as a homework assignment, go over them orally in class.

Independent Practice

Assign any of the following:
1. Activities on this page
2. Workbook, **Littérature**

ANSWERS TO Communication guidée

A

1. Il va peindre le plafond.
2. Il est interdit de fumer ici.
3. Il y a partout des piles de livres superposés.
4. N'oublie pas de repasser le linge.
5. Nous voulons déménager.
6. Il a été condamné à la réclusion.
7. Pour égorger un mouton, il faut savoir manier un couteau.
8. Le rapatriement lui fait peur.

9. Il va au boulot à vélo.
10. Le chemin est commode.

B

1. un lavabo
2. une épingle à linge
3. une boîte
4. peindre
5. une malle
6. un bâtiment
7. le kabyle

C

1. d	7. k
2. i	8. j
3. b	9. l
4. h	10. a
5. f	11. g
6. e	12. c

Littérature

1 Preparation

Resource Manager

Audio Activities Booklet TE,
  Activities E–G, pages 58–61
Audiocassette 2/CD 4
Workbook, Activities C–D, page 45

Bellringer Review

Write the following on the board or use BRR Transparency 2.14.
Écrivez une liste des choses qu'il est interdit de faire à l'école.

2 Presentation

Introduction

Have the students read the **Introduction** silently. Tell them that the **prix Goncourt** is a prestigious French literary prize. Ask them if they can think of a similar American literary prize. (The Pulitzer Prize is a good example.)

Lecture ◆◆

Step 1 Ask students what the title suggests to them (**la prison, la solitude, la tristesse,** etc.).

Step 2 What problems do they think poor immigrants have to face in a big city? (**le chômage, la solitude, la langue, les préjugés,** etc.)

Note: In this selection students will encounter the **passé simple.** Point out to them that the three verbs in the sentence beginning «**Le blond aux yeux marron me réveilla…**» (line 15) are in the **passé simple,** a tense used only in literature. Give students the verbs in the **passé composé.** The **passé simple** is taught in Chapter 5.

Step 3 Have students read the selection at home.

Introduction

    Tahar Ben Jelloun est né à Fès, au Maroc, en 1944. Romancier et poète, il reçoit le prix Goncourt en 1987 pour son roman *La nuit sacrée.*
    Dans le texte qui suit, extrait de *La réclusion solitaire* (1976), il décrit l'indifférence, la haine, la violence et l'humiliation que rencontre un Arabe qui essaie de gagner sa vie à Paris. Tahar Ben Jelloun y a inclus beaucoup de souvenirs personnels.

Lecture 🎧

La réclusion solitaire

    Aujourd'hui je ne travaille pas.
    Je laverai mon linge dans le lavabo de la cour. J'irai ensuite au café.
    Par arrêté préfectoral° (ou autre), je dois abandonner la malle*. On me propose une cage dans un bâtiment où les murs lépreux° et fatigués doivent abriter° quelques centaines de solitudes. Il n'y avait rien à déménager: des vêtements et des images; un savon et un peigne; une corde et quelques épingles à linge.
    La chambre.
    Une boîte carrée à peine éclairée par une ampoule qui colle au plafond°. Les couches de peinture° qui se sont succédées sur les murs s'écaillent°, tombent comme des petits pétales et deviennent poussière°.
    Quatre lits superposés par deux. Une fenêtre haute. […]
    Le blond aux yeux marron me réveilla, m'offrit du thé et des figues et nous partîmes au travail.
    À l'entrée du bâtiment, on nous a donné le règlement°:
    —Il est interdit de faire son manger dans la chambre (il y a une cuisine au fond du couloir);
    —Il est interdit de recevoir des femmes; […]
    —Il est interdit d'écouter la radio à partir de neuf heures;
    —Il est interdit de chanter le soir, surtout en arabe ou en kabyle;
    —Il est interdit d'égorger un mouton dans le bâtiment; […]
    —Il est interdit de faire du yoga dans les couloirs;
    —Il est interdit de repeindre les murs, de toucher aux meubles,

arrêté préfectoral *administrative order*
lépreux *peeling*
abriter *shelter*

colle au plafond *sticks to the ceiling*
les couches de peinture *coats of paint*
s'écaillent *are flaking off*
poussière *dust*

le règlement *regulations*

---

* la malle *nom que le narrateur donne à la chambre qu'il doit quitter*

Critical Thinking Activity

Comparing and Contrasting
Ask students what they think **la haine** means. Can they mention any immigrant groups in America who have had to confront the same things (**l'indifférence, la haine, la violence et l'humiliation**) as the Arab workers in France that Ben Jelloun writes about?

Literary Analysis

1. Relevez les termes qui montrent que la chambre est un endroit sordide.
2. Classez les infractions du règlement par ordre de gravité.
3. Le terme de «réclusion solitaire» appartient à l'univers carcéral. Relevez dans ce texte tout ce qui fait penser au monde des prisons.

Littérature

de casser° les vitres, de changer d'ampoule, de tomber malade, d'avoir la diarrhée, de faire de la politique, d'oublier d'aller au travail, de penser à faire venir sa famille, [...] de sortir en pyjama dans la rue, de vous plaindre° des conditions objectives et subjectives de vie, [...] de lire ou d'écrire des injures sur les murs, de vous disputer, de vous battre, de manier le couteau, de vous venger°.

—Il est interdit de mourir dans cette chambre, dans l'enceinte° de ce bâtiment (allez mourir ailleurs°); chez vous, par exemple, c'est plus commode);

—Il est interdit de vous suicider (même si on vous enferme à Fleury-Mérogis†); votre religion vous l'interdit, nous aussi;

—Il est interdit de monter dans les arbres;

—Il est interdit de vous peindre en bleu, en vert ou en mauve;

—Il est interdit de circuler en bicyclette dans la chambre, de jouer aux cartes, de boire du vin (pas de champagne);

—Il est aussi interdit de [...] prendre un autre chemin pour rentrer du boulot.

Vous êtes avertis°. Nous vous conseillons de suivre le règlement, sinon, c'est le retour à la malle et à la cave°, ensuite ce sera le séjour dans un camp d'internement en attendant votre rapatriement.

Dans cette chambre, je dois vivre avec le règlement et trois autres personnes: le blond aux yeux marron, le brun aux yeux rieurs, et le troisième est absent, il est hospitalisé parce qu'il a mal dans la tête.

Tahar Ben Jelloun, *La réclusion solitaire*, Éditions Denoël

† Fleury-Mérogis *prison près de Paris*

casser *break*

vous plaindre *complain*

vous venger *take revenge*
l'enceinte *confines*
ailleurs *elsewhere*

avertis *warned*
la cave *basement*

Step 4 The next day, go over the **Lecture** in class. The second and fourth paragraphs are a bit more difficult than the others. Paraphrase them as students follow along in the original: **Par ordre de la préfecture de police il faut que je change de résidence. On me suggère une chambre qui est comme une cage. Cette chambre se trouve dans un vieux bâtiment en très mauvaise condition où habitent beaucoup d'hommes qui sont seuls et tristes. Moi, je n'ai rien à emporter avec moi—je n'ai rien à déménager. J'ai des vêtements, des images (des photos). En plus j'ai un savon, un peigne; une corde et quelques épingles à linge. C'est tout. La chambre est une boîte carrée et obscure où la lumière ne peut pas entrer. Il n'y a qu'une seule ampoule pour éclairer la chambre. Il y a tant de couches de peinture sur les murs que la peinture en tombe. Sur le sol il y a de petits morceaux de peinture qui deviennent poussière.**

Step 5 Call on individuals to read **le règlement** aloud. Ask them to make a list of the rules that are real and another of those the author invents to make his point.

Step 6 With more able groups, you may wish to ask the analytical questions in **Literary Analysis** at the bottom of page 100.

Learning from Realia

Have students look at the cover of *La Réclusion solitaire* pictured on this page. Ask them to describe what they see. Then ask them to explain what the image conveys about the immigrant Arab worker in Ben Jelloun's book. **(Le travailleur immigré se sent déraciné, comme un arbre arraché à la terre.)**

Littérature

Post-reading

Après la lecture

As you go over the **Après la lecture** activities, let the students read their answers from their papers.

A You may wish to do this activity a second time and have students answer freely without referring to their papers.

FUN FACTS

Les Français n'ont jamais beaucoup émigré. Par contre, jusqu'à récemment, la France encourageait l'immigration pour se procurer la main-d'œuvre nécessaire à son développement économique. Mais la crise économique et le développement du chômage ont pratiquement arrêté l'immigration officielle. Depuis 1981, des mesures strictes ont été prises contre le travail clandestin. La population étrangère en France représente environ 8% de la population totale, soit 4,4 millions de personnes.

La répartition est la suivante:

Algériens	850 000
Portugais	725 000
Marocains	560 000
Italiens	380 000
Espagnols	350 000
Tunisiens	225 000
Turcs	150 000
Polonais	70 000
Yougoslaves	70 000

Plus de 60% d'entre eux résident dans la région parisienne, la région Rhône-Alpes et la région Provence-Côte d'Azur.

Littérature

Après la lecture

A Journée libre Répondez d'après la lecture.
1. Quels projets le narrateur a-t-il faits pour la journée?
2. Il appelle la chambre qu'il doit quitter, «la malle». Pourquoi doit-il quitter cette chambre?
3. Comment sont les murs du bâtiment où il va? Qu'est-ce qu'ils abritent?
4. Qu'est-ce qu'il doit déménager?
5. Qui l'a réveillé?
6. Que lui a-t-il offert?
7. Que donne-t-on aux nouveaux locataires *(tenants)* à l'entrée du bâtiment?
8. Avec quoi et avec qui le narrateur doit-il vivre dans sa nouvelle chambre?

B La chambre Décrivez la nouvelle chambre.
1. l'éclairage
2. les murs
3. les lits
4. les fenêtres

C Le règlement Complétez.
1. On doit faire son manger dans ____.
2. On peut écouter la radio jusqu'à ____.
3. Il n'est pas permis de chanter le ____.
4. On peut aller mourir ____.
5. Il est interdit de monter dans ____.
6. Il est interdit de se peindre en ____.
7. Dans le bâtiment, il est interdit de ____.
8. Dans les couloirs, il est interdit de ____.
9. Sur les murs, il est interdit de ____.
10. Dans la chambre, il est interdit de ____.

D Les interdictions Dites ce qu'il est interdit…
1. de toucher
2. de manier
3. de repeindre
4. de changer
5. de casser
6. d'oublier
7. de recevoir
8. de prendre
9. de faire
10. de lire ou d'écrire

ANSWERS TO Après la lecture

A
1. Il veut laver son linge puis aller au café.
2. Il doit quitter cette chambre par arrêté préfectoral.
3. Les murs sont «lépreux et fatigués». Ils abritent probablement quelques centaines de solitudes.
4. Des vêtements et des images, un savon et un peigne; une corde et quelques épingles à linge.
5. Un blond aux yeux marron.
6. Du thé et des figues.
7. On leur donne le règlement.
8. Il doit vivre avec le règlement et trois autres personnes.

B
1. La chambre est éclairée par une ampoule qui colle au plafond.
2. Les couches de peinture qui se sont succédé sur les murs s'écaillent, tombent comme de petits pétales qui deviennent poussière.
3. Quatre lits sont superposés par deux.
4. Il y a une fenêtre haute.

Littérature

Communication libre

A **La souffrance** Dans ce bref extrait, Tahar Ben Jelloun a bien réussi à nous faire sentir la souffrance de l'immigré. Retrouvez dans la lecture les descriptions, les expressions, les interdictions qui vous ont surtout touché(e). Expliquez pourquoi.

B **La violence** Dites pourquoi, à votre avis, le règlement stipule qu'il est interdit de se plaindre, de se disputer, de se battre, de se venger.

C **Triste et comique** Parmi cette longue liste d'interdictions, y en a-t-il certaines qui vous font rire ou sourire? Identifiez lesquelles et dites pourquoi vous les trouvez drôles ou comiques.

Communication libre

You may wish to let students select the activity they would like to do.

 A, **B**, **C** These activities can be done individually or as a cooperative effort. You may wish to have one student or group report to the class concerning each topic.

✓ Assessment

Use these resources after completing the *La réclusion solitaire* reading for review and assessment.
   Quiz 13
   Test Booklet, pages 47–50
   ExamView Pro®

Use these resources after completing Chapter 2.
   Quizzes
   Test Booklet: Comprehensive Chapter Test, Listening Comprehension Test
   ExamView Pro®
   Situation Cards

ANSWERS TO *Après la lecture*

C
1. la cuisine au fond du couloir
2. neuf heures du soir
3. soir
4. ailleurs
5. les arbres
6. bleu, en vert ou en mauve
7. égorger un mouton
8. faire du yoga
9. lire ou d'écrire des injures

10. de circuler en bicyclette, de jouer aux cartes, de boire du vin

D
1. aux meubles
2. le couteau
3. les murs
4. d'ampoule
5. les vitres

6. d'aller au travail
7. des femmes
8. un autre chemin pour rentrer du boulot
9. du yoga dans les couloirs
10. des injures sur les murs

ANSWERS TO **Communication libre**

 A, **B**, **C** *Answers will vary.*

103

REFLETS DE L'EUROPE FRANCOPHONE

The section **Reflets de l'Europe francophone** was prepared by the National Geographic Society. Its purpose is to give students greater insight, through these visual images, into the culture and people of French-speaking Europe. Have students look at the photographs on pages 104–105 for enjoyment. If they would like to talk about them, let them say anything they can, using the vocabulary they have learned to this point.

 National Standards

Cultures
The **Reflets de l'Europe francophone** photos and the accompanying captions allow students to gain insights into the people and culture of French-speaking Europe.

About the Photos

1. Vignobles à Vevey au bord du lac Léman These vineyards stand on the shores of Lake Geneva (**le lac Léman** in French) near the town of Vevey in Switzerland. Many celebrities have either visited or lived in Vevey. Charlie Chaplin spent 25 years in Vevey and is buried there.

2. Préparatifs pour le dîner dans un restaurant de luxe à Monte-Carlo The principality of Monaco is known for its plush living. Foreigners make up more than 80% of its population. There are many exclusive restaurants and hotels in Monaco. The restaurant shown here is the Louis XV, which opened in 1864.

3. Le palais princier à Monaco The royal palace of Monaco is a cliff-top fortress. The Grimaldis, who originally came from Genoa,

1. Vignobles à Vevey au bord du lac Léman, en Suisse
2. Préparatifs pour le dîner dans un restaurant de luxe à Monte-Carlo, dans la principauté de Monaco
3. Le palais princier à Monaco
4. Marchand de légumes à Luxembourg, dans le grand-duché de Luxembourg
5. Horloge fleurie à Genève, en Suisse
6. Joueurs d'échecs à Genève, en Suisse
7. Les Serres royales à Bruxelles, en Belgique

104

NATIONAL GEOGRAPHIC Teacher's Corner

Index to the NATIONAL GEOGRAPHIC MAGAZINE

The following related articles may be of interest:
- "Monaco," by Richard Conniff, May 1996.
- "Are the Swiss Forests in Peril?" by Christian Mehr, May 1989.
- "Switzerland: The Clockwork Country," by John J. Putman, January 1986.
- "Chocolate: Food of the Gods," by Gordon Young, November 1984.

NATIONAL GEOGRAPHIC

REFLETS
de l'Europe francophone

have been living in Monaco for over 700 years. The present ruler, Prince Rainier III, resides in the palace.

4. Marchand de légumes à Luxembourg Luxembourg is the capital of the grand duchy of Luxembourg. The country is smaller than Rhode Island. Its inhabitants speak three languages: Luxembourgish (a dialect of German), German, and French.

5. Horloge fleurie à Genève, and **6. Joueurs d'échecs à Genève** Geneva is a beautiful cosmopolitan city on Lake Geneva. It is a financial center, and it is home to the headquarters of the International Red Cross and World Health Organization. Geneva's population of 165,000 people live in its many small neighborhoods. Here in a park in the Old Town, some residents are catching up on the local news at a giant outdoor chessboard.

7. Les Serres royales à Bruxelles The Royal Domain is located to the north of Brussels in the district of Laeken. The magnificent botanical gardens and greenhouses around the Royal Palace have earned the domain the title of "Glass City."

**Products available from
GLENCOE/MCGRAW-HILL**

To order the following products, call Glencoe/McGraw-Hill at 1-800-334-7344.
CD-ROMs
• Picture Atlas of the World
• The Complete National Geographic: 112 Years of National Geographic Magazine
Transparency Set
• NGS PicturePack: Geography of Europe

**Products available from
NATIONAL GEOGRAPHIC SOCIETY**

To order the following products, call National Geographic Society at 1-800-368-2728.
Books
• National Geographic World Atlas for Young Explorers
• National Geographic Satellite Atlas of the World
Software
ZingoLingo: French Diskette
Video
• Europe

Planning for Chapter 3

SCOPE AND SEQUENCE PAGES 106–153

Topics

* Leisure activities
* Theater
* Likes and dislikes
* Sports

Functions

* How to describe leisure activities
* Buying theater tickets
* Comparing people and things

Structure

* Imperfect and **passé composé**
* Comparative and superlative
* Subjunctive
* Past Subjunctive

Culture/Literature

Culture

* French theater
* Leisure activities in France
* A world-class French female surfer
* A French male distance runner

Literature

* *Les feuilles mortes*

National Standards

* Communication Standard 1.1 pages 110, 121, 124, 129, 131, 134, 143, 144, 147
* Communication Standard 1.2 pages 110, 114, 120, 127, 137, 142, 143, 153
* Communication Standard 1.3 pages 110, 124, 125, 134, 137, 143, 147, 153
* Cultures Standard 2.1 pages 108, 111–113, 140, 141, 150, 151
* Cultures Standard 2.2 pages 116, 117, 120, 121, 136, 143, 150, 151
* Connections Standard 3.1 pages 116, 117, 118–119, 136, 140, 141, 150, 151, 152
* Connections Standard 3.2 page 150
* Comparisons Standard 4.2 pages 115, 137, 153

Timesaving Teacher Tools

ite Interactive Teacher Edition
Imagine having your Teacher's Edition and all resources on a CD-ROM. Click on a resource and it appears on your screen, ready to be printed, sorted, or planned.

Interactive Lesson Planner
The Interactive Lesson Planner CD-ROM helps you organize your lesson plans for a week, month, semester, or year. Look at this planning tool for easy access to your Chapter 3 resources.

ExamView Pro®
Test Bank software for Macintosh and Windows makes creating, editing, customizing, and printing tests quick and easy.

Technology Resources

FRENCH Online
In the **Bon voyage!** Level 3 Internet activity, you will have a chance to learn more about language, culture, history, geography, and current events in the Francophone world. Visit <u>french.glencoe.com</u>

NATIONAL GEOGRAPHIC SOCIETY
See the National Geographic Teacher's Corner on pages 104–105, 214–215, 310–311, 428–429 for reference to additional technology resources.

Bon voyage! Video Program
Bon voyage! Video and Video Activities Booklet, Chapter 3.

DIFFICULTY LEVELS

Each reading selection in **Culture, Journalisme,** and **Littérature,** each **Conversation,** and each structure topic is rated below according to difficulty level to assist you in planning.

◆ Easy ◆◆ Intermediate ◆◆◆ Difficult

Please note that the material in **Bon voyage!** does not get progressively more difficult. Within each chapter there are easy and difficult sections. The overall rating for this chapter is: ◆◆ Intermediate.

SECTION	DIFFICULTY LEVEL
Culture	
Les loisirs en France	
Les loisirs, le temps et l'argent	◆
Conversation	
Le théâtre	◆
Structure I	
L' imparfait et le passé composé	◆◆◆
Le comparatif et le superlatif	◆◆
Journalisme	
Les Native	
Interview de Sophie Winteler pour l'Illustré	◆◆
La surfeuse et le coureur	
Trois spots d'or pour une surfeuse d'argent	◆◆
Thierry Pantel gagne dans la tempête	◆◆
Structure II	
Le subjonctif après les expressions d'émotion	◆◆
Le subjonctif dans les propositions relatives	◆◆
Le subjonctif après un superlatif	◆◆
Le passé du subjonctif	◆◆◆
Littérature	
Les feuilles mortes	◆◆◆

Using Your Resources for Chapter 3

RESOURCE GUIDE

SECTION	PAGES	SECTION RESOURCES

Culture

Les loisirs en France *Les loisirs, le temps et l'argent*	108–115	📷 Vocabulary Transparency 3.1 🎧 Audiocassette 3/CD 5 💿 Audio Activities Booklet TE, pages 67–69 📖 Workbook, pages 58–59 📖 Quiz 1, page 29 📖 Chapter Section Test, pages 53–55

Conversation

Le théâtre On va au théâtre? Pendant l'entracte	116–121 118 119	📷 Vocabulary Transparencies 3.2–3.3 🎧 Audiocassette 3/CD 5 💿 Audio Activities Booklet TE, pages 69–72 📖 Workbook, pages 60–61 📖 Quiz 2, page 30

Langage

Les goûts et les intérêts Les antipathies	122–125 126–129	🎧 Audiocassette 3/CD 5 💿 Audio Activities Booklet TE, pages 72–75 📖 Workbook, page 62 📖 Quiz 3, page 31 📖 Chapter Section Test, pages 56–58

Structure I

L'imparfait et le passé composé Le comparatif et le superlatif	130–131 132–134	🎧 Audiocassette 3/CD 5 💿 Audio Activities Booklet TE, pages 75–77 📖 Workbook, pages 63–65 📖 Quizzes 4–5, pages 32–33 📖 Chapter Section Test, pages 59–61

Preview

In this chapter, students will learn about the leisure activities of the French. Students will also learn new vocabulary needed to discuss cultural events. They will talk about their interests and learn to express in formal and informal language why they do or do not like something.

Students will be exposed to newspaper articles about cultural and sporting events. They will learn about the history of **la chanson française** from medieval times to the present day. They will read *Les feuilles mortes,* a poem by Jacques Prévert, set to music and sung by Édith Piaf and Yves Montand, among others.

National Standards

Communication
This chapter provides opportunities for students to express their opinions regarding leisure activities such as theater, sports, and music.

Cultures
Students learn what the favorite leisure activities of French people are and about the role of song and music in French popular culture.

Comparisons
Students have the opportunity to compare the leisure activities of the French to their own.

Connections
This chapter establishes a connection with the fields of music, literature, and sports.

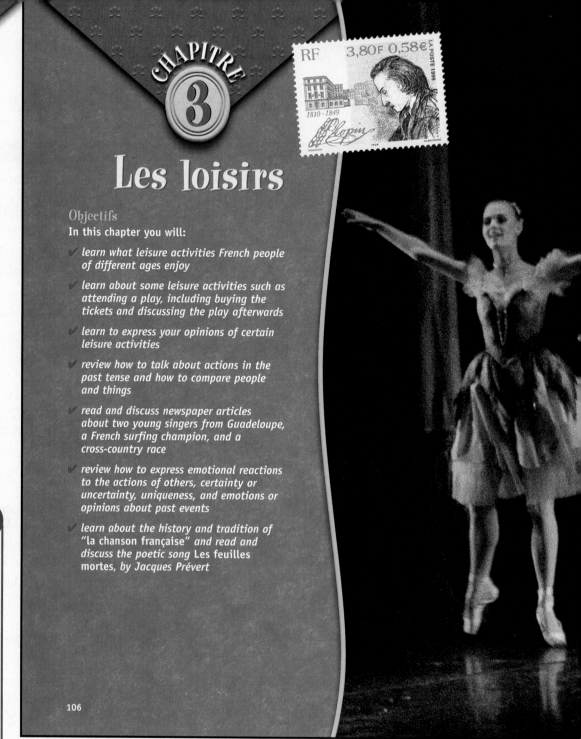

Les loisirs

Objectifs

In this chapter you will:

✓ learn what leisure activities French people of different ages enjoy

✓ learn about some leisure activities such as attending a play, including buying the tickets and discussing the play afterwards

✓ learn to express your opinions of certain leisure activities

✓ review how to talk about actions in the past tense and how to compare people and things

✓ read and discuss newspaper articles about two young singers from Guadeloupe, a French surfing champion, and a cross-country race

✓ review how to express emotional reactions to the actions of others, certainty or uncertainty, uniqueness, and emotions or opinions about past events

✓ learn about the history and tradition of "la chanson française" and read and discuss the poetic song Les feuilles mortes, by Jacques Prévert

106

The **Glencoe World Language Web site** (**french.glencoe.com**) offers several options for you and your students to experience the French-speaking world via the Internet:

• The online **Activités** are correlated to the chapters and utilize Francophone Web sites around the world

• Games and puzzles afford students another opportunity to practice the material learned in a particular chapter.

• The *Enrichment* section offers students an opportunity to visit Web sites related to the theme of the chapter for more information on a particular topic.

• Online *Chapter Quizzes* offer students an opportunity to prepare for a chapter test.

• Visit our virtual **Café** for more opportunities to practice and explore the French-speaking world.

cent sept ✦ 107

 Assessment

Quizzes: There is a quiz for every vocabulary presentation and every structure point.
Tests: To accompany **Bon voyage!** Level 3 there are global tests for both **Structures I** and **II**, a combined **Conversation/Langage** test, and one test for each reading in the **Culture, Journalisme,** and **Littérature** sections. There is also a chapter Listening Comprehension Test.

FUN·FACTS

Les termes de danse classique sont français parce que la France est à l'origine de la danse classique.
un ballet: une danse classique
le corps de ballet: l'ensemble des danseurs sans les danseurs et danseuses étoiles
un pas de deux: danse pour deux
un tutu: un costume de scène
un petit rat: un(e) élève dans un cours de danse. Les plus connus sont les petits rats de l'Opéra: les élèves de l'École de Danse de l'Opéra de Paris, qui recrute ses élèves sur concours et les forme comme danseurs en leur donnant la même instruction qu'un lycée.

Chapter Projects

🔍 **Les loisirs** Avant de commencer le chapitre, demandez aux élèves de faire une liste de toutes les activités qui, à leur avis, sont populaires en France et de faire la même liste pour les USA. Comparez les listes que les élèves ont faites aux renseignements donnés dans la lecture à la page 111.

✂️ **Le théâtre** Choisissez plusieurs scènes prises des pièces de théâtre françaises. Divisez la classe en groupes et donnez une scène à jouer à chaque groupe. Vous pouvez aussi donner ces scènes à lire seulement aux élèves. Demandez-leur ensuite d'écrire une scène en imitant le style de l'auteur qu'ils viennent de lire. Les élèves peuvent aussi préparer un programme et le distribuer à tous les élèves avant la représentation.

LES LOISIRS EN FRANCE

Culture

LES LOISIRS EN FRANCE

1 Preparation

Resource Manager

Vocabulary Transparency 3.1
Audio Activities Booklet TE,
   Activities A–B, pages 67–68
Audiocassette 3/CD 5
Workbook, Activities A–B, page 58
Quiz 1, page 29
ExamView Pro®

Bellringer Review

Write the following on the board or use BRR Transparency 3.1.
Faites une liste des sports que vous pratiquez pendant chacune des quatre saisons.

2 Presentation

Introduction

Step 1 You may either read the **Introduction** to the students or have them read it silently.

Step 2 Tell students to look for the following information: **Que font les Français pendant leurs heures de loisirs?**

   Opinion: Qu'en pensez-vous? Les Français ont plus de temps ou moins de temps que les Américains pour les loisirs?

Le jardin du Luxembourg

Introduction

En France, le temps libre augmente de plus en plus. La durée du travail est maintenant passée à 35 heures par semaine. Par conséquent, les gens ont de plus en plus de temps pour les loisirs. Pendant leurs heures de loisirs, ils font du sport, ils écoutent de la musique, ils regardent la télévision, ils bricolent, ils sortent avec des amis, etc. Et plus ils ont du temps libre, plus la partie de leur budget consacrée aux loisirs augmente.

History Connection

Le palais et le jardin du Luxembourg se trouvent sur la Rive gauche pas très loin de la Sorbonne.

C'est Marie de Médicis qui a fait construire le palais entre 1615 et 1620. Prison sous la Révolution, le palais a abrité le Directoire (1795), le Consulat, le Sénat et la Chambre des pairs. Depuis 1958, il est redevenu palais du Sénat.

Le jardin est un très joli parc à la française. Dans le jardin il y a des courts de tennis, un petit café, un théâtre de marionnettes et un manège pour les enfants. On y voit de nombreux étudiants, enfants et joggeurs.

Vocabulaire

le repos

la marche

le tir à l'arc

le vol libre

une téléspectatrice

allumer la télévision

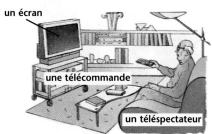

un écran

une télécommande

un téléspectateur

éteindre la télévision

un baladeur/un walkman

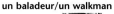

l'écoute de la musique

Il aime bricoler.

augmenter devenir plus grand, être en hausse, s'accroître
consacrer donner, investir, assigner
avoir envie de vouloir
prendre le pas dépasser, passer devant
entretenir tenir en bon état, maintenir
une sortie action de sortir (aller au cinéma, théâtre…)

une dépense l'argent qu'il faut payer
une récompense ce qu'on donne à un enfant quand il a été sage
un métier une profession, une occupation
moyen(ne) ni trop long/grand/court/petit; contraire d'extrême
environ plus ou moins
autrefois dans l'ancien temps

Culture

Vocabulaire

Step 1 Have students repeat the new words in unison after you or Audiocassette 3/CD 5.

Step 2 As you present the new words, you may wish to review **une télécommande, la chaîne,** and **une émission.**

Step 3 To vary the procedure, give students a few minutes to peruse the definitions.

Step 4 Then read the definitions aloud as students follow in their books.

Step 5 You may wish to ask the following questions as you present the new words: **Le temps que vous avez pour les loisirs augmente ou diminue? Vous consacrez combien d'heures par semaine à vos loisirs? Vous avez (très) envie d'aller voir un bon film? Dans votre école, est-ce que les sports d'équipe, c'est-à-dire les sports collectifs, prennent le pas sur les sports individuels? Est-ce qu'on entretient bien le gymnase? Vous avez beaucoup de dépenses? Vos parents vous donnent une récompense si vous recevez de bonnes notes? Quel métier vous intéresse?**

Note: You may wish to give students the conjugation of the verb **éteindre: j'éteins, tu éteins, il éteint, nous éteignons, vous éteignez, ils éteignent.**

Additional Practice

You may wish to ask your students the following questions:
1. Quand vous avez des loisirs, qu'est-ce que vous aimez faire?
2. Faites-vous de la marche? Du tir à l'arc?
3. Avez-vous envie de pratiquer le vol libre (faire du deltaplane)?
4. Qui aime bricoler dans votre famille?
5. À quelle heure est-ce que vous allumez la télé le soir? À quelle heure est-ce que vous l'éteignez?
6. Avez-vous un baladeur? Écoutez-vous souvent de la musique?

109

Culture

3 Practice

Communication guidée
Assign these activities for homework.

 Recycling

This activity recycles sports vocabulary learned in Chapters 10 and 11 of Level 1.

• You may wish to go over **Activité C** twice. First, have individual students read their answers aloud. Then, have them do this activity orally with their books closed.

 Assessment

As an informal assessment, you may wish to have students make up some original sentences using the new words.

 Group Activity
Divisez la classe en groupes. Chaque groupe prépare une interview d'un ou de plusieurs journalistes avec un couple célèbre qui a des difficultés.

Cette même activité peut se faire par écrit. Il s'agit alors d'un article ou un magazine à sensation.

Independent Practice
Assign any of the following:
1. Workbook, **Culture**
2. Activités A–C on this page

Culture

Communication guidée

 Loisirs sportifs Faites une liste…
1. de tous les sports individuels que vous connaissez.
2. de tous les sports collectifs (d'équipe) que vous connaissez.
3. des sports que vous faites ou que vous avez envie de faire.

 Vos loisirs Donnez des réponses personnelles.
1. Vous aimez écouter de la musique?
2. Vous consacrez combien de temps environ à écouter de la musique?
3. Vous préférez quel genre de musique?
4. Est-ce que vous utilisez un baladeur?
5. Vous aimez regarder la télévision?
6. Aujourd'hui, vous allez allumer la télévision à quelle heure?
7. Et vous allez l'éteindre à quelle heure?
8. Vous passez combien d'heures par jour en moyenne devant le petit écran?
9. Vous tolérez bien ou mal les annonces publicitaires à la télé?
10. Vous avez une télécommande? Vous pratiquez le zapping?
11. Vous aimez bricoler?
12. Quelle récompense vous donnez-vous à vous-même quand vous avez bien travaillé?

C **Les loisirs, c'est sérieux.** Complétez.
1. Quand vous préparez votre budget, il ne faut pas oublier les _____ de loisirs, c'est-à-dire l'argent dont vous aurez besoin pour les _____: aller au cinéma, etc.
2. Les loisirs coûtent de plus en plus cher: les dépenses de loisirs _____.
3. Pour gagner de l'argent, c'est-à-dire pour gagner sa vie, il faut exercer un _____ ou une profession.
4. Chez les Français, les sports individuels prennent le _____ sur les sports collectifs.
5. Celui qui regarde la télé est un _____; celle qui regarde la télé est une _____.
6. Pour obtenir de bons résultats sportifs, il faut _____ son équipement.
7. Après le travail, tout le monde mérite un peu de _____.
8. De nos jours, les gens ont de plus en plus de loisirs. Est-ce que c'était comme ça _____?

110 ✦ *cent dix*

CHAPITRE 3

ANSWERS TO Communication guidée

A, **B** *Answers will vary.*

C
1. dépenses, sorties
2. augmentent
3. métier
4. pas
5. téléspectateur, téléspectatrice
6. entretenir
7. repos
8. autrefois

110

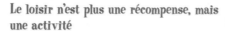
LES LOISIRS, LE TEMPS ET L'ARGENT

Les Français consacrent de plus en plus de temps et d'argent à leurs loisirs

Dans la vie d'un Français, le temps libre est trois fois plus long que le temps de travail. Dans une vie moyenne (72 ans), le temps libre représente environ 25 ans, alors que le temps de travail et de scolarité en représente moins de 10. Le temps libre ne cesse d'ailleurs[1] d'augmenter. Cette augmentation profite surtout à la télévision, la pratique sportive, les sorties et spectacles.

Les Français consacrent en moyenne un peu plus de 7% de leur budget aux dépenses de loisirs, spectacles, enseignement, culture.

---

[1] d'ailleurs *besides, moreover*

Le loisir n'est plus une récompense, mais une activité

Le temps libre se vivait autrefois comme une récompense. Il fallait avoir gagné sa vie à la sueur de son front[2], pour avoir droit au[3] repos, forme primaire du loisir. L'individu se devait d'abord à sa famille, à son métier, à son pays, après quoi il pouvait penser à lui-même.

Les plus âgés des Français sont encore très sensibles[4] à cette notion de mérite, mais pour les plus jeunes, le loisir est un droit[5] fondamental. Il n'y a donc aucune raison de se cacher[6] ni d'attendre pour faire ce qu'on a envie de faire, bref pour «profiter de la vie».

---

[2] à la sueur de son front *by the sweat of one's brow*
[3] avoir droit à *to be entitled to*
[4] sensibles *sensitive*
[5] un droit *right*
[6] se cacher *to hide*

FUN FACTS

Ce kiosque s'appelle une colonne Morris. On y affiche les programmes des spectacles à Paris.

Additional Practice

Aimez-vous les foires? Quelles attractions préférez-vous? Aimez-vous la grande roue et les montagnes russes? Qu'est-ce qu'on voit du haut de la grande roue? Est-ce qu'on a une belle vue sur toute la foire et la ville?

Culture

2 Presentation (continued)

Step 2 **Le loisir n'est plus une récompense, mais une activité:** This section can be read silently. Ask students if they think the same attitude exists in the U.S.

Vocabulary Expansion

You may wish to give students some carnival vocabulary:
une foire, une kermesse
la grande roue
les montagnes russes
le grand huit
les autos tamponneuses
un manège
la barbe à papa
un beignet

Step 3 **Le sport est plus individuel, moins compétitif, plus diversifié:** Have students read this section aloud, since it contains a great deal of useful vocabulary and interesting information. You may wish to make up some true/false statements as students read. Ask students to explain in their own words in French the meaning of **le sport-plaisir prend le pas sur le sport-souffrance.**

Le sport est plus individuel, moins compétitif, plus diversifié

Les Français sont globalement plus nombreux à avoir une activité sportive: un sur deux est concerné[7]—mais seulement un sur cinq peut être considéré comme un sportif régulier. Les sports individuels (comme le tennis et la marche) ont pris le pas sur les sports collectifs, qui sont moins pratiqués par les femmes.

---
[7] concerné *involved*

Le nombre des activités sportives a lui aussi augmenté et il est de plus en plus fréquent d'en pratiquer plusieurs, plus ou moins régulièrement. Des sports nouveaux ou récents comme le base-ball, le golf, le canoë-kayak, le tir à l'arc, le vol libre et le roller-blading ont de plus en plus d'adeptes[8]. Certaines activités comme le jogging et l'aérobic sont un peu en perte de vitesse[9], même si elles comptent encore beaucoup d'inconditionnels.

D'une manière générale, les Français cherchent moins à faire des performances et à aller au bout d'eux-mêmes[10] qu'à entretenir leur forme; le sport-plaisir prend le pas sur le sport-souffrance. Ils sont confortés dans cette idée par les médias qui, après en avoir fait l'apologie, dénoncent aujourd'hui les risques que peuvent présenter certaines activités comme le jogging, l'aérobic ou le tennis pour les personnes insuffisamment entraînées.

---
[8] adeptes *followers*
[9] en perte de vitesse *losing momentum*
[10] aller au bout d'eux-mêmes *to push themselves to the limit*

Dordogne: des jeunes Français faisant du canoë et du kayak

Critical Thinking Activity

Making Judgments
Quels sont les avantages et les inconvénients des loisirs organisés (clubs, organisations, etc.) et de ceux qui ne le sont pas (lecture, etc.) pour les catégories de personnes suivantes:
a. les enfants
b. les jeunes
c. les adultes
d. les retraités *(retirees)*

La musique a une place croissante dans la vie des Français

On constate une spectaculaire progression de l'écoute de la musique, sur disques, cassettes ou à la radio. Là encore, la naissance des baladeurs et des disques compacts, l'amélioration[11] des chaînes hi-fi et des postes de radio FM, ainsi que la baisse des prix, ont largement favorisé le mouvement.

L'augmentation de l'écoute musicale touche toutes les catégories de population sans exception, et tous les genres de musique, du jazz au rock en passant par la musique classique et l'opéra. Le phénomène est cependant plus marqué chez les jeunes. La moitié des 15–19 ans écoutent des disques ou cassettes tous les jours.

Les nouveaux comportements[12]

La diffusion de la télécommande, du magnétoscope, du DVD, des jeux vidéo ou de la réception par câble ou par satellite permet une plus grande maîtrise[13] de la télévision.

Les comportements des téléspectateurs sont progressivement transformés. Un téléspectateur sur quatre seulement décide à l'avance de son programme. La moitié décide au jour le jour. Le fait d'allumer la télévision est devenu un geste banal[14], plus qu'une décision.

Le zapping prend de plus en plus d'importance

Près des deux tiers des foyers[15] sont aujourd'hui équipés d'une télécommande. L'augmentation du nombre des chaînes et celle des publicités expliquent l'importance du zapping.

Les interruptions publicitaires sont de plus en plus mal tolérées, surtout pendant les films. 51% des personnes équipées de télécommande s'en servent pour éviter[16] la publicité.

---

[11] l'amélioration *improvement*
[12] comportements *behaviors*

[13] maîtrise *mastery, command*
[14] banal *commonplace, ordinary*
[15] foyers *households*
[16] éviter *to avoid*

---

2 Presentation (continued)

Step 4 **La musique a une place croissante dans la vie des Français** and **Les nouveaux comportements:** Have students read these two sections silently. Then have them give a list of words related to **la musique** and **les médias**.

Step 5 **Le zapping prend de plus en plus d'importance:** Call on two individuals (one for each paragraph) to read aloud. Have students explain why this is true.

Critical Thinking Activity

Supporting Statements with Reasons
Les loisirs devraient-ils être une récompense ou un droit?

You may wish to explain to students that in recent years the **Académie française** has become very concerned about the contamination of the French language by English. Periodically the **Académie** publishes a list of recommended French words to replace English words that have been absorbed into French. **Baladeur** (for *walkman*) is one such example.

Culture

Post–reading

Après la lecture

You can assign the **Après la lecture** activities for homework. In more able groups, however, you may wish to go over the activities immediately in class (upon completion of the reading) without previous preparation.

Group Activity

Divisez la classe en groupes de trois élèves. Chaque groupe organise un week-end à Paris offert par une station de radio. L'un des élèves se charge d'organiser les activités culturelles, le deuxième les activités sportives, et le troisième des activités «gastronomiques».

Après la lecture

A Comment les Français occupent-ils leur temps libre?
Répondez.
1. Qu'est-ce que les Français consacrent à leurs loisirs?
2. Quelles activités profitent surtout de cette augmentation du temps consacré aux loisirs?
3. Quel pourcentage de leur budget les Français consacrent-ils aux dépenses de loisirs?
4. Pour les plus âgés, comment fallait-il gagner sa vie pour avoir droit au loisir du repos?
5. Qu'est-ce que c'est que le sport-plaisir?
6. Qu'est-ce que c'est que le sport-souffrance?
7. Lequel de ces deux types de sport les Français préfèrent-ils?
8. Quelle activité culturelle a une place croissante dans la vie des Français?
9. Quels genres de musique sont devenus plus populaires?

B Les loisirs ont bien changé. Analysez.
1. Pour un Français qui vit 72 ans, quelle est actuellement la proportion de temps libre par rapport au temps de travail?
2. Autrefois, que faisaient les Français de leur temps libre, s'ils en avaient?
3. Comparez les attitudes des plus âgés des Français à celles des plus jeunes en ce qui concerne le travail et les loisirs.
4. Expliquez ce que cette expression signifie: «Profiter de la vie».
5. Pourquoi les médias dénoncent-ils la pratique de certains sports?
6. Quelles sont les raisons qui ont favorisé la progression spectaculaire de l'écoute de la musique?
7. Qu'est-ce que le zapping et pour quelles raisons prend-il de plus en plus d'importance?

C Vrai ou faux? Corrigez les phrases fausses.
1. Le temps libre continue à augmenter par rapport au temps de travail.
2. Le sport est la forme primaire du loisir.
3. Les Français préfèrent tous les sports compétitifs.
4. Les sports individuels sont très compétitifs.
5. Le nombre des activités sportives a augmenté.
6. L'intérêt pour la musique ne touche qu'un petit segment de la population.
7. La plupart des téléspectateurs savent exactement quels programmes ils vont regarder avant d'allumer la télévision.
8. Les interruptions publicitaires sont très bien tolérées par les Français.

CHAPITRE 3

Answers to

Après la lecture

A
1. De plus en plus de temps et d'argent.
2. La télé, la pratique sportive, les sorties et spectacles.
3. Un peu plus de 7%.
4. À la sueur de son front.
5. Un sport que l'on choisit pour entretenir sa forme.
6. Un sport que l'on fait pour la performance et pour aller au bout de soi-même.
7. Le sport-plaisir.
8. La musique.
9. Tous les genres de musique.

B
1. Le temps libre représente environ 25 ans, alors que le temps de travail et de scolarité en représente moins de 10.
2. Ils se reposaient.
3. Pour les plus âgés des Français, on doit mériter le loisir, mais pour les jeunes, le loisir est un droit fondamental.
4. Faire ce qu'on a envie de faire.
5. Parce qu'ils présentent des risques pour les personnes insuffisamment entraînées.
6. La naissance des baladeurs et des disques compacts, l'amélioration des chaînes hi-fi et des postes de radio FM, et la baisse des prix.
7. L'utilisation d'une télécommande; à cause de l'augmentation du nombre des chaînes et de celui des publicités.

C
1. Oui.
2. Non, c'est le repos.
3. Non, ils préfèrent les sports individuels.
4. Non, ils sont moins compétitifs.
5. Oui.
6. Non, il touche toutes les catégories de la population sans exception.
7. Non, seulement un téléspectateur sur quatre décide à l'avance de son programme.
8. Non, elles sont de plus en plus mal tolérées par les Français.

114

Culture

Vocabulary Expansion

Équipement de protection
un casque
une épaulière
une genouillère
une coudière

Communication libre

A Have students who work on this activity present the results of their survey to the class.

B This activity can be done orally or can be written. You may wish to have a few of the most interesting responses presented to the class.

 Group Activity Travaillez en petits groupes. Sujet à débattre: À quel point les loisirs peuvent-ils devenir une obsession? Dans chaque groupe, faites une liste des conséquences bonnes et mauvaises que peut avoir la recherche excessive des loisirs. Faites part de vos résultats aux autres élèves.

Independent Practice

Assign any of the following:
1. **Après la lecture** and **Communication libre** activities on pages 114–115
2. Workbook, **Culture**

Communication libre

A **Sondage-Jeunes** À la question «Qu'aimez-vous faire quand vous ne travaillez pas?» les jeunes Français ont répondu qu'ils aimaient (dans l'ordre):

- aller au cinéma
- se réunir avec des copains
- écouter de la musique
- pratiquer un sport
- voir leur petit(e) ami(e)
- regarder la télévision
- aller danser
- faire les boutiques

Avec vos camarades de classe, faites un sondage sur les loisirs des Américains de 15 à 19 ans.

B **Comparaison entre Américains et Français** En utilisant tous les renseignements qui vous ont été donnés au sujet des loisirs des Français, préparez une comparaison entre les loisirs des Français et ceux des Américains. Croyez-vous que les loisirs de ces deux groupes soient semblables ou différents? Justifiez votre opinion.

CULTURE

cent quinze ✦ 115

Assessment

Use these resources at the end of the **Culture** section for review and assessment.
Quiz 1
Test Booklet, pages 53–55
ExamView Pro®
Situation Cards

Conversation

LE THÉÂTRE

1 Preparation

Vocabulaire

Resource Manager

Vocabulary Transparencies
  3.2–3.3
Audio Activities Booklet TE,
  Activities A–B, pages 69–70
Audiocassette 3/CD 5
Workbook, Activities A–B, pages
  60–61
Quiz 2, page 30
ExamView Pro®

Bellringer Review

Write the following on the board or use BRR Transparency 3.3.
Faites une liste des mots dont on a besoin pour parler du théâtre ou du cinéma.

2 Presentation

Step 1 Have students repeat the new words and sentences after you or Audiocassette 3/CD 5. You may want to give students the colloquial word for the upper balcony: **le poulailler** or **le paradis** (as in the title of the classic film *Les enfants du paradis* starring the late Jean-Louis Barrault).

Step 2 You may want to ask students some additional questions to practice the vocabulary: **Allez-vous souvent au théâtre? Où aimez-vous vous asseoir? Quelles places coûtent le plus cher? Le moins cher? Y a-t-il des places debout dans les théâtres américains? Où sont les acteurs? Ils jouent quelle pièce?**

Conversation

LE THÉÂTRE

Vocabulaire

la galerie
le deuxième balcon
le premier balcon
la corbeille
les places debout
l'orchestre
la scène
les coulisses

un fauteuil/une place

Les comédiens (acteurs) jouent une pièce de Molière (1622–1673). C'est une comédie intitulée *Le Bourgeois gentilhomme.*

Cette pièce a un énorme succès. Elle fait courir tout Paris.

Group Activity
Préparez une brochure illustrée pour faire de la publicité pour une activité quelconque à Paris ou dans un Club Med. Vous pouvez aussi découper des publicités dans des magazines et les afficher artistiquement sur le tableau d'affichage.

une ride

Cet homme est âgé. Il a des rides.

Cette pièce se joue à bureaux fermés.

un entracte temps qui sépare deux actes dans une
   représentation théâtrale
un gentilhomme noble par sa naissance et/ou ses
   manières
une marquise aristocrate, femme d'un marquis
le foyer (des artistes) salle d'un théâtre où les acteurs
   s'assemblent avant et après le spectacle
génial extraordinaire
hurler crier très fort
hurler de rire rire beaucoup et bruyamment
prendre des rides devenir vieux, vieillir, prendre de l'âge

Communication guidée

A   **Au théâtre**   Donnez des réponses personnelles.

1. Quand vous allez au théâtre, où préférez-vous vous asseoir: à l'orchestre,
   à la corbeille, au premier balcon, au deuxième balcon ou à la galerie?
2. Est-ce que vous aimez être assis(e) près de la scène?
3. Vous aimez les places debout?
4. Quels sont les fauteuils les plus chers: les fauteuils d'orchestre ou ceux de la galerie?
5. Vous aimez aller dans les coulisses ou au foyer pendant l'entracte ou après la pièce?
6. Vous connaissez une pièce qui se joue ou qui s'est jouée à bureaux fermés? Laquelle?
7. Quel genre de pièces est-ce que vous préférez: les comédies ou les tragédies?
8. Quelle comédie ou quel comédien vous a fait hurler de rire?

B   **Synonymes**   Exprimez d'une autre façon.

1. Cette pièce a *eu un succès fou.*
2. C'est une pièce *extraordinaire.*
3. C'est un *homme qui a d'excellentes manières.*
4. Elle est *mariée à un marquis.*
5. Elle *a pris de l'âge.*
6. Il *crie très fort.*

CONVERSATION

Conversation

Connaissez-vous d'autres pièces de Molière? En ce moment est-ce qu'il y a une pièce qui fait courir votre ville? Elle se joue à bureaux fermés?

Note: For more information on Molière see the **Literature Connection** on page 119.

Step 3 Definitions: Call on individuals to read each new word or phrase and its definition.

3 Practice

Communication guidée

It is recommended that you go over the activities in class after students have prepared them at home.

Independent Practice

Assign any of the following:
1. Activities on this page
2. Workbook, **Conversation**

ANSWERS TO **Communication guidée**

A   *Answers will vary.*

B

1. Cette pièce s'est jouée à bureaux fermés.
2. C'est une pièce géniale.
3. C'est un gentilhomme.
4. C'est une marquise.
5. Elle a pris des rides.
6. Il hurle.

Conversation

CONVERSATION ◆

National Standards

Communication
Students engage in conversation about going to the theater, including buying theater tickets and discussing the play afterwards.

1 Preparation

Resource Manager

Audio Activities Booklet TE,
  Activities D–E, pages 71–72
Audiocassette 3/CD 5
Workbook, Activities C–D, page 61

2 Presentation

Step 1 Call on students to read the conversation aloud. Call on one pair to read **On va au théâtre?** and another pair to read **Pendant l'entracte.**

Step 2 You can immediately ask the questions from **Activité A** of **Après la conversation,** page 120.

Vocabulary Expansion

dans huit jours = dans une semaine (7 jours + le jour où l'on parle)
dans quinze jours = dans deux semaines

On va au théâtre? 🎧

CORINNE: On joue *Le Bourgeois gentilhomme* à la Comédie-Française ce soir. Tu veux y aller?

BERNARD: Tu rêves! Il n'y aura pas de places! Ça se joue à bureaux fermés depuis trois semaines!

CORINNE: Tu es sûr? Ce n'est pas le genre de pièce qui fait courir tout Paris, pourtant.

BERNARD: Écoute, on peut toujours téléphoner pour voir, mais je suis sûr qu'il n'y aura même pas de places debout.

CORINNE: Et si j'avais des billets, tu viendrais avec moi?

BERNARD: Bien sûr! Tu en as?

CORINNE: Oui, je les ai pris il y a quinze jours, mais je voulais te faire la surprise. Je savais bien que tu voudrais y aller. J'ai deux fauteuils d'orchestre.

CHAPITRE 3

FUN FACTS

- Once upon a time theater tickets were quite inexpensive in France in comparison to the price of tickets in the U.S. Prices, however, have been very much on the increase.
- When being seated in a theater in France by an usher (**l'ouvreuse**), one tips the usher. This is not the case in the U.S.

Paired Activity

Have students work in pairs to make up a conversation about a movie. They can use the conversations on pages 118–119 as a guide.

Conversation

Pendant l'entracte 🎧

CORINNE: Ah! J'adore! Et toi, ça te plaît? Qu'est-ce que tu en penses?

BERNARD: C'est vraiment très drôle. Ce nouveau riche qui veut apprendre les bonnes manières pour se faire aimer d'une marquise… C'est à hurler de rire! Et Roland Bertin est vraiment formidable dans ce rôle.

CORINNE: Oui, il est tout à fait génial en Monsieur Jourdain… Tu veux aller au foyer pour lui dire bonjour?

BERNARD: Non, pas vraiment. Ce qui m'intéresse c'est de voir les comédiens sur scène. C'est leur travail qui est fascinant. Et puis la pièce, bien sûr. Molière n'a pas pris une ride! Des Monsieur Jourdain, il y en a encore partout!

Literature Connection

Jean-Baptiste Poquelin, dit Molière (1622–1673), est un auteur de pièces, mais également un acteur. Il fit ses études chez les Jésuites et se préparait à devenir avocat quand il rencontra Madeleine Béjart qui le persuada de se consacrer au théâtre. Il fonda en 1643 l'Illustre-Théâtre avec Madeleine Béjart, ses frères Joseph et Louis et neuf autres comédiens. Les débuts de la compagnie furent très difficiles. Mais bientôt, ils décident de quitter Paris pour la province où ils reçoivent l'aide de puissants protecteurs. La troupe dont Molière est le chef revient à Paris en 1658 et joue devant le roi. C'est à ce moment que Monsieur, le frère du roi, prit la troupe sous sa protection. À cette époque, Molière écrit *les Précieuses ridicules* qui reçoit un accueil triomphal. La réputation de Molière est établie. Viennent ensuite *L'École des femmes* et *Tartuffe* qui est interdit à la demande de la reine mère. Après la mort de la reine mère, *Tartuffe* est joué et reçoit alors un très grand succès. Autres pièces célèbres de Molière: *Le Médecin malgré lui, L'Avare, Le Misanthrope, Le Bourgeois gentilhomme, Les Femmes savantes,* et enfin *Le Malade imaginaire*. Molière mourut quelques heures seulement après la quatrième représentation de cette pièce.

FUN FACTS

De Louis XIV à la Deuxième Guerre mondiale, le théâtre en France était une sorte de monopole parisien. Deux salles seulement étaient subventionnées par l'État: la Comédie-Française (la maison de Molière) et l'Odéon. Depuis, de nouvelles compagnies se sont créées dans toute la France: Le Grenier de Toulouse, La Comédie de Saint-Étienne, le Théâtre de Villeurbanne pour n'en citer que quelques-unes. Les festivals d'été comme celui d'Avignon créé par Jean Vilar en 1947 se développent dans toute la France.

Après la conversation

A You may wish to go over the questions of **Activité A** orally as soon as the conversation is read once.

B Allow students to look up the information for this activity.

Critical Thinking Activity

Making Judgments, Supporting Statements with Reasons

Bernard dit: «Des Monsieur Jourdain, il y en a encore partout.» Qu'est-ce que cela veut dire? Êtes-vous d'accord? Pourquoi?

Après la conversation

A De quoi parlent-ils? Répondez d'après la conversation.
1. On joue quelle pièce?
2. Où ça?
3. Pourquoi Bernard croit-il qu'il n'y aura pas de places?
4. De quoi est-ce qu'il est sûr?
5. Quelle est la surprise?
6. Quand Corinne a-t-elle pris les billets?
7. Qu'est-ce qu'elle a pris comme places?
8. Qui joue le rôle de Monsieur Jourdain (le bourgeois gentilhomme)?
9. Bernard a-t-il envie d'aller dire bonjour aux comédiens pendant l'entracte?
10. Qu'est-ce qui l'intéresse?
11. Est-ce qu'il trouve que Molière a vieilli?
12. D'après Bernard, est-ce que Monsieur Jourdain est un type d'homme qui a disparu?

B Le compte-rendu de la pièce
Donnez les renseignements suivants.
1. le nom du troupe d'acteurs
2. le nom de la pièce
3. le nom de l'auteur
4. le nom du personnage principal de la pièce
5. le nom de l'acteur qui joue ce rôle
6. tout ce que vous savez sur Monsieur Jourdain

LE BOURGEOIS GENTILHOMME
par la troupe de la Comédie-Française

PRIX DOMINIQUE
meilleure mise en scène de l'année

26 juin/19 juillet

Comédie-Ballet en cinq actes et en prose de Molière. Musique de Jean-Baptiste Lully.
Mise en scène : Jean-Luc Boutté, décor et costumes : Louis Bercut, lumières : Joel Pitte.
Ensemble instrumental sous la direction de Dominique Probst.
Clavecin solo : Michel Frantz, chef de chant : Nicole Fallien, chorégraphie : François Raffinot.
Maître d'armes : François Rostain.
Avec Michel Etcheverry, François Chaumette, François Seigner, Simon Eine, Alain Pralon,
Yves Gasc, Richard Fontana, Roland Bertin, Claude Mathieu, Baptiste Roussillon,
Marie-Armelle Deguy, Muriel Mayette, Thierry Hancisse, Claude Lochy et Christophe Lidon
Location aux guichets de la Comédie-Française et du Théâtre national de l'Odéon.
Tél : 01 43 25 70 32.
Soirée 20 h 30. Dimanche matinée 15 h. Mardi 14 juillet 15 h : matinée exceptionelle.

ANSWERS TO *Après la conversation*

A
1. On joue *Le Bourgeois gentilhomme.*
2. À la Comédie-Française.
3. Parce que la pièce se joue à bureaux fermés depuis trois semaines.
4. Il est sûr qu'il n'y aura même pas de places debout.
5. Corinne a des billets.
6. Elle les a pris il y a quinze jours.
7. Elle a pris deux fauteuils d'orchestre.
8. Roland Bertin.

9. Non, il n'en a pas envie.
10. Ce qui l'intéresse, c'est de voir les comédiens sur scène.
11. Non, il trouve que Molière n'a pas pris une ride.
12. Non, d'après lui, des Monsieur Jourdain, il y en a partout.

B
1. La Comédie-Française.
2. *Le Bourgeois gentilhomme.*
3. Molière.
4. Monsieur Jourdain.
5. Roland Bertin.
6. C'est un nouveau riche qui veut apprendre les bonnes manières pour se faire aimer d'une marquise.

Communication libre

A **Le programme** Vous êtes à Paris avec un(e) ami(e). Vous voulez aller voir une pièce à la Comédie-Française. Regardez le programme ci-contre. Discutez avec votre ami(e) pour décider de quelle pièce vous allez voir. Votre ami(e) aime les pièces sérieuses et vous les comédies. Votre ami(e) aime aussi la musique. Travaillez avec un(e) camarade de classe qui jouera le rôle de l'ami(e).

B **À la location** Maintenant que vous savez quelle pièce vous voulez aller voir et quand, vous allez—seul(e)—à la Comédie-Française pour prendre vos places. Vous êtes à la location et discutez avec l'employé(e). Vous voulez des places à l'orchestre, mais elles sont trop chères. Les places à la corbeille sont moins chères, mais il n'y en a plus. Vous prenez des places au premier balcon. Travaillez avec un(e) camarade qui jouera le rôle de l'employé(e).

C **À l'entracte** Vous et votre ami(e) venez de voir les deux premiers actes de la pièce de votre choix. Demandez à votre ami(e) ce qu'il/elle en pense. Comment il/elle trouve les comédiens, etc. Dites ce que vous en pensez. Proposez-lui d'aller au foyer dire bonjour aux comédiens. Travaillez avec un(e) camarade qui jouera le rôle de l'ami(e).

THÉÂTRE

02 COMÉDIE-FRANÇAISE (892 places), 2, rue de Richelieu (1er) 01.44.58.15.15, 15, M° Palais-Royal. Location de 11h à 18h, 14 jours à l'avance. Pl: 40 à 137 F.

Amour pour amour
de William Congreve. Texte français de Guy Dumur. Mise en scène André Steiger. Avec Catherine Salviat, Dominique Rozan, Claude Mathieu, Guy Michel, Marcel Bozonnet, Louis Arbessier, Nathalie Nerval, Jean-Philippe Puymartin, François Barbin, Thierry Hancisse, Sonia Vollereaux, Pierre Vial, Anne Kessler.
Equivalence, substitution, identité... mais surtout troc, échange de marchandises... Le troc dans cette pièce où l'économie financière joue un rôle de premier plan; installation, confirmation et sanctification de l'idéologie marchande... c'est l'Angleterre des nouveaux trafics commerciaux... l'échange, celui des cœurs et des corps. (Mer 12, 20h30, Lun 17, 20h30.)

La Folle journée ou le Mariage de Figaro
Comédie en 5 actes de Beaumarchais. Mise en scène Antoine Vitez. Ensemble instrumental Dir. Michel Frantz. Avec Catherine Samie, Geneviève Casile, Alain Pralon, Dominique Rozan, Catherine Salviat et Dominique Constanza (en alternance), Richard Fontana, Claude Mathieu, Véronique Vella, Jean-François Rémi, Claude Lochy, Bernard Belin, Jean-Luc Bideau, Loïc Brabant.
Histoire d'une veille de noces agitée où Figaro, Suzanne, Marceline, Chérubin et Basile s'aiment, la Comtesse se dérobe, et le Comte les aime et les veut toutes. Tout l'esprit et la verve de Beaumarchais. (Dim 16, 20h30, Mardi 18, 20h30.)

Le Misanthrope
de Molière. Mise en scène Simon Eine. Avec Simon Eine, François Beaulieu, Nicolas Silberg, Yves Gasc, Martine Chevallier, Véronique Vella, Catherine Sauval.
Alceste hait tous les hommes. Il abomine la société et les conventions hypocrites. Par une singulière contradiction, il aime l'être le plus social, le plus coquet, le plus médisant, la jeune Célimène. Tout finira dans la fuite, cette impuissante médecine du tourment amoureux. (Jeu 13, 20h30.)

L'Avare
Comédie en cinq actes et en prose de Molière. Mise en scène de Jean-Paul Roussillon. Avec Michel Etcheverry, Michel Aumont, Françoise Seigner, Alain Pralon, Dominique Rozan, Véronique Vella, Jean-Paul Moulinot, Jean-François Rémi, Catherine Sauval, Michel Favory, Jean-Pierre Michaël et Tilly Dorville, Armand Eloi, Christine Lidon.
Les obsessions d'Harpagon rejaillissent sur toute sa famille et la perturbe. Il vit aussi un drame: homme mûr, il est amoureux d'une jeune fille et rival de son fils. Un classique. (Sam 15, 20h30, Dim 16, 14h.)

cent vingt et un ✦ 121

Communication libre
Allow students to select the activity or activities they would like to take part in.

Literature Connection

Pierre Augustin Caron de Beaumarchais (1732–1799) a écrit, entre autres, deux pièces qui sont restées très célèbres: *Le Barbier de Séville* (1775) et *Le Mariage de Figaro* (1784). Ces pièces ont inspiré deux opéras, l'un par Rossini, l'autre par Mozart. (Notez qu'en français, l'opéra de Mozart s'intitule *Les Noces de Figaro*.) Le personnage de Figaro incarne le peuple français qui doit lutter contre les abus des privilégiés. Figaro aimerait que soient substituées les hiérarchies de l'intelligence et du mérite à celles de la naissance et de la fortune. Il n'est pas étonnant que Louis XVI ait fait censurer la pièce, tout comme Napoléon et Louis XVIII le feront plus tard.

Independent Practice

Assign any of the following:
1. Activities on pages 120–121
2. Workbook, **Conversation**

ANSWERS TO
Communication libre

A , **B** , **C** *Answers will vary.*

Langage

National Standards

Communication

This section provides opportunities for students to discuss their likes and dislikes.

LES GOÛTS ET LES INTÉRÊTS

1 Preparation

Resource Manager

Audio Activities Booklet TE,
   Activities A–D, pages 72–75
Audiocassette 3/CD 5
Workbook, Activities A–D, page 62
Quiz 3, page 31

Bellringer Review

Write the following on the board or use BRR Transparency 3.4.

1. **Faites une liste des activités qui vous plaisent et dites pourquoi.**
2. **Faites une liste des activités qui vous déplaisent et dites pourquoi.**

2 Presentation

Step 1 Read the explanatory information to the class and call on students to read the model sentences and expressions.

Step 2 Since these are all very useful, high-frequency expressions, insist that students pronounce them with expression and the most accurate intonation possible.

Gestures

Pour exprimer l'excellence et la supériorité, on lève le pouce verticalement et on l'immobilise brusquement à la hauteur de la poitrine. Ce geste peut être accompagné d'un clic sonore.

LES GOÛTS ET LES INTÉRÊTS 🎧

En français, comme en anglais, il y a plusieurs expressions pour exprimer ce que l'on aime.

> J'aime beaucoup le livre que tu m'as donné.
> Il me plaît beaucoup.
> J'ai adoré le film de Spielberg.
> Ça m'a beaucoup plu.

Il y a toujours des raisons pour lesquelles on aime quelque chose. Voici quelques expressions pour décrire ce que l'on aime. Certaines expressions sont en langage courant, d'autres en langage familier.

COURANT	FAMILIER
C'est extraordinaire.	C'est extra.
C'est formidable.	C'est génial.
C'est superbe.	C'est super.
C'est merveilleux.	C'est super chouette.
C'est sesationnel.	C'est sensass.
C'est magnifique.	C'est terrible.
C'est amusant.	C'est rigolo.
C'est vraiment drôle.	C'est vachement marrant.

C'est super!

Si l'on veut dire que quelque chose est intéressant, on dit:

> Je m'intéresse au théâtre.
> Le cinéma m'intéresse beaucoup.
> Ça m'attire beaucoup.
> Ça me passionne.

Il y a d'autres façons de dire que quelque chose vous intéresse. En voici quelques-unes:

> Je trouve ça intéressant.
> Je trouve ça passionnant.
> Je trouve ça fascinant.
> Je trouve ça amusant.
> Je trouve ça marrant.

Et finalement, une expression amusante, qui peut vous aider à exprimer combien vous aimez quelque chose ou quelqu'un: **être dingue de quelque chose/quelqu'un** (*to be crazy about something/somebody*). Mais attention au contexte, car le mot **dingue** peut aussi vouloir dire *crazy*.

Elle est dingue de cette musique.	*She's crazy about this music.*
Ce mec est dingue de cette nana.	*This guy's crazy about (nuts over) that chick.*
Il devient dingue quand il la voit.	*He goes wild every time he sees her.*
Il est dingue, ce mec.	*That guy's crazy (nuts).*
Cette histoire est dingue.	*That story is crazy (unbelievable).*

Communication guidée

 Les goûts Complétez.

1. —Comment as-tu trouvé le film de Spike Lee?
   —Ça m'a beaucoup _____ .
2. —Tu _____ le théâtre?
   —Oui, c'est très chouette. Je voudrais bien en faire.
3. —Ton chien est vraiment adorable.
   —Oui, je sais. Je l'_____ !

LANGAGE

cent vingt-trois ✦ **123**

Langage

Note: Students usually very much enjoy the information about **dingue**, a word that is very commonly used.

3 Practice

Communication guidée
The activities on pages 123–124 can be gone over immediately without any previous preparation.

ANSWERS TO
Communication guidée

1. plu
2. aimes
3. adore

123

3 Practice (continued)

Gestures

Pour indiquer la perfection, on forme un cercle en réunissant le pouce et l'index. De cette façon on donne l'impression de pincer quelque chose de très fin.

B , **C** These activities can be done in groups. Have students use as much expression as possible.

B **C'était vraiment bien.** Refaites le dialogue suivant en employant les expressions indiquées pour remplacer les expressions en italique.

—Tu *as vu ce film?*
—Oui, et j'ai beaucoup aimé.
—Moi aussi. Ça m'a beaucoup plu. J'ai trouvé ça *vraiment bien.*

C'est sensationnel!

1. voir cette pièce/très amusant
2. écouter cette cassette/formidable
3. entendre cette chanson/extraordinaire
4. regarder cette émission/magnifique
5. aller à ce concert/sensationnel
6. aller au match de tennis/superbe
7. lire ce livre/vraiment drôle
8. voir cette exposition d'art moderne/merveilleux

C **C'était vachement chouette.** Refaites l'Activité B en remplaçant les adjectifs par des expressions plus familières. Suivez le modèle.

—Tu *as vu ce film?*
—Oui, et j'ai beaucoup aimé.
—Moi aussi. Ça m'a beaucoup plu. J'ai trouvé ça *vachement chouette.*

D **Opinions** Donnez des réponses personnelles.

1. Le dernier livre que tu as lu, il t'a plu? Pourquoi? Comment l'as-tu trouvé?
2. Le dernier film que tu as vu, il t'a plu? Pourquoi? Comment l'as-tu trouvé?
3. La dernière pièce que tu as vue, elle t'a plu? Pourquoi? Comment l'as-tu trouvée?
4. Le dernier concert que tu as entendu, il t'a plu? Pourquoi? Comment l'as-tu trouvé?
5. Le dernier match que tu as vu, il t'a plu? Pourquoi? Comment l'as-tu trouvé?
6. La dernière exposition de peinture que tu as vue, elle t'a plu? Pourquoi? Comment l'as-tu trouvée?

ANSWERS TO *Communication guidée*

B

1. —Tu as vu cette pièce?
   —Oui, et j'ai beaucoup aimé.
   —Moi aussi. Ça m'a beaucoup plu. J'ai trouvé ça très amusant.
2. —Tu as écouté cette cassette?... /J'ai trouvé ça formidable.
3. —Tu as entendu cette chanson?... /J'ai trouvé ça extraordinaire.
4. —Tu as regardé cette émission?... /J'ai trouvé ça magnifique.
5. —Tu es allé(e) à ce concert?... /J'ai trouvé ça sensationnel.
6. —Tu es allé(e) au match de tennis?... /J'ai trouvé ça superbe.
7. —Tu as lu ce livre?... /J'ai trouvé ça vraiment drôle.
8. —Tu as vu cette exposition d'art moderne?... /J'ai trouvé ça merveilleux.

C

1. ... très rigolo.
2. ... génial.
3. ... extra.
4. ... terrible.
5. ... sensass.
6. ... super.
7. ... vachement marrant.
8. ... super-chouette.

D *Answers will vary.*

E **Enquête** Donnez des réponses personnelles.

1. Parmi les cours que vous suivez cette année, quels sont ceux qui vous intéressent le plus? Pourquoi?
2. Quels événements culturels vous attirent le plus? Pourquoi?
3. Quels sports vous passionnent le plus? Pourquoi?
4. Quels programmes de télévision vous plaisent le plus? Pourquoi?

F **L'amour, toujours** Exprimez en français.

1. *He's crazy and she's crazy too.*
   Il est ＿＿＿ et elle est ＿＿＿.
2. *She's crazy about that guy.*
   Elle est ＿＿＿ de ce mec.
3. *I know. And he flips out every time he sees her.*
   Je sais. Et lui, il devient ＿＿＿ quand il la voit.
4. *The whole thing's nuts. I can't believe it.*
   C'est ＿＿＿, cette histoire! C'est vraiment incroyable!

THEATRE, DANSE, MUSIQUE, MUSIQUES DU MONDE

26ᵉ SAISON

THEATRE DE LA VILLE

LANGAGE

E If it is not too time-consuming, you may wish to have groups conduct surveys.

♻ Recycling

This activity reviews vocabulary concerning school, sports, and TV from **Bon voyage!**, Chapters 2, 10, 11, and 12 of Level 1.

Extension: Have students make up additional sentences using **dingue.**

Independent Practice

Assign any of the following:
1. **Activités A–F** on pages 123–125
2. Workbook, **Langage**

ANSWERS TO
Communication guidée

E *Answers will vary.*

F

1. dingue, dingue
2. dingue
3. dingue
4. dingue

125

LES ANTIPATHIES

1 Presentation

Follow the same suggestions as those given for **Les goûts et les intérêts**.

Note: Students usually enjoy making these negative statements. For this reason you may wish to seize the opportunity and let them be creative and express their opinions on as many different topics as they can.

Gestures

Pour exprimer l'antipathie, on lève les yeux et la main au ciel comme pour le prendre à témoin.

LES ANTIPATHIES 🎧

Pour exprimer ce que l'on n'aime pas, on peut dire:

> Je n'aime pas cette cassette.
> Cette musique ne me plaît pas.
> Je déteste cette musique.
> Elle me déplaît énormément.

Il y a des raisons pour lesquelles on aime certaines choses, et des raisons pour lesquelles on n'en aime pas d'autres.

COURANT	FAMILIER
C'est mauvais.	C'est nul.
C'est affreux.	C'est moche.
C'est ridicule.	C'est tarte.
C'est idiot.	C'est débile.
C'est épouvantable.	C'est infect.

Les mots **épouvantable** et **infect** indiquent la répulsion.

C'est épouvantable!

Il y a de temps en temps des choses que nous ne pouvons pas tolérer ou supporter, pour une raison ou une autre.

> Je ne peux pas supporter cette musique.
> Je ne peux pas supporter cette personne.

Une façon populaire de dire qu'on ne peut pas supporter quelqu'un ou quelque chose est d'utiliser le verbe **sentir:**

> Je ne peux pas sentir ce type.
> Je ne peux pas sentir son arrogance.

Pour exprimer ce qui n'est pas intéressant, on dit:

> Le théâtre ne m'intéresse pas.
> Je trouve ça sans intérêt.
> Je ne trouve pas ça intéressant.

Pour exprimer pourquoi on ne trouve pas ça intéressant, on peut dire:

COURANT	FAMILIER
C'est ennuyeux.	C'est barbant.
C'est embêtant.	C'est rasoir.

C'est rasoir!

Voici quelques expressions qui expriment l'absence d'intérêt:

> Cette musique me laisse froid(e).
> Je ne suis pas fana de cette musique.

Communication guidée

 A **Qu'est-ce que vous en pensez?** Donnez une phrase d'après le modèle.

Cette musique est affreuse. →
Je la déteste.

1. Ce disque est épouvantable.
2. Cette musique est merveilleuse.
3. Cette pièce est vraiment débile.
4. Je trouve cette pièce géniale.
5. Ces livres sont ennuyeux.
6. Je trouve ces livres passionnants.
7. Ce film est super.
8. Je trouve ce film complètement nul.
9. Ce tableau est magnifique.
10. Je trouve ce tableau affreux.

Gestures

Pour exprimer l'ennui, on se frotte plusieurs fois de suite la joue du revers des doigts. On lève souvent en même temps les yeux au ciel. (On fait généralement ce geste à l'insu de la personne ennuyeuse.)

2 Practice

Communication guidée

All these activities can be done without previous preparation.

ANSWERS TO *Communication guidée*

A

1. Je le déteste.
2. Je l'aime beaucoup.
3. Je la déteste.
4. Je l'aime beaucoup.
5. Je les déteste.
6. Je les adore.
7. Je l'aime beaucoup.
8. Je le déteste.
9. Je l'aime beaucoup.
10. Je le déteste.

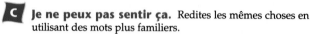

Paired Activity
Have students make lists of their favorite cassettes, rock stars, actors, actresses, films, etc. Now have them work in pairs. Each student will read an entry from his or her list and his or her partner will react using either the positive or negative expressions from the chapter. When they have finished, have them report to the class.

Art Connection

Le musée Picasso a ouvert ses portes récemment. Il est installé dans un ancien hôtel particulier du Marais, un quartier ancien de Paris.

Pablo Ruiz y Picasso (1881–1973) est un peintre, dessinateur, graveur, sculpteur, céramiste espagnol qui a exercé un pouvoir de fascination sur ses contemporains. Il s'installa en 1904 à Paris où il participa à tous les mouvements artistiques qui se succédèrent. Ses œuvres sont très variées, diverses et audacieuses. Il a été le créateur du cubisme, par exemple. Plus que tout autre, il a contribué à libérer l'art des contraintes anciennes.

B Je ne peux pas supporter ça. Faites une phrase avec chacun des mots suivants.

1. affreux
2. idiot
3. épouvantable
4. mauvais
5. ridicule

C Je ne peux pas sentir ça. Redites les mêmes choses en utilisant des mots plus familiers.

D C'est à mourir d'ennui. Complétez.

1. —Je n'aime pas du tout étudier l'histoire.
   —Le passé ne vous intéresse pas?
   —Non, je trouve ça _____.
   —C'est dingue. Moi, au contraire, je trouve ça _____.
2. —Son ami est très gentil, mais le pauvre, il parle beaucoup pour ne rien dire.
   —C'est vrai ce que tu dis. Je le trouve vraiment _____.
   —Il est tellement _____ que j'ai envie de dormir quand il parle.

E Question de style. Exprimez d'une autre façon.

1. Je n'aime pas cette musique.
2. Ce genre de livre me déplaît.
3. Je trouve cet article sans intérêt.
4. Je ne peux pas supporter cet homme.
5. Sa sculpture me laisse froid(e).

FRENCH Online
For more information about cultural activities in the Francophone world, go to the Glencoe French Web site: french.glencoe.com

La musée Picasso à Paris

ANSWERS TO Communication guideé

B *Answers will vary.*

C *Answers will vary but may include:*
1. moche
2. débile
3. infect
4. nul
5. tarte

D *Answers will vary but may include:*
1. ennuyeux, passionnant
2. embêtant, rasoir

E *Answers will vary but may include:*
1. Elle me déplaît.
2. Je n'aime pas ce genre de livre.
3. Cet article ne m'intéresse pas.
4. Je ne peux pas sentir ce type.
5. Je ne suis pas fana de sa sculpture.

Communication libre

A **Vachement chouette, ce film!** Vous et votre ami(e) français(e) venez de voir un film drôle. Votre ami(e) a détesté, mais vous, vous avez adoré. Discutez et donnez chacun(e) vos raisons. Travaillez avec un(e) camarade de classe qui jouera le rôle de l'ami(e).

B **C'est rasoir, cette musique!** Votre ami(e) français(e) vous a emmené(e) à un concert de sa musique favorite. Vous avez détesté. Discutez avec lui/elle, donnez chacun(e) vos raisons. Travaillez avec un(e) camarade qui jouera le rôle de l'ami(e).

C **Quel match sensationnel!** La mère/le père de votre ami(e) français(e) vous a emmené(e) voir un match de votre sport favori. Le match était passionnant. Discutez du match avec la mère/le père de votre ami(e). Dites ce qui vous a plu et pourquoi. Travaillez avec un(e) camarade qui jouera le rôle de la mère/du père de votre ami(e).

D **Van Gogh, j'adore! C'est superbe!** Votre prof de dessin est français(e). Il/Elle vous a emmené(e) voir une exposition de peinture moderne. Discutez avec votre prof des peintres que vous aimez et de ceux que vous n'aimez pas. Et dites pourquoi. Travaillez avec un(e) camarade qui jouera le rôle du prof.

Vincent Van Gogh (1853–1890): *La chambre de Vincent à Arles*

Autoportrait

Communication libre

These activities allow students to work on their own and create situations in which they could find themselves when in a French-speaking country. You may wish to have students select the activity or activities they wish to take part in.

D Before assigning this activity, have students look at the paintings by modern artists on the following pages: Gromaire, page 417; Matisse, page 427.

Literature Connection

🪶 Marcel Pagnol (1895–1974) est un écrivain et auteur dramatique. Il commença par être professeur d'anglais. Il s'inspira de sa vie de professeur pour sa première pièce à succès, Topaze. Le succès de trois de ses pièces, *Marius, Fanny* et *César*, le rendit très populaire. Dans *La Gloire de mon père, Le Château de mon père* et *Le Temps des secrets,* Marcel Pagnol raconte ses souvenirs d'enfance et de jeunesse. La plupart de ses œuvres ont été portées à l'écran avec beaucoup de succès.

Independent Practice

Assign any of the following:
1. Workbook, **Langage**
2. Activities on pages 127–129

ANSWERS TO
Communication libre

A , **B** , **C** , **D** *Answers will vary.*

Art Connection

🎨 Van Gogh s'installe à Arles, dans le sud de la France, en 1888 et ce fut une période intense de création. C'est à Arles que Van Gogh se coupa l'oreille après une violente dispute avec Gauguin.

✓ Assessment

Use these resources at the end of the **Conversation** and **Langage** sections for review and assessment.
Quizzes 2–3
Test Booklet, pages 56–58
ExamView Pro®
Situation Cards

Structure I

1 Preparation

Resource Manager

Workbook, Activities A–F, pages
63–65
Audio Activities Booklet TE,
Activities A–C, pages 75–77
Audiocassette 3/CD 5
Quizzes 4–5, pages 32–33
ExamView Pro®

Bellringer Review

*Write the following on the board or
use BRR Transparency 3.5.*
Récrivez au passé composé.
1. **Je vais voir un bon film.**
2. **Je vois le film au cinéma
Métropole.**
3. **Mes copains m'accompagnent.**
4. **Tout le monde aime le film.**
5. **Il leur fait très plaisir.**

2 Presentation

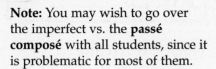

L'imparfait
et le passé
composé ◆◆◆

Note: You may wish to go over
the imperfect vs. the **passé
composé** with all students, since it
is problematic for most of them.

Step 1 Read the explanation to
the students.

Step 2 Call on individuals to
read the model sentences.

Teaching Tip: It is strongly recommended that you not give students the English equivalents for
the imperfect tense. It is hoped
that students will grasp the concept that the imperfect is used to
express an ongoing, continuing
action vs. a completed action. Its
beginning and end points are
unimportant. When students hear

Talking about actions in the past
L'imparfait et le passé composé

1. The decision to use the **passé composé** or the imperfect depends upon
whether you are describing an action or event that took place at a definite
time in the past, or whether you are describing or reminiscing about a
continuous or recurring action in the past.

2. You use the **passé composé** to relate actions or events that began and ended
at a specific time in the past.

> **Je suis sorti(e) hier après-midi.**
> **Je suis allé(e) aux Galeries Lafayette où j'ai acheté des cadeaux.**
> **Ensuite je suis allé(e) au café où j'ai pris une glace.**

3. You use the imperfect to describe a continuous, repeated, or habitual action
in the past. The moment when the action began or ended, or how long it
lasted, is not important.

> **Quand j'étais jeune, je sortais tous les soirs.**
> **J'allais souvent au cinéma.**
> **Je fréquentais les cabarets de Montmartre où chantaient des
> chanteurs célèbres.**

4. Note the verb tenses in the following sentences.

> **Quand il était jeune, il sortait tous les soirs.**
> **Hier soir, il est sorti aussi.**
> **Il rentrait toujours à minuit, mais hier soir il est rentré à onze heures.**

5. Since most mental processes involve duration or
continuance, verbs that deal with mental processes
are most often in the imperfect. Common verbs of
this type are:

savoir	désirer	penser	croire
vouloir	préférer	espérer	pouvoir

> **Je savais qu'il voulait voir ce spectacle.**

Communication guidée

A ~~Historiette~~ **L'année dernière, j'avais beaucoup de temps libre.** Répondez.

1. Qu'est-ce que tu faisais? Tu jouais au foot?
2. Et hier, tu as joué au foot?
3. Ton équipe gagnait toujours, l'année dernière?
4. Et hier, ton équipe a encore gagné?
5. Peyre a marqué le dernier but?
6. L'année dernière aussi, il marquait souvent le dernier but, n'est-ce pas?
7. Il avait toujours de la chance?
8. Hier, le gardien de but n'a pas bloqué le ballon?
9. Il n'a pas vu le ballon?

B **Qu'est-ce qu'ils faisaient?** Choisissez.
1. Marie sortait avec son fiancé _____.
   a. tous les soirs   **b.** hier soir
2. Ils sont allés au cinéma _____.
   a. tous les vendredis   **b.** vendredi soir
3. _____, ils faisaient une petite excursion au bord de la mer.
   a. Samedi dernier   **b.** Tous les samedis
4. _____, ils allaient à Saint-Malo.
   a. Une fois   **b.** De temps en temps
5. Ils y nageaient _____.
   a. une fois   **b.** souvent
6. _____ qu'ils y sont allés, ils n'ont pas pu aller nager parce qu'il faisait très mauvais temps.
   a. Chaque fois   **b.** La dernière fois

C ~~Historiette~~ **Il allait toujours à la Martinique.** Répondez.

1. Est-ce que Serge faisait un voyage à la Martinique tous les hivers?
2. Il allait à la Martinique en avion?
3. Et l'hiver dernier, il a fait un voyage à la Martinique?
4. Est-ce qu'il rendait visite à sa famille, chaque fois qu'il allait à la Martinique?
5. Et la dernière fois qu'il y est allé, est-ce qu'il a rendu visite à sa famille?
6. Quand il était à la Martinique, sa famille l'accompagnait toujours à la plage?
7. Ils nageaient dans la mer des Caraïbes?
8. Est-ce que Serge s'amusait chaque fois qu'il allait à la Martinique?
9. Et la dernière fois qu'il y est allé, il s'est bien amusé?

Une Martiniquaise en costume traditionnel

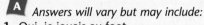

Structure I

that *used to* is an English equivalent of the imperfect, it confuses them and interferes with the concept. *Used to* implies *but no longer*, suggesting an end at a given point.

3 Practice

Paired Activities
Have students do the following activities in pairs:
1. **Travaillez avec un(e) camarade. Parlez de tout ce que vous aimiez faire et n'aimiez pas faire quand vous étiez jeunes. Décidez si vous aviez les mêmes goûts.**
2. **Travaillez avec un(e) camarade. Dites-lui tout ce qui s'est passé et tout ce que vous avez vu et fait ce matin en venant à l'école.**

Independent Practice
Assign any of the following:
1. Activities on this page
2. Workbook, **Structure I**

Answers to Communication guidée

A *Answers will vary but may include:*
1. Oui, je jouais au foot.
2. Oui, j'ai joué au foot.
3. Oui, mon équipe gagnait toujours l'année dernière.
4. Oui, hier mon équipe a encore gagné.
5. Oui, Peyre a marqué le dernier but.
6. Oui, l'année dernière aussi, il marquait souvent le dernier but.
7. Oui, il avait toujours de la chance.
8. Non, hier le gardien de but n'a pas bloqué le ballon.

9. Non, il n'a pas vu le ballon.

B
1. a
2. b
3. b
4. b
5. b
6. b

C *Answers will vary but may include:*
1. Oui, il faisait un voyage à la Martinique tous les hivers.

2. Oui, il y allait en avion.
3. Oui, l'hiver dernier il a fait un voyage à la Martinique.
4. Oui, il rendait visite à sa famille chaque fois qu'il y allait.
5. Oui, la dernière fois qu'il y est allé il a rendu visite à sa famille.
6. Oui, quand il y était, sa famille l'accompagnait toujours à la plage.
7. Oui, ils nageaient dans la mer des Caraïbes.
8. Oui, il s'amusait chaque fois qu'il y allait.
9. Oui, la dernière fois qu'il y est allé il s'est bien amusé.

Structure I

1 Preparation

Bellringer Review

Write the following on the board or use BRR Transparency 3.6.

Décrivez votre frère ou votre sœur. Si vous n'avez ni frère, ni sœur, décrivez un(e) cousin(e) ou un(e) ami(e).

2 Presentation

Le comparatif et le superlatif ◆◆

Step 1 Give the students a few minutes to read the charts silently.

Step 2 Then call on individuals to read the model sentences. This is the type of grammar point that students learn better through examples than explanations.

Comparing people or things
Le comparatif et le superlatif

1. Review the comparative of adjectives:

	Comparative	Adjective	Comparative	
Il est	plus moins aussi	amusant	que	moi.

2. Now, study the comparative of adverbs, verbs, and nouns:

	Comparative	Adverb	Comparative	
Il sort	plus moins aussi	souvent	que	moi.

Verb	Comparative		
Il s'amuse	plus moins autant	que	moi.

	Comparative	Noun	Comparative	
Il voit	plus de moins de autant de	films	que	moi.

3. Review the superlative of adjectives:

	Superlative		Adjective	
Il est	le		amusant	
Elle est	la	plus	amusante	de la classe.
Ils sont	les	moins	amusants	
Elles sont	les		amusantes	

Note that in the superlative construction, an adjective that usually precedes the noun can either precede it or follow it.

C'est le plus beau (garçon) de la classe.
C'est (le garçon) le plus beau de la classe.

4. Now, study the superlative of adverbs, verbs, and nouns:

		Superlative	Adverb
C'est lui qui sort	le	plus moins	souvent.

		Verb	Superlative
C'est lui qui		s'amuse	le plus. moins.

		Superlative	Noun
C'est lui qui voit	le	plus de moins de	films.

5. Remember that **bon** and **bien** have irregular forms in the comparative and superlative.

	Comparative	Superlative
bon	meilleur(e)	le (la) (les) meilleur(e)(s)
bien	mieux	le mieux

Jean est meilleur joueur que nous.
C'est le meilleur joueur de l'équipe.
Il joue mieux que personne.
C'est lui qui joue le mieux.

Structure I

3 Practice

Communication guidée
These activities can be done without previous preparation.

Independent Practice
Assign any of the following:
1. Activities on this page
2. Workbook, **Structure I**

✓ Assessment

Use these resources at the end of the **Structure I** section for review and assessment.
Quizzes 4–5
Test Booklet, pages 59–61
ExamView Pro®

Communication guidée

A **Il n'y a pas de comparaison!**
Comparez Christophe et Philippe.

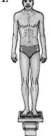 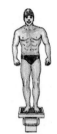

1.

Christophe   Philippe

2.
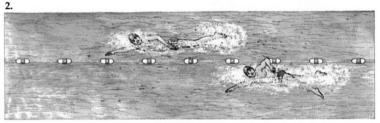

3.

B **Sondage** Donnez des réponses personnelles.

1. Qui est le plus amusant de la classe?
2. Qui est la plus amusante de la classe?
3. Qui est le plus sportif de la classe?
4. Qui est la plus sportive de la classe?
5. Qui est le plus fana de cinéma?
6. Qui est la plus fana de cinéma?
7. Qui est le meilleur élève de la classe?
8. Qui est la meilleure élève de la classe?
9. De tous les joueurs de l'équipe de football, qui joue le mieux?
10. De toutes les joueuses de l'équipe de basket-ball, qui joue le mieux?
11. Qui marque le plus de buts au football? Au basket-ball?
12. Qui parle le plus facilement en classe de français?

ANSWERS TO Communication guidée

A *Answers will vary but may include the following:*
1. Christophe est plus grand que Philippe. (Philippe est moins grand/plus petit que Christophe.)
2. Christophe nage plus vite que Philippe. (Christophe est meilleur nageur que Philippe./Philippe nage moins vite que Christophe.)

3. Philippe est plus populaire que Christophe. (Christophe est moins populaire que Philippe.)

B *Answers will vary.*

Journalisme

LES NATIVE

Introduction

Les Native, Laura et Chris, sont deux chanteuses très appréciées en France et ailleurs. Ce sont deux sœurs d'origine guadeloupéenne. Même si elles sont les reines[1] du funk français, elles ont une base classique très solide. Nous allons faire connaissance grâce à une interview publiée par l'hebdomadaire suisse *l'Illustré*.

_____
[1] reines *queens*

Vocabulaire

une choriste

une musicienne

Les deux filles enregistrent leur premier album.

un but un objectif
divers différents, plusieurs
retenu timide

parfois quelquefois, de temps en temps
bien s'entendre se comprendre

Communication guidée

Historiette **Deux sœurs** Complétez.

1. Une _____ joue d'un instrument et une _____ chante.
2. Il n'y a pas de problème entre les deux sœurs. Elles _____ très bien.
3. Elles ne voyagent pas toujours ensemble, mais _____ oui.
4. Elles ont le même _____: elles veulent être musiciennes.
5. Elles ont eu du succès. Elles vont _____ leur premier album.
6. La plus jeune n'est pas _____; elle est extravertie.

ANSWERS TO **Communication guidée**

1. musicienne, choriste
2. s'entendent
3. parfois
4. but
5. enregistrer
6. retenue

LES NATIVE

1 Preparation

Resource Manager

Vocabulary Transparency 3.4
Audio Activities Booklet TE,
  Activity A, page 78
Audiocassette 3/CD 6
Workbook, Activities A–B, page 66
Quiz 6, page 34
ExamView Pro®

2 Presentation

Introduction

Step 1 In case students don't get the meaning of **ailleurs** and **hebdomadaire,** you can give the following definitions:

ailleurs: en un autre lieu, dans des autres pays

hebdomadaire: un magazine qui sort chaque semaine

Step 2 You may wish to ask the following questions: **Qui sont les Native? Elles sont d'où? Qu'est-ce que le funk? Quel magazine a publié cette interview des Native?**

Vocabulaire

Step 1 Have students repeat each new vocabulary item aloud.

Step 2 You may have more able students make up original sentences using the new words.

3 Practice

Additional Practice

You may wish to have students reword the following sentences.
Il faut toujours avoir <u>un objectif</u>.
Elle est assez <u>timide</u>.
Elle a chanté dans <u>plusieurs</u> pays.
Elle vient <u>quelquefois</u> aux États-Unis.
Elles <u>s'entendent</u> bien.

135

INTERVIEW DE SOPHIE WINTELER POUR *L'ILLUSTRÉ* ◆◆

National Standards

Cultures
Students learn about two popular French rhythm-and-blues singers.

Connections
This reading establishes a connection with the field of music.

1 Preparation

Resource Manager

Audio Activities Booklet TE, Activity B, pages 78–79
Audiocassette 3/CD 6
Workbook, Activities C–E, pages 66–67

2 Presentation

Step 1 Call on one student to read the question and another to give the response.

Step 2 As students read you may want to intersperse questions from **Activité A** in the **Après la lecture** section.

About the French Language

You may wish to explain to students that although the inverted question word order is not common in spoken French today, the inversion is used in interviews and surveys. ❖

Interview de Sophie Winteler pour *l'Illustré*

LES NATIVE

Pourquoi n'avez-vous pas mis un «s» à Native?
Laura: Native est un terme générique qui résume les différentes cultures que nous avons rencontrées tout au long de notre parcours[1]: musique anglo-saxonne, africaine, japonaise… Ce n'est pas un adjectif, il est normal qu'il s'écrive au singulier.

Depuis quel âge vouliez-vous être chanteuses?
Laura: Je suis devenue chanteuse par nécessité. À la base, j'étais musicienne, mais à l'époque, il n'y avait pas de travail pour les filles musiciennes.
Chris: Chanter était un loisir, je n'ai donc pas eu de déclic[2] particulier. C'est le prolongement naturel de ma passion.

Êtes-vous d'une famille de musiciens?
Chris: Notre père et notre frère jouent de la guitare, mais pas de façon professionnelle.

Pourquoi avec de telles voix, autant de feeling et de talent, ne vous découvre-t-on qu'aujourd'hui? Quels ont été vos débuts dans le métier?
Laura: Notre premier album est en fait sorti il y a quelques années et il a eu un grand succès en France et en Suisse. Nous ne sommes donc pas des découvertes… Quant au parcours, nous avons appris le piano et le chant classique au conservatoire. Puis nous avons travaillé comme choristes pour divers artistes avant de nous décider à enregistrer notre premier album.

Quelle est la grande différence entre vous?
Laura: Je suis plus extravertie et Chris plus retenue.

Comment gérez-vous la rivalité et la jalousie qui peuvent exister entre deux sœurs?
Chris: Il n'y a ni rivalité ni jalousie. Nous avons deux personnalités et des goûts très différents.

Pourriez-vous envisager[3] de mener des carrières en solo?
Chris: Nous ne sentons aucune obligation l'une envers l'autre, donc pourquoi pas… Cela dit, si nous travaillons ensemble, c'est avant tout parce que nous nous entendons bien et que nos buts sont communs. Si nous n'avions pas été deux, nous aurions fait ce métier, mais probablement pas en tant qu'artiste interprète.

Partez-vous ensemble en vacances?
Laura: Parfois mais, Dieu merci, nous ne sommes pas siamoises et il nous arrive de partir chacune de notre côté.

Quelle serait pour vous une journée de rêve?
Laura: Il fait beau et on part à Los Angeles enregistrer notre prochain album!

Pensez-vous qu'une chanson a plus de poids qu'un discours[4]?
Chris: Une chanson est une manière plus poétique de faire passer un message. Tout dépend de ceux à qui vous vous adressez. Le public est peut-être plus sensible aux chansons qu'aux discours.

---

[1] parcours *professional life*
[2] déclic *trigger*
[3] envisager *consider*
[4] discours *speech*

Après la lecture

A **Historiette** **Les Native** Répondez.
1. Pourquoi Laura est-elle devenue chanteuse?
2. Qu'est-ce que «chanter» pour Chris?
3. Est-ce que les deux sœurs viennent d'une famille de musiciens professionnels?
4. Est-ce que les deux sœurs viennent d'être découvertes?
5. De quel instrument jouent-elles?
6. Où ont-elles fait des études de musique?
7. Qu'est-ce qu'elles ont fait avant d'enregistrer leur premier album?

B **Laura et Chris** Suivez les instructions.
1. Décrivez la personnalité de chacune des deux sœurs.
2. Expliquez pourquoi les deux sœurs écrivent Native sans «s».
3. Dites pourquoi les deux sœurs travaillent ensemble.
4. Pourquoi Chris préfère-t-elle une chanson à un discours?

Les Native

Communication libre

Des chanteurs Comparez les Native avec un groupe de chanteurs américains que vous connaissez.

Post–reading

Project
Have students make up a similar interview pretending that they are interviewing Venus and Serena Williams for a French magazine. They may have to do a little research on the Internet to determine how the Williams sisters would most probably answer.

Independent Practice
Assign any of the following:
1. Activities on this page
2. Workbook, **Journalisme**

✓ Assessment
Use these resources after completing **Les Native** for review and assessment.
Quiz 6
Test Booklet, pages 62–63
ExamView Pro®

ANSWERS TO *Après la lecture*

A
1. Elle est devenue chanteuse par nécessité, parce qu'il n'y avait pas de travail pour les musiciennes.
2. Pour Chris, chanter est un loisir.
3. Non.
4. Non. Leur premier album a eu du succès il y a quelques années.
5. Elles jouent du piano.
6. Elles ont fait des études de musique au conservatoire.
7. Elles ont travaillé comme choristes.

B
1. Laura est plus extravertie, et Chris plus retenue.
2. Parce que ce n'est pas un adjectif.
3. Elles travaillent ensemble parce qu'elles s'entendent bien et parce que leurs buts sont communs.
4. Parce que le public est plus sensible aux chansons qu'aux discours.

ANSWERS TO *Communication libre*

Answers will vary.

Journalisme

LA SURFEUSE ET LE COUREUR

1 Preparation

Bellringer Review

*Write the following on the board or
use BRR Transparency 3.7.*
**Faites une liste de toutes les
activités d'été que vous
connaissez.**

2 Presentation

Introduction

Have students read the
Introduction silently. Have them
look for the information that will
enable them to answer the question about the title.

Vocabulaire

Step 1 Have students repeat each
new word twice in unison after
you.

Step 2 Have students read the
new words and definitions aloud.

LA SURFEUSE ET LE COUREUR

Introduction

Brigitte Giménez est championne du monde
de surf. Au cours d'une interview pour le
magazine *Vital*, elle parle des trois lieux qu'elle
préfère en France pour faire du surf. Ces trois
lieux se trouvent près de Marseille.

Thierry Pantel est coureur. Il a participé à un
cross *(cross-country race)*, organisé par le journal
Le Figaro, dans le bois de Boulogne, à Paris.
C'est à vous de décider pourquoi le titre dit
qu'il a gagné «dans la tempête».

Vocabulaire

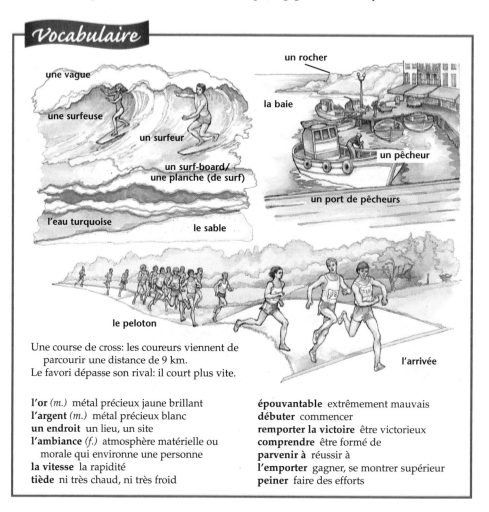

Une course de cross: les coureurs viennent de
  parcourir une distance de 9 km.
Le favori dépasse son rival: il court plus vite.

l'or *(m.)* métal précieux jaune brillant
l'argent *(m.)* métal précieux blanc
un endroit un lieu, un site
l'ambiance *(f.)* atmosphère matérielle ou
  morale qui environne une personne
la vitesse la rapidité
tiède ni très chaud, ni très froid

épouvantable extrêmement mauvais
débuter commencer
remporter la victoire être victorieux
comprendre être formé de
parvenir à réussir à
l'emporter gagner, se montrer supérieur
peiner faire des efforts

Journalisme

Communication guidée

A **Historiette** **Un bon endroit pour faire du surf** Répondez d'après les indications.

1. De quelle couleur est l'eau de cette baie? (turquoise)
2. Est-ce que la mer est calme? (non, vagues)
3. Est-ce que le vent est froid, chaud ou tiède? (tiède)
4. Qu'est-ce qu'il y a sur la plage? (sable, rochers)
5. C'est un port, ce petit village? (oui, pêcheurs)
6. Une championne débute ou pas? (non)
7. Qu'est-ce que les surfeurs et les coureurs aiment toujours? (vitesse)
8. Pourquoi la surfeuse aime-t-elle cet endroit? (joli, ambiance accueillante)

B **Quel est le mot?** Trouvez le mot qui correspond à la définition donnée ici.

1. accomplir un trajet déterminé
2. l'endroit, lieu où termine la course
3. celui qui court
4. un groupe de concurrents dans une course
5. métaux précieux
6. être formé de, inclure
7. laisser quelqu'un derrière soi
8. faire des efforts
9. réussir à
10. se montrer supérieur
11. horrible
12. l'atmosphère matérielle

C **Le coureur** Complétez.

Il a __1__ une distance de 14 kilomètres. Pendant le deuxième tour, il a beaucoup __2__ pour __3__ à __4__ le __5__ de concurrents. C'est lui qui a passé la ligne d' __6__ le premier. Il l'a __7__ sur ses rivaux. Il a __8__ la __9__. Il a reçu une coupe en argent et une médaille en __10__.

Step 3 You may wish to ask the following questions about the vocabulary: **Faut-il avoir de grosses vagues pour faire du surf? Est-ce que les surfeurs aiment la vitesse? Est-ce que les petits bateaux des pêcheurs sont dans le port? Il y a combien de coureurs dans le peloton? Le peloton comprend combien de coureurs? Les coureurs ont parcouru quelle distance? Tu préfères un endroit où il y a beaucoup d'ambiance? Tu préfères nager dans l'eau chaude, froide ou tiède? Tu préfères les bijoux en or ou en argent? Pour être bon surfeur ou bonne surfeuse, faut-il débuter quand on est très jeune? Est-ce que le favori est parvenu à dépasser son rival? Est-ce qu'il a remporté la victoire?**

3 Practice

Communication guidée

A This activity can be done without previous preparation.

B, **C** These activities should be prepared first and then gone over in class.

Independent Practice

Assign any of the following:
1. Activities on this page
2. Workbook, **Journalisme**

ANSWERS TO Communication guidée

A

1. Elle est turquoise.
2. Non, il y a des vagues.
3. Il est tiède.
4. Il y a du sable et des rochers.
5. Oui, c'est un port de pêcheurs.
6. Non, une championne ne débute pas.
7. Ils aiment toujours la vitesse.
8. Elle aime cet endroit parce qu'il est joli, et parce que l'ambiance est accueillante.

B

1. parcourir
2. l'arrivée
3. le coureur
4. un peloton
5. l'or et l'argent
6. comprendre
7. dépasser
8. peiner
9. parvenir à
10. l'emporter
11. épouvantable
12. l'ambiance

C

1. parcouru
2. peiné
3. parvenir
4. dépasser
5. peloton
6. arrivée
7. emporté
8. remporté
9. victoire
10. or

139

Journalisme

National Standards

Communication

In this section students read a magazine article about a world-class French female surfer and a newspaper article about a French champion distance runner. They also discuss their own favorite sports.

1 Preparation

Resource Manager

Audio Activities Booklet TE, Activity E, pages 80–81
Audiocassette 3/CD 6
Workbook, Activities C–E, page 69

2 Presentation

TROIS SPOTS D'OR POUR UNE SURFEUSE D'ARGENT ◆◆

As you are going over this selection, you can intersperse the questions from **Après la lecture Activité A,** page 142.

↻ Recycling

Have students review weather expressions.

Geography Connection

 Have students locate Marseille on the map on page xxiii. Ask them what body of water Marseille is on. Find out if they are surprised that Brigitte Giménez surfs in the Mediterranean and why. Now have them locate Bayonne on the Atlantic coast. Saint-Jean-de-Luz and Biarritz, two towns not far from Bayonne, are very popular surfing locations in France.

TROIS SPOTS D'OR
POUR UNE SURFEUSE D'ARGENT

Dans la mythologie du surf, le «surfeur d'argent» est le Dieu[1] de la vague. Brigitte Giménez, championne du monde, a le vent pour maître et la mer comme univers. *Vital* est allé lui demander quels étaient ses trois lieux préférés— ses trois spots, en langage de surfeur—là où elle existe le plus fort. Dans les plaisirs les plus extrêmes. Sable blanc, vitesse, eaux turquoises la grisent[2] pour sa plus grande volupté.

«En France, l'endroit que j'aime le plus est celui où j'ai débuté, au Grau-du-Roi, près de Marseille. C'est la baie idéale: quelle que soit l'orientation du vent, il ramène[3] vers la plage. J'ai navigué là plusieurs années et j'y ai donné des cours. C'est le meilleur coin[4] pour débuter en surf-board car il est sécurisant. En plus, c'est un petit port de pêcheurs, l'ambiance y est sympa, pas «frime[5]».

L'hiver, il y a toujours des vagues pour s'entraîner[6]. L'été, juste une brise tiède de quinze nœuds[7], condition idéale pour les néophytes[8].

Pour faire de la vitesse, j'aime bien les Saintes-Maries-de-la-Mer et Carro, qui sont aussi près de chez moi (Brigitte habite Istres, près de Fos-sur-Mer). Mais à Carro, il faut avoir un bon niveau[9], c'est plein d'oursins[10] et de rochers.

Bizarrement, je connais plus de spots à l'étranger, parce qu'il est plus agréable de faire du surf au soleil, dans l'eau chaude et sans combinaison[11].

Brigitte Giménez: une championne solaire, marine et féminine.

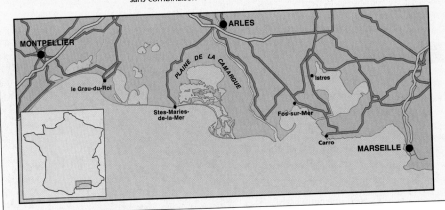

[1] Dieu *God*
[2] grisent *carry away*
[3] ramène *brings (one) back*
[4] coin *spot*
[5] frime *phony*
[6] s'entraîner *to practice on*
[7] nœuds *knots*
[8] néophytes *beginners*
[9] avoir un bon niveau *to be experienced*
[10] oursins *sea urchins*
[11] combinaison *wetsuit*

Group Activity
Have students work in small groups and make up a story about a day at the beach.

CROSS DU «FIGARO»

THIERRY PANTEL
GAGNE DANS LA TEMPÊTE

En dépit de[1] conditions atmosphériques épouvantables, Thierry Pantel a remporté le cross du «Figaro» avec une facilité déconcertante, hier, au bois de Boulogne. Parcourant une distance réduite par rapport à l'an dernier, de 12 km à 9 km, en 28´33, il a distancé Mohamed Ezzher, son plus sérieux rival, de 24 secondes.

De mémoire de promeneur du dimanche, on n'avait vu un temps pareil: ciel d'encre[2], pluie diluvienne[3], tonnerre[4] et même grêle[5]. C'est tout juste si Pantel a été gêné[6].

«Je m'étais dit que je devais rester avec les autres pendant les deux premiers des trois tours. Mais c'était plus fort que moi…» Il est parti dès le premier kilomètre. Après le premier tour, il avait déjà une avance confortable sur Antonio Martins et Kamel Bouhaloufa. Ezzher suivait plus loin encore, dans ce qui restait d'un petit peloton comprenant, notamment, Cyrille Laventure, Bruno Le Stum et Bertrand Itsweire.

Dans le deuxième tour, Ezzher parvint à se replacer en seconde position, tandis que[7] Pantel faisait toujours la course en tête. Bien en ligne, la foulée[8] ample, il augmentait son avance. Pantel était si sûr de sa victoire qu'il termina, trempé[9] et crotté[10], en marchant.

Chez les femmes, c'est Farida Fates qui l'a emporté devant Marie-Pierre Duros. Cette dernière, qui a visiblement peiné pour trouver la bonne allure[11], retrouva le bon rythme pour dépasser Jacqueline Étiemble puis Odile Ohier dans la longue ligne droite conduisant à l'arrivée. Mais Farida Fates, qu'elle a pourtant battue cet été dans le 1.500 mètres des championnats de France, était hors de portée[12].

---

[1] en dépit de *in spite of*
[2] ciel d'encre *ink-black sky*
[3] pluie diluvienne *torrential rain*
[4] tonnerre *thunder*
[5] grêle *hail*
[6] gêné *bothered*
[7] tandis que *while*
[8] la foulée *stride*
[9] trempé *soaked*
[10] crotté *covered with mud*
[11] la bonne allure *the right pace*
[12] hors de portée *out of reach*

THIERRY PANTEL GAGNE DANS LA TEMPÊTE ◆◆

Step 1 To vary the procedure for presentation, you may have students look at **Après la lecture Activité B,** page 142, to determine what information they should look for. Then have them read the selection silently to find the information. Or, you can read the article aloud as students follow along to find the information.

Step 2 Have students give their answers to **Après la lecture Activité B.**

Step 3 **Paraphrasing:** Have students paraphrase the following: **Parcourant une distance réduite, il a distancé son plus sérieux rival, Mohamed Ezzher, de 24 secondes. Je devais rester avec les autres pendant les deux premiers des trois tours. Après le premier tour il avait déjà une avance confortable sur Antonio Martins et Kamel Bouhaloufa. Pantel faisait toujours la course en tête. Elle a visiblement peiné pour trouver la bonne allure.**

Step 4 Have students scan the selection once again to find all expressions related to weather.

✓ Assessment

As an informal assessment, you may wish to have one or two students give a brief review of Thierry Pantel's race in their own words.

Après la lecture

A **Historiette** **La surfeuse** Répondez d'après le texte.
1. Comment la surfeuse s'appelle-t-elle?
2. Où a-t-elle commencé à faire du surf?
3. Pourquoi le Grau-du-Roi est-il l'endroit qu'elle aime le plus?
4. Qu'est-ce qu'elle y a fait?
5. Qu'est-ce qu'il y a au Grau-du-Roi en hiver?
6. Quel endroit aime-t-elle pour faire de la vitesse?
7. Où habite Brigitte?
8. Pourquoi faut-il un bon niveau à Carro?
9. Où est-ce que Brigitte préfère faire du surf: en France ou à l'étranger? Pourquoi?

B **La course** Donnez les renseignements suivants.
1. où la course a eu lieu
2. la distance que Pantel a parcouru
3. en combien de minutes il l'a parcourue
4. le nom de son plus sérieux rival
5. quand il s'est détaché des autres coureurs
6. à quel moment de la course il avait déjà une avance confortable
7. qui a gagné chez les femmes

C **Synonymes** Exprimez d'une autre façon ce qui est en italique.
1. L'ambiance y est *agréable*.
2. C'est idéal pour les *débutants*.
3. Pour *aller très vite*, j'aime bien les Saintes-Maries-de-la-Mer.
4. Il faut *être bon surfeur*.
5. *Malgré* les conditions épouvantables, il a très bien couru.
6. Il y avait un ciel *noir*.
7. On a eu une pluie *torrentielle*.

Communication libre

 L'endroit idéal pour le surf Connaissez-vous un endroit idéal pour faire du surf aux États-Unis? Expliquez à vos camarades pourquoi c'est un bon endroit. Si vous ne savez pas, faites des recherches.

 Nouvelles sportives Voici des nouvelles sportives récentes qui ont paru dans le journal français *Le Figaro*. Lisez-les et parlez de celles qui vous intéressent avec un(e) camarade de classe.

En bref

FOOTBALL

Balog, le «Bosman bis»

La Cour européenne de justice se penche à partir d'aujourd'hui (arrêt rendu au plus tôt dans six mois) sur l'affaire Balog (du nom d'un joueur hongrois). L'arrêt Bosman, qui garantit la liberté des footballeurs en fin de contrat (sans le versement d'une indemnité de transfert), n'est pour l'heure valable que pour les ressortissants de l'Union européenne. L'affaire «Tibor Balog» pourrait amener la Cour européenne de justice à estimer que le système d'indemnités de transferts appliqué par la fédération internationale n'est pas compatible avec les règles européennes de concurrence.

Violence: l'Italie inquiète

L'Italie est de plus en plus inquiète face à la violence croissante dans son football. La consternation régnait hier après l'incident de Côme. Francesco Bertolotti, frappé d'un coup de poing au visage dans les vestiaires par le capitaine de Côme Massimiliano Ferigno, dimanche, était toujours dans le coma hier. L'agresseur risque une radiation à vie du football par sa fédération.

TENNIS

Safin se détache

Après son succès dans le Masters Series de Paris, le Russe Marat Safin s'envole au classement du championnat mondial ATP. Le classement: 1. Safin (Rus) 784 pts ; 2. Kuerten (Bré) 709 ; 3. Sampras (E-U) 637 ; 4. Norman (Suè) 622 ; 5. Kafelnikov (Rus) 558 ;... 8. Agassi (E-U) 453 ;... 11. Philippoussis (Aus) 373 ; 16. Pioline (Fra) 304 ; 17. Clément (Fra) 272...

Davenport et Seles font équipe

Les Etats-Unis (privées des sœurs Williams) confient à Lindsay Davenport et Monica Seles le soin de conserver la Fed Cup, cette semaine à Las Vegas. L'Espagne rencontre la République tchèque aujourd'hui et les Etats-Unis la Belgique, demain, en demi-finales, en trois matches (deux simples et un double). La finale aura lieu vendredi et samedi, en cinq matches (quatre simples croisés et un double).

McEnroe démissionne

John McEnroe, mécontent notamment du calendrier et du format de la Coupe Davis, a démissionné hier des fonctions de capitaine de l'équipe des Etats-Unis qu'il occupait depuis treize mois. Aucun successeur n'a été désigné mais les noms de Patrick McEnroe, son frère cadet, de Paul Annacone et de Jim Courier ont été avancés.

CYCLISME

Memory Card en crise

L'équipe danoise Memory Card, qui compte le Français Laurent Jalabert, traverse une grave crise financière, après la perte de son capital propre et l'impossibilité de son directeur Bjarne Riis de payer les salaires attendus le 1er décembre. L'équipe, menacée de faillite, doit trouver rapidement un nouveau sponsor lui procurant quelque 15 millions de couronnes (environ 13 millions de francs).

 Journalisme

Independent Practice

Assign any of the following:
1. Activities on pages 142–143
2. Workbook, **Journalisme**

✓ Assessment

Use these resources after completing **La surfeuse et le coureur** for review and assessment.
  Quiz 7
  Test Booklet, pages 64–66
  ExamView Pro®
  Situation Cards

ANSWERS TO Communication libre

A, **B** *Answers will vary.*

1 Preparation

Resource Manager

Workbook, Activities A–I, pages
  70–72
Audio Activities Booklet TE,
  Activities A–C, pages 86–87
Audiocassette 3/CD 6
Quizzes 8–11, pages 36–39
ExamView Pro®

2 Presentation

Le subjonctif après les expressions d'émotion ◆◆

Read the expressions in Item 1 and have a student pantomime or gesture to convey the meaning of each expression.

3 Practice

Additional Practice

Quelle est votre réaction aux situations suivantes?
1. Votre ami(e) ne vous accompagne pas au cinéma.
2. Votre prof vous donne une très mauvaise note.
3. Votre copain ne peut pas vous aider.
4. Votre meilleur(e) ami(e) ne vient pas vous voir.

Class Motivator

You may want to play the advanced subjunctive game presented in the **Class Motivator** on page 93 using a new set of cards with the expressions of emotion from this structure topic.

Hint: Use the same teams in order to encourage competition and group spirit.

Expressing emotional reactions to the actions of others

Le subjonctif après les expressions d'émotion

1. The subjunctive is used in clauses introduced by **que** that follow a verb or expression reflecting any type of emotion. Some such expressions are:

être content(e)	regretter
être heureux (-se)	craindre
être triste	avoir peur
être désolé(e)	c'est dommage
être fâché(e)	c'est malheureux
être furieux (-se)	
être surpris(e)	
être étonné(e)	

2. Study the following examples:

> **Pierre n'est pas là.**
> **Françoise est contente qu'il ne soit pas là.**
> **Moi, je suis triste qu'il ne soit pas là.**

The subjunctive is used because the information in the dependent clause is very subjective. What makes one person happy makes another sad.

Communication guidée

A **Tu es content ou triste?** Répondez.

1. Tu es content(e) que Michel vienne te rendre visite?
2. Tu es surpris(e) qu'il veuille faire le voyage?
3. Il est content que tu aies des billets pour le théâtre?
4. Tu es un peu étonné(e) qu'il soit dingue de théâtre?
5. Tu regrettes qu'il n'y ait plus de places pour le concert de rock?

B **Historiette** **Je le regrette.** Complétez.

1. Je regrette que son père _____ malade. (être)
2. Mais je suis content(e) qu'il _____ mieux. (aller)
3. C'est dommage qu'il ne _____ pas aller au concert avec nous. (pouvoir)
4. Tout le monde est étonné que je n'en _____ rien. (savoir)
5. Je suis surpris(e) que vous n'en _____ rien non plus. (savoir)

ANSWERS TO **Communication guidée**

A

1. Oui (Non), je (ne) suis (pas) content(e) que Michel vienne me rendre visite.
2. Oui (Non), je (ne) suis (pas) surpris(e) qu'il veuille faire le voyage.
3. Oui (Non), il (n')est (pas) content que j'aie des billets pour le théâtre.
4. Oui (Non), je (ne) suis (pas) un peu étonné(e) qu'il soit dingue du théâtre.
5. Oui (Non), je (ne) regrette (pas) qu'il n'y ait plus de places pour le concert de rock.

B
1. soit
2. aille
3. puisse
4. sache
5. sachiez

Expressing certainty or uncertainty
Le subjonctif dans les propositions relatives

1. A relative clause is one that modifies a noun. If a relative clause modifies a noun that refers to a specific, definite person or thing, the indicative is used in the clause.

    Je connais quelqu'un qui connaît bien la langue française.

2. If, however, the relative clause modifies a noun that refers to an indefinite person or thing, the subjunctive is used in the clause.

    Je cherche quelqu'un qui connaisse bien la langue française.

    The subjunctive indicates uncertainty as to whether the person or thing in question exists or not.

Communication guidée

 On cherche un programmeur ou une programmeuse. Suivez le modèle.

savoir faire fonctionner cet ordinateur →
Monsieur Leblanc cherche quelqu'un qui sache faire fonctionner cet ordinateur.
Madame Mendras connaît quelqu'un qui sait faire fonctionner cet ordinateur.

1. savoir parler français
2. pouvoir travailler huit heures par jour
3. avoir une formation en informatique
4. connaître plusieurs modèles d'ordinateurs
5. faire de la programmation
6. avoir au moins deux ans d'expérience
7. être libre de voyager
8. être libre de suite

1 Preparation

Bellringer Review

Write the following on the board or use BRR Transparency 3.8.
Complétez chaque phrase.
1. Je lis ___.
2. J'écris ___.
3. Je vois ___.
4. J'entends ___.
5. J'écoute ___.
6. Je veux ___.
7. Je cherche ___.
8. Je connais ___.
9. J'ai besoin de (d') ___.
10. J'ai ___.

2 Presentation

Le subjonctif dans les propositions relatives ◆◆

After reading the explanation with the students, have them give as many completions to the following sentences as possible:
Je cherche des amis qui ___.
Je voudrais trouver quelqu'un qui ___.
L'entreprise a besoin d'un individu qui ___.
J'ai des amis qui ___.
J'ai trouvé quelqu'un qui ___.

3 Practice

Independent Practice

Assign any of the following:
1. Activity on this page
2. Workbook, **Structure II**

ANSWERS TO
Communication guidée

1. Monsieur Leblanc cherche quelqu'un qui sache parler français. Madame Mendras connaît quelqu'un qui sait parler français.
2. … puisse travailler huit heures par jour./… peut travailler…
3. … ait une formation en informatique./… a…
4. … connaisse plusieurs modèles d'ordinateurs./… connaît…
5. … fasse de la programmation./ … fait…
6. … ait au moins deux ans d'expérience./… a…
7. … soit libre de voyager./… est…
8. … soit libre de suite./… est…

Structure II

Structure II

1 Preparation

Bellringer Review

Write the following on the board or use BRR Transparency 3.9.
Répondez.
1. Qui est le meilleur élève de la classe de français?
2. Qui est le meilleur joueur de foot de votre école?
3. Quel est votre cours le plus intéressant ce semestre?
4. Quelle est la plus grande ville de votre état?

2 Presentation

Le subjonctif après un superlatif ◆◆

Call on individuals to read the model sentences aloud.

3 Practice

Group Activity
Have students work together in small groups. Each member of each group makes up a very exaggerated statement. Each group chooses the most farfetched one to present to the class.

Independent Practice

Assign any of the following:
1. Activity on this page
2. Workbook, **Structure II**

Expressing uniqueness
Le subjonctif après un superlatif

The subjunctive is also used in a relative clause that modifies a superlative, negative, or restrictive statement, since the information in the clause is very subjective. It is based on the speaker's opinion or emotion rather than reality.

> **C'est le meilleur livre que je connaisse.**
> **Il n'y a personne qui puisse jouer de la guitare comme lui.**
> **C'est la seule personne qui sache le faire.**

La salle de l'Opéra de Paris (Palais Garnier)

Une représentation de l'opéra de Lully *Atys* (1676)

Communication guidée

Le seul? Complétez.

1. C'est le seul cinéma qui _____ un grand écran. (avoir)
2. Paul est la seule personne qui _____ ce qui est arrivé. (savoir)
3. Il n'y a personne d'autre qui _____ le faire. (pouvoir)
4. Malheureusement, c'est la seule personne qui me _____. (comprendre)
5. Il n'y a rien que tu _____ me dire pour me faire changer d'avis. (pouvoir)
6. C'est vraiment le meilleur livre que je _____. (connaître)
7. C'est le seul opéra qui lui _____. (plaire)
8. Il n'y a aucun chanteur qui _____ chanter ce rôle comme lui. (pouvoir)

ANSWERS TO
Communication guidée

1. ait
2. sache
3. puisse
4. comprenne
5. puisses
6. connaisse
7. plaise
8. puisse

Expressing opinions about past events
Le passé du subjonctif

1. To express opinions about past events, one uses the past subjunctive.

   Je souhaite qu'il ait fait un bon voyage.
   Je suis très content qu'ils soient arrivés à l'heure.
   C'est le meilleur livre que j'aie jamais lu.

2. The past subjunctive is formed by using the present subjunctive of the helping verb **avoir** or **être** and the past participle of the verb.

PARLER		ARRIVER	
que j'	aie parlé	que je	sois arrivé(e)
que tu	aies parlé	que tu	sois arrivé(e)
qu'il	ait parlé	qu'il	soit arrivé
qu'elle	ait parlé	qu'elle	soit arrivée
que nous	ayons parlé	que nous	soyons arrivé(e)s
que vous	ayez parlé	que vous	soyez arrivé(e)(s)
qu'ils	aient parlé	qu'ils	soient arrivés
qu'elles	aient parlé	qu'elles	soient arrivées

Communication guidée

A **Historiette** **Un vol raté** Répondez.

1. Tu regrettes qu'elle ne soit pas arrivée?
2. Tu es désolé(e) qu'elle ait raté son vol?
3. Tu es surpris(e) qu'elle ne soit pas arrivée à l'aéroport à l'heure?
4. Tu as peur qu'il n'y ait plus de vols aujourd'hui?

B **Historiette** **Une possibilité** Complétez.

1. J'ai peur qu'il _____ hier. (téléphoner)
2. Il est possible qu'il _____ quand tu n'étais pas chez toi. (venir)
3. Il se peut qu'il _____ sans laisser de message. (partir)
4. Je suis surpris que tu n'_____ pas _____ ses parents. (appeler)
5. Il est possible qu'ils _____ en vacances. (partir)

C **C'était super!** Donnez des réponses personnelles.

1. Quel est le meilleur livre que tu aies jamais lu?
2. Quel est le meilleur film que tu aies jamais vu?
3. Quelle est la plus belle actrice que tu aies jamais vue?
4. Quelle est la plus belle chanson que tu aies jamais entendue?
5. Quel est le spectacle le plus intéressant que tu aies jamais vu?

STRUCTURE II   *cent quarante-sept* ❖ 147

ANSWERS TO Communication guidée

A

1. Oui, je regrette qu'elle ne soit pas arrivée.
2. Oui, je suis désolé(e) qu'elle ait raté son vol.
3. Oui, je suis surpris(e) qu'elle ne soit pas arrivée à l'aéroport à l'heure.
4. Oui, j'ai peur qu'il n'y ait plus de vols aujourd'hui.

B

1. ait téléphoné
2. soit venu
3. soit parti
4. aies appelé
5. soient partis

C
Answers will vary.

Structure II

1 Preparation

Bellringer Review

Write the following on the board or use BRR Transparency 3.10.
Écrivez les verbes suivants au passé composé. Utilisez les personnes suivantes: je, ils.
parler
finir
voir
lire
aller
sortir

2 Presentation

Le passé du subjonctif

Step 1 Have students read the example sentences in Item 1 aloud.

Step 2 Write the verb paradigms on the board and have the students repeat.

Step 3 Call on individuals to read the model sentences aloud.

3 Practice

Communication guidée

These activities can all be done without previous preparation.

A **B**, Extension: After going over these activities, call on one individual to give all the information in his or her own words.

Assessment

Use these resources at the end of the **Structure II** section for review and assessment.
   Quizzes 8–11
   Test Booklet, pages 67–69
   ExamView Pro®

Les feuilles mortes

1 Preparation

Resource Manager

Vocabulary Transparencies 3.6–3.7
Audio Activities Booklet TE,
  Activity A, page 88
Audiocassette 3/CD 6
Workbook, Activities A–B, page 73
Quiz 12, page 40
ExamView Pro®

Bellringer Review

Write the following on the board or use BRR Transparency 3.11.
Faites une liste des mots que vous connaissez qui ont quelque chose à voir avec la musique.

2 Presentation

Avant la lecture

Have students describe the illustrations. Ask them to say what emotions they associate with a deserted beach and the fall.

Vocabulaire

Step 1 Have students repeat the new words and expressions after you or Audiocassette 3/CD 6.

Step 2 Explain to students that the illustration of the singer on page 149 looks very much like Édith Piaf and that she used this stance a great deal when singing.

Step 3 You may wish to ask students the following questions about the illustration on page 149: **Qui chante? Qu'est-ce qu'elle chante? Où est-ce qu'elle chante?**

Littérature

Les feuilles mortes — Jacques Prévert

Avant la lecture

Vous allez lire un poème qui a été mis en musique et est devenu une chanson très célèbre. En lisant ce poème, pensez aux questions suivantes: Qui parle? À qui? Ils sont ensemble?

Vocabulaire

Les feuilles tombent. On les ramasse à la pelle.

La chanteuse chante une chanson dans un cabaret.

fidèle qui manifeste un attachement constant, une fidélité constante
se souvenir rappeler, revenir en mémoire, le contraire d'oublier

remercier dire merci, exprimer sa gratitude
effacer faire disparaître, causer la disparition

Communication guidée

A **Le bord de la mer en automne** Répondez.

1. Est-ce que la mer a des vagues?
2. Y a-t-il du sable sur la plage?
3. Il y a des pas sur le sable?
4. Est-ce que la mer efface les pas?
5. Quand les feuilles tombent, on les ramasse comment?

B **Familles de mots** Choisissez le mot qui correspond.

1. se souvenir
2. chanter
3. fidèle
4. remercier
5. oublier
6. disparaître
7. attacher

a. une chanson
b. un attachement
c. l'oubli
d. un souvenir
e. une disparition
f. merci
g. la fidélité

C **Historiette Une chanteuse de cabaret** Complétez.

1. La _____ travaille dans un cabaret.
2. Elle chante une _____ populaire.
3. Son public l'applaudit. La chanteuse a un public _____.
4. Elle _____ son public.
5. Elle n'_____ jamais les goûts de son public. Elle s'en _____ toujours.

Step 4 You may wish to ask the following questions as you go over the definitions: **Est-ce que ses fans se souviennent de ses concerts? Est-ce que le public remerciait la chanteuse en l'applaudissant? Est-ce qu'elle a toujours eu un public fidèle? Est-il facile d'effacer le souvenir d'une telle chanteuse?**

Additional Practice

La chanson, la poésie: Choisissez des chansons et des poèmes qui vous plaisent et qui plairont à vos élèves. Écoutez ces chansons et faites lire les paroles comme des poèmes. Faites lire les poèmes à haute voix. Vous pouvez même demander aux élèves d'en apprendre un par cœur. Vous pouvez finir par la création en commun d'un poème.

3 Practice

Communication guidée

All of these activities can be done with or without previous presentation.

B **Note:** The purpose of this exercise is to increase students' receptive vocabulary.

Independent Practice

Assign any of the following:
1. Activities on this page
2. Workbook, **Littérature**

ANSWERS TO Communication guidée

A
1. Oui, la mer a des vagues.
2. Oui, il y a du sable sur la plage.
3. Oui, il y a des pas sur le sable.
4. Oui, la mer efface les pas.
5. Quand les feuilles tombent, on les ramasse à la pelle.

B
1. d
2. a
3. g
4. f
5. c
6. e
7. b

C
1. chanteuse
2. chanson
3. fidèle
4. remercie
5. oublie, souvient

149

Littérature

National Standards

Cultures
Students learn about the history and impact of music in French popular culture.

Connections
This section establishes a connection with the fields of music and literature.

1 Preparation

Resource Manager

Audio Activities Booklet TE,
  Activities C–D, pages 89–90
Audiocassette 3/CD 6
Workbook, Activities C–F, pages
  74–75

2 Presentation

Introduction

Step 1 Explain to students that the French song has had a long tradition. A popular pastime in France was to go to a cabaret where the patrons joined in singing. The songs dealt with all kinds of topics—faits divers, amour, etc. Many songs today deal with politics and social issues. Tell students they will now read about the history of French song.

Step 2 It is suggested that you call on students to read this selection aloud. After one student has read one or two short paragraphs you may wish to ask some of the following comprehension questions: **Quand la chanson française a-t-elle commencé? Que faisaient les troubadours et les trouvères au Moyen Âge? Où chantaient-ils? Où se réunissaient les gens au XVIIIe siècle? Et au XIXe siècle? Où se trouvaient beaucoup de cabarets? Qu'est-ce que «les Folies-Bergère»? Quand le**

Introduction

La chanson française a commencé il y a très longtemps.

Au Moyen Âge, les troubadours et les trouvères allaient de ville en ville et chantaient l'amour et la guerre *(war)*. Ils chantaient dans les rues et dans les fêtes.

Au XVIIIe siècle, les gens se réunissaient dans des cafés appelés «caveaux» pour écouter des chansons.

Au XIXe siècle, le «cabaret» a remplacé le caveau. Les plus fameux des cabarets se trouvaient à Montmartre, un quartier de Paris où les gens aimaient aller le soir.

Ensuite, il y a eu les grands music-halls, dont certains, comme «les Folies-Bergère», existent toujours.

En 1877, le phonographe est inventé, et vers 1900, le disque fait son apparition. Après cela, il n'est plus nécessaire d'aller dans un cabaret ou un music-hall pour écouter des chansons. On peut le faire chez soi.

Édith Piaf (1915-1963)

Après la Deuxième Guerre mondiale, la chanson française, c'est Édith Piaf. «La môme Piaf» *(The kid sparrow)*, comme on l'appelle, est née sur le trottoir, à Belleville, un quartier pauvre de Paris. Née dans la rue, elle a d'abord chanté dans la rue. «Mon conservatoire, c'est la rue», disait-elle. Piaf était une chanteuse populaire. Elle n'avait pas de public particulier. Elle chantait pour tous. Toute petite et toujours habillée d'une petite robe noire, elle chantait d'une voix forte et profonde. Elle chantait la vie, la mort, l'amour, la gaieté. Elle chantait aussi la pauvreté qu'elle connaissait si bien.

Yves Montand (1921-1991)

Yves Montand est un autre chanteur célèbre de l'après-guerre. Il est né en Italie en 1921. Il est arrivé tout jeune en France. Il a commencé sa carrière en chantant des chansons de cow-boy. Puis, il a eu la chance de rencontrer Édith Piaf qui lui a donné des conseils et l'a lancé dans le monde de la chanson. Ensuite, Yves Montand a rencontré quelqu'un qui allait changer son répertoire en l'orientant vers la chanson poétique—le poète, Jacques Prévert. Montand a commencé à chanter des poèmes de Prévert, mis en musique par Joseph Kosma.

Les feuilles mortes est la plus célèbre de ces chansons poétiques. Chantée par Yves Montand, mais aussi par Édith Piaf, cette chanson a aussi été chantée par des chanteurs de tous les pays du monde, dans toutes les langues du monde!

phonographe a-t-il été inventé? Quand le disque a-t-il fait son apparition? Pourquoi n'est-il plus nécessaire d'aller dans un cabaret ou un music-hall?

Édith Piaf
Quand Édith Piaf était-elle extrêmement populaire? Où est-elle née? Où a-t-elle chanté? Qu'est-ce qu'elle a dit? Pourquoi? Pour qui chantait-elle? Comment était-elle toujours habillée? Comment était sa voix? Que chantait-elle?

Yves Montand
Où est né Yves Montand? Quand est-il allé en France? Comment a-t-il commencé sa carrière? Qui a changé son répertoire? Comment? Qu'est-ce que Les feuilles mortes? Qui l'a chantée?

Littérature

Lecture ◆◆◆

Step 1 If possible, play a recording of this song by either Édith Piaf or Yves Montand.

Step 2 Read the song aloud to the class or play Audiocassette 3 or CD 6. The first time, have students listen only. The second time, have them open their books and follow along.

Step 3 Give the students a few minutes to read the poem silently.

Step 4 With more able groups, you may wish to ask the analytical questions in **Literary Analysis** at the bottom of this page.

Literature Connection

Jacques Prévert, né près de Paris en 1900, reste toute sa vie attaché sentimentalement à Paris et à la région parisienne. Après des études primaires médiocres, il travaille dès l'âge de quinze ans. Prévert exerce ses talents dans des domaines très variés. De 1932 à 1936, il écrit des textes pour le groupe Octobre, groupe de théâtre ouvrier inspiré par les idées de gauche.

Il collabore comme dialoguiste avec les meilleurs metteurs en scène de cinéma. Il écrit de nombreux scénarios pour le réalisateur Marcel Carné: *Quai des Brumes* (1938), *Le Jour se lève* (1939), *Les Visiteurs du Soir* (1942), *Les Enfants du Paradis* (1943). Prévert a également écrit des chansons pour des chanteurs de music-hall et de cabaret. En 1946, ses poèmes sont réunis dans *Paroles* et rencontrent un très grand succès. Dans ses poèmes, Prévert s'attaque à tout ce qui empêche l'homme d'être libre. Son style, plein d'humour, familier et simple, appartient à la tradition de la poésie orale.

Dans la célèbre chanson *Les feuilles mortes,* Prévert évoque le souvenir d'un amour passé.

152

Littérature

Lecture 🎧
Les feuilles mortes

Oh! Je voudrais tant que tu te souviennes
des jours heureux où nous étions amis
En ce temps-là la vie était plus belle
et le soleil plus brûlant° qu'aujourd'hui
Les feuilles mortes se ramassent à la pelle…
Tu vois je n'ai pas oublié
Les feuilles mortes se ramassent à la pelle
les souvenirs et les regrets aussi
et le vent du nord les emporte°
dans la nuit froide de l'oubli°
Tu vois je n'ai pas oublié
la chanson que tu me chantais

C'est une chanson qui nous ressemble
Toi tu m'aimais
et je t'aimais
Et nous vivions tous deux ensemble
toi qui m'aimais
et que j'aimais
Mais la vie sépare ceux qui s'aiment
tout doucement
sans faire de bruit
et la mer efface sur le sable
les pas des amants° désunis…

Mais mon amour silencieux et fidèle
sourit toujours et remercie la vie
Je t'aimais tant tu étais si jolie
Comment veux-tu que je t'oublie
En ce temps-là la vie était plus belle
et le soleil plus brûlant qu'aujourd'hui
Tu étais ma plus douce amie°…
Mais je n'ai que faire des regrets
Et la chanson que tu chantais
toujours toujours je l'entendrai

C'est une chanson qui nous ressemble
Toi tu m'aimais
et je t'aimais
Et nous vivions tous deux ensemble
toi qui m'aimais
et que j'aimais
Mais la vie sépare ceux qui s'aiment
tout doucement
sans faire de bruit
et la mer efface sur le sable
les pas des amants désunis

plus brûlant *hotter*

les emporte *sweeps them away*
oubli *oblivion*

amants *lovers*

plus douce amie *sweetest love*

Jacques Prévert, *Les feuilles mortes,* © Enoch Cie

CHAPITRE 3

Literary Analysis

1. Donnez un titre aux différentes parties de cette chanson.
2. Relevez dans le texte de cette chanson ce qui montre qu'il s'agit d'un souvenir.
3. Relevez les vers qui indiquent que, pour l'auteur, le passé est plus beau que le présent.
4. Faites la liste des éléments qui montrent la tristesse de celui qui parle.

A Qu'est-ce qui se passe? Répondez d'après la lecture.

1. Qui est «tu» dans «Oh! Je voudrais tant que *tu* te souviennes»?
2. Comment étaient les jours quand les amants étaient ensemble?
3. Comment était la vie?
4. Comment était le soleil?
5. Que fait le vent du nord?
6. Qu'est-ce que le poète n'a pas oublié?
7. Qu'est-ce que la vie sépare?
8. Que fait la mer?
9. Qui a fait les pas sur le sable?

B De quoi s'agit-il? Analysez.

1. Quelles sont les émotions que cette chanson évoque?
2. À qui le poète parle-t-il?
3. Où est-elle? Pourquoi sont-ils séparés?
4. Qu'est-ce qu'il n'oubliera jamais?
5. Pourquoi?
6. Pourquoi le poète a-t-il donné le titre *Les feuilles mortes* à ce poème?

C L'amour et le temps Expliquez.

1. *Les feuilles mortes se ramassent à la pelle
les souvenirs et les regrets aussi
et le vent du nord les emporte
dans la nuit froide de l'oubli*

2. *Mais la vie sépare ceux qui s'aiment
tout doucement
sans faire de bruit
et la mer efface sur le sable
les pas des amants désunis*

Communication libre

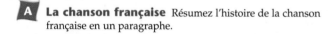

A **La chanson française** Résumez l'histoire de la chanson française en un paragraphe.

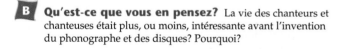

B **Qu'est-ce que vous en pensez?** La vie des chanteurs et chanteuses était plus, ou moins, intéressante avant l'invention du phonographe et des disques? Pourquoi?

C **La musique que vous aimez** Si la musique vous intéresse, préparez un exposé sur l'histoire de votre musique favorite.

Post-reading

Après la lecture

Go over all the activities orally.

Communication libre
Allow students to take part in the activity or activities that interest them.

Group Activity
Have students work in groups:
Les amants de cette chanson ne sont plus ensemble. Imaginez les raisons qui les ont séparés.

Informal Assessment
Have students share their reactions to *Les feuilles mortes*. This can be done as a class or in groups.

✓ Assessment

Use these resources after completing the *Les feuilles mortes* reading for review and assessment.
  Quiz 12
  Test Booklet, pages 70–73
  ExamView Pro®

Use these resources after completing Chapter 3.
  Quizzes
  Test Booklet: Comprehensive Chapter Test, Listening Comprehension Test
  ExamView Pro®
  Situation Cards
  Marathon Mental Videoquiz

ANSWERS TO Après la lecture

A *Answers will vary but may include:*
1. La femme aimée (l'amie du poète).
2. Les jours étaient heureux.
3. La vie était plus belle.
4. Le soleil était plus brûlant qu'aujourd'hui.
5. Le vent du nord emporte les souvenirs et les regrets.
6. Le poète n'a pas oublié la chanson que son amie lui chantait.
7. La vie sépare ceux qui s'aiment.
8. La mer efface les pas.
9. Les amants.

B, C *Answers will vary.*

ANSWERS TO Communication libre

 *Answers will vary.*

Planning for Chapter 4

SCOPE AND SEQUENCE PAGES 154–213

Topics

* European Union
* Comparing French and American character traits
* Ecological issues

Culture/Literature

Culture

* History of the European Union
* Nomads in the Sahara

Literature

* *Gens du Pays*
* *La dernière classe*

Functions

* Expressing personal impressions, opinions, and reactions
* Identifying cities, countries, and continents
* Referring to places already mentioned
* Expressing what you and others will do

National Standards

* Communication Standard 1.1 pages 163, 167, 169, 174, 177, 181, 187, 197, 200
* Communication Standard 1.2 pages 158, 162, 167, 174, 181, 186, 195, 204, 212
* Communication Standard 1.3 pages 163, 169, 177, 181, 187, 195, 200, 204, 213
* Cultures Standard 2.1 pages 159–161, 191–194, 203, 208–212
* Connections Standard 3.1 pages 159–161, 180, 185, 188, 191–194, 203, 207–212, 213
* Connections Standard 3.2 pages 208–212
* Comparisons Standard 4.1 page 173
* Comparisons Standard 4.2 page 163

Structure

* Prepositions with geographic names
* Pronoun **y**
* Future tense
* Future perfect tense
* Imperfect with **depuis**

Timesaving Teacher Tools

ite Interactive Teacher Edition
Imagine having your Teacher's Edition and all resources on a CD-ROM. Click on a resource and it appears on your screen, ready to be printed, sorted, or planned.

Interactive Lesson Planner
The Interactive Lesson Planner CD-ROM helps you organize your lesson plans for a week, month, semester, or year. Look at this planning tool for easy access to your Chapter 4 resources.

ExamView Pro®
Test Bank software for Macintosh and Windows makes creating, editing, customizing, and printing tests quick and easy.

Technology Resources

FRENCH Online
In the **Bon voyage!** Level 3 Internet activity, you will have a chance to learn more about language, culture, history, geography, and current events in the Francophone world. Visit <u>french.glencoe.com</u>

NATIONAL GEOGRAPHIC SOCIETY
See the National Geographic Teacher's Corner on pages 104–105, 214–215, 310–311, 428–429 for reference to additional technology resources.

Bon voyage! Video Program
Bon voyage! Video and Video Activities Booklet, Chapter 4.

DIFFICULTY LEVELS

Each reading selection in **Culture, Journalisme,** and **Littérature,** each **Conversation,** and each structure topic is rated below according to difficulty level to assist you in planning.

◆ Easy ◆◆ Intermediate ◆◆◆ Difficult

Please note that the material in **Bon voyage!** does not get progressively more difficult. Within each chapter there are easy and difficult sections. The overall rating for this chapter is: ◆◆ Intermediate.

SECTION	DIFFICULTY LEVEL
Culture	
L'Union européenne	
L'histoire de l'Union européenne	◆◆
Conversation	
Américains et Français	◆
Structure I	
Les prépositions avec des noms géographiques	◆◆
Le pronom **y**	◆◆◆
Le futur	◆
Journalisme	
L'écologie	
Pour comprendre l'écologie	◆◆
La protection des animaux	
Ces animaux en danger de mort	◆◆
Les Touaregs	
Les hommes bleus	◆◆
Structure II	
Le futur antérieur	◆◆
Le futur et le futur antérieur avec **quand**	◆◆◆
Le présent et l'imparfait avec **depuis**	◆◆◆
Littérature	
Gens du Pays	◆◆
La dernière classe	◆◆

Using Your Resources for Chapter 4

RESOURCE GUIDE

SECTION	PAGES	SECTION RESOURCES
Culture		
L'Union européenne *L'histoire de l'Union européenne*	156–163	Vocabulary Transparency 4.1 Audiocassette 4/CD 7 Audio Activities Booklet TE, pages 96–97 Workbook, pages 83–84 Quiz 1, page 41 Chapter Section Test, pages 76–78
Conversation		
Américains et Français Semblables ou pas?	164–167 166	Vocabulary Transparency 4.2 Audiocassette 4/CD 7 Audio Activities Booklet TE, pages 97–99 Workbook, page 85 Quiz 2, page 42
Langage		
Impressions personnelles	168–169	Audiocassette 4/CD 7 Audio Activities Booklet TE, pages 99–100 Workbook, page 86 Quiz 3, page 43 Chapter Section Test, pages 79–80
Structure I		
Les prépositions avec des noms géographiques Le pronom **y** Le futur	170–172 173–174 175–177	Audiocassette 4/CD 7 Audio Activities Booklet TE, pages 100–102 Workbook, pages 87–91 Quizzes 4–6, pages 44–46 Chapter Section Test, pages 81–83

CHAPITRE 4

Preview

In this chapter, students will deal with the important and subjective topic of patriotism. They will also explore several national "traits," some of which may be real, others stereotypical. This chapter also deals with the desire of many Europeans for European unification and the founding of the European Union. Given the variety of opinions that can arise when discussing such topics, students will learn to express their personal opinions about and impressions of people, events, etc.

In this chapter students will also read magazine articles about pollution, endangered species, and a threatened African tribe, the Tuaregs. They will also read two literary selections with patriotic themes.

National Standards

Communication
Students will learn various ways of expressing their personal impressions of events. They will also learn how to express their reactions to the opinions of others.

Cultures
Students will delve further into the customs and character traits of the French. They will also learn how the French view Americans.

Comparisons
Students will compare French and American customs and character traits.

Connections
This chapter establishes a connection with the fields of economics, geography, history, zoology, and literature.

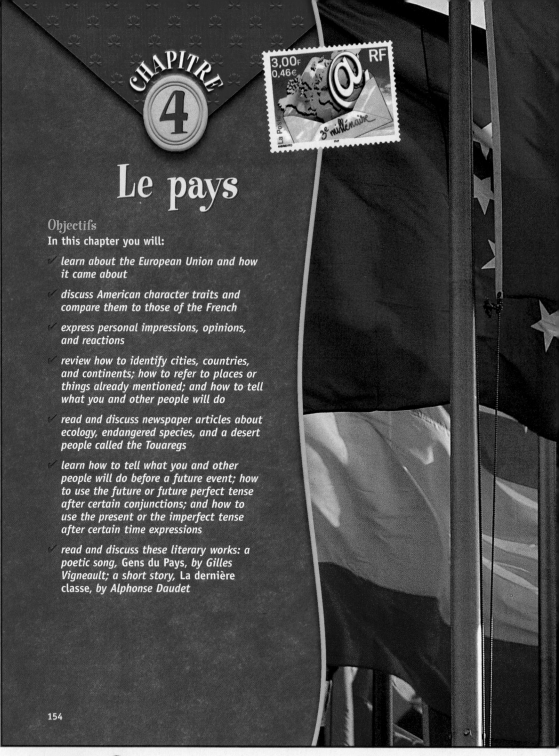

CHAPITRE 4

Le pays

Objectifs
In this chapter you will:

✓ learn about the European Union and how it came about

✓ discuss American character traits and compare them to those of the French

✓ express personal impressions, opinions, and reactions

✓ review how to identify cities, countries, and continents; how to refer to places or things already mentioned; and how to tell what you and other people will do

✓ read and discuss newspaper articles about ecology, endangered species, and a desert people called the Touaregs

✓ learn how to tell what you and other people will do before a future event; how to use the future or future perfect tense after certain conjunctions; and how to use the present or the imperfect tense after certain time expressions

✓ read and discuss these literary works: a poetic song, Gens du Pays, by Gilles Vigneault; a short story, La dernière classe, by Alphonse Daudet

154

FRENCH Online

The **Glencoe World Language Web site** (**french.glencoe.com**) offers several options for you and your students to experience the French-speaking world via the Internet:

• The online **Activités** are correlated to the chapters and utilize Francophone Web sites around the world

• Games and puzzles afford students another opportunity to practice the material learned in a particular chapter.

• The *Enrichment* section offers students an opportunity to visit Web sites related to the theme of the chapter for more information on a particular topic.

• Online *Chapter Quizzes* offer students an opportunity to prepare for a chapter test.

• Visit our virtual **Café** for more opportunities to practice and explore the French-speaking world.

cent cinquante-cinq ✦ 155

Chapter Projects

L'Union européenne Divisez la classe en 15 groupes. Attribuez à chaque groupe un pays de l'Union européenne. Chaque groupe doit présenter «son» pays au reste de la classe: géographie, population, histoire, économie, langues, etc.

Américains et Français Utilisez des journaux, des publicités et des magazines américains et français pour faire un exposé ou une brochure montrant l'influence des États-Unis sur la France et vice versa.

L'écologie Demandez aux élèves de préparer un exposé sur les problèmes écologiques auxquels doivent faire face divers pays ou régions francophones. Faites-leur écrire une lettre à un groupe écologique afin d'obtenir des renseignements sur les moyens d'éliminer, ou du moins de réduire ces problèmes.

L'UNION EUROPÉENNE

Culture

L'UNION EUROPÉENNE

1 Preparation

Resource Manager

Vocabulary Transparency 4.1
Audio Activities Booklet TE, Activity
 A, page 96
Audiocassette 4/CD 7
Workbook, Activity A, page 83
Quiz 1, page 41
ExamView Pro®

Bellringer Review

*Write the following on the board or
use BRR Transparency 4.1.*
**Faites une liste de tous les pays
européens que vous connaissez.
Donnez-en aussi la capitale, si
possible.**

2 Presentation

Introduction

Step 1 Have students look at the
map and familiarize themselves
with the names of these European
countries and their capitals.

Step 2 Have students read the
Introduction silently. Ask them:
**Quelle comparaison établit-on
entre les États-Unis du passé et
l'Europe d'aujourd'hui?** Call on a
student to respond.

Step 3 Ask students: **Quelle
différence majeure y a-t-il entre
les États-Unis et les pays
d'Europe? Pourquoi cette
différence est-elle importante?**

Introduction

Les États-Unis se sont construits petit à petit,
en ajoutant état après état. C'est un peu ce qui
se passe en Europe actuellement avec l'Union
européenne (UE), qui comprend maintenant
quinze pays.

La grande différence est que les pays
d'Europe, contrairement aux états américains,
ne sont pas des états nouveaux et sans passé,
mais des pays qui ont des centaines, sinon des
milliers, d'années d'histoire derrière eux.

CHAPITRE 4

Vocabulary Expansion

You may wish to tell students (or
remind them) that **actuellement**
means *currently, at the present
time.* In Chapter 2, the word
l'actualité *(current events)* was
introduced.

Paired Activity

Have students work in pairs. Ask them to
study the map for several minutes. Then, have
them take turns quizzing each other on the
capitals of the countries in the European Union:
Quelle est la capital de la France?, etc.

Vocabulaire

la guerre

une arme

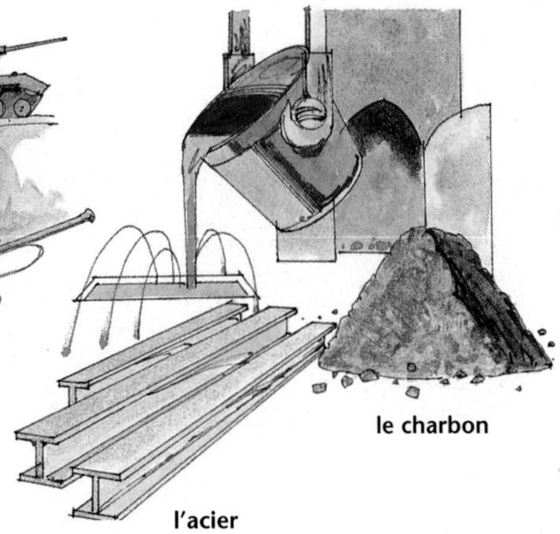

le charbon

l'acier

une fusée

Océan Atlantique

Dublin
IRLANDE
GRANDE BRETAGNE
Londres
PAYS-BAS
Amsterdam
Bruxelles
BELGIQUE
Paris
LUXEMBOURG
une frontière
FRANCE
ITALIE
PORTUGAL
Madrid
Lisbonne
ESPAGNE
Mer Méditerranée

un industriel un chef d'industrie, personne qui possède des usines
c'est grave c'est sérieux

librement d'une façon libre
à l'étranger dans un autre pays
faire peur à provoquer la peur

Vocabulaire

Step 1 Have students repeat the new words in unison after you or Audiocassette 4/CD 7.

Step 2 Call on students to use the new words in an original sentence.

Geography Connection

Have students look at the map on page xxiii. Then ask them the following questions:
1. **Quelles frontières naturelles (montagnes, fleuves, etc.) y a-t-il entre la France et d'autres pays?**
2. **Quels pays ont une frontière avec la France?**

Class Motivator

Vocabulary Game I: Create Your Own Story

Set-up: Prepare (or have students in pairs prepare) cards with vocabulary words from the current chapter—one word per card. Include verbs (verbs might be on colored cards since each group needs to have some). Students can be in small groups (3–4) or with a partner. Shuffle the cards and distribute 10–20 per group.

Game: The object of the game is to come up with a story using as many of the cards as possible. Tell students what tense the story is to be in. Each team gets 1 point for every word they use correctly. They can use words twice. One point is deducted for every unused card. Stories can be put on butcher paper for the other students to read.

Culture

3 Practice

Communication guidée

You may wish to have students prepare the activities before going over them in class.

♻ Recycling

You may wish to ask students the following question, which recycles vocabulary from Chapter 8, Level 1: **Qu'est-ce qu'il faut faire quand on passe la frontière entre deux pays?**

Independent Practice

Assign any of the following:
1. Workbook, **Culture**
2. Activities on this page

Communication guidée

Poste frontière entre la France et l'Espagne

 Vrai ou faux? Corrigez les phrases fausses.

1. Quand on est à l'étranger, on est dans son pays.
2. L'acier est un métal précieux.
3. Un industriel est un ouvrier.
4. Quand il y a une frontière, en général, on ne peut pas passer librement.
5. Quand on va dans un pays étranger, en général, il faut passer la douane.
6. Il ne faut pas faire peur aux enfants.

 Contraires Choisissez le contraire.

1. commun   a. calme
2. inquiet   b. rassurer
3. industriel   c. agricole
4. étranger   d. domestique
5. faire peur   e. individuel

C Suite d'idées Choisissez la phrase qui suit le mieux la première.

1. Ne soyez pas inquiet.   a. C'est de l'acier.
2. Il voyage beaucoup.   b. Ce n'est pas grave.
3. Quel cri horrible!   c. Vous m'avez fait peur.
4. Cette montre n'est pas en argent.   d. On peut parler librement!
5. Mes amis sont très riches.   e. Il est toujours à l'étranger.
6. On est en démocratie, ici!   f. C'est à côté de la frontière.
7. Tout le monde parle français et espagnol.   g. Leur père est un gros industriel du Nord.

D L'un ne va pas sans l'autre. Complétez.

1. Pour faire la _____, il faut des armes.
2. Pour fabriquer des armes, il faut de _____.
3. Pour fabriquer de l'acier, il faut du _____.
4. Pour avoir une industrie, il faut des _____.
5. Pour aller dans l'espace, il faut une _____.

ANSWERS TO Communication guidée

A
1. Non, quand on est à l'étranger on est dans un autre pays que le sien.
2. Non, l'acier n'est pas un métal précieux.
3. Non, un industriel est un chef d'industrie.
4. Oui.
5. Oui.
6. Oui.

B
1. e
2. a
3. c
4. d
5. b

C
1. b
2. e
3. c
4. a
5. g
6. d
7. f

D
1. guerre
2. l'acier
3. charbon
4. industriels
5. fusée

L'HISTOIRE DE L'UNION EUROPÉENNE

La Communauté européenne du charbon et de l'acier

Après la Deuxième Guerre mondiale, deux Français, Jean Monnet et Robert Schuman, proposent que les pays européens mettent en commun leur charbon et leur acier, puisque[1] ces deux matières peuvent servir à fabriquer des armes. Les deux hommes pensent que cela rendra la guerre impossible entre Européens. Six pays acceptent: la France, l'Allemagne, la Belgique, les Pays-Bas, le Luxembourg et l'Italie. Ils signent un traité, le traité de Paris, en 1951.

---

[1] puisque *since, seeing that*

La Communauté économique européenne ou Marché commun

C'est un Belge, Paul-Henri Spaak, qui a l'idée de mettre en commun toute l'économie de ces pays. C'est le traité de Rome, signé en 1957, qui forme la CEE, la Communauté économique européenne. Tous les produits pourront éventuellement circuler librement dans les pays membres de la Communauté: il n'y aura plus de frontières, plus de douane[2].

L'idée du Marché commun fait peur à beaucoup d'industriels, parce que la Communauté prend beaucoup de décisions communes dans les domaines de l'industrie, l'énergie, les monnaies, etc. Mais la possibilité

---

[2] douane *customs*

La signature du traité de Paris, en 1951

L'HISTOIRE DE L'UNION EUROPÉENNE ◆◆

National Standards

Connections
This reading establishes a connection with the fields of economics, geography, and history. Students learn the history of the European Union and how it has changed the economic climate of Europe.

1 Preparation

Resource Manager

Audio Activities Booklet TE, Activity B, pages 96–97
Audiocassette 4/CD 7
Workbook, Activities B–D, pages 83–84

Bellringer Review

Write the following on the board or use BRR Transparency 4.2.
Mettez chacun des mots suivants dans une phrase.
1. un parti politique
2. le président (le premier ministre)
3. le Congrès (le Parlement)
4. le drapeau
5. la monnaie

2 Presentation

Note: Since there is so much written about the European Union today, you may wish to do a detailed presentation of this selection.

Step 1 Call on students to read aloud.

Step 2 Intersperse the following questions as students read: **Pourquoi Monnet et Schuman proposent-ils que les pays européens mettent en commun**

159

2 Presentation (continued)

leur charbon et leur acier? Quels sont les six pays qui ont signé le traité de Paris? Que prévoyait ce traité?

Step 3 Ask: Comment s'appelle la CEE après le traité de Maastricht? Qu'est-ce que «l'Europe sans frontières»?

Strasbourg: Le Parlement européen

de vendre librement à l'étranger, et la coopération avec des industriels étrangers les forcent à moderniser leurs équipements. Finalement, l'économie des pays membres de la CEE est en pleine expansion.

La CEE s'agrandit et devient l'Union européenne

En 1973, la Grande-Bretagne, l'Irlande et le Danemark entrent dans la CEE. L'Europe n'est pas encore aussi puissante[3] que les États-Unis ou le Japon, mais elle représente[4] une force dans le monde.

Aux six premiers états membres s'ajoutent:
- la Grèce (1981)
- l'Espagne et le Portugal (1988)
- l'Autriche, la Finlande et la Suède (1995).

En 1993, après le traité de Maastricht qui renforce l'infrastructure commune, la CEE devient simplement l'Union européenne. C'est l'Europe sans frontières avec le gouvernement installé à Bruxelles, le parlement à Strasbourg et la Cour de Justice à Luxembourg. Il y a un drapeau européen, un passeport européen, un permis de conduire européen, une monnaie[5] européenne appelée «l'euro».

---

[3] puissante *powerful*
[4] représente *is*

[5] monnaie *currency*

La fusée «Ariane»

L'Europe se fait lentement parce qu'elle réunit des pays qui sont très différents: sept pays sont des monarchies, huit pays sont des républiques; certains pays sont grands, d'autres petits; certains sont riches, d'autres moins riches. Il y a onze langues différentes, sans parler des langues régionales comme le basque, le catalan, etc.

Et pourtant aujourd'hui, l'Europe est une réalité: les Européens s'habillent plus ou moins de la même façon, ils écoutent plus ou moins la même musique, ils regardent plus ou moins les mêmes émissions à la télévision (surtout depuis les retransmissions par satellite), ils mangent plus ou moins la même chose. Et puis, ils réalisent avec grand succès des projets communs, comme la fusée «Ariane», par exemple.

À l'heure actuelle[6], de nombreux pays européens, en particulier de l'Europe de l'Est, s'intéressent à faire partie de l'Union européenne. Les «États-Unis d'Europe» ne sont pas loin.

---
[6] à l'heure actuelle *at the present time*

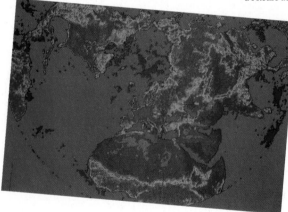

Vue de l'Europe et de l'Afrique du Nord, prise par le satellite de météorologie «Météosat»

CULTURE

cent soixante et un ✤ **161**

Culture

2 Presentation *(continued)*

Step 4 Ask: **Quelles sont des différences importantes entre les pays européens? Qu'est-ce que les Européens ont en commun? Actuellement, qui s'intéresse à faire partie de l'Union européenne?**

Step 5 Assign the selection to be re-read at home and have the students prepare the **Après la lecture** activities on page 162.

Critical Thinking Activity

Supporting Statements with Reasons
Pourquoi l'idée d'un marché commun fait-elle peur à beaucoup d'industriels?

161

Culture

Post–reading

Après la lecture

Go over the activities orally in class after the students have had the opportunity to prepare them for homework.

Après la lecture

A Les Européens Répondez aux questions d'après le texte.

1. Qui sont les fondateurs de l'Union européenne?
2. Que veut dire CEE?
3. Que veut dire le terme «Marché commun»?
4. Comment s'appelle la CEE après le traité de Maastricht?
5. Qu'est-ce qu'il y a à Bruxelles? Et à Strasbourg? Et à Luxembourg?
6. Citez (give) des différences entre les pays de l'Union européenne.
7. Citez un projet commun.
8. Pourquoi est-ce que les «États-Unis d'Europe» ne sont pas loin?

B Historiette Vrai ou faux? Corrigez les phrases fausses.

1. L'Union européenne a été fondée après la Deuxième Guerre mondiale.
2. Au début, l'Union européenne réunissait six pays.
3. Tout le monde pensait que l'idée d'un marché commun était excellente.
4. L'euro est la monnaie européenne.
5. L'Europe réunit des pays qui sont très semblables.
6. Les différences entre Européens diminuent.
7. Aucun autre pays ne veut faire partie de l'Union européenne.

C Familles de mots Choisissez le mot qui correspond.

1. région   a. commun
2. nation   b. économique
3. industrie   c. régional
4. Europe   d. industriel
5. communauté   e. national
6. économie   f. européen

La monnaie européenne, l'euro

FRENCH Online
To learn more about French-speaking countries in Europe, go to the Glencoe French Web site:
french.glencoe.com

ANSWERS TO Après la lecture

A

1. Jean Monnet, Robert Schuman et Paul-Henri Spaak.
2. «Communauté économique européenne.»
3. Que tous les produits peuvent circuler librement dans les pays membres de la communauté.
4. Elle s'appelle l'Union européenne.
5. Le gouvernement de la communauté. Le parlement européen. La Cour de Justice européenne.
6. Sept pays sont des monarchies, huit pays sont des républiques, certains pays sont grands, d'autres petits, certains sont riches, d'autres moins riches et ils ont onze langues différentes.
7. La fusée Ariane.
8. Parce que l'Europe a déjà un drapeau européen, un passeport européen, un permis de conduire européen et une monnaie européenne. Et de nombreux pays, en particulier de l'Europe de l'Est, s'intéressent à faire partie de l'Union européenne.

B

1. Oui.
2. Oui.
3. Non, ça faisait peur à beaucoup d'industriels.
4. Oui.
5. Non, très différents.
6. Oui.
7. Non, de nombreux pays, en particulier de l'Europe de l'Est, veulent en faire partie.

C

1. c
2. e
3. d
4. f
5. a
6. b

Communication libre

 A **Pour ou contre l'Union européenne?** Quels sont les avantages que l'Union européenne offre à ses pays membres? Faites des recherches et discutez avec vos camarades.

B **Les Français** Quelle idée vous faites-vous des Français?

Voici une liste de dix qualités et de dix défauts. Classez-les par ordre d'importance: par exemple, mettez 1 à la qualité la plus importante à votre avis, et 10 à la moins importante.

Qualités	Défauts
Honnêtes	Malhonnêtes
Travailleurs	Paresseux *(lazy)*
Propres	Vieux jeu *(old-fashioned)*
Sérieux	Froids, distants
Intelligents	Bavards *(talkative)*
Énergiques	Entêtés *(stubborn)*
Courageux	Agressifs
Débrouillards *(resourceful)*	Menteurs *(liars)*
Sympathiques	Contents d'eux
Accueillants *(friendly)*	Hypocrites

Comparez ensuite vos résultats à ceux d'un sondage récent fait auprès des Américains. D'après les Américains, les Français sont:

Qualités	Défauts
1. Sympathiques	1. Contents d'eux
2. Accueillants	2. Bavards
3. Intelligents	3. Froids, distants
4. Débrouillards	4. Entêtés
5. Travailleurs	5. Hypocrites
6. Propres	6. Agressifs
7. Sérieux	7. Paresseux
8. Honnêtes	8. Vieux jeu
9. Énergiques	9. Menteurs
10. Courageux	10. Malhonnêtes

C **Les Américains** Quelle idée vous faites-vous des Américains? Reprenez la liste des dix qualités et des dix défauts, et classez-les par ordre d'importance. Comparez ensuite votre liste «américaine» avec votre liste «française». D'après vous, les Américains sont-ils très différents des Français?

Communication libre

B You may wish to have the class read aloud the lists of positive and negative traits that go with this activity.

Note: In the accompanying **Workbook** there are articles that compare some French and American traits.

Independent Practice

Assign any of the following:
1. **Après la lecture** and **Communication libre** activities on pages 161–162
2. Workbook, **Culture**

✓ Assessment

Use these resources at the end of the **Culture** section for review and assessment.
  Quiz 1
  Test Booklet, pages 76–78
  ExamView Pro®
  Situation Cards

ANSWERS TO Communication libre

A, **B**, **C** *Answers will vary.*

Conversation

AMÉRICAINS ET FRANÇAIS

1 Preparation

Vocabulaire

Resource Manager

Vocabulary Transparency 4.2
Audio Activities Booklet TE,
  Activity A, page 97
Audiocassette 4/CD 7
Workbook, Activity A, page 85
Quiz 2, page 42
ExamView Pro®

Bellringer Review

Write the following on the board or use BRR Transparency 4.3.
Qu'en pensez-vous? Quand vos amis parlent de vous quand vous n'êtes pas là, que disent-ils de vous?

2 Presentation

Step 1 As you present the new vocabulary you may wish to ask the following questions: **Pourquoi est-ce que la jeune fille regarde sa montre? Pourquoi est-ce que l'homme est nerveux? Est-ce que vous vous énervez facilement? Vous connaissez quelqu'un qui s'énerve facilement? Qui ça? Où les deux amis se sont-ils rencontrés?**

Step 2 You may wish to ask the following questions using the words being defined. **Le qu'en-dira-t-on vous énerve ou pas? Est-ce qu'il y a quelque chose qui vous a frappé(e) récemment? Par quoi avez-vous été frappé(e)? Quelles différences entre les jeunes et les vieux est-ce que vous reconnaissez? Qu'est-ce que vous êtes prêt(e) à faire pour un(e) ami(e)? Vous êtes chauvin(e) ou pas?**

164

AMÉRICAINS ET FRANÇAIS

Vocabulaire

Cette femme est pressée.

Du pain!!!

Cet homme est nerveux. Il s'énerve facilement.

se rencontrer à mi-chemin

le qu'en-dira-t-on ce que les autres disent de vous
frapper surprendre, impressionner

reconnaître admettre pour vrai, accepter
prêt à disposé à
chauvin qui défend son pays à tout prix

Communication guidée

A **Vrai ou faux?** Corrigez les phrases fausses.

1. Si on se préoccupe du qu'en-dira-t-on, on est très heureux.
2. Quand on est frappé par une chose, on la remarque.
3. Quand on est pressé, on a le temps de faire ce qu'on veut.
4. Quand on reconnaît une chose, on refuse d'admettre qu'elle est vraie.
5. Quand on est chauvin, on est fanatique.
6. Quand on est calme, on s'énerve facilement.

B **Définitions** Trouvez le mot qui correspond.

1. le contraire de calme
2. ce que les autres disent de vous
3. se retrouver
4. disposé à
5. à égale distance de deux points
6. quelqu'un qui est patriotique à l'extrême

Défilé du 11 novembre

La Défense, statue dans le quartier de la Défense

CONVERSATION

cent soixante-cinq ✦ **165**

Conversation

Class Motivator

Vocabulary Game II: Definitions

Set-up: Make up index cards with one vocabulary word from the chapter on each card. There should be a variety, i.e., verbs, nouns, adjectives, etc. Have students work in teams of 4–5 so that several games are going on at once. Distribute several cards to each group.

Game: The first student gives the definition of the word on his/her card. The team must then guess what word is being defined. The student may not use gestures or parts of the word in the definition. Points are given for the number of cards completed within a set time limit. The team must guess the word correctly before going on to the next one.

Variation: Divide the class into two teams and give them identical sets of cards. Students with the cards take turns defining the words so both teams can hear. Student A's team gets first guess, then Student B's. Student B then gives a definition. Team B gets first guess, and so on.

3 Practice

Communication guidée
You can go over these exercises with or without previous preparation.

Independent Practice

Assign any of the following:
1. Activities on this page
2. Workbook, **Conversation**

ANSWERS TO Communication guidée

A

1. Non, on n'est pas très heureux.
2. Oui.
3. Non, on n'a pas le temps de faire ce qu'on veut.
4. Non, on accepte qu'elle est vraie.
5. Oui.
6. Non, quand on est nerveux on s'énerve facilement.

B

1. nerveux
2. le qu'en-dira-t-on
3. se rencontrer
4. prêt à
5. à mi-chemin
6. chauvin

Conversation

Conversation

CONVERSATION ◆

National Standards

Cultures
Students will delve further into the customs and character traits of the French. They will also learn how the French view Americans.

Comparisons
Students will compare French and American customs and character traits.

1 Preparation

Resource Manager

Audio Activities Booklet TE, Activities B–C, pages 98–99
Audiocassette 4/CD 7
Workbook, Activities B–C, page 85

2 Presentation

Step 1 Call on two students with good pronunciation to read the conversation aloud to the class with as much expression as possible. Allow the others to follow along in their books as they listen.

Step 2 Have the students prepare the **Après la conversation** activities that follow.

Semblables ou pas? 🎧

PAUL: Moi, tu vois, ce qui m'a tout de suite frappé chez les Américains, c'est leur calme. On dit toujours qu'ils sont relax, et je crois que, de base, c'est vrai. Ils ne s'énervent pas facilement comme les Français. C'est peut-être parce qu'ils se préoccupent moins que nous du qu'en-dira-t-on.

ÉRIC: Oh, écoute, il ne faut pas exagérer! Qui est-ce qui a inventé le stress? C'est tout de même pas les Français. Bon, maintenant, on en souffre aussi, mais c'est parce qu'on imite tout ce que font les Américains: la musique, la télé, les vêtements, et maintenant, le stress.

PAUL: Oui, mais ce n'est pas le stress à la française, où tout le monde est nerveux, est toujours pressé, n'écoute pas ce que les autres disent.

ÉRIC: Moi, je ne sais pas, mais je trouve que les Américains sont très sur la défensive. Si tu fais la plus petite critique des États-Unis, ils voient rouge et te tombent dessus à bras raccourcis[1]!

PAUL: Là, tu exagères! Ils ne sont pas plus chauvins que les Français, les Anglais ou n'importe quel autre peuple! C'est sûr, chacun défend son pays, mais je trouve que les Américains sont assez prêts à reconnaître une supériorité culturelle, historique et artistique aux pays du «Vieux Monde».

ÉRIC: Oui, tu as peut-être raison. Enfin moi, finalement, j'ai l'impression que les Américains commencent à avoir les problèmes que les Européens ont depuis toujours, et que nous, nous commençons à profiter de la vie «à l'américaine». Alors on finira bien par se rencontrer à mi-chemin!

[1] te tombent… bras raccourcis *jump all over you*

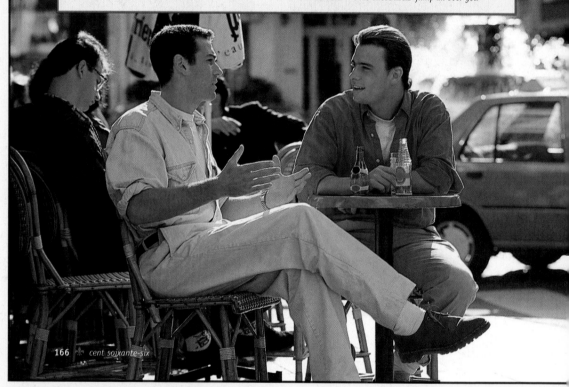

166 *cent soixante-six*

Critical Thinking Activity

Making Judgments
Qu'en pensez-vous?

1. Les Américains sont très calmes ou pas? Ils s'énervent facilement ou pas?
2. Les Américains se préoccupent du qu'en-dira-t-on?
3. Les Américains ont inventé le stress?
4. N'importe quelle critique des États-Unis met les Américains sur la défensive?

166

Après la conversation

A Historiette Les arguments de Paul Complétez.

1. Les Américains sont calmes. Ils ne _____ pas comme les Français.
2. Le stress à l'américaine n'est pas le stress _____.
3. En France, on est toujours en train de courir partout; on est toujours _____.
4. Les Américains ne sont pas plus _____ que n'importe quel autre peuple.
5. La _____ du «Vieux Monde» en matière artistique est reconnue par les Américains.

B Historiette Les arguments d'Éric Complétez.

1. Éric trouve que Paul _____.
2. Les Français _____ du stress.
3. Les Français font comme les Américains; ils les _____.
4. Les Américains défendent tout de suite leur pays: ils sont _____.
5. Éric n'en est pas sûr, mais il _____ que les Américains commencent à avoir les mêmes problèmes que les Européens.
6. Éric pense qu'Américains et Européens finiront par se rencontrer _____.

Communication libre

Before doing these activities, you may wish to have the class work together to make a list of the advantages and disadvantages of life in the U.S. On one side of the board, write: **Les avantages de la vie aux États-Unis.** And on the other side, write: **Les inconvénients de la vie aux États-Unis.**

Independent Practice

Assign any of the following:
1. Activities on this page
2. Workbook, **Conversation**

Communication libre

A **Imitation** D'après ce que vous venez d'apprendre ou d'après ce que vous savez, en quoi est-ce que les Européens imitent les Américains? En quoi est-ce que les Américains imitent les Européens? Travaillez avec un(e) camarade.

B **Être ou ne pas être chauvin** Faites une liste de tous les arguments que quelqu'un de chauvin pourrait présenter en faveur des États-Unis. Faites une liste des arguments qui seraient présentés par quelqu'un qui n'est pas chauvin. Travaillez avec un(e) camarade.

C **Supériorité ou infériorité** Vous discutez avec un(e) Européen(ne) de vos supériorités et infériorités respectives. Travaillez avec un(e) camarade.

CONVERSATION

ANSWERS TO Après la conversation

A
1. s'énervent
2. à la française
3. pressé
4. chauvins
5. supériorité

B
1. exagère
2. souffrent
3. imitent
4. chauvins
5. a l'impression
6. à mi-chemin

ANSWERS TO Communication libre

A, **B**, **C** *Answers will vary.*

Langage

National Standards

Communication
Students learn to express their reactions to books, art, shows, music, movies, places, and events.

IMPRESSIONS PERSONNELLES

1 Preparation

Resource Manager

Audio Activities Booklet TE,
   Activities A–B, pages 99–100
Audiocassette 4/CD 7
Workbook, Activities A–C, page 86
Quiz 3, page 43

Bellringer Review

Write the following on the board or use BRR Transparency 4.4.
Donnez des réponses personnelles.
1. Qu'est-ce que vous aimez?
2. Qu'est-ce que vous détestez?
3. Qu'est-ce qui vous plaît?
4. Qu'est-ce qui vous ennuie?
5. Qu'est-ce qui vous surprend?

2 Presentation

Step 1 Call on students to read the phrases aloud.

Step 2 You may wish to have individuals make up completions to each statement of opinion.

Gestures

Pour exprimer le dégoût, la lassitude, l'indifférence, on baisse les coins de la bouche, ce qui étire la bouche en un arc convexe vers le bas. On dit souvent «Bof» en faisant ce geste.

IMPRESSIONS PERSONNELLES 🎧

Pour exprimer une première impression, vous dites:

> Ce qui m'a frappé (le plus), c'est...
> Ce que j'ai tout de suite remarqué, c'est...
> Ce qui m'a vraiment étonné(e), c'est...
> J'ai vraiment été surpris(e) par...

J'ai été vraiment déçu...

Si cette impression a été négative, vous pouvez dire:

> J'ai été vraiment déçu(e) par...   *I was really disappointed by...*
> Je m'attendais à quelque   *I was expecting something*
>   chose de plus que...   *more than...*

Si cette impression a été positive, vous pouvez dire:

> Par contre, j'ai été enthousiasmé(e)   *However, I was filled with*
>   par...   *enthusiasm by...*
> J'ai été vraiment emballé(e) par...   *I was really thrilled by...*

Si vous voulez exprimer une opinion, vous pouvez dire:

> J'ai l'impression que...
> Je trouve que...
> Je pense que...
> Je crois que...
> D'après moi...
> Pour moi...
> À mon avis...

Si vous voulez nuancer votre opinion, vous dites:

C'est un peu comme si...
Dans un sens...
Enfin moi, finalement...

Vous réagissez à ce qu'un(e) ami(e) vous dit de la manière suivante:

OUI	NON
C'est vrai.	**Ce n'est pas vrai.**
Tu as raison.	**Tu as tort.**
C'est exact.	**Tu te trompes.**
Effectivement...	**Tu exagères.**

Communication libre

Impressions, bonnes et mauvaises Imaginez que vous vous trouvez dans les situations suivantes. Donnez vos impressions, qu'elles soient bonnes ou mauvaises, à un(e) camarade.

1. Vous êtes allé(e) en vacances dans un nouvel endroit.
2. Vous êtes allé(e) voir un film que votre camarade vous avait recommandé.
3. Votre camarade critique votre chanteur/chanteuse préféré(e). Vous le/la défendez.
4. Vous parlez à un(e) ami(e) qui vient de faire un voyage en France. Demandez-lui ce qui l'a frappé(e) ou étonné(e) chez les Français et quelles ont été ses réactions à la culture française.

Langage

Gestures

Pour signaler un désaccord devant l'exagération, on baisse alternativement la tête vers une épaule puis vers l'autre (plusieurs fois).

3 Practice

Communication libre

Have students make up some controversial topics that can be discussed in class. Have them give their opinions in French about these topics.

Independent Practice

Assign any of the following:

1. Workbook, **Langage**
2. Activity on this page

Assessment

Use these resources at the end of the **Conversation** and **Langage** sections for review and assessment.

Quizzes 2–3
Test Booklet, pages 79–80
ExamView Pro®
Situation Cards

Answers to Communication libre

Answers will vary.

Structure I

Talking about cities, countries, and continents

Les prépositions avec des noms géographiques

1. **À** and **de** are used with names of cities to express the English prepositions *in, at, to,* and *from.*

Le parlement européen est **à Strasbourg.**	Nos amis français viennent **de Strasbourg.**
La tour Eiffel est **à Paris.**	Nous téléphonons **de Paris.**
Nous sommes **à Amsterdam.**	Je vous écris **d'Amsterdam.**

   There are very few exceptions to the above rule. Cities such as **La Nouvelle-Orléans, Le Caire, Le Havre,** which have articles as part of their name, retain the article. The article **le** is combined with **à** or **de.**

au Caire	**du** Caire
au Havre	**du** Havre

2. **En** and **de** are used with feminine geographical names. The gender of most countries, continents, and provinces of France is feminine. As a general rule of thumb, all names that end in a silent **-e** are feminine.

Il passe ses vacances **en Espagne.**	Ces touristes viennent **de Belgique.**
Nous voyageons **en Europe.**	Elles reviennent **d'Asie.**
Elle habite **en Provence.**	Ils viennent **de Bourgogne.**

   En and **de** are also used with masculine names beginning with a vowel. There is a liaison sound with **en** and elision with **de.**

J'habite **en Israël.**	Je viens **d'Israël.**

**Un joli village
en Provence**

Le Québec: la vallée du Saint-Laurent en automne

Note: The prepositions used with state names vary. You may want to give students the preposition for your state and some nearby states. To say *in* with the name of a state in French, use **dans** before most states preceded by **le** or **l'**, for example: **dans le Connecticut, dans l'Oregon** (exceptions: **au Nouveau-Mexique, au Texas**). Use **en** without the article with states preceded by **la,** for example: **en Virginie.** With Hawaii, use **à: à Hawaii.** Here are the other state names: **l'Alabama, l'Alaska, l'Arizona, l'Arkansas, la Californie, la Caroline du Nord, la Caroline du Sud, le Colorado, le Connecticut, le Dakota du Nord, le Dakota du Sud, le Delaware, la Floride, la Géorgie, Hawaii, l'Idaho, l'Illinois, l'Indiana, l'Iowa, le Kansas, le Kentucky, la Louisiane, le Maine, le Maryland, le Massachusetts, le Michigan, le Minnesota, le Mississippi, le Missouri, le Montana, le Nebraska, le Nevada, le New Hampshire, le New Jersey, l'état de New York, le Nouveau-Mexique, l'Ohio, l'Oklahoma, l'Oregon, la Pennsylvanie, le Rhode Island, le Tennessee, le Texas, l'Utah, le Vermont, la Virginie, la Virginie Occidentale, l'état de Washington, le Wisconsin, le Wyoming.**

3. **Au** and **du** are used with masculine geographical names beginning with a consonant. All names of countries that do not end in a silent **-e** are masculine. There are a few exceptions, such as: **le Mexique, le Cambodge.**

au Japon	du Japon
au Portugal	du Portugal
au Canada	du Canada
au Maroc	du Maroc
au Mexique	du Mexique

4. **Aux** and **des** are used with names of countries which are in the plural, such as **les États-Unis** or **les Pays-Bas.**

Nous vivons aux États-Unis.	Nous venons des États-Unis.
Elle va aux Pays-Bas.	Elle revient des Pays-Bas.

5. For masculine names of states or provinces beginning with a consonant, **dans le** is used, unless these states or provinces are thought of as quasi-countries, in which case, **au** is used.

Il habite dans le Vermont.	Il vient du Vermont.
Elle vit dans le Poitou.	Elle vient du Poitou.
Il habite au Texas.	Il vient du Texas.
Elle vit au Québec.	Elle vient du Québec.

Note that **au Québec/du Québec** refers to the province, which is called **le Québec.** To refer to the city, which is just **Québec,** you say **à Québec/de Québec.**

FUN FACTS

Le Saint-Laurent est le fleuve le plus important d'Amérique du Nord parmi ceux qui se jettent dans l'Atlantique. Il se forme dans les Grands Lacs et aboutit dans un large estuaire au Golfe du Saint-Laurent. Il a 1.167 km de long et forme la Voie maritime du Saint-Laurent qui donne aux Grands Lacs un débouché maritime. L'aménagement du Saint-Laurent qui a été réalisé par les États-Unis et le Canada de 1954 à 1959 comprend huit écluses qui contournent les chutes du Niagara.

3 Practice

Communication guidée

These activities can be gone over in class orally without previous preparation. You may then wish to assign them for homework. Go over the activities once again in class after students have prepared them. The more they hear the locations with the preposition, the more quickly they will learn them.

Paired Activity
Travaillez avec un(e) camarade. Donnez-lui le nom d'un pays et demandez-lui quelle est la capitale du pays. Il/Elle essaiera de vous répondre correctement. Ensuite c'est à votre camarade de vous poser une question.

Independent Practice

Assign any of the following:
1. Activities on this page
2. Workbook, **Structure I**

Communication guidée

A **Un peu de géographie** Répondez.

1. Où est Paris?
2. Où est Madrid?
3. Où est Bruxelles?
4. Où est Berlin?
5. Où est Montréal?
6. Où est New York?
7. Où est Lisbonne?
8. Où est Moscou?
9. Où est Tel-Aviv?
10. Où est Copenhague?

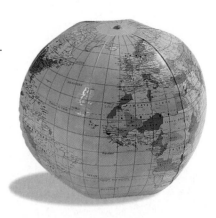

B **En voyage** Complétez.

1. Ils nous ont écrit _____ Russie.
2. Ils reviennent _____ États-Unis dimanche.
3. Ils viennent _____ Portugal.
4. Ils nous ont téléphoné _____ Espagne.
5. Ils vont _____ France au Portugal.
6. Ils ne reviennent pas _____ Mexique avant le mois prochain.

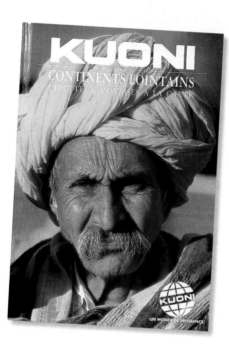

C **Historiette** **L'amour des voyages** Complétez.

1. Ils vont _____ Saint-Brieuc, _____ Bretagne.
2. Ensuite, ils vont _____ Deauville, _____ Normandie.
3. Ils pensent aller aussi _____ Londres, _____ Angleterre.
4. Moi, je veux faire un voyage _____ Asie. J'ai très envie d'aller _____ Tokyo, _____ Japon, et _____ Shanghai, _____ Chine.
5. J'ai un ami qui adore les pays du Maghreb. Il est allé _____ Tunis, _____ Tunisie, et _____ Alger, _____ Algérie. Et je crois qu'il est allé _____ Fès, _____ Maroc.
6. Ma sœur fait de l'espagnol, et elle a très envie d'aller _____ Amérique du Sud. Elle veut aller _____ Lima, _____ Pérou, et _____ Bogotà, _____ Colombie.

ANSWERS TO Communication guidée

A
1. Paris est en France.
2. Madrid est en Espagne.
3. Bruxelles est en Belgique.
4. Berlin est en Allemagne.
5. Montréal est au Canada.
6. New York est aux États-Unis.
7. Lisbonne est au Portugal.
8. Moscou est en Russie.
9. Tel-Aviv est en Israël.
10. Copenhague est au Danemark.

B
1. de
2. des
3. du
4. d'
5. de
6. du

C
1. à, en
2. à, en
3. à, en
4. en, à, au, à, en
5. à, en, à, en, à, au
6. en, à, au, à, en

Referring to places or things already mentioned

Le pronom y

1. The pronoun **y** replaces a prepositional phrase that is introduced by a preposition of place or direction, other than **de.** Like all other pronouns, **y** immediately precedes the verb it is tied to.

Ils vont à Paris.	Ils y vont.
Ils sont allés au Québec.	Ils y sont allés.
Ils voudraient aller en France.	Ils voudraient y aller.

2. The pronoun **y** is also used to replace the object of a verb followed by the preposition **à,** if that object refers to a thing.

J'ai répondu à sa lettre.	J'y ai répondu.
Il obéit aux lois.	Il y obéit.

   Remember that when the noun following **à** is a person, rather than a thing, the noun is the indirect object of the verb, and therefore the indirect object pronouns **lui** or **leur** are used.

J'ai répondu au professeur.	Je lui ai répondu.
Il obéit à ses parents.	Il leur obéit.

3. The concept of "there" must always be expressed in French, even though it is often omitted in English.

—Quand vas-tu à Paris?	—*When are you going to Paris?*
—J'y vais demain.	—*I'm going tomorrow.*
—Luc est dans sa chambre?	—*Luc is in his room?*
—Oui, il y est.	—*Yes, he is.*

4. The pronoun **y** seldom occurs with another object pronoun in the same sentence. When it does, **y** follows the other pronoun.

Il m'a retrouvé à Paris.	Il m'y a retrouvé.
Je l'ai aperçu sur les Champs-Élysées.	Je l'y ai aperçu.
Elle s'intéresse à la peinture.	Elle s'y intéresse.

   In sentences with **en, y** precedes **en.**

Il y a de la neige?	Il y en a.

5. The pronoun **y** is used in the following idiomatic expressions.

Ça y est!	*That's it. Finished!*
J'y suis!	*I get it!*

Note: It is very difficult for students to differentiate between **J'y ai répondu** and **Je lui ai répondu.** This point will need a great deal of reinforcement before students can use these structures with ease. Fortunately, however, one can continue to communicate, using nouns rather than pronouns: **J'ai répondu à la lettre. J'ai répondu à Jean.**

1 Presentation

Le pronom y ◆◆◆

Read the explanations to students and call on individuals to read the model sentences.

2 Practice

Communication guidée

Teacher Tip: If a student makes an error, correct him or her and then give another example to try to clarify. Example: **Je réponds à ma grand-mère.** Student answers: **J'y réponds.** Correct by saying: **Non, grand-mère, c'est une personne ou une chose? Une personne, n'est-ce pas? Alors, c'est: Je ___ réponds.** (Try to get student to say **lui** or, if necessary, give it to him or her.) Then give another sentence such as **Je réponds à mon ami** and ask the same student to do this one. If the student makes an error again, drop it and come back to him or her later.

Note: Because of the difficult nature of this point there are quite a few more activities in the **Workbook.**

Independent Practice

Assign any of the following:
1. **Activités A–C** on this page
2. Workbook, **Structure I**

Structure I

Communication guidée

 A **La Communauté européenne** Remplacez les mots en italique par le pronom **y**.

1. Ils ont signé un traité *à Paris*.
2. Les produits pourront circuler *en Europe*.
3. Ils ne s'arrêteront plus *aux frontières*.
4. La Grande-Bretagne entre *dans la CEE*.
5. Le gouvernement est installé *à Bruxelles*.
6. On parle le catalan *en Catalogne*.

Bruxelles: la Grand-Place

 B **Souvenirs** Refaites les phrases, en utilisant **y**, **lui** ou **leur**.

1. Je pense souvent à mon pays.
2. Je jouais tout le temps au foot.
3. Je faisais toujours attention aux conseils de mes professeurs.
4. J'obéissais bien à mes parents.
5. Je répondais toujours poliment à ma grand-mère.
6. Elle s'intéressait beaucoup à mes activités.

 C **Historiette** **Départ** Répondez en utilisant le pronom **y**.

1. Tes amis vont au Maroc?
2. Tu les accompagnes à l'aéroport?
3. Tu les invites au buffet de l'aéroport?
4. Ils ont le temps de t'accompagner au buffet?
5. Tu les accompagnes à la porte d'embarquement?
6. Tu peux les accompagner à bord de l'avion?

ANSWERS TO Communication guidée

 A

1. Ils y ont signé un traité.
2. Les produits pourront y circuler.
3. Ils ne s'y arrêteront plus.
4. La Grande-Bretagne y entre.
5. Le gouvernement y est installé.
6. On y parle le catalan.

 B

1. J'y pense souvent.
2. J'y jouais tout le temps.

3. J'y faisais toujours attention.
4. Je leur obéissais bien.
5. Je lui répondais toujours poliment.
6. Elle s'y intéressait beaucoup.

 C

1. Oui, ils y vont.
2. Oui, je les y accompagne.
3. Oui, je les y invite.
4. Oui, ils ont le temps de m'y accompagner.
5. Oui, je les y accompagne.
6. Oui, je peux les y accompagner.

Telling what you and other people will do
Le futur

1. The future of regular verbs and many irregular verbs is formed by adding the appropriate endings to the infinitive of the verb. In the case of verbs ending in **-re**, the final **-e** is dropped before the future endings are added.

Infinitive	PARLER	FINIR	ATTENDRE
Future	je parlerai	je finirai	j' attendrai
	tu parleras	tu finiras	tu attendras
	il/elle/on parlera	il/elle/on finira	il/elle/on attendra
	nous parlerons	nous finirons	nous attendrons
	vous parlerez	vous finirez	vous attendrez
	ils/elles parleront	ils/elles finiront	ils/elles attendront

Note that many verbs which are irregular in the present tense have a regular future tense.

écrire: j'**écrirai**, tu **écriras**, etc.
boire: je **boirai**, tu **boiras**, etc.
connaître: je **connaîtrai**, tu **connaîtras**, etc.

2. The future tense expresses an action or event that will take place sometime in the future. Following are some common adverbial expressions that can be used with the future.

demain	bientôt
après-demain	dimanche prochain
dans deux jours	la semaine prochaine, le mois prochain
un de ces jours	l'année prochaine, l'été prochain

Ils se mettront d'accord un de ces jours.
Nous reparlerons de ce problème la semaine prochaine.

3. Remember that in French, the construction **aller** + infinitive is frequently used to describe an event that will happen in the near future.

Je vais lui téléphoner. **Nous allons y aller.**

Structure I

1 Preparation

Bellringer Review

Write the following on the board or use BRR Transparency 4.6.
Récrivez chaque phrase au futur proche (aller + infinitif).
1. J'arrive à huit heures.
2. Je vois mes amis.
3. Ils sont là.
4. Nous dansons ensemble.
5. Nous nous amusons.

2 Presentation

Le futur ◆

Step 1 Write the verb paradigm on the board and have students repeat the verb forms after you.

Step 2 Call on students to repeat in unison all the model expressions and sentences.

Structure I

2 Presentation (continued)

Step 3 Pay particular attention to the students' pronunciation as they repeat the **je** and **nous** forms of the verbs in Item 4 after you.

Step 4 You may also wish to have the students repeat the **nous** form of the irregular verbs in Item 5.

4. Stem-changing verbs have irregular future forms. The future tense of these verbs is not based on the infinitive, but rather on the third person singular of the present tense + **r** + the future endings.

Infinitive	Present	Future	
acheter	il achète	j' achèterai	nous achèterons
lever	il lève	je lèverai	nous lèverons
mener	il mène	je mènerai	nous mènerons
appeler	il appelle	j' appellerai	nous appellerons
jeter	il jette	je jetterai	nous jetterons
employer	il emploie	j' emploierai	nous emploierons
essayer	il essaie	j' essaierai	nous essaierons

5. The following verbs have irregular stems in the future tense. The endings, however, are regular.

aller	j' **irai**	courir	je **courrai**
avoir	j' **aurai**	mourir	je **mourrai**
être	je **serai**	pouvoir	je **pourrai**
faire	je **ferai**	voir	je **verrai**
savoir	je **saurai**	envoyer	j' **enverrai**
vouloir	je **voudrai**	tenir	je **tiendrai**
devoir	je **devrai**	venir	je **viendrai**
recevoir	je **recevrai**		
s'asseoir	je **m'assiérai**		

valoir	il **vaudra**
falloir	il **faudra**
pleuvoir	il **pleuvra**

Le Parlement européen en session à Strasbourg

Communication guidée

A L'Europe de l'avenir?
Répondez d'après le modèle.

—Nous ne parlons pas la même langue.
—Mais bientôt, si, nous parlerons la même langue.

1. Nous n'utilisons pas la même monnaie.
2. Nous n'avons pas les mêmes coutumes.
3. Nous n'allons pas dans les autres pays pour travailler.
4. Nous ne voyageons pas facilement.
5. Nous n'aimons pas trop les étrangers.
6. Nous ne vendons pas nos produits librement.
7. Nous ne réunissons pas tous les pays d'Europe.

«Columbus»: la partie européenne de la future station spatiale internationale

B Vos enfants Répondez en utilisant le futur.

1. Vous, vous apprenez dans des livres. Et vos enfants?
2. Vous, vous voyagez en avion. Et vos enfants?
3. Vous, vous mangez de la nourriture. Et vos enfants?
4. Vous, vous allez au cinéma. Et vos enfants?
5. Vous, vous parlez une ou deux langues. Et vos enfants?
6. Vous, vous habitez sur la Terre. Et vos enfants?

C Historiette Il dira n'importe quoi. Complétez au futur.

1. Il dit qu'il _____ le faire. (savoir)
2. Il dit qu'il _____ le faire. (pouvoir)
3. Il dit qu'il _____ de le faire. (essayer)
4. Il le _____? (faire)
5. On _____. (voir)
6. Il _____ impressionner ses amis. (vouloir)
7. Tout le monde _____ voir ce qu'il fait. (venir)
8. Est-ce que ça _____ la peine d'aller voir? (valoir)
9. S'il réussit, la compagnie _____ son invention. (employer)
10. Sinon, elle la _____. (jeter)

D Projets Complétez.

1. Demain, je…
2. L'été prochain, mes parents…
3. Un de ces jours, mon frère…
4. L'année prochaine, mes amis et moi, nous…
5. Dimanche prochain, ma sœur…
6. La semaine prochaine, tu…
7. Dans deux jours, toi et Monique, vous…

Structure I

3 Practice

Independent Practice

Assign any of the following:
1. Workbook, **Structure I**
2. Activities on this page

✔ Assessment

Use these resources at the end of the **Structure I** section for review and assessment.
  Quizzes 4–6
  Test Booklet, pages 81–83
  ExamView Pro®

ANSWERS TO Communication guidée

A
1. Mais bientôt, si, nous utiliserons la même monnaie.
2. Mais bientôt, si, nous aurons les mêmes coutumes.
3. Mais bientôt, si, nous irons dans les autres pays pour travailler.
4. Mais bientôt, si, nous voyagerons facilement.
5. Mais bientôt, si, nous aimerons les étrangers.
6. Mais bientôt, si, nous vendrons nos produits librement.
7. Mais bientôt, si, nous réunirons tous les pays d'Europe.

B Answers will vary but may include:
1. Non, mes enfants apprendront sur ordinateur.
2. Mes enfants voyageront en fusée.
3. Mes enfants mangeront de la nourriture en comprimé.
4. Mes enfants regarderont les films à la maison.
5. Mes enfants parleront quatre langues.
6. Mes enfants habiteront sur une autre planète.

C
1. saura
2. pourra
3. essaiera
4. fera
5. verra
6. voudra
7. viendra
8. vaudra
9. emploiera
10. jettera

D
Answers will vary.

L'ÉCOLOGIE

1 Preparation

Resource Manager

Vocabulary Transparency 4.3
Audio Activities Booklet TE,
  Activities A–B, pages 102–103
Audiocassette 4/CD 7
Workbook, Activities A–B, page 92
Quiz 7, page 47
ExamView Pro®

Bellringer Review

Write the following on the board or use BRR Transparency 4.7.
Faites une liste de toutes les sciences que vous connaissez en français. En une phrase, décrivez chaque science.

2 Presentation

Introduction

Have students read the **Introduction** silently. Now have them think of any ecology words they may have already learned in French. Ask them to describe the two photos. You may wish to ask the following question: **Pourquoi est-ce que la photo des montagnes est plus petite que celle de la ville?**

Journalisme

L'ÉCOLOGIE

Introduction

L'écologie, l'environnement, la protection de la nature, tout le monde en parle, en France comme aux États-Unis.

Mais ces débats sur l'écologie peuvent être difficiles à suivre si on ne sait pas ce que veulent dire certains termes de base, comme «eutrophisation» par exemple. Vous savez ce que ça veut dire, vous? Non? Alors, lisez l'article qui suit, paru récemment dans *Phosphore,* le magazine des lycéens français.

FUN FACTS

En France 28% des forêts sont atteintes par les pluies acides. De 1970 à 1980, 8,2% de la superficie totale des terres a été atteinte par l'érosion des sols. Différentes formes de pollution:
1. La pollution tellurique venue du continent. Il s'agit de rejets qui entraînent la prolifération des macro-algues ou produisent des toxines dangereuses pour la faune et les coquillages.

2. La pollution pélagique qui a trait à la haute mer. Elle est causée par:
• les bateaux qui rejettent à la mer des déchets.
• l'exploitation du sous-sol marin; des accidents ont lieu lors de forage en mer.
• les rejets dus aux émissions naturelles et retombées d'hydrocarbures à partir de l'atmosphère.

Vocabulaire

le gaz d'échappement

le pot d'échappement

l'appareil respiratoire

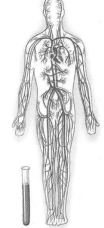

l'appareil circulatoire

le sang

la neige

la pluie

le brouillard

le plomb métal dense gris-bleu (symbole: Pb)

le fer métal tenace, très utilisé dans l'industrie (symbole: Fe)

l'azote (*m.*) gaz incolore et inodore (symbole: N)

le gaz carbonique gaz résultant de la combinaison du carbone avec l'oxygène (symbole: CO_2)

nocif mauvais

néfaste mauvais

Communication guidée

Un peu d'écologie Complétez.

1. Dans une voiture, les gaz d'échappement partent par le _____.
2. Les pluies acides sont des acides qui retombent sur le sol mélangés aux pluies, à la _____ ou au _____.
3. Quand on ne peut pas respirer, on a des troubles _____.
4. Quand on a une mauvaise circulation du sang, on a des troubles _____.
5. Le _____ est un métal très dense. Le _____ est un métal très utilisé dans l'industrie.
6. Les rayons ultraviolets sont _____ ou _____ pour l'homme.
7. Quand on respire, on produit un gaz, c'est le _____.
8. L'_____ est un gaz incolore et inodore. Ses oxydes peuvent être très nocifs pour les êtres vivants.

♻ Recycling

Have students think of the names of any metals or minerals they have already learned in French.

Vocabulaire

Since this vocabulary section is quite short, you may wish to vary the presentation procedure. Have students open their books, look at the illustrations, and read the definitions silently. You may wish to assign this for homework.

👥 Paired Activity

Sur les branches d'un arbre (réel ou en papier), attachez des feuilles sur lesquelles les élèves auront écrit des messages écologiques.

3 Practice

Communication guidée

Have students write the answers to the activity. Go over the activity orally in class the following day.

Independent Practice

Assign any of the following:
1. Activity on this page
2. Workbook, **Journalisme**

ANSWERS TO

Communication guidée

1. pot d'échappement
2. neige, brouillard
3. respiratoires
4. circulatoires
5. plomb, fer
6. nocifs, néfastes
7. gaz carbonique
8. azote

POUR COMPRENDRE L'ÉCOLOGIE ◆◆

National Standards

Connections

This reading presents some of the scientific terms used when discussing ecological issues.

1 Preparation

Resource Manager

Audio Activities Booklet TE, Activity C, pages 103–104
Audiocassette 4/CD 7
Workbook, Activities C–D, pages 92–93

2 Presentation

Note: This selection contains some very important and useful vocabulary dealing with ecology.

Step 1 You may wish to select some sections to read aloud and have the students read others silently.

Step 2 As you do each section, you may wish to give students the following definitions and have them find the words being defined.

Agriculture biologique
• l'action de cultiver la terre
• l'action d'élever et nourrir des bêtes
• le contraire d'un produit naturel

Biodégradable
• qui peut être décomposé par des organismes vivants

Écologie
• les hommes et les femmes
• l'environnement

Eutrophisation
• ce qui contient des phosphates
• ce qui contient des nitrates

POUR COMPRENDRE L'ÉCOLOGIE

AGRICULTURE BIOLOGIQUE
Culture ou élevage respectant les équilibres naturels et n'utilisant aucun produit chimique.

BIODÉGRADABLE
Se dit d'une substance susceptible d'être décomposée par des organismes vivants (bactéries).

ÉCOLOGIE
Mot inventé en 1866 par le biologiste allemand Haeckel. Du grec «oïkos» (maison). Science des relations des êtres vivants avec leur milieu[1] et des êtres vivants entre eux.

EUTROPHISATION
Quand l'eau (mer, lac, rivière…) contient trop de richesses nutritives, certains petits organismes pullulent[2]. En se développant, ils absorbent l'oxygène de l'eau au détriment d'autres espèces[3]. L'eutrophisation est due au déversement[4] dans l'eau de phosphates (les détergents en contiennent) ou de nitrates (dans les engrais[5]).

OXYDES D'AZOTE
Rejetés par les gaz d'échappement des voitures, ils sont produits par la combustion des carburants[6] à haute température. Effets nocifs sur les êtres vivants.

OZONE
L'ozone est un gaz présent dans la stratosphère (entre 20 et 40 km d'altitude) où il forme une couche[7] qui protège la planète des rayonnements solaires ultraviolets B, très néfastes pour l'homme.

PLUIES ACIDES
Pollution due aux rejets gazeux des industries et des pots d'échappement de voitures. Dans l'atmosphère, ces polluants sont transformés en acides (sulfuriques et nitriques) qui retombent au sol mélangés aux[8] pluies, neiges et brouillards. Les pluies acides font dépérir[9] les forêts, polluent certains lacs et cours d'eau, et provoquent des troubles respiratoires et circulatoires chez l'homme.

POT CATALYTIQUE
Situé entre le moteur et le pot d'échappement d'une voiture, c'est pour l'instant l'une des meilleures techniques de réduction d'émissions polluantes. Il transforme en partie les gaz polluants en vapeur d'eau, en azote et en gaz carbonique. Le pot catalytique ne fonctionne qu'avec de l'essence sans plomb.

RECYCLAGE
Le recyclage consiste à récupérer les déchets[10] pour les transformer. Ils peuvent ainsi resservir (verre, papier, fer, etc.).

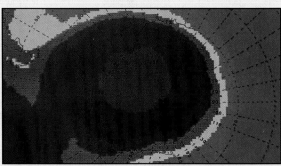

La diminution de la couche d'ozone au-dessus du Pôle Nord

[1] milieu *environment*
[2] pullulent *proliferate*
[3] espèces *species*
[4] le déversement *pouring*
[5] les engrais *fertilizers*
[6] carburants *fuels*
[7] une couche *layer*
[8] mélangés aux *mixed with*
[9] dépérir *to wither*
[10] les déchets *waste*

Oxydes d'azote
• ce que les voitures rejettent
• qui est dangereux

Ozone
• un gaz présent dans la stratosphère
• elle protège la planète des rayonnements solaires ultraviolets B

Pluies acides
• polluants transformés en acides qui retombent au sol mélangés aux pluies, etc.
• deux problèmes provoqués chez l'homme par les pluies acides

Pot catalytique
• la meilleure technique de réduction d'émissions polluantes

Recyclage
• récupération des déchets pour s'en resservir

Après la lecture

A Vrai ou faux? Corrigez les phrases fausses.
1. L'agriculture biologique utilise des produits chimiques.
2. «Biodégradable» veut dire qui se décompose naturellement.
3. Le terme «écologie» vient du latin.
4. Les détergents contiennent des phosphates.
5. Les oxydes d'azote sont rejetés par les voitures.
6. La couche d'ozone protège les hommes des rayons ultraviolets.

B Définitions Trouvez le mot qui correspond.
1. les polluants qui proviennent des gaz d'échappement des voitures
2. science des relations entre l'homme et son environnement
3. la culture ou l'élevage qui n'utilise pas de produits chimiques
4. un appareil qui sert à réduire les gaz polluants qui s'échappent d'une voiture
5. la récupération des déchets

La propreté à portée de la main.
7000 NOUVELLES BOÎTES DE PROPRETÉ À PARIS

♻ PROPRETÉ DE PARIS

Communication libre

 Recyclage Vous organisez un programme de recyclage dans votre ville. Déterminez ce que vous allez recycler et comment, les jours de recyclage, etc. Travaillez en petits groupes.

Le recyclage du verre, à Paris

B Campagne publicitaire Vous faites une campagne publicitaire pour un produit «écologiquement» bon. Choisissez un produit, puis «vendez-le»—écrivez une publicité, faites une affiche, etc. Travaillez avec un(e) camarade.

Post-reading

Après la lecture

Have students prepare the activities and then go over them in class.

Communication libre
You may wish to have students choose the activity they want to take part in.

B Extension: You may want to list specific items to include in the **publicité:** two commands, one subjunctive expression/verb, three to four adjectives, etc. The **publicité** could be videotaped.

FUN FACTS

Le recyclage en France pour les emballages est actuellement de:
**20% pour le verre
25% pour le fer-blanc
5% pour l'aluminium
1% pour les plastiques**
You may wish to have students guess what the comparative figures are for the U.S. and then have them research the answers.

Independent Practice
Assign any of the following:
1. **Après la lecture** and **Communication libre** activities on this page
2. Workbook, **Journalisme**

ANSWERS TO Après la lecture

A
1. Non, elle n'utilise aucun produit chimique.
2. Oui.
3. Non, il vient du grec.
4. Oui.
5. Oui.
6. Oui

B
1. les oxydes d'azote
2. l'écologie
3. l'agriculture biologique
4. le pot catalytique
5. le recyclage

ANSWERS TO Communication libre

A , **B** *Answers will vary.*

✓ Assessment

Use these resources at the end of the **L'écologie** section for review and assessment.
Quiz 7
Test Booklet, pages 84–85
ExamView Pro®
Situation Cards

Journalisme

LA PROTECTION DES ANIMAUX

LA PROTECTION DES ANIMAUX

1 Preparation

Resource Manager

Vocabulary Transparencies 4.4–4.5
Audio Activities Booklet TE, Activity
  D, page 104
Audiocassette 4/CD 7
Workbook, Activities A–B, pages
  93–94
Quiz 8, page 48
ExamView Pro®

Bellringer Review

Write the following on the board or use BRR Transparency 4.8.
Faites une liste de tous les animaux que vous connaissez en français.

2 Presentation

Introduction

Step 1 You may call on an individual to read this **Introduction** aloud.

Step 2 Now write the names of all the animals that the students listed in the Bellringer Review on the board and ask them which ones are endangered and which are not.

Vocabulaire

Step 1 Present the new words and have students repeat them after you or Audiocassette 4/CD 7 two or three times in unison.

Step 2 You may wish to ask the following questions to have students use the new words as you present them: **Les hommes vivent-ils dans la crainte des animaux, ou les animaux vivent-ils dans la crainte des**

Introduction

Nous devons aujourd'hui apprendre à protéger les animaux. Nous devons leur assurer non seulement la possibilité de bien vivre, mais aussi un territoire adapté à leurs besoins. Il y a en effet des centaines d'espèces animales qui n'ont plus de territoire parce qu'on a coupé les arbres de leur forêt, par exemple.

Pour en savoir plus sur la disparition de certaines espèces animales et ce qu'on peut faire pour sauver celles qui sont en danger, lisez l'article qui suit, paru dans le magazine pour jeunes *Okapi*.

Vocabulaire

Des bouquetins en train de brouter. Ils broutent.
Les loups pourchassent un bouquetin.

L'ours brun a une belle fourrure brune.

Ils abattent un arbre.

une corne

Cet homme va à la chasse. Il va chasser.　Le chasseur essaie d'échapper au rhinocéros.

la crainte la peur
la chair la viande
une réserve un parc national

la paix le contraire de la guerre
sûr pas dangereux
se vêtir mettre des vêtements, s'habiller

Communication guidée

A　**Quelques animaux**
Répondez d'après les dessins.

1. C'est un tigre?
2. C'est une antilope?
3. C'est un éléphant?
4. C'est un cochon?
5. C'est une vache?
6. C'est une poule?

1. 　2. 　3.

4. 　5. 　6.

B　**Des animaux et des hommes** Complétez.

1. Le rhinocéros d'Afrique a deux ____; celui d'Asie n'en a qu'une.
2. Les rhinocéros sont des herbivores: ils ____ l'herbe de la savane.
3. Les campeurs ont été attaqués par un ours: il les a ____, mais ils ont pu lui ____.
4. Les hommes préhistoriques chassaient les animaux pour se nourrir de leur ____.
5. Et ils utilisaient la ____ de ces animaux pour se vêtir.
6. C'est un chasseur. Il aime ____.
7. Il va à la ____ tous les jours pendant la saison.
8. Les animaux ont été tellement chassés, qu'ils vivent dans la ____ de l'homme.
9. Seuls, les animaux qui vivent dans des ____ vivent en paix. Ce sont pour eux des endroits ____.
10. Ces arbres étaient trop vieux, il a fallu les ____.

ANSWERS TO *Communication guidée*

A

1. Non, c'est un ours.
2. Non, c'est un bouquetin.
3. Non, c'est un rhinocéros.
4. Non, c'est une baleine.
5. Non, c'est un loup.
6. Non, c'est un manchot.

B

1. cornes
2. broutent
3. pourchassés, échapper
4. chair
5. fourrure
6. chasser
7. chasse
8. crainte
9. réserves, sûrs
10. abattre

hommes? Est-ce que les hommes se nourrissent de la chair des animaux? Est-ce qu'il y a des réserves là où vous habitez? Est-ce qu'il y a beaucoup de réserves dans l'ouest des États-Unis?

Step 3 Ask: **Tout le monde préfère la paix à la guerre, n'est-ce pas? Y a-t-il beaucoup de dangers dans un endroit sûr? Est-ce que les hommes s'habillent de la fourrure des animaux?**

3 Practice

Communication guidée

B　Have students prepare this activity before going over it in class.

Class Motivator

Set-up: Teach students the tongue twister: «**Un chasseur sachant chasser doit savoir chasser sans son chien**».
Game: Each student standing in a circle says the tongue twister slowly at first then faster and faster. If students make a mistake they are eliminated. The student who remains standing is the winner.

Independent Practice

Assign any of the following:
1. Activities on this page
2. Workbook, **Journalisme**

CES ANIMAUX EN DANGER DE MORT ◆◆

National Standards

Connections
This reading discusses an important topic in the field of zoology: the efforts that are being made to protect disappearing animal species.

1 Preparation

Resource Manager

Audio Activities Booklet TE,
 Activity E, page 105
Audiocassette 4/CD 7
Workbook, Activities C–D, page 94

Bellringer Review

Write the following on the board or use BRR Transparency 4.9.
Donnez le pluriel.
1. le taureau
2. le chameau
3. l'animal
4. le journal
5. le général

FUN-FACTS

En France, de nombreuses personnalités de tous les milieux font campagne contre les cruautés infligées aux animaux. L'actrice de cinéma Brigitte Bardot, très célèbre dans les années 50 et 60, lutte depuis longtemps contre le massacre des bébés phoques, la vivisection, l'utilisation des animaux par l'industrie cosmétique. Sa dernière bataille concerne la consommation de la viande de cheval. Il y a en effet en France des boucheries chevalines qui ne vendent que de la viande de cheval. La viande de cheval est considérée par beaucoup de Français comme meilleure pour la santé, car moins grasse que la viande de bœuf.

CES ANIMAUX EN DANGER DE MORT

Dans le beau film de Jean-Jacques Annaud, *La guerre du feu*[1], trois hommes se réfugient dans un arbre isolé de la savane, pour échapper à une horde de lions.

Ils restent perchés là, plusieurs jours, car les lions ne se lassent[2] pas de les guetter[3]…

Dans ces temps reculés[4], les hommes, bien peu nombreux sur Terre, vivaient dans la crainte des animaux…

Des milliers d'espèces ont disparu

Dès qu'ils[5] ont su fabriquer des armes, les hommes ont chassé les animaux. Ils se sont nourris de leur chair, ils se sont vêtus avec leurs fourrures. Ils ont cru trouver des propriétés miraculeuses dans les cornes du rhinocéros ou du bouquetin des Alpes.

Ainsi, pendant des siècles[6], les espèces animales ont été pourchassées, sans relâche[7], par l'homme. Mais, depuis cinquante ans, elles disparaissent à un rythme de plus en plus rapide. En effet, la population humaine a beaucoup augmenté.

Pour gagner de l'espace, partout, on a abattu des forêts entières. Les animaux qui vivaient là, cachés[8], ont peu à peu été privés de tout ce qui faisait leur vie[9]: leur habitat, leur territoire de chasse, leur nourriture. Des milliers d'espèces se sont raréfiées; d'autres ont disparu.

C'est ainsi que, dans quelques années, les tigres du Bengale, les ours des Pyrénées et les loups d'Europe pourraient disparaître, si on ne fait rien.

Il existe une variété infinie d'espèces animales. Pourtant, les hommes n'en exploitent que quelques-unes pour l'élevage: les poules, les vaches, les cochons… Mais qui sait quelle espèce pourrait être utile dans l'avenir[10]?

Des antilopes dans les champs normands?

Imaginons, par exemple, que les espaces désertiques s'étendent de plus en plus. En Afrique, l'oryx[*], qui a failli disparaître[11], est un des rares animaux capables de brouter sur des terres arides. Il pourrait, demain, nourrir un grand nombre d'êtres humains.

Et si les climats venaient à se réchauffer, qui sait s'il n'y aura pas, un jour, des antilopes dans les champs de Normandie!

Depuis plusieurs années, les hommes ont enfin décidé de sauver les animaux. Pour certaines espèces, il était déjà trop tard. Pour d'autres, il était juste temps de créer des espaces naturels, des parcs ou des réserves où, maintenant, ils peuvent se reproduire en paix.

Depuis 1989, le commerce de l'ivoire est interdit: l'extermination massive des éléphants est donc freinée. Les baleines, qui étaient menacées d'extinction, sont peut-être sauvées.

Aujourd'hui, sur la Terre, un seul espace reste sûr pour le monde animal: c'est le continent Antarctique. En 1991, les gouvernements ont décidé de ne pas l'exploiter pendant cinquante ans. Des milliers de manchots ont, devant eux, des jours tranquilles sur ces terres glacées.

---

[1] La guerre du feu *Quest for Fire*
[2] se lassent *tire*
[3] guetter *to watch, lie in wait*
[4] reculés *distant, remote*
[5] dès qu'ils *as soon as they*
[6] siècles *centuries*
[7] sans relâche *without respite*
[8] cachés *hidden*
[9] vie *life*
[10] l'avenir *future*
[11] a failli disparaître *very nearly disappeared*
[*] oryx *large straight-horned African antelope*

Critical Thinking Activity

Locating Causes

1. Pourquoi dans les temps reculés, les hommes ont-ils vécu dans la crainte des animaux?
2. Pourquoi des milliers d'espèces animales se sont-elles raréfiées ou ont-elles disparu?
3. Aujourd'hui, sur la Terre, un seul espace qui reste sûr pour le monde animal, c'est le continent Antarctique. Pourquoi?

2 Presentation

Step 1 Before reading the selection, write the title on the board— **Ces animaux en danger de mort**—and ask students the following questions: **De quoi parle cet article? Pensez-vous que c'est un problème? À votre avis, pourquoi est-ce que les animaux sont en danger?**

Step 2 Have students skim the article looking for cognates to list on the board. The article could then be assigned as homework along with the questions on page 186.

Step 3 Paraphrasing: If you do this reading orally in class, you may wish to paraphrase some of the more difficult sections. If you have the students read it silently, you may wish to give them the following paraphrased versions and have them find the original.

- **Les lions les regardent sans se fatiguer, sans devenir fatigués.**
- **Dans le passé les hommes avaient très peur des animaux.**
- **Les hommes ont mangé la viande des animaux, ils se sont habillés avec leurs fourrures.**
- **Pendant des centaines d'années les hommes ont pourchassé les animaux sans cesse.**
- **Récemment les animaux disparaissent très vite.**
- **De toutes les espèces d'animaux, les hommes n'en exploitent que très peu pour l'élevage.**

Step 4 You can intersperse the questions from **Activité A**, page 186, as you go over the reading selection.

Post–reading

Après la lecture

You can go over these activities after the students have prepared them for homework.

Après la lecture

A Sauvons les animaux!
Répondez d'après le texte.

1. Pourquoi les premiers hommes avaient-ils peur des animaux?
2. Quand les hommes ont-ils commencé à chasser les animaux?
3. Dans quoi les hommes ont-ils trouvé des propriétés miraculeuses?
4. Qu'ont fait les hommes pour gagner de l'espace?
5. Quel en a été le résultat?
6. Quelles espèces animales pourraient bien disparaître?
7. Quels sont les animaux que les hommes utilisent pour l'élevage?
8. Quels autres animaux pourraient-ils un jour utiliser?
9. Comment a-t-on freiné l'extermination des éléphants?
10. Pourquoi les manchots peuvent-ils dormir tranquillement?

B Vrai ou faux? Corrigez les phrases fausses.

1. Il y a très longtemps, les hommes avaient peur des animaux.
2. Les hommes chassaient les animaux pour se nourrir et s'habiller.
3. Depuis cinquante ans, les espèces animales disparaissent de plus en plus vite.
4. Les hommes exploitent beaucoup d'espèces animales pour l'élevage.
5. L'oryx d'Afrique a besoin de beaucoup d'eau pour vivre.
6. On trouve déjà des antilopes en Normandie.
7. De nos jours, les éléphants et les baleines sont sauvés.
8. On ne pourra pas chasser sur le continent Antarctique jusqu'en 2041.

ANSWERS TO Après la lecture

A *Answers will vary but may include:*
1. Ils avaient peur des animaux parce que les hommes étaient peu nombreux et n'avaient pas d'armes pour se défendre.
2. Ils ont commencé à chasser les animaux dès qu'ils ont su fabriquer des armes.
3. Ils ont trouvé des propriétés miraculeuses dans les cornes du rhinocéros ou du bouquetin des Alpes.
4. Ils ont abattu des forêts entières.
5. Des milliers d'espèces se sont raréfiées; d'autres ont disparu.
6. Les tigres du Bengale, les ours des Pyrénées et les loups d'Europe.
7. Les poules, les vaches, les cochons…
8. Ils pourraient un jour utiliser l'oryx.
9. On a interdit le commerce de l'ivoire.
10. Ils peuvent dormir tranquillement parce que les gouvernements ont décidé de ne pas exploiter le continent antarctique pendant cinquante ans.

B
1. Oui.
2. Oui.
3. Oui.
4. Non, ils n'en exploitent que quelques-unes.
5. Non, l'oryx est un des rares animaux capables de brouter sur des terres arides.
6. Non, on ne trouve pas encore d'antilopes en Normandie.
7. Oui (peut-être).
8. Oui.

Communication libre

A **La chasse** Faites une liste des arguments en faveur de la chasse et une liste des arguments contre la chasse. Faites un sondage dans votre classe pour savoir la position de vos camarades sur ce sujet.

B **Être ou ne pas être végétarien** Doit-on manger de la viande ou pas? Faites une liste des arguments en faveur et une liste des arguments contre. Faites un sondage dans votre classe.

C **Animaux en voie de disparition**
Le texte cite trois espèces animales qui pourraient bien disparaître: le tigre du Bengale, l'ours des Pyrénées et le loup d'Europe. Connaissez-vous d'autres espèces qui sont en voie de disparition (en train de disparaître)? Faites un exposé sur une espèce animale en danger dans votre pays ou ailleurs (*elsewhere*).

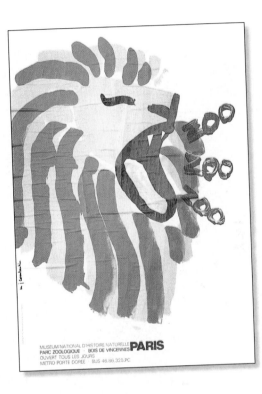

MUSEUM NATIONAL D'HISTOIRE NATURELLE **PARIS**
PARC ZOOLOGIQUE   BOIS DE VINCENNES
OUVERT TOUS LES JOURS
METRO PORTE DOREE · BUS 46.86.325.PC

Communication libre
Have students select the activities they would like to do.

Critical Thinking Activity

Supporting Arguments with Reasons
Êtes-vous pour ou contre les zoos? Pourquoi? À votre avis, les zoos servent-ils à protéger les animaux en voie de disparition? Pourquoi?

Independent Practice

Assign any of the following:
1. Activities on pages 186–187
2. Workbook, **Journalisme**

✓ Assessment

Use these resources at the end of the **La protection des animaux** section for review and assessment.
  Quiz 8
  Test Booklet, pages 86–88
  ExamView Pro®
  Situation Cards

ANSWERS TO
Communication libre

A , **B** , **C** *Answers will vary.*

Les Touaregs

LES TOUAREGS

1 Preparation

Resource Manager

Vocabulary Transparency 4.6
Audio Activities Booklet TE, Activity F, page 106
Audiocassette 4/CD 7
Workbook, Activities A–B, page 95
Quiz 9, page 49
ExamView Pro®

Bellringer Review

Write the following on the board or use BRR Transparency 4.10.
Vous vous en souvenez? Répondez.
1. Où est le Maghreb?
2. Qui sont les Maghrébins?
3. Quelle langue parlent-ils?
4. Qu'est-ce qu'ils aiment boire?
5. Quelle est leur religion?
6. Qu'est-ce qu'une mosquée?

2 Presentation

Introduction

Step 1 Call on a student to read aloud the **Introduction** to the interesting article that follows.

Step 2 You may wish to introduce the following discussion question: **À votre avis, est-il possible que de nos jours il y ait des peuples menacés d'extinction?**

Step 3 Territoire: Explain to students that **berbère** refers to Saharan nomadic groups.

Teaching Tip: Bring in a piece of blue cloth and dramatize the meaning of: **Quand vient l'âge de la puberté, les Touaregs se drapent le visage avec une longue pièce de tissu, le «chèche», teintée à l'indigo.**

Introduction

Les animaux ne sont pas les seuls êtres vivants que le monde moderne prive de tout ce qui était leur vie. Certains peuples aussi doivent faire face au même destin: les Touaregs, par exemple.

Si ce nom ne vous dit rien, lisez les renseignements suivants, avant de lire le reportage à la page 188, paru originairement dans *Phosphore*.

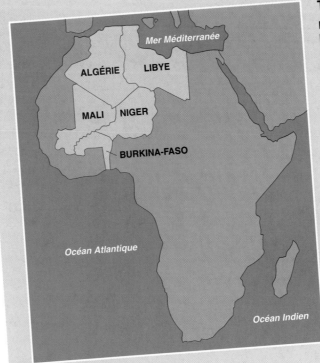

TERRITOIRE

Les Touaregs sont d'origine berbère et comptent environ un million de personnes réparties au Niger (600 000) et au Mali (300 000), le reste se répartissant entre la Libye, le Burkina-Faso et l'Algérie. Divisés en une infinité de tribus, nomades ou sédentaires, ils n'ont qu'un point commun: la langue touarègue, le tamacheq.

LES HOMMES BLEUS

L'expression, qui date de la colonisation, a fait le tour du monde. Quand vient l'âge de la puberté, les Touaregs se drapent le visage avec une longue pièce de tissu, le «chèche», teintée à l'indigo. Cette teinture, qui se dépose sur le visage, a valu aux Touaregs le surnom «d'hommes bleus».

Cross-Cultural Comparison
Ask students if they can think of any other rites or ceremonies that mark the passage of boys and girls into adulthood.

Vocabulaire

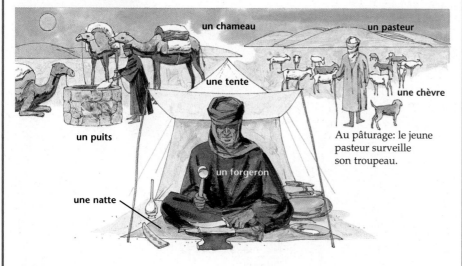

un chameau

un pasteur

une tente

une chèvre

un puits

un forgeron

Au pâturage: le jeune pasteur surveille son troupeau.

une natte

la sécheresse le climat sec
déguster manger ou boire avec plaisir
veiller sur surveiller
découvert le contraire de couvert

célibataire qui n'est pas marié
malfaisant qui cherche à faire du mal, mauvais
bienfaisant qui fait du bien

Communication guidée

A **Dans le désert** Complétez.

1. Comme animaux, les nomades ont des ____ et des ____.
2. Les nomades ne vivent pas dans des maisons, mais dans des ____.
3. Ils dorment sur des ____.
4. Ils prennent de l'eau dans des ____.
5. Il fait toujours chaud et sec, mais les nomades ont l'habitude de la ____.
6. Les femmes ne portent pas le voile. Elles ont le visage ____.
7. C'est la femme qui ____ les enfants et les chèvres.
8. Dans le désert, l'eau est ____. On la déguste avec plaisir.

B **Définitions** Trouvez le mot qui convient.

1. quelqu'un qui travaille le fer
2. quelqu'un qui garde un troupeau de chèvres
3. l'endroit où un troupeau broute
4. qui n'a pas de mari ou de femme
5. qui cherche à faire du mal

Journalisme

Vocabulaire

You may wish to follow some of the suggestions from previous chapters for the presentation of the vocabulary.

♻ Recycling

Quickly ask students to give you the plural of **le chameau, le troupeau.**

3 Practice

Additional Practice

Have students correct the following false statements.
1. **Les nomades habitent dans des maisons au Sahara.**
2. **Le troupeau surveille le pasteur.**
3. **Il y a beaucoup de sécheresse là où le climat est pluvieux.**
4. **Les femmes de cette région ont le visage couvert.**

Independent Practice

Assign any of the following:
1. **Communication guidée** activities on this page
2. Workbook, **Journalisme**

ANSWERS TO *Communication guidée*

A

1. chameaux, chèvres
2. tentes
3. nattes
4. puits
5. sécheresse
6. découvert
7. veille sur
8. bienfaisante

B

1. un forgeron
2. un pasteur
3. le pâturage
4. célibataire
5. malfaisant

189

NOMADES

Nomades dans l'âme[1], les Touaregs ont toujours été en conflit avec les Noirs sédentaires. Leur nomadisme s'articule autour de l'élevage. Les Touaregs se déplacent en suivant les pâturages pour que chèvres et chameaux aient toujours de quoi se nourrir.

LES HOMMES BLEUS

Au Mali, au Niger et en Algérie, on n'a jamais beaucoup aimé les Touaregs, ces nomades du désert. Mais depuis deux ans, la situation empire[2]. Attaques, représailles sanglantes, guérilla: les morts se comptent par centaines.

THÉ AU SAHARA

Les Touaregs ne mangent jamais en public. Seul le thé se déguste en famille ou entre amis.

---

[1] l'âme *soul*
[2] empire *is getting worse*

Journalisme

LES HOMMES BLEUS ◆◆

National Standards

Cultures
Students will learn about a little-known culture: that of the Touareg people of Saharan Africa.

Connections
This reading furthers students' knowledge of geography.

1 Preparation

Resource Manager

Audio Activities Booklet TE, Activity G, page 107
Audiocassette 4/CD 7
Workbook, Activities C–D, pages 95–96

2 Presentation

Step 1 Ask students: **Que veut dire «les hommes bleus»? Pensez-vous qu'il existe des hommes bleus? Y a-t-il une autre explication pour ce nom?** Explain that the Tuaregs have a blue tint because of the indigo dye that rubs onto their skin from the fabric they wrap around their faces.

Step 2 The information in this article is extremely interesting. Since it is a pictorial essay, you may wish to have students sit back and enjoy reading it as if they were perusing a magazine at their leisure. Tell them to look at the photographs as they read and to make a list (either mental or written) of those things that they find most surprising.

FUN FACTS

Les Touaregs sont des berbères qui vivent au Mali, au Niger et dans le Sahara. Contrairement à la plupart des tribus berbères et des Arabes bédouins, ils sont matrilinéaires. Bien qu'ils soient islamisés, les femmes jouissent d'une grande liberté et d'un statut élevé. Le mariage est monogame. Protégés par les montagnes et l'aridité du désert, ils ont conservé leur langue *(tamacheq)* et leur écriture *(tifinah)*.

Avant l'arrivée des Européens, ils avaient une organisation sociale très hiérarchisée, allant de nobles guerriers à esclaves. Ils s'étaient également regroupés en huit confédérations centrées au Hoggar, au Tassili des Ajjer, au Niger et au Mali. Mais la colonisation a changé beaucoup de choses dans le statut social et le genre de vie des Touaregs. Ils ont été forcés de partiellement se sédentariser. D'autre part les confédérations ont été affaiblies par le statut politique des pays où ils vivaient (partage entre le Mali, le Niger, la Lybie et l'Algérie). Après la décolonisation, les relations entre les Touaregs et les nouveaux dirigeants, surtout du Mali et de l'Algérie, n'ont pas été faciles. La crise économique des années 70 n'a pas rendu la situation plus facile.

Charles Eugène de Foucault, dit le Père de Foucault, est un explorateur et missionnaire français qui vécut de 1858 à 1916. Il est l'auteur de travaux sur les Touaregs, entre autres, *Grammaire et Dictionnaire français-touareg/touareg-français* et *Poésies touareg.*

FEMMES

Bien que musulmanes, les femmes touarègues ont le visage découvert, contrairement aux hommes. Lorsqu'elles se marient, elles deviennent propriétaires de la «maison», une tente constituée de nattes. En cas de divorce, elles repartent dans leur famille avec leur maison, laissant l'homme sans abri[3].

[3] abri *shelter*

L'HEURE DU PUITS

Dans ce monde de sable et de sécheresse, il faut parfois descendre à plus de trente mètres pour trouver l'eau bienfaisante. Le puits est aussi le lieu de toutes les rencontres[4]. Regards, plaisanteries, sourires entre jeunes célibataires…

PLUS-QUE-NOMADES

Les forgerons forment une classe à part. Ces familles d'artisans vont et viennent entre tribus. Les femmes travaillent le cuir, les maris le bois[5] et le métal.

---

[4] rencontres *encounters*
[5] le bois *wood*

CEUX DE LA LIMITE

Les Kel-Tedale («ceux de la limite») vivent aux portes du terrible désert du Ténéré. Très pauvres, ils comptent parmi les derniers véritables nomades touaregs. Une famille voyage seule, l'homme est responsable des chameaux, la femme veille sur les enfants, la tente et le troupeau de chèvres.

LA COLÈRE[6] DES HOMMES BLEUS

Depuis prés d'un siècle, les Touaregs, habitants ancestraux du Sahara, luttent[7] pour préserver leur identité.

Que réclament[8] les Touaregs? Rien, ou presque. Ils souhaitent vivre selon leur culture, et non pas, comme on l'a parfois écrit, obtenir leur indépendance. Les Touaregs sont de tradition nomade, ils sont partout chez eux et ont toujours vécu en bons termes avec les autres ethnies.

Les hommes bleus veulent simplement vivre en paix le long des oueds[9], élever leurs troupeaux, cultiver leurs champs et préparer, comme chaque année, les caravanes de sel*. La vie est assez dure comme ça dans ces régions où le désert ne cesse d'avancer, et où une seule sécheresse peut être fatale à tout un troupeau, seul bien du pasteur nomade.

Aujourd'hui, la situation n'est pas brillante. Pourchassés par l'armée, les Touaregs du Mali s'entassent[10] par milliers dans des camps de fortune[11] dans le sud algérien, mais aussi au Niger, en Libye, au Burkina-Faso et en Mauritanie. Exténués[12] par la fatigue, la faim et la typhoïde. Dépendants d'une aide humanitaire qui arrive au compte-gouttes[13]. Triste épilogue, pour ces grands nomades qui ne souhaitaient que le droit à la différence.

---

[6] la colère *anger*
[7] luttent *fight*
[8] réclament *demand*
[9] le long des oueds *along the wadis (river beds—usually dry, except during the rainy season)*

[10] s'entassent *are crammed*
[11] camps de fortune *makeshift refugee camps*
[12] exténués *exhausted*
[13] arrive au compte-gouttes *is doled out sparingly*

* les caravanes de sel *camel caravans transporting salt from Saharan mines to markets in Nigeria, where the Touaregs sell the salt and buy cereals like millet*

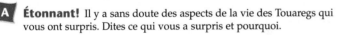

Après la lecture

A Vrai ou faux? Corrigez les phrases fausses.
1. Les Touaregs sont sédentaires.
2. Ils n'ont pas d'animaux.
3. Les Touaregs sont aimés des autres peuples.
4. Ils ne mangent jamais en public.
5. Les femmes touarègues portent le voile.
6. C'est le mari qui est le propriétaire de la tente familiale.
7. Le puits est l'endroit où hommes et femmes se rencontrent.
8. Les artisans restent toujours dans la même tribu.
9. Les femmes travaillent le bois et le métal, et les maris travaillent le cuir.
10. Les Touaregs veulent vivre selon leur culture.
11. Les Touaregs n'ont pas un seul bien.

B Les hommes bleus Répondez d'après le texte.
1. Pourquoi les Touaregs se déplacent-ils en suivant les pâturages?
2. Que dégustent-ils en famille?
3. Quand un couple se marie, qui devient propriétaire de la tente?
4. Que se passe-t-il quand un couple divorce?
5. Où se rencontrent les jeunes gens célibataires?
6. Comment vivent les artisans?
7. Que réclament les Touaregs?
8. Comment vivent-ils?
9. Quel peut être le résultat d'une grande sécheresse?
10. Quelle est la situation des Touaregs aujourd'hui?

Communication libre

A **Étonnant!** Il y a sans doute des aspects de la vie des Touaregs qui vous ont surpris. Dites ce qui vous a surpris et pourquoi.

B **La vie dans le désert** Décrivez un jour dans la vie d'une famille de Touaregs.

C **Le droit à la différence** Expliquez la dernière phrase de l'article: «Triste épilogue pour ces grands nomades qui ne souhaitaient que le droit à la différence.»

Post–reading

Independent Practice

Assign any of the following:
1. **Après la lecture** and **Communication libre** activities on this page
2. Workbook, **Journalisme**

 **Assessment**

Use these resources at the end of the **Les Touaregs** section for review and assessment.
Quiz 9
Test Booklet, pages 89–91
ExamView Pro®
Situation Cards

ANSWERS TO Communication libre

, , *Answers will vary.*

ANSWERS TO  **Après la lecture**

A
1. Non, ils sont nomades.
2. Non, ils ont des chameaux et des chèvres.
3. Non, on ne les a jamais beaucoup aimés.
4. Oui.
5. Non, elles ont le visage découvert.
6. Non, c'est la femme.
7. Oui.
8. Non, ils vont et viennent entre tribus.
9. Non, les femmes travaillent le cuir, et les maris, le bois et le métal.
10. Oui.
11. Non, ils ont leurs troupeaux.

B
1. Pour que chèvres et chameaux aient toujours de quoi se nourrir.
2. Le thé.
3. La femme.
4. La femme repart dans sa famille avec sa maison.
5. Autour du puits.
6. Ils vont et viennent entre tribus.
7. Ils souhaitent vivre selon leur culture.
8. Ils sont nomades et veulent vivre en paix le long des oueds, élever leurs troupeaux, cultiver leurs champs et préparer les caravanes de sel.
9. Leurs troupeaux peuvent en mourir.
10. Pas brillante: pourchassés par l'armée, ils s'entassent dans des camps de fortune, exténués par la fatigue, la faim et la typhoïde, et ils dépendent d'une aide humanitaire qui arrive au compte-gouttes.

1 Preparation

Resource Manager

Workbook, Activities A–G, pages
  97–98
Audio Activities Booklet TE,
  Activities A–C, pages 111–112
Audiocassette 4/CD 8
Quizzes 10–12, pages 50–52
ExamView Pro®

Bellringer Review

*Write the following on the board or
use BRR Transparency 4.11.*
Récrivez au futur.
1. Nous allons en Tunisie.
2. Mon ami veut aller dans un
   souk.
3. Je suis le guide.
4. Il achète quelque chose en
   cuir.

2 Presentation

 Le futur
antérieur ◆◆

Step 1 Since this point is of relatively low frequency, it is recommended that you not spend a
great deal of time on it.

Step 2 To have students understand the concept of the **futur
antérieur,** tell them that two or
more events can happen in the future. One will take place next
Tuesday, the other next Thursday.
By the time the Thursday event
takes place the Tuesday one will
be over—past. For this reason it is
expressed in the **futur antérieur.**

Step 3 Call on students to read
the model sentences aloud.

Telling what you and others will do before a future event

Le futur antérieur

1. The **futur antérieur,** or future perfect, is formed by using the future tense of the helping verb **avoir** or **être** and the past participle of the verb.

FINIR	ALLER
j' aurai fini	je serai allé(e)
tu auras fini	tu seras allé(e)
il aura fini	il sera allé
elle aura fini	elle sera allée
nous aurons fini	nous serons allé(e)s
vous aurez fini	vous serez allé(e)(s)
ils auront fini	ils seront allés
elles auront fini	elles seront allées

2. The future perfect is used to express a future action that will be completed prior to another future action.

Nous irons à Paris en mai.	*We will go to Paris in May.*
Malheureusement, nos amis seront déjà partis.	*Unfortunately our friends will have already left.*

Both actions are in the future. However, "our friends" will have left Paris before we arrive. Study the following examples.

Ils rentreront à Paris en juin. Malheureusement, nous aurons déjà repris l'avion pour New York.	*They will come back to Paris in June. Unfortunately, we'll have already taken a plane back to New York.*
Nous ne verrons pas nos amis avant le mois de septembre. Mais nous nous serons parlé au téléphone avant ça.	*We won't see our friends before the month of September. But we'll have talked with one another on the phone before that.*

Remember that **être** is the helping verb used with reflexive verbs.

Communication guidée

A Avant que Grand-mère n'arrive Répondez d'après le modèle.

—Il faut que tu aies fini tes devoirs.
—Mais oui, quand elle arrivera, j'aurai fini mes devoirs.

1. Il faut que tu aies fait la vaisselle.
2. Il faut que Valérie ait rangé sa chambre.
3. Il faut que Christophe soit rentré de l'école.
4. Il faut que vous soyez allés faire les courses.
5. Il faut que vous ayez mis la table.
6. Il faut que vous ayez pris un bain.
7. Il faut que tu te sois fait couper les cheveux.
8. Il faut que vous ayez préparé le dîner.

B Dans cent ans, la Terre sera un désert:... Faites des phrases avec les mots donnés. Utilisez le futur antérieur.

... nous/détruire la planète →
Dans cent ans, la Terre sera un désert: nous aurons détruit la planète.

1. ... nous/abattre tous les arbres
2. ... les industries/polluer tous les cours d'eau
3. ... des centaines d'espèces animales/disparaître
4. ... les êtres humains/devenir trop nombreux
5. ... ils/détruire l'environnement
6. ... ils/se détruire eux-mêmes

Structure II

3 Practice

Communication guidée
You may go over these activities with books open.

Independent Practice

Assign any of the following:
1. Activities on this page
2. Workbook, **Structure II**

ANSWERS TO Communication guidée

A

1. Mais oui, quand elle arrivera, j'aurai fait la vaisselle.
2. ... Valérie aura rangé sa chambre.
3. ... Christophe sera rentré de l'école.
4. ... nous serons allés faire les courses.
5. ... nous aurons mis la table.
6. ... nous aurons pris un bain.
7. ... je me serai fait couper les cheveux.
8. ... nous aurons préparé le dîner.

B

1. ... nous aurons abattu tous les arbres.
2. ... les industries auront pollué tous les cours d'eau.
3. ... des centaines d'espèces animales auront disparu.
4. ... les êtres humains seront devenus trop nombreux.
5. ... ils auront détruit l'environnement.
6. ... ils se seront détruits eux-mêmes.

Structure II

1 Presentation

Le futur et le futur antérieur avec quand ◆◆◆

Note: Although this point is not really difficult, students often mistakenly use the present after **quand.** They need quite a bit of reinforcement to remember to use the future.

The use of the future after these expressions is much more important than the **futur antérieur.**

2 Practice

It is recommended that the first time you go over these activities you have students respond without previous preparation. Then have students write the activities for homework. Go over them again the next day. The more the students hear the future after these expressions, the more accustomed they will become to using this tense correctly.

 Group Activity
Faites une liste de tout ce que vous ferez dans dix ans. Comparez votre liste à celle de quelques-un(e)s de vos camarades.

Independent Practice

Assign any of the following:
1. Activities on this page
2. Workbook, **Structure II**

198

Using the future or future perfect after certain conjunctions
Le futur et le futur antérieur avec **quand**

The future tense or the future perfect is used after the following conjunctions of time when the verb in the main clause is in the future, the future perfect, or the imperative.

quand	*when*	**dès que**	*as soon as*
lorsque	*when*	**pendant que**	*while*
aussitôt que	*as soon as*	**tandis que**	*while*

Note that the present tense or the past perfect is used in English.

Je vous téléphonerai quand j'arriverai.   *I'll call you when I arrive.*
Il sera parti lorsque vous arriverez.   *He will have left when you arrive.*
Dès que tu auras acheté un fax,   *As soon as you have bought a fax*
dis-le moi.   *machine, tell me.*

Un ours des Pyrénées

Communication guidée

A   **Futurs écologistes** Redites la même chose en suivant le modèle.

Moi, je veux passer un mois en mer pour étudier les baleines. →
Quand je passerai un mois en mer, j'étudierai les baleines.

1. Moi, je veux aller au Sahara pour photographier les Touaregs.
2. Lui, il veut faire des études en agriculture biochimique pour essayer de trouver de nouveaux engrais.
3. Eux, ils veulent aller en Amazonie pour essayer d'arrêter la déforestation.
4. Nous, nous voulons aller dans les Pyrénées pour trouver les derniers ours et les transporter dans un zoo.

B   **Premier jour à Paris** Complétez en utilisant soit le futur, soit le futur antérieur.

1. Dès que vous ____, téléphonez-moi. (s'installer)
2. Vous ____ des courses pendant que je ____. (faire, travailler)
3. Aussitôt que j' ____ une table, nous ____ partir. (réserver, pouvoir)
4. Céline ____ vous voir quand ses enfants ____ en vacances. (venir, partir)

Answers to Communication guidée

A

1. Quand j'irai au Sahara, je photographierai les Touaregs.
2. Quand il fera des études en agriculture biochimique, il essaiera de trouver de nouveaux engrais.
3. Quand ils iront en Amazonie, ils essaieront d'arrêter la déforestation.
4. Quand nous irons dans les Pyrénées, nous trouverons les derniers ours et les transporterons dans un zoo.

B

1. vous serez installé(e)(s)
2. ferez, travaillerai
3. aurai réservé, pourrons
4. viendra, seront partis

Using the present or the imperfect tense after certain time expressions
Le présent et l'imparfait avec depuis

1. The expressions **depuis, il y a… que, voilà… que, ça fait… que** are used with the present tense to describe an action that began at some time in the past and continues in the present. Look at the following examples.

—**Depuis quand êtes-vous à Bruxelles?** —*How long have you been in Brussels?*
—**Je suis ici depuis vingt ans.** —*I've been here for twenty years.*
—**Depuis quand travaillez-vous ici?** —*How long have you been working here?*
—**Je travaille ici depuis cinq ans.** —*I have been working here for five years.*

Il y a cinq ans que je travaille ici.
Voilà cinq ans que je travaille ici.
Ça fait cinq ans que je travaille ici.

Note that English uses the present perfect progressive because it considers that the action began in the past. French uses the present tense because it considers that, even though the action started in the past, it continues in the present.

2. The expressions **depuis, il y avait… que,** and **ça faisait… que** are used with the imperfect tense to describe an action or a condition that had begun in the past and was still happening or in effect at a given moment in the past when something else happened. Note the tenses in the following sentences.

Elle habitait en France depuis six mois quand son frère a décidé de lui rendre visite.
She had been living in France for six months when her brother decided to visit her.

Il y avait deux heures qu'il travaillait quand le téléphone a sonné.
He had been working for two hours when the telephone rang.

3. If the time construction involves a date, only **depuis** can be used.
Je travaille ici depuis 2000. *I've been working here since 2000.*

Structure II

1 Presentation

Le présent et l'imparfait avec depuis ◆◆◆

Step 1 Teaching Tip: Draw a time line on the board:

le présent

le passé

As you say each model sentence, draw a shaded surface that begins in the past and comes right up to the present to emphasize that although the action began in the past, it continues into the present and for this reason the present tense is used.

Step 2 This is another point that students learn better through examples than explanation. Call on individuals to read the model sentences aloud or have the entire class read in unison.

Structure II

2 Practice

Additional Practice

1. Depuis quand faites-vous du français?
2. Depuis quand allez-vous à la même école?
3. Depuis quand sortez-vous avec votre petit(e) ami(e)?
4. Depuis quand connaissez-vous votre prof de français?
5. Depuis quand avez-vous votre permis de conduire?

Independent Practice

Assign any of the following:
1. Activities on this page
2. Workbook, **Structure II**

Assessment

Use these resources at the end of the **Structure II** section for review and assessment.
Quizzes 10–12
Test Booklet, pages 92–93
ExamView Pro®

Communication guidée

A **Personnellement** Répondez.

1. Depuis quelle date habitez-vous dans la ville où vous habitez maintenant?
2. Depuis quand connaissez-vous votre meilleur(e) ami(e)?
3. Depuis combien de temps êtes-vous dans la même école?
4. Depuis combien de temps faites-vous du français?
5. Depuis combien de temps vos parents se connaissent-ils?
6. Depuis combien d'années faites-vous des maths? Et de l'anglais?

B **Historiette** **Combien de temps?** Complétez.

1. Mon frère Serge _____ de l'espagnol depuis deux ans quand il _____ d'apprendre le français. (faire, décider)
2. Depuis longtemps, il _____ aller à Madrid, et puis tout d'un coup, il _____ d'aller à Bruxelles. (vouloir, choisir)
3. Ça ne faisait que deux jours qu'il _____ à Bruxelles quand il _____ Eugénie. (être, rencontrer)
4. Il y avait un an qu'il _____ Carol lorsqu'il _____ amoureux d'Eugénie. (connaître, tomber)
5. Et maintenant, ça fait deux mois qu'il _____ à Eugénie, et moi ça fait deux mois que je _____ avec Carol! (écrire, sortir)

Une fête à Bruxelles

CHAPITRE 4

ANSWERS TO Communication guidée

A *Answers will vary but may include:*

1. J'habite depuis (date) dans la ville où j'habite maintenant.
2. Je connais mon/ma meilleur(e) ami(e) depuis ___ ans. (Ça fait, Voilà, Il y a __ ans que je connais…)
3. Je suis dans la même école depuis ___ ans. (Ça fait, Voilà, Il y a ___ ans que je suis…)
4. Je fais du français depuis ___ ans. (Ça fait, Voilà, Il y a ___ ans que je fais…)
5. Mes parents se connaissent depuis ___ ans. (Ça fait, Voilà, Il y a ___ ans que mes parents se connaissent.)
6. Je fais des maths (de l'anglais) depuis ___ ans. (Ça fait, Voilà, Il y a ___ ans que je fais…)

B

1. faisait, a décidé
2. voulait, a choisi
3. était, a rencontré
4. connaissait, est tombé
5. écrit, sors

200

Gens du Pays Gilles Vigneault

Avant la lecture

La vie qui passe est un thème souvent chanté par les poètes. Essayez de penser à ce que veulent dire pour vous les mots «jeunesse» et «vieillesse».

Vocabulaire

semer

récolter

un ruisseau

un étang

La neige fond au soleil.

National Standards

Cultures

Students will learn more about French-Canadian culture and about one of the most popular songwriters in Quebec.

Connections

Students will learn a little about an important period of French history: the Franco-Prussian War of 1870–71.

Gens du Pays

1 Preparation

Resource Manager

Vocabulary Transparencies 4.7–4.8
Audio Activities Booklet TE,
  Activity A, page 112
Audiocassette 4/CD 8
Workbook, Activity A, page 99
Quiz 13, page 53
ExamView Pro®

Bellringer Review

Write the following on the board or use BRR Transparency 4.12.
Vous vous en souvenez?
Identifiez.
1. Montréal
2. le Canada
3. les Acadiens
4. Évangéline
5. Cartier

201

Littérature

2 Presentation

Avant la lecture

Have students do the pre-reading activity on page 201.

Vocabulaire

Step 1 You may wish to ask the following questions as you present the vocabulary: **Est-ce que le fermier sème les graines? Quelques mois plus tard, récolte-t-il le blé et le maïs qu'il a semés? Est-ce qu'un ruisseau est plus grand ou plus petit qu'un fleuve? Est-ce qu'il y a de l'eau dans un étang? Est-ce que la neige fond au soleil? Que devient la neige quand elle fond?**

Step 2 Ask: **Est-ce que le garçon donne un bouquet de fleurs à sa petite amie? Il lui parle d'amour? Elle le laisse faire? Y a-t-il beaucoup de gens qui parlent d'amour? Est-ce que tout le monde veut vivre un grand amour?**

3 Practice

Communication guidée

A **Extension:** With more able groups you may wish to have students make up an original sentence using each of the words in this activity.

Je t'aime.

des fleurs

Il lui parle d'amour.
Elle le laisse faire.

les gens les hommes et les femmes, les êtres humains
l'amour quand on aime quelqu'un, on a de l'amour pour cette personne

les vœux les expressions comme «Bonne Année!» et «Bonne Santé!»
l'espoir *(m.)* le fait d'espérer
se mirer se regarder

Communication guidée

A **Familles de mots** Choisissez le mot qui correspond.

1. espérer   a. le souhait
2. récolter   b. la course
3. se mirer   c. la vie
4. souhaiter   d. l'amour
5. vivre   e. le miroir
6. former   f. la forme
7. courir   g. les semailles
8. aimer   h. la récolte
9. semer   i. l'espoir

B **Au Québec** Complétez.

1. Les Québécois sont les _____ qui vivent au Québec.
2. Pour le Nouvel An, ils se présentent leurs meilleurs _____.
3. Ils s'offrent des bouquets de _____.
4. Quand le printemps arrive, la neige _____.
5. Les _____ deviennent des rivières.
6. Et les _____ deviennent des lacs.
7. L'été, les jeunes font la fête, et les vieux les _____ faire. L'été dure si peu!

CHAPITRE 4

Geography Connection

 Have students look at the map of **Le monde francophone** on pages xiv–xv. Have them locate Quebec, and ask: **Où se trouve le Québec? Comment est le paysage là-bas? C'est une grande ou une petite région? Comment sont les saisons là-bas? Très marquées?**

ANSWERS TO
Communication guidée

A	**B**
1. i	1. gens
2. h	2. vœux
3. e	3. fleurs
4. a	4. fond
5. c	5. ruisseaux
6. f	6. étangs
7. b	7. laissent
8. d	
9. g	

Independent Practice

Assign any of the following:
1. Activities on this page
2. Workbook, **Littérature**

Introduction

Gens du Pays est une chanson de Gilles Vigneault, auteur et compositeur québécois.

Gilles Vigneault est né en 1928 à Natashquan, une petite ville au bord du golfe du Saint-Laurent.

Gens du Pays est souvent chanté au Québec lors de réunions officielles. C'est devenu, pour ainsi dire, l'hymne national du Québec.

Lecture 🎧

Gens du Pays

Le temps qu'on a pris
Pour dire je t'aime
C'est le seul qui reste
Au bout de° nos jours
Les vœux que l'on fait
Les fleurs que l'on sème
Chacun° les récolte en soi-même°
Au beau jardin du temps qui court

Gens du Pays
C'est votre tour°
de vous laisser
Parler d'amour

Le temps de s'aimer
Le jour de le dire
Fond comme la neige
Aux doigts du printemps
C'est l'temps de nos joies
C'est l'temps de nos rires
Ces yeux où nos regards se mirent
C'est demain que j'avais vingt ans.

Gens du Pays…

Le ruisseau des jours
Aujourd'hui s'arrête
Et forme un étang
Où chacun peut voir
Comme en un miroir
L'amour qu'il reflète
Pour ces cœurs° à qui je souhaite
Le temps de vivre nos espoirs

Gens du Pays…

Gilles Vigneault, *Gens du Pays*

au bout de° *at the end of*

chacun *everyone*
soi-même *himself*

tour *turn*

cœurs *hearts*

LITTÉRATURE

deux cent trois ✦ 203

---

1 Preparation

Resource Manager

Audio Activities Booklet TE, Activities B–C, pages 113–114
Audiocassette 4/CD 8
Workbook, Activity B, page 99

Bellringer Review

Write the following on the board or use BRR Transparency 4.13.
Faites une liste des mots associés avec le temps.

2 Presentation

Introduction

Read the **Introduction** aloud to the class.

Lecture ◆◆

Note: The French in this selection is not difficult, but students may have some trouble grasping the underlying meaning. A literary explanation is necessary.

Step 1 You may get a recording of this song and play it to the class.

Step 2 Have students close their books. Read this selection aloud to them. Tell students to try to get the general idea.

Step 3 Read the poem again as students follow along.

Step 4 Give students a few minutes to read the selection silently.

Step 5 With more able groups, you may wish to ask the analytical questions in **Literary Analysis** at the bottom of this page.

Literary Analysis

1. Quels sont les thèmes principaux de cette chanson? Trouvez le vers qui résume le mieux l'esprit de la chanson.
2. La fuite du temps est exprimée par diverses métaphores; faites-en la liste.
3. Donnez un titre à chaque couplet de cette chanson.
4. Comment comprenez-vous le vers: «C'est demain que j'avais vingt ans»?

Paired Activities

1. **Refrain:** Relisez le refrain de cette chanson. À votre tour, composez un refrain que vous adresserez aux habitants de votre pays ou de votre ville. Commencez par «Gens du Pays» et continuez à votre manière.
2. **Pour que les habitants d'un pays s'entendent mieux, il faut que… Donnez-leur cinq conseils.**

Littérature

Post–reading

Communication libre

 C Give students the following address so that they can write for the information they need to do this activity:
Office de la langue française
125, rue Sherbrooke Ouest
Montréal, PQ H2X 1X4
Canada
Tél.: 514-873-6565
To order a copy of this law and others concerning the use of French in Quebec, call Publications Québec at 418-527-0809.

Independent Practice

Assign any of the following:
1. **Après la lecture** and **Communication libre** activities on this page
2. Workbook, **Littérature**

✓ Assessment

Use these resources after completing the *Gens du Pays* reading for review and assessment.
Quiz 13
Test Booklet, pages 94–95
ExamView Pro®

Literature Connection

Gilles Vigneault a choisi de célébrer son Québec natal dans ses chansons. Dans la célèbre chanson «Mon Pays», il chante: «Mon pays, ce n'est pas un pays; c'est l'hiver».

Il évoque ainsi le paysage hivernal du Québec tout en précisant que, malgré le froid, les gens y sont très chaleureux. La Nature, si présente au Canada, sert de toile de fond aux chansons de Gilles Vigneault. Le vent, la neige, l'eau, les saisons deviennent des symboles de l'amitié, de l'amour et de l'espoir.

Littérature

Après la lecture

A La nature Classez les images de la nature qu'utilise le poète dans l'une ou l'autre des catégories suivantes.

<u>l'amour</u>   <u>le temps</u>

1. les fleurs
2. le jardin
3. la neige
4. le printemps
5. le ruisseau
6. l'étang

B Chanson Répondez d'après le texte.
1. Qu'est-ce qui reste à la fin d'une vie?
2. Qu'est-ce qui permet d'oublier qu'on vieillit?
3. À qui le poète déclare-t-il son amour?
4. Qu'est-ce qu'il leur souhaite?

Communication libre

 A Images À quelles images de la nature associez-vous la vie, le temps, la jeunesse, la vieillesse, vieillir?

 B Hymne Cette chanson est devenue l'hymne populaire du Québec, surtout du Québec qui se voudrait indépendant du reste du Canada. Quels sont les vers qui peuvent aussi avoir un sens politique? Expliquez.

 C Le Québec Renseignez-vous sur la loi 101 concernant l'emploi du français et de l'anglais au Québec en envoyant une lettre à l'Office de la langue française à Montréal. (Votre professeur vous donnera l'adresse.) Après avoir reçu la réponse, dites si vous êtes pour ou contre, et pourquoi.

204 ❧ *deux cent quatre*

CHAPITRE 4

ANSWERS TO *Après la lecture*

A
1. l'amour
2. le temps
3. le temps
4. le temps
5. le temps
6. l'amour

B
1. Le temps qu'on a pris pour dire je t'aime.
2. Le fait d'aimer et d'en parler.
3. Le poète déclare son amour aux Gens du Pays.
4. Il leur souhaite le temps de vivre leurs espoirs.

ANSWERS TO Communication libre

 **A**, **B**, **C** *Answers will vary.*

La dernière classe Alphonse Daudet

Avant la lecture

Qu'est-ce que le patriotisme? Comment se manifeste-t-il? Qu'êtes-vous prêt(e) à faire ou à ne pas faire pour votre pays?

Vocabulaire

un chapeau une affiche Tap! Tap! Tap! un habit une règle un pupitre

Le maître d'école est en colère. Il tape sur le bureau avec sa règle.
Il donne des coups de règle sur le bureau.

Rrou... Rrou... Rrou... roucouler siffler l'abeille l'écriture un banc arroser

Le maître gronde l'élève. Il le punit.

la patrie pays que l'on considère comme son pays
épeler dire une à une les lettres d'un mot
étouffer ne plus pouvoir respirer
interroger poser des questions
remercier dire «merci»

faire de la peine à quelqu'un rendre cette personne triste
s'en vouloir se reprocher
vide le contraire de plein
épuisé extrêmement fatigué
jusqu'au bout jusqu'à la fin

LITTÉRATURE

deux cent cinq ❧ 205

---

1 Preparation

Resource Manager

Vocabulary Transparency 4.9
Audio Activities Booklet TE, Activity D, pages 114–115
Audiocassette 4/CD 8
Workbook, Activity A, page 100
Quiz 14, page 54
ExamView Pro®

Bellringer Review

Write the following on the board or use BRR Transparency 4.14.
1. **Faites une liste de toutes les fournitures scolaires dont vous avez besoin à l'école.**
2. **Décrivez votre salle de classe.**

2 Presentation

Avant la lecture
Have students do the pre-reading activity.

Vocabulaire

Step 1 Have students repeat the new words several times after you.

Step 2 You may wish to ask the following questions as you present the vocabulary: **Est-ce qu'il y a une affiche sur le mur? Est-ce que les élèves portent un chapeau en classe? Est-ce que les élèves s'asseyent sur un banc? Il y a un élève qui fait quelque chose de mal? Le maître se met en colère? Il tape sur son bureau? Avec quoi? Il gronde l'élève? Il le punit? Est-ce qu'il y a des cahiers sur le pupitre? Est-ce que le maître interroge les élèves? Les élèves épellent les nouveaux mots? Est-ce qu'un élève fait une faute? L'élève s'en veut?**

3 Practice

Independent Practice

Assign any of the following:
1. Activities on this page
2. Workbook, **Littérature**

Communication guidée

 Synonymes Exprimez d'une autre façon ce qui est en italique.

1. Il nous *a posé des questions.*
2. Nous l'avons écouté jusqu'*à la fin.*
3. Il aimait beaucoup *son pays.*
4. Nous *mettions de l'eau* sur ses plantes.
5. Il nous *dit merci.*
6. Il *se reproche* de ne pas avoir été gentil avec elle.
7. Elle lui *donne des coups.*
8. Ils sont *très fatigués.*

B **Le mot juste** Complétez.

1. Quand un enfant n'est pas sage, on le _____ et on le _____.
2. Je n'arrive plus à respirer! J' _____.
3. Je n'arrive pas à lire sa lettre. Il a une _____ horrible.
4. Comme les gens ne comprennent pas son nom, il est obligé de l' _____.
5. Quand on veut que son chien vienne, on le _____.
6. Elle lui a dit qu'elle ne l'aimait pas; ça lui a fait beaucoup de _____.
7. Il était très élégant: il avait mis un _____ et un _____.
8. Ils font beaucoup de publicité pour ce produit. Ils mettent des _____ partout.

Deux petites filles en costume alsacien

C **Définitions** Trouvez le mot qui correspond.

1. le contraire de calme
2. faire la morale à un enfant
3. un insecte jaune et noir qui pique
4. un bureau dans une salle de classe
5. le contraire de récompenser
6. le contraire de vide
7. long siège sur lequel plusieurs personnes peuvent s'asseoir
8. objet qui sert à tracer une ligne ou à mesurer une longueur
9. ce que font les pigeons pour communiquer entre eux
10. Quand les fleurs «ont soif», on les _____.

ANSWERS TO Communication guidée

A
1. … a interrogés.
2. … jusqu'au bout.
3. … sa patrie.
4. … arrosions…
5. … remercie.
6. … s'en veut…
7. … tape sur lui.
8. … épuisés.

B
1. gronde, punit
2. étouffe
3. écriture
4. épeler
5. siffle
6. peine
7. habit, chapeau
8. affiches

C
1. en colère
2. gronder
3. une abeille
4. un pupitre
5. punir
6. plein
7. un banc
8. une règle
9. roucouler
10. arrose

Introduction

Alphonse Daudet (1840–1897) est né à Nîmes, dans le sud de la France. Ses parents étaient de riches commerçants, mais ils se sont ruinés, et Daudet a donc dû travailler très jeune. Monté à Paris, Daudet est devenu journaliste et écrivain.

La célébrité est venue avec la publication de deux livres de contes, l'un intitulé *Les lettres de mon moulin*, l'autre *Les contes du lundi*.

Les lettres de mon moulin sont des contes fantaisistes, amusants et tendres, dans lesquels Daudet met en scène des personnages typiques du Midi (sud de la France).

Les contes du lundi sont inspirés par les événements qui ont suivi la guerre franco-allemande de 1870 et la défaite des Français: en particulier, l'occupation de l'Alsace par les Allemands.

La dernière classe est un de ces contes. C'est l'histoire d'un petit Alsacien, Franz, qui assiste à l'occupation de «sa patrie» par les troupes prussiennes et se voit interdire l'usage de la langue française: seul l'allemand sera enseigné dans les écoles publiques.

La bataille de Königgratz—peinture de Bleibtreu

LITTÉRATURE

deux cent sept ✤ 207

1 Preparation

Resource Manager

Audio Activities Booklet TE, Activities E–F, pages 115–116
Audiocassette 4/CD 8
Workbook, Activities B–C, pages 100–101

2 Presentation

Introduction

You may wish to go over this **Introduction** orally. Call on a student to read a paragraph. After each paragraph you may ask one or two questions in order to check comprehension. For information on Alsace, see the **History Connection** on page 209.

Literature Connection

En 1868, Daudet écrit *Le petit chose,* roman où il raconte l'histoire de Daniel Eyssette, qui n'est autre que celle de son enfance, plus ou moins transposée, et celle du temps où il commençait à gagner sa vie dans des conditions difficiles. C'est un récit pittoresque où se mêlent l'ironie et l'humour. À la manière de Dickens, Daudet prend parti pour les faibles et surtout pour les enfants malheureux.

Tartarin de Tarascon en 1890 nous présente un personnage du Midi (Sud de la France) presqu'une caricature du méridional fanfaron et menteur. Tartarin a créé autour de lui une réputation de terrible chasseur et se voit malgré lui obligé de partir pour l'Algérie chasser les lions afin de ne pas perdre la face.

Littérature

Littérature

Lecture ◆◆

Bellringer Review

Ouvrez votre livre à la page xxiii. Regardez la carte et cherchez Strasbourg, qui se trouve en Alsace. Répondez.
1. Où est l'Alsace?
2. Quelle est la ville principale de l'Alsace?
3. Dans quelle partie de la France se trouve-t-elle?
4. Avec quel pays l'Alsace a-t-elle une frontière?
5. Pourquoi Strasbourg est-elle une ville importante?

Note: You may wish to present this lovely story thoroughly, using the following outline.

Step 1 Give students a brief oral résumé of the selection in French. Do not give away the ending.

Step 2 Ask some questions about your résumé.

Step 3 Call on individuals to read about four or five sentences each, then ask comprehension questions of other students.

Step 4 Upon completion of the reading, ask approximately ten questions, the answers to which give a unified review of the story. Direct each question to a different student.

Step 5 Call on a student to give a summary of the story in his or her own words.

Step 6 With more able groups, you may wish to ask the analytical questions in **Literary Analysis** at the bottom of this page.

Obernai en Alsace: la place du Marché

Lecture

La dernière classe

Ce matin-là, j'étais très en retard pour aller à l'école, et j'avais grand-peur d'être grondé, d'autant que° M. Hamel nous avait dit qu'il nous interrogerait sur les participes, et je n'en savais pas le premier mot. Un moment l'idée me vint de manquer la classe et de prendre ma course à travers champs.

Le temps était si chaud, si clair!

On entendait les oiseaux siffler dans le bois, et dans le pré Rippert, derrière la scierie°, les Prussiens qui faisaient l'exercice. Tout cela me tentait bien plus que la règle des participes; mais j'eus la force de résister, et je courus bien vite vers l'école.

En passant devant la mairie, je vis qu'il y avait du monde arrêté près des affiches. Depuis deux ans, c'est de là que nous sont venues toutes les mauvaises nouvelles, et je pensai sans m'arrêter:

d'autant que *all the more so since*

scierie *sawmill*

Literary Analysis

1. Quelles sont les différentes étapes de ce récit?
2. Relevez le vocabulaire qui fait partie du monde scolaire du passé.
3. Montrez que ce jour-là, tout semblait inhabituel au petit Franz.
4. Relevez les expressions qui traduisent l'émotion du maître.
5. L'attitude de Franz vis-à-vis de la langue française a-t-elle changé au cours du récit? Faites la liste des phrases qui indiquent ce changement. À quoi l'attribuez-vous?

«Qu'est-ce qu'il y a encore?»

Alors, comme je traversais la place en courant, le forgeron° Wachter, qui était là avec son apprenti en train de lire° l'affiche me cria:

«Ne te dépêche pas tant, petit; tu y arriveras toujours assez tôt° à ton école!»

Je crus qu'il ne parlait pas sérieusement, et j'entrai tout épuisé dans la petite cour de M. Hamel.

D'ordinaire°, au commencement de la classe, il se faisait un grand bruit qu'on entendait jusque dans la rue, les pupitres ouverts, fermés, les leçons qu'on répétait très haut° tous ensemble pour mieux apprendre, et la grosse règle du maître qui tapait sur les tables:

«Un peu de silence!»

Je comptais sur toute cette agitation pour aller à ma place sans être vu; mais, justement, ce jour-là, tout était tranquille, comme un matin de dimanche. Par la fenêtre ouverte, je voyais mes camarades déjà rangés à leurs places°, et M. Hamel, qui passait et repassait avec la terrible règle en fer° sous le bras. Il fallut ouvrir la porte et entrer au milieu de ce grand calme. J'étais rouge et j'avais très peur!

Eh bien! non. M. Hamel me regarda sans colère° et me dit très doucement:

«Va vite à ta place, mon petit Franz: nous allions commencer sans toi.»

J'enjambai° le banc et je m'assis tout de suite. Alors seulement, je remarquai que notre maître avait son bel habit qu'il ne mettait que pour les grandes occasions. Du reste°, toute la classe avait quelque chose d'extraordinaire et de solennel°. Mais ce qui me surprit le plus, ce fut de voir au fond de° la salle, sur les bancs qui restaient vides d'habitude, des gens du village assis et silencieux comme nous, le vieux Hauser avec son chapeau, l'ancien° maire, l'ancien facteur, et puis d'autres personnes encore. Tout ce monde-là avait l'air triste; et Hauser avait apporté un vieux livre qu'il tenait grand ouvert sur ses genoux, avec ses grosses lunettes posées sur les pages.

Pendant que je m'étonnais de tout cela, M. Hamel était monté dans sa chaire°, et de la même voix douce et grave dont il m'avait reçu, il nous dit:

«Mes enfants, c'est la dernière fois que je vous fais la classe. L'ordre est venu de Berlin de ne plus enseigner que l'allemand dans les écoles de l'Alsace et de la Lorraine… Le nouveau maître arrive demain. Aujourd'hui, c'est votre dernière leçon de français. Je vous prie d'°être bien attentifs.»

Ces quelques paroles me bouleversèrent°. Ah! les misérables, voilà ce qu'ils avaient affiché à la mairie.

Ma dernière leçon de français!…

Et moi qui savais à peine écrire°! Je n'apprendrais donc jamais! Il faudrait donc en rester là… Comme je m'en voulais maintenant du temps perdu, des classes manquées à courir dans les champs ou à rêver° le nez en l'air. Mes livres que tout à l'heure encore je trouvais si ennuyeux, si lourds° à porter, ma grammaire, mon histoire, me semblaient à présent de

forgeron	*blacksmith*
en train de lire	*reading*
tôt	*early*
d'ordinaire	*usually*
haut	*loudly*
rangés… places	*sitting in rows*
règle en fer	*iron ruler*
colère	*anger*
j'enjambai	*I stepped over*
du reste	*moreover*
solennel	*solemn*
au fond de	*at the back of*
ancien	*former*
était… chaire	*had sat at his desk*
je vous prie de	*please*
bouleversèrent	*stunned*
qui… écrire	*who could hardly write*
rêver	*dream*
lourds	*heavy*

Littérature

vieux amis qu'il me ferait beaucoup de peine à quitter. C'est comme M. Hamel. L'idée qu'il allait partir, que je ne le verrais plus, me faisait oublier les punitions, les coups de règle.

Pauvre homme!

C'est en l'honneur de cette dernière classe qu'il avait mis ses beaux habits du dimanche et maintenant je comprenais pourquoi ces vieux du village étaient venus s'asseoir au bout de la salle. Cela semblait dire qu'ils regrettaient de ne pas y être venus plus souvent, à cette école. C'était aussi comme une façon de remercier notre maître de ses quarante ans de bons services et de rendre leurs devoirs à la patrie qui s'en allait°…

C'est à ce moment que j'entendis appeler mon nom. C'était mon tour de réciter. Que n'aurais-je pas donné pour pouvoir dire tout au long cette fameuse règle des participes, bien haut, bien clair, sans une faute? Mais je m'embrouillai° aux premiers mots, et je restai debout à me balancer sur mes jambes, tout triste, sans oser lever la tête°. J'entendais M. Hamel qui me parlait:

«Je ne te dirai rien, mon petit Franz, tu dois être assez puni… voilà ce que c'est. Tous les jours on se dit: «Bah! j'ai bien le temps. J'apprendrai demain.» Et puis tu vois ce qui arrive. Ah! Malheureusement, notre Alsace a toujours remis son instruction au lendemain. Maintenant ces gens-là peuvent nous dire: «Comment! Vous prétendiez être Français et vous ne savez ni lire ni écrire votre langue!» Dans tout ça, mon pauvre Franz, ce n'est pas encore toi le plus coupable°. Nous avons tous notre bonne part de reproches° à nous faire.

«Vos parents n'ont pas assez tenu à° vous voir instruits. Ils aimaient mieux vous envoyer travailler à la terre ou dans les textiles pour avoir de l'argent en plus. Moi-même, n'ai-je rien à me reprocher? Est-ce que je ne vous ai pas souvent fait arroser mon jardin au lieu de travailler? Et quand je voulais aller pêcher, est-ce que je me gênais pour vous donner congé°?»

Alors, d'une chose à l'autre, M. Hamel se mit à nous parler de la langue française, disant que c'était la plus belle langue du monde, la plus claire, la plus solide: qu'il fallait la garder entre nous et ne jamais l'oublier. Elle resterait le symbole de notre liberté. Puis, il prit une grammaire et nous lut notre leçon. J'étais étonné de voir comme je comprenais. Tout ce qu'il disait me semblait facile, facile. Je crois aussi que je n'avais jamais si bien écouté et que lui non plus n'avait jamais mis autant de patience à ses explications. On aurait dit qu'avant de s'en aller, le pauvre homme voulait nous donner tout son savoir°, nous le faire entrer dans la tête finalement.

La leçon finie, on passa à l'écriture. Pour ce jour-là, M. Hamel nous avait préparé des exemples tout neufs sur lesquels était écrit: «France, Alsace. France, Alsace.» Cela faisait comme des petits drapeaux plantés tout autour de la classe. Il fallait voir comme chacun essayait de bien faire—et quel silence! On n'entendait rien que les plumes° sur le papier. Un moment des abeilles entrèrent: mais personne n'y fit attention, pas même les tout petits qui s'appliquaient à faire leurs lettres, avec un cœur, une conscience, comme si cela était du français… Sur le toit° de l'école, des pigeons roucoulaient tout bas, et je me disais en les écoutant:

de rendre… allait to pay their respects to the homeland that was dying

je m'embrouillai I got mixed up

sans… tête not daring to look up

coupable guilty

part de reproches share of the blame

n'ont… tenu à have not been keen enough

est-ce que… congé? did I mind if I gave you the day off?

savoir knowledge

plumes pens

toit roof

«Est-ce qu'on ne va pas les obliger à chanter en allemand, eux aussi?»

De temps en temps, quand je levais les yeux de dessus ma page, je voyais M. Hamel immobile dans sa chaire et fixant les objets autour de lui, comme s'il avait voulu emporter° dans son regard toute sa petite maison d'école… Pensez! depuis quarante ans, il était là à la même place, avec sa cour en face de lui et sa classe toute pareille°. Seulement les bancs, les pupitres s'étaient polis par l'usage; les arbres de la cour avaient grandi, et le houblon° qu'il avait planté lui-même entourait maintenant les fenêtres jusqu'au toit. Quelle torture ça devait être pour ce pauvre homme de quitter toutes ces choses, et d'entendre sa sœur qui allait, venait, dans la chambre au-dessus, en train de fermer leurs valises! Car ils devaient partir le lendemain, s'en aller du pays pour toujours.

Tout de même°, il eut le courage de nous faire la classe jusqu'au bout. Après l'écriture, nous eûmes la leçon d'histoire; ensuite, les petits chantèrent tous ensemble le BA BÉ BI BO BU°. Là-bas, au fond de la salle, le vieux Hauser avait mis ses lunettes, et, tenant son abécédaire° à deux mains, il épelait les lettres avec eux. On voyait qu'il s'appliquait lui aussi; sa voix tremblait d'émotion, et c'était si drôle de l'entendre, que nous avions tous envie de rire et de pleurer°. Ah! je m'en souviendrai de cette dernière classe…

emporter *to carry off*

toute pareille *exactly the same*

houblon *hop vine*

tout de même *all the same*

BA… BU *exercise for practicing vowels*
abécédaire *elementary reader*

pleurer *to weep*

Littérature

Post-reading

Après la lecture

Have students prepare the activities for homework and then go over them in class.

 Paired Activities

1. Ce texte vous décrit une école en 1870. Avec un(e) camarade, faites une liste de tout ce qui a changé aujourd'hui dans l'atmosphère d'une salle de classe.
2. Jeu de rôle: Avec un(e) camarade décidez quel message vous auriez écrit au tableau avant de partir si vous aviez été le professeur.

Independent Practice

Assign any of the following:
1. Activities on pages 212–213
2. Workbook, **Littérature**

Tout à coup, on entendit sonner midi. Au même moment, les trompettes des Prussiens qui revenaient de l'exercice éclatèrent° sous nos fenêtres… M. Hamel se leva, tout pâle, dans sa chaire. Jamais il ne m'avait semblé si grand.

éclatèrent rang out

«Mes amis, dit-il, mes, je… je… »

Mais quelque chose l'étouffait. Il ne pouvait pas terminer sa phrase.

Alors il se tourna vers le tableau, prit un morceau de craie et, en appuyant de toutes ses forces, il écrivit aussi gros qu'il put:

«Vive la France!»

Puis il resta là, la tête contre le mur°, sans parler, avec sa main, il nous faisait signe:

mur wall

«C'est fini… allez-vous-en.»

Alphonse Daudet, *Contes du lundi*

Après la lecture

A Franz Répondez d'après la lecture.
1. Pourquoi Franz avait-il peur d'être grondé?
2. Qu'est-ce qu'il a vu devant la mairie?
3. Qu'est-ce qu'il y avait toujours au commencement de la classe?
4. Qu'est-ce qui a étonné Franz?
5. Quel âge avait Franz, d'après vous?
6. De quoi s'en voulait-il pendant cette dernière classe?
7. Qu'est-ce qu'il avait envie de faire en entendant le vieux Hauser?
8. Quels sentiments a-t-il ressentis envers son vieux professeur à la fin de la dernière classe: la peur, la colère, la pitié, le respect, l'admiration? Choisissez.

B Monsieur Hamel Répondez d'après la lecture.
1. D'après vous, quel genre de professeur était M. Hamel?
2. Comment M. Hamel s'était-il habillé pour cette dernière classe?
3. Depuis combien de temps était-il professeur?
4. Après la leçon de français, à quelle leçon M. Hamel est-il passé?
5. Que faisait M. Hamel pendant que les enfants écrivaient?
6. Qu'a fait le vieux professeur avant de dire aux élèves de s'en aller?

C Valeurs Répondez d'après la lecture.
1. Quels sont les passages où il est question de patriotisme? Expliquez.
2. Quels sont les passages qui vous ont le plus ému(e)? Pourquoi?
3. Quelle(s) leçon(s) pouvez-vous tirer de cette histoire?

ANSWERS TO ~ *Après la lecture*

A *Answers will vary but may include:*
1. Il avait peur d'être grondé parce qu'il était en retard et qu'il n'avait pas appris sa leçon sur les participes.
2. Devant la mairie, il a vu qu'il y avait du monde arrêté près des affiches.
3. Il y avait toujours beaucoup de bruit qu'on entendait jusque dans la rue.
4. Ce qui a étonné Franz, c'est de voir au fond de la salle de classe, assis sur des bancs, des gens du village.

5. Il avait probablement entre sept et neuf ans.
6. Il s'en voulait du temps perdu et des classes manquées.
7. Il avait envie de rire et de pleurer.
8. Il a ressenti du respect et de l'admiration envers son vieux professeur.

B *Answers will vary but may include:*
1. M. Hamel était un professeur sérieux et dur.
2. Il portait son plus bel habit qu'il ne mettait que pour les grandes occasions.
3. Depuis quarante ans.

4. Il est passé à la leçon d'histoire.
5. Il était immobile dans sa chaire et fixait les objets autour de lui.
6. Il a écrit au tableau: «Vive la France!»

C *Answers will vary.*

212

Littérature

Communication libre
Have students select the activity they would like to do. These activities can be done individually or as a cooperative effort.

You may wish to have one student or group report to the class concerning each topic.

Note: You may wish to read students the description of the battle of Reischoffen that appeared under the engraving (see **History Connection** below).

Assessment

Use these resources after completing the *La dernière classe* reading for review and assessment.
Quiz 14
Test Booklet, pages 96–98
ExamView Pro®

Use these resources after completing Chapter 4.
Quizzes
Test Booklet: Comprehensive Chapter Test, Listening Comprehension Test
ExamView Pro®
Situation Cards
Marathon Mental Videoquiz

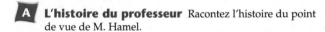
La bataille de Reischoffen (Alsace), le 6 août 1870

Communication libre

A **L'histoire du professeur** Racontez l'histoire du point de vue de M. Hamel.

B **Un jour dans la vie de Franz** Racontez un jour dans la vie de Franz avant la dernière classe.

C **La guerre de 70** Faites un exposé sur la guerre franco-allemande de 1870. Travaillez avec un(e) camarade.

ANSWERS TO Communication libre

A, **B**, **C** *Answers will vary.*

History Connection

La bataille de Reischoffen «Le 6 août 1870, le Maréchal Mac-Mahon, à la tête de son armée forte d'environ 30 000 hommes, se dirigeait vers Reischoffen; arrivé à quelques kilomètres, il fut attaqué par une armée cinq fois plus forte que la sienne, commandée par le prince Frédéric Charles. Le courage de nos troupes était si grand que la victoire nous paraissait assurée lorsque l'ennemi, au moment où il allait battre en retraite, reçut des renforts considérables. Le Maréchal Mac-Mahon dût alors songer à opérer sa retraite et afin de l'effectuer en bon ordre, il envoya les 8e et 9e régiments de Cuirassiers pour charger l'ennemi. Ces héros, sans songer un instant qu'ils allaient tous à une mort certaine, se lancèrent au milieu d'un déluge de mitraille, aussi presque tous succombèrent, mais l'armée fut sauvée. Honneur donc aux braves Cuirassiers…»

REFLETS DE LA FRANCE

The section **Reflets de la France** was prepared by the National Geographic Society. Its purpose is to give students greater insight, through these visual images, into the culture and people of France. Have students look at the photographs on pages 214–215 for enjoyment. If they would like to talk about them, let them say anything they can.

National Standards

Cultures

The **Reflets de la France** photos and the accompanying captions allow students to gain insights into the people and culture of France.

About the Photos

1. Fontaine de la place de la Concorde à Paris The Place de la Concorde at the foot of the Champs-Élysées is world-famous for its regal beauty. The square was laid out in 1757 by the royal architect Jacques Ange Gabriel. During the French Revolution a guillotine was erected in the square for the execution of Louis XVI.

2. Une représentation du *Bourgeois gentilhomme* de Molière à la Comédie-Française *Le bourgeois gentilhomme,* by the famous seventeenth-century dramatist Molière, is a comedy-ballet first presented in 1670. It pokes fun at M. Jourdain, a merchant who became quite wealthy and puts on airs. *Le bourgeois gentilhomme* is still performed rather frequently at the Comédie-Française.

3. Le salon de Mars au château de Versailles The Palace of Versailles is one of the most visited sites in France. In 1661 Louis XIV decided to build the ultimate royal residence 17 kilometers from Paris. For nearly

1. Fontaine de la place de la Concorde à Paris
2. Une représentation du *Bourgeois gentilhomme* de Molière à la Comédie-Française
3. Le salon de Mars au château de Versailles
4. Le château d'Azay-le-Rideau, dans la vallée de la Loire
5. Rose de la cathédrale Notre-Dame de Chartres
6. Ange de la cathédrale Notre-Dame de Strasbourg
7. *En Canot* de Pierre Auguste Renoir

NATIONAL GEOGRAPHIC Teacher's Corner

Index to the NATIONAL GEOGRAPHIC MAGAZINE

The following related articles may be of interest:
- "Art Treasures from the Ice Age: Lascaux Cave," by Jean-Philippe Rigaud, October 1998.
- "Essence of Provence," by Bill Bryson, September 1995.
- "Europe Faces an Immigrant Tide," by Peter Range, May 1993.
- "Darcey: A Village That Refuses to Die," by William S. Ellis, July 1989.
- "Tour de France – An Annual Madness," by Gilbert Duclos-Lassalle, July 1989.
- "The Great Revolution," by Merle Severy, July 1989.
- "Paris: *La Belle Époque*," by Eugen Weber, July 1989.
- "The Civilizing Seine," by Charles McCarry, April 1982.

NATIONAL GEOGRAPHIC

REFLETS
de la France

50 years the greatest artists of the time worked on the château. The room seen here, the Mars Drawing Room, was used for concerts.

4. Le château d'Azay-le-Rideau, dans la vallée de la Loire The Loire Valley is known for its many châteaux. Of French/Italian Renaissance style, the château was built by a wealthy citizen of Tours, Gilles Berthelot, in the sixteenth century. The château appears today much the same as it did when first built.

5. Rose de la cathédrale de Chartres Notre-Dame Cathedral in Chartres is considered one of the greatest surviving examples of thirteenth-century Gothic architecture. The interior is illuminated by 176 stained-glass windows that cover an area of 27,000 square feet. The rose windows depict the events of the Apocalypse, the life of the Virgin, and the Last Judgment.

6. Ange de la cathédrale Notre-Dame de Strasbourg The construction of Notre-Dame Cathedral in Strasbourg was begun in 1015 and continued until 1439. For this reason the architecture reflects the progression from Romanesque to High Gothic.

7. *En canot* de Pierre Auguste Renoir The Impressionist painter Pierre Auguste Renoir (1841–1919) is famous for his pictures of young girls and children and his portraits of French middle-class life.

Planning for Chapter 5

SCOPE AND SEQUENCE PAGES 216–265

Topics

* Social problems in France
* Dealing with and reporting crime

Functions

* Reporting crime to the police
* Expressing agreement or disagreement
* Discussing news events and social problems
* Expressing what you do for others and what others do for you
* Referring to people and things already mentioned
* Describing past actions in formal writing

Structure

* Direct and indirect object pronouns
* Pronoun placement with commands
* **Passé simple** of regular and irregular verbs
* Subjunctive after conjunctions

Culture/Literature

Culture

* Current issues in France: auto accidents, increasing crime rates, etc.
* Discussing newspaper headlines in France

Literature

* *Les misérables*

National Standards

* Communication Standard 1.1 pages 220, 225, 227, 230, 232, 233, 234, 236, 237
* Communication Standard 1.2 pages 223, 227, 241, 245, 246, 247, 264
* Communication Standard 1.3 pages 220, 223, 225, 227, 228, 229, 241, 247, 265
* Cultures Standard 2.1 pages 221–222, 249
* Cultures Standard 2.2 pages 240–241, 244, 246, 247
* Connections Standard 3.1 pages 252, 253, 259–263
* Comparisons Standard 4.2 pages 223, 265

Timesaving Teacher Tools

ite **Interactive Teacher Edition**
Imagine having your Teacher's Edition and all resources on a CD-ROM. Click on a resource and it appears on your screen, ready to be printed, sorted, or planned.

Interactive Lesson Planner
The Interactive Lesson Planner CD-ROM helps you organize your lesson plans for a week, month, semester, or year. Look at this planning tool for easy access to your Chapter 5 resources.

ExamView Pro®
Test Bank software for Macintosh and Windows makes creating, editing, customizing, and printing tests quick and easy.

Technology Resources

FRENCH *Online*

In the **Bon voyage!** Level 3 Internet activity, you will have a chance to learn more about language, culture, history, geography, and current events in the Francophone world. Visit french.glencoe.com

NATIONAL GEOGRAPHIC SOCIETY

See the National Geographic Teacher's Corner on pages 104–105, 214–215, 310–311, 428–429 for reference to additional technology resources.

Bon voyage! Video Program
Bon voyage! Video and Video Activities Booklet, Chapter 5.

DIFFICULTY LEVELS

Each reading selection in **Culture, Journalisme,** and **Littérature,** each **Conversation,** and each structure topic is rated below according to difficulty level to assist you in planning.

◆ Easy ◆◆ Intermediate ◆◆◆ Difficult

Please note that the material in **Bon voyage!** does not get progressively more difficult. Within each chapter there are easy and difficult sections. The overall rating for this chapter is: ◆◆ Intermediate.

SECTION	DIFFICULTY LEVEL
Culture	
Les faits divers	
Accidents et délinquance	◆
Conversation	
Au voleur!	◆
Structure I	
Les pronoms compléments directs et indirects	◆◆◆
Deux pronoms compléments ensemble	◆◆◆
Les pronoms compléments avec l'impératif	◆◆◆
Journalisme	
La manchette	
Les gros titres	◆◆
À la rubrique «Faits divers»	
Un Airbus s'écrase en Alsace	◆◆
Le car-ferry éperonne une baleine	◆◆
Un chaton parcourt 1.000 km pour retrouver ses anciens maîtres	◆
Structure II	
Le passé simple des verbes réguliers	◆◆
Le passé simple des verbes irréguliers	◆◆
Le subjonctif après les conjonctions	◆◆◆
Littérature	
Les misérables	◆◆

Using Your Resources for Chapter 5

RESOURCE GUIDE

SECTION	PAGES	SECTION RESOURCES

Culture

Les faits divers *Accidents et délinquance*	218–223	♟ Vocabulary Transparency 5.1 🎧 Audiocassette 5/CD 9 💿 Audio Activities Booklet TE, pages 123–125 📘 Workbook, pages 109–111 📘 Quiz 1, page 55 📘 Chapter Section Test, pages 101–104

Conversation

Au voleur! Au commissariat	224–227 226	♟ Vocabulary Transparency 5.2 🎧 Audiocassette 5/CD 9 💿 Audio Activities Booklet TE, pages 125–127 📘 Workbook, pages 112–113 📘 Quiz 2, page 56

Langage

D'accord ou pas Oui, non, peut-être Savoir converser	228 229 230	🎧 Audiocassette 5/CD 9 💿 Audio Activities Booklet TE, pages 127–129 📘 Workbook, page 114 📘 Quiz 3–5, pages 57–59 📘 Chapter Section Test, pages 105–107

Structure I

Les pronoms compléments directs
   et indirects
Deux pronoms compléments
   ensemble
Les pronoms compléments avec
   l'impératif
	231–233
	
	234–235
	
	236–237
		🎧 Audiocassette 5/CD 9
		💿 Audio Activities Booklet TE, pages 130–131
		📘 Workbook, pages 115–118
		📘 Quizzes 6–8, pages 60–62
		📘 Chapter Section Test, pages 108–111

Preview

In this chapter, students will read about typical social problems in France, many of which are similar to those in the U.S. and other industrialized nations. They will learn the vocabulary necessary to report a minor non-violent crime. They will also learn expressions conveying agreement and disagreement as well as those used to continue or change the direction of a conversation. These are particularly useful when discussing current events.

Students will learn to read and understand the importance of newspaper headlines. They will also read newspaper articles about everyday local events such as accidents, minor mishaps, and human interest stories. They will also read an unabridged chapter from *Les misérables* by Victor Hugo.

National Standards

Communication
Students express agreement and disagreement, and they learn to handle the give-and-take of everyday conversational exchanges. They also learn how to give an oral report of a crime to the police.

Cultures
Students learn about social problems such as traffic accidents and crime in France. They will also learn about French newspapers and news reporting.

Connections
This chapter establishes a link with the fields of journalism, literature, and social studies.

Comparisons
Students will have an opportunity to compare French newspapers to American ones, and to compare French social problems with American problems.

CHAPITRE
5

Faits divers

Objectifs
In this chapter you will:

✓ learn about social problems in France

✓ learn to handle petty crime situations such as having one's pocket picked, and how to report these crimes to the local police

✓ learn to express agreement or disagreement, and to discuss various subjects such as the news, social problems, etc., with others

✓ review how to tell what you do for others or what others do for you, and how to refer to people or things already mentioned

✓ read and discuss several news headlines and news items of the type that appear frequently in local newspapers

✓ learn to describe past actions in formal writing and review the use of the subjunctive after conjunctions

✓ read and discuss a chapter from **Les misérables,** *by Victor Hugo*

216

The **Glencoe World Language Web site** (**french.glencoe.com**) offers several options for you and your students to experience the French-speaking world via the Internet:
- The online **Activités** are correlated to the chapters and utilize Francophone Web sites around the world.
- Games and puzzles afford students another opportunity to practice the material learned in a particular chapter.

- The *Enrichment* section offers students an opportunity to visit Web sites related to the theme of the chapter for more information on a particular topic.
- Online *Chapter Quizzes* offer students an opportunity to prepare for a chapter test.
- Visit our virtual **Café** for more opportunities to practice and explore the French-speaking world.

Random Access

You may either follow the exact order of the chapter or omit certain sections that you feel are not necessary for your students. Similarly, you may present a literary selection without interruption, or you may wish to intersperse some material from the **Structure** sections as you are presenting a literary piece.

✓ Assessment

Quizzes: There is a quiz for every vocabulary presentation and every structure point.
Tests: To accompany *Bon voyage!* Level 3 there are global tests for both **Structures I** and **II**, a combined **Conversation/Langage** test, and one test for each reading in the **Culture, Journalisme,** and **Littérature** sections. There is also a chapter Listening Comprehension Test.

Chapter Projects

Un sketch Mettez les élèves par deux et demandez-leur de préparer un sketch: imaginez une émission policière à la télé dont le titre serait «911». L'un des élèves téléphone pour signaler un vol, un accident, un crime, etc., et l'autre prend des notes et donne des instructions. Les élèves peuvent enregistrer leur conversation et ajouter des bruits de fond.

Un journal Demandez aux élèves d'écrire des articles et de «publier» un journal. N'oubliez pas d'inclure tout ce qui fait un journal: les gros titres, le courrier du cœur, les petites annonces, etc.

Victor Hugo Si Hugo intéresse les élèves, demandez-leur de se renseigner plus à fond sur son œuvre et sa vie. Les exposés peuvent être oraux ou écrits.

LES FAITS DIVERS

LES FAITS DIVERS

1 Preparation

Resource Manager

Vocabulary Transparency 5.1
Audio Activities Booklet TE,
  Activities A–B, pages 123–124
Audiocassette 5/CD 9
Workbook, Activities A–D, pages
  109–110
Quiz 1, page 55
ExamView Pro®

Bellringer Review

Write the following on the board or use BRR Transparency 5.1.
Faites une liste.
1. **des choses qu'on peut lire**
2. **des choses qu'on peut écouter**

2 Presentation

Introduction

Step 1 You may either read the **Introduction** to the students or have them read it silently.

Step 2 Ask students the following questions about the **Introduction: Qu'est-ce que les faits divers? Ce sont des événements qui se passent quand? Où se passent-ils? Qui les faits divers intéressent-ils? Donnez-moi quelques exemples de faits divers. Que reflètent-ils?**

Step 3 Ask students for the singular of **les maux (le mal).**

Introduction

Les faits divers sont des événements qui se passent tous les jours, dans n'importe quelle ville ou village. Les faits divers intéressent les gens qui habitent la région, mais ces petits événements n'ont pas d'intérêt pour le reste du pays ou du monde. Les faits divers (homicides, accidents, incendies, etc.) reflètent souvent les maux de la société.

FUN·FACTS

Il y a environ 80 titres de quotidiens en France, dont une douzaine à Paris et le reste en province. Le tirage est de dix millions d'exemplaires: 2,5 à Paris et 7,5 en province. Il est intéressant de noter qu'en 1939, le nombre de titres était de 220. Les différents quotidiens représentent souvent les principales tendances politiques: *La Croix* - catholique, *L'Humanité* - communiste, *Libération* - gauche, *Le Figaro* - centre droite. *France-Soir* publie souvent des articles à sensation et *Le Monde* est respecté dans le monde entier. Le dernier né s'appelle *InfoMatin* et est très bien reçu grâce à son prix modeste (la moitié des autres quotidiens).

Vocabulaire

une agglomération

en rase campagne

un casque

Les motocyclistes doivent
porter le casque.

un vol

un voleur

Elle a abîmé le parcmètre et
endommagé sa voiture.

une vitre

un cambrioleur

Il casse une vitre de la fenêtre.
Il entre par effraction. C'est un cambriolage.

un pompier

Les pompiers se battent contre
l'incendie/le feu.

tuer causer la mort d'une manière violente
dépasser excéder, aller au-delà
constater vérifier, établir la vérité
le chiffre le nombre, le montant, le total,
la somme
la baisse la diminution
la hausse l'augmentation
la une la première page du journal

l'actualité (f.) l'ensemble des événements
actuels, ce qui se passe en ce moment
la suppression l'abolition, l'action de
terminer l'existence de quelque chose
la peine de mort la condamnation à mort
mortel qui cause la mort
grave sérieux
périlleux dangereux
malgré en dépit de

Culture

Vocabulaire

Step 1 Have students repeat the new words in unison after you or Audiocassette 5/CD 9.

Step 2 Have students open their books and read the vocabulary for additional reinforcement.

Step 3 You can immediately ask questions 1–6 of **Activité A** on page 220, all of which relate to the illustrations.

Step 4 You may wish to explain the difference between **un voleur,** *a robber* (a person who robs any-where), and **un cambrioleur,** *a bur-glar* (a person who enters a home or business to rob).

Step 5 You may wish to read the new words and definitions to the class, or you may call on several individuals to read them aloud.

Step 6 You may also wish to have students put each new word into a sentence.

Additional Practice

Ask: Comment est-ce que le cambrioleur est entré dans la maison? Il a sonné à la porte ou il est entré par effraction? Il n'a tué personne. Pourquoi? Parce qu'il n'y avait personne à la maison? Le motocycliste a dépassé la limitation de vitesse? Le motard va lui donner une contravention? Dépasser la limitation de vitesse, c'est un crime grave? Est-ce qu'il va payer une amende ou est-ce qu'il va subir la peine de mort? On a constaté que le chiffre d'homicides dans les grandes villes est en hausse ou en baisse? Il est en hausse malgré la peine de mort? Tout le monde est content quand il y a une baisse de la criminalité? À votre avis, est-ce que la vie dans les grandes villes américaines est périlleuse? Est-ce que les blessures graves causent toujours la mort? Et les blessures mortelles?

Culture

3 Practice

A You can go over the questions of this activity as you present the vocabulary.

B , C , D Have students prepare these activities before going over them in class. Then call on students to read their answers to **Activités B** and **C.**

Extension of Activités B and C: After going over these two activities, have students make up questions about each sentence.

Extension of Activité D: After a student gives the word being defined, you may ask him or her to use the word in an original sentence.

Independent Practice

Assign any of the following:
1. Workbook, **Culture**
2. Activities on this page

Culture

Communication guidée

A **Votre expérience** Donnez des réponses personnelles.

1. Vous préférez conduire en rase campagne ou dans les agglomérations?
2. Vous portez un casque quand vous faites de la moto?
3. Y a-t-il beaucoup de cambriolages là où vous habitez?
4. Est-ce que la police arrête les cambrioleurs?
5. Est-ce qu'il y a des gens qui abîment les parcmètres et cassent les vitres des cabines téléphoniques?
6. Est-ce qu'il y a beaucoup d'incendies dans votre ville?
7. Est-ce que vous suivez l'actualité? Quels sont les gros titres à la une des journaux, aujourd'hui?

B **L'actualité** Complétez.

1. Un ____ vole. Il prend ce qui n'est pas à lui. Il commet un ____.
2. Un ____ cambriole. Il entre par effraction dans une maison pour y voler quelque chose. Il commet un ____.
3. Il y a très peu de circulation sur les routes en ____.
4. Il a ____ le parcmètre. On ne peut plus s'en servir.
5. Malheureusement, le nombre d'accidents de moto mortels continue à augmenter ____ les campagnes pour le port du casque.
6. Il y a des gens qui sont pour la ____ de la peine de mort, et il y en a d'autres qui sont contre.
7. Un ____ se bat contre le feu.

C **Synonymes** Exprimez d'une autre façon ce qui est en italique.

1. Le conducteur *est allé au-delà de* la limitation de vitesse.
2. Les gendarmes *ont vérifié* qu'il conduisait sans casque.
3. *La somme* des accidents causés par la consommation excessive d'alcool est énorme.
4. Qui est en faveur ou contre *l'abolition* de la peine de mort?
5. Il y a *une diminution* du nombre des accidents de la route en rase campagne.
6. Vous verrez l'article *sur la première page* du journal.
7. Il a souffert de *sérieuses* blessures.
8. Il avait des blessures *qui ont causé sa mort.*
9. C'était une situation *dangereuse.*

D **Quel est le mot?** Trouvez le mot qui correspond à la définition donnée ici.

1. celui qui entre par effraction dans une maison pour y voler quelque chose
2. causer des dommages
3. commettre un meurtre
4. sérieux
5. ce que doivent porter les motocyclistes
6. qui cause la mort
7. l'abolition
8. excéder
9. le contraire de «baisse»

ANSWERS TO Communication guidée

A *Answers will vary.*

B
1. voleur, vol
2. cambrioleur, cambriolage
3. rase campagne
4. abîmé
5. malgré
6. suppression
7. pompier

C
1. a dépassé
2. ont constaté
3. Le chiffre
4. la suppression
5. une baisse
6. à la une
7. graves
8. mortelles
9. périlleuse

D
1. un cambrioleur
2. endommager
3. tuer
4. grave
5. un casque
6. mortel
7. la suppression
8. dépasser
9. hausse

ACCIDENTS ET DÉLINQUANCE

Les accidents de la route

La proportion des accidents mortels sur la route reste plus élevée en France que dans les autres grands pays occidentaux[1]. Parmi les pays industrialisés, la France est l'un de ceux où l'on meurt le plus sur la route: 410 conducteurs ou passagers tués par million de voitures en circulation. À titre de comparaison, le chiffre est de 270 en Allemagne et de 260 au Royaume-Uni[2].

Pour les motocyclistes, les chiffres sont encore plus accablants[3]: 122 morts par an pour 100 000 motos en circulation, contre 82 au Japon et aux États-Unis.

La vitesse est la principale cause des accidents. Malgré les campagnes d'incitation à la prudence largement diffusées[4] par les médias, 67% des conducteurs reconnaissent qu'il leur est arrivé de dépasser la limitation de vitesse.

Le respect de la limitation de vitesse et de la signalisation est très insuffisant dans les agglomérations; les accidents qui s'y produisent sont d'ailleurs[5] trois fois plus nombreux qu'en

rase campagne, mais ils sont moins graves. Dans les grandes villes, Paris en tête, la traversée des rues constitue souvent une périlleuse aventure.

40% des accidents mortels sont imputables à[6] l'alcool

Chaque jour, plusieurs centaines de milliers d'usagers de la route conduisent en état d'ivresse[7].

Délinquance: en hausse?

Après quatre années de baisse, on a enregistré une hausse. L'évolution de la délinquance est très contrastée selon le degré d'urbanisation. Ainsi, la Gendarmerie nationale, principalement implantée dans les zones rurales ou peu urbanisées, a enregistré une baisse de la criminalité, alors que la Police nationale, qui couvre surtout les zones urbanisées, constatait une hausse de 7,2%. On constate que le taux[8] de criminalité augmente proportionnellement à la

---

[1] occidentaux *Western*
[2] Royaume-Uni *United Kingdom*
[3] accablants *overwhelming*
[4] diffusées *broadcast*
[5] d'ailleurs *moreover, besides*

[6] imputables à *attributable to*
[7] en état d'ivresse *under the influence (of alcohol)*
[8] taux *rate*

Critical Thinking Activity

Supporting Statements with Reasons

«L'évolution de la délinquance est très contrastée selon le degré d'urbanisation.» Pourquoi? Où le taux de criminalité est-il le plus élevé? Où est-il le plus bas? Pourquoi?

 Group Activity
You may wish to assign this activity after completing the reading: **Travaillez en petits groupes. Faites une liste de toutes les nouvelles formes de la délinquance en France. Comparez-les aux nouvelles formes de la délinquance aux États-Unis.**

Culture

ACCIDENTS ET DÉLINQUANCE ◆

🏵 National Standards

Cultures
Students learn about social problems such as traffic accidents and crime in France.

Connections
This reading establishes a link with the field of social studies.

Comparisons
Students will have an opportunity to compare French social problems with those of the United States.

1 Preparation

Resource Manager

Audio Activities Booklet TE, Activity C, pages 124–125
Audiocassette 5/CD 9
Workbook, Activities E–F, page 111

Bellringer Review

Write the following on the board or use BRR Transparency 5.2.
Mettez chacun des mots suivants dans une phrase: la voiture, le conducteur, le permis de conduire, la limitation de vitesse, le feu, la ceinture de sécurité, le croisement, l'autoroute, le péage.

2 Presentation

Step 1 Have students look at the title of the reading and the photos. Ask them what they think the reading is about.

Step 2 Ask them to come up with a list of problems in our society. You could make a list on the board and fill in words the students do not know in French. Have them skim the reading looking for cognates to help them make this list.

Step 3 Have students read this selection silently or call on individuals to read it aloud. This section contains a great deal of very useful vocabulary for reading the newspaper and discussing local news items.

Step 4 You can intersperse **Après la lecture Activités A** and **B** as you are going over this section.

Step 5 Paraphrasing: Have students skim the selection to find another way to say the following:

- **des accidents qui causent la mort**
- **la proportion reste plus haute en comparaison avec les autres pays de l'Ouest**
- **les chiffres sont incroyables**
- **en dépit des campagnes qui encouragent la prudence**
- **ils sont moins sérieux**
- **Paris avant tous les autres**
- **une aventure dangereuse**

Bellringer Review

Write the following on the board or use BRR Transparency 5.3.
Écrivez trois phrases sur chaque thème.
1. À la gare
2. Dans la station de métro
3. Dans l'autobus

taille des agglomérations. La récente hausse de la petite délinquance est due principalement à celle des vols.

Les formes nouvelles de la délinquance

À côté des formes traditionnelles de la délinquance (vols, cambriolages, homicides, etc.) se sont développées depuis quelques années des pratiques plus modernes. Trois d'entre elles font régulièrement la une de l'actualité, et représentent des dangers considérables pour l'avenir des nations développées: le terrorisme, le piratage informatique, le trafic et l'usage de la drogue. Il faut y ajouter le vandalisme et la fraude fiscale.

Les actes de terrorisme sont, avec les meurtres, ceux qui impressionnent le plus les Français. Leur nombre peut varier considérablement, en fonction de la situation politique internationale (les deux tiers des attentats[9] ont des mobiles politiques).

Le malaise social, en particulier celui ressenti[10] par les jeunes, se traduit par une

véritable explosion du vandalisme. Parcmètres, cabines téléphoniques, voiture de métro ou de chemin de fer, tout est bon pour montrer son mépris[11] du patrimoine[12] public et donc de la société. Dans sa forme primaire, le vandalisme consiste à casser, abîmer, enlaidir, salir[13]. Dans sa forme culturelle, il se manifeste par les graffitis et autres moyens d'expression s'appropriant les surfaces publiques pour communiquer clandestinement son mal de vivre.

Les Français restent plutôt favorables au rétablissement de la peine de mort

Beaucoup de Français ont vu dans l'abolition du châtiment suprême la menace d'un nouvel accroissement[14] de la criminalité. Pourtant[15], cinq ans après la suppression de la peine capitale, le nombre de crimes de sang[16] n'a pas augmenté. La même constatation avait déjà pu être faite dans d'autres pays où la peine de mort avait été abolie.

---

[9] deux tiers des attentats *two-thirds of murder/assassination attempts*
[10] ressenti *felt*

[11] mépris *contempt, scorn*
[12] patrimoine *property*
[13] enlaidir, salir *make ugly, make dirty*
[14] l'accroissement *increase*
[15] pourtant *however, nevertheless*
[16] de sang *violent*

Critical Thinking Activity

Making Judgments
Qu'en pensez-vous? Les Américains sont plutôt favorables à la peine de mort ou pas? Pourquoi?

Learning from Photos
Top photo: **Imaginez: Pourquoi arrête-t-on cet homme?**
Bottom photo: **C'est quelle station de métro? Qu'est-ce qu'il y a sur les murs?**

Après la lecture

A Vrai ou faux? Corrigez les phrases fausses.
1. Le taux d'accidents mortels en France est inférieur à celui de la plupart des pays européens.
2. Beaucoup de conducteurs reconnaissent avoir, de temps en temps, dépassé la limitation de vitesse.
3. Les accidents en rase campagne sont moins graves que ceux dans les agglomérations.
4. On ne doit jamais conduire en état d'ivresse.
5. Plus le degré d'urbanisation est élevé, plus le taux de criminalité l'est aussi.
6. Le terrorisme n'inquiète pas beaucoup les Français.
7. Le trafic et l'usage de la drogue n'existent pas en France.
8. Les Français sont plutôt contre le rétablissement de la peine de mort.
9. La suppression de la peine de mort provoque une hausse de la criminalité.

B Historiette La police française a beaucoup à faire?
Répondez d'après le texte.
1. Quelle est la principale cause des accidents de la route?
2. Qu'est-ce que les médias essaient de faire?
3. Où la plupart des accidents se produisent-ils?
4. À quoi 40% des accidents mortels sont-ils imputables?
5. Quelles zones la Gendarmerie nationale couvre-t-elle?
6. Quelles zones la Police nationale couvre-t-elle?
7. Quelles sont les formes nouvelles de la délinquance?
8. Que reflètent les actes de terrorisme?
9. Comment s'exprime le vandalisme en France et aux États-Unis?

Communication libre

A Les «faits divers» Préparez quelques gros titres pour les «faits divers» d'un journal français. Prenez comme modèle les «faits divers» de votre journal local.

B Historiette Un cambriolage Écrivez un article pour un journal français. Décrivez un cambriolage. Donnez les détails suivants:

l'heure, le lieu, l'adresse, les circonstances, ce qui a été volé, ceux qui ont découvert le crime, les témoins (*witnesses*), la description du cambrioleur, etc.

C La délinquance Écrivez plusieurs paragraphes en français sur la délinquance dans votre ville ou village.

D La conduite des Américains Faites des recherches sur la proportion des accidents mortels aux États-Unis. Quelle est la cause principale de ces accidents? Est-ce qu'il est plus dangereux de conduire en France ou aux États-Unis?

Post-reading

A, B Extension: These two activities could also be done as radio or TV news broadcasts. Have students work in "news teams" of three or four and prepare a broadcast to present to the class. These broadcasts could be taped or videotaped. The same could be done for **Communication libre Activité A**, p. 227. All three could be combined.

Independent Practice

Assign any of the following:
1. **Après la lecture** and **Communication libre** activities on this page
2. Workbook, **Culture**

Assessment

Use these resources at the end of the **Culture** section for review and assessment.
Quiz 1
Test Booklet, pages 101–104
ExamView Pro®
Situation Cards

ANSWERS TO Communication libre

A, **B**, **C**, **D** *Answers will vary.*

ANSWERS TO Après la lecture

A
1. Non, il est supérieur à celui de la plupart des pays européens.
2. Oui.
3. Non, ils sont plus graves.
4. Oui.
5. Oui.
6. Non, il les inquiète beaucoup.
7. Non, ils existent en France.
8. Non, ils sont plutôt favorables au rétablissement de la peine de mort.

9. Non, le nombre de crimes de sang, en France comme dans d'autres pays où la peine de mort avait été abolie, n'a pas augmenté.

B
1. La vitesse.
2. Inciter à la prudence.
3. Dans les agglomérations.
4. À l'alcool.
5. Les zones rurales ou peu industrialisées.

6. Surtout les zones urbanisées.
7. Le terrorisme, le piratage informatique, le trafic et l'usage de la drogue, le vandalisme et la fraude fiscale.
8. La situation politique internationale.
9. Par les graffiti et autres moyens d'expression s'appropriant les surfaces publiques pour communiquer clandestinement son mal de vivre.

AU VOLEUR!

1 Preparation

Resource Manager

Vocabulary Transparency 5.2
Audio Activities Booklet TE,
  Activity A, page 125
Audiocassette 5/CD 9
Workbook, Activities A–B,
  page 112
Quiz 2, page 56
ExamView Pro®

2 Presentation

Vocabulaire

Step 1 You may wish to follow the suggestions outlined in previous chapters.

Step 2 After presenting the vocabulary, play the following in the form of a game. Have students give the word you are looking for.
- **celui qui aide quelqu'un à voler**
- **celui qui a été volé**
- **ce que le complice fait pour aider le voleur**
- **là où l'on met son argent**
- **là où les hommes mettent leur portefeuille**
- **celui qui vole**
- **là où la victime va pour déclarer le vol**

✓ Assessment

As an informal assessment, have students look at the illustrations and say whatever they can about them in their own words.

AU VOLEUR!

Vocabulaire

le complice

le pickpocket

la victime

Le complice pousse la victime. Et le pickpocket prend le portefeuille.

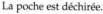

La poche est déchirée.

La victime va au commissariat pour déclarer le vol.

un truc ce qu'on fait pour tromper, duper quelqu'un
se rendre compte réaliser, comprendre

avancer aller vers l'avant
détourner l'attention de quelqu'un distraire quelqu'un

224

Communication guidée

A Definitions Donnez le mot qui correspond.

1. celui qui vole
2. ce qu'on fait pour duper quelqu'un
3. réaliser
4. distraire quelqu'un
5. aller vers l'avant

B Historiette Votre expérience Donnez des réponses personnelles.

1. Il y a beaucoup de vols là où vous habitez?
2. Il y a des pickpockets?
3. Il faut faire attention aux pickpockets, surtout quand il y a beaucoup de monde?
4. Qui est la victime d'un vol, le voleur ou le volé?
5. Votre poche est déchirée?
6. Il est gentil de pousser les gens pour avancer?
7. Quel est le truc des pickpockets?
8. Qui est-ce qui détourne l'attention de la victime?
9. La victime se rend compte qu'on la vole?
10. Qu'est-ce que l'on doit crier quand un pickpocket vient de vous voler?
11. Où va-t-on pour déclarer le vol?

3 Practice

Communication guidée
These activities can be done with books closed, open, or once each way. No previous preparation is necessary.

Independent Practice
Assign any of the following:
1. Activities on this page
2. Workbook, **Conversation**

Learning from Photos
Have students identify all the items and people in the photos.

ANSWERS TO Communication guidée

A
1. un voleur
2. un truc
3. se rendre compte
4. détourner l'attention de quelqu'un
5. avancer

B *Answers will vary.*

225

Conversation

CONVERSATION ◆

National Standards

Communication
Students learn how to give an oral report of a crime to the police.

1 Preparation

Resource Manager

Audio Activities Booklet TE,
  Activities B–C, pages 126–127
Audiocassette 5/CD 9
Workbook, Activities C–E, page 113

2 Presentation

Step 1 Give students a few minutes to read the **Conversation** silently.

Step 2 Call on two students to read it aloud. Have them use as much expression as possible. Have the other members of the class close their books and listen.

Step 3 Go over **Après la conversation Activité A** from page 227 orally.

Step 4 Assign the activities for homework.

♲ Recycling

• Have students look at the sign on the desk—**Accueil**. Ask them for other words they have learned that come from the same family: **accueillant, accueillir.** Go over the present tense forms quickly: **j'accueille, tu accueilles, il accueille, nous accueillons, vous accueillez, ils accueillent.**

• Ask students what word other than **Accueil** could be on the sign (**Réception**).

Conversation

Au commissariat 🎧

ALICE: Je voudrais déclarer un vol.
AGENT: C'est vous, la victime?
ALICE: Oui, c'est moi, Alice Pétrof. On m'a volée dans le métro.
AGENT: Quand ça?
ALICE: Il y a quelques minutes—à peu près un quart d'heure.
AGENT: Où, exactement?
ALICE: À la station Stalingrad.
AGENT: Le voleur était armé?
ALICE: Non, je ne crois pas. C'était un pickpocket. Je ne me suis même pas rendue compte qu'il me volait.

AGENT: Vous pouvez m'expliquer ce qui est arrivé?
ALICE: Oui, il y avait beaucoup de monde sur le quai. Quelqu'un m'a poussée. Je croyais qu'il voulait avancer. Quelques minutes après, dans le métro, j'ai remarqué que mon sac était ouvert.
AGENT: Oui, c'est le truc classique. Ils travaillent à deux. Un des deux voleurs vous pousse pour détourner votre attention, pendant que le complice ouvre votre sac et vous prend votre portefeuille… Vous aviez combien d'argent?
ALICE: 500 francs, et puis mes cartes de crédit.
AGENT: Vous pourriez me faire une description de l'individu qui vous a poussée?

FUN FACTS

En France le maintien de l'ordre est assuré par la police urbaine (les agents de police) dans les villes de plus de 10 000 habitants et par les gendarmes dans les communes plus petites. Les Compagnies républicaines de sécurité (les CRS) maintiennent aussi l'ordre public, par exemple lors de manifestations.

La Police judiciaire (la PJ) lutte contre les activités criminelles (vols, crimes, banditisme, trafic d'armes ou de drogue).

La Direction de la Surveillance du territoire (la DST) lutte contre les activités d'espionnage.

Les motards de la police routière font respecter le code de la route. Ils dépendent de la Gendarmerie nationale, qui dépend de l'armée.

Le poste de police veut dire **le commissariat de police** (voir p. 227).

226

Après la conversation

Après la conversation

A La déclaration de la victime Répondez d'après la conversation.

1. Qu'est-ce qu'Alice a déclaré à l'agent de police?
2. Où a-t-elle fait sa déclaration?
3. Qui l'a volée?
4. Où a-t-elle été volée?
5. Il y avait combien de voleurs?
6. Pourquoi a-t-elle été poussée?
7. Pendant qu'un des voleurs la poussait, que faisait le complice?
8. Qu'est-ce qu'ils lui ont pris?
9. Elle a perdu combien d'argent?
10. Elle peut faire une description des voleurs?

B Familles de mots Choisissez le mot qui correspond.

1. déclarer   **a.** une explication
2. voler   **b.** une déchirure
3. armer   **c.** un voleur
4. expliquer   **d.** l'avant
5. pousser   **e.** une distraction
6. déchirer   **f.** une déclaration
7. distraire   **g.** une description
8. décrire   **h.** une arme
9. avancer   **i.** une poussée

Communication libre

A Journal télévisé Vous êtes journaliste à la télévision française. Un crime vient d'être commis. Vous le décrivez. Donnez:

le nom de la victime, le type de crime, où il a eu lieu, quand il a eu lieu, l'heure exacte, le nombre d'individus impliqués, les conséquences, une description du (des) criminel(s)

B Au commissariat Vous êtes en France. Vous venez d'être victime d'un crime. Vous allez au commissariat faire votre déclaration. Préparez-la avec un(e) camarade qui sera l'agent de police.

POSTE DE POLICE

CONVERSATION   *deux cent vingt-sept* ✦ **227**

Conversation

Après la conversation

A You can ask the questions from this activity as you are going over the **Conversation**.

B This is a word study activity. You may wish to do it a second time. Have students cover the second column and see if they can come up with the related word.

Communication libre

A For this activity, encourage students to be creative in their presentations. Have them decide who is the best anchorperson.

B Have some groups present their skits to the class.

Independent Practice

Assign any of the following:
1. Activities on this page
2. Workbook, **Conversation**

ANSWERS TO *Après la conversation*

A
1. Alice a déclaré un vol à l'agent de police.
2. Elle a fait sa déclaration au commissariat.
3. Un pickpocket l'a volée.
4. Elle a été volée dans le métro, à la station Stalingrad.
5. Il y avait deux voleurs.
6. Pour détourner son attention.
7. Le complice ouvrait son sac et prenait son portefeuille.
8. Ils lui ont pris son portefeuille avec son argent et ses cartes de crédit.
9. Elle a perdu 500 francs.
10. Non, elle ne peut pas faire de description des voleurs.

B
1. f
2. c
3. h
4. a
5. i
6. b
7. e
8. g
9. d

ANSWERS TO Communication libre

A, **B** *Answers will vary.*

National Standards

Communication

Students express agreement and disagreement, and they learn to handle the give-and-take of every-day conversational exchanges.

D'ACCORD OU PAS

1 Preparation

Resource Manager

Audio Activities Booklet TE,
  Activities A–B, pages 127–128
Audiocassette 5/CD 9
Workbook, Activity A, page 114
Quiz 3, page 57

2 Presentation

Read the explanatory information to the class and call on students to read the model sentences aloud.

Gestures

• Pour exprimer son accord, on avance brusquement l'index vers l'interlocuteur comme pour désigner l'élément approuvé.

• Pour exprimer son désaccord, on lève l'index, la paume étant tournée vers l'extérieur, et on l'agite de gauche à droite et de droite à gauche.

3 Practice

Communication guidée

Have one student read a statement and another student respond, using the expressions with the proper intonation. You may wish to call on a different pair of students for each statement. (If you want to expand upon this activity, see the **Critical Thinking Activity** on this page.)

D'ACCORD OU PAS 🎧

Vous pouvez utiliser les expressions suivantes pour indiquer que vous êtes d'accord avec quelqu'un ou quelque chose:

> Je suis d'accord (avec vous/avec ça).
> Je suis d'accord pour prendre cette décision.
> Je suis de votre avis.
> C'est aussi mon avis.

> Je suis tout à fait d'accord!

L'expression **Ça me convient** veut dire: «Je peux le faire, il n'y a pas de problème ou d'inconvénient».

Pour exprimer que vous n'êtes pas d'accord, vous pouvez dire:

> Je ne suis pas d'accord avec...
> Je suis contre cette idée.
> Je désapprouve ce projet.
> Je ne suis pas convaincu(e).

> Je ne suis pas du tout d'accord!

Communication guidée

Vous êtes pour ou contre? Dites si vous êtes d'accord ou pas d'accord.

1. Il est préférable de vivre dans une région où le climat est ni trop chaud, ni trop froid.
2. On devrait diminuer les heures de travail, de quarante à trente-cinq heures par semaine.
3. Le gouvernement devrait subventionner les universités pour que les études soient gratuites.
4. On doit faire tout son possible pour faire disparaître la faim dans le monde.
5. On devrait permettre aux jeunes d'obtenir leur permis de conduire à l'âge de quinze ans.
6. On devrait avoir six cours par semestre.
7. On devrait avoir des cours pendant l'été.
8. On devrait avoir des cours six jours par semaine.
9. On devrait ne pas avoir la peine de mort.
10. On devrait avoir des campagnes contre les conducteurs qui conduisent après avoir bu.
11. L'alcool-test est juste.
12. On devrait augmenter la limitation de vitesse sur les autoroutes.

Critical Thinking Activity

Supporting Statements with Reasons

Communication guidée, page 228: With more able groups, have a student explain why he or she agrees or disagrees with the statement. All of the statements in this activity make excellent debate topics.

ANSWERS TO Communication guidée

Answers will vary.

OUI, NON, PEUT-ÊTRE 🎧

Quand une personne dit quelque chose et que vous voulez indiquer que vous êtes d'accord, vous pouvez dire:

Oui.	Exactement.
C'est vrai.	Parfaitement.
Absolument.	Effectivement.
Tout à fait.	C'est entendu.
Bien sûr.	Bien entendu.
D'accord.	Sans aucun doute.
Vous avez raison.	

> Absolument!

Quand vous voulez indiquer que vous n'êtes pas du tout d'accord, vous pouvez dire:

Non.	Il n'en est pas question.
Absolument pas.	Pas question!
Pas du tout.	C'est exclus.
Rien à faire.	C'est hors de question.

> Pas question!

Si vous voulez indiquer que vous ne savez pas si vous êtes d'accord ou pas, vous pouvez dire:

Peut-être.	Si vous voulez (tu veux).
Pourquoi pas?	Si vous le dites (tu le dis).
On verra.	Vous croyez (tu crois)?
C'est possible.	C'est une possibilité.

Communication guidée

Qu'est-ce que vous en pensez? Donnez des réponses personnelles.

1. L'année prochaine, il y aura des cours le samedi.
2. On va supprimer les vacances d'été.
3. Il n'y aura plus d'examen de fin d'année.
4. Il y aura une soirée dansante tous les samedis dans le gymnase de l'école.
5. Les garçons devront porter une veste et une cravate en classe.
6. Les cours commenceront à midi.
7. Il n'y aura plus de cars scolaires. Tous les élèves seront obligés d'aller à l'école à pied.
8. Les garçons et les filles seront séparés. Il n'y aura plus d'écoles mixtes.

LANGAGE

deux cent vingt-neuf ✿ **229**

Langage

OUI, NON, PEUT-ÊTRE

1 Preparation

Resource Manager

Audio Activities Booklet TE,
   Activities A–B, pages 127–128
Audiocassette 5/CD 9
Workbook, Activity B, page 114
Quiz 4, page 58

2 Presentation

Be sure students say these expressions with the proper intonation and encourage them to use the typical French gestures shown here.

Gestures

- Pour exprimer son accord, on avance la main, la paume vers le ciel.
- Pour exprimer son désaccord, on lève la main, la paume tournée vers l'extérieur.

ANSWERS TO
Communication guidée

Answers will vary.

Langage

Langage

SAVOIR CONVERSER

1 Preparation

Resource Manager

Audio Activities Booklet TE,
  Activities C–D, pages 128–129
Audiocassette 5/CD 9
Workbook, Activity C, page 114
Quiz 5, page 59

2 Presentation

Step 1 Read the explanations to the students.

Step 2 Have the students repeat the expressions after you.

Step 3 Tell students you would like to have them continue to use the expressions from this chapter throughout the year. Explain to them that these expressions can "spice up" their answers and give them a real French flair.

Gestures

Pour introduire une remarque, on avance brusquement vers l'interlocuteur la main ouverte, doigts accolés, paume vers le ciel.

3 Practice

Communication libre
Have students select the activity or activities they wish to take part in.

Independent Practice

Assign any of the following:
1. Workbook, **Langage**
2. Activities on pages 228–230

SAVOIR CONVERSER

Pour commencer une conversation, vous pouvez dire:

> Dis donc, Camille, tu sais que... ?
> Alors, Julien, qu'est-ce que tu penses de... ?

Si pendant la conversation vous voulez prendre la parole, vous pouvez dire:

> Moi, je trouve que...   Mais...
> Écoute(z)...   Oui, mais...

Si vous voulez dire quelque chose qui est lié à ce qu'un autre vient de dire, vous pouvez dire:

> À propos...
> Ça me fait penser que...

Et si vous voulez changer la conversation, vous pouvez dire:

> Dis donc,...   Dites,...   Alors,...

avant de continuer sur un autre sujet.

Communication guidée

Qu'est-ce que vous diriez?
1. pour commencer une conversation
2. pour prendre la parole pendant une conversation
3. pour changer la direction de la conversation
4. pour établir un lien avec quelque chose que quelqu'un d'autre vient de dire

Communication libre

A **La peine de mort, pour ou contre?** Discutez avec un(e) camarade.

B **Le droit de porter des armes, pour ou contre?** Discutez avec un(e) camarade.

✓ Assessment

Use these resources at the end of the **Conversation** and **Langage** sections for review and assessment.
  Quizzes 2–5
  Test Booklet, pages 105–107
  ExamView Pro®
  Situation Cards

ANSWERS TO Communication guidée

Answers will vary.

ANSWERS TO Communication libre

A , **B** *Answers will vary.*

Telling what you do for others or what others do for you

Les pronoms compléments directs et indirects

1. Remember that the pronouns **me, te, nous,** and **vous** can function as either direct or indirect objects.

Direct object	Indirect object
Luc me voit.	Luc me donne le journal.
Luc ne me voit pas.	Luc ne me donne pas le journal.
Luc m'a vu(e).	Luc m'a donné le journal.
Luc ne m'a pas vu(e).	Luc ne m'a pas donné le journal.
Luc veut me voir.	Luc veut me donner le journal.
Luc ne veut pas me voir.	Luc ne veut pas me donner le journal.

Note that the object pronouns, direct or indirect, come directly before the verb to which their meaning is tied.

2. The pronouns **le, la,** and **les** function as direct objects. They can replace either a person or a thing, and the pronoun must agree in gender and number with the noun it replaces.

Tu connais **Paul**?	Tu **le** connais?
Tu as connu **Paul**?	Tu **l'**as connu?
Tu cherches **Jeanne**?	Tu **la** cherches?
Tu as cherché **Jeanne**?	Tu **l'**as cherchée?
Il vole les **touristes**?	Il **les** vole?
Il a volé les **touristes**?	Il **les** a volés?
Il prend les **cassettes**?	Il **les** prend?
Il a pris les **cassettes**?	Il **les** a prises?

Note that the past participle of the verb must agree in gender and number with the direct object pronoun that precedes it. This also applies to **me, te, nous, vous** when they are direct object pronouns:

> MARIE: Ils **m'**ont vu**e**.
> LUC ET MARC: Elle **nous** a regardé**s**.

---

1 Preparation

Resource Manager

Workbook, Activities A–H, pages 115–118
Audio Activities Booklet TE, Activities A–C, pages 130–131
Audiocassette 5/CD 9
Quizzes 6–8, pages 60–62
ExamView Pro®

Bellringer Review

Write the following on the board or use BRR Transparency 5.4.
Citez.
1. trois choses qui vous intéressent
2. trois choses qui vous amusent
3. trois choses qui vous déplaisent

2 Presentation

Les pronoms compléments directs et indirects ◆◆◆

Step 1 Most students will probably need at least a quick review of this point.

Step 2 Have students read the model sentences aloud in Item 1.

Step 3 As you go over Item 2, write the sentences on the board. Draw a box around the noun that is the direct object and a circle around the object pronoun. Draw a line from the box to the circle to show that the pronoun replaces the noun. Underline the ending of the past participle when there is agreement.

Structure I

2 Presentation (continued)

Step 4 When going over Item 3, emphasize that **lui** and **leur** replace both masculine and feminine nouns.

3 Practice

A This activity can be done without any prior preparation. Have students close their books. Go over the activity orally in class.

B Give students two or three minutes to look over this activity. Then call on individuals to read aloud.

C, **D**, **E** Note: These activities all contrast direct and indirect objects.

Additional Practice

After students have completed the **Journalisme** selections on pages 238–247, have them write a short newspaper article describing the accident pictured on pages 232–233.

---

3. The pronouns **lui** and **leur** are indirect object pronouns. They can replace either a masculine or a feminine noun referring to a person or persons.

Je donne l'argent à Éric.	Je lui donne l'argent.
J'ai donné l'argent à Éric.	Je lui ai donné l'argent.
Je donne l'argent à Marie.	Je lui donne l'argent.
J'ai donné l'argent à Marie.	Je lui ai donné l'argent.
Je donne l'argent à mes amis.	Je leur donne l'argent.
J'ai donné l'argent à mes amis.	Je leur ai donné l'argent.

Note that the past participle of the verb does NOT agree with the indirect object pronoun.

Communication guidée

A Historiette **Elle te voit?** Répondez.

1. Est-ce que Françoise te voit?
2. Elle te parle?
3. Elle t'invite à la fête de Marie-Louise?
4. Elle te demande d'acheter un cadeau pour Marie-Louise?
5. Elle va t'accompagner au magasin?

B Historiette **Il m'a téléphoné?** Complétez.

—François __1__ a téléphoné, Nathalie.

—Il __2__ a téléphoné? Qu'est-ce qu'il voulait __3__ dire? Il __4__ a laissé un message?

—Il voulait __5__ dire qu'il serait en retard.

—Il sera en retard? Pourquoi?

—Il y avait un accident sur l'autoroute.

—Tu __6__ dis que François était dans un accident?

—Non, tu ne __7__ as pas écoutée. Je ne __8__ ai pas dit ça. Je __9__ ai dit qu'il y avait un accident. Je ne sais même pas si François __10__ a vu.

CHAPITRE 5

Answers to Communication guidée

A

1. Oui (Non), elle (ne) me voit (pas).
2. Oui (Non), elle (ne) me parle (pas).
3. Oui (Non), elle (ne) m'invite (pas) à la fête de Marie-Louise.
4. Oui (Non), elle (ne) me demande (pas) d'acheter un cadeau pour Marie-Louise.
5. Oui (Non), elle (ne) va (pas) m'accompagner au magasin.

B

1. t' (m')
2. m' (t')
3. me (te)
4. m' (t')
5. te (me)
6. me
7. m'
8. t'
9. t'
10. l'

Structure I

C **Historiette** **Marie est à l'aéroport.** Remplacez l'expression en italique par un pronom.

1. Marie dit bonjour *à l'employé de la compagnie aérienne.*
2. Elle parle *à l'employé.*
3. Elle sort *son billet* de sa poche.
4. Elle donne *son billet* à l'employé.
5. L'employé regarde *son billet.*
6. L'employé donne une carte d'embarquement *à Marie.*
7. Marie regarde *la carte d'embarquement.*
8. Elle dit «merci» *à l'employé.*
9. Elle parle *à ses amis.*
10. Ses amis entendent *l'annonce du départ de son vol.*
11. Marie embrasse *ses amis.*
12. Elle dit «au revoir» *à ses amis.*

D **Historiette** **Tu le connais?** Répondez par «oui», puis par «non», en utilisant le pronom qui correspond à l'expression en italique.

1. Tu connais *Jacques?*
2. Tu parles *à Jacques?*
3. Jacques *t'*invite à sa fête?
4. Il invite tous *ses amis* à sa fête?
5. Il envoie des invitations *à ses amis?*
6. Il envoie *les invitations* aujourd'hui?
7. Tu vas aider *Jacques* à écrire les invitations?
8. Tu vas demander les adresses *à Jacques?*

E **Faits divers** Répondez par «oui» en remplaçant les noms par des pronoms.

1. Tu as vu l'accident?
2. Tu as aidé les victimes?
3. Quand l'ambulance est arrivée, ils ont transporté les blessés à la salle des urgences?
4. Les médecins et les infirmiers ont soigné les malades dans la salle des urgences?
5. Tu as vu le crime?
6. Le pickpocket a volé ton portefeuille?
7. Il a déchiré ta poche?
8. Il a pris ton sac?
9. Tu as déclaré le crime?
10. Tu as parlé à l'agent de police?
11. Les vandales ont abîmé la statue?
12. Les policiers ont arrêté le criminel?

Paired Activities

Activités C, D, and **E,** page 233: Have students work in pairs. One student reads the question, the other answers, then they reverse roles. You can circulate to listen, give grades, help, etc. When the students have finished the activity, have random partners do a few items from each one. **Hint:** Set a time limit and use the timer to keep students focused on task.

FUN FACTS

S.A.M.U. (Service d'assistance médicale d'urgence): Ce service fonctionne 24 h sur 24. Il dispose d'un réseau téléphonique et radiotéléphonique. Il envoie des ambulances et/ou des médecins. À Paris et à Marseille, on peut aussi appeler les pompiers en cas d'urgence. À Paris, il y a aussi S.O.S. Médecins et S.O.S. Drogue.

ANSWERS TO **Communication guidée**

C

1. Marie lui dit bonjour.
2. Elle lui parle.
3. Elle le sort de sa poche.
4. Elle le donne à l'employé.
5. L'employé le regarde.
6. L'employé lui donne une carte d'embarquement.
7. Marie la regarde.
8. Elle lui dit «merci».
9. Elle leur parle.
10. Ses amis l'entendent.
11. Marie les embrasse.
12. Elle leur dit «au revoir».

D

1. Oui (Non), je (ne) le connais (pas).
2. Oui (Non), je (ne) lui parle (pas).
3. Oui (Non), il (ne) m'invite (pas) à sa fête.
4. Oui (Non), il (ne) les invite (pas) tous à sa fête.
5. Oui (Non), il (ne) leur envoie (pas d') des invitations.
6. Oui (Non), il (ne) les envoie (pas) aujourd'hui.
7. Oui (Non), je (ne) vais (pas) l'aider à écrire les invitations.
8. Oui (Non), je (ne) vais (pas) lui demander les adresses.

E

1. Oui, je l'ai vu.
2. Oui, je les ai aidées.
3. Oui, quand elle est arrivée, ils les ont transportés...
4. Oui, ils les ont soignés...
5. Oui, je l'ai vu.
6. Oui, il l'a volé.
7. Oui, il l'a déchirée.
8. Oui, il l'a pris.
9. Oui, je l'ai déclaré.
10. Oui, je lui ai parlé.
11. Oui, ils l'ont abîmée.
12. Oui, ils l'ont arrêté.

Structure I

1 Presentation

Deux pronoms compléments ensemble ◆◆◆

This is one of those grammatical points that students learn better through examples than explanation. In your presentation it is recommended that you concentrate on the model sentences and use the actual answers to the activities as examples rather than belabor the explanation of which pronoun goes where. The more students hear the correct order, the less frequently they will make errors.

With slower groups, you may wish to practice replacing only one object pronoun in each sentence and come back to this topic at another time.

2 Practice

Communication guidée

A Go over this activity orally in class with no previous preparation. Then go over the activity a second time and write each past participle on the board as the student responds. Have students write the activity at home.

Additional Practice

Bring in the objects pictured on page 234: a wallet, a credit card, keys, a passport, money, etc. Use these items to illustrate the structure topic as follows:
Prof: Pierre, donne la carte d'identité à Marie. Marie, Pierre te donne la carte?
Marie: Oui, il me la donne.
Prof: Pierre, demande la carte à Marie. Karen, est-ce que Pierre demande la carte à Marie?
Karen: Oui, il la lui demande, etc.
Vary the verbs and the items. Give the wrong item to get a negative answer.

Independent Practice

Assign any of the following:
1. Activities on pages 232–235
2. Workbook, **Structure I**

234

Referring to people and things already mentioned
Deux pronoms compléments ensemble

1. In many sentences there are both a direct and an indirect object pronoun. The indirect object pronouns **me, te, nous,** and **vous** always precede the direct object pronouns **le, la, les.**

Il **te** demande ton billet.	Il **te le** demande.
Il **me** donne ma carte d'embarquement.	Il **me la** donne.
Il **nous** rend nos passeports.	Il **nous les** rend.
Il ne **vous** a pas rendu votre billet.	Il ne **vous l'**a pas rendu.

2. When the direct object pronoun **le, la,** or **les** is used with **lui** or **leur,** however, **le, la,** or **les** precedes the indirect object.

Elle donne son billet à l'agent.	Elle **le lui** donne.
Il donne sa carte d'embarquement à Luc.	Il **la lui** donne.
Il rend leurs passeports aux garçons.	Il **les leur** rend.
Il n'a pas rendu son passeport à Luc.	Il ne **le lui** a pas rendu.

3. Study the following chart.

me te nous vous	before	le la l' les	before	lui leur

Communication guidée

 A **Quelqu'un m'a volé.** Suivez le modèle.

—**Tu as perdu ta carte d'identité?**
—**Je ne l'ai pas perdue. Quelqu'un me l'a volée.**

1. Tu as perdu ton portefeuille?
2. Tu as perdu ton permis de conduire?
3. Tu as perdu ton passeport?
4. Tu as perdu ton sac à dos?
5. Tu as perdu ta veste?
6. Tu as perdu tes cartes de crédit?
7. Tu as perdu tes lunettes?
8. Tu as perdu tes clés?
9. Tu as perdu tes bagages?

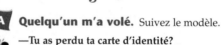

ANSWERS TO Communication guidée

A

1. Je ne l'ai pas perdu. Quelqu'un me l'a volé.
2. Je ne l'ai pas perdu. Quelqu'un me l'a volé.
3. Je ne l'ai pas perdu. Quelqu'un me l'a volé.
4. Je ne l'ai pas perdu. Quelqu'un me l'a volé.
5. Je ne l'ai pas perdue. Quelqu'un me l'a volée.
6. Je ne les ai pas perdues. Quelqu'un me les a volées.
7. Je ne les ai pas perdues. Quelqu'un me les a volées.
8. Je ne les ai pas perdues. Quelqu'un me les a volées.
9. Je ne les ai pas perdus. Quelqu'un me les a volés.

234

B Il lui a donné quelque chose.
Remplacez l'expression en italique par un
pronom.

1. Il lui a donné *le journal*.
2. Il lui a donné *la lettre*.
3. Il lui a donné *les timbres*.
4. Il lui a donné *l'adresse*.
5. Il lui a donné *le numéro de téléphone*.
6. Il lui a donné *les clés*.
7. Il lui a donné *la voiture*.
8. Il lui a donné *le permis de conduire*.
9. Il lui a donné *les papiers*.

C Historiette À bord de l'avion
Remplacez les expressions en italique
par des pronoms.

1. Le steward nous demande *nos
   cartes d'embarquement*.
2. Nous donnons *nos cartes
   d'embarquement* au steward.
3. Il regarde *nos cartes*, ensuite il nous
   rend *nos cartes*.
4. Il nous indique *nos sièges*.
5. Avant le décollage, une hôtesse de
   l'air explique *les règlements de
   sécurité* à tous les passagers.
6. Elle fait *les annonces aux passagers*
   en anglais et en français.
7. Après le décollage, le personnel de
   cabine nous sert *le dîner*.
8. Après le dîner, j'ai envie de dormir
   un peu. Je vois un oreiller. Je demande
   l'oreiller au steward.
9. Il me donne *l'oreiller*.
10. Mon copain a froid. Il veut une couverture.
    Il demande *la couverture à l'hôtesse*.
11. Elle donne *la couverture à mon copain*.
12. Dans une heure, elle va nous montrer *le film*.

3 Practice

B , C These activities can be
gone over orally in class, then assigned for written homework.
Have students read their answers
aloud the next day. If the answer
contains a past participle, write it
on the board.

ANSWERS TO Communication guidée

B

1. Il le lui a donné.
2. Il la lui a donnée.
3. Il les lui a donnés.
4. Il la lui a donnée.
5. Il le lui a donné.
6. Il les lui a données.
7. Il la lui a donnée.
8. Il le lui a donné.
9. Il les lui a donnés.

C

1. Le steward nous les demande.
2. Nous les lui donnons.
3. Il les regarde, ensuite il nous
   les rend.
4. Il nous les indique.
5. Avant le décollage, une
   hôtesse de l'air les leur
   explique.
6. Elle les leur fait en anglais et
   en français.

7. Après le décollage, le
   personnel de cabine nous
   le sert.
8. Je le lui demande.
9. Il me le donne.
10. Il la lui demande.
11. Elle la lui donne.
12. Dans une heure, elle va nous
    le montrer.

Structure I

1 Preparation

Bellringer Review

Write the following on the board or use BRR Transparency 5.5.
Écrivez quelques ordres que votre professeur de français vous donne toujours.

2 Presentation

Les pronoms compléments avec l'impératif ◆◆◆

Note: It is a matter of teacher choice as to how thorough you wish to be in the presentation of this particular point. It is, however, a rather low-frequency point since one does not use the imperative a great deal until one is rather fluent. The only exceptions would be some fixed expressions such as: **Donnez-moi, passez-moi, excusez-moi, dites-moi.**

3 Practice

You may wish to give students the opportunity to prepare all of these activities before going over them in class.

FUN·FACTS

On a inauguré l'Opéra-Bastille à l'occasion du bicentenaire de la Révolution française en 1989. Sa construction a coûté plus de deux milliards de francs.

Commands referring to people or things already mentioned

Les pronoms compléments avec l'impératif

1. In the affirmative command, direct or indirect object pronouns follow the verb, and **me** and **te** become **moi** and **toi**. When both a direct and an indirect object pronoun are used, the direct object pronouns **le, la,** and **les** precede **moi, toi, nous, vous, lui,** and **leur.** Note that the object pronouns are connected to the verb by hyphens.

Donne-moi le livre.	**Donne-le-moi.**
Passe-lui le sel.	**Passe-le-lui.**
Donnez-leur la cassette.	**Donnez-la-leur.**

2. In the negative command, direct or indirect object pronouns precede the verb. When both a direct and an indirect object pronoun are used, the order is the usual one.

Ne me donne pas le livre.	**Ne me le donne pas.**
Ne lui passe pas le sel.	**Ne le lui passe pas.**
Ne leur donnez pas la cassette.	**Ne la leur donnez pas.**

Communication guidée

 A **Dis-moi ce que tu veux que je fasse.** Suivez le modèle.

 —Je t'attends ici ou à la banque?
—Attends-moi ici.

1. Je te retrouve à cinq heures et demie ou à six heures?
2. Je t'attends devant le restaurant ou dans le restaurant?
3. Je te téléphone le matin ou l'après-midi?
4. Je vous réserve une table de trois couverts ou de quatre couverts?
5. Je vous achète trois billets ou quatre billets pour le théâtre?

L'opéra Bastille

Answers to Communication guidée

 A

1. Retrouve-moi à 5 h 30.
2. Attends-moi devant le restaurant.
3. Téléphone-moi le matin.
4. Réservez-nous une table de trois couverts.
5. Achetez-nous trois billets pour le théâtre.

B Un voleur te parle. Suivez le modèle.

Je veux ton porte-monnaie. →
Je le veux. Donne-le-moi.

1. Je veux ton portefeuille.
2. Je veux ton argent.
3. Je veux ta veste en cuir.
4. Je veux ta moto.
5. Je veux tes cartes de crédit.
6. Je veux tes clés.

C Donnez un coup de fil à Marc. Complétez.

—Tu veux que je téléphone à Marc?

—Oui, dis-__1__ de venir à sept

heures. J'aurai besoin de son aide.

Et demande-__2__ d'apporter ses

nouvelles cassettes.

—Et Nicole et Lisette?

—Oui, téléphone-__3__ aussi.

D Une recette compliquée
Suivez le modèle.

—**Elle veut le sel?**
—**Oui, passe-le-lui, s'il te plaît.**

1. Elle veut le lait?
2. Elle veut le beurre?
3. Elle veut les carottes?
4. Elle veut les oignons?
5. Elle veut la crème?
6. Elle veut la moutarde?
7. Elle veut les œufs?

E Oui et non! Suivez le modèle.

—**Les enfants veulent le transistor.**
—**D'accord! Donne-le-leur.**
—**Non! Ne le leur donne pas.**

1. Les enfants veulent la cassette.
2. Ils veulent les vidéos.
3. Ils veulent le magnétoscope.
4. Annie veut la bicyclette.
5. Gilles veut les disques.
6. Carole veut le téléphone sans fil.

STRUCTURE I

Structure I

Paired Activities

Activités A, B, C, D, and **E,** pages 236–237: Follow the suggestions for **Paired Activities** on page 233 and have partners work together on these activities.

Independent Practice

Assign any of the following:
1. **Activités A–E** on pages 236–237
2. Workbook, **Structure I**

✓ Assessment

Use these resources at the end of the **Structure I** section for review and assessment.

Quizzes 6–8
Test Booklet, pages 108–111
ExamView Pro®

ANSWERS TO *Communication guidée*

B

1. Je le veux. Donne-le-moi.
2. Je le veux. Donne-le-moi.
3. Je la veux. Donne-la-moi.
4. Je la veux. Donne-la-moi.
5. Je les veux. Donne-les-moi.
6. Je les veux. Donne-les-moi.

C

1. lui
2. lui
3. leur

D

1. Oui, passe-le-lui, s'il te plaît.
2. Oui, passe-le-lui, s'il te plaît.
3. Oui, passe-les-lui, s'il te plaît.
4. Oui, passe-les-lui, s'il te plaît.
5. Oui, passe-la-lui, s'il te plaît.
6. Oui, passe-la-lui, s'il te plaît.
7. Oui, passe-les-lui, s'il te plaît.

E

1. D'accord! Donne-la-leur.
   Non! Ne la leur donne pas.
2. D'accord! Donne-les-leur.
   Non! Ne les leur donne pas.
3. D'accord! Donne-le-leur.
   Non! Ne le leur donne pas.
4. D'accord! Donne-la-lui.
   Non! Ne la lui donne pas.
5. D'accord! Donne-les-lui.
   Non! Ne les lui donne pas.
6. D'accord! Donne-le-lui.
   Non! Ne le lui donne pas.

Journalisme

National Standards

Cultures
Students learn about French newspapers and news reporting.

Connections
This section establishes a link with the field of journalism.

Comparisons
Students will have an opportunity to compare French newspapers to American ones.

LA MANCHETTE

1 Preparation

Resource Manager

Vocabulary Transparency 5.3
Audio Activities Booklet TE, Activity A, page 132
Audiocassette 5/CD 9
Workbook, Activity A, page 119
Quiz 9, page 63
ExamView Pro®

Bellringer Review

Write the following on the board or use BRR Transparency 5.6.
Écrivez une liste des problèmes sociaux auxquels le gouvernement fédéral et les gouvernements municipaux doivent faire face.

2 Presentation

Note: Have students keep their answers to the **Bellringer Review** above. They will be referring to their lists after they read the headlines on page 240.

Introduction

You may wish to read the **Introduction** aloud or have the students read it silently.

LA MANCHETTE

Introduction

On veut savoir ce qui se passe dans le monde. Que fait-on? Mais on achète un journal! Là, à la une, on lit en gros caractères, la manchette. Ensuite, on lit les gros titres. Si un article semble intéressant, on lit le premier paragraphe et, si on veut savoir tous les détails, on finit par lire tout l'article. C'est toujours la manchette et les gros titres qui attirent l'attention. Il ne faut pas sous-estimer l'importance d'un titre bien écrit.

Vocabulaire

la manchette — LE FIGARO — un gros titre
UN AIRBUS S'ECRASE EN ALSACE
L'Affaire d'Habsheim
la une d'un journal français
un camion
un piéton
le soleil
l'ombre
un marathon

le chômage inactivité forcée pour un travailleur qui a perdu son travail
la guerre lutte armée entre groupes, peuples, états, etc.
le fléau une calamité qui affecte un très grand nombre de gens
craindre avoir peur
coincer immobiliser, bloquer

Class Motivator

Vocabulary Game III: Le jeu de Loto

Set-up: Prepare two sets of index cards—one with the vocabulary words and the other with their definitions. Hand out the cards to the class.

Game: Call on one student at a time to read his/her card. The student with the matching card must read the corresponding word or definition.
Hint: You could also include vocabulary from previous chapters.

Communication guidée

A **D'après vous** Répondez.

1. Qui est en chômage: un travailleur qui a du travail ou un travailleur qui veut travailler sans pouvoir trouver de travail?
2. Est-ce que la drogue est un fléau social de notre époque?
3. Où y a-t-il la guerre, en ce moment?
4. Qui traverse la rue quand les voitures sont arrêtées aux feux?
5. Comment s'appelle la grande course qui a lieu à New York au mois d'octobre?
6. Que donne l'arbre l'été, quand il y a du soleil?
7. Dans quel véhicule est-ce qu'on transporte des marchandises ou des produits agricoles?
8. Quand on lit un journal, est-ce qu'on lit tout? Qu'est-ce qu'on lit vraiment?

B **L'actualité passée, présente et future.** Complétez.

1. Tout le monde craint le chômage. Tout le monde en _____.
2. Le sida est le _____ de notre époque.
3. Pendant ce siècle, il y a eu deux _____ mondiales et de nombreuses guerres régionales.
4. La victime de l'accident était _____ entre le mur et le camion.
5. Le soleil peut être dangereux: quand il y a beaucoup de soleil, il faut se mettre à _____.
6. Il y aura beaucoup de coureurs dans le _____ de Paris.
7. Elle a gagné la coupe. Son nom est à la _____ de tous les journaux.

deux cent trente-neuf ✦ 239

Vocabulaire

You may wish to use some of the procedures suggested in previous chapters.

Note: You may wish to go over the forms of the verb **craindre: je crains, tu crains, il craint, nous craignons, vous craignez, ils craignent (j'ai craint).**

3 Practice

Communication guidée

A This activity can be done orally in class with books closed.

B **Activité B** can be done orally in class with books open.

Extension: After going over this activity, you may wish to have students make up questions about each statement. In addition to giving them review in formulating questions, it provides them with another opportunity to use the new words.

FUN-FACTS

Il y a actuellement très peu de travailleurs qui sont syndiqués en France: environ 10%. Il y a six syndicats reconnus comme nationalement représentatifs.
- La Confédération Générale du Travail (la CGT)
- La Confédération Française Démocratique de Travail (la CFDT)
- Force Ouvrière (FO)
- La Confédération Générale des Cadres (la CGC)
- La Fédération de l'Éducation Nationale (la FEN)

D'autre part, il existe un syndicat des patrons, le CNPF, le Conseil National du Patronat Français.

ANSWERS TO *Communication guidée*

A

1. Un travailleur qui veut travailler sans pouvoir trouver de travail est au chômage.
2. Oui, la drogue est un fléau social de notre époque.
3. Il y a la guerre en…
4. Les piétons traversent la rue quand les voitures sont arrêtées aux feux.
5. La grande course qui a lieu à New York au mois d'octobre s'appelle le marathon.
6. Quand il y a du soleil, l'arbre donne de l'ombre.
7. On transporte des marchandises ou des produits agricoles dans un camion.
8. Quand on lit un journal, on lit la manchette et les gros titres.

B

1. a peur
2. fléau
3. guerres
4. coincée
5. l'ombre
6. marathon
7. une

Journalisme

LES GROS TITRES ◆◆

1 Preparation

> **Resource Manager**
>
> Audio Activities Booklet TE, Activity B, pages 132–133
> Audiocassette 5/CD 9
> Workbook, Activities B–D, pages 119–120

2 Presentation

Step 1 Have students read the headlines in a leisurely way, as they would in a real-life situation.

Step 2 Have students refer to the list of social problems they wrote for **Bellringer Review 5.6** on page 238 and ask: **Est-ce que ces problèmes sociaux sont reflétés dans les gros titres des journaux français? À votre avis, est-ce que la France et les USA ont les mêmes problèmes?**

240

Après la lecture

Question de style Exprimez d'une autre façon.
1. Il y aura un petit marathon avec beaucoup de concurrents.
2. Le piéton était immobilisé entre un camion et un mur.
3. L'alcoolisme cause des accidents de voiture, des accidents de la route.
4. Le chômage inquiète sérieusement les Français.
5. Le gouvernement lutte contre le chômage.

Communication libre

 Gros titres Relisez les gros titres à la page 240, et décidez ce que chacun décrit:

un accident   un problème social   un sport

 La version anglaise Imaginez que vous travaillez pour un journal américain. Donnez une version anglaise de chaque gros titre.

C **Un journal français** Imaginez qu'un journal français paraît dans votre région et que vous y travaillez. Quels seraient les gros titres aujourd'hui?

3 Practice

Communication libre
Have students select the activity they want to do.

 Group Activity
Have students work together in groups of four to write the headlines for the next edition of their school newspaper.

Independent Practice

Assign any of the following:
1. Activities on this page
2. Workbook, **Journalisme**

 Assessment

Use these resources at the end of the **La manchette** section for review and assessment.
Quiz 9
Test Booklet, pages 112–114
ExamView Pro®
Situation Cards

ANSWERS TO *Après la lecture*

1. Un mini-marathon avec maxi-participation
2. Un piéton coincé entre une maison et un camion
3. Un fléau: l'alcoolisme au volant
4. Les Français craignent plus le chômage que la guerre.
5. Le gouvernement s'attaque au chômage.

ANSWERS TO Communication libre

A , **B** , **C** *Answers will vary.*

241

À LA RUBRIQUE «FAITS DIVERS»

1 Preparation

Bellringer Review

Write the following on the board or use BRR Transparency 5.7.
Mettez au pluriel.
un journal régional
un problème social
un gouvernement municipal
un quotidien national

2 Presentation

Introduction

Bring several copies of French newspapers to class. After students have read the **Introduction,** ask them to look at the newspapers and point out some examples of **faits divers.**

Vocabulaire

Step 1 After presenting the new words, you may wish to tell the students the following story. This will give them an opportunity to hear the new words in context.

Le train faisait Lyon-Berne. Il a franchi la frontière suisse et quelques minutes plus tard il s'est écrasé contre une voiture. Les secours n'ont pas eu de mal à localiser le train. Ils s'y sont précipités. Il y avait beaucoup de

---

À LA RUBRIQUE «FAITS DIVERS»

Introduction

Les faits divers d'un journal ne sont pas les événements les plus importants de la journée, mais ils peuvent être aussi intéressants que des romans ou des contes.

Beaucoup de faits divers sont tristes et quelques-uns sont tragiques—comme les accidents de la route, les homicides et autres crimes. Mais il y a aussi des faits divers joyeux—des histoires qui finissent bien, par exemple.

Vous allez lire trois faits divers: le premier décrit une tragédie aérienne; le deuxième rend compte d'un accident; et le dernier raconte un événement incroyable, mais vrai.

Vocabulaire

l'appareil

l'épave

les secours

les sauveteurs

Les sauveteurs ont dégagé les blessés de l'appareil.

Additional Practice

Have students say as much as they can about the illustrations on page 242. This will give them an opportunity to review medical vocabulary from Chapter 8, Level 2.

le car-ferry

une baleine

le quai

Le car-ferry pousse la baleine qu'il a éperonnée.

une chatte

un chaton

un paillasson

La chatte lèche son chaton, couché sur le paillasson.

franchir passer une limite
avoir du mal à avoir de la difficulté à
confier remettre à la garde de quelqu'un
s'écraser être déformé par un choc violent
localiser situer
se précipiter (vers) aller vite vers un endroit, courir

une commune une municipalité, une ville
une fillette une petite fille
un rescapé individu qui est sorti sain et sauf d'un accident ou d'une catastrophe
un survivant personne qui a échappé à la mort
natal de la naissance

Communication guidée

 Pour mieux comprendre Répondez.

1. L'appareil s'est écrasé dans une forêt?
2. Les secours ont localisé l'avion?
3. Les sauveteurs ont trouvé l'épave?
4. Ils ont dégagé les blessés de l'appareil?
5. Il y avait des survivants?
6. Un des rescapés était une fillette?
7. Qu'est-ce que le car-ferry a éperonné?
8. Qui est assis sur le paillasson?
9. Que fait la chatte?

 Des synonymes Exprimez d'une autre façon ce qui est en italique.

1. *L'avion* s'est écrasé la nuit dans le brouillard.
2. Les secours *ont retrouvé l'avion* sur *la municipalité* de Maennolsheim.
3. L'avion s'est écrasé près du village *où est né* le pilote.
4. Les sauveteurs *ont libéré* les blessés de l'appareil.
5. Les journalistes *avaient des difficultés à* comprendre ce qui s'était passé.
6. Ils *ont couru rapidement* vers les survivants pour les interviewer.
7. Un des blessés *a remis* son chat *à la garde* d'un journaliste.

---

rescapés. Ils sont descendus du train sains et saufs.

Step 2 Ask students to take notes as you read the story again. Have them write a headline for this story and a brief summary of the facts.

3 Practice

Communication guidée

 A This activity can be done without previous preparation.

B Have students prepare this activity and then read their answers to the class.

Independent Practice

Assign any of the following:
1. Activities on this page
2. Workbook, **Journalisme**

ANSWERS TO Communication guidée

A

1. Oui, l'appareil s'est écrasé dans une forêt.
2. Oui, les secours ont localisé l'avion.
3. Oui, les sauveteurs ont trouvé l'épave.
4. Oui, ils ont dégagé les blessés de l'appareil.
5. Oui, il y avait des survivants.
6. Oui, un des rescapés était une fillette.
7. Le car-ferry a éperonné une baleine.
8. La chatte est assise sur le paillasson.
9. La chatte lèche son chaton.

B

1. L'appareil
2. ont localisé l'appareil (l'épave), la commune
3. natal du
4. ont dégagé
5. avaient du mal à
6. se sont précipités
7. a confié

Journalisme

UN AIRBUS S'ÉCRASE EN ALSACE ◆◆

1 Preparation

Resource Manager

Audio Activities Booklet TE, Activity
D, pages 134–135
Audiocassette 5/CD 9
Workbook, Activities C–D,
page 121

2 Presentation

Step 1 Have students read this selection silently as if they were actually reading the newspaper.

Step 2 Tell students to read the article once. Tell them to read it a second time as they look for the information in the **Après la lecture** activities on page 245. It is recommended that this be done as a homework assignment.

FUN FACTS

Airbus Industrie réunit l'Aérospatiale 37,9% (France), Deutsche Airbus 37% (Allemagne), British Aerospace 20% (Grande Bretagne) et CASA 2,4% (Espagne). Les Pays-Bas participent pour 6,6% au budget. Les sites d'assemblage et d'aménagement intérieur sont à Hambourg et à Toulouse.

Le gouvernement américain a déposé une plainte contre le financement d'Airbus (fonds d'origine publique faussant la concurrence). Les Américains veulent contraindre les Européens à limiter leurs avances à 25% des coûts de développement au lieu de 75%. Airbus est prêt à les limiter à 40%, mais fait remarquer qu'aux États-Unis, la part du budget américain (militaire et NASA) est de 72% du chiffre d'affaire global de l'aéronautique, alors qu'il est de 36% seulement en Europe.

Plus de quatre heures nécessaires pour localiser l'appareil

Un Airbus s'écrase en Alsace

*Plusieurs survivants dans le vol Lyon-Strasbourg,
qui avait 96 personnes à bord.
Tout contact avait été perdu cinq minutes avant l'atterrissage.*

Un Airbus A-320 assurant[1], hier soir, le vol Lyon-Strasbourg s'est écrasé en Alsace, à 500 mètres au sud du mont Sainte-Odile.

■ **L'appareil,** qui avait décollé de l'aéroport de Satolas à 18 h 30, était attendu à 19 h 25 à Strasbourg. Tout contact radio a été perdu à 19 h 20, cinq minutes avant l'atterrissage.

■ **Quatre-vingt-dix voyageurs,** dont un bébé, et six membres d'équipage se trouvaient à bord.

■ **Les secours** ont mis plus de quatre heures pour localiser l'avion, retrouvé peu avant minuit sur la commune de Maennolsheim, à une cinquantaine de kilomètres de la capitale alsacienne.

■ **Les premiers rescapés**—onze blessés, dont une fillette—étaient dégagés vers 1 heure du matin. Mais d'autres gémissements[2] étaient entendus par les sauveteurs dans les débris de l'appareil.

■ **Le «plan rouge»** avait été déclenché[3]. Plus d'une centaine d'hommes de la Sécurité civile, ainsi que d'importants moyens médicaux, ont été mobilisés. Deux cents gendarmes et trois cents militaires, aidés d'hélicoptères et d'un Mirage F1, ont ratissé[4] la zone avant de découvrir l'épave.

■ **Les recherches** ont été rendues particulièrement difficiles par la nuit, le brouillard[5] et la configuration du terrain, un paysage accidenté[6] recouvert de forêts de sapins.

■ **Deux accidents** ont déjà affecté des appareils de ce type. Le premier, à Habsheim (en Alsace déjà), a provoqué la mort de trois passagers le 26 juin 1988. Le second, au sud de l'Inde, a fait quatre-vingt-dix morts le 14 février 1990.

Alsace: une forêt de sapins

---

[1] assurant *used by*
[2] gémissements *moans*
[3] déclenché *launched*
[4] ratissé *combed*
[5] brouillard *fog*
[6] accidenté *hilly*

244

Après la lecture

A Vrai ou faux? Corrigez les phrases fausses.
1. L'avion s'est écrasé en Normandie.
2. Tout contact radio a été perdu vingt minutes avant l'atterrissage.
3. Les secours ont eu du mal à localiser l'appareil.
4. Un bébé était parmi les premiers rescapés.
5. L'accident a eu lieu à une heure de l'après-midi.
6. Quatre-vingt-dix personnes ont ratissé la zone avant de découvrir l'appareil.
7. Il n'y avait jamais eu de problèmes avant avec des Airbus.

B Compte-rendu Expliquez.
1. Pourquoi est-ce que les secours ont eu du mal à trouver l'épave?
2. Comment ont-ils réussi à trouver l'appareil?

C Résumé des faits Donnez les renseignements suivants.
1. le type d'appareil utilisé
2. sa destination
3. l'heure de l'accident
4. le lieu de l'accident
5. le nombre de personnes à bord
6. le nombre d'heures mises pour trouver l'avion
7. le nombre de personnes qui ont participé à la recherche de l'avion
8. le nombre de blessés
9. le nombre de morts dans les deux autres accidents affectant des Airbus

Un hélicoptère de la Sécurité civile

ANSWERS TO *Après la lecture*

A
1. Non, il s'est écrasé en Alsace.
2. Non, tout contact radio avait été perdu cinq minutes avant l'atterrissage.
3. Oui.
4. Non, une fillette était parmi les premiers rescapés.
5. Non, l'accident a eu lieu à 19 h 20.
6. Non, plus de 600 personnes ont ratissé la zone avant de découvrir l'appareil.
7. Non, deux accidents avaient déjà affecté des appareils de ce type.

B *Answers will vary but may include:*
1. Ils ont eu du mal à cause de la nuit, du brouillard et de la configuration du terrain.
2. Ils ont réussi à retrouver l'appareil parce que le «plan rouge» a été déclenché: plus d'une centaine d'hommes de la Sécurité civile, deux cents gendarmes et trois cents militaires, aidés d'hélicoptères et d'un Mirage F1, ont été mobilisés.

C
1. Air Inter.
2. Strasbourg.
3. 19 h 20.
4. L'Alsace, à 500 mètres au sud du mont Sainte-Odile.
5. Quatre-vingt-seize personnes.
6. Plus de quatre heures.
7. Plus de 600 personnes.
8. Onze blessés.
9. Quatre-vingt-treize morts.

LE CAR-FERRY ÉPERONNE UNE BALEINE ◆◆

Journalisme

1 Preparation

Resource Manager

Audio Activities Booklet TE, Activity D, page 134–135
Audiocassette 5/CD 9
Workbook, Activities E–F, page 122

2 Presentation

Have students look at the map on page xxiii and locate Nice and Corsica. Tell them that Calvi is on the northwestern coast of the island, due north of Ajaccio.

History Connection

La Corse est une île située à moins de 200 km au sud-est de Nice. Elle est française depuis 1768. C'est le lieu de naissance de Napoléon Ier qui y naquit en 1769. Un an de moins, et Napoléon aurait été italien! La Corse est couverte d'un maquis couvert de lavande et de romarin. Elle fut longtemps le repaire de bandes célèbres. On l'appelle l'Île de Beauté.

La Corse s'est toujours sentie différente du continent, tant par sa langue que par son caractère, fier et prompt à des accès de violence. Le retard économique, l'installation après 1962 des «pieds noirs» d'Algérie et l'accroissement du tourisme ont créé chez certains Corses un sentiment d'inquiétude et suscité des mouvements très violents en faveur de l'autonomie ou même de l'indépendance.

Le car-ferry éperonne une baleine

Au cours de la traversée Nice-Calvi, hier après-midi, le car-ferry «Corse» a éperonné une baleine au large de[1] l'Île de Beauté*. Poussant devant lui l'animal qui mesure une vingtaine de mètres de long, il l'a ramené à quai à Calvi.

Si l'on en croit certains avis, jamais un cétacé[2] en bonne santé ne se laisserait éperonner en surface. De là à conclure que la baleine était malade, et que les «boues rouges[3]» de la Montedison** en sont responsables, il n'y avait qu'un pas que beaucoup ont rapidement franchi[4].

[1] au large de *off*
[2] un cétacé *whale*
[3] les boues rouges *red sludge*
[4] il n'y avait qu'un pas… franchi *it didn't take much for many people to reach this conclusion*

* l'Île de Beauté *surname given to Corsica*
** la Montedison *Italian chemical company which dumps its waste (from the manufacture of aluminum) in the Mediterranean Sea, off the coast of Corsica*

Après la lecture

Une collision pas ordinaire Répondez d'après le texte.
1. D'où venait le car-ferry et où allait-il quand il a eu cet accident?
2. Qu'est-ce qu'il a éperonné?
3. Combien la baleine mesurait-elle?
4. Où le car-ferry l'a-t-il ramenée?
5. D'après certaines personnes, est-ce que la baleine était en bonne santé?
6. Qu'est-ce qui aurait causé sa maladie?

Critical Thinking Activity

Drawing Conclusions from Facts
Pourquoi est-il presque certain que la baleine n'était pas en bonne santé?

ANSWERS TO Après la lecture

1. Le car-ferry venait de Nice et il allait à Calvi.
2. Il a éperonné une baleine.
3. La baleine mesurait une vingtaine de mètres.
4. Le car-ferry l'a ramenée à quai à Calvi.
5. D'après certaines personnes, la baleine était malade.
6. Les «boues rouges» de la Montedison auraient causé sa maladie.

Un chaton parcourt[1] 1.000 km pour retrouver ses anciens[2] maîtres

Un petit chat, qui ne supportait[3] pas l'exil en Allemagne où l'avaient conduit ses nouveaux maîtres, a parcouru plus de 1.000 km en deux ans pour revenir auprès de sa maison natale à Tannay, près de Clamecy (Nièvre).

Peu de temps après sa naissance, Gribouille avait été confié par sa maîtresse à un voisin gendarme qui devait être muté[4] quelques semaines plus tard à Reutliegen, près de Stuttgart. Quelques jours après son arrivée en Allemagne, le chaton disparaissait.

Il est réapparu, deux ans plus tard, durant l'été, galeux[5], amaigri, sur le paillasson de Mme Martinet, après avoir parcouru plus de 1.000 km et avoir franchi une frontière. «J'ai eu du mal à le reconnaître, mais sa mère s'est jetée sur lui pour le lécher», confie sa maîtresse. «Il avait l'habitude de se coucher sur le thym au pied du prunier[6], il s'y est précipité»… «Cette fois, on le garde», a-t-elle ajouté.

---

[1] parcourt *travels*   [3] ne supportait pas *couldn't bear*   [5] galeux *covered with scabs*
[2] anciens *former*   [4] muté *transferred*   [6] prunier *plum tree*

Après la lecture

Le long voyage d'un petit chat Complétez d'après le texte.
1. Le chaton a parcouru…
2. Il voulait retrouver…
3. Son voyage a duré…
4. Le chaton avait été confié à… .
5. Son nouveau maître avait été muté à…
6. Le chaton est réapparu…
7. … l'a reconnu tout de suite.

Communication libre

A   **Un accident d'avion** Vous êtes journaliste. Écrivez un article au sujet d'un accident d'avion.

B   **Le journal d'un chaton** Imaginez que vous êtes le chaton qui est rentré chez ses premiers maîtres. Écrivez tout ce que «vous» avez fait et pourquoi.

C   **La réaction de ses maîtres** Imaginez que vous êtes le maître/la maîtresse du chaton. Écrivez une lettre à un(e) ami(e) en lui décrivant tout ce qui est arrivé. Décrivez vos émotions et vos réactions.

Journalisme

UN CHATON PARCOURT 1.000 KM POUR RETROUVER SES ANCIENS MAÎTRES ◆

1 Preparation

Resource Manager

Audio Activities Booklet TE, Activity D, page 134–135
Audiocassette 5/CD 9
Workbook, Activity G, page 122

2 Presentation

Step 1 Because of the high interest level of this article, you may wish to call on individuals to read it aloud in class.

Step 2 Before reading the selection aloud, tell students to listen and look for the following information: **Pourquoi le chaton était-il en Allemagne?**

Post–reading

Après la lecture

Have students prepare the activity before going over it in class.

Communication libre

A , **B**   These activities can be done as individual assignments or as group activities.

C   You may have students read some of their letters from this activity to the class.

✓ Assessment

Use these resources at the end of the **À la rubrique «Fait divers»** section for review and assessment.
  Quiz 10
  Test Booklet, pages 115–118
  ExamView Pro®
  Situation Cards

ANSWERS TO Après la lecture

1. plus de 1.000 km en deux ans.
2. sa maison natale à Tannay.
3. deux ans.
4. un voisin gendarme.
5. Reutliegen, près de Stuttgart.
6. deux ans plus tard.
7. Sa mère

ANSWERS TO Communication libre

A , **B** , **C** *Answers will vary.*

Structure II

1 Preparation

Resource Manager

Workbook, Activities A–G, pages
  123–126
Audio Activities Booklet TE,
  Activities A–B, pages 140–141
Audiocassette 5/CD 10
Quizzes 11–13, pages 65–67
ExamView Pro®

Bellringer Review

Write the following on the board or use BRR Transparency 5.8.
Mettez les phrases suivantes au présent.
Je finissais mes devoirs.
Le professeur m'attendait.
Je lui parlais.
Il voulait que je lui donne mes devoirs.
Je les lui ai donnés.

2 Presentation

Le passé simple
des verbes
réguliers ◆◆

Note: Because the **passé simple** is primarily a literary tense, it is recommended that you present this structure point mainly for recognition purposes. Very few students will have the actual need to write using the **passé simple.**

Step 1 Write the stem of **parler** on the board. Add the **-er** verb endings for the **passé simple.**

Step 2 Do the same with **finir** and **attendre.** Point out to students that the endings are the same for **-ir** and **-re** verbs.

Step 3 Do not spend time on the pronunciation of these forms since students will rarely use them orally.

Describing past actions in formal writing
Le passé simple des verbes réguliers

1. Like the **passé composé,** the **passé simple** indicates an action completed sometime in the past. But unlike the **passé composé,** which is used in conversation and informal writing, the **passé simple** is used in formal writing only. You will therefore encounter it a great deal as you read French literature or read about French history.

2. To form the **passé simple** of regular verbs, the infinitive ending **-er, -ir,** or **-re** is dropped and the **passé simple** endings are added to the stem. Note that regular **-ir** and **-re** verbs have the same endings in the **passé simple.**

Infinitive	PARLER	FINIR	ATTENDRE
Stem	**parl-**	**fin-**	**attend-**
Passé simple	je parlai tu parlas il/elle/on parla nous parlâmes vous parlâtes ils/elles parlèrent	je finis tu finis il/elle/on finit nous finîmes vous finîtes ils/elles finirent	j' attendis tu attendis il/elle/on attendit nous attendîmes vous attendîtes ils/elles attendirent

3. Remember that verbs ending in **-cer** have a cedilla before the vowel **a,** and verbs that end in **-ger** add an **e** before the vowel **a.**

   il commença   nous mangeâmes

4. The verbs below follow the same pattern as regular **-ir** and **-re** verbs in the formation of the **passé simple.**

Infinitive	Passé simple	
dormir	il dormit	ils dormirent
partir	il partit	ils partirent
sentir	il sentit	ils sentirent
servir	il servit	ils servirent
sortir	il sortit	ils sortirent
offrir	il offrit	ils offrirent
ouvrir	il ouvrit	ils ouvrirent
découvrir	il découvrit	ils découvrirent
suivre	il suivit	ils suivirent
rompre	il rompit	ils rompirent
combattre	il combattit	ils combattirent

Communication guidée

 A **Historiette** **Compte-rendu oral d'un texte écrit** Mettez les phrases suivantes au passé composé.

1. Le directeur entra dans le salon.
2. Il se dirigea vers le patron.
3. Le patron se leva.
4. Les deux hommes se saluèrent.
5. Le directeur attendit.
6. Enfin le patron commença à parler.
7. Le directeur répondit.
8. Les deux hommes discutèrent longtemps.
9. Le directeur réussit à convaincre le patron.
10. Le patron changea d'avis.
11. Les deux hommes se serrèrent la main.
12. Ils partirent déjeuner ensemble.

B **Historiette** **Pour en faire un événement historique**
Récrivez les phrases suivantes au passé simple. Suivez le modèle.

Le président est rentré ce matin. →
Le président rentra le matin du 15 janvier.

1. Son avion a atterri à huit heures.
2. À huit heures trois, le président est descendu de l'avion.
3. Il a salué les dignitaires.
4. Les dignitaires l'ont applaudi.
5. Le président s'est dirigé tout de suite vers la capitale.
6. Il est arrivé à l'Assemblée nationale à neuf heures.
7. Tous les députés se sont levés quand le président est entré.
8. Le président a commencé à parler.
9. Les députés ont écouté attentivement.
10. Quand le président a fini son discours, les députés se sont levés et l'ont applaudi.
11. Il est sorti de l'Assemblée nationale.
12. Les journalistes l'ont suivi.
13. Le président a refusé de parler aux journalistes.
14. Il est parti pour le palais de l'Élysée, sa résidence.

Le palais de l'Élysée

Structure II

Describing past actions in formal writing

Le passé simple des verbes irréguliers

1. Many irregular verbs that end in **-ir** and **-re** use the past participle as the stem of the **passé simple**. Note the forms in the chart below.

Infinitive	Past Part.	Passé simple	
mettre	mis	il mit	ils mirent
prendre	pris	il prit	ils prirent
conquérir	conquis	il conquit	ils conquirent
dire	dit	il dit	ils dirent
s'asseoir	assis	il s'assit	ils s'assirent
rire	ri	il rit	ils rirent
sourire	souri	il sourit	ils sourirent
avoir	eu	il eut	ils eurent
boire	bu	il but	ils burent
connaître	connu	il connut	ils connurent
courir	couru	il courut	ils coururent
croire	cru	il crut	ils crurent
devoir	dû	il dut	ils durent
lire	lu	il lut	ils lurent
plaire	plu	il plut	ils plurent
pouvoir	pu	il put	ils purent
recevoir	reçu	il reçut	ils reçurent
savoir	su	il sut	ils surent
vivre	vécu	il vécut	ils vécurent
vouloir	voulu	il voulut	ils voulurent
falloir	fallu	il fallut	
pleuvoir	plu	il plut	
valoir	valu	il valut	

Paris: l'Assemblée nationale

---

1 Preparation

Bellringer Review

Write the following on the board or use BRR Transparency 5.9.

Mettez au passé composé.

1. Je mets mes livres dans mon sac à dos et nous prenons un petit quelque chose au café.
2. Je m'assieds avec mes copains.
3. Nous rions ensemble.
4. Carole lit les lettres de mon ami André.
5. Elle trouve les lettres intéressantes.

♻ Recycling

Since the formation of the **passé simple** of these verbs is based on the past participles, you may wish to ask the following questions for a quick review:

Il a mis la tasse de café sur la table?

Il a pris le café?

Il a dit quelque chose à sa petite amie?

Ils se sont assis?

Il a ri?

Elle a souri?

Ils ont eu l'occasion de se parler?

Elle a reçu une lettre?

Elle lui a lu cette lettre?

L'Assemblée nationale
en session

2. The following irregular verbs have irregular stems for the **passé simple**. The stem is not based on either the infinitive or the past participle.

Infinitive	Passé simple	
être	il fut	ils furent
mourir	il mourut	ils moururent
voir	il vit	ils virent
faire	il fit	ils firent
écrire	il écrivit	ils écrivirent
conduire	il conduisit	ils conduisirent
construire	il construisit	ils construisirent
traduire	il traduisit	ils traduisirent
vaincre	il vainquit	ils vainquirent
naître	il naquit	ils naquirent
craindre	il craignit	ils craignirent
peindre	il peignit	ils peignirent
rejoindre	il rejoignit	ils rejoignirent
tenir	il tint	ils tinrent
venir	il vint	ils vinrent
devenir	il devint	ils devinrent

3. All irregular verbs in the **passé simple** have endings that belong to one of the following categories.

je	-us	-is	-ins
tu	-us	-is	-ins
il/elle/on	-ut	-it	-int
nous	-ûmes	-îmes	-înmes
vous	-ûtes	-îtes	-întes
ils/elles	-urent	-irent	-inrent

Structure II

2 Presentation

Le passé simple des verbes irréguliers ◆◆

Step 1 Have students close their books. Call on individual students to give the past participles of the verbs in the charts.

Step 2 Then have students open their books and read/study the **passé simple** forms silently. You may also wish to have them repeat them once or twice.

Step 3 Have students study these verbs at home.

FUN-FACTS

En France, le pouvoir exécutif appartient au président de la République qui est élu pour 7 ans au suffrage universel direct.

Le pouvoir législatif appartient au Parlement qui comprend l'Assemblée nationale et le Sénat. L'Assemblée nationale siège au Palais-Bourbon. Elle comprend 577 députés âgés au moins de 23 ans et élus pour cinq ans au suffrage universel direct. Le Sénat siège au Palais du Luxembourg. Il comprend 306 sénateurs, âgés de 35 ans au moins, élus pour neuf ans au suffrage universel par les députés, les conseillers généraux et les délégués des conseillers municipaux. Le Sénat est essentiellement une chambre de réflexion et de proposition. En cas de désaccord avec l'Assemblée nationale, c'est celle-ci qui décide.

Class Motivator

Verb game: Le passé simple
Set-up:
1. Prepare index cards using the verbs from pages 248–251. For each verb, write the same sentence on two index cards, one in the **passé simple** and the other in the **passé composé**. (Example: **Il mit./Il a mis.**)
2. Make several sets of identical cards, since students play in small teams.

Game: The game is played like "Concentration." All cards are placed face down on the desk. Students turn over two cards to try to find a match. If the cards match, the student takes the cards and continues. If no match is made, the cards are placed face down again. At the end of the game, the student with the most cards is the winner.

Structure II

Structure II

3 Practice

Communication guidée

B **Note:** This activity will help students with the excerpt from *Les misérables* in the **Littérature** section of this chapter.

FUN FACTS

Alfred de Vigny (1797–1863) décrit la solitude et la détresse de l'homme. *Chatterton* et *Servitude et Grandeur militaires* sont ses œuvres les plus connues du grand public. Mais il oublie un temps son pessimisme et publie *Destinées* où il proclame un optimisme humaniste. Vigny se refuse à toute effusion lyrique. Son expérience personnelle et sentimentale devient une «pensée philosophique… mise en scène sous une forme épique et dramatique».

Communication guidée

A **Historiette** **Alfred de Vigny** Faites un compte-rendu oral de ce texte: remplacez le passé simple par le passé composé.

Le grand écrivain Alfred de Vigny naquit dans une famille noble en 1797. À cette époque, juste après la Révolution, les aristocrates étaient méprisés *(scorned)* par la plupart des gens. Au collège, les étudiants persécutèrent Vigny à cause de sa noblesse.

Pour gagner honneur et gloire au service de son pays, Vigny décida d'entrer dans l'armée. Il fut envoyé dans le sud de la France. Il passa quelques années dans le Midi où il fit la connaissance d'une belle Anglaise, Lydia Bunbury, fille d'un millionnaire. Il tomba amoureux d'elle et la demanda en mariage. Il obtint la permission. Mais son beau-père, un excentrique, le détestait car il n'aimait pas les Français. Il partit immédiatement après le mariage de sa fille. Il n'écrivit même pas le nom de son gendre *(son-in-law)* dans son carnet d'adresses, tant il avait envie de l'oublier.

Quelques années plus tard, le poète français Lamartine fit la connaissance d'un riche Anglais qui visitait l'Italie. À cette époque, Lamartine était secrétaire d'ambassade à Florence et il invita l'Anglais à dîner à l'ambassade. Pendant le dîner, l'Anglais dit à M. de Lamartine que sa fille avait épousé un grand poète français. Lamartine lui en demanda le nom, mais l'Anglais ne put pas se rappeler le nom de son gendre. Lamartine énuméra le nom de plusieurs poètes célèbres, mais à chaque nom l'Anglais disait: «Ce n'est pas ça.» Enfin Lamartine nomma le comte de Vigny. Notre excentrique répondit: «Ah oui! Je crois que c'est ça.»

B **Historiette** **Un écrivain décrit un vol** Complétez au passé simple.

1. Le voleur _____. (écouter)
2. Il n' _____ aucun bruit. (entendre)
3. Il _____ la porte. (pousser)
4. Il _____ dans la chambre. (entrer)
5. Un homme qui y dormait _____ un peu. (bouger)
6. Le voleur _____. (s'arrêter)
7. Il _____ perdu. (se croire)
8. Il _____ autour de lui. (regarder)
9. Il _____ le chandelier. (voir)
10. Il _____ le chandelier. (saisir)
11. Il le _____ sous son bras. (mettre)
12. Il _____ la chambre à grands pas. (traverser)
13. Il ne _____ pas regarder vers l'homme qui dormait. (vouloir)
14. Il _____ le chandelier dans son sac. (jeter)
15. Il _____ la porte. (ouvrir)
16. Il _____. (s'échapper)

ANSWERS TO Communication guidée

A

Alfred de Vigny est né... Au collège les élèves l'ont persécuté à cause de sa noblesse.

... il a décidé d'entrer dans l'armée. Il a été envoyé dans le sud de la France. Il a passé quelques années dans le Midi où il a fait la connaissance d'une belle Anglaise... Il est tombé amoureux d'elle et il l'a demandée en mariage. Il a obtenu la permission. Mais son beau-père le détestait car il n'aimait pas les Français. Il est parti... Il n'a même pas écrit le nom...

... Lamartine a fait la connaissance d'un riche Anglais qui visitait l'Italie. Il l'a invité à dîner. L'Anglais a dit que sa fille avait épousé un grand poète français. Lamartine lui en a demandé le nom, mais il n'a pas pu se rappeler le nom de son gendre. Lamartine a énuméré le nom de plusieurs poètes célèbres, mais l'Anglais disait toujours: «Ce n'est pas ça». Enfin Lamartine a nommé Vigny et l'Anglais a répondu: «Ah oui! Je crois que c'est ça.»

B

1. écouta
2. entendit
3. poussa
4. entra
5. bougea
6. s'arrêta
7. se crut
8. regarda
9. vit
10. saisit
11. mit
12. traversa
13. voulut
14. jeta
15. ouvrit
16. s'échappa

C **Historiette** **La vie de Louis XIV**
Vous êtes historien(ne): récrivez ces notes au passé simple.

1. Louis XIV est né à Saint-Germain-en-Laye en 1638.
2. À la mort de son père, Louis XIV est devenu roi de France à l'âge de cinq ans.
3. Le roi a vécu sous la tutelle *(supervision)* de Mazarin.
4. Mazarin lui a fait épouser Marie-Thérèse d'Autriche en 1660.
5. Ils ont eu un fils, le Grand Dauphin.
6. À la mort de Mazarin, Louis XIV a pris le pouvoir à vingt-trois ans.
7. Il s'est révélé tout de suite un monarque absolu.
8. Il a envoyé des représentants dans toutes les provinces.
9. Ils ont été chargés de faire exécuter ses ordres.
10. À partir de 1680, il a eu des agents partout.
11. Il a fait construire le château de Versailles.
12. Entre 1661 et 1695, trente mille hommes ont travaillé à la construction de ce palais.
13. Le roi s'est entouré d'une Cour resplendissante composée de plusieurs milliers de serviteurs et de toute la haute noblesse de France.
14. Il a gardé les nobles auprès de lui.
15. Les descendants des ducs de Normandie, de Bourgogne et de Bretagne sont devenus les valets du roi.
16. Louis XIV a soutenu *(supported)* la bourgeoisie.
17. Colbert, fils d'un marchand, est devenu ministre en 1661.
18. Sous Colbert, des industries nouvelles se sont développées dans toutes les provinces.
19. Dès le début du règne, Louis XIV a voulu imposer à l'extérieur la prédominance française.

20. Tout le temps qu'il a été roi, il y a eu une succession de guerres. Ses difficultés ont commencé avec la guerre de Hollande.
21. Les Hollandais ont rompu les digues *(dikes)* du Zuiderzee, et une inondation affreuse a chassé les troupes françaises.
22. En 1685, Louis XIV a commis une faute grave. Il a révoqué l'édit de Nantes pour supprimer *(suppress)* le protestantisme en France.
23. Des milliers de huguenots ont quitté la France et ont porté leurs talents à l'étranger.
24. Louis XIV, le Roi-Soleil, est mort en 1715, laissant son pays dans un état de grande pauvreté.

Louis XIV par Rigaud

C Call on students to read this activity aloud in the **passé composé**. Have them redo it in the **passé simple** for homework.

Extension: Have students give the information they recall about Louis XIV in their own words.

FUN-FACTS

Rigaud (1659–1743) se consacra au portrait et fut très apprécié par les grands de son époque. Il savait faire ressortir la position sociale de son modèle et les cours européennes se disputaient ses services. Il fut le portraitiste attitré de Louis XIV. Il fit peu de portraits féminins parce qu'il avait peur de flatter ou de déplaire.

Independent Practice

Assign any of the following:
1. Activities on pages 252–253
2. Workbook, **Structure II**

ANSWERS TO *Communication guidée*

1. Louis XIV naquit…
2. … Louis XIV devint roi…
3. Le roi vécut…
4. Mazarin lui fit épouser…
5. Ils eurent un fils…
6. … Louis XIV prit le pouvoir…
7. Il se révéla tout de suite…
8. Il envoya des représentants…
9. Ils furent chargés de faire…

10. … il eut des agents partout.
11. Il fit construire le château…
12. … 30 mille hommes travaillèrent…
13. Le roi s'entoura d'une Cour…
14. Il garda les nobles auprès de lui.
15. Les descendants… devinrent…
16. Louis XIV soutint la bourgeoisie.
17. Colbert… devint ministre en 1661.
18. … se développèrent dans toutes…
19. … Louis XIV voulut imposer…
20. … qu'il fut roi, il y eut… Ses difficultés commencèrent…

21. … Les Hollandais rompirent… et une inondation affreuse chassa…
22. … Louis XIV commit… Il révoqua…
23. Des milliers de huguenots quittèrent la France et portèrent…
24. Louis XIV… mourut en 1715…

1 Preparation

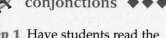

Bellringer Review

Write the following on the board or use BRR Transparency 5.10.

Complétez.

1. Je veux qu'il y ___. (aller)
2. Je voudrais bien ___ le voyage avec lui. (faire)
3. Tu veux que je le ___? (faire)
4. Est-il possible que tu nous ___? (accompagner)
5. Mais tu n'as pas peur que je n'___ pas assez d'argent? Tu sais que je ___ toujours fauché(e). (avoir, être)

2 Presentation

Le subjonctif après les conjonctions ◆◆◆

Step 1 Have students read the conjunctions in Item 1 aloud in unison.

Step 2 Call on individuals to read the model sentences in Item 2. Explain to students once again that the subjunctive is used because what follows the conjunction may or may not happen. It does not express a realized fact.

Step 3 Read the explanation in Item 3 aloud.

Step 4 Note that the pleonastic **ne** is less frequently used today than in the past.

Using the subjunctive after conjunctions
Le subjonctif après les conjonctions

1. The subjunctive is used after the following conjunctions:

bien que	*although*	**de sorte que**	*so that*
quoique	*although*	**de façon que**	*so that*
pourvu que	*provided that*	**de manière que**	*so that*
à moins que	*unless*	**pour que**	*in order that*
sans que	*without*	**afin que**	*in order that, so that*
de crainte que	*for fear that*	**avant que**	*before*
de peur que	*for fear that*	**jusqu'à ce que**	*until*

2. Study the following sentences:

   Il fera le voyage **bien** qu'il **n'ait** pas assez d'argent.
   Il prendra l'avion **pourvu que** vous le **preniez** aussi.
   Il ne prendra pas l'avion **à moins que** vous (ne) le **preniez** aussi.
   Il ne partira pas **sans que** nous le **voyions.**
   Le guide parle aux touristes **pour qu'**ils **sachent** ce qu'ils vont voir.
   Il leur parle lentement **de peur qu'**ils ne **comprennent** pas son accent.
   Il leur parle ainsi, **de façon qu'**ils le **comprennent.**
   Nous parlerons à Jacques **avant qu'**il (ne) **parte.**

3. Note that the conjunctions **de façon que, de sorte que,** and **de manière que** can also be followed by the indicative when the result of the action of the clause is an accomplished fact. This is most often the case when the verb of the dependent clause is in the past.

   Il a parlé lentement **de façon que** tout le monde a **compris** ce qu'il a dit.
   Il parlera lentement **de façon que** tout le monde **comprenne** ce qu'il dira.

   In the first sentence above, the indicative is used since he already spoke and it is a known fact that everyone understood. In the second sentence, it is not yet known if everyone will understand even though he will speak slowly.

4. The following conjunctions are often used with **ne** in the dependent clause. **Ne** in this case does not indicate a negative.

avant que	**de peur que**
à moins que	**de crainte que**

   Je voudrais lui parler **avant qu'**elle (ne) **parte.**
   Je lui parlerai ce soir, **à moins qu'**elle (ne) **doive** travailler.

Class Motivator

You may wish to play the subjunctive game outlined in the **Class Motivator** on page 38, using conjunctions that require the subjunctive rather than verbs.

Communication guidée

 A **Pourvu qu'ils puissent le faire!** Suivez le modèle.

Elle partira pourvu qu'elle...
a. être en forme
b. pouvoir prendre la voiture

Elle partira pourvu qu'elle soit en forme.
Elle partira pourvu qu'elle puisse prendre la voiture.

1. Elle partira pourvu qu'elle...
   a. finir son travail
   b. pouvoir obtenir la permission
   c. avoir la journée libre
2. Le professeur enseigne de façon que ses élèves...
   a. apprendre beaucoup
   b. comprendre tout ce qu'il dit
   c. connaître bien la matière qu'il enseigne

B **Historiette** **Il n'a pas un caractère facile.** Complétez.

1. Il partira sans que personne le _____. (savoir)
2. Il ira pourvu que tu y _____ aussi. (aller)
3. Il ne fera rien à moins que nous ne lui _____ de le faire. (dire)
4. Il ne le fera pas quoiqu'il _____ assez d'argent. (avoir)
5. Sa sœur, elle, le fera bien qu'elle n'_____ pas un sou. (avoir)
6. Je le lui expliquerai de manière qu'il le _____ et sans qu'il _____ fâché. (comprendre, être)
7. Je le lui dirai avant qu'il ne _____. (partir)
8. Je resterai ici jusqu'à ce qu'il _____. (revenir)
9. Nous ne dirons rien de peur qu'il _____ une scène. (faire)
10. Nous ferons tout pour qu'il _____ bien. (se sentir)

---

3 Practice

Communication guidée
Have students prepare these activities before going over them in class.

Independent Practice
Assign any of the following:
1. Activities on this page
2. Workbook, **Structure II**

 Assessment

Use these resources at the end of the **Structure II** section for review and assessment.
Quizzes 11–13
Test Booklet, pages 119–120
ExamView Pro®

 ANSWERS TO **Communication guidée**

A

1. Elle partira pourvu qu'elle
   a. finisse son travail.
   b. puisse obtenir la permission.
   c. ait la journée libre.
2. Le professeur enseigne de façon que ses élèves
   a. apprennent beaucoup.
   b. comprennent tout ce qu'il dit.
   c. connaissent bien la matière qu'il enseigne.

B

1. sache
2. ailles
3. disions
4. ait
5. ait
6. comprenne, soit
7. parte
8. revienne
9. fasse
10. se sente

255

Les misérables

1 Preparation

Bellringer Review

*Write the following on the board or
use BRR Transparency 5.11.*
**Décrivez quelqu'un qui a de
bonnes manières.**

2 Presentation

Avant la lecture

Have students read the introduction silently. You may wish
to ask the following questions:
**Comment s'appelle le roman?
Qui l'a écrit? Comment est
l'évêque? Qu'est-ce qu'il veut
faire? Qui est Jean Valjean?
Qu'est-ce qu'il va faire?**

Vocabulaire

Step 1 Have students repeat the
new words and expressions after
you or Audiocassette 5/CD 10.

Les misérables Victor Hugo

Avant la lecture

Vous allez lire un chapitre du célèbre roman de Victor Hugo, *Les
misérables.*

Dans ce chapitre, deux hommes sont face à face. Le premier, l'évêque,
est un homme très pieux qui veut aider tout le monde—un homme qui
aime faire le bien. Le deuxième, Jean Valjean, un ancien forçat qui vient de
sortir du bagne, est un homme rendu mauvais par ses années de captivité.

Jean Valjean va faire quelque chose de très mal. Quelqu'un va découvrir
ce qu'il a fait—son crime. Les gendarmes vont-ils arrêter Jean Valjean?
Sera-t-il à nouveau condamné? C'est ce que vous saurez en lisant ce
chapitre des *Misérables.*

Vocabulaire

un bagne
un chandelier
un placard
un forçat
une cheminée
le chevet
une serrure
une clef/clé
des couverts en
argent/de l'argenterie

Critical Thinking Activity

**Supporting Statements with
Reasons**
À votre avis, est-ce que les hommes sont
rendus mauvais par des années de prison?
Pourquoi?

la lune

un mur

Le voleur escalade le mur.

Il saute par-dessus.

Il s'enfuit.

le soleil levant

un évêque

L'évêque se promène dans le jardin.

Il se baisse pour ramasser un panier.

On frappe à la porte.

s'enfuir s'échapper, se retirer rapidement
briser mettre en pièces, détruire, casser
appartenir être la propriété de quelqu'un
voler prendre la propriété de quelqu'un d'autre
l'argent (*m.*) métal précieux (moins précieux que l'or)
le sommeil état d'une personne qui dort
le bien ce qui possède une valeur, ce qui est juste
le mal ce qui est contraire à la vertu, à la morale, au bien
le goût sens qui permet de discerner la saveur des aliments

une méprise le fait de prendre une chose pour une autre, un malentendu, une confusion
à voix basse l'action de ne pas parler très fort

Step 2 Since this reading selection is longer than most and since these definitions are not very difficult, you may wish to have students study the words as a homework assignment and prepare the activities on page 258.

Step 3 If you prefer to go over the vocabulary orally as suggested in previous chapters, there are some suggestions for additional practice below.

Additional Practice

Faites une liste:
- des choses qu'on peut briser facilement.
- des choses qui vous appartiennent et que vous aimez beaucoup.
- des choses que les voleurs aiment voler.
- des noms de métaux que vous avez déjà appris en français.
- des maux qui existent dans notre société.

Littérature

Vocabulary Expansion

«Misérable» veut dire qui est dans la misère, c'est-à-dire pauvre et donc malheureux. «Infortuné» veut dire qui n'a pas de chance. «Infâme» suggère une flétrissure morale. De nos jours, pour désigner les pauvres, on utilise: les indigents, les économiquement faibles, les démunis, les défavorisés.

Independent Practice

Assign any of the following:
1. Activities on this page
2. Workbook, **Littérature**

Littérature

Communication guidée

A **Historiette** **Dans le jardin de l'évêque** Répondez.

1. La lune se lève le matin ou le soir?
2. Le soleil brille le jour ou la nuit?
3. On voit le soleil levant le matin ou le soir?
4. L'évêque se promène dans son jardin pour voir le soleil levant?
5. Il se baisse pour ramasser quoi dans son jardin?
6. De quoi le jardin est-il entouré?
7. L'évêque saute par-dessus le mur?
8. Quelqu'un frappe à la porte?
9. La clé est dans la serrure de la porte?
10. L'évêque s'enfuit?

B **Quelle est la définition?** Choisissez.

1. le bagne
2. un forçat
3. voler
4. un évêque
5. le bien
6. une méprise
7. le sommeil
8. s'enfuir
9. ramasser
10. briser
11. se promener
12. le chevet

a. le contraire du mal
b. prendre une chose qui est sur le sol
c. prison avec travaux forcés
d. s'échapper
e. détruire
f. un condamné aux travaux forcés
g. prendre une chose qui n'est pas à soi
h. marcher, faire une promenade
i. un malentendu
j. la tête du lit
k. un dignitaire ecclésiastique
l. état de quelqu'un qui dort

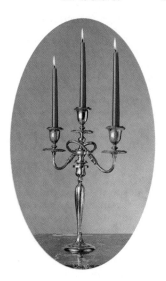

C **D'après vous** Complétez.

1. Le _____ était condamné aux travaux forcés dans un _____.
2. Les prisons sont entourées de hauts _____.
3. De temps en temps, des prisonniers essaient d'_____ le mur pour _____.
4. Un voleur est un criminel dont le crime est de _____.
5. Je n'ai pas compris ce qu'il a dit parce qu'il parlait à _____. Je n'ai rien entendu.
6. Je dors bien. J'ai le _____ profond.
7. Qui a _____ la fenêtre? Il y a des morceaux de verre partout.
8. Je n'aime pas du tout ce vin. Il a le _____ de vinaigre.
9. Il a mis les assiettes et l'argenterie dans le _____.
10. Elle a de très beaux couverts d'_____. Cette argenterie lui vient de sa grand-mère.
11. C'est une nuit froide d'hiver. Il y a un feu dans la _____.
12. Il lit à la lumière d'un _____.
13. Un voleur prend ce qui ne lui _____ pas.

CHAPITRE 5

ANSWERS TO Communication guidée

A

1. La lune se lève le soir.
2. Le soleil brille le jour.
3. On voit le soleil levant le matin.
4. Oui, il se promène dans son jardin pour voir le soleil levant.
5. Il se baisse pour ramasser un panier.
6. Le jardin est entouré d'un mur.
7. Non, le voleur saute par-dessus le mur.
8. Oui, quelqu'un frappe à la porte.
9. Non, la clé est sur la table.
10. Non, le voleur s'enfuit.

B

1. c
2. f
3. g
4. k
5. a
6. i
7. l
8. d
9. b
10. e
11. h
12. j

C

1. forçat, bagne
2. murs
3. escalader, s'enfuir
4. voler
5. voix basse
6. sommeil
7. brisé
8. goût
9. placard
10. argent
11. cheminée
12. chandelier
13. appartient

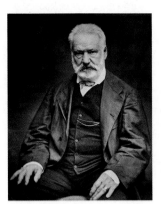

Introduction

Victor Hugo occupe une place exceptionnelle dans la littérature française.

Il naquit en 1802 à Besançon où son père était commandant. Par la suite, son père devint général, et Victor accompagna le général Hugo dans les pays où l'appela le service de l'Empereur Napoléon Ier: Naples en 1808, l'Espagne en 1811–1812. Au retour d'Espagne, Victor habita Paris avec sa mère et souffrit de la mésentente[1] entre ses parents.

En 1814, après la séparation de ses parents, Victor Hugo devint interne à la pension Cordier et fit ses études au lycée Louis-le-Grand où il obtint de nombreux succès scolaires. C'est au lycée, à quinze ans, qu'il composa ses premiers poèmes.

En 1822, à l'âge de vingt ans, il commença à publier poèmes, drames et romans. Et au cours des années, il devint «l'écho sonore» de son siècle. En 1845, Victor Hugo commença à méditer sa grande œuvre *Les misérables.*

Publié en 1862, cet énorme roman est dominé par une thèse humanitaire. Pour Hugo, les misérables sont les infortunés et les infâmes. Il croit qu'il y a des infortunés parce qu'il y a de la misère et de la pauvreté. Il croit aussi que beaucoup d'infortunés deviennent des infâmes, à cause de l'injustice et de l'indifférence de la société.

Le héros, Jean Valjean, est un infortuné qui a été envoyé au bagne pour avoir volé du pain. Quand il sort du bagne, les autorités lui donnent un passeport jaune d'ancien forçat. Ce passeport le rend suspect partout et il ne peut pas trouver de travail. Il commence à devenir criminel. L'évêque de Digne, surnommé monseigneur Bienvenu pour sa compassion pour les malheureux, accueille chez lui Jean Valjean. Monseigneur Bienvenu a une mission évangélique: il veut aider Jean Valjean.

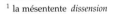

[1] la mésentente *dissension*

---

1 Preparation

Resource Manager

Audio Activities Booklet TE,
  Activities C–D, pages 143–144
Audiocassette 5/CD 10
Workbook, Activities D–F, page 129

2 Presentation

Introduction

Step 1 Call on students to read the **Introduction** aloud.

Step 2 After each paragraph, ask questions such as: **Qui occupe une place exceptionnelle dans la littérature française? Quand est-il né? Où? Qu'est devenu son père? Qui a-t-il servi? Après être rentré d'Espagne, où Victor Hugo a-t-il habité? Avec qui? De quoi a-t-il souffert?**

Literature Connection

Victor Hugo a d'abord été connu pour son œuvre poétique. À partir de 1822, il écrit ses premiers recueils de poèmes *Odes et Ballades;* il ne s'arrêtera qu'en 1883 avec la publication de *La légende des siècles.*

Le recueil *Feuilles d'automne,* paru en 1831, s'ouvre sur: «Ce siècle avait deux ans» et se termine sur «Je suis fils de ce siècle!» Par sa vie exceptionnellement longue et par son œuvre immense, Victor Hugo devint «l'écho sonore» de son siècle.

Hugo fut également un homme politique. Élu à l'Assemblée en 1848, il vote des lois libérales comme la loi sur la liberté de la presse ou la loi contre le bagne. En 1851, lorsque Napoléon III prend le pouvoir par un coup d'état, Hugo est exilé dans l'île de Guernesey.

Son œuvre romanesque comprend *Notre-Dame de Paris,* paru en 1831 et qui met en scène le célèbre bossu Quasimodo. Ce roman connut un immense succès.

Littérature

Lecture ◆◆

Note: This literary selection is the longest in **Bon voyage!** Level 3. Because of its literary fame and high human-interest level, you will probably want to read this selection with all students. It can, of course, be read in varying degrees of thoroughness. Some possibilities are:

- Spend three or four class periods on the selection and read it aloud in its entirety.
- Select those sections you consider the most important and/or interesting. Have the students read them aloud in class. Have them read the other sections silently or fill in by providing them with a brief synopsis in French.
- Have students read the entire selection at home.
- You may wish to bring in the recording of the show *Les Mis* and play some numbers for the class as you are reading this selection.

The following is an example of a very thorough presentation.

Step 1 Give students a brief oral resumé in French. Do not include the ending.

Step 2 Ask a few comprehension questions about the résumé you gave.

Step 3 Call on a student to read approximately ten to twelve lines. Have the class follow along.

Step 4 After each student reads, call on others to answer comprehension questions that deal with the most important aspects of what was just read.

Step 5 Upon completion of the **Lecture,** ask questions that review the story. Ask them in order, so that the answers give a unified oral résumé. Call on a different student to respond to each question.

260

Lecture 🎧

LES
MISÉRABLES

L'évêque continuait de dormir dans une paix° profonde sous ce regard effrayant°.

Un reflet de lune faisait confusément visible au-dessus de la cheminée le crucifix qui semblait leur ouvrir les bras à tous les deux, avec une bénédiction pour l'un et un pardon pour l'autre. Tout à coup Jean Valjean remit sa casquette sur son front, puis marcha rapidement, le long du lit, sans regarder l'évêque, droit au placard qu'il entrevoyait° près du chevet; il leva le chandelier de fer° comme pour forcer la serrure; la clef y était; il l'ouvrit; la première chose qui lui apparut fut le panier d'argenterie; il le prit,

paix *peace*
effrayant *terrifying*

entrevoyait *caught a glimpse of*
fer *iron*

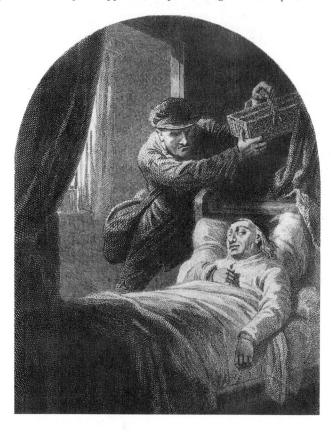

«Le vol de l'argenterie»

CHAPITRE 5

Literary Analysis

1. Relevez le vocabulaire qui appartient au domaine de la religion.
2. Ce célèbre épisode des *Misérables* illustre la notion de pardon. Quels sont les passages de ce texte qui le montrent? Vous pourrez ensuite composer une petite histoire sur ce thème.
3. Que devinons-nous de la personnalité de l'évêque? En vous appuyant sur le texte, faites un portrait de Monseigneur Bienvenu.

traversa la chambre à grands pas sans précaution et sans s'occuper du bruit, gagna° la porte, rentra dans l'oratoire, ouvrit la fenêtre, saisit son bâton°, enjamba l'appui° du rez-de-chaussée, mit l'argenterie dans son sac, jeta le panier, franchit° le jardin, sauta par-dessus le mur comme un tigre, et s'enfuit.

Le lendemain, au soleil levant, monseigneur° Bienvenu se promenait dans son jardin. Madame Magloire accourut vers lui toute bouleversée°.

—Monseigneur, monseigneur, cria-t-elle, votre grandeur° sait-elle où est le panier d'argenterie?

—Oui, dit l'évêque.

—Jésus Dieu soit béni°! reprit-elle. Je ne savais ce qu'il était devenu.

L'évêque venait de ramasser le panier dans une plate-bande°. Il le présenta à Madame Magloire.

—Le voilà.

—Eh bien! dit-elle. Rien dedans! et l'argenterie?

—Ah! repartit° l'évêque. C'est donc l'argenterie qui vous occupe? Je ne sais où elle est.

—Grand bon Dieu! elle est volée! c'est l'homme d'hier soir qui l'a volée.

En un clin d'œil°, avec toute sa vivacité de vieille alerte, madame Magloire courut à l'oratoire, entra dans l'alcôve et revint vers l'évêque. L'évêque venait de se baisser et considérait en soupirant° un plant de cochléaria des Guillons* que le panier avait brisé, en tombant à travers la plate-bande. Il se redressa° au cri de madame Magloire.

—Monseigneur, l'homme est parti! l'argenterie est volée!

Tout en poussant cette exclamation, ses yeux tombaient sur un angle du jardin où on voyait des traces d'escalade. Le chevron° du mur avait été arraché°.

—Tenez! c'est par là qu'il s'en est allé. Il a sauté dans la ruelle Cochefilet! Ah! l'abomination! il nous a volé notre argenterie.

L'évêque resta un moment silencieux, puis leva son œil sérieux, et dit à madame Magloire avec douceur:

—Et d'abord, cette argenterie était-elle à nous?

Madame Magloire resta interdite°. Il y eut encore un silence, puis l'évêque continua:

—Madame Magloire, je détenais à tort° et depuis longtemps cette argenterie. Elle était aux pauvres. Qui était cet homme? Un pauvre évidemment.

—Hélas! Jésus! repartit madame Magloire. Ce n'est pas pour moi ni pour mademoiselle. Cela nous est bien égal. Mais c'est pour monseigneur. Dans quoi monseigneur va-t-il manger maintenant?

L'évêque la regarda d'un air étonné:

—Ah ça! est-ce qu'il n'y a pas des couverts d'étain°?

Madame Magloire haussa les épaules.

—L'étain a une odeur.

—Alors, des couverts de fer.

---

* cochléaria des Guillons *type of plant belonging to the family of plants called Cruciferae which includes the cabbage, turnip, and mustard*

gagna *reached*	
saisit son bâton *grabbed his stick*	
enjamba l'appui *stepped over the sill*	
franchit *crossed*	
monseigneur *His Grace (My Lord)*	
bouleversée *upset*	
votre grandeur *Your Grace*	
béni *blessed*	
plate-bande *flowerbed*	
repartit *replied*	
clin d'œil *wink of an eye*	
en soupirant *with a sigh*	
se redressa *straightened up*	
le chevron *top tile*	
arraché *broken*	
resta interdite *was taken aback*	
je détenais à tort *I wrongly kept*	
étain *pewter*	

Step 6 You may repeat Step 5 and have one or two students answer all the questions.

Step 7 Call on a student to give a resumé in his or her own words.

Step 8 With more able groups, you may wish to ask the more analytical questions in Literary Analysis at the bottom of page 260.

Note:
• This selection uses many verbs in the passé simple, the tense taught in the Structure II section of this chapter.
• Since the selection is not very difficult, it should not be necessary to paraphrase many sentences for students to comprehend.

«Le souper chez
l'évêque Myriel»

Madame Magloire fit une grimace expressive.

—Le fer a un goût.

—Eh bien, dit l'évêque, des couverts de bois.

Quelques instants après, il déjeunait à cette même table où Jean Valjean s'était assis la veille°. Tout en déjeunant, monseigneur Bienvenu faisait gaiement remarquer à sa sœur qui ne disait rien, et à madame Magloire qui grommelait sourdement°, qu'il n'est nullement besoin d'une cuiller ni d'une fourchette, même en bois, pour tremper° un morceau de pain dans une tasse de lait.

—Aussi a-t-on idée! disait madame Magloire toute seule en allant et venant, recevoir un homme comme cela! et le loger à côté de soi! et quel bonheur° encore qu'il n'ait fait que voler! Ah! mon Dieu! cela fait frémir° quand on songe°!

Comme le frère et la sœur allaient se lever de table, on frappa à la porte.

—Entrez, dit l'évêque.

La porte s'ouvrit. Un groupe étrange et violent apparut sur le seuil°. Trois hommes en tenaient un quatrième au collet°. Les trois hommes étaient des gendarmes; l'autre était Jean Valjean.

Un brigadier de gendarmerie, qui semblait conduire le groupe, était près de la porte. Il entra et s'avança vers l'évêque en faisant le salut militaire.

—Monseigneur… dit-il.

À ce mot, Jean Valjean, qui était morne° et semblait abattu°, releva la tête d'un air stupéfait.

la veille *the night
before*

grommelait
sourdement
grumbled to herself
tremper *dunk*

bonheur *luck*
frémir *shudder*
on songe *one thinks
about it*

le seuil *doorstep,
threshold*
au collet *by the scruff
of the neck*

morne *glum*
abattu *exhausted,
despondent*

—Monseigneur! murmura-t-il. Ce n'est donc pas le curé°?

—Silence! dit un gendarme. C'est monseigneur l'évêque.

Cependant monseigneur Bienvenu s'était approché aussi vivement que son grand âge le lui permettait.

—Ah! vous voilà! s'écria-t-il en regardant Jean Valjean. Je suis aise° de vous voir. Eh bien, mais! je vous avais donné les chandeliers aussi, qui sont en argent comme le reste et dont vous pourrez bien avoir deux cents francs. Pourquoi ne les avez-vous pas emportés avec vos couverts?

Jean Valjean ouvrit les yeux et regarda le vénérable évêque avec une expression qu'aucune langue humaine ne pourrait rendre.

—Monseigneur, dit le brigadier de gendarmerie, ce que cet homme disait était donc vrai? Nous l'avons rencontré. Il allait comme quelqu'un qui s'en va. Nous l'avons arrêté pour voir. Il avait cette argenterie…

—Et il vous a dit, interrompit l'évêque en souriant, qu'elle lui avait été donnée par un vieux bonhomme de prêtre° chez lequel il avait passé la nuit? Je vois la chose. Et vous l'avez ramené° ici? C'est une méprise°.

—Comme cela, reprit le brigadier, nous pouvons le laisser aller?

—Sans doute, répondit l'évêque.

Les gendarmes lâchèrent° Jean Valjean, qui recula°.

—Est-ce que c'est vrai qu'on me laisse? dit-il d'une voix presque inarticulée et comme s'il parlait dans le sommeil.

—Oui, on te laisse, tu n'entends donc pas? dit un gendarme.

—Mon ami, reprit l'évêque, avant de vous en aller, voici vos chandeliers. Prenez-les.

Il alla à la cheminée, prit les deux flambeaux° d'argent et les apporta à Jean Valjean. Les deux femmes le regardaient faire sans un mot, sans un geste, sans un regard qui pût déranger° l'évêque.

Jean Valjean tremblait de tous ses membres. Il prit les deux chandeliers machinalement et d'un air égaré°.

—Maintenant, dit l'évêque, allez en paix. À propos, quand vous reviendrez, mon ami, il est inutile de passer par le jardin. Vous pourrez toujours entrer et sortir par la porte de la rue. Elle n'est fermée qu'au loquet° jour et nuit.

Puis se tournant vers la gendarmerie:

—Messieurs, vous pouvez vous retirer.

Les gendarmes s'éloignèrent°.

Jean Valjean était comme un homme qui va s'évanouir°.

L'évêque s'approcha de lui, et lui dit à voix basse:

—N'oubliez pas, n'oubliez jamais que vous m'avez promis d'employer cet argent à devenir honnête homme.

Jean Valjean, qui n'avait aucun souvenir d'avoir rien promis, resta interdit. L'évêque avait appuyé sur ces paroles° en les prononçant. Il reprit avec solennité:

—Jean Valjean, mon frère, vous n'appartenez plus au mal, mais au bien. C'est votre âme° que je vous achète; je la retire aux pensées noires° et à l'esprit de perdition°, et je la donne à Dieu.

Victor Hugo, *Les misérables*

---

le curé *parish priest*

aise *pleased*

prêtre *priest*
ramené *brought back*
une méprise
  misunderstanding
lâchèrent *released*
recula *drew back*

flambeaux *candlesticks*

déranger *disturb*

l'air égaré *distraught*

fermée… au loquet
  latched

s'éloignèrent *withdrew*
s'évanouir *to faint*

paroles *words*
âme *soul*
aux pensées
  noires *evil thoughts*
l'esprit de perdition
  feeling of despair

Additional Practice

After students have finished the selection, have them describe the illustration on page 262 and the feelings of each of the characters on the eve of the robbery. This may be done orally or as a written assignment.

Littérature

Literature Connection

Jean Valjean (suite)

Édifié par la charité de Monseigneur Myriel, Jean Valjean s'engage dans la voie du Bien. Il change de nom et devient M. Madeleine (nom de la pécheresse repentie de l'Évangile). Il devient un riche bourgeois, maire de la ville où il habite, mais il n'oublie pas les pauvres. C'est ainsi qu'il recueille la malheureuse Fantine et sa petite fille Cosette.

Mais il est poursuivi par le policier Javert et doit avoir recours à plusieurs pseudonymes: Madeleine, Leblanc, Fauchelevent. Il est finalement obligé de révéler sa véritable identité pour éviter qu'un autre soit condamné à cause de lui. En effet, un simple voleur de pommes est soupçonné d'être l'ancien bagnard. Il avoue aussi pour que Cosette et son fiancé Marius sachent qui il est et l'aiment comme un père. Ces aveux lui coûtent cher: ils lui font perdre une respectabilité qu'il avait eu grand-peine à acquérir. Il est réhabilité par sa conduite lors d'une émeute: il sauve Marius, bien que celui-ci se soit détourné de lui quand Jean Valjean lui a révélé ses origines. Marius se repent de son ingratitude et le jeune couple Cosette-Marius reconnaît enfin la grandeur d'âme de Jean Valjean.

Après la lecture

A On a volé l'argenterie de l'évêque. Répondez d'après la lecture.
1. Qui a volé l'argenterie de l'évêque?
2. Qui a découvert le crime?
3. Où l'évêque était-il quand Madame Magloire lui a annoncé que l'argenterie avait été volée?
4. Avec qui l'évêque a-t-il pris le petit déjeuner?
5. Qui a frappé à la porte quand l'évêque se levait de table?
6. Avec qui les gendarmes étaient-ils?

B L'évêque a pitié de Jean Valjean. Complétez d'après la lecture.
1. L'évêque a trouvé le panier qui avait contenu l'argenterie dans _____. Mais quand il l'a trouvé, il était vide. Il n'y avait rien dedans.
2. L'évêque a dit que l'argenterie n'était pas à lui, qu'elle appartenait _____.
3. L'évêque a dit à Jean Valjean qu'il lui avait donné aussi _____.
4. Il a dit à Jean Valjean que quand il reviendrait, il pourrait entrer dans la maison par _____.

C L'évêque veut sauver Jean Valjean. Expliquez.
1. Pourquoi l'évêque n'avait-il pas besoin de l'argenterie?
2. Pourquoi l'évêque a-t-il dit: «Je suis aise de vous voir» à Jean Valjean quand il est entré avec les gendarmes?
3. Pourquoi les gendarmes avaient-ils arrêté Jean Valjean?
4. Pourquoi les gendarmes l'ont-ils laissé aller?
5. Pourquoi l'évêque donne-t-il les chandeliers à Jean Valjean?

CHAPITRE 5

ANSWERS TO *Après la lecture*

A
1. Jean Valjean a volé l'argenterie de l'évêque.
2. Madame Magloire a découvert le crime.
3. L'évêque était dans son jardin quand Madame Magloire lui a annoncé que l'argenterie avait été volée.
4. L'évêque a pris le petit déjeuner avec sa sœur et Madame Magloire.
5. Des gendarmes ont frappé à la porte quand l'évêque se levait de table.
6. Ils étaient avec Jean Valjean.

B
1. une plate-bande
2. aux pauvres
3. les chandeliers
4. la porte de la rue

C *Answers will vary but may include the following:*
1. Parce qu'il avait des couverts d'étain, de fer et de bois.
2. Parce qu'il voulait faire croire aux gendarmes qu'ils se trompaient au sujet de Jean Valjean.
3. Ils l'avaient arrêté parce qu'il allait comme quelqu'un qui s'en va et ils voulaient voir.
4. Ils l'ont laissé aller parce que l'évêque leur a dit que l'argenterie n'avait pas été volée mais donnée à Jean Valjean.
5. L'évêque les lui donne parce qu'il veut que Jean Valjean emploie l'argent des chandeliers à devenir honnête homme.

Littérature

Une représentation des *Misérables* à Broadway

Communication libre

A **Les émotions de Jean Valjean** Écrivez un paragraphe dans lequel vous imaginez ce que peuvent être les émotions de Jean Valjean pendant cet épisode.

B **Au théâtre** Écrivez une petite pièce basée sur ce chapitre des *Misérables*.

C **Le prochain épisode** À votre avis, qu'est-ce que Jean Valjean devient après cet épisode? Il continue sa vie de criminel ou il devient un honnête homme?

D **Toujours actuel, Victor Hugo?** Est-ce que les idées de Victor Hugo peuvent être appliquées à la société contemporaine? Est-ce qu'il y a de la misère dans notre société? Est-ce que la misère crée des infortunés? Est-ce que les infortunés deviennent souvent des infâmes? Comment? Pourquoi? L'injustice et l'indifférence existent-elles toujours? Donnez des exemples.

E **Jean Valjean à la une des journaux** Les vols sont des faits divers qui apparaissent tous les jours dans les journaux. Récrivez ce chapitre comme si c'était un fait divers pour un journal français.

LITTÉRATURE

deux cent soixante-cinq ❖ **265**

Communication libre

A This activity works better as an individual assignment.

B , **C** These activities work very nicely as group activities.

E This activity is better done as an individual assignment.

Group Activity
Imaginez que vous allez faire un film des *Misérables* pour le public américain contemporain. Comment transformeriez-vous les personnages de l'épisode que vous venez de lire? Jean Valjean serait quelle sorte de criminel? L'évêque serait toujours un évêque ou quelqu'un d'autre? Et Madame Magloire et la sœur de Monseigneur Bienvenu?

Independent Practice

Assign any of the following:
1. Activities on pages 264–265
2. Workbook, **Littérature**

✓ Assessment

Use these resources after completing the **Littérature** section for review and assessment.
   Quiz 14
   Test Booklet, pages 121–123
   ExamView Pro®

Use these resources after completing Chapter 5.
   Quizzes
   Test Booklet: Comprehensive Chapter Test, Listening Comprehension Test
   ExamView Pro®
   Situation Cards

ANSWERS TO **Communication libre**

A , **B** , **C** , **D** , **E** *Answers will vary.*

Planning for Chapter 6

SCOPE AND SEQUENCE PAGES 266–309

Topics

+ Values
+ Family life
+ Roles and responsibilities

Functions

+ Expressing congratulations, best wishes, and condolences
+ Discussing and comparing opinions about values, gender equality, and sex roles
+ How to write complex sentences using prepositions and relative pronouns
+ Expressing certainty and doubt
+ Describing past actions that precede other past actions

Structure

+ Partitive
+ Pronoun **en**
+ Relative pronouns **qui, que,** and **dont**
+ Prepositions with relative pronouns
+ Subjunctive
+ **Plus-que-parfait**

Culture/Literature

Culture

+ Comparison of values between generations
+ Newspaper announcements (births, deaths, marriages, etc.)

Literature

+ *La mauvaise réputation*
+ *Le corbeau et le renard*

National Standards

+ Communication Standard 1.1 pages 273, 278, 280, 282, 284, 299, 306, 309
+ Communication Standard 1.2 pages 273, 278, 291, 296, 306, 309
+ Communication Standard 1.3 pages 273, 278, 280, 289, 291, 296, 306, 309
+ Cultures Standard 2.1 pages 270–272, 290, 292, 294–295
+ Cultures Standard 2.2 pages 290, 304–305
+ Connections Standard 3.1 pages 285, 294–295, 296, 304–305, 307, 308
+ Comparisons Standard 4.1 page 291
+ Comparisons Standard 4.2 pages 273, 291, 296

Timesaving Teacher Tools

ite Interactive Teacher Edition
Imagine having your Teacher's Edition and all resources on a CD-ROM. Click on a resource and it appears on your screen, ready to be printed, sorted, or planned.

Interactive Lesson Planner
The Interactive Lesson Planner CD-ROM helps you organize your lesson plans for a week, month, semester, or year. Look at this planning tool for easy access to your Chapter 6 resources.

ExamView Pro®
Test Bank software for Macintosh and Windows makes creating, editing, customizing, and printing tests quick and easy.

Technology Resources

FRENCH Online
In the **Bon voyage!** Level 3 Internet activity, you will have a chance to learn more about language, culture, history, geography, and current events in the Francophone world. Visit <u>french.glencoe.com</u>

NATIONAL GEOGRAPHIC SOCIETY
See the National Geographic Teacher's Corner on pages 104–105, 214–215, 310–311, 428–429 for reference to additional technology resources.

Bon voyage! **Video Program**
Bon voyage! Video and Video Activities Booklet, Chapter 6.

DIFFICULTY LEVELS

Each reading selection in **Culture, Journalisme,** and **Littérature,** each **Conversation,** and each structure topic is rated below according to difficulty level to assist you in planning.

◆ Easy   ◆◆ Intermediate   ◆◆◆ Difficult

Please note that the material in **Bon voyage!** does not get progressively more difficult. Within each chapter there are easy and difficult sections. The overall rating for this chapter is: ◆◆ Intermediate.

SECTION	DIFFICULTY LEVEL
Culture	
Adultes/jeunes	
Adultes/Jeunes: Avez-vous les mêmes valeurs?	◆◆◆
Conversation	
Vivre en famille	◆◆
Structure I	
Le partitif	◆◆
Le pronom **en**	◆◆◆
Les pronoms relatifs **qui** et **que**	◆◆
Le pronom relatif **dont**	◆◆◆
Journalisme	
Les grandes occasions	
Le carnet du jour	◆
Garçons—Filles	
Tous féministes?	◆◆◆
Structure II	
Les prépositions avec les pronoms relatifs	◆◆
Le subjonctif avec des expressions de doute	◆◆
Le plus-que parfait	◆◆
Littérature	
La mauvaise réputation	◆◆
Le corbeau et le renard	◆◆◆

Using Your Resources for Chapter 6

RESOURCE GUIDE

SECTION	PAGES	SECTION RESOURCES
Culture		
Adultes/Jeunes *Adultes/Jeunes: Avez-vous les mêmes valeurs?*	268–273	Vocabulary Transparency 6.1 Audiocassette 6/CD 11 Audio Activities Booklet TE, pages 148–149 Workbook, pages 134–135 Quiz 1, page 69 Chapter Section Test, pages 126–128
Conversation		
Vivre en famille À chacun sa tâche	274–278 276	Vocabulary Transparency 6.2 Audiocassette 6/CD 11 Audio Activities Booklet TE, pages 149–151 Workbook, pages 136–137 Quiz 2, page 70
Langage		
Félicitations et condoléances	279–280	Audiocassette 6/CD 11 Audio Activities Booklet TE, pages 151–152 Workbook, page 138 Quiz 3, page 71 Chapter Section Test, pages 129–130
Structure I		
Le partitif Le pronom **en** Les pronoms relatifs **qui** et **que** Le pronom relatif **dont**	281–282 283–284 285–286 286–287	Audiocassette 6/CD 11 Audio Activities Booklet TE, pages 153–154 Workbook, pages 139–143 Quizzes 4–7, pages 72–75 Chapter Section Test, pages 131–133

Preview

In this chapter, students will acquire some insight into the French value system, which they can then compare and contrast with their own. Students will also learn to use proper formulas of politeness for special events such as a marriage, the birth of a child, a birthday, a death, etc.

In this chapter students will read a magazine interview with young people on the subject of sex roles. They will also read the social announcements page from a French newspaper and two literary selections dealing with societal values.

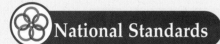

National Standards

Communication
Students will communicate in spoken and written French on the following topics:
- Personal and societal values
- Gender equality and sex roles
- Household tasks
- Important family occasions

Cultures
Students will learn how young French people's views concerning gender equality and sex roles have changed in recent years. They will also learn what values are important to French people, both young and old.

Comparisons
Students will examine the daily announcements page of a French newspaper, and draw comparisons with similar pages from American newspapers. They will also have an opportunity to compare the views of French people concerning values and equality with those of Americans.

Connections
This chapter establishs a link with the fields of social studies and literature.

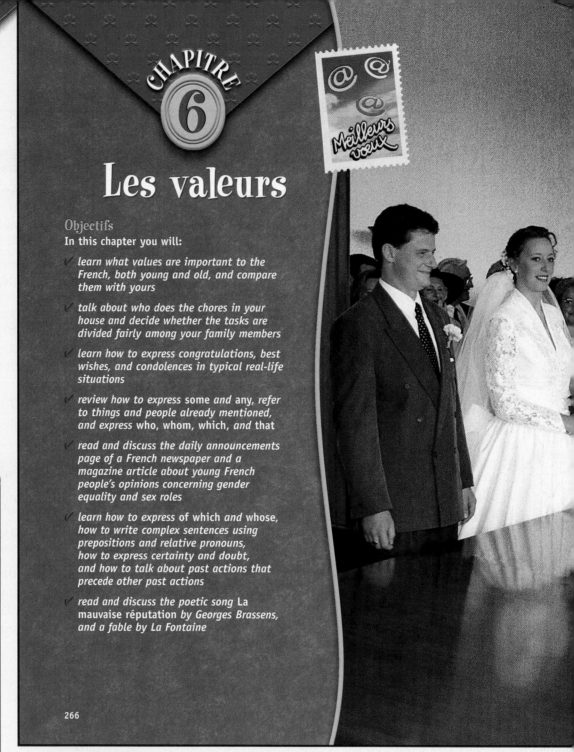

CHAPITRE 6

Les valeurs

Objectifs
In this chapter you will:

✔ *learn what values are important to the French, both young and old, and compare them with yours*

✔ *talk about who does the chores in your house and decide whether the tasks are divided fairly among your family members*

✔ *learn how to express congratulations, best wishes, and condolences in typical real-life situations*

✔ *review how to express* some *and* any, *refer to things and people already mentioned, and express* who, whom, which, *and* that

✔ *read and discuss the daily announcements page of a French newspaper and a magazine article about young French people's opinions concerning gender equality and sex roles*

✔ *learn how to express* of which *and* whose, *how to write complex sentences using prepositions and relative pronouns, how to express certainty and doubt, and how to talk about past actions that precede other past actions*

✔ *read and discuss the poetic song* La mauvaise réputation *by Georges Brassens, and a fable by La Fontaine*

266

The **Glencoe World Language Web site** (**french.glencoe.com**) offers several options for you and your students to experience the French-speaking world via the Internet:
- The online **Activités** are correlated to the chapters and utilize Francophone Web sites around the world.
- Games and puzzles afford students another opportunity to practice the material learned in a particular chapter.

- The *Enrichment* section offers students an opportunity to visit Web sites related to the theme of the chapter for more information on a particular topic.
- Online *Chapter Quizzes* offer students an opportunity to prepare for a chapter test.
- Visit our virtual **Café** for more opportunities to practice and explore the French-speaking world.

deux cent soixante-sept ❖ 267

Random Access

You may either follow the exact order of the chapter or omit certain sections that you feel are not necessary for your students. Similarly, you may present a literary selection without interruption, or you may wish to intersperse some material from the **Structure** sections as you are presenting a literary piece.

 ## Assessment

Quizzes: There is a quiz for every vocabulary presentation and every structure point.

Tests: To accompany **Bon voyage!** Level 3 there are global tests for both **Structures I** and **II**, a combined **Conversation/Langage** test, and one test for each reading in the **Culture, Journalisme,** and **Littérature** sections. There is also a chapter Listening Comprehension Test.

FUN-FACTS

L'âge légal du mariage est fixé à 18 ans (l'âge de la majorité). Les filles peuvent se marier à 15 ans avec le consentement de leurs parents. Les jeunes se marient de plus en plus tard: 29 ans pour les hommes et 27 ans pour les femmes.

Chapter Projects

 **Les valeurs** Avant de commencer le chapitre, demandez aux élèves de faire une liste des 10 traits de caractère les plus importants dans notre société, et d'en citer cinq autres qui ont perdu de leur valeur. Après avoir lu *Sondage: Adultes/Jeunes,* faites-leur établir une comparaison entre les personnes qui ont répondu au sondage et eux-mêmes. Les élèves peuvent aussi inclure dans cette comparaison d'autres adultes ou camarades qu'ils ont interviewés.

Les grandes occasions Imaginez que vous êtes une personne âgée. Vous regardez votre album de photos et de nombreux événements vous reviennent en mémoire. Faites des faire-part, des cartes de vœux pour les événements les plus importants de votre vie. N'oubliez pas les illustrations. Si vous avez des grands-parents, vous pouvez les interviewer et vous servir de leurs souvenirs pour créer vos faire-part et vos cartes.

Culture

Culture

ADULTES/JEUNES

ADULTES/JEUNES

1 Preparation

Resource Manager

Vocabulary Transparency 6.1
Audio Activities Booklet TE, Activity
 A, page 148
Audiocassette 6/CD 11
Workbook, Activities A–B, page 134
Quiz 1, page 69
ExamView Pro®

Bellringer Review

*Write the following on the board or
use BRR Transparency 6.1.*
Répondez.
**1. Qu'est-ce que vous faisiez
toujours quand vous aviez
douze ans?**
**2. Avez-vous fait la même chose
hier?**

2 Presentation

Introduction

Have students read the
Introduction silently and ask
them to answer the question: **À
votre avis, est-ce que les jeunes
et les moins jeunes ont les
mêmes valeurs?**

Vocabulaire

Step 1 Have students repeat the
new words in unison after you or
Audiocassette 6/CD 11.

Step 2 Call on students to use
the new words in an original
sentence.

Step 3 Assign the activities on
page 269 for homework.

ADULTES/JEUNES

Introduction

Les jeunes et les moins jeunes ont-ils les mêmes valeurs? Dans le sondage qui suit, trois générations ont été interrogées: celle des 15–20 ans, celle des 21–49 ans et celle des 50 ans et plus. Les résultats vous surprendront peut-être.

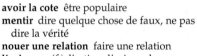

une bonne conduite

une mauvaise conduite

avoir la cote être populaire
mentir dire quelque chose de faux, ne pas
 dire la vérité
nouer une relation faire une relation
l'exigence *(f.)* l'action d'exiger, de
 demander impérativement

la foi le fait de croire en quelque chose
le mensonge l'acte de mentir
la patrie son pays
interdit pas permis, défendu

Communication guidée

A **Familles de mots** Choisissez le mot qui correspond.

1. poli	**a.** l'interdiction
2. honnête	**b.** la liberté
3. menteur	**c.** la politesse
4. interdit	**d.** l'exigence
5. autoritaire	**e.** l'honnêteté
6. tolérant	**f.** le mensonge
7. exigeant	**g.** l'autorité
8. libre	**h.** la patrie
9. patriotique	**i.** la tolérance

B **Contraires** Donnez le contraire des mots suivants.

1. permis   **3.** impoli
2. intolérant   **4.** exigeant

C **Qualité ou défaut?** Dites s'il s'agit d'une qualité ou d'un défaut.

1. la tolérance   **4.** l'exigence
2. la politesse   **5.** l'honnêteté
3. le courage   **6.** le mensonge

D **Conseils** Complétez les phrases.

1. Il faut toujours être très poli, bien élevé. Votre _____ doit être irréprochable.
2. Il ne faut pas être désagréable si vous voulez _____ une relation avec quelqu'un.
3. Il faut toujours être honnête; il ne faut jamais _____.
4. Pour avoir la _____, il faut être gentil avec les autres.
5. Il faut croire en quelque chose. Il faut avoir la _____.

Le 11 novembre au tombeau du soldat inconnu sous l'Arc de Triomphe

3 Practice

Communication guidée
Have students open their books and go over the activities with them.

History Connection

Le 11 novembre est un jour férié en France. C'est l'anniversaire de l'armistice de la Première Guerre mondiale. Les anciens combattants vont fleurir les monuments aux morts. Il y a de nombreux défilés et manifestations officielles.

Critical Thinking Activity

Making Judgments
After students have completed **Activité C** on this page, have them explain why each of these traits is **une qualité** or **un défaut**. Then have them give some examples of behavior that illustrate each trait.

Independent Practice
Assign any of the following:
1. Workbook, **Culture**
2. Activities on this page

ANSWERS TO Communication guidée

A
1. c
2. e
3. f
4. a
5. g
6. i
7. d
8. b
9. h

B
1. interdit
2. tolérant
3. poli
4. tolérant

C
1. une qualité
2. une qualité
3. une qualité
4. un défaut
5. une qualité
6. un défaut

D
1. conduite
2. nouer
3. mentir
4. cote
5. foi

269

Culture

SONDAGE: ADULTES/ JEUNES: AVEZ-VOUS LES MÊMES VALEURS? ◆◆◆

National Standards

Communication
This article describes the results of a survey of French people's attitudes toward values.

Cultures
Students will learn what values are important to French people, both young and old.

Comparisons
Students will have an opportunity to compare the views of French people concerning values with those of Americans.

Connections
This reading establishes a link with the field of social studies.

1 Preparation

Resource Manager

Audio Activities Booklet TE, Activity B, pages 148–149
Audiocassette 6/CD 11
Workbook, Activities C–F, pages 134–135

Bellringer Review

Write the following on the board or use BRR Transparency 6.2.
Quelles choses sont importantes pour vous dans la vie? Faites-en une liste.

2 Presentation

Note: This **Culture** selection is more difficult than those in other chapters. If you have the students read this silently, they can use the **Après la lecture** activities as a comprehension guide.

270

SONDAGE

notre*temps*
PHOSPHORE

Adultes/jeunes: Avez-vous les mêmes valeurs?

En tête de vos valeurs, vous avez placé la tolérance et l'honnêteté.

La tolérance. «*Respecter l'autre, admettre ses opinions, écouter ses différences, voilà une valeur moderne en accord avec notre époque*», nous dit le sociologue François de Singly. Les grandes utopies collectives du XXᵉ siècle (le communisme, par exemple) ou le fanatisme religieux (exemple iranien) ont poussé à l'extrême l'intolérance. Aujourd'hui, la tolérance apparaît comme le principal rempart contre la barbarie, le fascisme, le racisme.

Mais faut-il tolérer pour autant l'intolérable? Peut-on accepter n'importe quoi[1] au nom du respect des différences? «*C'est la moindre des choses[2] d'accepter une opinion adverse, d'argumenter sans se fâcher, mais faut-il discuter tranquillement avec des racistes et admettre leur point du vue?*» se demande Anne, en terminale à Maisons-Alfort.

L'honnêteté. Vous ne confondez pas cette valeur avec le respect de la propriété—qui ne vient, elle, qu'en quinzième position.

Vous préférez donner à l'honnêteté son sens fort: le refus du mensonge à soi-même et aux autres.

LES VALEURS IMPORTANTES POUR VOUS
Quelles sont les valeurs qui comptent le plus pour vous, qui vous paraissent les plus fondamentales?

les 15–20 ans répondent	%
La tolérance, le respect des autres	46
L'honnêteté	44
La politesse, les bonnes manières	39
Le respect de l'environnement, de la nature	32
L'obéissance	26
La générosité	25
Le goût de l'effort, du travail	21
La solidarité avec les gens, avec les peuples	19
Le sens de la famille	17
La réussite sociale, l'esprit de compétition	16
Le courage	15
La patience, la persévérance	13
La fidélité, la loyauté	13
Le sens de la justice	10
Le respect de la propriété	8
Le sens du devoir	7
L'autorité, le sens du commandement	6
La recherche spirituelle, la foi	5
Le respect de la tradition	5
L'attachement à la patrie	4
Le civisme, le respect du bien commun	3

---

[1] n'importe quoi *anything and everything*
[2] la moindre des choses *the least one can do*

«*La tolérance, la politesse, cela dépend du contexte. L'honnêteté, c'est une règle absolue. Sans elle, il n'y a pas de relations possibles avec les autres*», proclame Serge, en seconde dans un lycée parisien.

La politesse. Vous êtes surpris de voir cette vertu un peu désuète[3] dans le peloton de tête[4]? Pas les sociologues! Ils savent qu'aujourd'hui, la politesse est vue comme le passage obligé pour engager un dialogue, pour nouer une relation.

À notre époque de valorisation des relations de proximité, tout ce qui nous permet de mieux communiquer avec notre environnement immédiat a la cote.

«*Après les grandes remises en question des années 68 et suivantes qui ont permis de conquérir des libertés nouvelles, on redécouvre la commodité des codes de bonne conduite qui mettent de l'huile dans les rouages[5]. Mais, attention*, prévient le sociologue François de Singly, *une société ne revient jamais à son point de départ. Elle passe des compromis entre le nouveau et l'ancien pour inventer autre chose*».

LES VALEURS DE VOS PARENTS ET GRANDS-PARENTS

Quelles sont les valeurs qui comptent le plus pour vous, qui vous paraissent les plus fondamentales?

les 21–49 ans répondent	%
La tolérance, le respect des autres	45
L'honnêteté	41
La politesse, les bonnes manières	39
Le goût de l'effort, du travail	34
Le sens de la famille	30
Le respect de l'environnement, de la nature	28
les 50 ans et plus répondent	%
Le goût de l'effort, du travail	47
L'honnêteté	47
La politesse, les bonnes manières	37
La tolérance, le respect des autres	33
Le sens de la famille	29
Le courage	21

Ainsi, en 1968, les étudiants proclamaient: «*Il est interdit d'interdire.*»

Aujourd'hui, ils acceptent l'obéissance, contrainte qu'on se donne à soi-même. Mais ils refusent l'autorité, cette contrainte qui est imposée de l'extérieur.

Autour de la table familiale, ça baigne[6]! Disparu le conflit de générations! Les mêmes valeurs importantes sont partagées par vous, vos parents et vos grands-parents.

Vos parents ont été les contemporains, actifs ou passifs, de la révolution qui a bouleversé[7] les mentalités ces vingt dernières années.

---

[3] désuète *old-fashioned*
[4] le peloton de tête *at the top of the list*

[5] mettent de l'huile dans les rouages *lit: oil the gears; make things run smoothly*

[6] ça baigne *everything's cool*
[7] bouleversé *drastically changed*

If you present this section to them, you may wish to follow the suggestions below.

Step 1 **La tolérance:** You may wish to ask the following questions:
Qu'est-ce que la tolérance?
Qu'est-ce que l'intolérance?
Qu'est-ce qu'une utopie?
À votre avis, les utopies existent?

Step 2 Have students discuss the following: «**Faut-il tolérer pour autant l'intolérable?**»

Step 3 **L'honnêteté:** Ask: **D'après ce qu'on dit ici, y a-t-il une différence entre l'honnêteté et le respect de la propriété?**

Step 4 **La politesse:** Ask: **Est-ce que vous pensez que la politesse est une vertu désuète?**

Step 5 Have students do the following: **Demandez à vos parents ou à quelqu'un de plus âgé ce qui est arrivé dans les années 60 et expliquez leurs réponses à la classe.**

Step 6 Ask students to explain: «**Il est interdit d'interdire.**»

Step 7 Then ask: **Est-ce que vous acceptez l'obéissance? Donnez des exemples.**

Culture

2 Presentation *(continued)*

Step 8 Ask: Quelles craintes sont partagées par les parents et les jeunes aujourd'hui? Pour les jeunes, quelle est la forme moderne du civisme?

Step 9 Les valeurs qui ne sont plus fondamentales: Ask: Est-ce que vous pensez que ces quatre valeurs—la patrie, la foi, la tradition, l'autorité—sont également en baisse aux États-Unis?

Paired Activity

Demandez aux élèves de travailler à deux pour comparer cet article à un article semblable paru dans un magazine américain pour adolescents.

Plus souples, moins bardés de[8] certitudes qu'autrefois, ils ont privilégié avant tout le dialogue. La politique, hier source d'interminables affrontements[9], ne fait plus se dresser les fils contre[10] les pères. On préfère évoquer des craintes[11] partagées, celles du chômage ou de la pollution.

Les grands-parents aussi participent à ce grand consensus. Seule rupture, la place donnée au travail par cette génération qui a connu le plein-emploi et la salarisation triomphante.

L'environnement est à coup sûr la valeur montante, celle que les nouvelles générations veulent promouvoir. *«Tous les sondages le confirment, ce sont les jeunes qui poussent toute la société à une plus grande exigence écologique. C'est pour eux la forme moderne du civisme»*, affirme le politologue Roland Cayrol.

LES VALEURS QUI NE SONT PLUS FONDAMENTALES

Quatre valeurs sont en baisse quel que soit l'âge: la patrie, la foi, la tradition, l'autorité. Ce qui change selon la catégorie, c'est l'intensité du rejet. La patrie, par exemple, est rejetée par 22% des plus de 50 ans, 38% des 20–50 ans et 45% des 15–20 ans.

La foi s'effrite[12] aussi un peu plus à chaque génération. Elle est jugée dépassée[13] par 19% des plus de 50 ans, 35% des 20–50 ans et 42% des jeunes. Encore faut-il savoir de quoi on parle.

Pour le théologien et moraliste Xavier Thévenot, vivre, c'est déjà un acte de foi: *«Décider d'avoir un enfant, continuer à vivre quand on est accablé par[14] le malheur, lutter[15] contre l'absurde, c'est déjà croire*, selon lui.

L'acte de croire a une dimension sociale et la recherche spirituelle n'est pas une fuite[16] dans un monde imaginaire. Elle consiste à se poser les questions fondamentales: À quoi bon vivre? Pourquoi sommes-nous sur Terre? D'où vient le mal? Ces questions, les jeunes se les posent et ils ont besoin de donner un sens à leur vie.»

Pour Amandine, 17 ans, la foi se vit aussi au quotidien. *«Chaque jour, je fais un retour sur ce que je vis et je m'interroge. Cela me pousse à éviter la facilité, à donner toujours un peu plus. Par exemple, en tant que déléguée de classe, j'essaye d'avoir un rôle d'entraide et de ne pas me contenter d'une tâche administrative.»*

LES VALEURS QUI NE SONT PLUS FONDAMENTALES

Quelles sont les valeurs dont vous pensez qu'elles ne devraient plus, aujourd'hui, être considérées comme fondamentales?

les 15–20 ans répondent	%
L'attachement à la patrie	45
La recherche spirituelle, la foi	42
L'autorité, le sens du commandement	29
Le respect de la tradition	24
Le respect de la propriété	11
les 21–49 ans répondent	**%**
L'attachement à la patrie	38
La recherche spirituelle, la foi	35
L'autorité, le sens du commandement	30
Le respect de la tradition	18
La réussite sociale, l'esprit de compétition	13
les 50 ans et plus répondent	**%**
L'autorité, le sens du commandement	24
L'attachement à la patrie	22
La recherche spirituelle, la foi	19
Le respect de la tradition	13
La réussite sociale, l'esprit de compétition	10

---

[8] bardés de *filled with*
[9] affrontements *confrontations*
[10] se dresser contre *rise up against*
[11] craintes *fears*

[12] s'effrite *is crumbling away, disintegrating*
[13] dépassée *outmoded*

[14] accablé par *weighed down by, overwhelmed by*
[15] lutter *to fight*
[16] fuite *flight, escape*

Après la lecture

A Vrai ou faux? Corrigez les phrases fausses.

1. L'honnêteté et la tolérance sont les valeurs les plus importantes pour les jeunes.
2. L'honnêteté est plus importante que la tolérance.
3. La politesse n'est pas nécessaire pour communiquer avec les autres.
4. Les jeunes sont très attachés à la patrie.
5. Les jeunes ont besoin de donner un sens à leur vie.
6. Les générations ne se battent (fight) plus pour des raisons politiques.
7. Les jeunes ne se préoccupent pas d'écologie.
8. Enfants et parents parlent du chômage et de la pollution.

B De quoi parle-t-on? Dites de quoi il s'agit.

1. respecter l'autre personne, admettre ses opinions, écouter ses différences
2. être contre des gens à cause de la couleur de leur peau
3. avoir de bonnes manières
4. faire ce que quelqu'un vous dit de faire
5. se poser des questions fondamentales
6. aimer travailler

Communication libre

A Sondage
Reprenez les catégories du sondage et faites une enquête à l'école et chez vous. Comparez vos résultats à ceux de vos camarades et étudiez les similarités et les différences entre les Français et les Américains.

B Débats

1. Répondez à la question d'Anne: «C'est la moindre des choses d'accepter une opinion adverse, d'argumenter sans se fâcher, mais faut-il discuter tranquillement avec les racistes et admettre leur point de vue?»
2. Que pensez-vous de cette phrase de Serge: «L'honnêteté, c'est une règle absolue. Sans elle, il n'y a pas de relations possibles avec les autres.»

Manifestation antiraciste à Paris

CULTURE

deux cent soixante-treize ✣ **273**

Culture

Post–reading

Après la lecture

Have students look up the answers as they are reading the selection. You may tell them to scan the activities before reading. The activities will help the students determine what to look for as they are reading.

Communication libre

A, **B** Both of these activities are group activities. You may wish to have groups present their results to the class.

Independent Practice

Assign any of the following:
1. **Après la lecture** and **Communication libre** activities on this page
2. Workbook, **Culture**

✓ Assessment

Use these resources at the end of the **Culture** section for review and assessment.
  Quiz 1
  Test Booklet, pages 126–128
  ExamView Pro®
  Situation Cards

ANSWERS TO Après la lecture

A
1. Oui.
2. Non, la tolérance est plus importante que l'honnêteté.
3. Non, la politesse est vue comme le passage obligé pour engager un dialogue.
4. Non, ils ne sont pas très attachés à la patrie.
5. Oui, selon Xavier Thévenot, ils ont besoin de donner un sens à leur vie.
6. Oui.
7. Non, ce sont les jeunes qui poussent toute la société à une plus grande exigence écologique.
8. Oui.

B
1. la tolérance
2. le racisme
3. la politesse
4. l'obéissance
5. la recherche spirituelle, la foi
6. le goût de l'effort, du travail

ANSWERS TO Communication libre

A, **B** *Answers will vary.*

Conversation

VIVRE EN FAMILLE

1 Preparation

Resource Manager

Vocabulary Transparency 6.2
Audio Activities Booklet TE, Activity
 A, pages 149–150
Audiocassette 6/CD 11
Workbook, Activities A–B, page 136
Quiz 2, page 70
ExamView Pro®

Bellringer Review

Write the following on the board or use BRR Transparency 6.3.
Pour vivre harmonieusement en famille, qu'est-ce que chaque membre de la famille doit faire?

2 Presentation

Vocabulaire

Step 1 As you present the new vocabulary, you may wish to ask the following questions: **Est-ce que vous videz les ordures tous les jours? Qui fait le marché chez vous? Ça vous énerve de faire le marché ou ça vous fait plaisir? Chez vous, est-ce que tout le monde met la main à la pâte? Est-ce qu'il y a quelqu'un qui ne fait rien ou presque rien? Qui ça? Est-ce qu'on répartit les tâches ménagères chez vous? Quelles sont les tâches ménagères que vous détestez? Vous vous plaignez quand il faut faire des tâches ménagères? Quand faut-il mettre la main à la pâte? Faites-vous une comédie quand il faut que vous fassiez quelque chose que vous ne voulez pas faire? Quelle est une dépense qui est vraiment de l'argent de gâché?**

VIVRE EN FAMILLE

Vocabulaire

vider les ordures

faire le marché

s'énerver se fâcher
mettre la main à la pâte travailler
répartir distribuer
se plaindre protester, exprimer son mécontentement
faire une comédie s'énerver, faire une scène

une tâche ménagère faire la vaisselle, faire la lessive, etc.
gâché qui est dépensé sans discernement, inutilement
équitablement avec justice
ce n'est pas sorcier ce n'est pas difficile

CHAPITRE 6

Step 2 You may wish to give students the conjugation of the verb **se plaindre: Je me plains, tu te plains, il se plaint, nous nous plaignons, vous vous plaignez, ils se plaignent (Je me suis plaint[e].)**

Communication guidée

A **Définitions** Trouvez le mot.

1. travailler
2. se fâcher
3. un travail que l'on doit faire pour la famille
4. distribuer
5. avec justice
6. c'est facile
7. qui est dépensé inutilement
8. dire qu'on n'est pas content

B **Que fait-on dans la famille Vernier?** Répondez d'après les dessins.

1. Qui fait la vaisselle?
2. Qui lave la voiture?
3. Qui vide les ordures?
4. Qui fait le ménage *(housework)*?
5. Qui fait la cuisine?
6. Qui fait le marché?
7. Qui fait la lessive?
8. Qui travaille dans le jardin?

CONVERSATION

deux cent soixante-quinze ❧ **275**

Conversation

1 Preparation

Resource Manager

Audio Activities Booklet TE,
  Activities B–C, pages 150–151
Audiocassette 6/CD 11
Workbook, Activity C, page 137

Bellringer Review

Write the following on the board or use BRR Transparency 6.4.
Quelles sont les tâches ménagères que vous faites? Faites-en une liste.

2 Presentation

Note: The French in this conversation is very colloquial.

Step 1 First, have students listen to this conversation on Audiocassette 6/CD 11 with their books closed.

Step 2 You may play the cassette a second time and have the students follow along in their books.

Step 3 Call on two students to read the conversation aloud with as much expression as possible. After two students have finished the first half, call on two more to continue.

Step 4 You may wish to ask the following questions as you go over the conversation: **Qui a recommencé à travailler? C'est la première fois qu'elle a un job? D'après Émilie, rien n'est fait.**

276

À chacun sa tâche 🎧

ÉMILIE: Depuis que Maman a recommencé à travailler, c'est pas la joie à la maison. Papa et Maman sont toujours en train de discuter pour savoir qui doit faire quoi, et en fin de compte, rien n'est fait.

LOUISE: Ben, il faut que vous vous organisiez un peu. Ce n'est pas sorcier, vous n'êtes que trois. Nous, à la maison, on est cinq, et il y a Olivier qui est tout petit.

ÉMILIE: Oui, mais ta mère ne travaille pas.

LOUISE: Ma mère? Mais si, elle travaille! Elle est prof d'anglais. Simplement, chacun a ses responsabilités. Moi, c'est la vaisselle et les ordures, mon frère, c'est la lessive; mon père, c'est les courses et ma mère, c'est la cuisine et Olivier.

ÉMILIE: On a bien essayé, mais Papa dit toujours que ça ne presse pas. Tiens, par exemple, la semaine dernière, Papa devait faire la vaisselle. Tous les jours il a dit qu'il la ferait le lendemain, si bien qu'on a utilisé toute la vaisselle qu'on avait jusqu'à ce qu'il n'y ait plus un plat de propre. Alors, tu sais ce que Maman a fait?

LOUISE: Non.

ÉMILIE: Elle est allée acheter des assiettes en papier et des couverts en plastique. Papa en a fait une comédie! Il a dit que c'était de l'argent de gâché. Alors Maman s'est énervée et lui a dit qu'il n'avait pas le sens des responsabilités, et que s'il ne faisait pas la vaisselle, elle, elle ne ferait plus la cuisine, et patati, et patata.

LOUISE: C'est sûr qu'il faut que tout le monde mette la main à la pâte et que les tâches soient réparties équitablement. Chez nous, ça marche assez bien. De temps en temps, c'est Papa qui fait les courses… Quand il se plaint que Maman dépense trop d'argent, elle l'envoie faire le marché et après ça, il ne se plaint plus du tout.

276

Class Motivator

Jumeaux-Jumelles
Set-up: Your class is made up of sets of identical twins who have never met each other. (You could have one set of triplets if you have an uneven number of students.) Prepare two sets of identical index cards which describe the identity of each twin, a list of his or her likes and dislikes, a description of his or her family, and a list of chores he or she does at home, etc. Distribute the cards to the class and have students circulate as if they were at a party.
Game: The students must find out things about each other and locate their identical twin within a certain time limit.

deux cent soixante-dix-sept 277

Conversation

Pourquoi? Il y a combien de personnes dans la famille de Louise? Et dans celle d'Émilie? Est-ce que la mère de Louise travaille? Qu'est-ce qu'elle fait? Louise dit: «Chacun a ses responsabilités.» Qu'est-ce que cela veut dire? Pourquoi la mère d'Émilie est-elle allée acheter des assiettes en papier et des couverts en plastique? Comment son père a-t-il réagi? Que fait la mère de Louise quand son père se plaint qu'elle dépense trop d'argent?

Note: In line 2 on page 276, point out to the students the expression: **c'est pas la joie.** Explain that **ne** is very often omitted in spoken French.

Step 5 Have students say the following in a more colloquial way:
Il y a des problèmes à la maison.
Eh bien…
Ce n'est pas difficile.
Nous sommes cinq.
Il faut que je fasse la vaisselle.
Il a fait une scène.
Il faut que tout le monde fasse quelque chose.

 Paired Activities

1. Have students role-play this conversation with expression. They could read it first and then see if they can ad-lib without the book.
2. Have pairs of students work together to prepare conversations about their own families and chores based on the **Conversation** on page 276.

Learning from Photos

Have students say as much as they can about the family in the photo.

Conversation

Conversation

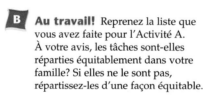

Critical Thinking Activity

Comparing and Constrasting, Supporting Statements with Reasons

1. Quelle est la différence entre une famille plutôt traditionnelle et une famille plutôt moderne?
2. Laquelle préféreriez-vous? Une famille moderne ou une famille traditionnelle? Pourquoi?

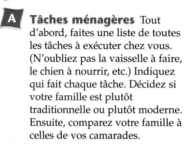

Paired Activity

Divisez la classe en «couple de fiancés». Chaque couple discute du mariage, de la vie à deux, etc. Vous pouvez imaginer qu'il s'agit d'une émission de télévision du genre «Newlywed Game». La classe va décider si le couple va être heureux.

Après la conversation

La maison Répondez d'après le texte.
1. Pourquoi les parents d'Émilie discutent-ils?
2. Comment les choses se passent-elles chez Louise?
3. Que fait la mère de Louise quand son mari se plaint?
4. Combien y a-t-il d'enfants dans la famille de Louise?
5. Que doit faire le père d'Émilie?
6. Que fait-il?
7. Qu'a fait la mère d'Émilie quand il n'y avait plus de vaisselle propre?
8. Quand la mère de Louise envoie-t-elle son mari faire les courses? Pourquoi?

Communication libre

A **Tâches ménagères** Tout d'abord, faites une liste de toutes les tâches à exécuter chez vous. (N'oubliez pas la vaisselle à faire, le chien à nourrir, etc.) Indiquez qui fait chaque tâche. Décidez si votre famille est plutôt traditionnelle ou plutôt moderne. Ensuite, comparez votre famille à celles de vos camarades.

B **Au travail!** Reprenez la liste que vous avez faite pour l'Activité A. À votre avis, les tâches sont-elles réparties équitablement dans votre famille? Si elles ne le sont pas, répartissez-les d'une façon équitable.

C **Et les hommes?** Croyez-vous que les hommes doivent partager les tâches ménagères? Pourquoi?

D **En excursion** Votre classe doit partir en excursion pendant le week-end. Vous décidez tout d'abord où vous allez aller, ce que vous devez amener et qui sera chargé de quoi.

Answers to Communication libre

A, **B**, **C**, **D** *Answers will vary.*

Answers to Après la conversation

1. Les parents d'Émilie discutent pour décider qui doit faire quoi à la maison.
2. Chez Louise, tout le monde s'organise: elle, c'est la vaisselle et les ordures; son frère, c'est la lessive; son père, c'est les courses; et sa mère, c'est la cuisine et Olivier, qui est tout petit.
3. Quand son mari se plaint, la mère de Louise l'envoie faire le marché.
4. Il y a trois enfants dans la famille de Louise.
5. Le père d'Émilie doit faire la vaisselle.
6. Tous les jours, il dit qu'il la fera le lendemain.
7. Elle est allée acheter des assiettes en papier et des couverts en plastique.
8. La mère de Louise envoie son mari faire les courses quand il se plaint qu'elle dépense trop d'argent. Comme ça, il verra que tout est plus cher qu'il ne le croyait.

278

FÉLICITATIONS ET CONDOLÉANCES 🎧

Que dit-on dans les circonstances suivantes?

Naissance

Permettez-moi de vous féliciter pour la naissance
   de votre petit(e)...
Toutes mes félicitations pour...
Avec tous mes vœux de bonne santé
   pour la maman.
Comme il/elle est mignon(ne)!
C'est tout le portrait de sa mère/son père.
Il/Elle a les mêmes yeux, le même nez, le même
   sourire... que son père/sa mère.

C'est tout le portrait de son père!

Mariage

Toutes mes félicitations pour votre mariage!
Tous mes vœux de bonheur.
Je vous souhaite d'être très heureux.
Vous êtes faits l'un pour l'autre.
Quel beau couple!
À votre santé!

Anniversaire

Bon anniversaire!
Joyeux anniversaire!
Tous mes vœux.

Joyeux anniversaire!

Noël

Joyeux Noël!

LANGAGE

deux cent soixante-dix-neuf ❖ **279**

National Standards

Communication
Students will learn to express congratulations and condolences.

FÉLICITATIONS ET CONDOLÉANCES

1 Preparation

Resource Manager

Audio Activities Booklet TE,
   Activities A–B, pages 151–152
Audiocassette 6/CD 11
Workbook, Activity A, page 138
Quiz 3, page 71

2 Presentation

Step 1 Call on individuals to read the expressions with the proper intonation.

Step 2 Then have the entire class repeat them in unison.

Step 3 Give students an expression and call on individuals to identify the occasion.

3 Practice

Communication libre

You may wish to let students select the activity or activities they wish to participate in.

Learning from Realia

You may wish to teach students the saying: **Les petites filles naissent dans des roses et les petits garçons dans des choux.** Ask them if they can find an equivalent saying in English. ("Sugar and spice and everything nice, that's what little girls are made of. Rats and snails and puppy dogs' tails, that's what little boys are made of.") Ask if they agree with the message being conveyed and why or why not.

Independent Practice

Assign any of the following:
1. Workbook, **Langage**
2. Activities on this page

✓ Assessment

Use these resources at the end of the **Conversation** and **Langage** sections for review and assessment.
   Quizzes 2–3
   Test Booklet, pages 129–130
   ExamView Pro®
   Situation Cards

Nouvel An

> Bonne année!
> Bonne santé!
> Tous mes vœux pour la nouvelle année.
> Mes meilleurs vœux pour vous et les vôtres.
> Que cette nouvelle année vous apporte prospérité, bonheur…

Décès

> Je vous présente mes plus sincères condoléances.
> C'est avec une grande tristesse que j'ai appris le décès de…
> La mort de… m'a fait beaucoup de peine.
> J'ai beaucoup de peine pour toi.
> C'était un homme/une femme remarquable.

Communication libre

A **Vivent les mariés!** Vous et votre camarade avez été invités au mariage de l'un de vos cousins et vous devez porter un toast aux nouveaux mariés. Vous rédigez ce toast et vous l'apprenez par cœur. Récitez-le à vos camarades qui vous diront ce qu'ils en pensent.

B **Un bébé** Votre cousine vient d'avoir un bébé que vous ne trouvez pas très beau, mais vous voulez tout de même dire quelque chose de gentil à votre cousine. Que lui dites-vous?

C **La veille du Jour de l'An** Toute la classe célèbre le Jour de l'An ensemble.

   1. Qu'est-ce que vous vous dites à minuit?
   2. Chacun d'entre vous fait un vœu pour cette nouvelle année. Partagez-le avec vos camarades.

D **Pauvre Fido!** Le chien (ou un autre animal) de votre ami(e) est mort. Présentez-lui vos condoléances.

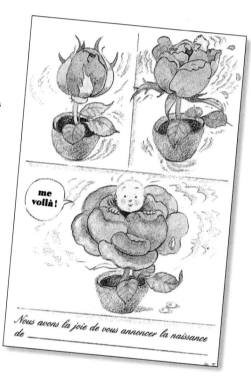

me voilà!

Nous avons la joie de vous annoncer la naissance de _____

CHAPITRE 6

ANSWERS TO Communication libre

 A, **B**, **C**, **D** *Answers will vary.*

Talking about an indefinite quantity
Le partitif

1. When speaking only of a certain quantity or part of a whole, the partitive articles **du, de la,** and **des** are used. **Du** and **de la** become **de l'** in front of a word beginning with a vowel. In English, the partitive is expressed by *some*, *any*, or no word at all.

Avez-vous de la patience?	*Do you have patience?*
Il faut du courage!	*You need courage!*
Il faut de l'autorité.	*You need authority!*
J'ai des amis français.	*I have some French friends.*

   Note that in English, *some* or *any* can be omitted. In French, the partitive cannot be omitted.

2. In the negative, **du, de la, de l',** and **des** change to **de** or **d'**.

J'ai de la patience.	**Je n'ai pas de patience.**
Il faut du courage.	**Il ne faut pas de courage.**
Il faut de l'autorité.	**Il ne faut pas d'autorité.**
J'ai des amis français.	**Je n'ai pas d'amis français.**

3. Remember that a noun used in a general sense, not a specific sense, is preceded by the articles **le, la, l',** or **les**.

   Je déteste l'intolérance.
   J'aime beaucoup le thé.
   J'adore les livres.

4. Here are some helpful hints. Verbs that express likes and dislikes are usually followed by the definite articles **le, la, l', les** + a noun.

   LE, LA, L', LES—*General Sense*
adorer	détester
aimer	préférer
aimer mieux	

   The following verbs are often followed by a partitive construction: **du, de la, de l', des** + a noun.

   DU, DE LA, DE L', DE—*Partitive*
acheter	manger
avoir	prendre
boire	vendre
commander	

5. Remember that in the negative, only the partitive becomes **de**.

   Je n'aime pas les mariages.
   BUT
   Il n'y aura pas de mariage cette année.

1 Preparation

Resource Manager

Workbook, Activities A–K, pages 139–143
Audio Activities Booklet TE, Activities A–D, pages 153–154
Audiocassette 6/CD 11
Quizzes 4–7, pages 72–75
ExamView Pro®

Bellringer Review

Write the following on the board or use BRR Transparency 6.5.
Répondez.
1. **Quels gadgets avez-vous à la maison?**
2. **Avez-vous récemment reçu ou acheté des cadeaux?**
3. **Quels sports faites-vous?**
4. **Quelles matières scolaires aimez-vous?**

2 Presentation

Le partitif ◆◆

Note: Although this point is somewhat difficult for students, they have now had a great deal of reinforcement and they should be able to understand and use the partitive with relative ease.

Step 1 Recycling: Before students open their books, ask several questions using the partitive and definite articles, e.g., **J'aime le pain. Vous aussi, Pierre? (Oui, je l'aime.) Je voudrais du pain maintenant. Et vous, Pierre?**

Step 2 Read the explanations to students and call on individuals to read the model sentences.

Structure I

3 Practice

Communication guidée

You may wish to go over these activities first without prior preparation to determine how well students use the partitive construction.

If the students are still having some problems, you can assign the activities for homework for additional reinforcement.

> ### Learning from Photos
> Voici les noms des fromages sur la photo: (1) camembert (2) crottin de chavignol (3) fromage fondu avec noix (4) roquefort (5) brie (6) munster (7) caperon.

FUN-FACTS

La France produit 1,3 million de tonnes de fromages et est, en quantité, le deuxième producteur mondial après les États-Unis. Certains fromages comme le brie, le camembert et le roquefort sont connus dans le monde entier. La France produit environ 350 variétés de fromages aux formes les plus diverses. Ces fromages sont fabriqués avec du lait de vache, de chèvre ou de brebis. En France, il n'y a pas de repas qui ne se termine par du fromage, avec évidemment du pain et du vin!

Structure I

Communication guidée

A **Pour être professeur** Complétez.
1. Il faut avoir _____ patience.
2. Il faut préparer _____ cours.
3. Il faut corriger _____ devoirs.
4. Il faut avoir _____ ordre.
5. Il faut avoir _____ bon sens.

B **Qui va faire les courses?** Répondez d'après le modèle.

—Il y a des fruits?
—Non, il faut acheter des fruits.
—De toute façon, je n'aime pas les fruits.

1. Il y a du fromage?
2. Il y a des sardines?
3. Il y a de la crème?
4. Il y a de l'orangeade?
5. Il y a des yaourts?
6. Il y a du poisson?
7. Il y a des saucisses?
8. Il y a du dessert?

C **Historiette** **La famille d'Éric** Complétez.

Éric a __1__ sœurs, mais il n'a pas __2__ frères. Les sœurs d'Éric font __3__ études universitaires à l'Université de Grenoble. Catherine fait __4__ anglais, mais Michèle ne fait pas __5__ anglais. Elle fait __6__ russe. Catherine est très sportive et elle fait toujours __7__ sport. Michèle ne fait jamais __8__ sport. Elle déteste __9__ sport.

Quand les deux sœurs vont au restaurant, Catherine commande toujours __10__ poisson. Elle aime bien __11__ poisson. Mais Michèle n'aime pas du tout __12__ poisson. Elle commande toujours __13__ viande. Elle ne commande pas __14__ bœuf, elle préfère __15__ agneau.

ANSWERS TO Communication guidée

A
1. de la
2. des
3. des
4. de l'
5. du

B
1. —Non, il faut acheter du fromage.
   —De toute façon, je n'aime pas le fromage.
2. —... des sardines.
   —... les sardines.
3. —... de la crème.
   —... la crème.
4. —... de l'orangeade.
   —... l'orangeade.
5. —... des yaourts.
   —... les yaourts.
6. —... du poisson.
   —... le poisson.
7. —... des saucisses.
   —... les saucisses.
8. —... du dessert.
   —... le dessert.

C
1. des
2. de
3. des
4. de l'
5. d'
6. du
7. du
8. de
9. le
10. du
11. le
12. le
13. de la
14. de
15. l'

Referring to things already mentioned
Le pronom en

1. The pronoun **en** replaces a partitive construction.

Je voudrais du pain.	**J'en voudrais.**
Il mange de la viande.	**Il en mange.**
Elle prépare des légumes.	**Elle en prépare.**

2. The pronoun **en** also replaces a noun qualified by a specific quantity.

Il a un frère.	**Il en a un.**
Je veux deux œufs.	**J'en veux deux.**
Elle a beaucoup d'amis.	**Elle en a beaucoup.**
Nous avons un peu d'argent.	**Nous en avons un peu.**

3. **En** also replaces all other phrases introduced by **de** referring to a thing.

Il vient de Rome.	**Il en vient.**
Il est fier de son travail.	**Il en est fier.**
Il parle trop de son travail.	**Il en parle trop.**
Il n'a pas besoin de ton aide.	**Il n'en a pas besoin.**

4. Note, however, that when the preposition **de** is followed by a person, stress pronouns are used, not **en**.

Elle parle de son travail.	**Elle en parle.**
Elle parle de sa fille.	**Elle parle d'elle.**

Elle est fière de son travail.	**Elle en est fière.**
Elle est fière de sa fille.	**Elle est fière d'elle.**

5. Also note that in cases in English when *some* or *any* is not used, **en** must be used in French.

Tu as des œufs?	*Do you have any eggs?*
Oui, j'en ai.	*Yes, I do.*

6. Like the other object pronouns, the pronoun **en** comes directly before the verb to which its meaning is tied.

Elle vend des timbres.	**Elle en vend.**
Elle ne vend pas de timbres.	**Elle n'en vend pas.**
Elle a vendu des timbres.	**Elle en a vendu.**
Elle n'a pas vendu de timbres.	**Elle n'en a pas vendu.**
Elle va vendre des timbres.	**Elle va en vendre.**
Elle ne va pas vendre de timbres.	**Elle ne va pas en vendre.**

7. When there are several object pronouns in a sentence, **en** always comes last.

Elle a vendu des timbres à ses amis.	**Elle leur en a vendu.**
Elle m'a donné de l'argent.	**Elle m'en a donné.**

1 Preparation

Bellringer Review

Write the following on the board or use BRR Transparency 6.6.
Répondez.
1. Quelles choses voudriez-vous avoir tout de suite?
2. Quelles choses avez-vous qui vous plaisent beaucoup?
3. De quoi parlez-vous souvent avec vos copains?

2 Presentation

Le pronom
en ◆◆◆

Note: Students need a great deal of practice and reinforcement before they learn to use **en** consistently. Very often they understand the concept but they just forget to use it. For this reason, it is recommended that you emphasize the model sentences rather than the explanation.

Step 1 Have the entire class and individual students read the model sentences aloud. The more examples they hear of this point, the better.

Step 2 The concept in Item 4 is particularly difficult for many students. They will need constant reinforcement and most probably frequent correction to master this point.

3 Practice

Have students close their books and do **Activités A, B, C,** and **D** orally without any previous preparation. Then assign the activities for homework and go over them again the next day.

Paired Activities

Activités A–E: These activities lend themselves to paired work. Model for students what they should do before they begin, then do a spot check after the allotted time limit. You may wish to circulate in the room to help students with any questions or problems.
Hint: Use a timer to keep students on task.

Independent Practice

Assign any of the following:
1. Activities on this page
2. Workbook, **Structure I**

Communication guidée

A **Oui ou non?** Répondez en utilisant **en.**

1. Il y a du pain?
2. Il y a des carottes?
3. Il y a du lait?
4. Il y a du vin?
5. Tu as acheté de la viande?
6. Tu as mis du beurre dans les carottes?

B **Les courses** Répondez en utilisant **en.**

1. Tu as assez d'argent?
2. Tu vas acheter deux bouteilles d'eau minérale?
3. Tu peux manger deux côtelettes?
4. On a besoin d'un kilo de tomates?
5. On a besoin de plus d'un litre de lait?
6. Tu veux plusieurs oranges?

C **Angoisses** Refaites les phrases en utilisant **en.**

1. Elle ne parle jamais de son travail.
2. Elle n'est pas fière de son travail.
3. Elle a besoin de son travail.
4. Il parle de ses difficultés.
5. Il a peur des conséquences de son acte.

D **La famille** Répondez avec des pronoms.

1. Il parle quelquefois de son fils?
2. Il a besoin de son aide?
3. Elle est fière de son fils?
4. Elle est fière de sa fille?
5. Elle est fière de ses enfants?
6. Elle est contente de leur succès?

E **Historiette** **L'argent!** Complétez la conversation.

—Tu as parlé à ton père de tes problèmes financiers?
—Oui, je _____ _____ ai parlé.
—Et alors? Il t'a donné de l'argent?
—Oui, il _____ _____ a donné.
—Il _____ _____ a donné beaucoup?
—Ouais. Il _____ _____ a donné assez pour l'instant.
—J'espère que tu ne vas pas _____ emprunter à tes copains.
—Ne t'en fais pas! Je ne _____ _____ demanderai certainement pas.

ANSWERS TO Communication guidée

A
1. Oui (Non), il (n') y en a (pas).
2. Oui (Non), il (n') y en a (pas).
3. Oui (Non), il (n') y en a (pas).
4. Oui (Non), il (n') y en a (pas).
5. Oui (Non), j'en (je n'en) ai (pas) acheté.
6. Oui (Non), j'en (je n'en) ai (pas) mis (dans les carottes).

B
1. Oui (Non), j'en (je n'en) ai (pas) assez.
2. Oui (Non), je (ne) vais (pas) en acheter deux.
3. Oui (Non), je (ne) peux (pas) en manger deux.
4. Oui (Non), on (n') en a (pas) besoin (d'un kilo).
5. Oui (Non), on (n') en a (pas) besoin (de plus d'un litre).
6. Oui (Non), j'en (je n'en) veux (pas) plusieurs.

C
1. Elle n'en parle jamais.
2. Elle n'en est pas fière.
3. Elle en a besoin.
4. Il en parle.
5. Il en a peur.

D
1. ... de lui.
2. ... en a besoin.
3. ... fière de lui.
4. ... fière d'elle.
5. ... fière d'eux.
6. ... en est contente.

E
lui en
m'en
t'en
m'en
en
leur en

Making complex sentences
Les pronoms relatifs **qui** et **que**

1. A relative pronoun introduces a clause that modifies a noun. The relative pronoun **qui** functions as the subject of the clause and may refer to either a person or a thing.

> **La jeune fille qui vient d'entrer est la femme de mon frère.**
> **L'alliance qui est à son doigt est très belle.**

2. The relative pronoun **que (qu')** functions as the direct object of the clause. Like **qui**, **que** may refer to either a person or a thing.

> **Le garçon que nous avons vu hier est le mari de Marie.**
> **L'alliance qu'il lui a donnée est très belle.**

Note that if a relative clause introduced by **que** is in the **passé composé,** the past participle agrees with the noun represented by **que** which is a preceding direct object.

3. When there is no definite antecedent, **ce qui** and **ce que** are used.

> **Dites-moi ce qui s'est passé.**
> **Je n'ai pas compris ce qu'il a dit.**

Communication guidée

A **Historiette Un bon livre** Complétez avec **qui** ou **que**.

1. La fille _____ parle maintenant est très intéressante.
2. Oui, et le discours _____ elle donne est très intéressant.
3. Tu as lu le livre _____ elle a écrit?
4. Oui, c'est le livre _____ Maman vient de m'acheter.
5. C'est un livre _____ va se vendre comme des petits pains!
6. Oui, c'est un premier livre _____ va avoir un succès fou.

B **Historiette Voyage** Combinez les deux phrases en une seule en utilisant **qui** ou **que**.

1. Alain est un homme. Il aime voyager.
2. Il a fait des voyages. Il aime les décrire à ses amis.
3. Il a des tas de photos. Il les a prises pendant ses voyages.
4. Il a des amis. Ils habitent à Carthage.
5. Carthage est un très joli village. Carthage se trouve près de Tunis.
6. Ses amis ont une très belle villa. Elle donne sur la mer.
7. Alain va visiter les célèbres ruines romaines. Elles datent des guerres puniques.
8. Il va aussi visiter le cimetière américain. Le cimetière se trouve à Carthage.

Carthage: les ruines romaines

1 Presentation

Les pronoms relatifs **qui** et **que** ◆◆

♻ Recycling

Before you have students open their books, you may wish to do the following: Put several objects around the room and on students' desks, etc. Give commands to students:

Jacques, prenez le crayon qui est sur la table et donnez-le à Marie.

Anne, montrez-moi la calculatrice qui est noire, etc.

Je veux un crayon. Il est sur la table.

Le crayon que je veux est sur la table, etc.

Have students ask each other for things around the room the same way. Then have students open their books to the explanation on page 285.

2 Practice

A, **B** **Extension:** Have students make up their own sentences using **qui** and **que**.

Answers to Communication guidée

A

1. qui
2. qu'
3. qu'
4. que
5. qui
6. qui

B

1. Alain est un homme qui aime voyager.
2. Il a fait des voyages qu'il aime décrire à ses amis.
3. Il a des tas de photos qu'il a prises pendant ses voyages.
4. Il a des amis qui habitent à Carthage.
5. Carthage est un très joli village qui se trouve près de Tunis.
6. Ses amis ont une très belle villa qui donne sur la mer.
7. Alain va visiter les célèbres ruines romaines qui datent des guerres puniques.
8. Il va aussi visiter le cimetière américain qui se trouve à Carthage.

FUN FACTS

Carthage est une ville de Tunisie située sur le golfe de Tunisie, à 16 km de Tunis. Des ruines romaines attestent d'un passé prestigieux. Carthage fut fondée au 9e siècle avant J.-C. Les guerres puniques (carthaginoises) opposèrent les Carthaginois aux Romains entre 264 et 146 avant J.-C. C'est au cours de la deuxième guerre punique que le célèbre général carthaginois Hannibal passa les Alpes avec son armée (et ses éléphants) et remporta de brillantes victoires sur les Romains en Italie.

Structure I

 C Have students do this activity once without prior preparation to ascertain how well they understand the concept. If necessary, assign the activity for homework for additional reinforcement.

Independent Practice

Assign any of the following:
1. Workbook, **Structure I**
2. Activities on pages 285–286

1 Presentation

 Le pronom
relatif **dont** ◆◆◆

Step 1 Explain to students that when there is no **de,** they will use **qui** or **que.** When there is a **de,** they will use **dont.**

Step 2 Have students read the model sentences aloud.

Step 3 You may wish to give students additional examples. The more they hear, the better.
C'est le garçon dont je t'ai parlé.
C'est le garçon dont la sœur est la petite amie de Robert. C'est le garçon dont je connais le père. C'est le garçon dont la mère est directrice de l'école.

C **Confusion** Complétez avec **ce qui** ou **ce que.**

1. Je ne comprends pas _____ tu dis.
2. Tu ne comprends pas _____ je dis parce que tu ne sais pas _____ est arrivé.
3. C'est vrai. Dis-moi _____ est arrivé.
4. Tu ne sais pas _____ Michèle a écrit dans sa lettre?
5. Non, mais je vais bientôt savoir _____ elle a écrit.

 Expressing *of which* and *whose*
Le pronom relatif dont

1. You have already seen that the relative pronouns **qui** and **que** are used to join two sentences. **Qui** replaces the subject of the relative clause and **que** replaces the direct object of the clause. The relative pronoun **dont** is also used to join two sentences. **Dont** replaces the preposition **de** and its object in the relative clause.

   Il parle à une femme. Elle travaille avec lui.
   Il parle à une femme qui travaille avec lui.

   Elle va manger dans un restaurant. Il a recommandé ce restaurant.
   Elle va manger dans un restaurant qu'il a recommandé.

   Il a fait un voyage. Il parle souvent de son voyage.
   Il a fait un voyage dont il parle souvent.

   Les femmes sont en chômage. Elle s'occupe de ces femmes.
   Les femmes dont elle s'occupe sont en chômage.

2. The following is a list of verbs and verbal expressions which take **de:** parler de, s'occuper de, se souvenir de, avoir envie de, avoir besoin de, être content(e) de, avoir peur de.

3. **Dont** is also the equivalent of *whose, of whom,* and *of which* in English.

   Il a épousé une fille. Les parents de cette fille sont très riches.
   Il a épousé une fille dont les parents sont très riches.

   Il a épousé une fille. Je connais les parents de cette fille.
   Il a épousé une fille dont je connais les parents.

   Note the placement of **les parents** in the above example. It is the direct object of the verb **connaître,** and contrary to English usage, it remains after the verb.

Answers to Communication guidée

 C

1. ce que
2. ce que, ce qui
3. ce qui
4. ce que
5. ce qu'

Communication guidée

A 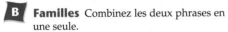 **Historiette Le vieil homme** Combinez les deux phrases en une seule.

1. Voilà le vieil homme. Je t'ai déjà parlé de ce vieil homme.
2. Il a un bon travail. Il est content de ce travail.
3. Il a une petite maison. Il s'occupe bien de cette maison.
4. Va lui porter ce livre. Il a besoin de ce livre.
5. C'est un homme très gentil. Tu ne devrais pas avoir peur de cet homme.

B **Familles** Combinez les deux phrases en une seule.

1. Elle est fiancée à un garçon. Je connais la sœur de ce garçon.
2. Il a rencontré une fille. Le nom de cette fille est Marie.
3. Ce garçon est célèbre. J'ai oublié le nom de ce garçon.
4. C'est une femme remarquable. Il reconnaît son importance.
5. Je sors avec une fille. Le père de cette fille travaille avec mon père.

C **Historiette Les sans-abri** Complétez avec **qui, que** ou **dont**.

Partout dans le monde il y a des sans-abri, des gens ___1___ n'ont pas de maison et ___2___ dorment dans les stations de métro ou dans les parcs. Ce sont les gens ___3___ on a l'habitude de voir sur les trottoirs des grandes villes avec des panneaux en carton ___4___ disent: «J'ai faim» ou «Au chômage, je cherche du travail». Il y en a d'autres ___5___ mendient dans les couloirs des stations de métro en jouant de la musique. Ces gens, ___6___ personne ne s'occupe vraiment, sont souvent des gens comme vous et moi mais ___7___ n'ont pas eu de chance et ___8___ la société a un peu peur. Il faut faire quelque chose pour aider ces gens à obtenir ce ___9___ ils ont besoin.

Structure I

2 Practice

Communication guidée

Have students prepare the activities before going over them in class. Call on individuals to read their responses aloud.

It is suggested that you do each activity twice. It is important for students to hear **dont** used correctly many times.

 Group Activity
Divide the class into small groups. Give each group a sheet of paper. The first student writes a three to four-word sentence on the paper, which he or she passes to the next student in the group. This student continues the sentence using a relative pronoun of his or her choice. This continues until it is impossible to add on. Groups then share their sentences.

Independent Practice

Assign any of the following:
1. Workbook, **Structure I**
2. Activities on this page

✓ Assessment

Use these resources at the end of the **Structure I** section for review and assessment.
  Quizzes 4–7
  Test Booklet, pages 131–133
  ExamView Pro®

 ANSWERS TO **Communication guidée**

A

1. Voilà le vieil homme dont je t'ai déjà parlé.
2. Il a un bon travail dont il est content.
3. Il a une petite maison dont il s'occupe bien.
4. Va lui porter ce livre dont il a besoin.
5. C'est un homme très gentil dont tu ne devrais pas avoir peur.

B

1. Elle est fiancée à un garçon dont je connais la sœur.
2. Il a rencontré une fille dont le nom est Marie.
3. Ce garçon dont j'ai oublié le nom est célèbre.
4. C'est une femme remarquable dont il reconnaît l'importance.
5. Je sors avec une fille dont le père travaille avec mon père.

C

1. qui
2. qui
3. qu'
4. qui
5. qui
6. dont
7. qui
8. dont
9. dont

287

Journalisme

LES GRANDES OCCASIONS

1 Preparation

Bellringer Review

Write the following on the board or use BRR Transparency 6.7.
Quelles sont les grandes occasions que votre famille célèbre?

2 Presentation

Introduction

Step 1 Call on a student to read the **Introduction** aloud since it contains quite a bit of useful vocabulary.

Step 2 After they have read the **Introduction,** ask students to make a list of the social occasions mentioned.

Step 3 Ask students to describe their feelings, both positive and negative, about their own family celebrations.

Step 4 For each of the occasions mentioned in the **Introduction,** you may also wish to ask students: **Qui participe à ces occasions? Comment célèbre-t-on cette ou ces occasions? Y a-t-il des traditions en ce qui concerne ces occasions? Est-ce que ces traditions sont les mêmes partout aux États-Unis? Est-ce que ça dépend de la région? De l'ethnie?**

288

LES GRANDES OCCASIONS

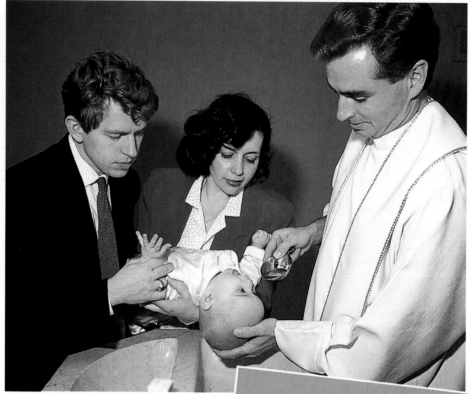

Introduction

De nombreux journaux ont un carnet du jour où l'on annonce les événements de la vie. On envoie au journal les faire-part (les annonces) de naissance, de fiançailles, de mariage, de décès et les amis ainsi informés envoient leurs félicitations ou leurs condoléances. Dans le carnet du jour, on trouve aussi des communications diverses.

FUN-FACTS

Le parrain ou la marraine est la personne qui tient ou a tenu l'enfant sur les fonts du baptême. Ce sont souvent des amis proches des parents qui entretiennent une relation à vie avec leur filleul(e). Théoriquement le parrain et la marraine doivent veiller à ce que l'enfant reçoive une éducation religieuse. En fait il s'agit plus souvent de liens affectifs.

Vocabulaire

les fiançailles

D'abord, ils se fiancent.
Ensuite, ils se marient.
Le mariage aura lieu dans un an.

la naissance

Leur bébé est né la semaine dernière.

les obsèques, l'enterrement   **décéder** mourir

Communication guidée

A **Votre famille** Répondez personnellement.

1. Quelle est votre date de naissance?
2. Quel est le nom de jeune fille de votre mère?
3. Êtes-vous déjà allé(e) à un mariage? Racontez.
4. Qui s'occupe des obsèques dans votre ville?

B **Historiette Marie et Jean** Complétez.

Marie, qui est ___1___ en 1980, et Jean, qui est ___2___ en 1978, sont amoureux l'un de l'autre. Ils vont bientôt ___3___, et ensuite, ils vont ___4___. Les annonces des ___5___ et du ___6___ vont paraître dans le journal local.

Trois ans plus tard, ils célèbrent ___7___ d'un garçon. Malheureusement, les ___8___ de la grand-mère de Marie ont lieu quand le bébé a un mois seulement.

Journalisme

Step 5 After students have read pages 286–291, have them make a list of differences and similarities between French and American traditions.

Vocabulaire

You may wish to ask the following questions as you present the new vocabulary:
Est-ce que les jeunes gens vont annoncer leurs fiançailles?
Quand se fiancent-ils?
Quand vont-ils se marier?
Quand le mariage aura-t-il lieu?
Ce jeune couple vient d'avoir un bébé. Quand est-il né?
Quelle est sa date de naissance?
Quelqu'un est mort dans un accident. Quand auront lieu les obsèques?
Dans quel cimetière aura lieu l'enterrement?
Quel est le nom du décédé(e)?

3 Practice

Communication guidée
You may wish to go over these activities without any previous preparation.

Independent Practice
Assign any of the following:
1. Activities on this page
2. Workbook, **Journalisme**

ANSWERS TO
Communication guidée

A *Answers will vary.*

B

1. née
2. né
3. se fiancer
4. se marier
5. fiançailles
6. mariage
7. la naissance
8. obsèques

LE CARNET DU JOUR ◆

National Standards

Communication
Students will read an excerpt from the daily announcements page of a French newspaper.

Comparisons
Students will draw comparisons with similar pages from American newspapers.

1 Preparation

Resource Manager

Audio Activities Booklet TE, Activity B, pages 155–156
Audiocassette 6/CD 11
Workbook, Activity B, page 144

2 Presentation

Step 1 Have students take a look at the page to get an overall feel for it. Have them note that this page looks quite different from the social announcements page of one of our newspapers. Note too that the obituaries are not in a separate section.

Step 2 Have students read or scan these announcements as if they were browsing through a newspaper. It is not necessary that they be read aloud.

LE CARNET DU JOUR

NAISSANCES

M. Marc MILLAUD-LEONI et Mme, née

Alicia Ricolais, Inès ont la joie d'annoncer la naissance de

Laetitia
Lyon, le 12 décembre 2000.

M. et Mme Jean-Jacques HOUCHARD
ont la grande joie de vous annoncer la naissance de leurs septième, huitième et neuvième petits-enfants,

Jean-Louis
à Lyon, le 22 février 2000, chez **Jérôme et Marie HOUCHARD**

Margaux
à Paris, le 3 mai 2000, chez **Bertrand et Sophie CHEVREUL**

Nicolas
à Paris, le 11 décembre 2000, chez
Vincent et Muriel HOUCHARD

ADOPTIONS

M. Olivier de CHELLES et Mme, née
Pascale Simon, ont la joie d'annoncer l'arrivée de

Clémence
née à Paris,
le 8 septembre 2000.

FIANÇAILLES

M. Joël VIARDOT et Mme, née Elisabeth Mercier,

M. Jean-Claude BRESLAIN et Mme, née Claude Fichet, ont le plaisir d'annoncer les fiançailles de leurs enfants

Béatrix et François
Montesson. Paris.

M. et Mme Jean-Jacques CHARPENTIER
M. et Mme François LEBŒUF
ont la joie d'annoncer les fiançailles de leurs enfants

Sylvie et Frédéric

M. Philippe LASALLE et Mme, née Céline Ferreri,
M. Jean-Luc GAUMONT
Mme Andrea von ODEN-GAUMONT
sont heureux d'annoncer les fiançailles de leurs enfants

Luce et Eric

SIGNATURES

Bénédicte BALIMI
signera
«Un Hiver doux»
et
«Les Amies de Dana»

à la
Galerie MERCURE
Françoise LIBERETTO

le lundi 8 janvier 2001, de 18 h 30 à 20 h 30, 104, rue de Seine, Paris (6e).

MARIAGES

M. et Mme Patrick JEANBON
sont heureux de vous faire part du mariage de leur fils

Thierry

avec

Tereza PINHEIRO
qui sera célébré à Ponta Grossa (Brésil), le samedi 26 décembre 2000.

Véronique CHASTAIN
et
Philippe TRIGNAC
sont heureux de vous faire part de leur mariage, célébré dans l'intimité, le 16 décembre 2000.

COMMUNICATIONS DIVERSES

M., Mme Jacques DUMONT
anciens élèves de l'École nationale d'Administration

rappellent à leurs amis qu'ils vivent une agréable retraite[1], sans souci de santé[2].

Résidence Belair,
83270 St-Cyr-sur-Mer.

REMERCIEMENTS

Dominique SAINT-JEAN
nous a quittés le 9 décembre. Ses parents, sa famille, ses amis, la compagnie Saint-Jean, centre chorégraphique national de Montpellier Languedoc-Roussillon, remercient tous ceux qui, par leurs divers témoignages, ont manifesté leur soutien[3] et leur amitié.

DEUILS[4]

Mme Catherine Perret, ses enfants et petits-enfants, M. et Mme Jacques Bagouet et leurs enfants, Mlle Anna Guénegou ont la tristesse de vous faire part du décès de

Mme Denis PERRET
née Janine Marmontel, survenu le 12 décembre 2000.

Ses obsèques seront célébrées en la chapelle de l'Est, au cimetière du Père-Lachaise, à Paris (20e), le vendredi 15 décembre 2000, à 14 heures.

15, rue Saint-Martin,
92400 Courbevoie.

Le président de l'
Univerité
François-Rabelais

le doyen de l'
Unité de formation et de recherche Lettres (UFR)

ses collègues et amis, enseignants, chercheurs, personnels et étudiants ont la douleur de vous faire part du décès de

Michel SEGUIN
professeur de littérature française.

Ses élèves et anciens élèves ont la douleur de faire part du décès du

professeur
Michel SEGUIN

et s'associent à la douleur de Monique, Cécile et Claire. Leur gratitude envers leur maître n'a d'égal que leur tristesse.

---

[1] retraite *retirement*
[2] sans souci de santé *free from health worries*
[3] soutien *support*
[4] deuils *deaths, losses*

FUN-FACTS

Le cimetière du Père-Lachaise est le plus grand et le plus intéressant de Paris. Il y a beaucoup d'arbres et de verdure si bien qu'on a un peu l'impression d'être dans un jardin. Beaucoup de Parisiens y vont simplement pour s'y promener. Le premier novembre, lors de la Toussaint, la fête de tous les saints et les morts, le cimetière est plein de gens venus fleurir la tombe de leurs parents disparus. Les fleurs que l'on met sur les tombes à cette époque de l'année sont des chrysanthèmes. D'où l'association d'idée bien française, chrysanthème = cimetière. Il n'est donc pas recommandé d'offrir des chrysanthèmes aux gens.

De nombreuses personnalités de tous les domaines sont enterrées au Père-Lachaise: Chopin, David, Molière, Alphonse Daudet, la famille Hugo, Édith Piaf, Marcel Proust, Apollinaire, Delacroix, Balzac.

Après la lecture

A Familles Répondez d'après le texte.
1. Comment s'appellent les grands-parents de Laetitia?
2. Combien de petits-enfants ont M. et Mme Jean-Jacques Houchard?
3. Donnez les prénoms de trois des enfants de M. et Mme Jean-Jacques Houchard.
4. Qui annonce le mariage de Véronique Chastain et Philippe Trignac?
5. D'après vous, que faisait Dominique Saint-Jean?
6. Où les obsèques de Mme Perret auront-elles lieu?
7. Où est la chapelle de l'Est?
8. Qui était Michel Seguin?

B Traditions Commentez.
1. Que pensez-vous de l'idée d'annoncer une adoption?
2. À votre avis, pourquoi est-ce que M. et Mme Jacques Dumont ont mis une annonce dans «Communications Diverses»?

Communication libre

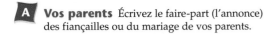

A Vos parents Écrivez le faire-part (l'annonce) des fiançailles ou du mariage de vos parents.

B Comparaisons Demandez aux élèves de «Journalisme» de vous aider à analyser les différences de style entre les annonces dans le carnet du jour français (page 290) et le même genre d'annonces dans votre journal local. Ensuite, choisissez une annonce dans votre journal et récrivez-la pour un journal français.

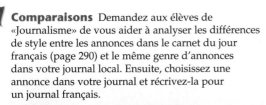

Paris: le cimetière du Père-Lachaise

Post–reading

Après la lecture

A, B Have students look for the information in these activities before going over them in class. If you don't think this information is important, you can omit the activities and just have students scan the announcements as suggested earlier.

Communication libre

A Note: Explain to students that **le faire-part** is a noun and that it means *announcement*. English speakers often think that it means *to take part*.

A, B Extension: You may wish to have students make **un faire-part** for marriages, births, and deaths of any famous people they admire. These could be displayed in class.

Independent Practice

Assign any of the following:
1. **Après la lecture** and **Communication libre** activities on this page
2. Workbook, **Journalisme**

✓ Assessment

Use these resources after completing the section **Les grandes occasions** for review and assessment.
Quiz 8
Test Booklet, pages 134–136
ExamView Pro®
Situation Cards

ANSWERS TO Après la lecture

A
1. Ils s'appellent Millaud-Leoni et Ricolais.
2. Ils ont neuf petits-enfants.
3. Jérôme, Sophie et Vincent.
4. Ils annoncent leur mariage eux-mêmes.
5. Il/Elle était probablement danseur/danseuse ou chorégraphe.
6. Elles auront lieu en la chapelle de l'Est.
7. Elle est au cimetière du Père-Lachaise à Paris.
8. Il était professeur de littérature française à l'Université François-Rabelais.

B *Answers will vary.*

ANSWERS TO Communication libre

A, B *Answers will vary.*

Journalisme

GARÇONS–FILLES

1 Preparation

Resource Manager

Vocabulary Transparencies 6.4–6.5
Audio Activities Booklet TE, Activity C, page 156
Audiocassette 6/CD 11
Workbook, Activity A, page 145
Quiz 9, page 77
ExamView Pro®

2 Presentation

Introduction

Step 1 Have students read the **Introduction** aloud.

Step 2 Ask students if they think the following statements hold true for the U.S.: «**Les filles comme les garçons sont indignés par les différences de salaires et autres discriminations. Ils veulent lutter contre ces injustices, mais peut-être pas avec la même véhémence que dans les années 70.**»

Step 3 Ask students if there is some information in this **Introduction** that comes as a surprise to them.

Vocabulaire

Step 1 Have students read each new word and its definition aloud.

Step 2 Ask the following questions and tell students they are to answer with a different expression:

Jean-Paul s'est sorti d'une mauvaise situation?
Il ne s'est pas amusé?
Il a préparé un grand dîner pour ses amis?
Il aime son travail?
Ils ont tous les deux leurs tâches?

Journalisme

GARÇONS–FILLES

Introduction

Pour les jeunes de 15 à 25 ans, l'égalité entre hommes et femmes est une chose parfaitement naturelle. Les filles comme les garçons sont indignés par les différences de salaires et autres discriminations. Ils veulent lutter contre ces injustices, mais peut-être pas avec la même véhémence que dans les années 70. Juste avec des moyens réalistes et efficaces comme les quotas ou la parité. La parité est une loi[1] qui impose 50% de femmes sur les listes électorales.

---

[1] loi *law*

Vocabulaire

Les Martin se partagent les tâches.
Mme Martin s'occupe de la cuisine, et M. Martin s'occupe des enfants.

Political Connection

La parité: In June 2000, members of the French parliament and senators, fewer than 10% of whom were women, approved an amendment to the 1958 constitution stipulating that each political party must nominate an equal number of men and women for each political office for which it submits a slate of candidates.

Group Activity

Have students debate the following topic. **La loi sur la parité devrait exister aussi aux États-Unis?** (See **Communication libre Activité B**, page 296.)

un instituteur

se débrouiller se sortir d'une mauvaise
   situation, se tirer d'affaire
s'ennuyer le contraire de s'amuser

faire une bouffe (*fam.*) préparer un repas
un boulot (*fam.*) un travail
parfois quelquefois

Communication guidée

 Définitions Choisissez le mot qui correspond.

1. tout ce qu'on fait à la maison
2. le contraire de s'amuser
3. le contraire de jamais
4. une personne qui enseigne
   dans une école primaire

 Comment dit-on... ? Exprimez d'une autre façon.

1. C'est un bon *travail.*
2. On va *préparer un repas.*
3. Il *se tire* toujours *d'affaire.*
4. Nous allons *nous charger* de ça.
5. Ils vont *diviser* en trois.

ANSWERS TO
Communication guidée

A

1. les tâches
2. s'ennuyer
3. parfois
4. un instituteur/une institutrice

B

1. C'est un bon boulot.
2. On va faire une bouffe.
3. Il se débrouille toujours.
4. Nous allons nous occuper de ça.
5. Ils vont partager en trois.

3 Practice

Communication guidée
You can go over these activities
before assigning them.
   You may also wish to have students write the answers at home.

National Standards

Communication
Students will read interviews with young French people concerning gender equality and sex roles.

Cultures
Students will learn how young French people's views concerning gender equality and sex roles have changed in recent years.

Comparisons
Students will have an opportunity to compare the views of French people concerning equality with those of Americans.

Connections
This reading establishs a link with the field of social studies.

1 Preparation

Resource Manager

Audio Activities Booklet TE, Activity D, pages 156–157
Audiocassette 6/CD 11
Workbook, Activities B–E, pages 145–146

2 Presentation

Step 1 Rather than have the entire class read the responses and reactions of each student, you may wish to divide the class into groups. One group reads what David says, another what Angélique says, and so on.

Step 2 Have each group present a résumé to the rest of the class.

Group Activity
Have the class work in groups of four or six. Each group prepares a debate on the comments and opinions of the students in this article.

Tous féministes?

L'égalité entre les hommes et les femmes, c'est la question que le magazine *Phospore* a proposée à des lycéens, des étudiants, et d'autres jeunes qui travaillent déjà. Voici des extraits de leurs témoignages[1].

Angélique, 17 ans
Lycéenne, Cateau-Cambrésis (Nord)

TRAVAIL: En principe, c'est les hommes qui ont la responsabilité de ramener l'argent à la maison. Mais même si mon mari a un emploi, j'aimerais en avoir un aussi pour ne pas m'ennuyer. Et puis, ça me gênerait[3], pour m'acheter un vêtement, de demander à mon mari.

ÉGALITÉ: L'égalité entre filles et garçons, ça n'existe pas. Sauf dans certains domaines comme le dessin, où les deux peuvent réussir aussi bien l'un que l'autre. Je ne trouve pas qu'il y ait besoin de plus d'égalité. Je ne vois pas dans quoi il y aurait besoin de changer les choses. Bon, que les femmes gagnent autant d'argent que les hommes, ce serait bien, mais si ce n'est pas le cas, ce n'est pas grave.

David, 19 ans
Étudiant, Évry (Essonne)

TRADITIONS: Aujourd'hui, dans notre culture, les filles et les garçons ont droit à la même éducation et aux mêmes chances. Dans la vie, chacun doit être indépendant et se débrouiller seul, que[2] l'on soit garçon ou fille. C'est sur ce modèle que j'ai envie de construire ma vie.

ÉGALITÉ: Plus tard dans le couple, je trouve que l'égalité et le partage des tâches entre l'homme et la femme sont indispensables au quotidien, ça témoigne d'une bonne entente entre les deux. Dans la vie professionnelle, ça devrait être la même chose, je trouve que c'est dommage d'attribuer aux sexes des tâches spécifiques. Et si un jour, ma femme a une position sociale plus élevée que la mienne, je serai heureux pour elle, ça voudra dire qu'elle s'est donné la peine d'y arriver. Les gens qui pensent le contraire ont sûrement peur du changement.

Virginie, 21 ans
Vendeuse dans un hypermarché, Quimper (Finistère)

FOOT: Samedi dernier, je suis allée au café où nous avons nos habitudes. Les garçons étaient partis voir un match de foot et les filles étaient parties faire une bouffe chez une copine! Parfois, c'est comme ça, chacun de son côté.

MÉTIERS: Aujourd'hui, il y a des hommes infirmiers et des femmes pompiers[4] ou policiers. Alors, j'ai été un peu déçue[5] quand on m'a préféré un homme pour du rayonnage[6] en magasin. J'ai pensé que c'était injuste même si je sais que c'est un travail physique et que j'allais avoir le dos cassé.

---

[1] témoignages *answers, opinions*
[2] que *whether*
[3] ça me gênerait *it would bother me*
[4] pompier *firefighter*
[5] déçue *disappointed*
[6] rayonnage *stocking on shelves*

Olivier, 17 ans
Lycéen, Brest
(Finistère)

MÉTIERS: J'ai envie de devenir instituteur. Quand j'en parle dans ma classe, certains me disent «tiens, instit, c'est marrant». Eux, ils pensent devenir ingénieur ou médecin. Je sais que c'est une profession assez féminine mais cela ne me gêne pas, même d'être dirigé par une femme directrice d'école.

QUOTAS: S'il y a encore un combat à mener pour les femmes, je pense que c'est en politique. Les quotas ou la parité, je trouve cela assez normal. En même temps, c'est vrai qu'il faut aussi qu'elles aient le goût[7] pour ça. Et en politique, je ne pense pas ce soit gagné. Peut-être que les hommes sont plus attirés par le pouvoir[8].

CHANCES: Mon patron est une femme, et je respecte aussi bien son autorité que celle d'un homme. Je mets homme et femme sur un pied d'égalité. Je crois qu'en général, les femmes ont autant de chances de réussir que les hommes.

PARITÉ: Il n'y a rien de plus sexiste que la parité homme/femme en politique. L'égalité existe, il ne faut pas l'imposer. On nous oblige à prendre des femmes parce qu'il y a trop d'hommes, sans tenir compte des compétences de chacun!

Sébastien, 23 ans
Technicien, Toulouse
(Haute-Garonne)

Marie-Laure, 23 ans
Administratice dans une banque française, Francfort (Allemagne)

TRAVAIL: Je travaille depuis un an. J'ai un très bon salaire. J'avais hâte[9] de travailler, d'être indépendante financièrement, d'avoir des responsabilités. J'ai une énorme volonté de réussir. Je crois que les filles et les garçons ont les mêmes chances. Moi, j'ai eu un parcours[10] facile. En sortant de l'école, j'ai été recrutée parce que j'ai su montrer que j'étais dynamique, intéressée et responsable. Concernant l'accès aux mêmes salaires et aux mêmes responsabilités, mon exemple montre que c'est possible.

FAMILLE: Aujourd'hui, ma priorité, c'est le travail, mais je n'oublie pas la famille. Quand ma famille existera, elle passera avant tout. J'aimerais beaucoup m'occuper de mes enfants et que mon mari s'en occupe également. Je garderai peut-être ce boulot si mon mari est à la maison ou alors nous aurons tous les deux un boulot plus calme. Chacun pourrait s'occuper des enfants à son tour, en prenant un an de congé chacun.

QUOTAS: Les quotas de femmes en politique, je suis pour si ça facilite l'arrivée des femmes, si ça leur donne envie de participer. Je pense que les femmes en politique seraient plus efficaces, parce qu'elles agissent[11] plus qu'elles ne parlent. Mais je retombe dans les idées bateau[12]! Chacun est unique, qu'il soit homme ou femme!

[7] goût *liking*
[8] pouvoir *power*
[9] avoir hâte *to be anxious*
[10] parcours *professional life*
[11] agissent *act*
[12] idées bateau *clichés*

Journalisme

Journalisme

Post–reading

Après la lecture

A Have the students work in the same groups in which they read and summarized the interview (**Presentation,** page 294). Each group answers the questions that correspond to the section they read.

Independent Practice

Assign any of the following:
1. **Après la lecture** and **Communication libre** activities on this page
2. Workbook, **Journalisme**

 Assessment

Use these resources at the end of the **Garçons-Filles** section for review and assessment.
  Quiz 9
  Test Booklet, pages 137–138
  ExamView Pro®
  Situation Cards

ANSWERS TO
Communication libre

 Answers will vary.

Après la lecture

A Témoignages Répondez d'après les différents témoignages.

David
1. Les filles et les garçons ont-ils les mêmes chances de réussir?
2. À la maison, que doivent partager l'homme et la femme?
3. Dans la vie professionnelle, y a-t-il des tâches spécifiquement féminines et d'autres spécifiquement masculines?

Angélique
4. Pourquoi Angélique veut-elle travailler?
5. L'égalité entre filles et garçons existe-t-elle?

Virginie
6. Les garçons et les filles font-ils toujours tout en groupe mixte?
7. Pourquoi Virginie a-t-elle été déçue au travail?

Olivier
8. Quel métier Olivier veut-il faire?
9. Qu'en pense ses camarades de classe?
10. Pourquoi y a-t-il plus d'hommes que de femmes en politique?

Sébastien
11. Les femmes ont-elles autant de chances de réussir que les hommes?
12. Sébastien est-il pour ou contre la parité homme/femme en politique?

Marie-Laure
12. Pourquoi Marie-Laure a-t-elle obtenu un bon travail?
13. Que se passera-t-il quand elle aura une famille?
14. Pourquoi les femmes en politique seraient-elles plus efficaces que les hommes?

B La parité Faites une liste des arguments pour et contre la parité en politique.

C Féministes ou pas? Quels sont les jeunes qui sont féministes et quels sont ceux qui ne le sont pas? Justifiez vos réponses.

Communication libre

 L'égalité filles/garçons D'après votre expérience personnelle, pensez-vous que les garçons et les filles aient les mêmes chances de réussir dans la vie? Donnez des exemples.

 Débat Il n'y a pas de loi sur la parité en politique aux États-Unis. Croyez-vous que ce serait une bonne idée de proposer une telle loi? Justifiez votre opinion.

 Lesquels? Parmi tous les jeunes qui ont été interviewés, quel est le garçon ou la fille qui vous est le (la) plus sympathique? Dites pourquoi.

ANSWERS TO
Après la lecture

A
1. Oui, ils ont les mêmes chances de réussir.
2. Ils doivent partager les tâches domestiques.
3. Non, c'est dommage d'attribuer aux sexes des tâches spécifiques.
4. Elle veut travailler pour ne pas s'ennuyer et pour avoir de son argent à elle.
5. Non, ça n'existe pas.
6. Non, quelquefois les garçons et les filles font des choses séparément.
7. On a préféré engager un homme pour un poste qu'elle voulait parce que c'était un travail physique.
8. Il veut être instituteur.
9. Ils pensent que c'est amusant.
10. Parce que les femmes n'ont pas le goût pour la politique.
11. Oui, en général les femmes ont autant de chances de réussir que les hommes.
12. Il est contre la parité parce que c'est sexiste.
13. On l'a recrutée parce qu'elle a su montrer qu'elle était dynamique, intéressée et responsable.
14. Quand elle aura une famille, elle la mettra avant tout.
15. Parce qu'elles agissent plus qu'elles ne parlent.

B, C *Answers will vary.*

Making complex sentences
Les prépositions avec les pronoms relatifs

1. **Lequel, laquelle, lesquels,** and **lesquelles** are relative pronouns used to join two sentences. They follow prepositions and refer to things.

> C'est une voiture. Je suis parti en vacances **avec cette voiture.**
> C'est la voiture **avec laquelle** je suis parti en vacances.

> C'est un travail. J'ai beaucoup à faire **pour ce travail.**
> C'est un travail **pour lequel** j'ai beaucoup à faire.

2. The following contractions occur when **lequel** follows **à** and **de.**

à + lequel = auquel	à + lesquels = auxquels
à + laquelle = à laquelle	à + lesquelles = auxquelles

de + lequel = duquel	de + lesquels = desquels
de + laquelle = de laquelle	de + lesquelles = desquelles

> C'est un bureau. Je me suis adressé **à ce bureau.**
> C'est le bureau **auquel** je me suis adressé.

> C'est un parc. Il habite près **de ce parc.**
> C'est le parc près **duquel** il habite.

Note that **lequel, lesquels,** and **lesquelles** are contracted with the preposition **de** only when **de** is part of a longer prepositional phrase (**à côté de, en face de,** etc.). Otherwise, **dont** is used. Study the following examples.

DONT
Je t'ai parlé **d'un travail.**	C'est le travail **dont** je t'ai parlé.

LEQUEL
J'habite à côté de ces magasins.	Ce sont les magasins à côté **desquels** j'habite.

3. Note that when referring to a place or time, **où** is frequently used.

J'habite dans une ville.	C'est la ville **où** j'habite.
Il est parti cette année-là.	C'est l'année **où** il est parti.

Structure II

1 Preparation

Resource Manager

Workbook, Activities A–D, page 147
Audio Activities Booklet TE, Activities A–D, pages 160–161
Audiocassette 6/CD 11
Quizzes 10–12, pages 78–80
ExamView Pro®

Note: You may wish to intersperse the grammar points as you are doing other sections of the chapter.

2 Presentation

Les prépositions avec les pronoms relatifs ◆◆

Note: Although this grammatical point is not overly difficult, students do have trouble using it. Since it is of relatively low frequency, they do not have a great deal of practice in using it. It is recommended that you present this point but that you not expect all students to use it with relative ease.

Step 1 Since the explanation is very detailed, go over it very quickly, emphasizing the model sentences. Students will learn this point more easily through examples than explanation.

Step 2 The most useful tool for the students is the synopsis chart that appears in Item 4 on page 298.

3 Practice

Communication guidée

It is suggested that you have students close their books and listen as you read each of the completed activities. The purpose of this is to give students more opportunities to hear these pronouns used in sentences.

Then have students open their books and do the activities without prior preparation. Correct as necessary.

For additional reinforcement, assign the activities for homework. Go over them once again the following day in class.

Group Activity

For additional practice with relative pronouns, you may wish to do the Group Activity described on page 287.

Independent Practice

Assign any of the following:
1. Activities on this page
2. Workbook, **Structure II**

---

4. After a preposition other than **de, lequel** is generally used only to refer to things. **Qui** is used to refer to people. Study the following chart.

	People	Things
de + noun	dont	dont
Other prep. + noun	(avec) qui	(avec) lequel, laquelle (avec) lesquels, lesquelles
à + noun	à qui	auquel, à laquelle auxquels, auxquelles
(près) de + noun	(près) de qui	(près) duquel, de laquelle (près) desquels, desquelles
Location chez (dans, sur, à)	chez qui	où
Time		où

Communication guidée

A **Mon ami** Complétez.

1. C'est une personne _____ j'aime bien.
2. C'est une personne avec _____ je parle souvent.
3. C'est une personne pour _____ je travaille.
4. C'est une personne _____ je t'ai souvent parlé.
5. C'est une personne à côté de _____ j'habite.
6. C'est une personne chez _____ je déjeune souvent.

B **Mon travail** Complétez.

1. C'est un travail _____ j'aime assez.
2. C'est un travail _____ je pense beaucoup.
3. C'est un travail sans _____ je ne peux pas vivre.
4. C'est un travail _____ j'ai besoin.

C **Souvenirs** Complétez.

1. C'est l'année _____ je suis parti.
2. C'est la raison pour _____ je suis parti.
3. Ce sont des moments _____ je pense souvent.
4. C'est une personne _____ je me souviens très bien.
5. Ce sont des gens pour _____ je ferais tout.

ANSWERS TO
Communication guidée

A
1. que
2. qui
3. qui
4. dont
5. qui
6. qui

B
1. que
2. auquel
3. lequel
4. dont

C
1. où
2. laquelle
3. auxquels
4. dont
5. qui

Expressing uncertainty and doubt

Le subjonctif avec des expressions de doute

1. The subjunctive is used after any expression that implies doubt or uncertainty since it is not known whether the action will take place or not.

> **Je doute qu'il vienne demain.**
> **Je ne crois pas qu'ils aient le temps de venir.**

2. If the statement implies certainty rather than doubt, the indicative, not the subjunctive, is used.

> **Je crois qu'ils viendront demain.**
> **Je suis sûr qu'ils n'ont pas le temps de lire ça.**

3. Below is a list of common expressions of doubt and certainty.

Subjunctive	Indicative
douter que	ne pas douter que
ne pas être sûr(e) que	être sûr(e) que
ne pas être certain(e) que	être certain(e) que
ne pas croire que	croire que
ne pas penser que	penser que
il n'est pas sûr que	il est sûr que
il n'est pas certain que	il est certain que
il n'est pas probable que	il est probable que
il n'est pas évident que	il est évident que
ça m'étonnerait que	

Communication guidée

A **Historiette** **Luc sait tout.** Répondez selon le modèle.

> —**Luc croit que Marie réussira à l'examen.**
> —**Moi, je doute qu'elle réussisse à l'examen.**

1. Luc croit qu'elle sait toutes les réponses.
2. Il croit qu'ils nous donneront les résultats tout de suite.
3. Il croit que Marie aura les résultats demain.
4. Luc croit que tout le monde sera d'accord avec lui.

B **Pas d'accord** Répondez en utilisant la forme négative du verbe en italique. Faites les changements nécessaires.

1. Je *doute* qu'il vienne.
2. Je *suis certain* qu'il le saura.
3. Je *crois* qu'il sera d'accord avec nous.
4. Je *suis sûre* qu'elle voudra y participer.
5. Il *est évident* que ce projet l'intéresse beaucoup.

1 Preparation

Bellringer Review

Write the following on the board or use BRR Transparency 6.8.

1. Écrivez quelques expressions qu'on emploie pour dire «oui».
2. Écrivez quelques expressions qu'on emploie pour dire «non».
3. Écrivez quelques expressions qu'on emploie pour dire «peut-être».

2 Presentation

Le subjonctif avec des expressions de doute ◆◆

Explain to students once again that whenever doubt is expressed, the subjunctive is used. When belief or certainty is expressed, the indicative is used.

3 Practice

Communication guidée

These activities can be done orally with books closed without prior preparation. You may also have the students write the activities for additional reinforcement.

ANSWERS TO Communication guidée

A

1. Moi, je doute qu'elle sache toutes les réponses.
2. Moi, je doute qu'ils nous donnent les résultats tout de suite.
3. Moi, je doute que Marie ait les résultats demain.
4. Moi, je doute que tout le monde soit d'accord avec lui.

B

1. Je ne doute pas qu'il viendra.
2. Je ne suis pas certain(e) qu'il le sache.
3. Je ne crois pas qu'il soit d'accord avec nous.
4. Je ne suis pas sûr(e) qu'elle veuille y participer.
5. Il n'est pas évident que ce projet l'intéresse beaucoup.

Class Motivator

Subjunctive game (See the Class Motivator, page 92.) Some suggestions for new cards:

1. Il y a un bon film à la télé ce soir. Le film finit à minuit. Vous avez un examen de français demain à 7 h 45. Ça m'étonnerait que...
2. C'est lundi matin. Il neige. Les routes sont bloquées. Vous doutez que...

299

Structure II

Structure II

Talking about a past action that occurred before another past action

Le plus-que-parfait

Note: In comparison to many of the other grammatical points, this one is of relatively low frequency.

1 Preparation

Bellringer Review

Write the following on the board or use BRR Transparency 6.9.

Complétez au passé composé.

1. J'y ___ hier. (aller)
2. J'___ mes amis. (voir)
3. Nous ___. (se parler)
4. Nous nous ___ bien ___. (amuser)
5. Nous ___ un après-midi agréable ensemble. (passer)
6. J'___ mes amis à cinq heures. (quitter)
7. Je ___ chez moi vers sept heures. (rentrer)

2 Presentation

Le plus-que-parfait ◆◆

Step 1 Write the verb forms on the board and have the students repeat them.

Step 2 The easiest way to have students understand this concept is to imagine two events that took place last week. One took place on Thursday, the other one the previous Tuesday. The event on Tuesday occurred before the event on Thursday.

Step 3 Call on students to read the model sentences.

Step 4 Before going on to the activities, you may wish to do the following drill in which the students change sentences from the **passé composé** into the **plus-que-parfait** and vice versa: **j'ai parlé/j'avais parlé, nous sommes allé(e)s/nous étions allé(e)s,** etc.

300

1. The **plus-que-parfait** is formed by using the imperfect tense of either **avoir** or **être** and the past participle.

Infinitive	PARLER	ARRIVER	SE COUCHER
Plus-que-parfait	j' avais parlé	j' étais arrivé(e)	je m'étais couché(e)
	tu avais parlé	tu étais arrivé(e)	tu t'étais couché(e)
	il avait parlé	il était arrivé	il s'était couché
	elle avait parlé	elle était arrivée	elle s'était couchée
	on avait parlé	on était arrivé	on s'était couché
	nous avions parlé	nous étions arrivé(e)s	nous nous étions couché(e)s
	vous aviez parlé	vous étiez arrivé(e)(s)	vous vous étiez couché(e)(s)
	ils avaient parlé	ils étaient arrivés	ils s'étaient couchés
	elles avaient parlé	elles étaient arrivées	elles s'étaient couchées

2. The **plus-que-parfait** describes a past action that occurred before another past action that is in the **passé composé** or imperfect.

Ils étaient déjà partis quand je suis arrivé.	*They had already left when I arrived.*
Sa mère ne savait pas qu'il s'était marié.	*His mother didn't know that he had gotten married.*

3. The rules of agreement for the past participle in the **plus-que-parfait** are the same as those for the past participle in the **passé composé**.

La vaisselle? Elle l'avait déjà faite quand je me suis proposé.

Communication guidée

 Avant et après Formez une phrase d'après le modèle.

Ils sont partis avant. Je suis arrivé après. →
Ils étaient déjà partis quand je suis arrivé.

1. Ils sont arrivés avant. Je suis arrivé après.
2. Ils sont rentrés avant. Je suis rentré après.
3. Ils l'ont vu avant. Je l'ai vu après.
4. Ils lui ont parlé avant. Je lui ai parlé après.
5. Ils l'ont fait avant. Je l'ai fait après.
6. Ils ont fini avant. J'ai fini après.

 L'inverse Dites l'inverse de ce que vous avez dit précédemment dans l'Activité A.

Je suis parti avant. Ils sont arrivés après. →
J'étais déjà parti quand ils sont arrivés.

 C'est fait Faites des phrases d'après le modèle.

faire le ménage →
Ils avaient déjà fait le ménage quand je suis arrivé.

se marier →
Je ne savais pas que tu t'étais marié.

1. déménager
2. partir en vacances
3. faire la vaisselle
4. finir de manger
5. se coucher
6. se lever
7. commencer son cours

To learn more about celebrations and holidays in the Francophone world, go to the Glencoe French Web site: french.glencoe.com

Le nettoyage municipal à Paris

Structure II

3 Practice

Communication guidée
You may go over all these activities with books open.

A You may wish to do this activity without prior preparation.

B, **C** Have students prepare these activities before going over them in class.

Informal Assessment
Have students make up some original sentences using the pluperfect.

Learning from Photos
À Paris, tout le personnel du service sanitaire est habillé en vert. On les appelle d'ailleurs «les hommes verts». Jusqu'aux balais des balayeurs qui sont verts! Le fléau de toutes les villes, c'est bien sûr les saletés de chien. Paris a conçu de véritables aspirateurs pour débarrasser la ville de cette désagréable source de pollution.

Independent Practice
Assign any of the following:
1. Activities on this page
2. Workbook, **Structure II**

✓ Assessment
Use these resources at the end of the **Structure II** section for review and assessment.
  Quizzes 10–12
  Test Booklet, pages 139–141
  ExamView Pro®

Answers to Communication guidée

1. Ils étaient déjà arrivés quand je suis arrivé(e).
2. Ils étaient déjà rentrés quand je suis rentré(e).
3. Ils l'avaient déjà vu quand je l'ai vu.
4. Ils lui avaient déjà parlé quand je lui ai parlé.

5. Ils l'avaient déjà fait quand je l'ai fait.
6. Ils avaient déjà fini quand j'ai fini.

1. J'étais déjà arrivé(e) quand ils sont arrivés.
2. J'étais déjà rentré(e) quand ils sont rentrés.
3. Je l'avais déjà vu quand ils l'ont vu.
4. Je lui avais déjà parlé quand ils lui ont parlé.

5. Je l'avais déjà fait quand ils l'ont fait.
6. J'avais déjà fini quand ils ont fini.

 Answers will vary.

301

Littérature

National Standards

Connections

These readings will further students' knowledge of music and literature.

La mauvaise réputation

1 Preparation

Resource Manager

Vocabulary Transparency 6.6
Audio Activities Booklet TE, Activity A, page 162
Audiocassette 6/CD 12
Workbook, Activities A–B, page 148
Quiz 13, page 81
ExamView Pro®

Bellringer Review

Write the following on the board or use BRR Transparency 6.10.
Donnez des exemples de mauvaise conduite.

2 Presentation

Avant la lecture

Have students do the pre-reading activity and discuss their answers in class. Then ask them: **Dire que quelqu'un est conformiste, c'est péjoratif ou pas?**

Vocabulaire

Have students express the following in a different way: **Ils défilent. C'est bien évident. Tout le monde y va, excepté toi. Ça n'a rien à voir avec moi.**

La mauvaise réputation

Georges Brassens

Avant la lecture

Anticonformiste: qui s'oppose au conformisme, dit le dictionnaire. *Conformisme: fait de se conformer aux normes et aux usages.* En français, le terme a souvent un sens péjoratif; il implique une attitude passive qui accepte tout sans poser de questions. Qu'est-ce que le conformisme pour vous?

Georges Brassens

Vocabulaire

sonner le clairon

marcher au pas

Music Connection

Poète ou chanteur? Souvent interrogé à ce sujet, Brassens répondit: «La chanson est tout à fait différente de la poésie qui est faite pour être lue ou dite. Quand on écrit pour l'oreille, on est quand même obligé d'employer un autre vocabulaire, des mots qui accrochent l'oreille plus vite».

Dans ses poèmes à chanter, il nous offre un «portrait puzzle» de lui-même entre la tendresse: «Les copains d'abord», l'humour noir: «Le Revenant» et l'amour: «J'ai rendez-vous avec vous».

croiser quelqu'un   un voleur   lancer la patte

un aveugle une personne qui ne peut pas voir

un cul-de-jatte une personne qui n'a pas de jambes

un manchot une personne à qui il manque un bras ou les deux

un sourd-muet une personne qui ne peut ni entendre ni parler

ça va de soi c'est évident

cela ne me regarde pas ce n'est pas mon affaire

sauf excepté

Communication guidée

A **Définitions** De quel mot s'agit-il?

1. quelqu'un qui n'a pas de bras
2. quelqu'un qui n'a pas de jambes
3. quelqu'un qui ne voit pas
4. quelqu'un qui n'entend pas
5. quelqu'un qui ne peut pas parler
6. quelqu'un qui prend la propriété des autres
7. faire tomber quelqu'un

B **Historiette** **Au village** Complétez.

1. Le 14 juillet, c'est la _____ nationale.
2. Les soldats marchent _____.
3. Le clairon _____.
4. La fanfare joue de la _____.
5. Tout le monde était là _____ Mélanie qui était malade.
6. Moi, je ne veux pas le savoir. Ça ne me _____ pas!
7. Mais mon pauvre ami, c'est évident! Ça va _____!
8. J'ai _____ des tas de gens que je connaissais dans la rue.

3 Practice

Communication guidée

You may wish to go over these activities with or without previous preparation.

Independent Practice

Assign any of the following:
1. Activities on this page
2. Workbook, **Littérature**

ANSWERS TO
Communication guidée

A
1. un manchot
2. un cul-de-jatte
3. un aveugle
4. un sourd
5. un muet
6. un voleur
7. lancer la patte

B
1. fête
2. au pas
3. sonne
4. musique
5. sauf
6. regarde
7. de soi
8. croisé

303

Littérature

Littérature

1 Preparation

Resource Manager

Audio Activities Booklet TE,
    Activities B–C, pages 162–164
Audiocassette 6/CD 12
Workbook, Activity C, page 149

Bellringer Review

*Write the following on the board or
use BRR Transparency 6.11.*
**Quelle est votre chanson
favorite en ce moment? En deux
ou trois phrases, décrivez-la.
Est-ce que vous êtes conformiste
ou anticonformiste dans votre
choix de musique?**

2 Presentation

Introduction

Have students look at photos of
Jacques Brel, Charles Trenet, and
Édith Piaf on the CD cases on this
page.

You may wish to have the class
listen to recordings of *La mer, Les
feuilles mortes,* and *La mauvaise
réputation.*

♻ Recycling

Have students recall as much as
they can about Édith Piaf and
Jacques Prévert (Chapter 3,
Littérature, pages 148–153).

Lecture ◆◆

Step 1 If you have a recording of
La mauvaise réputation, play the
song before students see the
words. Ask them the following
questions:
**Qui chante? (homme/femme)
(jeune/moins jeune); C'est de la
musique classique? populaire?
C'est du jazz? C'est une chanson
d'amour? patriotique? ou autre?**

304

Introduction

La chanson française a une longue tradition de
popularité et de diversité. Les chansons françaises
sont célèbres dans le monde entier. *La mer* de
Charles Trenet ("Somewhere Beyond the Sea") et
Les feuilles mortes de Jacques Prévert ("Autumn
Leaves") sont célèbres dans le monde entier. Dans
des genres différents, de nombreux chanteurs
deviennent célèbres. Certains le restent quelques
années, d'autres s'imposent au-delà des modes
passagères et dominent la chanson française. Parmi
eux, Georges Brassens et Jacques Brel, tous deux
disparus, dominent toujours la chanson française de
l'après-guerre. La chanson qui suit est de Georges
Brassens. Georges Brassens (1921–1981) est un
auteur, compositeur et interprète de chansons
françaises. Ses chansons sont écrites dans un
style très simple et parlent de l'amitié, l'amour,
les copains et la mort. Il s'accompagnait
simplement à la guitare (sans amplificateur)
et chantait l'anticonformisme avec sensibilité.

Lecture 🎧

La mauvaise réputation

1. Au village sans prétention
   J'ai mauvaise réputation
   Qu'je m'démène ou qu'je reste coi°
   Je pass' pour un je-ne-sais-quoi
   Je ne fais pourtant de tort° à personne
   En suivant mon ch'min de petit bonhomme°

   Refrain:

   Mais les brav's gens° n'aiment pas que
   L'on suive une autre route qu'eux
   Non les brav's gens n'aiment pas que
   L'on suive une autre route qu'eux
   Tout le monde médit° de moi
   Sauf les muets, ça va de soi!

Qu'je m'démène ou qu'je reste
    coi *whether I try or do nothing*

fais... de tort *harm*

En suivant mon ch'min de petit
    bonhomme *carrying on in my
    own sweet way*

les brav's gens *decent people*

médit *badmouths*

2. Le jour du 14 juillet
   Je reste dans mon lit douillet°
   La musique qui marche au pas
   Cela ne me regarde pas
   Je ne fais pourtant de tort à personne
   En n'écoutant pas le clairon qui sonne

   (Refrain)

   Tout le monde me montre du doigt
   Sauf les manchots, ça va de soi.

3. Quand j'croise un voleur malchanceux°
   Poursuivi par un cul-terreux°
   J'lanc' la patte et, pourquoi le taire°
   Le cul-terreux se r'trouv' par terre
   Je ne fais pourtant de tort à personne
   En laissant courir les voleurs de pommes

   (Refrain)

   Tout le monde se rue sur moi°
   Sauf les culs-de-jatte, ça va de soi.

4. Pas besoin d'être Jérémie*
   Pour d'viner l'sort° qui m'est promis
   S'ils trouv'nt une corde à leur goût°
   Ils me la passeront au cou°
   Je ne fais pourtant de tort à personne
   En suivant les ch'mins qui n'mènent pas à Rome

   (Refrain)

   Tout l'mond' viendra me voir pendu°
   Sauf les aveugles, bien entendu!

Georges Brassens, «La mauvaise réputation»,
Poèmes et chansons, © Éditions du Seuil, 1993

---

* Jérémie est un prophète juif.

douillet *cozy*

malchanceux *unlucky*
cul-terreux *peasant (derog.), yokel*
le taire *keep (it) quiet*

se rue sur moi *pounces on me*

d'viner l'sort *guess the fate*
à leur goût *that suits them*
cou *neck*

pendu *hanged*

LA MAUVAISE RÉPUTATION

Step 2 Play it again and have the students listen for words. List them on the board and categorize them if possible. Then ask: **Quel est le thème de cette chanson, à votre avis? Pourquoi?** Then proceed to the written song.

Step 3 Have students listen to the song as they follow along in their books.

Step 4 You may wish to ask the following questions. Let students scan for the answers. **Où a-t-il mauvaise réputation? Pour quoi passe-t-il? À qui fait-il de tort? Les brav's gens, qu'est-ce qu'ils veulent que tout le monde fasse? Qui médit de lui? Pourquoi dit-il «ça va de soi»? Qu'est-ce qu'il fait le 14 juillet? Que font les autres? Que fait-il quand il voit un voleur de pommes? Que lui feront les brav's gens?**

Step 5 With more able groups, you may wish to ask the analytical questions in **Literary Analysis** at the bottom of this page.

Literary Analysis

1. Dans cette chanson, Brassens nous peint le tableau d'une société de «brav's gens». Comment apparaît cette société?
2. Précisez de quelle(s) qualité(s) l'auteur fait preuve dans chacun des couplets.
3. Cette chanson est pleine d'humour. Quel(s) procédé(s) Brassens emploie-t-il pour nous faire sourire? Faites-en la liste.

Littérature

Post-reading

Après la lecture

Note: All these comprehension activities involve critical thinking skills. Before doing **Activité B**, be sure students know the meaning of **ironie**.

Communication libre

Allow students to select the activity or activities they wish to participate in.

C You may wish to have several students prepare this activity as a debate.

 **Paired Activity**
Travaillez avec un(e) camarade pour répondre à la question suivante: Chaque société produit ses anticonformistes. Qui sont-ils dans notre société?

Independent Practice

Assign any of the following:
1. **Après la lecture** and **Communication libre** activities on this page
2. Workbook, **Littérature**

✓ Assessment

Use these resources after completing the *La mauvaise réputation* reading for review and assessment.
  Quiz 13
  Test Booklet, pages 142–144
  ExamView Pro®
  Situation Cards

Après la lecture

A Quoi qu'il fasse
Répondez d'après le texte.
1. Dans la première strophe *(stanza)*, de quoi l'auteur se plaint-il?
2. Que fait-il le jour du 14 juillet? Est-ce très patriotique?
3. Qui aide-t-il dans la troisième strophe?
4. Quelle est la réaction des villageois?
5. D'après l'auteur, quel pourrait bien être son sort?

B Ironie Relevez dans le texte tout ce qui indique que les «brav's gens» ne sont pas si braves que ça.

C Humour Relevez dans le texte les expressions ou situations amusantes. Quelles sont celles qui vous amusent le plus? Pourquoi?

Communication libre

A La Réputation Donnez un titre à chaque strophe, et racontez ce qui se passe à la troisième personne.

B Plaidoirie Prenez la défense de l'auteur et essayez de redresser *(rectify)* le tort qu'on lui a fait.

C Pour ou contre le conformisme
Dans quel(s) cas doit-on être conformiste, dans quel(s) cas doit-on ne pas l'être? Donnez des exemples concrets. Discutez vos exemples avec vos camarades.

CHAPITRE 6

Le corbeau et le renard

Jean de La Fontaine

Avant la lecture

Si vous cherchez le mot «fable» dans le dictionnaire, vous trouverez la définition suivante: «petit récit, le plus souvent en vers, d'où l'on tire une morale». Peut-être connaissez-vous déjà les fables de l'écrivain grec Ésope. Jean de La Fontaine s'est inspiré d'Ésope pour écrire ses fables, mais il leur a donné une dimension dramatique. Il a créé de vraies «comédies» où la morale est passée au second plan. Comme vous le verrez dans la fable «Le corbeau et le renard», les fables de La Fontaine ont une histoire et une morale.

Vocabulaire

le bec

un corbeau

un bois

un renard

saisir prendre
allécher attirer

mentir ne pas dire la vérité

Communication guidée

A **Une bêtise** Répondez.

1. Le corbeau et le renard sont dans les bois?
2. Qui est perché sur l'arbre, le corbeau ou le renard?
3. Quel animal a un grand bec, le corbeau ou le renard?
4. Le renard s'est saisi de sa proie (prey)?

B **Quel est le mot?** Complétez.

1. La bouche d'un oiseau, c'est un _____.
2. Il y a beaucoup d'arbres dans un _____.
3. Un _____ est un oiseau et un _____ est un mammifère.
4. Il n'a pas dit la vérité. Il a _____.
5. Il a été _____ par l'odeur d'une bonne bouillabaisse.

LITTÉRATURE

trois cent sept ❖ 307

Littérature

1 Preparation

Resource Manager

Audio Activities Booklet TE,
  Activities E–F, pages 164–165
Audiocassette 6/CD 12
Workbook, Activities B–D, pages
  149–150

2 Presentation

Introduction

Step 1 Read the introduction to
the class.

Step 2 As you read the **Introduction,** you may want to intersperse questions to check
comprehension.

Lecture ◆◆◆

Step 1 You may have students
listen to the fable on Audiocassette 6/CD 12.

Step 2 Then have the students
look at the marginal glosses.

Step 3 Have the students listen
to the fable on Audiocassette
6/CD 12 again as they follow
along in the book.

Teaching Tip: When reading the
fable, you may wish to dramatize
some of the lines to help students
comprehend. The following lines
can be easily dramatized:

  Tenait en son bec un fromage
  (point to mouth)
  Par l'odeur alléché (pretend
  you smell something nice)
  **Le corbeau ne se sent pas de
  joie** (become very happy)
  Pour montrer sa belle voix
  (begin to sing)
  Il ouvre un large bec (open
  your mouth)
  Laisse tomber sa proie (let
  something drop from your
  mouth)

Introduction

Jean de La Fontaine (1621–1695) est d'origine bourgeoise et
provinciale. Il fréquente les cercles littéraires où il rencontre
les grands écrivains de l'époque: Molière, Racine, La
Rochefoucault, Mme de Sévigné.

La Fontaine a écrit un roman, des poèmes, des contes et des
nouvelles. Mais c'est assez tard, à l'âge de 47 ans, qu'il écrit
ces *Fables* qui le rendent immortel. Les fables de La Fontaine
sont des petits drames qui mettent en scène des personnages[1].
Ces personnages sont le plus souvent des animaux, mais des
animaux qui parlent et se conduisent[2] comme des humains
avec toutes leurs qualités et surtout leurs défauts.

[1] personnages *characters*
[2] se conduisent *behave*

Lecture

Le corbeau et le renard

Maître corbeau, sur un arbre perché,
  Tenait en son bec un fromage.
Maître renard, par l'odeur alléché,
  Lui tint à peu près ce langage°:
  «Eh bonjour, Monsieur du Corbeau.
Que vous êtes joli, que vous me semblez beau!
  Sans mentir, si votre ramage°
  Se rapporte° à votre plumage,
Vous êtes le phénix des hôtes de ces bois.»
À ces mots, le corbeau ne se sent pas° de joie;
  Et pour montrer sa belle voix,
Il ouvre un large bec, laisse tomber sa proie°.
Le renard s'en saisit, et dit: «Mon bon monsieur,
    Apprenez que tout flatteur
  Vit aux dépens de° celui qui l'écoute.
Cette leçon vaut bien un fromage sans doute.»
  Le corbeau, honteux° et confus,
Jura, mais un peu tard, qu'on ne l'y prendrait plus°.

La Fontaine, Fables choisies

lui tint à peu près ce langage
  uttered more or less these words

ramage *voice, song*
se rapporte *resembles*

ne se sent pas *is overcome*

proie *prey*

aux dépens de *at the expense of*

honteux *ashamed*
on ne l'y prendrait plus *never be
  fooled again*

CHAPITRE 6

Literary Analysis

1. La Fontaine a donné à ses animaux des caractéristiques humaines. Quelles sont ces
   caractéristiques? Citez des vers pour justifier votre réponse.
2. Si le corbeau n'était pas aussi sensible à la flatterie, aurait-il perdu son fromage?
3. Si les animaux sont considérés comme des personnes, est-ce qu'il y a une chose
   qui est considéré comme un animal? (Remarquez que l'auteur dit «un fromage» et
   pas «du fromage», et que le fromage est «la proie» du corbeau.)

Après la lecture

A Qui ou quoi? Donnez les informations suivantes.
1. le nom d'un oiseau
2. le nom d'un mammifère
3. l'endroit où le corbeau était perché
4. ce que le corbeau avait dans son bec
5. ce qui a attiré le renard

B Attention! Répondez.
1. Que fait le corbeau pour montrer sa belle voix?
2. Qu'est-ce qui tombe de son bec?
3. Qui prend ce qui tombe? Qui s'en saisit?
4. D'après le renard, tout flatteur vit aux dépens de qui?
5. Est-ce que le corbeau était content de lui?

C Dans l'ordre Mettez les phrases dans l'ordre de l'histoire.
1. Le corbeau est perché sur un arbre.
2. Le fromage tombe.
3. Le renard flatte le corbeau.
4. Le corbeau a un bon fromage dans son bec.
5. Le corbeau ouvre le bec et commence à chanter.
6. Le renard sent l'odeur du fromage.
7. Le renard donne une leçon au corbeau.
8. Le renard s'approche du corbeau et lui parle.

Communication libre

A **Le renard parle.** Dites dans vos propres mots tout ce que le renard dit au corbeau.

B **Une bonne leçon** Discutez la morale de cette fable. Vous êtes d'accord avec la morale de cette fable ou pas? Donnez des exemples qui illustrent (ou n'illustrent pas) cette morale.

C **Une petite pièce** Avec deux camarades, jouez cette fable. Choisissez chacun votre rôle: le corbeau, le renard et le narrateur (la narratrice).

Littérature

Le corbeau, honteux et confus (look embarrassed and confused)
You can paraphrase the following sentences.

Maître renard, par l'odeur alléché (Le renard a été attiré par l'odeur du fromage. Il l'a trouvée très agréable, très bonne.)

Lui tint à peu près ce langage (Le renard a commencé à parler au corbeau, il lui a dit...)

Si votre ramage / Se rapporte à votre plumage (Si votre voix est aussi belle que vos plumes)

Vous êtes le phénix des hôtes de ces bois. (Vous êtes sans doute le meilleur et le plus beau de tous ceux qui habitent dans ces bois.)

Step 4 With more able groups, you may wish to ask the questions in **Literary Analysis** at the bottom of page 308.

Post–reading

Communication libre

C Have students work in groups. Each group then presents its skit to the class.

Independent Practice

Assign any of the following:
1. Activities on this page
2. Workbook, **Littérature**

✓ Assessment

Use these resources after completing the *Le corbeau et le renard* reading for review and assessment.
  Quiz 14
  Test Booklet, pages 145–146
  ExamView Pro®

Use these resources after completing Chapter 6.
  Quizzes
  Test Booklet: Comprehensive Chapter Test, Listening Comprehension Test
  ExamView Pro®
  Situation Cards

ANSWERS TO 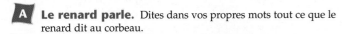 **Après la lecture**

A
1. un corbeau
2. un renard
3. dans un arbre
4. un fromage
5. l'odeur du fromage

B
1. Il ouvre son bec pour chanter.
2. Le fromage tombe de son bec.
3. Le renard s'en saisit.
4. ... de celui qui l'écoute.
5. Non, il était honteux.

C
1. 1   5. 6
2. 7   6. 3
3. 5   7. 8
4. 2   8. 4

ANSWERS TO 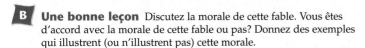 **Communication libre**

A , **B** , **C** *Answers will vary.*

REFLETS DE LA LOUISIANE

The section **Reflets de la Louisiane** was prepared by the National Geographic Society. Its purpose is to give students greater insight, through these visual images, into the Cajun culture and people. Have students look at the photographs on pages 310–311 for enjoyment.

National Standards

Culture
The **Reflets de la Louisiane** photos and the accompanying captions allow students to gain insights into the people and culture of French-speaking Louisiana.

About the Photos

1. Bayou du delta du Mississippi
The wetlands of the southwestern part of Louisiana are made up of swamps, marshes, and bayous. In this region the only areas of solid ground are the river levees.

2. Canray Fontenot à un festival de musique zydeco Zydeco is the traditional music of black Creole southern Louisianans. The lyrics are sung in a local French dialect. The term **zydeco** comes from a corruption of "Les haricots sont pas salés," the title of a popular song.

The typical Cajun dance party is a family affair called a **fais-dodo,** from the expression French mothers use when trying to get their baby to sleep.

3. Vue de La Nouvelle-Orléans
New Orleans was founded in 1718 by the Canadian-born explorer Jean-Baptiste Le Moyne, Sieur de Bienville. He chose this narrow strip of land between the Mississippi and Lake Pontchartrain because it offered direct access to the Gulf of Mexico.

1. Bayou du delta du Mississippi, près de La Nouvelle-Orléans
2. Canray Fontenot à un festival de musique zydeco à Plaisance
3. Vue de La Nouvelle-Orléans
4. Pêcheurs d'écrevisses dans le bassin de l'Atchafalaya
5. Balcons de fer forgé de Royal Street, à La Nouvelle-Orléans
6. Les vitraux de la rotonde de l'ancien capitole de la Louisiane, à Baton Rouge
7. Char au défilé du mardi gras à La Nouvelle-Orléans

310

Teacher's Corner

Index to the NATIONAL GEOGRAPHIC MAGAZINE

The following related articles may be of interest:
- "Upbeat, Downbeat, Offbeat New Orleans," by Priit Vesilind, January 1995.
- "America's Third Coast," by Douglas Bennett Lee, July 1992.
- "The Cajuns: Still Loving Life," by Griffin Smith Jr., October 1990.
- "Mississippi Delta: The Land of the River," by Douglas B. Lee, August 1983.

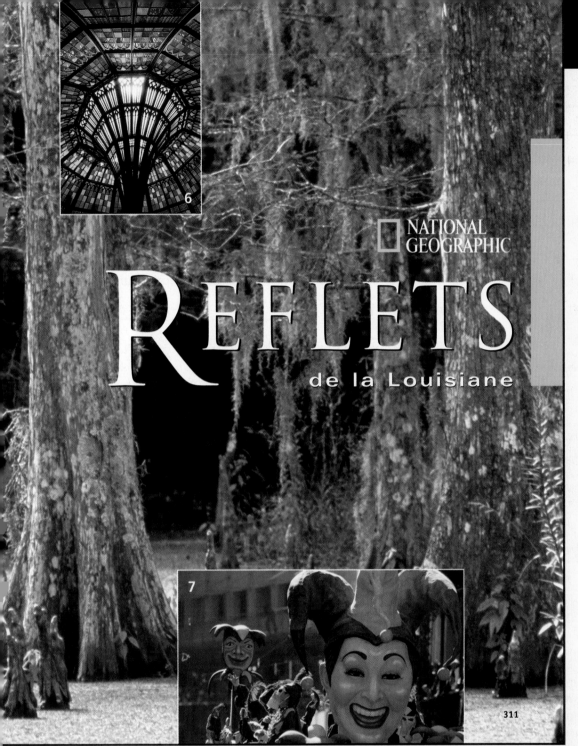

NATIONAL GEOGRAPHIC

REFLETS
de la Louisiane

4. Pêcheurs d'écrevisses dans le bassin de l'Atchafalaya The heart of the Cajun wetlands lies between Grand Isle south of New Orleans, the Atchafalaya Basin west of the Mississippi, and the Gulf Coast south of Abbeville. After World War II an industry of harvesting wild crawfish started in the Atchafalaya Basin. **Les écrevisses**, called crawfish in southern Louisiana, are called crayfish elsewhere in the U.S.

5. Balcons de fer forgé de Royal Street, à La Nouvelle-Orléans The French Quarter, or Vieux Carré, is the oldest and quaintest area of New Orleans. It was founded by the French, but today one sees very little French architecture there. The original French-designed buildings were destroyed in two major fires, in 1788 and in 1794.

6. Les vitraux de la rotonde de l'ancien capitole de la Louisiane à Baton Rouge The old state capitol building in Baton Rouge is a beautiful Gothic-style building on a bluff overlooking the Mississippi. The new Art Deco capitol, built in 1931, is a 34-story marble skyscraper.

7. Char au défilé du mardi gras Mardi gras, or carnival, is a period of gala festivities and parades that ends on Shrove Tuesday, the day before Lent. Carnival is celebrated in many areas of the world. The one in New Orleans is the most famous of those in the U.S.

**Products available from
GLENCOE/MCGRAW-HILL**

To order the following products, call Glencoe/McGraw-Hill at 1-800-334-7344.
CD-ROMs
• Picture Atlas of the World
• The Complete National Geographic: 112 Years of National Geographic Magazine
Transparency Sets
• Geography of North America
• Geography of the Southeast (U.S. Regional Geography Series)

**Products available from
NATIONAL GEOGRAPHIC SOCIETY**

To order the following products, call National Geographic Society at 1-800-368-2728.
Books
• National Geographic World Atlas for Young Explorers
• National Geographic Satellite Atlas of the World
Software
ZingoLingo: French Diskette
Videos
• Physical Geography of North America
• The Lower South

Planning for Chapter 7

SCOPE AND SEQUENCE PAGES 312–369

Topics

* Health and physical fitness

Functions

* How to handle medical situations
* Discussing your physical and emotional health
* Describing what people do or did in the past for each other
* Asking who, whom, or what

Structure

* Reflexive verbs
* Reflexive verbs in **passé composé**
* Interrogative pronoun qui, que, and quoi
* Interrogative and demonstrative pronouns
* Possessive pronouns

Culture/Literature

Culture

* Connections between health and sports

Literature

* *Le malade imaginaire*
* *Knock ou le Triomphe de la médecine*

National Standards

* Communication Standard 1.1 pages 321, 326, 332, 338, 339, 341, 343, 349, 351, 353, 355, 356, 358, 359, 369
* Communication Standard 1.2 pages 319, 320, 326, 349, 353, 364, 369
* Communication Standard 1.3 pages 320, 321, 328, 330, 331, 332, 334, 345, 349, 351, 353, 364, 366, 369
* Cultures Standard 2.1 pages 317–318
* Connections Standard 3.1 pages 317–318, 324–325, 346–348, 362–363, 367–368

Timesaving Teacher Tools

ite Interactive Teacher Edition
Imagine having your Teacher's Edition and all resources on a CD-ROM. Click on a resource and it appears on your screen, ready to be printed, sorted, or planned.

Interactive Lesson Planner
The Interactive Lesson Planner CD-ROM helps you organize your lesson plans for a week, month, semester, or year. Look at this planning tool for easy access to your Chapter 7 resources.

ExamView Pro®
Test Bank software for Macintosh and Windows makes creating, editing, customizing, and printing tests quick and easy.

Technology Resources

FRENCH Online
In the **Bon voyage!** Level 3 Internet activity, you will have a chance to learn more about language, culture, history, geography, and current events in the Francophone world. Visit french.glencoe.com

NATIONAL GEOGRAPHIC SOCIETY
See the National Geographic Teacher's Corner on pages 104–105, 214–215, 310–311, 428–429 for reference to additional technology resources.

Bon voyage! **Video Program**
Bon voyage! Video and Video Activities Booklet, Chapter 7.

DIFFICULTY LEVELS

Each reading selection in **Culture, Journalisme,** and **Littérature,** each **Conversation,** and each structure topic is rated below according to difficulty level to assist you in planning.

◆ Easy   ◆◆ Intermediate   ◆◆◆ Difficult

Please note that the material in **Bon voyage!** does not get progressively more difficult. Within each chapter there are easy and difficult sections. The overall rating for this chapter is: ◆◆ Intermediate.

SECTION	DIFFICULTY LEVEL
Culture	
La santé des Français	
La santé et le sport	◆
Conversation	
En pleine forme	◆
Structure I	
Les verbes réfléchis	◆
Les verbes réfléchis au passé composé	◆◆
Le pronom interrogatif **qui**	◆
Les pronoms interrogatifs **que** et **quoi**	◆◆◆
Journalisme	
L'oreille et le bruit	
L'oreille	◆◆
Le bruit	◆◆
Régime	
Les pièges du grignotage	◆
Structure II	
Les pronoms interrogatifs et démonstratifs	◆◆
Les pronoms possessifs	◆
Littérature	
Le malade imaginaire	◆◆
Knock	◆◆

Using Your Resources for Chapter 7

RESOURCE GUIDE

SECTION	PAGES	SECTION RESOURCES
Culture		
La santé des Français *La santé et le sport*	314–321	Vocabulary Transparencies 7.1–7.2 Audiocassette 7/CD 13 Audio Activities Booklet TE, pages 170–171 Workbook, pages 153–154 Quiz 1, page 83 Chapter Section Test, pages 149–151
Conversation		
En pleine forme Le médecin me trouve en parfaite santé! Et je suis en pleine forme!	322–326 324 325	Vocabulary Transparencies 7.3–7.4 Audiocassette 7/CD 13 Audio Activities Booklet TE, pages 172–173 Workbook, page 155 Quiz 2, page 84
Langage		
La santé physique Le bien-être psychologique	327–328 329–332	Audiocassette 7/CD 13 Audio Activities Booklet TE, pages 174–176 Workbook, pages 156–157 Quizzes 3–4, pages 85–86 Chapter Section Test, pages 152–154
Structure I		

Les verbes réfléchis
Les verbes réfléchis au passé
  composé
Le pronom interrogatif **qui**
Les pronoms interrogatifs **que**
  et **quoi**
	333–335
	
	336–339
	340–341
	
	342–343
		Audiocassette 7/CD 13
		Audio Activities Booklet TE, pages 177–178
		Workbook, pages 158–162
		Quizzes 5–8, pages 87–90
		Chapter Section Test, pages 155–157

CHAPITRE 7

Preview

In this chapter, students will learn to talk about health and well-being. Topics covered include preventive medicine, good health habits, staying in shape, and going for a physical. Students will also learn about the health-care system in France. They will learn expressions that convey physical and mental states as well as those used when cheering up a sick person. They will also learn some other interrogative and possessive pronouns. They will read magazine articles about noise pollution and its effects on the ears and about the pitfalls of snacking. In the **Littérature** section they will read short excerpts from Molière's *Le malade imaginaire* and Jules Romains' farce, *Knock ou le Triomphe de la médecine.*

 National Standards

Communication
Students will communicate in spoken and written French on the following topics:
- health and fitness
- healthy eating habits
- the ear, noise, and noise pollution

Cultures
Students will learn how the French regard health and fitness.

Comparisons
Students will have an opportunity to compare French and American attitudes toward health and fitness.

Connections
This chapter establishes a connection with the fields of health and medicine.

CHAPITRE 7

Santé et bien-être

Objectifs

In this chapter, you will:

✓ learn about French people's concern about their health and physical fitness, and what they do to maintain both

✓ learn to handle health care situations such as having a medical checkup

✓ learn how to discuss your physical or emotional health

✓ review how to tell what people do or did at one point in the past for themselves or for each other; how to ask who, whom, and what

✓ read and discuss magazine articles about the ear and noise, and snacking between meals

✓ review how to express which one(s), this one, that one, these, or those; learn more about telling what belongs to you and others

✓ read and discuss excerpts from the following literary works: Le malade imaginaire, a play by Molière; and Knock ou le Triomphe de la médecine, a play by Jules Romains

312

 **FRENCH Online**

The **Glencoe World Language Web site** (**french.glencoe.com**) offers several options for you and your students to experience the French-speaking world via the Internet:
- The online **Activités** are correlated to the chapters and utilize Francophone Web sites around the world.
- Games and puzzles afford students another opportunity to practice the material learned in a particular chapter.

- The *Enrichment* section offers students an opportunity to visit Web sites related to the theme of the chapter for more information on a particular topic.
- Online *Quizzes* offer students an opportunity to prepare for a chapter test.
- Visit our virtual **Café** for more opportunities to practice and explore the French-speaking world.

Random Access

You may either follow the exact order of the chapter or omit certain sections that you feel are not necessary for your students. Similarly, you may present a literary selection without interruption, or you may wish to intersperse some material from the **Structure** sections as you are presenting a literary piece.

✓ Assessment

Quizzes: There is a quiz for every vocabulary presentation and every structure point.
Tests: To accompany **Bon voyage!** Level 3 there are global tests for both **Structures I** and **II**, a combined **Conversation/Langage** test, and one test for each reading in the **Culture, Journalisme,** and **Littérature** sections. There is also a chapter Listening Comprehension Test.

Chapter Projects

La santé Tous ensemble, imaginez que vous allez ouvrir un club de forme. Choisissez l'endroit, les exercices, les machines, la nourriture, etc. Faites une brochure publicitaire pour votre club.

La Sécurité sociale Demandez aux élèves de faire un exposé sur la Sécurité sociale en France et de faire une comparaison avec la situation aux États-Unis. Demandez-leur ensuite de faire une liste des avantages et des désavantages des deux systèmes et de choisir celui qu'ils préfèrent.

Le régime Organisez un festival de cuisine légère. Demandez aux élèves d'apporter quelque chose à manger qui soit diététique ainsi qu'une recette qui figurera dans un livre de cuisine légère fait par toute la classe.

LA SANTÉ DES FRANÇAIS

1 Preparation

Resource Manager

Vocabulary Transparencies 7.1–7.2
Audio Activities Booklet TE, Activity A, page 170
Audiocassette 7/CD 13
Workbook, Activities A–B, pages 153–154
Quiz 1, page 83
ExamView Pro®

Bellringer Review

Write the following on the board or use BRR Transparency 7.1.
Faites une liste de cinq choses que vous faites pour vous mettre en forme ou pour rester en forme.

2 Presentation

Introduction

Step 1 You may either read the **Introduction** to the students or have them read it silently.

Step 2 Ask students the following questions about the **Introduction: Comment répond-on à la question «Comment vas-tu?»** (Bien, pas mal, comme ci comme ça, etc.) **À votre avis, la forme est très importante pour notre bien-être? Pourquoi? Vous faites quelquefois des choses qui sont mauvaises pour votre santé? Lesquelles?**

Vocabulaire

Step 1 Have students repeat the new words in unison after you.

Step 2 You can immediately ask Questions 1–4 of **Activité A** on page 316, all of which relate to the illustrations on this page.

314

LA SANTÉ DES FRANÇAIS

Introduction

«Comment vas-tu?» est presque toujours la première question que des amis se posent quand ils se rencontrent. La santé—la nôtre et celle de nos amis—nous intéresse toujours. De plus, non seulement nous voulons être en bonne santé mais, de nos jours, nous voulons aussi être «en forme». La forme—physique, mentale et morale—est très importante pour notre bien-être. Nous faisons tout pour préserver notre santé et notre bien-être.

Vocabulaire

Class Motivator

You may wish to play **Vocabulary Game I** described on page 157, Chapter 4.

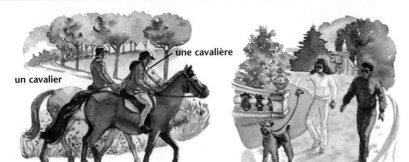

un cavalier — une cavalière

Ils font de l'équitation.

Ils font de la marche.

Ils font du ski de fond.

Ils font de la randonnée.

prévenir prendre des précautions pour ne pas avoir de problème (de santé ou autre), assurer la prévention

guérir délivrer d'un mal physique ou mental, rendre la santé

privilégier favoriser, donner une situation privilégiée

se plaindre exprimer son mécontentement ou sa souffrance

les dépenses *(f.)* les frais, les charges, les sommes d'argent à payer

un ménage un groupe familial vivant ensemble

l'accueil *(m.)* l'action d'accueillir, de recevoir; la réception

la rémunération le salaire, l'argent qu'on reçoit pour faire quelque chose

la recherche l'action de chercher, la quête; les études qu'on fait pour découvrir quelque chose de nouveau

l'accroissement *(m.)* l'action d'augmenter, l'augmentation

un terrain de plein air un terrain de sport, de jeux

♻ Recycling

Have students volunteer to give as many words as they can think of related to health and health services.

Step 3 You may wish to read the new words and definitions to the class, or you may prefer to have several students read them aloud.

Step 4 If you wish, you may ask Questions 5–8 of **Activité A** on page 316, all of which relate to the illustrations on this page. Then you may ask the following questions: **Est-ce que vous vous plaignez beaucoup quand vous avez un rhume? Est-ce que vous espérez guérir vite quand vous êtes enrhumé(e)? Pour prévenir les rhumes, vous prenez de la vitamine C? Qu'est-ce que vous allez faire cet été? Vous cherchez du travail? Vous êtes à la recherche d'un travail d'été intéressant? Préférez-vous que le travail soit intéressant ou que la rémunération soit excellente? Avez-vous toujours beaucoup de dépenses? Quand vous étiez à l'école primaire aviez-vous des dépenses importantes? Vous vous plaignez quelquefois de l'accroissement de vos dépenses? Est-ce que vous aimez pratiquer un sport? Vous jouez sur un terrain de plein air ou dans un gymnase?**

Vocabulary Expansion

You may wish to distinguish between **faire de la marche** and **se promener** (or **faire une promenade**) which students already know. The former means *to go walking* (as an activity or sport), while the latter means *to go for a walk.*

Class Motivator

Write the following on the board:
le sportif, l'écologiste, le petit garçon, le moniteur
Then read the following statements to the class, who will try to guess which person made the statement.

1. «L'équitation, c'est le concours hippique.»
2. «L'équitation, c'est l'amitié, mon poney, je lui raconte tout.»
3. «L'équitation, c'est la promenade en forêt au petit matin, le galop dans les sentiers, le respect de la nature.»
4. «L'équitation est un sport éducatif qui enseigne à tous la discipline.»
5. «L'équitation, c'est l'obstacle et la maîtrise du cheval.»

Culture

Culture

3 Practice

Communication guidée

 Do **Activité A** first with books closed. Then have students open their books and do the activity again as a reading activity.

B Have students reread the entire sentence, including the correct completion word.

Additional Practice

Have students make up original sentences using the following words: **prévenir, guérir, les frais médicaux, les dépenses médicales, la marche, la randonnée, l'alpinisme.**

Independent Practice

Assign any of the following:
1. Workbook, **Culture**
2. **Activités A–C** on this page

Communication guidée

A **D'après vous** Répondez.

1. Qu'est-ce qu'un ambulancier conduit?
2. Qui aide les infirmiers et les infirmières dans un hôpital?
3. Qui aide les techniciens et les techniciennes dans un laboratoire?
4. Pour être un bon nageur ou une bonne nageuse, où faut-il aller nager?
5. Qu'est-ce qu'il faut faire comme sport pour devenir un bon cavalier ou une bonne cavalière?
6. Tu préfères le ski de fond ou le ski alpin?
7. Tu préfères la marche ou le jogging?
8. Tu préfères la randonnée ou l'alpinisme?
9. Tu essaies de prévenir les maladies?
10. Le médecin veut toujours guérir les malades?
11. Il est toujours possible de guérir les malades?
12. Est-ce que toutes les familles ou tous les ménages ont des dépenses médicales?
13. Est-ce que la Sécurité Sociale en France rembourse beaucoup de dépenses médicales (des frais médicaux)?
14. Est-ce que les médecins font de la recherche en laboratoire?

B **Le mot juste** Complétez.

1. La _____ qu'un médecin reçoit s'appelle des honoraires.
2. En ce moment, il est impossible de _____ les gens qui ont le sida. Il faut continuer la _____ pour découvrir et développer un vaccin et des remèdes.
3. Il faut que chaque _____ consacre une partie de son budget familial aux _____ médicales.
4. L' _____ de la pratique du sport est vraiment un phénomène mondial, surtout dans les pays industrialisés.
5. De nos jours, même les villages ont une piscine, un terrain de _____ et des courts de tennis.
6. Ils vont _____ de leurs conditions de travail qui ne sont pas très bonnes.

C **Familles de mots** Choisissez le mot qui correspond.

1. marcher	a. la prévention
2. prévenir	b. la rémunération
3. dépenser	c. l'accueil
4. rémunérer	d. la marche
5. accueillir	e. la dépense

ANSWERS TO Communication guidée

A

1. Un ambulancier conduit une ambulance.
2. Un aide-soignant et une aide-soignante aident les infirmiers et les infirmières dans un hôpital.
3. Un laborantin et une laborantine aident les techniciens et les techniciennes dans un laboratoire.
4. Il faut aller nager dans une piscine.
5. Il faut faire de l'équitation.
6. Je préfère le ski de fond (le ski alpin).

7. Je préfère la marche (le jogging).
8. Je préfère l'alpinisme (la randonnée).
9. Oui, j'essaie de prévenir les maladies.
10. Oui, il veut toujours guérir les malades.
11. Non, il n'est pas toujours possible de les guérir.
12. Oui, tous les ménages ont des dépenses médicales.
13. Oui, la Sécurité sociale en France rembourse beaucoup de dépenses médicales.
14. Non, ils ne font pas de recherche en laboratoire.

B

1. rémunération
2. guérir, recherche

3. ménage, dépenses
4. accroissement
5. plein air
6. se plaindre

C

1. d
2. a
3. e
4. b
5. c

316

LA SANTÉ ET LE SPORT

Malgré les progrès considérables de la recherche médicale, les Français n'ont jamais eu aussi peur de la maladie, ni autant fait d'efforts pour la prévenir ou la guérir. Les dépenses de santé représentent 12% du budget des ménages en 1998 contre 5% en 1960.

La santé apparaît comme une condition nécessaire pour réussir sa vie

Mieux vaut être riche et en bonne santé que pauvre et malade. Jamais cette vérité[1] d'évidence n'aura été autant ressentie[2] que dans la société actuelle. Une société dure et

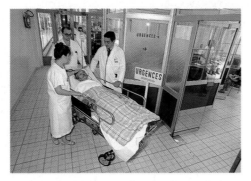

---

[1] vérité *truth*
[2] ressentie *felt*

compétitive qui tend à privilégier, dans les faits comme dans l'imagerie populaire, ceux qui affichent[3] une forme physique parfaite. La santé paraît d'autant plus[4] précieuse aux Français qu'elle constitue de plus en plus un atout[5] dans leur vie professionnelle et personnelle.

Les professions de santé

Un million de personnes exercent une profession de santé: près de 600 000 pratiquent des activités médicales ou paramédicales; plus de 400 000 sont agents des services hospitaliers, aides-soignants, ambulanciers, laborantins ou psychologues.

Le nombre de médecins a beaucoup augmenté; il est aujourd'hui pléthorique[6]. Il en est de même de la capacité d'accueil des hôpitaux. Beaucoup de membres de la profession médicale se plaignent de leurs conditions de travail et de leur rémunération, ainsi que de la dégradation de leur statut social. Depuis 1975, le pouvoir d'achat[7] des médecins généralistes a diminué régulièrement.

---

[3] affichent *parade, sport*
[4] d'autant plus… que *all the more… since*
[5] un atout *asset*
[6] pléthorique *excessive*
[7] pouvoir d'achat *buying power*

Learning from Realia

Dans cette brochure, il s'agit des maladies ___.
a. des poumons
b. du cœur
c. du ventre
Comment le savez-vous?

FUN-FACTS

Le système français de Sécurité sociale date de 1945. C'est un organisme de protection sociale commun à toute la population. Aujourd'hui presque tous les Français sont couverts, ce qui signifie que tous leurs frais médicaux sont en grande partie remboursés.

Culture

Culture

2 Presentation (continued)

As you read, make a list on the board of French attitudes toward sports.

Step 3 You may wish to ask the following questions as students read aloud: **Est-ce qu'il y a des progrès dans la recherche médicale en France? Est-ce que les Français continuent à s'inquiéter de leur santé? Dans la société actuelle, comment les Français veulent-ils être? Combien de personnes en France exercent une profession de santé? Quelles sont des professions de santé? De quoi les membres de la profession médicale se plaignent-ils?**

♻ Recycling

Review the forms of the verb **se plaindre: je me plains, tu te plains, il se plaint, nous nous plaignons, vous vous plaignez, ils se plaignent (Je me suis plaint[e]).**

Step 4 Ask: **Depuis quand les sportifs sont-ils plus nombreux? Quels sports sont en vogue, les sports individuels ou les sports collectifs? Quel est un des avantages d'une meilleure résistance physique? Quels sports sont très à la mode en ce moment? Que font les femmes actuellement?**

Step 5 Assign the **Après la lecture** activities on pages 319–320 for homework.

Les activités physiques

Depuis le début des années 80, les sportifs sont plus nombreux et plus assidus[8]. Pourtant, la pratique sportive ne concerne encore qu'un peu moins d'un Français sur deux et reste modeste par rapport à[9] d'autres pays.

L'évolution des préférences et des pratiques est significative de l'état de la société française. Les sports en vogue sont plus individuels. La recherche du plaisir est plus importante que celle de la performance.

L'accroissement de la pratique du sport répond à un désir, collectif et inconscient, de mieux supporter les agressions de la vie moderne par une meilleure résistance physique. Elle traduit aussi la place prise par l'apparence dans une société qui valorise souvent plus la forme (dans tous les sens du terme) que le fond[10]. Elle a été aussi favorisée par le développement des équipements sportifs des communes (gymnases, piscines, courts de tennis, terrains de plein air).

---

[8] assidus *devoted*
[9] par rapport à *in comparison with*
[10] le fond *essence*

Plus d'un Français sur trois pratique un sport individuel; un sur quinze pratique un sport collectif

La grande lame de fond[11] de l'individualisme ne pouvait pas épargner[12] le sport. L'engouement[13] pour le jogging, puis pour l'aérobic en a été, dès le début des années 80, la spectaculaire illustration. On peut y ajouter le tennis, l'équitation, le ski, le squash, le golf et bien d'autres sports.

Les femmes sont en train de rattraper[14] les hommes dans la pratique des sports individuels

Depuis une dizaine d'années, les femmes ont réduit leur retard sur les hommes en matières sportives. Les sports d'équipe ne les passionnent pas (à l'exception du basket et du hand-ball). Elles se ruent[15] en revanche[16] sur les sports individuels: plus de 75% des pratiquants de la gymnastique ou de la danse sont des femmes, plus de 60% des nageurs ou des cavaliers.

Les femmes sont aussi nombreuses que les hommes à pratiquer le ski de fond, la marche, la randonnée ou le hand-ball.

---

[11] la grande lame de fond *groundswell*
[12] épargner *to spare*
[13] l'engouement *craze*
[14] en train de rattraper *catching up with*
[15] se ruent sur *throw themselves into*
[16] en revanche *on the other hand*

CHAPITRE 7

👥 Paired Activity

Travaillez à deux pour comparer l'attitude des Français et des Américains vis-à-vis du stress, de l'exercice physique, etc.

Après la lecture

A Vrai ou faux? Corrigez les phrases fausses.

1. De nos jours, les Français ont moins peur de la maladie qu'avant.
2. De nos jours, on fait plus pour prévenir et guérir les maladies que dans le passé.
3. Les dépenses de santé d'un ménage typique ont baissé.
4. Le nombre de médecins a augmenté en France.
5. Mais la capacité d'accueil des hôpitaux a baissé.
6. En France, le pouvoir d'achat des médecins augmente régulièrement, il devient de plus en plus fort.
7. Les Français sont plus sportifs que les autres Européens.
8. Les sports collectifs passionnent les Françaises.
9. L'apparence et la forme sont devenues de plus en plus importantes.
10. Les sportifs en France sont plus nombreux et plus assidus depuis la fin des années 80.
11. Les agressions de la vie moderne n'ont rien à voir avec la pratique du sport.
12. On considère en général que les Français sont très individualistes.
13. Les femmes n'ont rattrapé les hommes dans la pratique d'aucun sport.
14. Le basket et le hand-ball sont des sports populaires en France.
15. La plupart des personnes qui font de la gymnastique sont des femmes.

MOI, JE DONNE MON SANG.
C'EST POUR LA VIE.

CENTRE
DE TRANSFUSION SANGUINE
DES ALPES MARITIMES
ST-LAURENT DU VAR

CULTURE

trois cent dix-neuf ❖ **319**

Post-reading

Après la lecture

A Have students give their answers in complete sentences. You may wish to have them read the original sentence aloud and then correct it.

FUN FACTS

Deux pionniers du tennis:
- Suzanne Lenglen, première joueuse de tennis française. Elle fut championne dès l'âge de quinze ans et domina le tennis mondial féminin pendant longtemps. Elle fut notamment vainqueur six fois à Wimbledon de 1919 à 1925.
- René Lacoste, joueur de tennis français, né à Paris en 1903, a gagné avec l'équipe des «Mousquetaires» la première victoire française en Coupe Davis. De 1925 à 1927, il a remporté de très nombreuses victoires en France et aux États-Unis. Son nom est aujourd'hui connu grâce à la célèbre marque de chemise ornée d'un crocodile vert.

ANSWERS TO *Après la lecture*

A

1. Non, ils ont plus peur de la maladie qu'avant.
2. Oui.
3. Non, elles ont augmenté.
4. Oui.
5. Non, la capacité d'accueil des hôpitaux a augmenté aussi.
6. Non, depuis 1975 le pouvoir d'achat des médecins généralistes a diminué régulièrement.
7. Non, ils sont moins sportifs que les autres Européens.
8. Non, les sports en vogue sont plus individuels.
9. Oui.
10. Non, ils sont plus nombreux et plus assidus depuis le début des années 80.
11. Non, la pratique du sport répond à un désir, collectif et inconscient, de mieux supporter les agressions de la vie moderne…
12. Oui.
13. Non, les femmes sont aussi nombreuses que les hommes à pratiquer le ski de fond, la marche, la randonnée ou le hand-ball.
14. Oui.
15. Oui.

Culture

Post-reading *(continued)*

Après la lecture

C You may wish to have students work in groups and share their answers with one another.

Communication libre

A , **B** , **C** These activities can be done as individual projects, or they can be done as a team effort in the form of a debate.

Learning from Photos

1. Ask students if they remember any words from *Les feuilles mortes*, Chapter 3, page 152, that would help them describe this photo.
2. C'est quelle saison? Décrivez cette saison. Vous l'aimez ou pas? Pourquoi?

FUN·FACTS

Un médecin «conventionné» est lié à la Sécurité sociale par un système de tarifs. Il doit fixer ses honoraires en fonction des tarifs imposés par la Sécurité sociale. De cette manière, le malade est remboursé presque totalement. Il existe également des médecins non-conventionnés qui, eux, peuvent demander les honoraires qu'ils désirent.

Docteur MAZZONI Bernard
MEDECINE GENERALE
MESOTHERAPIE
CONSULTATIONS :
Matin : 10 h.00 - 12 h.00
Après-midi : 14 h.00 - 16 h.00 Lundi - Jeudi
16 h.30 - 19 h.00 Mardi - Vendredi
Tél. 04.90.66.40.49

B **Dans la société française actuelle** Répondez d'après le texte.
1. Qui tend à être privilégié dans la société française actuelle?
2. Combien de personnes exercent une profession de santé?
3. De quoi se plaignent de nombreux membres de la profession médicale?
4. Quels sont les sports en vogue depuis le début des années 80?
5. Quels sont les deux sports collectifs que les femmes tendent à pratiquer?

C **Qu'est-ce que vous en pensez?** Expliquez.
1. La santé paraît d'autant plus précieuse aux Français qu'elle constitue de plus en plus un atout dans leur vie personnelle et professionnelle.
2. Dans la pratique d'un sport, la recherche du plaisir est plus importante que celle de la performance.
3. L'accroissement de la pratique du sport répond à un désir, collectif et inconscient, de mieux supporter les agressions de la vie moderne par une meilleure résistance physique.
4. La grande lame de fond de l'individualisme ne pouvait pas épargner le sport.

Communication libre

 Médecins français et américains Vous venez d'apprendre certains faits sur la situation des médecins français. Croyez-vous que la situation des médecins américains soit la même? Écrivez un paragraphe où vous comparez les deux.

ANSWERS TO Après la lecture

B
1. Ceux qui affichent une forme physique parfaite.
2. Un million de personnes.
3. Ils se plaignent de leurs conditions de travail et de leur rémunération, ainsi que de la dégradation de leur statut social.
4. Le jogging, l'aérobic, le tennis, l'équitation, le ski, le squash, le golf, etc.
5. Le basket et le hand-ball.

C *Answers will vary but may include:*
1. La santé semble être plus importante pour les Français parce qu'elle est considérée comme un avantage dans leur vie professionnelle et personnelle.
2. Il est plus important d'aimer le sport qu'on pratique que de se comparer aux autres en faisant des sports collectifs.
3. On pratique plus le sport maintenant parce que, inconsciemment, on espère qu'une meilleure résistance physique nous aidera à supporter le stress de la vie moderne.
4. Le sport, comme beaucoup d'autres choses, a été influencé par l'individualisme en vogue dès le début des années 80.

B **Le sport aux États-Unis** Les sports individuels attirent les Français beaucoup plus que les sports collectifs. Si un Français vous demandait si la situation est semblable aux États-Unis, que répondriez-vous?

C **Les Américains sont individualistes?** Le texte que vous venez de lire dit: «La grande lame de fond de l'individualisme (français) ne pouvait pas épargner le sport.» Cette phrase indique que les Français sont de vrais individualistes. Que diriez-vous des Américains? Ils préfèrent les activités individuelles ou les activités «de groupe»? Justifiez votre opinion.

D **Discussion et débat** Discutez avec un(e) camarade qui n'a pas la même opinion que vous sur cette dernière question. Préparez un débat pour la classe.

Une randonnée dans les Alpes près de Chamonix

Culture

Geography Connection

Chamonix est entouré d'immenses glaciers. Le plus connu s'appelle la Mer de Glace: c'est un large fleuve de douze kilomètres de long qui descend jusqu'à Chamonix. Chamonix est la capitale de l'alpinisme.

La randonnée en montagne intéresse de plus en plus de gens: de simples marcheurs aux «spécialistes» qui font des expéditions de plusieurs jours et s'arrêtent dans des refuges. La randonnée permet de combiner la promenade en montagne qui offre des paysages magnifiques et le sport car certains des sentiers sont ardus! Il faut avoir de bonnes chaussures, un sac à dos et de bonnes cartes, surtout utiles en cas de brouillard.

Learning from Photos

1. Décrivez la photo. Que font les jeunes gens? Où sont-ils? Quel temps fait-il? Qu'est-ce qu'ils ont sur le dos? Décrivez le paysage.
2. Vous aimeriez faire une randonnée dans les Alpes ou pas? Pourquoi?

Independent Practice

Assign any of the following:
1. **Après la lecture** and **Communication libre** activities on pages 319–321
2. Workbook, **Culture**

 Assessment

Use these resources at the end of the **Culture** section for review and assessment.
Quiz 1
Test Booklet, pages 149–151
ExamView Pro®
Situation Cards

ANSWERS TO **Communication libre**

A through **D** *Answers will vary.*

Conversation

EN PLEINE FORME

1 Preparation

Vocabulaire

Resource Manager

Vocabulary Transparencies 7.3–7.4
Audio Activities Booklet TE, Activity A, page 172
Audiocassette 7/CD 13
Workbook, Activity A, page 155
Quiz 2, page 84
ExamView Pro®

Bellringer Review

Write the following on the board or use BRR Transparency 7.3.
Décrivez votre dernière visite chez le médecin.

2 Presentation

You may wish to follow the suggestions outlined in previous chapters.

EN PLEINE FORME

Vocabulaire

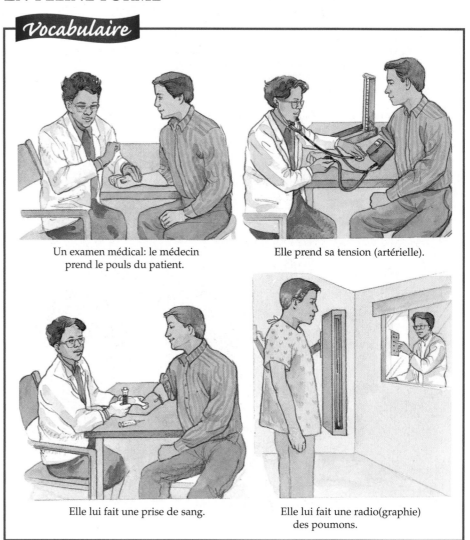

Un examen médical: le médecin prend le pouls du patient.

Elle prend sa tension (artérielle).

Elle lui fait une prise de sang.

Elle lui fait une radio(graphie) des poumons.

Additional Practice

Ask the following questions about the illustrations on this page: **Est-ce que le patient passe un examen médical? Il est dans la salle des urgences ou dans le cabinet du médecin? Qu'est-ce que le médecin regarde quand elle prend le pouls du patient? On prend la tension artérielle pour vérifier si les poumons sont en bon état? Le médecin doit donner une piqûre pour faire une prise de sang? Est-ce qu'une radio indique si un os est cassé? Qu'est-ce qu'elle montre?**

la nourriture/l'alimentation

exiger demander avec beaucoup d'autorité, commander, ordonner

être en bonne (parfaite) santé aller bien

pulmonaire qui concerne les poumons
cardiaque qui concerne le cœur

Communication guidée

A **Vrai ou faux?** Corrigez les phrases fausses.

1. Une tension (artérielle) élevée est dangereuse.
2. Pour faire une prise de sang, il faut faire une piqûre.
3. Une radio(graphie) est une photographie faite avec des rayons X.
4. Prendre le pouls est une activité sportive.
5. Quand on respire, on utilise ses poumons.

B **Quel est le mot?** Trouvez le mot qui correspond à la définition donnée ici.

1. quand on se réfère aux poumons
2. aller très bien
3. ordonner
4. les aliments, ce qu'on mange
5. quand on se réfère au cœur

Conversation

CONVERSATION ◆

National Standards

Communication
Students talk about health-related issues.

Connections
Students increase their knowledge of health and medicine.

1 Preparation

Resource Manager

Audiocassette 7/CD 13
Audio Activities Booklet TE,
  Activities B–C, pages 172–173
Workbook, Activities B–C,
  page 155

2 Presentation

Step 1 Have students listen to the recording of the **Conversation** on Audiocassette 7/CD 13.

Step 2 Call on two students to read the **Conversation** aloud.

Step 3 Have students make up questions about the conversation. They may call on whomever they want to answer their questions.

Learning from Photos

As a review activity, have students give all the expressions they know for activities that can take place in a doctor's office.

Christophe (25 ans) rend visite à sa mère, Mme Perrin. Comme toujours, elle veut tout savoir de la vie de son fils préféré.

Le médecin me trouve en parfaite santé!

CHRISTOPHE: Je viens de passer un examen médical.
MME PERRIN: Pourquoi? Tu es malade?
CHRISTOPHE: Non, mais je veux faire de la plongée sous-marine et le club exige un examen médical complet.
MME PERRIN: Qu'est-ce que le médecin t'a fait?
CHRISTOPHE: Il m'a pris le pouls et la tension.
MME PERRIN: Et alors?

CHRISTOPHE: Normaux. J'ai 12/7 de tension.
MME PERRIN: Il t'a fait une prise de sang?
CHRISTOPHE: Oui, et ça je n'aime pas du tout! Mais il faut bien, pour faire une analyse de sang!
MME PERRIN: Tu as les résultats?
CHRISTOPHE: Oui, il m'a dit que tout est normal: le cholestérol, le sucre... tout ça, ça va.
MME PERRIN: Il t'a fait une radio des poumons?
CHRISTOPHE: Oui, négatif: pas de problèmes pulmonaires. Et l'électrocardiogramme est normal: pas de troubles cardiaques.
MME PERRIN: Autrement dit, tu es en bonne santé?
CHRISTOPHE: Absolument! En parfaite santé!

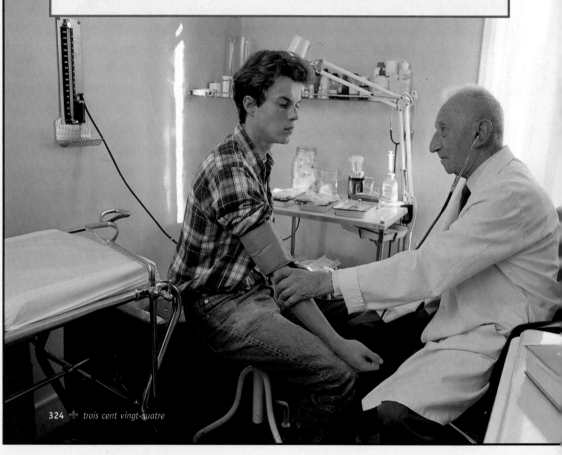

324 ❀ *trois cent vingt-quatre*

Cross-Cultural Comparison

Blood pressure in France is measured in centimeters rather than in millimeters as in the U.S. Christophe's blood pressure in the U.S. would be given as 120/70. Blood pressure of **12/7** is read as **«douze, sept»**.

Et je suis en pleine forme! 🎧

CHRISTOPHE: Et je suis en pleine forme!
MME PERRIN: Tu es en bonne forme parce que tu fais beaucoup de sport. Tu fais toujours du jogging?
CHRISTOPHE: Oui, je fais toujours mes 10 km par semaine. Et puis, je fais très attention à ce que je mange. La nourriture, c'est important!
MME PERRIN: Tu commences la journée par un bon petit déjeuner, j'espère?
CHRISTOPHE: Certainement! Le matin, je bois un grand jus d'orange, et je mange un yaourt et des céréales. Et puis, je fais trois repas par jour, et je ne mange jamais entre les repas.
MME PERRIN: Jamais? Tu es sûr?!
CHRISTOPHE: Disons, presque jamais!

325

Learning from Photos

Have students do the following:
1. Décrivez le garçon.
2. Décrivez ses vêtements.
3. Décrivez le parc.
4. Décrivez ce que fait le garçon.

Conversation

Conversation

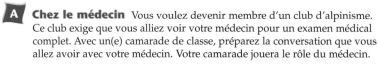

Après la conversation

A You can ask the questions in **Activité A** as you are going over the **Conversation.**

B You may allow students to look up the information if they can't recall it.

Learning from Photos
Décrivez une station de sports d'hiver.

Independent Practice

Assign any of the following:
1. **Après la conversation** and **Communication libre** activities on this page
2. Workbook, **Conversation**

Après la conversation

A Comment va Christophe? Répondez d'après la conversation.
1. Qu'est-ce que Christophe vient de passer?
2. Pour quelle raison?
3. Qu'est-ce que le médecin lui a fait?
4. Il a reçu les résultats?
5. Quels sont les résultats?
6. Il a des problèmes ou des troubles?
7. Il est en bonne santé?
8. Il est en forme?
9. Que fait-il pour rester en forme?
10. Quand mange-t-il?
11. Il mange entre les repas?
12. Que mange-t-il au petit déjeuner?

B Le dossier médical de Christophe Donnez les renseignements suivants sur la santé de Christophe.
1. sa tension artérielle
2. le résultat de son analyse de sang
3. le résultat de sa radiographie des poumons
4. le résultat de son électrocardiogramme
5. les sports qu'il pratique
6. le nombre de repas qu'il fait chaque jour

Communication libre

A **Chez le médecin** Vous voulez devenir membre d'un club d'alpinisme. Ce club exige que vous alliez voir votre médecin pour un examen médical complet. Avec un(e) camarade de classe, préparez la conversation que vous allez avoir avec votre médecin. Votre camarade jouera le rôle du médecin.

B **Il faut être en forme pour faire du ski.** Un(e) ami(e) vous invite à aller passer une semaine à la montagne pour faire du ski. Vous n'en avez jamais fait. Votre ami(e) vous dit que ce n'est pas difficile, mais qu'il faut être en forme—ce qui n'est pas votre cas. Vous demandez à votre ami(e) ce qu'il faut que vous fassiez pour vous mettre en forme. Travaillez avec un(e) camarade de classe qui jouera le rôle de votre ami(e).

Ski de fond au Canada

ANSWERS TO Communication libre

 A and **B** *Answers will vary.*

ANSWERS TO Après la conversation

A
1. Il vient de passer un examen médical.
2. Il veut faire de la plongée sous-marine et le club exige un examen médical.
3. Le médecin lui a pris le pouls et la tension, et il lui a fait une prise de sang.
4. Oui, il a reçu les résultats.
5. Tout est normal: le cholestérol, le sucre.
6. Non, il n'a ni problèmes ni troubles.
7. Oui, il est en parfaite santé.
8. Oui, il est en pleine forme.
9. Il fait beaucoup de sport et il fait très attention à ce qu'il mange.
10. Il mange trois fois par jour.
11. Non, il ne mange presque jamais entre les repas.
12. Au petit déjeuner, il mange un yaourt et des céréales.

B
1. 12/7.
2. Tout est normal.
3. Négatif: pas de problèmes.
4. Normal: pas de troubles cardiaques.
5. Il fait du jogging.
6. Trois repas par jour.

326

LA SANTÉ PHYSIQUE

Quand quelqu'un vous pose la question: «Comment allez-vous?» ou «Comment vas-tu?», vous pouvez répondre:

POSITIF	NÉGATIF
Je vais très bien.	Pas très bien.
Ça va bien.	Comme ci, comme ça.
Je suis en pleine forme.	Je ne suis pas en forme.
	Je ne suis pas dans mon assiette.*
	Je suis souffrant(e).
	Je suis malade.

Notez qu'il y a une différence entre «Je suis souffrant(e)» et «Je suis malade»: «malade» indique quelque chose de plus grave que «souffrant(e)».

Je ne suis pas dans mon assiette.

Quand on vous pose la question: «Qu'est-ce que tu as?» *(What's the matter?)* ou «Qu'est-ce qui ne va pas?» *(What's wrong?)*, vous pouvez donnez des détails:

COURANT	FAMILIER
J'ai (un rhume/la grippe/etc.)	
J'ai mal à (la tête/l'estomac/etc.)	
Je suis très fatigué(e).	Je suis crevé(e).
Je dors tout le temps.	Je dors debout.
Je n'ai pas d'appétit.	J'ai un appétit d'oiseau.
J'ai beaucoup de fièvre.	J'ai une fièvre de cheval.

J'ai une fièvre de cheval.

---

* This expression is somewhat familiar.

Langage

3 Practice

Communication guidée

Have students close their books. Do these activities orally. Answers will vary. Encourage students to answer in as much detail as possible.

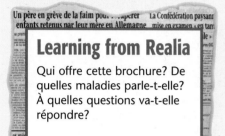

Learning from Realia

Qui offre cette brochure? De quelles maladies parle-t-elle? À quelles questions va-t-elle répondre?

Independent Practice

Assign any of the following:
1. Workbook, **Langage**
2. Activities on this page

Si quelqu'un vient de vous dire qu'il est malade, vous pouvez lui dire:

Soigne-toi bien!	Soignez-vous bien!
Remets-toi vite!	Remettez-vous vite!
Je te souhaite un prompt rétablissement.	Je vous souhaite un prompt rétablissement.

Communication guidée

A **Et vous? Comment va la santé?**
Donnez des réponses personnelles.

1. Comment allez-vous aujourd'hui?
2. Vous êtes en forme?
3. Vous connaissez quelqu'un qui est malade? Qui? Qu'est-ce qu'il (elle) a?
4. Vous connaissez quelqu'un qui est souffrant? Qui? Qu'est-ce qu'il (elle) a?
5. Vous êtes en pleine forme quand vous avez un rhume? Comment êtes-vous?
6. Vous êtes fatigué(e) en ce moment?
7. Vous dormez bien ou mal?
8. Vous avez bon appétit?

B **Question de style** Exprimez d'une autre façon.

1. Ça va?
2. Je vais très bien.
3. Je ne vais pas très bien.
4. Il n'a rien de grave. Il a un rhume, c'est tout.
5. Il n'a pas d'appétit.
6. Qu'est-ce que je suis fatigué(e)!
7. Il dort tout le temps, ce type.
8. Elle a une grosse fièvre.
9. Nous vous souhaitons un prompt rétablissement.

info santé

OFFERT PAR VOTRE PHARMACIEN

RHUME & GRIPPE

* LE RHUME, LA GRIPPE,
* LES SYNDROMES GRIPPAUX
* LA VACCINATION ANTIGRIPPALE : QUI ? QUAND ? COMMENT ?

N°158

CHAPITRE 7

ANSWERS TO Communication guidée

 A *Answers will vary.*
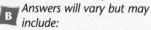 **B** *Answers will vary but may include:*

1. Comment allez-vous aujourd'hui?
2. Je suis en pleine forme.
3. Je ne suis pas en forme.
4. Il est souffrant.
5. Il a un appétit d'oiseau.

6. Qu'est-ce que je suis crevé(e)!
7. Il dort debout, ce type.
8. Elle a une fièvre de cheval.
9. Remettez-vous vite!

LE BIEN-ÊTRE PSYCHOLOGIQUE ∩

Il y a des choses qui vous rendent contents et il y en a d'autres qui vous rendent mécontents.

Pour exprimer votre contentement, vous pouvez utiliser les expressions suivantes:

COURANT	FAMILIER
J'e me sens bien.	J'ai le moral.
Je suis de bonne humeur.	Je suis de bon poil.
Je suis très content(e).	Je suis super-content(e).
Je suis très heureux (-se).	Je suis vachement heureux (-se).

Pour exprimer votre mécontentement, vous pouvez utiliser les expressions suivantes:

COURANT	FAMILIER
Je suis triste.	J'ai le moral à zéro.
Je suis déprimé(e).	J'ai le cafard.
J'ai beaucoup de peine.	J'ai le cœur gros.
Je suis énervé(e).	Je suis sur les nerfs.
Je suis de mauvaise humeur.	Je suis de mauvais poil.
Je suis fâché(e)/en colère.	Je suis furax.

J'ai le cafard.

LE BIEN-ÊTRE PSYCHOLOGIQUE

1 Presentation

Note: All expressions designated **familier** are ones that are used colloquially in everyday conversation.

Step 1 Have students repeat the model sentences after you. Be sure that they say these expressions with the proper intonation as they speak. Encourage them to use the typical French gestures shown on pages 329–331.

 Gestures

Pour exprimer sa tristesse, on incline la tête vers le côté.

2 Presentation (continued)

Step 2 After presenting the information about **s'ennuyer,** you may wish to have students make up additional model sentences. You may ask the following questions to elicit them: **Ce discours vous ennuie? Il y a quelque chose d'autre qui vous ennuie? Qu'est-ce qu'il/elle fait qui vous ennuie? Et qu'est-ce que vous faites qui l'ennuie? Qu'est-ce qu'il faut que vous fassiez de temps en temps qui vous ennuie?**

Gestures

Pour exprimer la lassitude, on expire une bouffée d'air tout en levant les yeux au ciel.

3 Practice

Communication guidée

When going over **Activités B** and **D,** call on several students in order to elicit different responses.

FUN FACTS

De nombreuses lignes téléphoniques d'entraide existent aujourd'hui en France: S.O.S. Amitié, pour ceux qui se sentent seuls et veulent parler à quelqu'un, S.O.S. Drogue et S.O.S. Santé Information qui traitent plus spécifiquement des questions de bien-être physique.

Ces communications ont été facilitées par l'arrivée en France du Minitel. C'est un terminal d'interrogation vidéotex, une sorte de téléphone qui permet d'avoir accès à des banques de données.

Les choses qui vous rendent mécontents vous affectent d'une façon négative parce qu'elles vous ennuient *(annoy)*. Pour exprimer votre ennui, vous pouvez dire:

COURANT	FAMILIER
C'est ennuyeux.	C'est rasoir!
	C'est embêtant!
Ça m'ennuie.	Ça me rase!
	Ça m'embête!
J'en ai assez.	J'en ai marre!
Tu nous ennuies.	Tu nous rases!
Tu nous embêtes.	Tu nous casses les pieds!

Oh, là là!

Notez que le verbe **ennuyer** est très utilisé en français, et qu'il peut avoir des sens différents selon le contexte.

Ce discours m'*ennuie.*	*This speech **bores** me.*
Il fait des choses qui m'*ennuient.*	*He does things that **annoy** me.*
Ça m'*ennuie* de vous demander de l'argent.	*It **bothers** (upsets) me to ask you for money.*
Ça m'*ennuie* de refaire ce que je viens de faire.	*I **don't like** to redo what I have just done.*

J'en ai marre!

Enfin, de temps en temps nous avons tous besoin d'un peu d'encouragement. Pour encourager quelqu'un à faire ou à endurer quelque chose, vous pouvez dire:

Vas-y! (Allez-y!)
Allez, du courage!
Allez, ça ira bientôt mieux!
Allez, encore un petit effort!
Ça y est presque!

QUAND LA VIE FAIT MAL

LA PORTE OUVERTE
Quelqu'un à qui parler
accueil anonyme et gratuit
21, rue Duperré – 75009 Paris
4, rue des Prêtres-Saint-Séverin - 75005 Paris
Métro Convention - sur le quai

Communication guidée

 Et vous? Comment va le moral?
Donnez des réponses personnelles.

1. Vous êtes content(e) ou triste, aujourd'hui?
2. Vous êtes toujours content(e)?
3. Vous êtes de bonne humeur ou de mauvaise humeur, aujourd'hui?
4. Vous êtes toujours de bonne humeur?
5. Vous êtes déprimé(e) en ce moment?

ANSWERS TO Communication guidée

 Answers will vary.

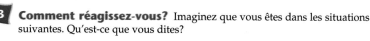
B **Comment réagissez-vous?** Imaginez que vous êtes dans les situations suivantes. Qu'est-ce que vous dites?

1. Votre petit frère fait toujours des choses que vous n'aimez pas du tout, des bêtises.
2. Votre ami(e) a pris votre bicyclette et il (elle) l'a perdue. Il (Elle) l'a laissée quelque part.
3. Un(e) de vos ami(e)s est très malade.
4. Vous venez de recevoir une très bonne nouvelle.
5. Vous venez de gagner à la loterie.
6. Vous savez que vous allez recevoir de très mauvaises notes.
7. Vous le ferez si c'est absolument nécessaire, mais vous ne voulez pas.
8. Votre ami(e) a presque fini ses devoirs et il (elle) se sent un peu frustré(e).

C **Question de style** Exprimez d'une autre façon.

1. C'est ennuyeux, ça.
2. Ça m'embête.
3. Je suis énervé(e).
4. Il est en colère.
5. J'en ai assez.
6. Tu m'ennuies.
7. Tes bêtises m'ennuient.
8. Elle est furieuse.
9. Elle est triste, la pauvre.
10. Il est de mauvaise humeur.
11. Tu te sens bien?
12. Je suis déprimé(e).
13. Il a de la peine.
14. Elle est très heureuse.
15. Allez, encore un petit effort!

Il est énervé.

D **Quelles sont les choses qui vous ennuient?**
Complétez. Donnez des réponses personnelles.

1. Je suis de mauvais poil quand…
2. Ça me casse les pieds de…
3. Je suis sur les nerfs quand…
4. Je suis furax de…
5. J'ai le cafard si…

Il est furax.

Gestures

• Pour exprimer son énervement, on crispe les doigts, la paume de la main vers le ciel. En général, on montre aussi les dents.
• Pour exprimer violemment sa colère, on donne un coup de poing sur la table.

Class Motivator

Divide the class into two teams. Give each student an index card. Have all students make up possible situations which would elicit any of the positive or negative expressions on pages 329–330. (They can model the situations on the sentences in **Activité B** on this page.) Each team takes turns reading their situations to the other team. A point is given for an appropriate response or deducted for an inappropriate one. The team being questioned should continue until someone makes an error.
Élève 1: Tu as échoué à ton examen de maths!
Élève 2: J'ai le moral à zéro.

ANSWERS TO **Communication guidée**

B *Answers will vary but may include:*
1. Tu nous casses les pieds!
2. C'est ennuyeux.
3. Allez, ça ira bientôt mieux!
4. Je suis super-content(e)!
5. Je suis vachement heureux(-se)!
6. J'ai le moral à zéro.
7. Ça m'ennuie.
8. Allez, encore un petit effort!

C
1. C'est rasoir, ça.
2. Ça m'ennuie.
3. Je suis sur les nerfs.
4. Il est furax.
5. J'en ai marre.
6. Tu me rases.
7. Tu me casses les pieds. (Tu me rases.)
8. Elle est furibarde.
9. Elle a le moral à zéro, la pauvre.
10. Il est de mauvais poil.
11. Tu as le moral?
12. J'ai le cafard.
13. Il a le cœur gros.
14. Elle est vachement heureuse.
15. Ça y est presque!

D *Answers will vary.*

3 Practice *(continued)*

Communication libre

Have students select the activity or activities they wish to take part in. You can divide the class into pairs/teams or allow students to make up their own pairs/groups.

Independent Practice

Assign any of the following:
1. Workbook, **Langage**
2. Activities on pages 330–332

✓ Assessment

Use these resources at the end of the **Conversation** and **Langage** sections for review and assessment.
Quizzes 2–4
Test Booklet, pages 152–154
ExamView Pro®
Situation Cards

 Quelles sont les choses qui les ennuient?
Complétez. Donnez des réponses personnelles.

1. Je connais bien mon prof, et je sais qu'il ne sera pas content si je…
2. Mes parents deviennent furieux quand…
3. Ça ennuie mes amis que je…
4. Mes frères sont de mauvaise humeur quand…
5. Ma grand-mère a de la peine si…

Communication libre

 Meilleure santé! Vous aviez rendez-vous avec un(e) ami(e) pour jouer au tennis dimanche. Samedi matin, vous vous réveillez avec la grippe. Vous téléphonez à votre ami(e) pour lui dire que vous ne pourrez pas jouer avec lui (elle) et pourquoi. Votre ami(e) est désolé(e), mais lui (elle) aussi ne se sent pas bien. Vous échangez des détails sur vos problèmes de santé, et des encouragements. Travaillez avec un(e) camarade de classe qui jouera le rôle de votre ami(e).

 Quand on fait du sport, on se sent mieux. Vous rencontrez trois copains sur la plage. Ils ont l'air de s'ennuyer. Vous leur proposez d'aller faire de la planche à voile. Vos copains réagissent très négativement. Vous leur demandez ce qui ne va pas. L'un dit qu'il est triste, l'autre qu'elle est déprimée, le troisième qu'il a de la peine. Vous demandez à chacun(e) pourquoi. Et puis vous les encouragez à venir faire de la planche à voile pour oublier leurs problèmes. Travaillez avec trois camarades de classe qui joueront les rôles de vos copains.

On fait de la planche à voile sur l'Erdre, près de Nantes.

ANSWERS TO
Communication guidée

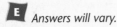 *Answers will vary.*

ANSWERS TO
Communication libre

 and *Answers will vary.*

Structure I

Telling what people do for themselves or for each other
Les verbes réfléchis

1. A reflexive verb is one whose action is both performed and received by the subject. In the following sentences, the reflexive pronouns **me** and **se** indicate that the action of the verb is reflected back on the subject.

Je me lave.	*I wash myself.*
Il se rase.	*He's shaving (himself).*

Review the following forms of reflexive verbs.

SE LAVER	S'HABILLER
je me lave	je m' habille
tu te laves	tu t' habilles
il/elle/on se lave	il/elle/on s' habille
nous nous lavons	nous nous habillons
vous vous lavez	vous vous habillez
ils/elles se lavent	ils/elles s' habillent

Other commonly used reflexive verbs are:

s'amuser	**se baigner**	**se brosser**	**se coucher**
se lever	**se peigner**	**se raser**	**se réveiller**

2. Remember that a reflexive pronoun is used only when the subject also receives the action of the verb. If a person or object other than the subject receives the action of the verb, no reflexive pronoun is used. Compare the following sentences.

Reflexive	Non-reflexive
Pierre se lave.	Il lave sa voiture.
Anne se couche.	Anne couche le bébé.
Je me regarde dans le miroir.	Je regarde la télé.

Structure I

1 Preparation

Resource Manager

Workbook, Activities A–J, pages 158–162
Audio Activities Booklet TE, Activities A–D, pages 177–178
Audiocassette 7/CD 13
Quizzes 5–8, pages 87–90
ExamView Pro®

Bellringer Review

Write the following on the board or use BRR Transparency 7.5.
«Comment vas-tu?» Répondez en vous servant des expressions que vous avez apprises à la page 329.

2 Presentation

Les verbes réfléchis ◆

Note: It is quite possible that many groups or students will not need much review on this particular point.

Step 1 Write the forms of one of the verbs on the board. Circle the subject and the reflexive pronoun. Draw a line from the reflexive pronoun to the subject pronoun to indicate that they are the same.

Step 2 As students read the sentences in Item 2, they can dramatize—washing themselves vs. washing something else. These dramatizations help students visualize and therefore understand the concept.

2 Presentation (continued)

Step 3 The reciprocal construction presents few problems in the present tense. It is more problematic in the compound tenses because of the agreement with the past participle.

Step 4 Correct placement of the negative words takes a great deal of ear training. This is a point students learn better through examples than explanation.

3 Practice

Communication guidée

A This activity can be done with books closed after the vocabulary has been presented.

Extension: Call on one student to tell all about his or her morning routine.

Learning from Photos

Ask students: **Le garçon fait sa toilette? Il se lave la figure? Avec quoi est-ce qu'il se lave? Il s'est déjà brossé les dents, à votre avis? Il s'est déjà habillé? Est-ce qu'il va se peigner ou se brosser les cheveux? De quoi est-ce qu'il va se servir pour se peigner (ou se brosser) les cheveux?**

---

3. A reciprocal verb is one in which people do something to or for each other. A reciprocal verb in French functions the same way as a reflexive verb. Review the following examples.

Nous nous voyons souvent. *We see each other often.*
Ils s'embrassent sur la joue. *They kiss one another on the cheek.*

4. In the negative, **ne** is placed before the reflexive pronoun, and **pas (plus, jamais)** follows the verb.

Je ne me couche pas avant minuit.
Il ne se rase plus tous les jours.
Elles ne se parlent jamais.

5. When a reflexive verb is used in the infinitive form, the reflexive pronoun must agree with the subject.

Je vais me coucher.

Communication guidée

A **Historiette** **Et vous?** Donnez des réponses personnelles.

1. Tu t'appelles comment?
2. Tu te couches à quelle heure?
3. Et tu te lèves à quelle heure?
4. Est-ce que tu te réveilles facilement?
5. Tu te laves le matin ou le soir?
6. Tu te brosses les dents après le petit déjeuner?
7. Tu t'habilles avant de prendre le petit déjeuner?

Il se lave la figure.

Answers to Communication guidée

A *Answers will vary.*

Structure I

B **Historiette** **La routine quotidienne** Complétez.

1. Je _____ à 7 heures du matin. (se lever)
2. Quand je _____, je _____ la figure et je _____ les dents. (se lever, se laver, se brosser)
3. Mais ma sœur ne _____ pas à 7 heures. Elle _____ à 7 heures, mais elle reste au lit jusqu'à 7 heures et demie. (se lever, se réveiller)
4. Elle ne _____ pas le matin. Elle _____ le soir avant de _____. (se laver, se laver, se coucher)
5. Nous prenons notre petit déjeuner et ensuite nous _____ les dents. (se brosser)
6. À quelle heure _____-tu? (se lever)
7. Et ta sœur, elle _____ à quelle heure? (se lever)
8. Est-ce que vous _____ le soir avant de _____? (se laver, se coucher)

C **Pour soi ou pour les autres?**
Complétez avec le pronom réfléchi quand c'est nécessaire.

1. Je _____ couche à onze heures du soir.
2. Je _____ lave avant de me coucher.
3. Maman _____ lave le bébé, ensuite papa _____ couche le bébé.
4. Elle _____ amuse bien à l'école.
5. Elle _____ amuse tous mes amis aussi.
6. Tous les matins, je _____ réveille mon frère. Si je ne _____ réveillais pas mon frère, il ne _____ lèverait pas.
7. Mon chien a de très longs poils. Je _____ brosse souvent mon chien.

D **C'est réciproque.** Complétez.

1. Je la vois tous les jours et elle me voit tous les jours. Nous _____ _____ à l'école.
2. Il lui donne la main et elle lui donne la main. Ils _____ _____ la main chaque fois qu'ils se rencontrent.
3. Elle me connaît et je la connais. Nous _____ _____ depuis longtemps.
4. Elle m'écrit souvent et je lui écris souvent. Nous _____ _____ souvent.
5. Elle m'aime et je l'aime. Nous _____ _____ beaucoup.
6. Pierre aime Thérèse et Thérèse aime Pierre. Ils _____ _____ beaucoup.
7. Il l'embrasse et elle l'embrasse. Ils _____ _____ sur les joues.

Ils s'embrassent sur les joues.

B After going over this activity once, you may wish to have one or two students complete the entire activity quickly for additional reinforcement.

C and **D** You may wish to have students prepare these activities before going over them in class.

Note: Activité D helps to illustrate the element of reciprocity by first expressing separately what each person does for the other.

Independent Practice

Assign any of the following:
1. Workbook, **Structure I**
2. Activities on pages 334–335

Answers to *Communication guidée*

B
1. me lève
2. me lève, me lave, me brosse
3. se lève, se réveille
4. se lave, se lave, se coucher
5. nous brossons
6. te lèves
7. se lève
8. vous lavez, vous coucher

C
1. me
2. me
3. -, -
4. s'
5. -
6. -, -, se
7. -

D
1. nous voyons
2. se donnent
3. nous connaissons
4. nous écrivons
5. nous aimons
6. s'aiment
7. s'embrassent

Structure I

Structure I

1 Preparation

Bellringer Review

Write the following on the board or use BRR Transparency 7.6.
Écrivez une liste de tout ce que vous faites le matin avant de quitter la maison.

Note: Have students keep their lists. They will need them for **Bellringer Review 7.7** on page 340.

2 Presentation

Les verbes réfléchis au passé composé ◆◆

It is recommended that throughout the presentation you focus students' attention on the spelling of the past participles, since the problem here is primarily a written one.

Additional Practice

Demandez aux élèves de faire une liste des résolutions qu'ils ont prises cette année et de les comparer aux résolutions qu'ils avaient prises l'année dernière. Par exemple: L'année dernière je ne me suis jamais couché(e) à 10 heures, mais cette année je me coucherai à 10 heures tous les soirs.

FUN FACTS

L'appellation «savon de Marseille» fait référence au procédé classique selon lequel ce savon est fabriqué. Il ne contient aucun produit chimique. L'huile d'olive, qui était employée jusqu'au dix-huitième siècle pour la fabrication de ce savon, a été remplacée par les huiles d'origine tropicale. Le savon de Marseille représente environ 20% de la consommation française des produits de lavage.

336

Telling what people did for themselves or for each other at one point in the past

Les verbes réfléchis au passé composé

1. The **passé composé** of reflexive verbs is formed with **être,** not **avoir.**

SE LEVER	S'AMUSER
je me suis levé(e)	je me suis amusé(e)
tu t' es levé(e)	tu t' es amusé(e)
il s' est levé	il s' est amusé
elle s' est levée	elle s' est amusée
nous nous sommes levé(e)s	nous nous sommes amusé(e)s
vous vous êtes levé(e)(s)	vous vous êtes amusé(e)(s)
ils se sont levés	ils se sont amusés
elles se sont levées	elles se sont amusées

2. The past participle of reflexive verbs agrees in gender and number with the reflexive pronoun when the reflexive pronoun is the direct object of the sentence.

Elle s'est lavée.   **Elles se sont lavées.**
Il s'est lavé.   **Ils se sont lavés.**

3. When the reflexive pronoun is not the direct object of the sentence, there is no agreement of the past participle.

Elle s'est lavé les mains.   **Elles se sont lavé les mains.**
Il s'est lavé les mains.   **Ils se sont lavé les mains.**

In the above sentences, **les mains** (not the reflexive pronoun **se**) is the direct object of the sentence. **Se** is the indirect object. Consequently, there is no agreement of the past participle.

Structure I

4. With reciprocal verbs in the **passé composé,** it is very important to determine whether the reflexive pronoun is a direct or an indirect object. When the reciprocal pronoun is the direct object of the verb, the past participle must agree with the reciprocal pronoun. If the pronoun is the indirect object, however, there is no agreement.

Direct object pronoun	Indirect object pronoun
Ils se sont embrassés.	Ils se sont donné la main.
Ils se sont fiancés.	Ils se sont parlé.
Ils se sont mariés.	Ils se sont souri.

Note that some verbs like **se parler** or **se sourire** never have a direct object, consequently their past participle is invariable.

5. In the negative, **ne** is placed before the reflexive pronoun, and **pas (plus, jamais)** follows the verb **être.**

> **Je ne me suis pas amusé(e).**
> **Elle ne s'est jamais mariée.**
> **Ils ne se sont plus parlé, après ça.**

Elles se sont parlé.

Note: Many students have problems with this point (Item 4) because they are not always sure if the object is direct or indirect. In comparison to many other structure points, this one is not very important.

3 Practice

Communication guidée

A Call students who have good penmanship to the board to write the answers.

B As you have the class read the answers, underline the endings of the past participles.

Communication guidée

A **Historiette** **Qui s'est couché de bonne heure?** Répondez.

1. Est-ce que Jacques s'est couché de bonne heure hier soir?
2. Et sa sœur? Elle s'est couchée de bonne heure aussi?
3. Est-ce que Jacques s'est endormi tout de suite?
4. Et sa sœur Annette? Elle s'est endormie tout de suite?
5. À quelle heure se sont-ils réveillés ce matin?
6. Se sont-ils levés tout de suite?

B **Ce matin** Mettez au passé composé.

1. Je me réveille à sept heures.
2. Je me lève tout de suite.
3. Ma mère se lève à la même heure.
4. Mon père ne se lève pas avant huit heures.
5. Je me lave, et ensuite ma mère se lave.
6. Mon père se lave en dernier, et il se rase.
7. Nous nous habillons rapidement.
8. Corinne et Anne, vous vous dépêchez ce matin?

Il s'est habillé.

C **Florence et les autres** Faites l'accord quand c'est nécessaire.

1. Florence s'est lavé _____.
2. Elle s'est lavé _____ les mains avant de manger.
3. Avant de sortir, elle s'est habillé _____.
4. Elle s'est brossé _____ les cheveux.
5. Ses frères se sont rasé _____.
6. Ils se sont lavé _____ la figure et les mains.
7. Et ils se sont vite habillé _____.
8. Paul, tu t'es dépêché _____ ce matin?

D **Historiette** **Isabelle et Philippe s'aiment bien?**
Répondez par «oui» ou par «non».

1. Isabelle et Philippe se sont vus hier?
2. Ils se sont embrassés quand ils se sont rencontrés?
3. Ils se sont donné la main?
4. Ils se sont souri?
5. Ils se sont parlé longtemps?

E **Historiette** **L'histoire de Gigi et Robert**
Faites l'accord quand c'est nécessaire.

1. Ils se sont regardé _____.
2. Ils se sont souri _____.
3. Ils se sont dit _____ bonjour.
4. Ils se sont présenté _____.
5. Ils se sont parlé _____.
6. Ils se sont beaucoup amusé _____.
7. Ils se sont dit _____ au revoir.
8. Ils se sont téléphoné _____.
9. Ils se sont écrit _____.
10. Ils se sont rencontré _____ une deuxième fois.
11. Ils se sont fiancé _____.
12. Un an après, ils se sont marié _____.

Ils se sont souri.

STRUCTURE I

trois cent trente-neuf 🔸 **339**

ANSWERS TO *Communication guidée*

D

1. Oui (Non), Isabelle et Philippe (ne) se sont (pas) vus hier.
2. Oui (Non), ils (ne) se sont (pas) embrassés quand ils se sont rencontrés.
3. Oui (Non), ils (ne) se sont (pas) donné la main.
4. Oui (Non), ils (ne) se sont (pas) souri.
5. Oui (Non), ils (ne) se sont (pas) parlé longtemps.

E

1. s
2. —
3. —
4. —
5. —
6. s
7. —
8. —
9. —
10. s
11. s
12. s

1 Preparation

2 Presentation

Le pronom interrogatif **qui** ◆

Step 1 The two important points for students to remember are that **qui** always refers to a person and that it can be used as a subject, as an object, or as an object of a preposition.

Step 2 It is the longer forms (Item 2) of **qui** that pose problems for students. The use of the long form is becoming much less frequent because of the over-whelming tendency to put the interrogative word at the end of the sentence. One will hear **Tu as vu qui?** far more frequently than **Qui est-ce que tu as vu?**

Asking *who* or *whom*
Le pronom interrogatif **qui**

1. **Qui** refers to a person and can be the subject or object of the verb, or the object of a preposition.

Subject	Object	Object of a preposition
—Qui est là?	—Tu as vu qui?	—Tu as dîné avec qui?
—Paul.	—Anne.	—Avec elle.
—Qui parle?	—Qui avez-vous vu?	—Pour qui l'avez-vous acheté?
—Lui.	—Luc.	—Pour lui.

Remember that **qui** followed by inversion (verb + subject) is used in formal or written French.

2. You will sometimes see or hear the long forms **qui est-ce qui** or **qui est-ce que.** Study the following.

Subject	Object
—Qui est-ce qui parle à Paul?	—Qui est-ce que tu as vu?
—Son ami Luc.	—J'ai vu Jacqueline.

Object of a preposition
—Avec qui est-ce que tu as dîné?
—Avec Paul.

Communication guidée

A **Qui ça?** Complétez.
1. —Marie joue au tennis.
   —_____ joue au tennis?
2. —Paul est très bon joueur.
   —_____ est très bon joueur?
3. —Son frère aime faire du jogging.
   —_____ aime faire du jogging?
4. —J'aime écouter Marie.
   —Tu aimes écouter _____?
5. —J'ai vu son frère.
   —_____ as-tu vu?
6. —Elle chante avec son frère.
   —Avec _____ chante-t-elle?

Music Connection

Answers to Communication guidée

A

1. Qui (Qui est-ce qui)
2. Qui (Qui est-ce qui)
3. Qui (Qui est-ce qui)
4. qui
5. Qui
6. qui

B **Qui?** Complétez.

1. —Marie chante.
   —_____ est-ce _____ chante?
2. —Elle a une très belle voix.
   —_____ est-ce _____ a une belle voix?
3. —Et son frère l'accompagne au piano.
   —_____ est-ce _____ l'accompagne au piano?
4. —J'aime écouter Marie.
   —_____ est-ce _____ tu aimes écouter?
5. —Et j'aime écouter son frère.
   —_____ est-ce _____ tu aimes écouter?
6. —Elle chante avec son frère.
   —Avec _____ est-ce _____ elle chante?

C **Vous n'avez pas bien entendu.** Posez des questions d'après le modèle.

—*Catherine* va partir demain.
—**Pardon, qui va partir demain?**

1. *Philippe* va partir demain.
2. *Philippe* va en Italie.
3. J'ai parlé avec *Philippe* hier.
4. J'ai vu *Philippe* hier.
5. Il va en Italie avec *Catherine*.

STRUCTURE I

Independent Practice

Assign any of the following:
1. Activities on pages 340–341
2. Workbook, **Structure I**

ANSWERS TO *Communication guidée*

B

1. Qui... qui
2. Qui... qui
3. Qui... qui
4. Qui... que
5. Qui... que
6. qui... qu'

C

1. Pardon, qui (est-ce qui) va partir demain?
2. Pardon, qui (est-ce qui) va en Italie?
3. Pardon, avec qui as-tu parlé (avec qui est-ce que tu as parlé) hier?
4. Pardon, qui as-tu vu (qui est-ce que tu as vu) hier?
5. Pardon, avec qui va-t-il (avec qui est-ce qu'il va) en Italie?

Structure I

Structure I

1 Presentation

Les pronoms interrogatifs que et quoi ◆◆◆

Step 1 The difference between **qu'est-ce qui** and **qu'est-ce que** is confusing to many students. It is suggested that you emphasize the model sentences and the sentences that appear in the activities. The more students hear and use these pronouns, the more accurately they will use them.

Step 2 Ask the students frequently to make up their own questions so that this point gets reintroduced often.

Asking *what*
Les pronoms interrogatifs que et quoi

1. When *what* is the subject of the question, **qu'est-ce qui** must be used.

   —**Qu'est-ce qui ne va pas?**
   —**J'ai mal à la tête.**

   —**Qu'est-ce qui se passe?**
   —**Rien de spécial.**

2. When *what* is the object of the question, **qu'est-ce que** can be used, or **que** followed by inversion (verb + subject).

   —**Qu'est-ce que vous voyez?/Que voyez-vous?**
   —**Mars et Jupiter.**

   —**Qu'est-ce qu'il a?/Qu'a-t-il?**
   —**Il a la grippe.**

   Remember that **que** followed by the inversion is used in formal or written French.

3. **Quoi** is always used after a preposition when referring to a thing.

   —**De quoi avez-vous peur?**
   —**De la maladie.**

   —**À quoi pense-t-il?**
   —**À ses problèmes.**

   —**Dans quoi est-ce que tu mets ça?**
   —**Dans un sac.**

4. Review the following chart.

	Persons	Things
Subject	Qui Qui est-ce qui	Qu'est-ce qui
Object	Qui (+ inversion) Qui est-ce que	Que (+ inversion) Qu'est-ce que
Object of a preposition	De qui (+ inversion) De qui est-ce que	De quoi (+ inversion) De quoi est-ce que

Communication guidée

 Dites-moi! Complétez.

1. Jacques, _____ se passe?
2. _____ est arrivé?
3. _____ a fait ce bruit?
4. _____ tu as fait, mon petit?
5. _____ tu as vu?
6. De _____ tu as peur?
7. _____ va-t-il faire?
8. À _____ pensez-vous?

 Qu'est-ce qu'on fait? Écrivez des questions d'après le modèle.

—Je pense *à mes examens.*
—À quoi pensez-vous?

1. Bernard va faire *un voyage en Suisse.*
2. Beaucoup de gens ont peur *de voyager en avion.*
3. Je vais mettre mes affaires *dans cette grande valise.*
4. Nous pensons souvent *à notre voyage en France.*
5. Elle a besoin *d'un passeport.*
6. Elle va obtenir *son passeport* la semaine prochaine.

C **Vous voulez tout savoir.** Complétez.

1. Le téléphone a sonné.
   _____ a sonné?
2. Lisette a répondu au téléphone.
   _____ a répondu au téléphone?
3. Robert est à l'appareil.
   _____ est à l'appareil?
4. Lisette parle avec Robert.
   Avec _____ parle-t-elle?
5. Ils parlent du marathon.
   De _____ parlent-ils?
6. Leur ami Pierre a gagné le marathon.
   _____ a gagné le marathon?
7. Pierre a reçu un trophée.
   _____ il a reçu?
8. Pierre a donné son trophée à sa mère.
   À _____ a-t-il donné son trophée?
9. Il a embrassé sa mère.
   _____ a-t-il embrassé?
10. Robert et Lisette vont donner une
    fête pour Pierre.
    _____ vont-ils donner? Pour _____?

2 Practice

Additional Practice

After going over the activities, have students make up original questions using these pronouns.

Independent Practice

Assign any of the following:
1. **Activités A–C** on this page
2. Workbook, **Structure I**

 Assessment

Use these resources after completing **Structure I** for review and assessment.
   Quizzes 5–8
   Test Booklet, pages 155–157
   ExamView Pro®

ANSWERS TO *Communication guidée*

A

1. qu'est-ce qui
2. Qu'est-ce qui
3. Qui (Qui est-ce qui) (Qu'est-ce qui)
4. Qu'est-ce que
5. Qu'est-ce que (Qui est-ce que)
6. quoi est-ce que
7. Que
8. quoi

B

1. Que va faire Bernard?
2. De quoi beaucoup de gens ont-ils peur?
3. Dans quoi allez-vous mettre vos affaires?
4. À quoi pensez-vous souvent?
5. De quoi a-t-elle besoin?
6. Que va-t-elle obtenir la semaine prochaine?

C

1. Qu'est-ce qui
2. Qui (Qui est-ce qui)
3. Qui (Qui est-ce qui)
4. qui
5. quoi
6. Qui (Qui est-ce qui)
7. Qu'est-ce qu'
8. qui
9. Qui
10. Que, qui

L'OREILLE ET LE BRUIT

L'OREILLE ET LE BRUIT

Introduction

On parle toujours de la pollution de l'environnement. Malheureusement, nous sommes tous exposés à la pollution par le bruit. Les personnes qui vivent dans des endroits bruyants ont souvent des troubles de l'oreille et entendent de moins en moins bien. Les jeunes surtout, qui jouent leur musique très fort, sont affectés.

Les deux articles qui suivent et qui concernent l'oreille et le bruit ont paru dans *Okapi*, un magazine français consacré aux jeunes.

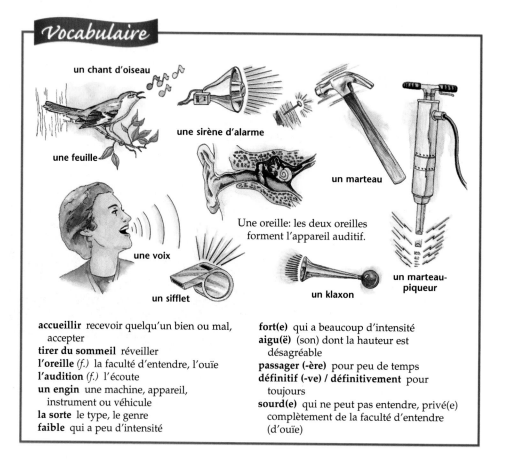

Vocabulaire

un chant d'oiseau

une feuille

une sirène d'alarme

un marteau

une voix

Une oreille: les deux oreilles forment l'appareil auditif.

un sifflet

un klaxon

un marteau-piqueur

accueillir recevoir quelqu'un bien ou mal, accepter
tirer du sommeil réveiller
l'oreille (*f.*) la faculté d'entendre, l'ouïe
l'audition (*f.*) l'écoute
un engin une machine, appareil, instrument ou véhicule
la sorte le type, le genre
faible qui a peu d'intensité

fort(e) qui a beaucoup d'intensité
aigu(ë) (son) dont la hauteur est désagréable
passager (-ère) pour peu de temps
définitif (-ve) / définitivement pour toujours
sourd(e) qui ne peut pas entendre, privé(e) complètement de la faculté d'entendre (d'ouïe)

---

1 Preparation

Resource Manager

Vocabulary Transparency 7.5
Audio Activities Booklet TE, Activities A–B, pages 179–180
Audiocassette 7/CD 13
Workbook, Activities A–C, page 163
Quiz 9, page 91
ExamView Pro®

Bellringer Review

Write the following on the board or use BRR Transparency 7.8.
Trouvez le mot qui correspond.
1. les doigts   a. la vue
2. le nez   b. le toucher
3. les yeux   c. l'ouïe
4. les oreilles   d. l'odorat
5. la langue   e. le goût

2 Presentation

Introduction

You may wish to read the **Introduction** aloud or have the students read it silently.

Vocabulaire

Step 1 Have students repeat the new vocabulary after you.

Step 2 Call on students to read the new words and definitions. Ask: **Est-ce que les Acadiens accueillent les invités? Ils les accueillent d'une façon chaleureuse? Est-ce que le chant d'un oiseau vous tire du sommeil? Et une sirène d'alarme?**

Step 3 Have students give you an antonym for each word:
endormir   fort
permanent   doux
temporaire

Class Motivator

To practice the vocabulary words and definitions, you may wish to play Vocabulary Game III: **Le jeu de Loto,** which was explained in Chapter 5, page 238.

Communication guidée

A **Quels sont vos goûts?** Donnez des réponses personnelles.

1. Tu préfères les sons faibles ou forts?
2. Tu aimes les sons aigus?
3. Tu aimes être tiré(e) du sommeil par une sirène d'alarme?
4. Tu aimes quelle sorte de musique?
5. Tu accueilles tes amis à bras ouverts?
6. Tu aimes chanter? Tu as une belle voix?

B **Sons agréables ou désagréables?** Répondez d'après le modèle.

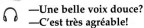

—Une belle voix douce?
—C'est très agréable!

1. Le chant des oiseaux?
2. Le vent dans les feuilles des arbres?
3. Une sirène d'alarme?
4. Un marteau-piqueur?
5. Le sifflet d'un agent de police?
6. La voix d'une personne aimée?
7. Les klaxons de cent voitures?
8. Un son très aigu?
9. Un engin très bruyant?

C **Quel est le mot?** Complétez.

1. Cette chanteuse a une _____ très agréable.
2. Une voiture a un _____.
3. Une ambulance a une _____.
4. Un charpentier utilise souvent un _____.
5. Ceux qui font des travaux dans les rues ou sur les routes utilisent souvent des _____.
6. Les sons très _____ et _____ ne sont pas agréables.
7. Les organes de l'ouïe sont les _____. Elles forment l'appareil _____.
8. Tu vas devenir _____ si tu continues à mettre cette musique aussi fort.
9. Il y a différentes _____ de musiques: classique, jazz, etc.
10. À la première _____, ils ont beaucoup aimé cette musique.
11. Je ne peux pas juger cette musique: j'ai une très mauvaise _____.

D **Familles de mots** Choisissez le mot qui correspond.

1. cesser
2. crier
3. enregistrer
4. perdre
5. détruire
6. définitif
7. percevoir
8. reposer
9. passer

a. la perte
b. la perception
c. un cri
d. sans cesse
e. passager
f. le repos
g. l'enregistrement
h. la destruction
i. définitivement

Journalisme

3 Practice

Communication guidée

A and **B** These activities can be done orally with books closed after the vocabulary has been presented.

C and **D** You may have students prepare these activities and then go over them in class. When going over **Activité C,** have students read the entire sentence.

Independent Practice

Assign any of the following:
1. Activities on this page
2. Workbook, **Journalisme**

ANSWERS TO Communication guidée

A *Answers will vary.*

B
1. C'est très agréable.
2. C'est très agréable.
3. C'est très désagréable.
4. C'est très désagréable.
5. C'est très désagréable.
6. C'est très agréable.
7. C'est très désagréable.
8. C'est très désagréable.
9. C'est très désagréable.

C
1. voix
2. klaxon
3. sirène d'alarme
4. marteau
5. marteaux-piqueurs
6. forts, aigus
7. oreilles, auditif
8. sourd(e)
9. sortes
10. audition
11. oreille

D
1. d
2. c
3. g
4. a
5. h
6. i
7. b
8. f
9. e

L'OREILLE ◆◆

National Standards

Communication
Students read magazine articles that describe how ears function and how they can be damaged by excessive noise.

Connections
Students further their knowledge of health and medicine.

1 Preparation

Resource Manager

Audio Activities Booklet TE, Activity C, page 180
Audiocassette 7/CD 13
Workbook, Activities D and E, page 164

Bellringer Review

Write the following on the board or use BRR Transparency 7.9.
Qu'est-ce que vous faites quand...
1. ... vous avez soif?
2. ... vous avez faim?
3. ... vous avez sommeil?
4. ... vous avez mal à la tête?

2 Presentation

Step 1 You may wish to call on students to read some paragraphs aloud, or have students read the entire article silently.

Step 2 You may wish to ask questions during the reading: **Quand les oreilles accueillent-elles les bruits? Depuis quand est-ce qu'on entend? Qu'est-ce que nos oreilles nous signalent? Qu'est-ce qui a été utilisé comme une sorte de torture? Qu'est-ce qui peut blesser l'oreille?**

L'OREILLE

Nos oreilles fonctionnent sans cesse

Nos oreilles, quels appareils! Tandis que[1] nos yeux peuvent se fermer, nos oreilles, elles, restent ouvertes. Elles ne cessent d'entendre. Nuit et jour, immobiles, elles accueillent les bruits.

Notre oreille est pleine de souvenirs

Il y a longtemps que vous entendez, bien longtemps! Dans le ventre de votre mère déjà, vous aviez deux oreilles qui entendaient. De là, vous entendiez vivre le monde des hommes. Les voix, les musiques, les bruits d'engins, tout vous parvenait[2], feutré[3]. Ainsi, par vos oreilles, vous avez eu vos premiers contacts avec le monde extérieur.

Notre oreille veille à[4] notre sécurité

Nous n'avons pas d'yeux derrière la tête, mais nos deux oreilles nous signalent les dangers que nous ne voyons pas: le klaxon de la voiture qui arrive à toute vitesse, la sirène d'alarme qui nous tire du sommeil pour nous permettre de fuir[5] l'incendie[6]. Grâce à[7] notre oreille, nous courons moins de dangers.

Nous avons soif de sons

Le son, c'est la vie. Nous aimons l'entendre, le produire. Quand nous sommes joyeux, que nous faisons la fête, nous chantons, nous rions, nous crions, nous applaudissons. Dans certaines prisons, le silence total a été utilisé comme une sorte de torture: il rendait souvent les gens fous[8] d'angoisse.

Le bruit peut-il blesser?

Notre oreille perçoit bien la différence entre un son faible et un son fort. L'intensité d'un son se mesure en décibels, avec un sonomètre.

Zéro décibel correspond à la force du bruit le plus faible que l'oreille peut entendre. Cela ne se trouve à peu près jamais. Même dans une campagne très calme, la nuit, le sonomètre enregistre toujours quelques décibels.

À partir de 90 décibels, l'oreille se fatigue. À 130 décibels, on commence à ressentir de la douleur[9]. Au-dessus de 150 décibels, l'oreille se détruit: on est définitivement sourd.

---

[1] tandis que *while*
[2] parvenait *reached*
[3] feutré *filtered*
[4] veille à *looks out for*
[5] fuir *to flee*
[6] incendie *fire*
[7] grâce à *thanks to*
[8] fous *crazy*
[9] ressentir de la douleur *to feel pain*

♻ Recycling

To review the interrogative words from **Structure I** of this chapter, have students formulate questions by replacing the italicized word(s) in each of the sentences below with a question word.

1. *Nos oreilles* fonctionnent sans cesse.
2. *Nos oreilles* restent toujours ouvertes.
3. Notre oreille est pleine de *souvenirs*.
4. Nos oreilles nous signalent *des dangers*.
5. *La sirène d'alarme* nous tire du sommeil.
6. Nous avons soif de *sons*.
7. *L'intensité d'un son* se mesure en décibels.

Faut-il faire la guerre[1] aux décibels? Pas nécessairement, car le bruit est parfois agréable: la musique, le chant des oiseaux, le vent dans les arbres, une voix que l'on aime… Ces sons n'ont aucun rapport avec ceux des marteaux-piqueurs, sirènes et autres engins bruyants.

Vous qui êtes «branché[2]», débranchez[3] un instant votre walkman pour lire ce qui suit. Vous y trouverez «tout ce que vous avez toujours voulu savoir sur le bruit, sans oser[4] le demander».

LE BRUIT

LA MUSIQUE, C'EST DU BRUIT?

Oui et non, les dictionnaires ne sont pas d'accord. Distinguons:

- *le son*, terme général qui désigne toutes les ondes[5] qui parviennent[6] à notre oreille qu'elles soient agréables ou désagréables;

- *le bruit*, ensemble de sons non désirés ou non contrôlés.

Mais les définitions ont des limites: le reggae, la musique des Andes, le Rock'n roll, les percussions, pour certains constituent un ensemble harmonieux, pour d'autres une cacophonie.

Et pour aller plus loin, définissons les principales caractéristiques du son et du bruit.

Un son a une certaine intensité (force) qui se mesure en décibels (la voix humaine est environ de 55 db, le bruissement[7] des feuilles en forêt 30 db, un orchestre de musique pop 110 db). Il a aussi une ☞

---

[1] la guerre *war*
[2] branché *"with it,"* cool (lit.: plugged in)
[3] débranchez *unplug*
[4] oser *to dare*
[5] ondes *waves*
[6] parviennent *reach*
[7] le bruissement *rustling*

LE BRUIT ◆◆

Presentation

Step 1 You may wish to have students read the first three paragraphs of this selection silently. Tell them to look for the information below as they read. You may want to write the answers on the board.
des bruits agréables
des bruits désagréables
ce qu'est le son
ce qu'est le bruit

Music Connection

Les jeunes Français sont passionnés de rock. Eux aussi regardent les «clips» de leur vedette préférée à la télé. Ils se rendent aussi à de grandes manifestations, telle que La Grande Fête du Disque et de la Musique, qui ont lieu une fois par an. De nombreux concerts de rock attirent des foules de jeunes. À Paris, parmi les salles de concert de rock les plus importantes se trouvent le Palais Omnisports de Bercy qui compte 15 000 places et le Zénith, de 4 000 à 6 000 places.

Group Activity
Demandez aux élèves de faire une enquête sur la pollution par le bruit et de vous présenter leurs résultats en français.

Journalisme

Presentation (continued)

Step 2 You may have the students read the material in the left-hand column silently. Tell them to look for the main idea in each section. **(L'intensité du son se mesure en décibels. Le bruit peut détruire l'oreille parce qu'elle ne s'adapte pas au niveau d'un bruit.)**

Step 3 You may wish to read *Le walkman: pour ou contre?* aloud. Have students answer the following questions: **Quels sont les vrais risques d'un walkman? Qu'est-ce qui se passe si l'oreille se fatigue souvent? Quel est un très bon conseil pour ceux qui utilisent un walkman?**

---

fréquence, c'est-à-dire que le son produit est plus ou moins haut, plus ou moins aigu, cette mesure s'exprime en Hertz.

L'oreille humaine ne perçoit pas toutes les fréquences existantes: en dessous de 16 Hz on n'entend rien, c'est le domaine des infrasons que l'on peut percevoir par le toucher. Au-delà de 16.000 Hz, nous n'entendons rien non plus, ce sont les ultra-sons que certains animaux perçoivent (c'est le principe utilisé pour les sifflets des chiens, le maître n'entend rien mais son chien accourt[8]).

LE BRUIT, C'EST MAUVAIS POUR LA SANTÉ?

Distinguons bruits désagréables (craie qui crisse sur le tableau), bruits gênants[9] (le marteau du voisin quand on essaie d'apprendre un cours), bruits dangereux (explosion proche). Il n'y a pas d'adaptation de l'oreille au niveau[10] d'un bruit. Même lorsqu'on croit s'y être habitué, on est touché par le bruit. C'est ainsi qu'on peut devenir sourd, malade, avoir des problèmes nerveux parce que l'on a été soumis longtemps à un bruit élevé (c'est le cas dans certaines professions...) ou parce que l'on a entendu un bruit brusque très important (explosion).

En résumé, l'oreille peut subir[11] deux sortes de traumatismes:

- *une fatigue passagère,* il suffit alors de rester au calme pendant un certain temps pour retrouver ses facultés auditives;

- *une lésion définitive,* alors là, il faut un appareil (prothèse auditive).

LE WALKMAN: POUR OU CONTRE? L'AVIS DU MÉDECIN

Le walkman n'est pas un objet dangereux en soi. Le seul vrai risque pour la santé résulterait d'une écoute prolongée de musique à forte intensité. L'oreille «se fatigue» et le sujet perdrait une partie de sa faculté auditive pendant quelques heures. Si cette opération se renouvelle souvent, la perte de capacité auditive peut devenir définitive.

Mais en fait, les vrais risques du walkman résident plutôt dans les conséquences «psychologiques» de l'écoute. Absorbé par l'audition d'un morceau musical, on ne verra peut-être pas une voiture arriver, on réagira moins vite au danger.

En bref, un conseil valable lorsqu'on écoute de la musique à un niveau sonore assez élevé (walkman ou chaîne hifi): FAIRE DES PAUSES pour permettre aux membranes de l'oreille interne de se reposer. En effet, sous l'action du bruit, elles vibrent en permanence et elles ont besoin d'un temps de repos pour reprendre leur place.

---

[8] accourt *comes running*
[9] gênants *bothersome, annoying*
[10] niveau *level*
[11] subir *be subjected to*

348

Après la lecture

A Tout sur l'oreille
Répondez d'après le texte.
1. Quand les oreilles fonctionnent-elles?
2. Qu'est-ce qu'elles accueillent?
3. Qu'est-ce que notre oreille perçoit?
4. Comment l'intensité d'un son se mesure-t-elle?
5. Est-ce que l'oreille peut entendre un son à zéro décibel?
6. Quand l'oreille commence-t-elle à se fatiguer?
7. À combien de décibels commence-t-on à ressentir de la douleur?
8. Quand l'oreille se détruit-elle?
9. Comment l'oreille peut-elle nous protéger du danger? Donnez des exemples.

B Vrai ou faux?
Corrigez les phrases fausses.
1. Le bruit n'est jamais agréable.
2. La musique est toujours du bruit.
3. Ce qui est considéré comme étant du bruit varie d'un individu à l'autre.
4. L'intensité d'un son se mesure en décibels.

5. Les Hertz mesurent la fréquence d'un son.
6. L'oreille perçoit toutes les fréquences existantes.

C C'est fragile, l'oreille.
Répondez d'après le texte.
1. Donnez des exemples de bruits agréables.
2. Quelles sont les fréquences que l'oreille ne perçoit pas?
3. Quels troubles les bruits désagréables entraînent-ils?
4. Quelles sortes de traumatismes l'oreille peut-elle subir?
5. Quand le walkman peut-il être dangereux?
6. Quel conseil donne-t-on aux personnes qui utilisent un walkman?

D Pour savoir de quoi on parle
Définissez.
1. le son   3. l'ultrason
2. le bruit   4. l'infrason

Communication libre

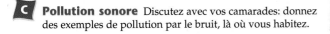

A **Oreille = sécurité** Écrivez un paragraphe intitulé: «Nos oreilles nous protègent».

B **Le son, c'est la vie.** Vous êtes d'accord ou pas? Expliquez comment et pourquoi en un paragraphe.

C **Pollution sonore** Discutez avec vos camarades: donnez des exemples de pollution par le bruit, là où vous habitez.

D **Goûts sonores** Travaillez avec un(e) camarade de classe. Chacun(e) fera une liste des bruits qu'il/elle considère agréables ou désagréables. Ensuite, comparez vos listes et voyez si vous avez des goûts communs.

Post–reading

Independent Practice
Assign any of the following:
1. **Après la lecture** and **Communication libre** activities on this page
2. Workbook, **Journalisme**

 Assessment

Use these resources after completing the **L'oreille et le bruit** section for review and assessment.
Quiz 9
Test Booklet, pages 158–159
ExamView Pro®
Situation Cards

ANSWERS TO **Communication libre**
A, **B**, **C**, and **D**
Answers will vary.

ANSWERS TO **Après la lecture**

A
1. Nuit et jour.
2. Les bruits.
3. La différence entre un son faible et un son fort.
4. En décibels avec un sonomètre.
5. Oui.
6. À partir de 90 décibels.
7. À 130 décibels.
8. Au-dessus de 150 décibels.
9. Elle nous signale les dangers que nous ne voyons pas: le klaxon, etc.

B
1. Non, le bruit est parfois agréable.
2. Oui et non, les dictionnaires ne sont pas d'accord.
3. Oui.
4. Oui.
5. Oui.
6. Non. En dessous de 16 Hz on n'entend rien et au-delà de 16.000 Hz nous n'entendons rien non plus.

C
1. La musique, le chant des oiseaux, le vent dans les arbres, une voix que l'on aime.
2. En dessous de 16 Hz et au-delà de 16.000 Hz.
3. On peut devenir sourd, malade, etc.
4. Une fatigue passagère et une lésion définitive.
5. Quand on réagit moins vite face au danger.
6. Faire des pauses.

D
1. toutes les ondes qui parviennent à notre oreille
2. ensemble de sons non désirés ou non contrôlés
3. fréquence au-delà de 16.000 Hz
4. fréquence en dessous de 16 Hz

Journalisme

RÉGIME

1 Preparation

Resource Manager

Vocabulary Transparency 7.6
Audio Activities Booklet TE, Activity D, page 181
Audiocassette 7/CD 13
Workbook, Activity A, page 165
Quiz 10, page 92
ExamView Pro®

Bellringer Review

Write the following on the board or use BRR Transparency 7.10.
Qu'est-ce que vous aimez manger entre les repas? Faites-en une liste.

2 Presentation

Introduction

Step 1 Have students read the **Introduction** silently.

Step 2 Ask students if they agree or disagree with the following statement and why: «**Pour les gens qui veulent maigrir, il est absolument nécessaire de ne rien manger entre les repas.**»

Vocabulaire

Step 1 You may wish to use some of the suggestions given for previous vocabulary sections.

Step 2 Have students answer the following questions using the new words: **Vous aimez le maïs? Le fromage? Vous aimez picorer (grignoter)? Vous escamotez des repas? Quels repas escamotez-vous? Vous suivez un régime?**

RÉGIME

Introduction

Récemment, il y avait dans le magazine *Santé*, un régime pour perdre 5 kilos. Pour les gens qui veulent perdre des kilos, c'est-à-dire maigrir, il est absolument nécessaire de ne rien manger entre les repas. Il est interdit de «picorer» ou de «grignoter». Quels sont les pièges (les dangers) du grignotage? Vous le saurez en lisant l'article qui suit.

Vocabulaire

une pomme

un poulet

les grains de maïs

une souris

un bout de fromage

un piège

Les poulets picorent les grains de maïs.
La souris grignote des petits bouts de fromage.

éviter s'abstenir
picorer/grignoter manger peu mais souvent
effacer faire disparaître, éliminer
escamoter supprimer, éviter

un régime discipline observée dans l'alimentation (souvent pour perdre du poids)
le grignotage l'action de grignoter
un piège danger caché, qu'on ne voit pas

CHAPITRE 7

Communication guidée

 Tu as une bonne alimentation? Donnez des réponses personnelles.

1. Tu aimes picorer ou grignoter?
2. Qu'est-ce que tu aimes grignoter?
3. On peut grignoter quand on est au régime?
4. Tu suis un régime de temps en temps?

 Synonymes Exprimez d'une autre façon ce qui est en italique.

1. Je voudrais un petit *morceau* de fromage.
2. Il est interdit de *grignoter* quand on est au régime.
3. Il faut *s'abstenir* de manger entre les repas.
4. Les «grignotis» (ce qu'on grignote) *n'éliminent pas* le besoin de faire un repas.
5. Il ne faut pas *supprimer* un repas. Il faut faire trois repas par jour.

C **Définitions** Trouvez le mot qui correspond.

1. ce qu'on donne à picorer aux poulets
2. ce que les souris aiment bien grignoter
3. l'action de grignoter
4. danger caché
5. fruit du pommier

FRENCH Online

For more information about health and fitness in the Francophone world, go to the Glencoe French Web site: **french.glencoe.com**

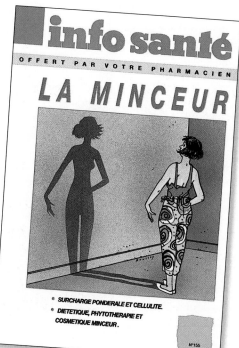

info santé

OFFERT PAR VOTRE PHARMACIEN

LA MINCEUR

° SURCHARGE PONDERALE ET CELLULITE.
° DIETETIQUE, PHYTOTHERAPIE ET COSMETIQUE MINCEUR.

N°155

Journalisme

3 Practice

Communication guidée

A This activity can be done immediately after the vocabulary has been presented.

A and **B** You may wish to have students prepare **Activités A** and **B,** and then go over them in class.

Independent Practice

Assign any of the following:
1. Activities on this page
2. Workbook, **Journalisme**

ANSWERS TO Communication guidée

A *Answers will vary.*

B
1. bout
2. picorer
3. éviter
4. n'effacent pas
5. escamoter

C
1. des grains de maïs
2. des petits bouts de fromage
3. manger peu mais souvent
4. un piège
5. une pomme

Journalisme

LES PIÈGES DU GRIGNOTAGE ◆

National Standards

Connections
Students broaden their knowledge of nutrition.

1 Preparation

Resource Manager

Audio Activities Booklet TE, Activity E, pages 181–182
Audiocassette 7/CD 13
Workbook, Activities B and C, page 165

2 Presentation

Step 1 You may wish to have students read this short, easy selection aloud since it contains some good advice.

Step 2 Have students restate the secondary headline to the left of the article in their own words.

Group Activity
Divisez la classe en groupes de trois: un diététicien (une diététicienne) et deux clients — l'un voulant perdre du poids, l'autre voulant en gagner. Les deux clients expliquent leur cas au médecin et celui-ci leur prescrit un régime approprié.

LES PIÈGES DU GRIGNOTAGE

Trois repas par jour pris à table, avec assiette et couverts: telle est la démarche[1] essentielle d'une alimentation structurée et d'un régime efficace.

Ne replongez pas dans vos erreurs passées. Et surtout évitez les grignotages et les repas escamotés. Vous reprendriez inévitablement vos kilos, même si vous croyez ne pas trop manger.

De cette période de régime, gardez la bonne habitude de faire trois repas par jour. Pas debout, mais à table. Même pour le petit déjeuner. Avec une assiette et des couverts. C'est la démarche essentielle pour avoir une alimentation structurée. Et ne pas picorer. Les calories des «grignotis» (un petit bout de fromage par-ci, une petite pomme par-là…) sont immédiatement comptabilisées, enregistrées, utilisées par l'organisme. Et elles n'effacent pas le besoin de manger, plus tard, à l'heure où l'on doit manger. Elles s'additionnent inévitablement.

Alors, un peu de volonté[2], que diable![3] Et un verre d'eau à la place du petit bout de quelque chose. Ça, on est sûr que ça fait 0 calorie.

[1] démarche *step, procedure*
[2] volonté *willpower*
[3] que diable! *for Pete's sake!*

Après la lecture

A Pour perdre des kilos Répondez d'après le texte.
1. On doit faire combien de repas par jour?
2. Où doit-on les prendre?
3. Comment doit-on les prendre?
4. Que deviennent les calories des «grignotis»?
5. Qu'est-ce qu'on doit prendre à la place du petit bout de quelque chose?
6. Pourquoi?

B Vrai ou faux?
Corrigez les phrases fausses.
1. Il est prudent d'escamoter un repas de temps en temps.
2. Si on mange entre les repas, on n'a plus faim à l'heure des repas.
3. On peut prendre son petit déjeuner debout.
4. On conseille de ne pas prendre de petit déjeuner.

Communication libre

 Un repas équilibré Préparez un menu pour un repas bien équilibré en calories, vitamines, etc. Comparez votre menu avec ceux de vos camarades de classe.

 Grignotage Quand on n'est pas au régime, on peut grignoter de temps en temps, mais il faut manger des choses saines, c'est-à-dire bonnes pour la santé. Préparez une liste de ce qu'il est permis de grignoter. Puis préparez une autre liste pour les «grignotis» qui ne sont pas recommandés. Travaillez avec un(e) camarade.

Post–reading

Après la lecture

These activities can be done orally after the students have completed the reading.

Communication libre

A and **B** Have students select the activity or activities they wish to participate in.

FUN-FACTS

Certains gâteaux français portent des noms évocateurs comme par exemple le «millefeuille» qui indique la manière dont il est préparé: il faut de très nombreuses couches de pâte feuilletée pour faire un millefeuille. D'autres sont amusants comme la «religieuse» composée de deux boules de pâte superposées et remplies de crème.

Independent Practice

Assign any of the following:
1. Activities on this page
2. Workbook, **Journalisme**

✓ Assessment

Use these resources at the end of the **Régime** section for review and assessment.
Quiz 10
Test Booklet, pages 160–162
ExamView Pro®
Situation Cards

ANSWERS TO Communication libre

A and **B** Answers will vary.

ANSWERS TO Après la lecture

A
1. On doit faire trois repas par jour.
2. On doit les prendre à table.
3. On doit les prendre avec une assiette et des couverts.
4. Les calories des «grignotis» sont immédiatement comptabilisées, enregistrées, utilisées par l'organisme.
5. On doit boire un verre d'eau à la place du petit bout de quelque chose.
6. On est sûr que ça fait 0 calorie.

B
1. Non, parce que vous reprendriez inévitablement vos kilos.
2. Non, on a faim à l'heure des repas.
3. Non, on doit le prendre à table.
4. Non, il est important de faire trois repas par jour.

Structure II

1 Preparation

Resource Manager

Workbook, Activities A–D, pages
166–167
Audio Activities Booklet TE,
Activities A–C, pages 185–188
Audiocassette 7/CD 14
Quizzes 11–12, pages 93–94
ExamView Pro®

Bellringer Review

*Write the following on the board or
use BRR Transparency 7.11.*
Complétez et répondez.
1. ___ âge as-tu? J'ai ___ ans.
2. ___ est ton adresse? J'habite
___.
3. ___ est ton numéro de
téléphone? C'est le ___.
4. ___ est ton code postal?
C'est ___.
5. ___ livres préfères-tu lire? Je
préfère ___.
6. ___ musique préfères-tu? Moi,
je préfère ___.

2 Presentation

Les pronoms
interrogatifs et
démonstratifs ◆◆

Step 1 Read the explanatory material aloud.

Step 2 Call on individuals to
read or have the class repeat the
model sentences in unison.

Note: Although students should
be familiar with these pronouns,
the adjectives **quel** and **ce** are
used with much greater
frequency.

Expressing *which one(s)* and *this one, that one, these,* or *those*

Les pronoms interrogatifs et démonstratifs

1. The interrogative adjective **quel** means *which* or *what*. The pronoun
which one(s) is a combination of **quel** and the definite article. Review
the following forms.

Adjective	Pronoun
quel	lequel
quels	lesquels
quelle	laquelle
quelles	lesquelles

2. The interrogative pronoun must agree in gender and number
with the noun to which it refers.

—J'ai lu un livre super.	—Ah, oui? Lequel?
—J'ai lu des livres super.	—Ah, oui? Lesquels?
—J'ai entendu une cassette super.	—Ah, oui? Laquelle?
—J'ai entendu des cassettes super.	—Ah, oui? Lesquelles?

3. When the question *which one(s)* is asked, one often answers with
this one, that one, these, or *those.* These are called demonstrative
pronouns. Review the following forms of the demonstrative
pronouns in French.

—Quel livre préfères-tu?	—Celui-là.
—Quels livres préfères-tu?	—Ceux-là.
—Quelle cassette préfères-tu?	—Celle-là.
—Quelles cassettes préfères-tu?	—Celles-là.

4. The demonstrative pronouns are never used alone. They are followed by:

- **-là,** to single out
  —**Lequel de ces stylos aimes-tu?**
  —**J'aime bien celui-là.**

- **de** to indicate possession
  —**C'est ton livre?**
  —**Non, c'est celui de Jean.**

- **qui/que/dont** to identify
  —**Laquelle de ces filles est ta sœur?**
  —**C'est celle qui parle à Jean.**

  —**Lesquels de ces disques as-tu écoutés?**
  —**J'ai écouté ceux que mon ami m'a recommandés.**

  —**Lequel de ces livres préfères-tu?**
  —**Je préfère celui dont le prof nous a parlé.**

5. Note that **-ci** is used to refer to a person or object that is nearer the speaker and **-là** to a person or object farther away.

  —**Quel livre préfères-tu: ce livre-ci ou ce livre-là?**
  —**Celui-ci est bien, mais je préfère celui-là.**

Communication guidée

 Vous ne faites pas attention à ce qu'on vous dit.
Suivez le modèle.

—**Je voudrais ce livre.**
—**Pardon, lequel voulez-vous?**
—**Je voudrais celui-là.**

1. Je voudrais ces livres.
2. Je voudrais ce disque.
3. Je voudrais ces cassettes.
4. Je voudrais cette cassette.
5. Je voudrais ces skis.
6. Je voudrais ce dentifrice.
7. Je voudrais cette brosse à dents.

Structure II

Step 3 As you are going over Item 4, you may wish to give a few additional examples: **Lequel de ces romans lisez-vous? Je lis celui-là. Laquelle de ces photos préférez-vous? Je préfère celle-là. C'est votre blouson? Non, c'est celui de mon frère. C'est votre chemise? Non, c'est celle de Paul.**

3 Practice

Communication guidée

 This activity can be done in pairs.

FUN FACTS

Un sondage récent montre que 80% des Français commencent la lecture de leur journal par les B.D. Jeunes et moins jeunes «consomment» des B.D. Les plus jeunes lisent *Astérix, Tintin, Pilote.* Les moins jeunes, eux, se penchent sur *Gaston Lagaffe* et sur les B.D. de science-fiction ou de politique-fiction, comme *Valérian, agent spatio-temporel.*

ANSWERS TO **Communication guidée**

A

1. Pardon, lesquels voulez-vous? Je voudrais ceux-là.
2. Pardon, lequel voulez-vous? Je voudrais celui-là.
3. Pardon, lesquelles voulez-vous? Je voudrais celles-là.
4. Pardon, laquelle voulez-vous? Je voudrais celle-là.
5. Pardon, lesquels voulez-vous? Je voudrais ceux-là.
6. Pardon, lequel voulez-vous? Je voudrais celui-là.
7. Pardon, laquelle voulez-vous? Je voudrais celle-là.

355

Structure II

3 Practice (continued)

Communication guidée

C This activity must be done with books open for students to determine if the singular or plural pronoun is called for in Questions 2 and 3.

Note: It is recommended that you also have students write these activities, since the major problem with **lequel** is a written one.

FUN FACTS

Le cyclotourisme a toujours existé mais il s'est récemment beaucoup développé. C'est une excellente manière de découvrir une région et de goûter aux joies de la nature tout en faisant du sport. La bicyclette de randonnée, aussi appelée VTT (vélo tout-terrain), doit pouvoir passer partout et par tous les temps, de nuit comme de jour. On peut faire du cyclotourisme en forêt, en montagne. De nombreux jeunes Français participent à de longues expéditions à vélo tels que «la route des Moulins» en Hollande.

Structure II

B **Vous êtes un peu dur d'oreille.** Suivez le modèle.

—Je préfère celui-là.
—Excusez-moi… Vous préférez lequel?

1. Je préfère ceux-là.
2. Je préfère celles-là.
3. Je préfère celle-là.
4. Je préfère celui-là.

C **Lequel avez-vous choisi?** Complétez.

1. ____ de ces livres avez-vous choisi?
2. ____ de ces livres avez-vous choisis?
3. ____ de ces chansons a-t-elle chantée?
4. ____ de ces chansons a-t-elle chantées?
5. ____ de ces sports as-tu pratiqué?
6. ____ de ces sports as-tu pratiqués?

D **Historiette Un vélo neuf** Complétez avec une forme de **celui de, celui qui/que** ou **celui dont.**

Je fais beaucoup de vélo en ce moment et j'ai envie d'acheter un vélo neuf. Je voudrais en acheter un comme __1__ mon ami Marc. C'est __2__ on a vraiment besoin pour faire de longues promenades en montagne. De tous les modèles, c'est __3__ je préfère.

Le mois prochain, nous allons faire une excursion dans les Alpes. __4__ nous avons faites l'année dernière étaient vraiment formidables. J'espère que le voyage que nous allons faire cette année sera aussi amusant que __5__ l'année dernière.

On fait du vélo dans les Alpes–Maritimes

E **À qui est-ce?** Suivez le modèle.

—Tu vois les deux voitures?
—Lesquelles?
—Celles-ci.
—Ah, oui. Celle-ci est à Robert et celle-là est à Carole.

1. Tu vois les deux mobylettes?
2. Tu vois les deux planches à voile?
3. Tu vois les deux raquettes?
4. Tu vois les deux walkmans?
5. Tu vois les deux sacs à dos?

ANSWERS TO Communication guidée

B

1. Excusez-moi… Vous préférez lesquels?
2. Excusez-moi… Vous préférez lesquelles?
3. Excusez-moi… Vous préférez laquelle?
4. Excusez-moi… Vous préférez lequel?

C

1. Lequel
2. Lesquels
3. Laquelle
4. Lesquelles
5. Lequel
6. Lesquels

D

1. celui de
2. celui dont
3. celui que
4. Celles que
5. celui de

E

1. Lesquelles? Celles-ci. Ah, oui. Celle-ci est à Robert et celle-là est à Carole.
2. Lesquelles? Celles-ci. Ah, oui. Celle-ci est à Robert et celle-là est à Carole.
3. Lesquelles? Celles-ci. Ah, oui. Celle-ci est à Robert et celle-là est à Carole.
4. Lesquels? Ceux-ci. Ah, oui. Celui-ci est à Robert et celui-là est à Carole.
5. Lesquels? Ceux-ci. Ah, oui. Celui-ci est à Robert et celui-là est à Carole.

Telling what belongs to you and others
Les pronoms possessifs

1. A possessive pronoun is used to replace a noun that is modified by a possessive adjective. The possessive pronoun must agree in gender and number with the noun it replaces. Note that the possessive pronoun is accompanied by the appropriate definite article.

mon livre	le mien	ma cassette	la mienne
mes livres	les miens	mes cassettes	les miennes
ton livre	le tien	ta cassette	la tienne
tes livres	les tiens	tes cassettes	les tiennes
son livre	le sien	sa cassette	la sienne
ses livres	les siens	ses cassettes	les siennes
notre livre	le nôtre	notre cassette	la nôtre
nos livres	les nôtres	nos cassettes	les nôtres
votre livre	le vôtre	votre cassette	la vôtre
vos livres	les vôtres	vos cassettes	les vôtres
leur livre	le leur	leur cassette	la leur
leurs livres	les leurs	leurs cassettes	les leurs

—Tu as mon billet?
—J'ai le mien, mais je n'ai pas le tien.

—C'est le sac de Marie-France?
—Oui, c'est le sien.

—Ce sont les valises de Pierre?
—Oui, ce sont les siennes.

Note that contrary to English usage, in French the possessive pronoun agrees in gender with the object possessed (rather than the possessor).

2. Possessive pronouns are not used to express ownership in sentences with **être** where the subject is a noun or a personal pronoun. Instead, the preposition **à** is used with the stress pronoun.

Ce sac est à moi.	*This bag is mine.*
Cette moto est à elle.	*This motorcycle is hers.*

However, possessive pronouns can be used after **c'est** and **ce sont**.

—C'est à moi ce stylo?
—Non, c'est le mien.

Ma moto est plus belle que la tienne!

Structure II

1 Preparation

Bellringer Review

Write the following on the board or use BRR Transparency 7.12.
Complétez.
J'ai un frère. ___ frère est très sympa. Il a une nouvelle voiture. ___ voiture est une décapotable. Tous ___ amis aiment ___ voiture. Vous avez un frère? Comment s'appelle ___ frère? Vous avez aussi une sœur? Comment s'appelle ___ sœur? ___ sœur et ___ frère ont beaucoup d'amis? Ils invitent ___ amis chez vous?

2 Presentation

Les pronoms possessifs ◆

Note: Although students should be familiar with the possessive pronouns, they will need to use the possessive adjectives far more frequently.

After going over the explanation, have students read the model sentences aloud.

357

Structure II

3 Practice

Communication guidée

 A Have students prepare this activity. Call on two students to read the conversation aloud. Then call on another student to paraphrase the conversation. This will necessitate changes from **le mien/le tien** to **le sien** and **celui de…**

Communication guidée

 A **À l'aéroport** Complétez la conversation.

LUC: Yves, tu as ton billet?

YVES: Oui, j'ai __1__. Le voilà.

LUC: Zut! Je ne sais pas ce que j'ai fait avec __2__. Où est-ce que je l'ai mis? J'espère que je ne l'ai pas perdu.

YVES: Non, tu ne l'as pas perdu. J'ai __3__ aussi. Je l'ai mis avec __4__.

LUC: Alors, donne-moi __5__, s'il te plaît. Je vais le mettre avec ma carte d'embarquement.

YVES: Mais, calme-toi, mon vieux! Tu n'as pas ta carte d'embarquement. C'est moi qui l'ai. J'ai __6__ et __7__.

LUC: Tu as __8__ aussi? Alors, donne-la-moi.

ANSWERS TO
Communication guidée

A

1. le mien
2. le mien
3. le tien
4. le mien
5. le mien
6. la mienne
7. la tienne
8. la mienne

Structure II

B Historiette Sa chemise ou la mienne?
Refaites les phrases en utilisant des pronoms possessifs.

1. Aurélie a acheté sa chemise aux Galeries Lafayette; mais j'ai acheté *ma chemise* dans une petite boutique.
2. Nos chemises sont du même modèle, mais *ma chemise* est verte, et *sa chemise* est bleue.
3. Mais *ma chemise* a coûté plus cher que *sa chemise*.
4. Pourquoi? Parce qu'Aurélie a acheté *sa chemise* en solde, et moi pas.

C Ma voiture ou la vôtre? Refaites les phrases en utilisant des pronoms possessifs.

—Ma voiture est une Renault. De quelle marque est *votre voiture?*
—*Ma voiture* est une Peugeot.
—Combien avez-vous payé *votre voiture?*
—Ma voiture a coûté vingt mille euros. Et *votre voiture?*

D Historiette C'est à qui? Suivez le modèle.

—**C'est à vous, ces livres?**
—**Lesquels?**
—**Ceux-là.**
—**Ah oui, ce sont les miens.**

1. Ces cassettes sont à vous?
2. C'est à toi, la mobylette?
3. C'est à Philippe, ce ballon?
4. Ces disques sont à Marie?
5. C'est à nous, ce billet?
6. C'est aux enfants, ce walkman?
7. Ces livres sont à nous?
8. Ces raquettes sont aux filles?
9. C'est à Christophe, cette planche à voile?

Communication guidée

B and **C** These activities can be done with or without preparation.

D This activity can be done in pairs.

Independent Practice

Assign any of the following:
1. **Activités A–D** on pages 358–359
2. Workbook, **Structure II**

✔ **Assessment**

Use these resources after completing **Structure II** for review and assessment.
   Quizzes 11–12
   Test Booklet, pages 163–165
   ExamView Pro®

ANSWERS TO Communication guidée

B

1. Aurélie a acheté sa chemise aux Galeries Lafayette; mais j'ai acheté la mienne dans une petite boutique.
2. Nos chemises sont du même modèle, mais la mienne est verte, et la sienne est bleue.
3. Mais la mienne a coûté plus cher que la sienne.
4. Pourquoi? Parce qu'Aurélie a acheté la sienne en solde, et moi pas.

C

—Ma voiture est une Renault. De quelle marque est la vôtre?
—La mienne est une Peugeot.
—Combien avez-vous payé la vôtre?
—La mienne a coûté vingt mille euros. Et la vôtre?

D

1. Lesquelles? Celles-ci. Ah oui, ce sont les miennes.
2. Laquelle? Celle-ci. Ah oui, c'est la mienne.
3. Lequel? Celui-ci. Ah oui, c'est le sien.
4. Lesquels? Ceux-ci. Ah oui, ce sont les siens.
5. Lequel? Celui-ci. Ah oui, c'est le nôtre.
6. Lequel? Celui-ci. Ah oui, c'est le leur.
7. Lesquels? Ceux-ci. Ah oui, ce sont les nôtres.
8. Lesquelles? Celles-ci. Ah oui, ce sont les leurs.
9. Laquelle? Celle-ci. Ah oui, c'est la sienne.

National Standards

Connections
Two very amusing excerpts from French plays broaden the students' knowledge of the theater and dramatic arts.

Cultures
By poking fun at prevailing attitudes, satire helps us to understand cultural concepts and make comparisons with our own.

Le malade imaginaire

1 Preparation

Resource Manager

Vocabulary Transparency 7.7
Audio Activities Booklet TE, Activity A, page 188
Audiocassette 7/CD 14
Workbook, Activities A–B, page 168
Quiz 13, page 95
ExamView Pro®

Bellringer Review

Write the following on the board or use BRR Transparency 7.13.
Faites une liste de toutes les parties du corps que vous connaissez (en français, bien sûr).

2 Presentation

Avant la lecture

Step 1 Call on a student to read the introduction aloud as the others follow along.

Step 2 Ask: **Qui est l'auteur de la comédie? Comment s'appelle la comédie? Qui sont les deux personnages dans l'extrait que vous allez lire? Qu'est-ce**

360

Le malade imaginaire · Molière

Avant la lecture

Vous allez lire un extrait d'une célèbre comédie de Molière (1622–1673), *Le malade imaginaire*. Cet extrait met en scène le héros de la pièce, Argan, qui s'imagine toujours qu'il est malade—d'où le titre de la pièce. Dans cette scène, Argan parle avec sa servante, Toinette. Mais Argan ne sait pas que la personne à qui il parle est Toinette, car celle-ci est déguisée. En quoi, à votre avis? Est-ce que vous pouvez deviner?

Vocabulaire

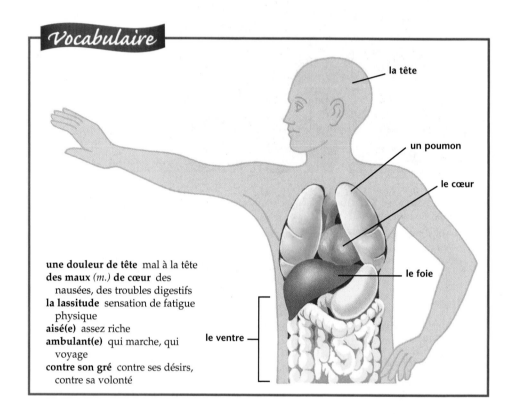

la tête
un poumon
le cœur
le foie
le ventre

une douleur de tête mal à la tête
des maux *(m.)* **de cœur** des nausées, des troubles digestifs
la lassitude sensation de fatigue physique
aisé(e) assez riche
ambulant(e) qui marche, qui voyage
contre son gré contre ses désirs, contre sa volonté

Cross-Cultural Comparison
Les Français disent souvent qu'ils ont mal au foie. Ce mal n'est pas grave: il s'agit généralement de troubles de digestion dus à un repas trop riche ou trop abondant.

FUN FACTS

You may wish to tell students about a well-known French advertising slogan for a brand of mineral water: **Mon foie? Connais pas!** The implication is that if you drink this mineral water your liver will function so well you won't be aware of it.

Communication guidée

A **Vrai ou faux?** Corrigez les phrases fausses.

1. L'être humain a un poumon et deux cœurs.
2. Le poumon est un organe vital.
3. Le poumon est le principal organe de l'appareil respiratoire.
4. «Ventre» veut dire «abdomen».
5. Quand on a des maux de cœur ou mal au cœur, on a des troubles cardiaques.
6. Quand on a des douleurs de tête ou mal à la tête, il faut prendre de l'aspirine.
7. Quand on a mal au foie, il faut manger des aliments riches.

B **La bonne réplique** Choisissez.

1. Il a des douleurs abdominales.
   a. Il a mal à la tête?
   b. Il a mal au ventre?
   c. Il a mal au foie?
2. Elle l'a fait contre son gré.
   a. Elle voulait le faire?
   b. Elle était contente?
   c. Elle ne voulait pas le faire?
3. Il a des maux de cœur.
   a. Il fait une crise cardiaque?
   b. Il souffre de troubles digestifs?
   c. Il a un problème pulmonaire?
4. Quelle lassitude!
   a. Tu es plein d'énergie?
   b. Tu ne peux pas dormir?
   c. Tu es fatigué?
5. Il vient d'une famille aisée.
   a. Ils sont pauvres?
   b. Ils sont riches?
   c. Ils sont assez riches?
6. Ce sont des comédiens ambulants.
   a. Ils jouent toujours dans le même théâtre?
   b. Ils voyagent dans tout le pays?
   c. Ils sont acrobates?

vie saine

nourriture équilibrée

le cœur est un muscle
qu'il faut développer
dès le plus jeune âge
et entretenir toute la vie

FÉDÉRATION DE CARDIOLOGIE, 50 RUE DU ROCHER, 75008 PARIS

ANSWERS TO
Communication guidée

A

1. Non, l'être humain a deux poumons et un cœur.
2. Oui.
3. Oui.
4. Oui.
5. Non, on a des nausées, des troubles digestifs.
6. Oui.
7. Non, il ne faut pas manger d'aliments riches.

B

1. b
2. c
3. b
4. c
5. c
6. b

Littérature

qu'Argan s'imagine? Qui est Toinette?

Step 3 Tell students to look for the answer to the question at the end of the **Avant la lecture** section as they read the excerpt.

Vocabulaire

You may wish to follow some of the suggestions given for previous **Vocabulaire** sections.

3 Practice

Communication guidée

A and **B** These activities can be done immediately after the vocabulary has been presented.

Vocabulary Expansion

Le mot *cœur* apparaît dans de nombreuses expressions: souvent elles ont peu à voir avec l'organe musculaire que nous connaissons:

* *avoir le cœur gros, avoir le cœur serré* = être triste, être angoissé
* *avoir un coup de cœur pour quelque chose* = être enthousiasmé
* *faire quelque chose de bon cœur* = avec plaisir
* *parler à cœur ouvert* = parler franchement

Independent Practice

Assign any of the following:
1. **Activités A** and **B** on this page
2. Workbook, **Littérature**

Littérature

Littérature

1 Preparation

Resource Manager

Audio Activities Booklet TE,
  Activities B–C, pages 189–190
Audiocassette 7/CD 14
Workbook, Activity C, page 168

2 Presentation

Introduction

Step 1 Present the information about Molière as a mini-lecture. Write the important names and dates on the board. (Note that Molière's death is dealt with in the activity on page 364.)

Step 2 After you present the information, ask: **Où est né Jean-Baptiste Poquelin? Quand? Où a-t-il fait ses études? Quand il était enfant, où allait-il? Qu'est-ce qu'il y voyait? Quel âge avait-il quand il est devenu comédien? Quel nom a-t-il pris? Qu'est-ce qu'il a fondé? Pour qui a-t-il écrit des comédies? Combien en a-t-il écrit? Quelle est sa dernière comédie?**

Introduction

Jean-Baptiste Poquelin naquit à Paris en 1622, dans une famille de bourgeois aisés. Il fit de solides études au collège de Clermont (maintenant lycée Louis-le-Grand).

Quand il était enfant, il allait souvent à la foire, voir les comédiens ambulants, et il eut très tôt la vocation du théâtre.

À vingt ans, il se fit comédien, prit le nom de «Molière» et fonda une troupe d'acteurs. C'est pour sa troupe que Molière devint auteur et écrivit une trentaine de comédies et farces.

La dernière comédie de Molière, *Le malade imaginaire*, fut présentée en 1673. Elle met en scène un «malade imaginaire», Argan. Pour être sûr d'être bien soigné pendant le reste de sa vie, Argan veut marier, contre son gré, sa fille, Angélique, à un médecin, Thomas. Mais Angélique est amoureuse de Cléante. Elle ne veut pas épouser le médecin. À la fin de la pièce, Argan consent au mariage d'Angélique et de Cléante, et il se fait lui-même médecin.

Dans la scène qui suit, Toinette, la servante d'Argan, est déguisée.

Molière, par Pierre Mignard

Une représentation du *Malade imaginaire*, au Théâtre de l'Atelier

CHAPITRE 7

Literature Connection

Molière

Les précieuses ridicules, premier grand succès de Molière, est joué devant le roi Louis XIV en 1659. Avec *L'école des femmes,* montée en 1662, Molière inaugure une série de pièces satiriques, dont les idées sont souvent opposées aux traditions morales, religieuses et sociales de l'époque.

«Faire rire, mais pour corriger les vices des hommes», telle était sa devise. Le nombre des ennemis de Molière augmente et *Tartuffe* provoque un véritable scandale. Cette pièce dénonçait les faux dévots, c'est-à-dire ceux qui font semblant d'être très pratiquants mais qui ne sont, en fait, que des hypocrites. La pièce ne sera jouée qu'en 1669 après cinq ans de controverses religieuses et littéraires.

Tartuffe interdit, Molière écrit *Dom Juan* en 1665. Cette pièce, qui reprend le personnage du séducteur espagnol Don Juan, est l'une des plus étranges: elle mêle le comique au tragique dans une suite de scènes qui éclairent un Dom Juan complexe, immoral et cynique.

Littérature

Lecture 🎧

Le malade imaginaire

TOINETTE

De quoi disent-ils que vous êtes malade?

ARGAN

Certains disent de la rate°*, d'autres du foie.

TOINETTE

Ce sont des ignorants. C'est le poumon. Que sentez-vous?

ARGAN

Je sens de temps en temps des douleurs de tête.

TOINETTE

Le poumon.

ARGAN

Il me semble que parfois° j'ai un voile devant les yeux.

TOINETTE

Le poumon.

ARGAN

J'ai quelquefois des maux de cœur.

TOINETTE

Le poumon.

ARGAN

Je sens parfois des lassitudes dans tous les membres.

TOINETTE

Le poumon.

ARGAN

Et il me prend des douleurs dans le ventre.

TOINETTE

Le poumon, le poumon, vous dis-je!

Molière, *Le malade imaginaire*

la rate *spleen*

parfois *sometimes*

---

* la rate *17th century doctors thought it was the seat of emotions, especially melancholia*

Lecture ◆◆

Step 1 Have students close their books and listen to the recording on Audiocassette 7/CD 14.

Step 2 Read the scene once to the students as they follow along.

Step 3 Call on two students to read the parts of Argan and Toinette with as much expression as possible.

Step 4 Ask the following questions:
- **D'après «le médecin», quel est toujours le problème?**
- **Mais quels sont les symptômes d'Argan?**
- **Est-ce que le diagnostic du médecin change selon le symptôme?**

Step 5 Then do the **Après la lecture** and **Communication libre** activities that follow.

Step 6 You may wish to have students read another one of your favorite scenes from *Le malade imaginaire*.

Step 7 With more able groups, you may wish to ask the more analytical questions in **Literary Analysis** at the bottom of this page.

🗣 Paired Activity
Avec un(e) camarade, imaginez une petite mise en scène de ce dialogue: costumes, mouvements, gestes…

LITTÉRATURE

trois cent soixante-trois ⚜ **363**

Literary Analysis

1. D'où vient le comique de cette brève scène?
2. Dans plusieurs de ses pièces, Molière se moque des médecins. Trouvez les éléments de ce dialogue qui confirment ce jugement.
3. Le personnage d'Argan, comment apparaît-il d'après cette scène?

Littérature

Post–reading

 A This activity can be done orally without preparation.

B Have students look up the answers and write them.

Communication libre

Call on a student to read the first paragraph aloud since the information is a continuation of the biography of Molière.

You may wish to collect the articles, select the best ones and have the "authors" read them to the class.

Independent Practice

Assign any of the following:
1. Activities on this page
2. Workbook, **Littérature**

✓ Assessment

Use these resources after completing the *Le malade imaginaire* reading for review and assessment.
  Quiz 13
  Test Booklet, pages 166–167
  ExamView Pro®
  Situation Cards

Littérature

A La consultation
Répondez d'après la lecture.
1. Qui est Argan?
2. Qui est Toinette?
3. Qui est déguisé en médecin?
4. Argan répond sérieusement à ses questions?
5. Quel est le diagnostic de Toinette?

B C'est vous le médecin.
Faites une liste de tous les symptômes du malade.

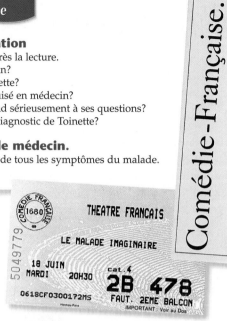

Le Malade imaginaire

Comédie en trois actes et en prose de
Molière

Mise en scène de Jean-Laurent Cochet
Décor et costumes de Jacques Marillier
Réalisation de Jean-Paul Carrère

Comédie-Française.

Molière, sculpture qui se trouve à Avignon, devant le théâtre

Communication libre

Mort en scène Quand Molière écrit *Le malade imaginaire*, il est malade lui-même. Mais le roi Louis XIV lui a commandé une comédie-ballet à l'occasion du carnaval, et Molière s'est mis au travail. Il présente cette comédie en trois actes le 10 février 1673. C'est lui qui joue le rôle d'Argan. Le 17 février, pendant la quatrième représentation, la comédie tourne à la tragédie: alors que Molière est en scène, il est pris de convulsions. Il meurt quelques heures après.

Décrivez cet événement tragique, comme si vous étiez journaliste et écriviez pour un journal français de l'époque.

ANSWERS TO Communication libre

Answers will vary.

ANSWERS TO Après la lecture

A
1. Argan est un malade imaginaire.
2. Toinette est la servante d'Argan.
3. Toinette est déguisée en médecin.
4. Oui, Argan répond sérieusement à ses questions.
5. Toinette dit qu'Argan est malade du poumon.

B
Des douleurs de tête, un voile devant les yeux, des maux de cœur, des lassitudes dans tous les membres, des douleurs dans le ventre.

Knock Jules Romains

Avant la lecture

Vous allez lire un extrait d'une pièce de théâtre intitulée *Knock ou le Triomphe de la médecine*. Dans cet extrait, il n'y a que deux personnages: Knock, qui est médecin, et le tambour de ville—ce qu'on appelait en anglais «town crier». Knock pose des questions au tambour, au sujet de sa santé. En lisant cet extrait, décidez si ces questions du médecin sont sérieuses ou pas.

Vocabulaire

Ça te chatouille? Tu es chatouilleux?

la plante des pieds

Il réfléchit. Il médite.

les côtes

Ha! Ha! Ha! Arrête de me chatouiller!

LITTÉRATURE

trois cent soixante-cinq 365

---

1 Preparation

Resource Manager

Vocabulary Transparencies 7.8–7.9
Audio Activities Booklet TE, Activity D, page 190
Audiocassette 7/CD 14
Workbook, Activity A, page 169
Quiz 14, page 96
ExamView Pro®

Bellringer Review

Write the following on the board or use BRR Transparency 7.14.
Décrivez une plage.

2 Presentation

Avant la lecture

You may wish to read this section aloud to the class. Have students look at the photos of the play on pages 367 and 369, then ask: **Qu'en pensez-vous? Les questions de Knock seront sérieuses ou pas?**

Vocabulaire

Step 1 You can dramatize **chatouiller** and **réfléchir/méditer**.

Step 2 Pronunciation: The pronunciation of **chatouiller** is very difficult for most English speakers. Have students pronounce as accurately as possible: **chatouiller, chatouilleux, la ratatouille, la grenouille.**

365

Littérature

2 Presentation (continued)

Step 3 After you present **grattouiller,** have students pronounce: **chatouiller/grattouiller. Ça me chatouille. Ça me grattouille.**

Vocabulary Expansion

Le verbe **grattouiller** n'existe pas. Il est formé sur le verbe **gratter** et **ouill** pour faire un parallèle avec **chatouiller.**

3 Practice

Communication guidée

A Have students close their books and answer the questions orally.

B Have students read the original version first. Then have them read the re-worded version.

C You may wish to have students use each verb in an original sentence.

Independent Practice

Assign any of the following:
1. **Activités A–C** on this page
2. Workbook, **Littérature**

avouer admettre, confesser
grattouiller gratter légèrement
garder le lit rester au lit quand on est malade
un prospectus une brochure
une espèce de une sorte de
davantage plus
comme d'habitude comme toujours

Elle a été piquée par un insecte.
Elle a des démangeaisons.
Ça la démange. Ça la gratte. Elle se gratte.

Communication guidée

A **Et toi?** Donnez des réponses personnelles.

1. Ça te chatouille quand quelqu'un te touche les côtes ou la plante des pieds?
2. Tu connais des gens qui ne sont pas chatouilleux?
3. Est-ce qu'une piqûre d'insecte peut donner des démangeaisons?
4. Tu as déjà été piqué(e) par un insecte? Est-ce que ça t'a démangé(e)?
5. Tu réfléchis avant de faire quelque chose?

B **Synonymes** Exprimez d'une autre façon ce qui est en italique.

1. Quand je me gratte, ça me démange encore *plus.*
2. Quand il a la grippe, *il ne se lève pas.*
3. Il faut *méditer* un peu.
4. Il le fait *comme toujours.*
5. Allez! *Avoue* que tu es chatouilleux!
6. J'ai été piqué par *une sorte de* gros insecte.
7. Tu as lu les *brochures* de l'agence de voyages?

C **Familles de mots** Choisissez le mot qui correspond.

1. chatouiller	a. l'habitude
2. gratter	b. une démangeaison
3. méditer	c. chatouilleux (-se)
4. piquer	d. la méditation
5. s'habituer	e. grattouiller
6. réfléchir	f. une piqûre
7. démanger	g. la réflexion

ANSWERS TO Communication guidée

A *Answers will vary.*

B
1. davantage
2. il garde le lit
3. réfléchir
4. comme d'habitude
5. Admets
6. une espèce de
7. prospectus

C
1. c
2. e
3. d
4. f
5. a
6. g
7. b

Introduction

Jules Romains était poète et romancier. Mais il a aussi occupé une place importante dans le théâtre des années 1920–1930. En 1923, il publia *Knock ou le Triomphe de la médecine*. Cette pièce eut un énorme succès. C'est une farce satirique, dans laquelle Romains attaque le charlatanisme de certains médecins et la crédulité de leurs clients.

La pièce a lieu dans un petit village de montagne. Le vieux médecin, Paraplaid, avait très peu de clients. Il a vendu sa clientèle à Knock. Le nouveau médecin vient s'installer au village et découvre très vite que sa clientèle est presque inexistante. Il essaie donc de persuader tous les habitants du village qu'ils sont malades. Knock n'a pas beaucoup d'expérience, et il avoue lui-même qu'il a beaucoup appris en lisant les prospectus pharmaceutiques.

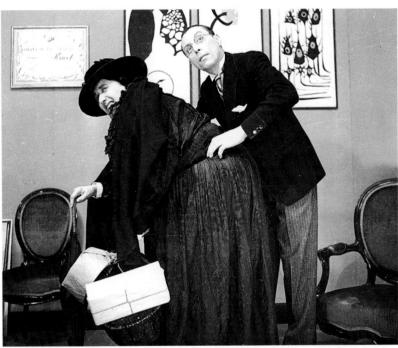

Une représentation de *Knock* avec le célèbre acteur Louis Jouvet dans le rôle de Knock

LITTÉRATURE

trois cent soixante-sept ❀ 367

Littérature

1 Preparation

Resource Manager

Audiocassette 7/CD 14
Audio Activities Booklet TE, Activities E–F, pages 190–191
Workbook, Activity B, page 169

2 Presentation

Introduction

Step 1 Before going over the **Introduction,** go over the meaning of **une satire, une farce. (Une farce est «une petite pièce comique populaire très simple où dominent les jeux de scène». Une satire est «un écrit, un discours qui s'attaque à quelque chose ou à quelqu'un, en se moquant».)**

Step 2 Read the Introduction aloud to the students. Ask: **Qu'est-ce que le charlatanisme? Vous connaissez le mot «charlatan» en anglais? Qu'est-ce que c'est?**

Step 3 Ask the following questions about the second paragraph: **Où la pièce a-t-elle lieu? Comment s'appelait le vieux médecin? Il avait une grande clientèle? À qui a-t-il vendu sa clientèle? Est-ce que le nouveau médecin est content quand il s'installe au village? Pourquoi? Qu'est-ce qu'il fait alors? Pourquoi? Qu'est-ce qui indique que le nouveau médecin Knock n'a pas eu beaucoup d'expérience?**

Literature Connection

Knock a fait la réputation de Romains comme auteur comique. Comme nous allons voir dans l'extrait qui suit, Knock n'a pas assez de patients. Tout le monde est soit en trop bonne santé, soit trop ignorant pour faire appel au médecin. Knock décide alors de faire de la publicité et d'offrir des consultations gratuites. Il exploite la mentalité paysanne et superstitieuse de ces gens si bien qu'il finit par les transformer tous en patients qui ne pensent plus qu'à être guéris des fièvres, coliques, etc. dont ils croient souffrir.

Littérature

2 Presentation (continued)

Lecture ◆◆

Step 1 Divide the scene into three parts. Call on three sets of students to read the parts of **Le Tambour** and **Knock**.

Step 2 You may wish to ask the following comprehension questions after each pair of students has read: **Que veut le tambour? Avec qui Knock a-t-il rendez-vous? Qu'est-ce que le tambour sent quand il dîne? Est-ce que le tambour peut décider si ça le chatouille ou le grattouille? Est-ce que le tambour montre à Knock l'endroit exact où il sent la démangeaison? Est-ce que ça lui fait mal quand le médecin y met son doigt, quand il enfonce son doigt? Est-ce que ça le grattouille plus quand il a mangé de la tête de veau? Quel âge a le tambour? Quand sera son anniversaire? Qu'est-ce que le médecin lui dit de faire?**

Step 3 With more able groups, you may wish to ask the analytical questions in **Literary Analysis** at the bottom of this page.

Lecture

KNOCK

Le Tambour: *(après plusieurs hésitations)* Je ne pourrai pas venir plus tard ou j'arriverai trop tard. Est-ce que ça serait un effet de votre bonté° de me donner ma consultation maintenant?

Knock: Heu… oui. Mais dépêchons-nous. J'ai un rendez-vous avec M. Bernard, l'instituteur, et avec M. le pharmacien Mousquet. Il faut que je les reçoive avant que les gens n'arrivent. De quoi souffrez-vous?

Le Tambour: Attendez que je réfléchisse! *(Il rit.)* Voilà. Quand j'ai dîné, il y a des fois que je sens une espèce de démangeaison ici. *(Il montre son estomac.)* Ça me chatouille ou plutôt ça me grattouille.

Knock: *(d'un air de profonde concentration)* Attention! Ne confondons pas! Est-ce que ça vous chatouille ou est-ce que ça vous grattouille?

Le Tambour: Ça me grattouille. *(Il médite.)* Mais ça me chatouille bien un peu aussi.

Knock: Montrez-moi exactement l'endroit.

Le Tambour: Par ici.

Knock: Par ici? Où cela, par ici?

Le Tambour: Là, ou peut-être là… entre les deux.

Knock: Juste entre les deux?… Est-ce que ça ne serait pas un petit peu à gauche, là, où je mets mon doigt?

Le Tambour: Il me semble bien.

Knock: Ça vous fait mal quand j'enfonce° mon doigt?

Le Tambour: Oui, on dirait que ça me fait mal.

Knock: Ah! Ah! *(Il médite d'un air sombre.)* Est-ce que ça ne vous grattouille pas davantage quand vous avez mangé de la tête de veau° à la vinaigrette?

Le Tambour: Je n'en mange jamais. Mais il me semble que si j'en mangeais, effectivement° ça me grattouillerait plus.

Knock: Ah! Ah! Très important. Ah! Ah! Quel âge avez-vous?

Le Tambour: Cinquante et un. Dans mes cinquante-deux°.

Knock: Plus près de cinquante-deux ou de cinquante et un?

Le Tambour: *(Il se trouble un peu°.)* Plus près de cinquante-deux. Je les aurai fin novembre.

Knock: *(lui mettant la main sur l'épaule°)* Mon ami, faites votre travail aujourd'hui comme d'habitude. Ce soir, couchez-vous de bonne heure. Demain matin, gardez le lit. Je passerai° vous voir.

Jules Romains, *Knock,* © Éditions Gallimard

est-ce que… bonté *would you be so kind as*

enfonce *press*

tête de veau *calf's head*

effectivement *indeed, certainly*

dans mes cinquante-deux *going on fifty-two*

il se trouble un peu *he gets a little flustered*

l'épaule *shoulder*

je passerai *I'll stop by*

Literary Analysis

1. Relevez dans ce texte les passages qui montrent que Knock a une pratique très personnelle de la médecine.
2. Par quels mots le lecteur devine-t-il que le tambour n'est pas très sûr de ses symptômes?
3. Quels sont les éléments comiques de cette scène?
4. «Est-ce que ça vous chatouille ou est-ce que ça vous grattouille?» Cette réplique est devenue célèbre. À votre avis, pourquoi?

A Dans le cabinet du docteur Knock

Répondez d'après la lecture.

1. Pourquoi Knock est-il pressé?
2. De quoi le tambour souffre-t-il?
3. Où a-t-il une espèce de démangeaison?
4. Ça le chatouille ou ça le grattouille?
5. Ça lui fait mal quand Knock enfonce le doigt?
6. Quel âge le tambour a-t-il?
7. Quand aura-t-il cinquante-deux ans?

B Vrai ou faux? Corrigez les phrases fausses.

1. Le tambour peut expliquer les symptômes de sa maladie immédiatement.
2. Le tambour a mal au foie.
3. Le tambour mange toujours de la tête de veau à la vinaigrette.
4. Knock décide que le tambour n'a pas besoin d'une autre consultation.

C Bien, Docteur! Expliquez:

1. le diagnostic de Knock
2. ses conseils au malade

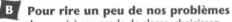

Communication libre

A **Problèmes de santé** Vous êtes médecin généraliste. Faites une liste des problèmes de santé que vous voyez le plus souvent.

B **Pour rire un peu de nos problèmes** Avec un(e) camarade de classe, choisissez dans votre liste un problème de santé qui peut faire rire. Écrivez une petite scène satirique que vous présenterez ensuite à la classe.

trois cent soixante-neuf ❖ **369**

Post–reading

After going over the selection in class, assign it for homework and have the students write the answers to the **Après la lecture** questions. Go over the activities the following day in class.

Communication libre

Allow students to select the activity they wish to do.

Independent Practice

Assign any of the following:
1. Activities on this page
2. Workbook, **Littérature**

 Assessment

Use these resources after completing the Knock reading for review and assessment.
Quiz 14
Test Booklet, pages 168–170
ExamView Pro®
Situation Cards

Use these resources after completing Chapter 7.
Quizzes
Test Booklet: Comprehensive Chapter Test, Listening Comprehension Test
ExamView Pro®
Situation Cards

ANSWERS TO **Après la lecture**

A
1. Il a rendez-vous avec l'instituteur et le pharmacien.
2. ... d'une espèce de démangeaison.
3. À l'estomac.
4. Ça le grattouille et ça le chatouille aussi.
5. Oui.
6. Il a presque cinquante-deux ans.
7. À la fin de novembre.

B
1. Il ne peut pas expliquer...
2. Il a une espèce de démangeaison à l'estomac.

3. Il n'en mange jamais.
4. Il va passer le voir le lendemain.

C
1. Le tambour n'est pas vraiment malade, mais Knock lui dit de garder le lit pour qu'il puisse avoir une autre consultation.
2. Il lui conseille de faire son travail comme d'habitude, de se coucher de bonne heure, et de garder le lit le lendemain.

ANSWERS TO **Communication libre**

 and **B** *Answers will vary.*

Planning for Chapter 8

SCOPE AND SEQUENCE PAGES 370–427

Topics

* France's artistic heritage
* Scientific research achievements in France

Functions

* Expressing opinions about art
* Expressing conditions
* Asking for things politely
* Describing actions that precede other actions in the past
* Describing simultaneous actions
* Expressing what would have happened given certain conditions

Structure

* Conditional
* **L'infinitif passé**
* Present participle
* Conditional perfect
* Clauses with **si**
* Causative constructions with **faire**

Culture/Literature

Culture

* The Louvre
* National Center of Scientific Research

Literature

* Le jet d'eau
* Sans dessus dessous
* La légende de la peinture

National Standards

* Communication Standard 1.1 pages 388, 391, 394, 402, 408, 409, 421, 427
* Communication Standard 1.2 pages 377, 382, 388, 401, 408, 417, 421, 427
* Communication Standard 1.3 pages 377, 382, 383, 388, 391, 402, 408, 409, 411, 417, 421, 427
* Cultures Standard 2.1 pages 375–376, 377, 378, 380–381, 382
* Cultures Standard 2.2 pages 372, 375–376, 380–381, 383, 386–387, 391, 400, 403, 405–407
* Connections Standard 3.1 pages 375–376, 380–381, 397, 400, 415, 416, 419–421, 424–426
* Comparisons Standard 4.2 pages 377, 383, 408, 422
* Communities Standard 5.1 page 388

Timesaving Teacher Tools

ite **Interactive Teacher Edition**
Imagine having your Teacher's Edition and all resources on a CD-ROM. Click on a resource and it appears on your screen, ready to be printed, sorted, or planned.

Interactive Lesson Planner
The Interactive Lesson Planner CD-ROM helps you organize your lesson plans for a week, month, semester, or year. Look at this planning tool for easy access to your Chapter 8 resources.

ExamView Pro®
Test Bank software for Macintosh and Windows makes creating, editing, customizing, and printing tests quick and easy.

Technology Resources

FRENCH Online

In the **Bon voyage!** Level 3 Internet activity, you will have a chance to learn more about language, culture, history, geography, and current events in the Francophone world. Visit **french.glencoe.com**

NATIONAL GEOGRAPHIC SOCIETY
See the National Geographic Teacher's Corner on pages 104–105, 214–215, 310–311, 428–429 for reference to additional technology resources.

Bon voyage! **Video Program**
Bon voyage! Video and Video Activities Booklet, Chapter 8.

DIFFICULTY LEVELS

Each reading selection in **Culture, Journalisme,** and **Littérature,** each **Conversation,** and each structure topic is rated below according to difficulty level to assist you in planning.

◆ Easy   ◆◆ Intermediate   ◆◆◆ Difficult

Please note that the material in **Bon voyage!** does not get progressively more difficult. Within each chapter there are easy and difficult sections. The overall rating for this chapter is: ◆◆◆ Difficult.

SECTION	DIFFICULTY LEVEL
Culture	
Les Français et les arts	
Le Grand Louvre	◆
La recherche scientifique	
Le Centre national de la recherche scientifique	◆◆◆
Conversation	
Visite à la Grande Arche	◆◆
Structure I	
Le conditionnel	◆
L'infintif passé	◆◆
Le participe présent	◆◆
Journalisme	
Toulouse-Lautrec vu par Fellini	
Toulouse, mon frère	◆◆◆
Les aventures de Tintin	
On a marché sur la lune	◆◆◆
Structure II	
Le conditionnel passé	◆
Les propositions avec **si**	◆◆◆
Le **faire** causatif	◆◆◆
Littérature	
Le jet d'eau	◆◆
Sans dessus dessous	◆◆◆
La légende de la peinture	◆◆

Using Your Resources for Chapter 8

RESOURCE GUIDE

SECTION	PAGES	SECTION RESOURCES

Culture

Les Français et les arts *Le Grand Louvre*	372–377	🔖 Vocabulary Transparencies 8.1–8.2 🎧 Audiocassette 8/CD 15
La recherche scientifique *Le Centre national de la recherche scientifique*	378–383	💿 Audio Activities Booklet TE, pages 196–198 📔 Workbook, pages 175–178 📔 Quizzes 1–2, pages 97–98 📔 Chapter Section Test, pages 173–177

Conversation

Visite à la Grande Arche	384–388	🔖 Vocabulary Transparency 8.3
En route pour la Grande Arche	386	🎧 Audiocassette 8/CD 15
Au pied de la Grande Arche	386	💿 Audio Activities Booklet TE, pages 199–200
Dans l'ascenseur	387	📔 Workbook, page 179
Sur le toit de la Grande Arche	387	📔 Quiz 3, page 99

Langage

Réactions	389–391	🎧 Audiocassette 8/CD 15 💿 Audio Activities Booklet TE, pages 201–202 📔 Workbook, page 180 📔 Quiz 4, page 100 📔 Chapter Section Test, pages 178–180

Structure 1

Le conditionnel	392	🎧 Audiocassette 8/CD 15
L'infinitif passé	393–394	💿 Audio Activities Booklet TE, pages 203–204
Le participe présent	395–396	📔 Workbook, page 181 📔 Quizzes 5–7, pages 101–103 📔 Chapter Section Test, pages 181–183

CHAPITRE 8

Preview

In this chapter, students will learn about the artistic and scientific achievements of France and the French people's love for their cultural heritage. Students will learn about the architectural grandeur of Paris, both past and present. They will also learn about the great centers of scientific research in France.

All of the readings in both the **Journalisme** and **Littérature** sections have art or science themes.

National Standards

Communication
Students will communicate in spoken and written French on the following topics:
- art, including painting and architecture
- science and science fiction
- comic strips

They will also learn to express their reactions to plays, movies, and works of art.

Cultures
Students will learn about French people's passion for their artistic heritage and their appreciation of scientific research.

Comparisons
Students will have an opportunity to compare French and American advancements in science.

Connections
This chapter establishes a connection with the fields of art, architecture, science, and literature.

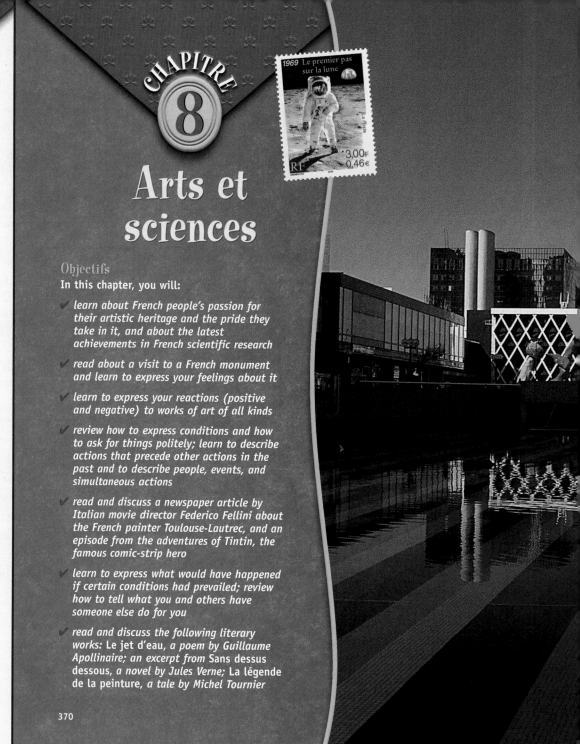

CHAPITRE 8

Arts et sciences

Objectifs
In this chapter, you will:

✓ learn about French people's passion for their artistic heritage and the pride they take in it, and about the latest achievements in French scientific research

✓ read about a visit to a French monument and learn to express your feelings about it

✓ learn to express your reactions (positive and negative) to works of art of all kinds

✓ review how to express conditions and how to ask for things politely; learn to describe actions that precede other actions in the past and to describe people, events, and simultaneous actions

✓ read and discuss a newspaper article by Italian movie director Federico Fellini about the French painter Toulouse-Lautrec, and an episode from the adventures of Tintin, the famous comic-strip hero

✓ learn to express what would have happened if certain conditions had prevailed; review how to tell what you and others have someone else do for you

✓ read and discuss the following literary works: Le jet d'eau, a poem by Guillaume Apollinaire; an excerpt from Sans dessus dessous, a novel by Jules Verne; La légende de la peinture, a tale by Michel Tournier

370

FRENCH Online

The **Glencoe World Language Web site** (french.glencoe.com) offers several options for you and your students to experience the French-speaking world via the Internet:
- The online **Activités** are correlated to the chapters and utilize Francophone Web sites around the world.
- Games and puzzles afford students another opportunity to practice the material learned in a particular chapter.

- The *Enrichment* section offers students an opportunity to visit Web sites related to the theme of the chapter for more information on a particular topic.
- Online *Chapter Quizzes* offer students an opportunity to prepare for a chapter test.
- Visit our virtual **Café** for more opportunities to practice and explore the French-speaking world.

trois cent soixante et onze ❧ **371**

Random Access

You may either follow the exact order of the chapter or omit certain sections that you feel are not necessary for your students. Similarly, you may present a literary selection without interruption, or you may wish to intersperse some material from the **Structure** sections as you are presenting a literary piece.

✓ Assessment

Quizzes: There is a quiz for every vocabulary presentation and every structure point.
Tests: To accompany **Bon voyage!** Level 3 there are global tests for both **Structures I** and **II,** a combined **Conversation/Langage** test, and one test for each reading in the **Culture, Journalisme,** and **Littérature** sections. There is also a chapter Listening Comprehension Test.

Learning from Photos

Le sculpteur L.E. Barrias avait élevé un monument à la mémoire des défenseurs de Paris, lors du siège de la ville en 1870–71. C'est à ce site et à cette statue que le quartier de la Défense doit son nom. (Voir une photo de la statue à la page 165.)

Chapter Projects

Le Louvre Montrez à vos élèves une vidéo d'une visite guidée du Louvre. Distribuez des images d'œuvres d'art exposées au Louvre. Demandez aux élèves d'identifier l'œuvre d'art qu'ils ont reçue, son créateur si possible, et s'ils l'aiment ou pas. Recommencez chaque jour en prenant soin de ne pas donner deux fois la même image au même élève. Vous pouvez aussi organiser une exposition dans le centre de documentation ou dans la salle de classe et faire des visites guidées. Une vraie visite dans un vrai musée exposant des œuvres d'art d'artistes français serait une conclusion parfaite pour ce chapitre.

Les Inventions Dites aux élèves de choisir une des inventions citées à la page 383. Dites-leur ensuite d'écrire un rapport sur cette invention et son auteur sans oublier de mentionner comment cette invention a changé ou a amélioré les conditions existantes.

Culture

LES FRANÇAIS ET LES ARTS

1 Preparation

Resource Manager

Vocabulary Transparency 8.1
Audio Activities Booklet TE, Activity A, page 196
Audiocassette 8/CD 15
Workbook, Activities A–B, page 175
Quiz 1, page 97
ExamView Pro®

Bellringer Review

Write the following on the board or use BRR Transparency 8.1.
Faites une liste de tout ce qu'on peut voir dans un musée.

2 Presentation

Introduction

Step 1 Have students read the **Introduction** aloud. You may wish to explain to them that there is always much discussion in Paris about the pros and cons of architectural changes.

Step 2 Ask students the following questions: **Qu'est-ce que le patrimoine artistique? C'est l'héritage de la France, toutes les œuvres d'art, toute la culture française? Combien d'années y a-t-il dans une vingtaine d'années? Quels projets de construction est-ce qu'on voit se succéder à Paris depuis les années 70? Quel est leur but, leur raison d'être? Qu'est-ce que tous ces projets de construction ont en commun? Les Français sont fiers du centre Pompidou, de la Grande Arche, du Grand Louvre?**

L'inauguration de l'aile Richelieu du Grand Louvre

Introduction

Les Français sont très fiers de leur patrimoine artistique. Depuis une vingtaine d'années, on voit se succéder de vastes projets de construction dont le but est de rendre la culture accessible à tous. Rien qu'à Paris, on a vu la construction du centre Pompidou et de la Grande Arche, et la création du musée d'Orsay et celle du Grand Louvre. Toutes ces réalisations combinent avec audace le passé et le présent, la tradition et la technologie moderne. Même si elles sont critiquées par certains, elles n'en font pas moins la fierté des Français. Le Grand Louvre en est un exemple.

Learning from Photos

Regardez la légende sous la photo. Que signifie «l'inauguration»? Ce sont des notables, des gens importants? Comment le savez-vous? Il y a deux hommes célèbres sur la photo. Savez-vous lesquels? (François Mitterrand, au centre, qui regarde l'architecte de la pyramide, I.M. Pei)

Critical Thinking Activity

Identifying Causes
D'après vous, pour quelles raisons la culture n'a-t-elle pas toujours été accessible à tout le monde?

Vocabulaire

un palais

une aile

un roi

Le roi est fier de son palais. Il est plein de fierté.

des vestiges

des fouilles

un chantier de fouilles archéologiques

le patrimoine la propriété, l'héritage, la fortune, ce qui est hérité du «père»
souterrain(e) sous la terre, en sous-sol
piétonnier(-ère) pour les piétons seulement, pas pour les voitures

Vocabulaire

Step 1 Have students repeat the new words in unison after you.

Step 2 Have students open their books and read the vocabulary for additional reinforcement.

Step 3 You may wish to ask the following questions about the illustrations: **Le palais est la maison de qui? C'est un palais royal? De quoi le roi est-il fier? Quelle sorte de bâtiment a des ailes—une petite maison ou un palais? Que font les gens dans le dessin en bas de la page? Ils font des fouilles? Qu'est-ce qu'on cherche quand on fait des fouilles archéologiques? Où se trouvent les vestiges du passé? Dans les grandes villes, est-ce qu'on trouve quelquefois des vestiges?**

Step 4 You may wish to call on one or two students to read the definitions and other students to give the word being defined.

History Connection

L'aile «Richelieu» du Grand Louvre fut terminée en 1856. Elle fut bâtie sur l'ordre de Napoléon Ier puis de Napoléon III. Elle acheva la réunion du Louvre à l'ancien château des Tuileries.

FUN FACTS

Le Louvre va-t-il devenir le plus grand musée du monde? «Sans doute», répond son directeur. Mais les comparaisons sont difficiles. Si l'on considère l'ampleur des collections, c'est avec le Metropolitan Museum of Art de New York que le Louvre se sent le plus d'affinités. Normal! Le Met a été créé en 1870 sur le modèle de son aîné.

Culture

3 Practice

Communication guidée

Have students do these activities for homework and go over them the next day in class. Call on students to read their answers.

B **Extension:** After a student gives the word being defined, you may ask him or her to use the word in an original sentence.

Learning from Photos

Ask students: À votre avis, la photo de la pyramide est belle? Pourquoi? Y a-t-il des contrastes inattendus? Lesquels? Quel est le bâtiment au fond, derrière la pyramide? (le Louvre)

 Group Activity
Divisez la classe en deux groupes—ceux qui aiment la pyramide et ceux qui la détestent. Demandez à chaque groupe de justifier leur opinion.

Culture

Communication guidée

A **Associations** Choisissez les mots qui sont associés.

1. des fouilles	**a.** un palais
2. un musée	**b.** une promenade
3. une aile	**c.** le père
4. fier	**d.** une exposition
5. une rue piétonnière	**e.** un chantier
6. le patrimoine	**f.** la fierté

B **Définitions** Trouvez le mot qui correspond.

1. qui est en sous-sol
2. un monarque
3. l'héritage
4. être content d'être associé à quelque chose ou à quelqu'un
5. lieu où on fait des fouilles archéologiques
6. ce qu'on trouve en faisant des fouilles
7. partie d'un palais

FRENCH Online

For more information on museums in the Francophone world, go to the Glencoe French Web site: french.glencoe.com

La pyramide du Louvre

ANSWERS TO Communication guideé

A	**B**
1. e	**1.** souterrain
2. d	**2.** un roi
3. a	**3.** le patrimoine
4. f	**4.** être fier
5. b	**5.** un chantier
6. c	**6.** des vestiges
	7. une aile

LE GRAND LOUVRE

Le Grand Louvre est un espace culturel spectaculaire qui redonne à l'ancien palais des rois toute sa splendeur, et au musée une nouvelle vie. Avec en plus, en sous-sol, une ville piétonnière dédiée à l'art, et des parkings souterrains.

Point de départ: la Pyramide

Le point de départ de la visite de ce que les Français appellent déjà «le plus beau musée du monde» est la pyramide de Pei*, le monument

---

* I. M. Pei *architecte américain d'origine chinoise, a conçu la pyramide de verre par laquelle les visiteurs ont accès au musée du Louvre*

Le *Scribe accroupi*

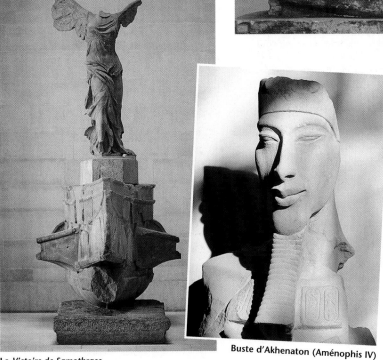

La *Victoire de Samothrace*

Buste d'Akhenaton (Aménophis IV)

CULTURE

trois cent soixante-quinze 375

Culture

LE GRAND LOUVRE ◆

National Standards

Cultures
Students will learn about French people's appreciation of their artistic heritage.

Connections
Students will learn about some of the famous artworks in the Louvre.

1 Preparation

Resource Manager

Audio Activities Booklet TE, Activity B, pages 196–197
Audiocassette 8/CD 15
Workbook, Activities C–E, pages 175–176

2 Presentation

Step 1 Have students look at the photos, then ask them: **De quels pays sont ces œuvres d'art? (L'Égypte et la Grèce.) Que fait un scribe? Comment appelle-t-on** *La Victoire de Samothrace* **en anglais?** (*The Winged Victory of Samothrace*) **Est-ce que la Victoire est ailée? Est-ce qu'elle a des ailes?** (This is an opportunity to use the word **aile** in another context from that of the reading.)

Step 2 You may wish to tell students that the Louvre has one of the most extensive collections of ancient sculpture in the world.

Step 3 Call on individuals to read this section aloud.

Step 4 You can intersperse questions from **Activité A** on page 377 as you are going over this section.

Step 5 After completing the reading, have a few students answer in their own words: **Qu'est-ce que le Grand Louvre?**

FUN·FACTS

Le Louvre comprend une immense collection d'antiquités: orientales, grecques, romaines et égyptiennes. *La Victoire de Samothrace* qui domine un des grands escaliers du Louvre est le monument commémoratif d'un succès militaire remporté sur mer. «La Victoire» s'élevait dans l'île de Samothrace au nord-est de la mer Égée. Elle était placée en biais sur une terrasse surplombant le sanctuaire et elle annonçait l'événement, le bras levé.

Dans la collection des antiquités égyptiennes se trouve «le Scribe accroupi». Cette magnifique statue représente un homme pris sur le vif en train d'écrire. Cette statue fut taillée dans du calcaire puis soigneusement peinte, pour mieux imiter la vie: les yeux sont en albâtre et en cristal de roche, cerclés de cuivre.

Culture

d'art moderne qui attire le plus de visiteurs en France (5 millions par an). De là, on peut choisir entre des visites thématiques ou des visites à la carte[1], des visites en groupes ou individuelles.

Le musée s'agrandit d'une aile

Nombreux sont les visiteurs étrangers qui ont admiré *La Joconde,* la *Vénus de Milo, Le sacre* (de Napoléon) ou la *Victoire de Samothrace.* Mais étrangers et Français vont maintenant pouvoir découvrir ou redécouvrir de nombreux objets d'art, redistribués de façon plus fonctionnelle dans un espace plus vaste. En effet, le musée peut maintenant disposer de toute une aile du palais, l'aile Richelieu, qui jusqu'à ces dernières années était occupée par le ministère des Finances.

Découvert: des vestiges du premier Louvre

La vaste opération de restauration du Louvre a été entreprise[2] en 1983, lorsqu'on a mis au jour[3], sous la Cour Carrée du palais, des vestiges du premier Louvre: le château fort[4] construit en 1190 par le roi Philippe Auguste. Ce fut alors le plus grand chantier urbain de fouilles archéologiques.

[1] à la carte *free-choice*
[2] entreprise *launched*
[3] mis au jour *brought to light*
[4] château fort *fortified castle*

Le Grand Louvre + palais restauré = musée agrandi + ...

Finalement, qu'est-ce que le Grand Louvre? C'est l'ancien palais du Louvre, restauré, modernisé, entièrement voué aux activités de musée, entouré de jardins transformés en une promenade splendide, avec en sous-sol toute une ville souterraine liée aux activités culturelles.

Visiteurs devant *La Joconde* de Léonard de Vinci

Le sacre de Jacques Louis David

Après la lecture

A Le Grand Louvre Répondez d'après le texte.
1. Qu'est-ce que le Louvre était avant d'être un musée?
2. Quelles œuvres d'art est-ce que les touristes veulent voir en priorité quand ils visitent le Louvre?
3. Comment les visiteurs entrent-ils dans le Grand Louvre?
4. Qu'est-ce qui a permis de réorganiser le musée de façon plus fonctionnelle?
5. Qu'est-ce qu'on a découvert en faisant des fouilles sous la Cour Carrée du Louvre?
6. Depuis combien d'années le palais du Louvre est-il en existence?
7. En quoi consiste le Grand Louvre?

B Une ville piétonnière Décrivez une ville piétonnière. En quoi diffère-t-elle d'une ville habituelle?

Communication libre

La culture À l'heure actuelle, les Français sont passionnés de culture. La peinture, la musique, l'opéra en particulier, la danse, sont en plein renouveau de popularité. Faites une enquête sur la situation de la culture aux États-Unis, ou plus précisément dans votre région.

Arts Connection

Devenu le peintre officiel de l'Empire, David triomphe en 1807 avec le monumental «Sacre» de Napoléon. Le geste légendaire de l'Empereur se substituant au Pape pour remettre lui-même la couronne à Joséphine est une libre interprétation du peintre.

Independent Practice

Assign any of the following:
1. Activities on this page
2. Workbook, **Culture**

✓ Assessment

Use these resources at the end of the **Le Grand Louvre** section for review and assessment.
Quiz 1
Test Booklet, pages 173–174
ExamView Pro®
Situation Cards

ANSWERS TO *Après la lecture*

A
1. Avant d'être un musée, le Louvre était un palais.
2. Les touristes veulent voir en priorité «La Joconde», la «Vénus de Milo», «Le Sacre» et la «Victoire de Samothrace».
3. Les visiteurs entrent dans le Grand Louvre par la pyramide de Pei.
4. L'ouverture de l'aile Richelieu a permis de réorganiser le musée de façon plus fonctionnelle.
5. En faisant des fouilles sous la Cour Carrée du Louvre on a découvert des vestiges du premier Louvre: le château fort construit en 1190 par le roi Philippe Auguste.
6. Le palais du Louvre est en existence depuis environ huit cents ans.
7. Le Grand Louvre consiste en l'ancien palais du Louvre, restauré, modernisé, entièrement voué aux activités de musée, entouré de jardins, avec en sous-sol, toute une ville souterraine liée aux activités culturelles.

B *Answers will vary.*

ANSWERS TO *Communication libre*

Answers will vary.

LA RECHERCHE SCIENTIFIQUE

LA RECHERCHE SCIENTIFIQUE

1 Preparation

Resource Manager

Vocabulary Transparency 8.2
Audio Activities Booklet TE, Activity C, page 197
Audiocassette 8/CD 15
Workbook, Activities A–B, page 177
Quiz 2, page 98
ExamView Pro®

Bellringer Review

Write the following on the board or use BRR Transparency 8.2.
Qu'est-ce qu'on étudie dans des cours de biologie, de chimie et de physique?

2 Presentation

Introduction

Step 1 Have students brainstorm the names of French scientists or inventors. Then have them read the **Introduction** silently.

Step 2 Ask: **À quoi est-ce qu'on associe les noms de Pierre et Marie Curie? Et ceux d'Irène et Frédéric Joliot-Curie? Quelle découverte a été faite en 1983? Par qui? La recherche en France est assurée par le gouvernement ou par les entreprises privées? Pouvez-vous mentionner un centre de recherche aux États-Unis qui est plus ou moins l'équivalent américain de l'INSERM? (National Institutes of Health) Et du CNES? (NASA)**

Vocabulaire

Step 1 Have students repeat the new words in unison after you.

Introduction

Depuis le début du XXe siècle, la science française occupe une place de tout premier plan. En physique, les noms de Pierre et Marie Curie sont associés au radium, ceux d'Irène et Frédéric Joliot-Curie à la structure de l'atome. En mathématiques, biologie et médecine, de nombreux scientifiques français ont fait des découvertes de premier ordre: le docteur Montagnier, par exemple, qui a isolé le virus du sida (syndrome immuno-déficitaire acquis) en 1983.

En France, la recherche scientifique est assurée principalement par l'État; elle est donc en majeure partie au service du bien public. Cette recherche a lieu dans de grands centres de recherche tels que l'Institut national de santé et de la recherche médicale (INSERM), le Centre national d'études des télécommunications (CNET), le Centre national d'études spatiales (CNES), l'Institut Pasteur, et, le plus important, le Centre national de la recherche scientifique (CNRS).

Vocabulaire

une chercheuse

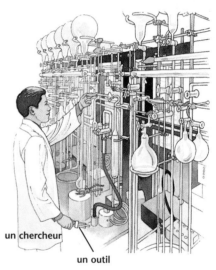

un chercheur

un outil

Pour faire de la recherche, les chercheurs ont besoin d'outils perfectionnés.

fournir donner, apporter
tirer profit de profiter de
être à même de avoir la possibilité de, pouvoir

le partenariat le travail en association avec des partenaires
primordial de première importance, très important

FUN FACTS

Le CNES (le Centre national d'études spatiales): un centre industriel et commercial qui anime et coordonne la politique spatiale en France.
Le CNIT (le Centre des nouvelles industries et technologies): se trouve dans le quartier de la Défense.
L'INSERM (l'Institut de la santé et de la recherche médicale): a pour fonction l'étude des problèmes sanitaires du pays et l'orientation de la recherche médicale.

L'Institut Pasteur: un établissement scientifique, fondé en 1888, qui poursuit l'œuvre de Pasteur. C'est aussi un grand centre de production de vaccins et de sérums.

Communication guidée

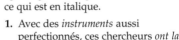

A **Familles de mots** Choisissez le mot qui correspond.

1. un partenaire
2. des fournitures
3. profiter
4. une découverte
5. la richesse
6. la connaissance
7. un chercheur
8. perfectionné

a. le profit
b. découvrir
c. parfait
d. la recherche
e. le partenariat
f. riche
g. connaître
h. fournir

B **Synonymes** Exprimez d'une autre façon ce qui est en italique.

1. Avec des *instruments* aussi perfectionnés, ces chercheurs *ont la possibilité* de faire une découverte importante.
2. Ils *profitent* de leurs rencontres avec d'autres *personnes qui se consacrent à la recherche scientifique.*
3. Ces rencontres leur *apportent* des informations *de première importance.*
4. Cet organisme de recherche scientifique favorise le *travail en association avec des partenaires.*

Montage d'une sonde pour l'étude des ions en phase gazeuse

Étude de magnétisme par spectroscopie à la température de l'hélium liquide

---

Culture

Step 2 Have one or two students read the definitions and other students give the words being defined.

Step 3 You may wish to do **Activité B** on page 379 immediately after you have presented the new words.

ANSWERS TO **Communication guidée**

 A   **B**

1. e
2. h
3. a
4. b
5. f
6. g
7. d
8. c

1. outils, sont à même
2. tirent profit, chercheurs
3. fournissent, primordiales
4. le partenariat

LE CENTRE NATIONAL DE LA RECHERCHE SCIENTIFIQUE ◆◆◆

National Standards

Cultures
Students will learn about the French national center for scientific research and some of the contributions it has made in the fields of medicine, archaeology, paleoclimatology, and history.

Comparisons
Students will compare French and American inventions.

1 Preparation

Resource Manager

Audio Activities Booklet TE, Activity D, page 198
Audiocassette 8/CD 15
Workbook, Activities C–E, pages 177–178

2 Presentation

Step 1 Ask students who are interested in science if they can tell the class anything about the photo on this page.

Step 2 Call on individuals to read about a paragraph at a time. You may wish to intersperse the Compréhension questions from page 382 after each student has read.

Step 3 Paraphrasing: Have students skim the selection to find another way to say the following:
- **depuis sa naissance (dès son origine)**
- **les gens qui font de la recherche (les chercheurs)**
- **les efforts en commun de chercheurs de diverses disciplines (l'approche**

LE CENTRE NATIONAL DE LA RECHERCHE SCIENTIFIQUE

L'atout[1] de la multidisciplinarité

Dès son origine en 1939, le CNRS s'est organisé pour couvrir la totalité du champ scientifique, pour être présent dans toutes les disciplines majeures. Là réside sa principale originalité. Là est aussi sa plus grande force.

Son activité sur tous les fronts de la connaissance fournit au CNRS deux avantages primordiaux: d'une part les chercheurs tirent profit de leurs rencontres, bénéficiant des comparaisons qu'ils sont à même d'établir entre la logique, les méthodes et les outils propres à[2] leurs différentes spécialités; d'autre part, l'approche conjuguée[3] de scientifiques[4] de différents horizons favorise l'émergence et l'exploration d'une richesse de thèmes et préoccupations interdisciplinaires. Or[5], c'est aux interfaces entre disciplines que naissent de nombreuses découvertes.

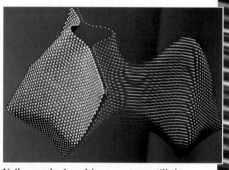

Voile souple de sphères creuses utilisé pour la fabrication d'un matériau composite alvéolaire isotrope

---

[1] atout *advantage*
[2] propres à *characteristic of*
[3] conjuguée *joint*
[4] scientifiques *scientists*
[5] or *now*

Radiotélescope de
l'IRAM à Grenoble

Ouverture et partenariat

La pratique du partenariat est une caractéristique du CNRS, inscrite au plus profond de sa culture.

En permanence à l'écoute de la société, l'organisme mène[6] une constante politique d'ouverture, multipliant des liens[7] qu'il ne cesse aujourd'hui de renforcer: par son association avec les universités, les grandes écoles et les autres organismes de recherche; par ses collaborations avec de nombreuses entreprises; par ses actions d'information; par ses différents modes de coopération internationale.

Cette capacité de travail en commun et d'échanges avec ses divers partenaires est une des plus grandes richesses du CNRS. Elle lui permet d'être présent dans la majorité des découvertes et avancées scientifiques réalisées en France depuis ces cinquante dernières années.

Au cœur[8] des découvertes

De nombreux exemples récents en témoignent[9]:

- les travaux des chimistes et des physiciens sur les matériaux supraconducteurs à haute température critique, les quasi-cristaux ou encore la chimie supramoléculaire qui a valu le prix Nobel 1987 à Jean-Marie Lehn;
- la découverte du virus du sida par Luc Montagnier (directeur de recherche au CNRS) et son équipe à l'Institut Pasteur;
- l'analyse des forages[10] profonds en Antarctique et au Groenland par Claude Lorius et son équipe, qui a permis de déterminer dans des glaces vieilles de 30 000 ans les caractéristiques du climat et de l'environnement de la Terre;
- la mise au jour d'un important oppidum gaulois[11] à Bibracte, près d'Autun;
- la découverte d'un manuscrit inconnu des sermons de saint Augustin, apportant des informations inédites[12] sur l'agitation politique et religieuse en Afrique du Nord vers l'an 400.

Antenne embarquée
à bord de la sonde
interplanétaire Galileo
d'exploration de Jupiter

---

[6] mène *carries on*
[7] liens *connections*
[8] cœur *heart*

[9] en témoignent *attest to this*
[10] forages *drilling, boring*

[11] oppidum gaulois *Gallic citadel*
[12] inédites *new, original*

conjuguée de scientifiques de différents horizons)

- **toujours en train d'écouter la société** (en permanence à l'écoute de la société)
- **pour lequel on a donné le prix Nobel à Jean-Marie Lehn** (qui a valu le Prix Nobel à Jean-Marie Lehn)

Step 4 If you are familiar with any of the scientific discoveries outlined in the last section of this reading, you may wish to tell students more about them. For example, they may not be aware that the isolation of the AIDS virus by Luc Montagnier was disputed by certain American researchers who regarded Dr. Robert Gallo as having isolated it before Montagnier. It is generally accepted now, however, that Montagnier isolated it eight months before Gallo.

Culture

Post-reading

Communication libre

 You may wish to have students do this activity in pairs or small groups.

Après la lecture

Le CNRS Répondez d'après le texte.
1. Dans quel but le CNRS a-t-il été créé?
2. Quels sont les avantages de son activité sur tous les fronts? Donnez des exemples concrets.
3. Expliquez ce qu'est le partenariat. Avec quels organismes le CNRS est-il partenaire?
4. Quel profit le CNRS tire-t-il de ce partenariat?
5. Qu'est-ce qui a valu le prix Nobel à Jean-Marie Lehn?
6. Qui est-ce qui a découvert le virus du sida?
7. Pour quelle raison Claude Lorius et son équipe ont-ils analysé des glaces de l'Antarctique et du Groenland vieilles de 30 000 ans?
8. Qu'est-ce qu'on a mis au jour à Bibracte, près d'Autun?
9. Qu'est-ce qu'on a découvert de saint Augustin?

Communication libre

A **Thèmes de recherche**
Voici une liste de quelques thèmes de recherche au CNRS. Quels thèmes vous intéressent le plus? Pour quelles raisons?

Quelques thèmes de recherche...
- Recherche polaire en coopération nationale et internationale
- Histoire du temps présent
- Communication homme/machine: informatique, robotique, langages
- Mise au point de molécules actives dans le traitement de certains cancers
- Les institutions pénales et la population carcérale
- L'étude des climats et les interactions atmosphère, océan et biosphère
- L'électronique et les semi-conducteurs
- Recherches sur les bases moléculaires des maladies
- Le chercheur, l'artiste et la production
- Projet de TGV à 2 étages
- Évolution du monde rural
- Optique et lasers
- Étude sur les modes et influences du transfert technologique
- Bosons et neutrinos
- La biodisponibilité des médicaments
- Chantiers d'archéologie: l'oppidum de Bibracte, les fours de potiers de Sallèles d'Aude
- Transformation génomique des plantes
- Dynamique et bilan de la Terre
- Recherche multidisciplinaire sur le sida: biologie, éthique, sociologie
- Astrophysique de l'univers froid: milieu interstellaire et formation d'étoiles
- Mathématiques et outils de modélisation

ANSWERS TO **Communication libre**

A *Answers will vary.*

ANSWERS TO **Après la lecture**

A
1. Pour couvrir la totalité du champ scientifique, pour être présent dans toutes les disciplines majeures.
2. Les chercheurs tirent profit de leurs rencontres et l'approche conjuguée de scientifiques de différents horizons favorise l'émergence et l'exploration d'une richesse de thèmes et préoccupations interdisciplinaires.
3. C'est le travail en commun et les échanges avec divers partenaires. Avec les universités, les grandes écoles et les autres organismes de recherche.
4. Ce partenariat permet au CNRS d'être présent dans la majorité des découvertes et avances scientifiques réalisées en France depuis les cinquante dernières années.
5. La chimie supramoléculaire.
6. Luc Montagnier.
7. Pour pouvoir déterminer les caractéristiques du climat et de l'environnement de la Terre.
8. Un important oppidum gaulois.
9. Un manuscrit inconnu.

B **Inventions** Voici une liste d'inventions faites par des Français, inventions qui ont changé la vie de tous les jours. Faites une liste semblable d'inventions faites par des Américains.

1826—**la photographie**
(Nicéphore Niepce)

1829—**l'alphabet pour aveugles**
(Louis Braille)

1858—**le réfrigérateur**
(Ferdinand Carré)

1859—**le moteur à explosion**
(Étienne Lenoir)

1891—**le pneu**
(les frères Michelin)

1893—**le périscope**
(T. Garnier)

1895—**le cinéma**
(les frères Lumière)

1910—**l'hydravion**
(Henri Fabre)

1952—**le four solaire**
(CNRS)

Scène d'un des premiers films français: *Le voyage à travers l'impossible* de Georges Méliès (1904)

Photo de Daguerre: *Boulevard parisien* (1839)
Daguerre perfectionna l'invention de Niepce.

CULTURE

trois cent quatre-vingt-trois ❧ **383**

Communication libre

B **Extension:** Have students look over the list of French inventors and say which ones they have heard of and which inventions they are surprised to learn were French.

Independent Practice

Assign any of the following:
1. Activities on this page
2. Workbook, **Culture**

FUN FACTS

- Georges Méliès était un pionnier du spectacle cinématographique. Il a été l'inventeur des premiers trucages et constructeur des premiers studios de cinéma. Entre 1869 et 1913, il réalisa plus de 500 petits films.
- Daguerre, inventeur français qui imagina en 1822 le diorama. Par la suite, avec Niepce, il perfectionna l'invention de la photographie. C'est ainsi qu'il obtint les premiers «daguerréotypes».

✓ Assessment

Use these resources at the end of the **La recherche scientifique** section for review and assessment.
Quiz 2
Test Booklet, pages 175–177
ExamView Pro®
Situation Cards

ANSWERS TO Communication libre

 B *Answers will vary.*

Conversation

VISITE À LA GRANDE ARCHE

2 Presentation

Vocabulaire

You may wish to ask the following questions as you present the new vocabulary: **Où se trouve la Grande Arche? La Défense est un quartier résidentiel ou commercial? Que n'aiment pas faire les gens qui ont le vertige? Avez-vous quelquefois le vertige? Quand? Aimez-vous monter en haut des grands bâtiments? Pourquoi les gens sont-ils serrés dans l'ascenseur? Qu'est-ce qui pèse beaucoup? Qu'est-ce qui pèse très peu? Avez-vous jamais été dépaysé(e)? Quand? De quoi vous plaignez-vous? Quand est-ce que vous dites à un(e) ami(e): «Ne t'en fais pas»?**

VISITE À LA GRANDE ARCHE

Vocabulaire

La Grande Arche se trouve dans le quartier de la Défense.

Ce touriste ne peut pas regarder vers le bas: il a le vertige.

Il y a beaucoup de gens dans cet ascenseur: ils sont serrés.

La Grande Arche est lourde: elle pèse 300 000 tonnes.
La tour Eiffel, elle, est légère: elle ne pèse que 9 000 tonnes.

être dépaysé(e) ne pas se sentir à l'aise dans un endroit
s'en faire être anxieux, inquiet
se plaindre dire qu'on n'est pas content

dire du mal de dire des choses pas très gentilles au sujet de
un coup d'œil un regard rapide
à peine presque pas

Communication guidée

 Quel est le mot? Complétez.

1. Il y a une terrasse sur le _____. De là-haut, il y a une très belle vue sur tout Paris.
2. Je ne veux pas monter en haut de la tour Eiffel. Ça va me donner le _____.
3. J'ai horreur des ascenseurs. Il y a toujours plein de gens et on est trop _____.
4. Quand il était bébé, il était _____, je pouvais le porter. Mais maintenant, je ne peux plus: il pèse trop _____.
5. C'est la première fois qu'elle vient à Paris. Elle est toute _____.
6. Ils ne sont jamais contents. Ils sont toujours en train de _____.
7. Elle est inquiète pour lui. Elle _____.
8. Il m'a dit des choses pas très gentilles au sujet de Marianne. Il adore _____ de ses amis.
9. Je n'ai presque pas dormi. J'ai _____ fermé l'œil.
10. Ne regarde pas vers le bas trop longtemps: un _____ suffit, sinon tu vas avoir le vertige.

B **Connaissez-vous Paris?** Dites de quoi il s'agit.

1. le quartier des affaires
2. un monument qui se trouve à la Défense
3. le monument place Charles-de-Gaulle
4. le monument place de la Concorde
5. un monument qui se trouve dans les jardins du Carrousel
6. le monument par lequel on a accès au musée du Louvre

La pyramide du Louvre et l'arc de triomphe du Carrousel

---

3 Practice

Communication guidée
Assign the activities and then go over them in class.

FUN·FACTS

Pyramide: Les équipes de nettoyage de la structure arachnéenne doivent périodiquement jouer les funambules. Les équipes ont été initiées par des grimpeurs professionnels.

Independent Practice

Assign any of the following:
1. Activities on this page
2. Workbook, **Conversation**

ANSWERS TO Communication guidée

A	**B**
1. toit	1. (le quartier de) la Défense
2. vertige	
3. serré	2. la Grande Arche
4. léger; lourd	3. l'arc de triomphe de l'Étoile
5. dépaysée	
6. se plaindre	4. l'Obélisque
7. s'en fait	5. l'arc de triomphe du Carrousel
8. dire du mal	
9. à peine	6. la pyramide de Pei
10. coup d'œil	

385

Conversation

CONVERSATION ◆◆

National Standards

Communication
Students will discuss some aspects of modern architecture.

Cultures
Students will learn about an innovative architectural achievement: the Grande Arche in Paris.

1 Preparation

Resource Manager

Audio Activities Booklet TE,
  Activities B–C, page 199–200
Audiocassette 8/CD 15
Workbook, Activities A–B,
  page 179

2 Presentation

Step 1 Before reading the **Conversation,** have students locate La Défense, la place Charles-de-Gaulle, la place de la Concorde, and the Louvre on a map of Paris so they can see the Grande Arche–Louvre axis that is referred to.

Step 2 Divide the **Conversation** into four parts. Call on different pairs of students to read each section aloud. Have them use as much expression as possible.

Step 3 As each segment of the conversation is read, go over the corresponding activity on page 388 orally.

Step 4 Assign the activities for homework.

Recycling

Ask students: **Qu'est-ce que le RER?**

En route pour la Grande Arche

ROGER: Comment va-t-on à la Grande Arche? On prend un taxi?

ALAIN: Non. Ce n'est pas la peine. Avec le RER, on est à la Défense en dix minutes!

ROGER: C'est formidable le progrès! Tout ça n'existait pas la dernière fois que je suis venu à Paris.

ALAIN: Pas étonnant puisque tu ne viens pratiquement que tous les trente ans!

ROGER: Tous les trente ans, n'exagérons pas!

ALAIN: Si tu venais un peu plus souvent, tu serais moins dépaysé.

Au pied de la Grande Arche

ALAIN: Nous y voilà!

ROGER: C'est impressionnant! C'est énorme!

ALAIN: Ouais. Ça pèse 300 000 tonnes!

ROGER: 300 000 tonnes! Ben dis donc! C'est pas léger! Mais… , c'est les ascenseurs qu'on voit là dehors?

ALAIN: Oui. Tu vas voir, on a une vue formidable en montant.

ROGER: Euh, oui, mais… euh… j'ai facilement le vertige, moi.

ALAIN: Ne t'en fais pas. Tu vas aimer!

Dans l'ascenseur

ROGER: Oh, là, là. Mon pauvre estomac!

ALAIN: Regarde donc la vue au lieu de te plaindre.

ROGER: Je ne peux pas. Il y a tellement de monde, je peux à peine respirer. On est serré comme des sardines ici.

Sur le toit de la Grande Arche

ALAIN: Maintenant, tu peux voir la vue. Regarde, tu vois l'arc de triomphe de l'Étoile, et dans l'axe, l'obélisque, l'arc de triomphe du Carrousel et la pyramide du Louvre. Tu vois?

ROGER: Ah oui. C'est intéressant cette perspective.

ALAIN: Intéressant! C'est tout ce que tu trouves à dire! En un coup d'œil, tu contemples 2 000 ans d'histoire de France, mon cher!

ROGER: Il faut reconnaître que c'est un beau panorama!

ALAIN: C'est pas dans ta province qu'on voit ça, tout de même!

ROGER: Ah attention! Ne dis pas de mal de «ma province». Il y a des choses très bien à Montagnac. Ce n'est pas parce que c'est petit…

Conversation

History Connection

- L'arc de triomphe du Carrousel fut édifié par Pescier et Fontaine sous Napoléon Ier pour célébrer les victoires de celui-ci lors des campagnes de 1805. Ses huit colonnes de marbre rose sont surmontées de statues de soldats portant le costume des diverses armes.

- L'Obélisque se tient au milieu de la place de la Concorde et provient des ruines du temple de Louksor. Le vice-roi d'Égypte l'offrit à Charles X, mais à cause de diverses complications, l'Obélisque n'arriva en France qu'en 1833. Ce monument, en granit rose, vieux de trente-trois siècles, est couvert d'hiéroglyphes.

Conversation

Conversation

Après la conversation

You can go over these activities without prior preparation as students are doing the Conversation in class or you may assign them for homework and then go over them in class.

Communication libre

  You can use the results of these activities for a bulletin board display. For **Activité B**, have different students and/or groups compare their itineraries.

Independent Practice

Assign any of the following:
1. **Après la conversation** and **Communication libre** activities on this page
2. Workbook, **Conversation**

ANSWERS TO Communication libre

 , *Answers will vary.*

Après la conversation

A En route pour la Grande Arche
Répondez d'après la conversation.
1. Dans quel quartier se trouve la Grande Arche?
2. Quel moyen de transport les deux amis prennent-ils pour y aller?
3. Qu'est-ce qui n'existait pas la dernière fois que Roger est venu à Paris?
4. Est-ce que Roger vient souvent à Paris?
5. Pourquoi est-ce qu'Alain lui conseille de venir plus souvent?

B Au pied de la Grande Arche et dans l'ascenseur
Répondez d'après la conversation.
1. Est-ce que la Grande Arche est légère? Combien pèse-t-elle?
2. Où se trouvent les ascenseurs pour monter à la terrasse?
3. Est-ce que Roger est content à la perspective de prendre l'un de ces ascenseurs? Pour quelle raison?
4. De quoi se plaint-il en montant dans l'ascenseur? Pour quelle raison?

C Sur le toit de la Grande Arche
Répondez d'après la conversation.
1. Quels monuments peut-on voir dans l'axe Grande Arche–Louvre?
2. Comment Roger trouve-t-il cette perspective?
3. Est-ce qu'Alain trouve que Roger montre assez d'enthousiasme?
4. Quand on voit Paris de haut, qu'est-ce qu'on contemple?
5. Est-ce que Roger habite dans une grande ville?
6. D'après vous, est-ce qu'il aimerait habiter dans une grande ville comme Paris? Pour quelles raisons?

Communication libre

A Votre ville Vous organisez la visite culturelle de votre ville (ou de la ville la plus proche) pour des amis français. Travaillez avec un groupe de camarades.

B Paris Si vous n'êtes jamais allé(e) à Paris, prenez un guide (comme le guide Michelin) et organisez votre visite, en choisissant ce qui vous intéresse le plus. Travaillez avec un(e) camarade. Si vous êtes déjà allé(e) à Paris, faites un exposé oral sur votre visite.

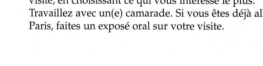

ANSWERS TO Après la conversation

A
1. La Grande Arche se trouve dans le quartier de la Défense.
2. Ils prennent le RER.
3. Le RER et la Grande Arche n'existaient pas la dernière fois que Roger est venu à Paris.
4. Non, il ne vient pas souvent à Paris.
5. S'il venait plus souvent, il serait moins dépaysé.

B
1. Non, elle est très lourde; elle pèse 300 000 tonnes.
2. Ils se trouvent dehors.
3. Non, parce qu'il a facilement le vertige.
4. Il dit qu'il peut à peine respirer parce qu'ils sont serrés comme des sardines dans l'ascenseur.

C
1. On peut voir l'arc de triomphe de l'Étoile, l'Obélisque, l'arc de triomphe du Carrousel et la pyramide du Louvre.
2. Il la trouve intéressante.
3. Non, il trouve que Roger ne montre pas assez d'enthousiasme.
4. On contemple 2 000 ans d'histoire de France.
5. Non, il habite dans une petite ville.
6. Non, il n'aimerait pas habiter dans une grande ville comme Paris parce qu'il aime la province.

RÉACTIONS

Comment exprimer ce que vous ressentez devant un spectacle, une œuvre d'art, une réalisation technique ou scientifique?

D'une façon générale…

Si vous avez aimé, vous pouvez dire:

> C'est formidable!
> C'est extraordinaire!
> C'est incroyable!
> C'est superbe!
> C'est splendide!
> C'est génial!
> J'adore!
> Ça m'a beaucoup plu.
> J'ai été enthousiasmé(e)!
> J'ai trouvé ça extra!

> *C'est une merveille!*

Si vous n'avez pas aimé, vous pouvez dire:

> C'est débile!
> C'est horrible!
> J'ai été très déçu(e).
> J'ai trouvé ça nul.

Pour un spectacle…

Si vous avez aimé, vous pouvez dire:

> C'est émouvant/très drôle…
> C'est plein d'humour/de poésie…
> L'histoire est vraiment originale.
> Les acteurs sont extraordinaires.
> Les chanteurs sont de première classe.
> Les décors sont superbes.
> Les costumes sont splendides.
> La photographie est remarquable.
> J'ai pleuré comme une madeleine.
> Je le (la) reverrais avec plaisir.

National Standards

Communication
Students will learn to express their reactions to movies and shows, artworks, and technological innovations.

RÉACTIONS

1 Preparation

Resource Manager

Audio Activities Booklet TE,
   Activities A–B, pages 201–202
Audiocassette 8/CD 15
Workbook, Activities A–B, page 180
Quiz 4, page 100

2 Presentation

Read the explanatory information to the class. Have the class repeat in unison or call on individuals to read the expressions. Insist that they read them with proper intonation and animated expression.

Gestures

Pour montrer qu'on a aimé quelque chose (très souvent de la nourriture) on embrasse le bout de ses doigts réunis puis on projette en avant sa main ouverte comme pour envoyer ce baiser.

Gestures

Pour montrer qu'on n'a pas du tout aimé quelque chose, on lève les yeux et la main vers le ciel.

Class Motivator

Set-up:

1. Prepare cards with pictures of paintings, sculptures, monuments, names of movies, plays, etc.
2. Prepare another set of cards on colored paper with **Vous avez détesté** on some and **Vous avez aimé** on others. Prepare as many of these as you have picture cards.

Game:

1. A student draws a card from the picture pile and one from the reaction pile and produces an appropriate expression, i.e., Picture: **La Joconde**, Reaction: **Vous avez détesté.** Student says: J'ai trouvé ça nul.
2. This can be done in teams.

Hint: This works best with at least three students: one can "listen in" with book open to check the accuracy of the reponses.

Independent Practice

Assign any of the following:
1. Workbook, **Langage**
2. Activity on page 391

Assessment

Use these resources at the end of the **Conversation** and **Langage** sections for review and assessment.

   Quizzes 3–4
   Test Booklet, pages 178–180
   ExamView Pro®
   Situation Cards

Si vous n'avez pas aimé, vous pouvez dire:

> C'est ennuyeux à mourir.
> C'est bête à pleurer.
> Quel mélo!
> L'histoire ne tient pas debout.
> Les acteurs sont lamentables.
> Les chanteurs n'ont pas de voix.

C'est minable!

Pour une exposition ou une réussite technologique…

Si vous avez aimé, vous pouvez dire:

> C'est incroyable ce qu'on fait maintenant!
> On n'arrête pas le progrès.
> Je n'en reviens pas.
> C'est à vous couper le souffle.
> C'est grandiose!

Si vous n'avez pas aimé, vous pouvez dire:

> C'est horrible! On dirait un(e)…
> Pour le prix que ça a coûté!
> Ils auraient pu mieux faire.
> Ils auraient mieux fait de…
> C'est horriblement laid.
> C'est une honte!

CHAPITRE 8

Critical Thinking Activity

Supporting Statements with Reasons

Communication libre, Question 3, page 391: With more able groups, you may wish to have a student explain why he/she agrees or disagrees with the reaction of another student.

Communication libre

Exprimez vos réactions.

1. Vous êtes à une exposition de peinture avec un(e) camarade. Vous voyez un tableau que vous trouvez extraordinaire, mais que votre camarade n'aime pas du tout. Vous discutez.
2. Faites la critique d'un film, d'une pièce, d'un opéra que vous venez de voir.
3. Vous avez vu en photo la pyramide du Louvre et la Grande Arche. Quelles ont été vos réactions? Maintenant regardez ces photos. Elles montrent d'autres réalisations artistiques récentes à Paris. Quelles sont vos réactions?

Les colonnes de Buren (cour du Palais-Royal à Paris)

Sculpture de Niki de Saint-Phalle (fontaine Stravinski à Paris)

Le centre Pompidou à Paris

La Géode (Cité des Sciences de La Villette à Paris)

Sculpture d'Arman: *L'heure de tous* (devant la gare Saint-Lazare à Paris)

Sculpture devant l'église Saint-Eustache à Paris

LANGAGE

trois cent quatre-vingt-onze ⚜ **391**

Art Connection

- **La Cité des sciences et de l'industrie:** C'est une construction monumentale de granit, d'acier et de verre. Elle a été construite sur les bases de l'ancienne salle de vente des abattoirs. Elle propose d'importantes expositions permanentes et temporaires sur des thèmes scientifiques: l'eau, la matière, la vie, l'univers.

  La Géode est une immense salle de cinéma en forme de sphère: elle pèse 6 000 tonnes et n'est soutenue que par un seul pilier! Des films à tendance scientifique composent le répertoire actuel de la Géode.

- **Les colonnes de Buren,** du nom de leur créateur, ont créé une véritable polémique. Certains des habitants de ce quartier chargé d'histoire protestèrent amèrement contre ce mélange sans goût. Ils pensaient que ces sculptures modernes ne se mariaient pas bien avec l'architecture du quartier. Malgré les protestations, les colonnes furent installées. Elles servent quelquefois de siège aux promeneurs et offrent un effet visuel intéressant.

- **Niki de Saint-Phalle, sculpteur:** Elle était membre du groupe des Nouveaux Réalistes dans les années 60. Elle est surtout connue pour ses «Nanas», des sculptures représentant des femmes très colorées et opulentes.

- **L'église Saint-Eustache** est une des grandes églises de Paris. Elle se trouve dans le quartier des anciennes Halles et fut construite entre 1532 et 1637.

ANSWERS TO Communication libre

Answers will vary.

Structure I

1 Preparation

Resource Manager

Workbook, Activities A–D, page 181
Audio Activities Booklet TE, Activities A–C, pages 203–204
Audiocassette 8/CD 15
Quizzes 5–7, pages 101–103
ExamView Pro®

Bellringer Review

Write the following on the board or use BRR Transparency 8.4.
Complétez au futur.
1. Moi, j' ___ en France et mon ami ___ en Espagne. (aller, aller)
2. Nous ___ le même vol parce qu'il ___ une semaine à Paris avant d'aller à Madrid. (prendre, être)
3. En huit jours, nous ___ visiter tous les quartiers intéressants. (pouvoir)
4. Moi, j'___ beaucoup de souvenirs mais mon ami n'___ rien. (acheter, acheter)

2 Presentation

Le conditionnel ◆

Step 1 You may wish to call on a student to read the explanatory material aloud.

Step 2 Have the class repeat the verb forms and the model sentences.

3 Practice

Communication guidée

This exercise can be gone over with or without prior preparation.

Expressing conditions
Le conditionnel

1. The conditional is formed by adding the imperfect endings to the future stem of the verb.

Infinitive	Future stem	Imperfect endings	Conditional
parler	parler	-ais	je parlerais
finir	finir	-ais	tu finirais
vendre	vendr	-ait	il vendrait
faire	fer	-ions	nous ferions
pouvoir	pourr	-iez	vous pourriez
acheter	achèter	-aient	ils achèteraient

2. The conditional is used in French to express what would take place if it were not for some other circumstances.

> **J'irais bien au cinéma, mais il faut que je travaille.**
> **J'aimerais aller à Paris.**

3. The conditional is used to make a polite request.

> **Je voudrais deux billets, s'il vous plaît.**
> **Pourriez-vous vous pousser un peu, s'il vous plaît?**

4. The conditional is used to express a future action in a past context.

> **Il a dit qu'il irait avec vous à l'opéra.**

Communication guidée

Historiette Un petit service Complétez au conditionnel présent.

1. ____-tu m'acheter trois billets pour samedi? (pouvoir)
2. Ça m'____, parce que sinon, je ne ____ pas y aller moi-même. (arranger, pouvoir)
3. J'____ aussi que tu m'envoies le programme pour le mois prochain. (aimer)
4. Car ça m'____ que je puisse me libérer avant ça. (étonner)
5. Philippe et Jean m'ont dit qu'ils ____ peut-être aussi. (venir)
6. Au fait, tu ____, toi aussi, venir avec nous. (pouvoir)
7. Nous ____ très heureux d'avoir ta compagnie. (être)

ANSWERS TO Communication guidée

1. Pourrais
2. arrangerait, pourrais
3. aimerais
4. étonnerait
5. viendraient
6. pourrais
7. serions

Describing actions that occurred prior to other actions
L'infinitif passé

1. There are two forms of the infinitive in French—present and past. You already know the present form, which you have been using to identify verbs: **aimer, répondre, sortir.** There is also a past infinitive, which is composed of two parts: the infinitive of the verb **avoir** or **être** (depending on which verb the infinitive takes in the **passé composé**) and the past participle of that verb.

> **avoir fini**
> **être sorti(e)(s)**

Note that the rules of agreement for the past infinitive are the same as those for the **passé composé.**

> **Cette statue? Il est content de l'avoir finie.**
> **Elle est contente d'être allée à cette exposition.**
> **Nous sommes tous désolés de nous être trompés.**

2. The past infinitive is used to express an action that occurred prior to another one.

> **Elle est partie sans avoir entendu les plus belles chansons.**
> **Elle regrette beaucoup d'être partie avant la fin du spectacle.**

3. The past infinitive is always used after **après.**

> **Après avoir vu le film, elles sont allées au restaurant.**
> **Après s'être bien amusées, elles sont rentrées en métro.**

4. To make a past infinitive negative, **ne pas** is placed before **avoir** or **être.**

> **Elle est très heureuse de ne pas avoir vu cette pièce.**

Rodin: *Les bourgeois de Calais*

1 Preparation

L'infinitif passé ◆◆

Note: Students should be exposed to this grammar point but it is suggested that you not spend a great deal of time on it. In comparison to many other grammar points it is of very low frequency.

Bellringer Review

Write the following on the board or use BRR Transparency 8.5.
Répondez.
1. Qu'est-ce que vous faites pour recevoir de bonnes notes?
2. Qu'est-ce que vous faites avant de partir pour l'école?
3. Qu'est-ce que vous venez de faire?

2 Presentation

Read the explanatory material to the students and have them read the model sentences aloud.

3 Practice

Independent Practice

Assign any of the following:
1. Activity on page 392
2. Workbook, **Structure I**

Group Activity

The teacher begins by saying to a student: **Tu as acheté un livre.** The student continues, using **l'infinitif passé: Après avoir acheté un livre, je l'ai lu.** He/She says to the next student: **Tu as lu un livre.** That student says: **Après avoir lu le livre, je suis sorti(e)...** He/She says to the next student: **Tu es sorti(e).** That student continues: **Après être sorti(e), j'ai rencontré un ami...** and so on.

Art Connection

La célèbre sculpture de Rodin *Les bourgeois de Calais* montre la procession des otages avec une grande simplicité qui souligne «le simulacre pétrifié d'un drame». En effet, la ville de Calais avait été assiégée par les Anglais. Ceux-ci acceptent d'épargner les habitants à condition que leur soient livrés six bourgeois de la ville. C'est cet épisode qui est représenté dans la sculpture de Rodin.

Independent Practice

Assign any of the following:
1. Activities on this page
2. Workbook, **Structure I**

Art Connection

 Degas, peintre impressionniste, s'est attaché à peindre le mouvement. Il passait des heures entières à l'Opéra de Paris où il observait les répétitions des danseuses afin de les représenter dans différentes attitudes.

Structure I

Communication guidée

A Historiette Le samedi de Corinne et Pierre Racontez ce que Corinne et Pierre ont fait samedi dernier. Lisez le modèle et continuez.

se lever tôt ⟶
Ils se sont levés tôt.

prendre le petit déjeuner ensemble ⟶
Après s'être levés tôt, ils ont pris le petit déjeuner ensemble.

faire du jogging dans le parc ⟶
Après avoir pris le petit déjeuner ensemble, ils ont fait du jogging dans le parc.

1. aller faire des courses en ville
2. déjeuner dans un bon restaurant
3. aller à l'exposition Degas
4. prendre quelque chose dans un café
5. voir le dernier film de Catherine Deneuve
6. dîner chez des amis
7. aller dans un cabaret
8. rentrer chez eux
9. se coucher tout de suite
10. s'endormir immédiatement

B Historiette Et vous? Racontez de la même façon ce que vous avez fait (véritablement) samedi dernier.

Je me suis levé(e) tôt/tard.
Après m'être levé(e) tôt/tard, …

C Loisirs culturels Répondez aux questions suivantes. Suivez le modèle.

 —**Tu as vu l'exposition Picasso?**
—**Non, je regrette de ne pas l'avoir vue.**

1. Tu as vu le dernier film d'Yves Montand?
2. Vous avez lu les poèmes de Prévert?
3. Il a écouté le disque d'Édith Piaf?
4. Elle a visité le musée du Louvre?
5. Ils sont allés à la Grande Arche?
6. Elles se sont amusées à la Comédie-Française?

Degas: *Petite danseuse de quatorze ans*

ANSWERS TO Communication guidée

A

1. Après avoir fait du jogging dans le parc, ils sont allés faire des courses en ville.
2. Après avoir fait des courses en ville, ils ont déjeuné dans un bon restaurant.
3. Après avoir déjeuné dans un bon restaurant, ils sont allés à l'exposition Degas.
4. Après être allés à l'exposition Degas, ils ont pris quelque chose dans un café.
5. Après avoir pris quelque chose dans un café, ils ont vu le dernier film de Catherine Deneuve.
6. Après avoir vu le dernier film de Catherine Deneuve, ils ont dîné chez des amis.
7. Après avoir dîné chez des amis, ils sont allés dans un cabaret.
8. Après être allés dans un cabaret, ils sont rentrés chez eux.
9. Après être rentrés chez eux, ils se sont couchés tout de suite.
10. Après s'être couchés tout de suite, ils se sont endormis immédiatement.

B

Answers will vary.

C

1. Non, je regrette de ne pas l'avoir vu.
2. Non, je regrette de ne pas les avoir lus.
3. Non, il regrette de ne pas l'avoir écouté.
4. Non, elle regrette de ne pas l'avoir visité.
5. Non, ils regrettent de ne pas y être allés.
6. Non, elles regrettent de ne pas s'y être amusées.

Talking about people, events, and successive or simultaneous actions
Le participe présent

1. The present participle of all verbs, except **avoir, être,** and **savoir,** is formed by dropping the **-ons** of the **nous** form of the present tense and adding **-ant.**

Infinitive	Stem	Ending	Present participle
parler	parl	-ant	parlant
finir	finiss	-ant	finissant
vendre	vend	-ant	vendant
faire	fais	-ant	faisant
pouvoir	pouv	-ant	pouvant

Le participe présent ◆◆

Have students read the explanatory material and the model sentences. Students should be able to recognize these constructions with the present participle but they will not use them very often.

2. The following verbs have irregular present participles.

Infinitive	Present participle
avoir	ayant
être	étant
savoir	sachant

3. The present participle has a compound form. It is formed with the present participle of either **avoir** or **être** and the past participle of the verb.

> **ayant parlé**
> **étant sorti(e)(s)**

4. The present participle is used in the following cases:

- to express the reason why an action happens or happened
  > **Le tableau étant très célèbre, ils ont pris une grosse assurance.**

- to express an action which occurred prior to the main verb (compound form only)
  > **Étant parti trop tard, j'ai manqué mon rendez-vous.**

- to express an action occurring at the same time as another one. In such cases, the present participle is often preceded by **en.**

Ils marchaient en chantant.	*They walked while singing (as they sang).*
Elle m'a dit bonjour en arrivant.	*She said hello upon arriving.*

Structure I

2 Practice

Communication guidée

Give students the opportunity to prepare these activities before going over them in class.

Independent Practice

Assign any of the following:
1. Activities on this page
2. Workbook, **Structure I**

Assessment

Use these resources at the end of the **Structure II** section for review and assessment.
Quizzes 5–7
Test Booklet, pages 181–183
ExamView Pro®

FUN·FACTS

On dit que la plus belle avenue de Paris est une voie d'eau. Elle traverse non seulement la ville, mais aussi son histoire. La Seine a inspiré de nombreuses chansons, dont celle-ci écrite par Jacques Prévert et chantée par Catherine Sauvage:

La Seine a de la chance
elle n'a pas de souci
et quand elle se promène tout au long de ses quais
avec sa belle robe verte et ses lumières dorées
Notre-Dame jalouse
immobile et sévère du haut de toutes ses pierres
la regarde de travers.
Jacques PRÉVERT, © Éditions GALLIMARD

Structure I

Communication guidée

A **Historiette** **Sur la tour Eiffel** Faites une seule phrase. Utilisez **en** + le participe présent.

1. Il est monté en ascenseur. Il s'est senti mal.
2. Il a regardé en bas. Il a eu le vertige.
3. Il est allé au troisième étage. Il a découvert une vue magnifique.
4. Il a parlé au garde. Il a appris des tas de choses.
5. Il a acheté des souvenirs. Il a fait de la monnaie.
6. Il est rentré chez lui. Il s'est senti fatigué.

B **Décisions** Refaites la phrase en utilisant le participe présent composé.

1. Après avoir décidé de partir, ils sont partis.
2. Après avoir été occupée toute la journée, je ne me suis pas occupée de vous.
3. Après avoir choisi un itinéraire, ils ont appelé l'agence de voyages.
4. Après avoir peint le plus beau tableau de sa vie, il s'est arrêté de peindre.
5. Après être arrivé en haut, il a décidé de redescendre immédiatement.

ANSWERS TO Communication guidée

A

1. Il s'est senti mal en montant en ascenseur.
2. Il a eu le vertige en regardant en bas.
3. Il a découvert une vue magnifique en allant au 3e étage.
4. Il a appris des tas de choses en parlant au garde.
5. Il a fait de la monnaie en achetant des souvenirs.
6. Il s'est senti fatigué en rentrant chez lui.

B

1. Ayant décidé de partir, ils sont partis.
2. Ayant été occupée toute la journée, je ne me suis pas occupée de vous.
3. Ayant choisi un itinéraire, ils ont appelé l'agence de voyages.
4. Ayant peint le plus beau tableau de sa vie, il s'est arrêté de peindre.
5. Étant arrivé en haut, il a décidé de redescendre immédiatement.

Journalisme

Toulouse-Lautrec vu par Fellini

Introduction

De nos jours, il ne fait aucun doute que le cinéma est un art: tout comme un peintre, un cinéaste peut représenter sa vision personnelle du monde qui l'entoure. Il n'est donc pas surprenant que Federico Fellini (1920–1993), l'un des cinéastes les plus influents de notre époque, exprime sa «sympathie» pour le peintre Toulouse-Lautrec (1864–1901). Tous deux, à des époques différentes et dans des pays différents, ont su décrire en images le monde fabuleux et grotesque qui les fascinait.

Toulouse-Lautrec*: *Moulin Rouge, la Goulue* (le Moulin Rouge est un café-concert; la Goulue est le nom de la danseuse; le danseur au premier plan s'appelle Valentin le Désossé[†])

Toulouse-Lautrec

Toulouse-Lautrec, dans le Paris de la fin du XIXe siècle, a peint Montmartre et le monde des artistes qui y vivaient. Il est considéré comme le père de l'affiche (*poster*) moderne.

Federico Fellini, lui, nous a présenté l'Italie de son époque telle qu'il la voyait—riche en images, couleurs, formes—dans des films comme *La Strada, La Dolce Vita, Huit et demi, Juliette des Esprits* ou *Amarcord.*

---

* *Henri de Toulouse-Lautrec belonged to a very old aristocratic family with ties to the royal families of France, England, and Spain. He was 5 feet tall and deformed (due to a genetic bone disease and two falls he took while horseback riding when he was fourteen years old).*

† *Valentin le Désossé (désossé meaning "boneless" or in this case "supple") was one of the café-concert dancers whom Toulouse-Lautrec painted.*

Art Connection

Toulouse-Lautrec dès 1886 accroche ses toiles dans les cabarets de Montmartre, au Mirliton, le cabaret du chanteur Aristide Briant, dont les chansons l'inspirent. On le voit accompagné d'une bande d'amis dans tous les lieux de plaisir: Le Chat Noir, Au Rat Mort. Il crée autour de ces personnages de la nuit plus de trois cents affiches.

Paired Activity

Have students who are interested in art work in pairs to prepare a report on Toulouse-Lautrec.

Journalisme

Toulouse-Lautrec vu par Fellini

1 Preparation

Resource Manager

Vocabulary Transparency 8.4
Audio Activities Booklet TE, Activities A–B, page 205
Audiocassette 8/CD 15
Workbook, Activities A–C, pages 182–183
Quiz 8, page 104
ExamView Pro®

Bellringer Review

Write the following on the board or use BRR Transparency 8.6.
Faites une liste de tous les mots que vous connaissez qui se réfèrent au cinéma.

2 Presentation

Introduction

Step 1 Ask students what they know about Toulouse-Lautrec and Fellini and write the information on the board.

Step 2 Read the **Introduction** aloud to the students or call on individual students to read.

Step 3 After reading the **Introduction,** you may wish to ask the following questions: **Quel est le rapport entre le cinéma et la peinture? Fellini et Toulouse-Lautrec ont-ils vécu à la même époque? Dans le même pays? Pourquoi Fellini s'intéressait-il à l'œuvre de Toulouse-Lautrec? Qu'est-ce que Toulouse-Lautrec a peint? Qu'est-ce que Fellini nous a présenté?**

2 Presentation (continued)

Vocabulaire

You may wish to ask the following questions to practice the new vocabulary: **Aimez-vous les foires? Quelles attractions préférez-vous? Le grand huit? La grande roue? Les montagnes russes? Êtes-vous déjà allé(e) au cirque? Est-ce que vous préférez les écuyers ou les trapézistes? Aimez-vous leurs habits? Aimez-vous les clowns et les mimes? Les mimes, comment s'expriment-ils? Par les paroles ou par le regard et les gestes? Avez-vous déjà vu un spectacle de marionnettes? Où? Savez-vous les noms de quelques metteurs en scène français? Lesquels?**

FUN FACTS

- Les petits enfants français assistent très souvent à des spectacles de marionnettes. Il existe des théâtres de marionnettes dans de nombreux jardins parisiens: les marionnettes du Luxembourg ou du Jardin d'Acclimatation. Le personnage principal est toujours Guignol. Il est accompagné de son ami Gnafron. Ils symbolisent l'esprit populaire frondeur contre les agents de l'autorité.
- Le créateur du cirque fut l'Anglais Philip Astley. Il ouvrit une succursale à Paris dès 1783. Aujourd'hui parmi les grands cirques français se trouvent les cirques Bouglione, Amar et Pinder.

Vocabulaire

une foire

une marionnette

un spectacle de marionnettes

un trapéziste

une trapéziste

un écuyer

une écuyère

un spectacle de cirque

un regard action de regarder; expression des yeux de celui qui regarde
un geste mouvement des bras, des mains ou de la tête
un cinéaste auteur ou réalisateur de films
un metteur en scène personne qui dirige la réalisation d'un spectacle (pièce de théâtre, film, etc.)

les habits (*m.*) les vêtements, costumes
les rentes (*f.*) l'argent qu'on reçoit sans travailler: des intérêts, par exemple
un rentier personne qui vit de ses rentes, qui ne travaille pas
émerveillé fasciné
exprimer dire, donner ses impressions

Communication guidée

A **Le monde du spectacle** Donnez des réponses personnelles.

1. Vous aimez le monde du spectacle?
2. Vous êtes déjà allé(e) au cirque?
3. Qu'y avez-vous vu?
4. Vous êtes déjà allé(e) dans une foire?
5. Avez-vous déjà vu un spectacle de marionnettes? Où ça?
6. Allez-vous souvent au cinéma?
7. Quel est le dernier film que vous avez vu? Il y a combien de temps?
8. Quels sont vos cinéastes préférés?

Federico Fellini

B **Un cinéaste célèbre** Complétez.

1. Il a besoin de travailler! Il ne peut pas vivre de ses _____.
   Ce n'est pas un _____.
2. C'est toujours lui, le _____; il ne veut jamais que quelqu'un d'autre dirige la réalisation de ses films.
3. Il s'occupe de tout, même des costumes, des _____ que portent les acteurs.
4. Il aime beaucoup montrer le monde du _____: des chanteurs, des danseurs, des acrobates, etc.
5. Il veut que les acteurs _____ leurs émotions en toute liberté.
6. Il veut voir leurs émotions dans leurs yeux, dans leur _____.
7. Il parle beaucoup avec ses mains: il fait de grands _____.
8. Je suis toujours _____ par la beauté de ses films.

Une scène de *La Strada* de Federico Fellini avec Giulietta Masina et Anthony Quinn (1954)

ANSWERS TO Communication guidée

A *Answers will vary.*

B
1. rentes, rentier
2. metteur en scène
3. habits
4. spectacle
5. expriment
6. regard
7. gestes
8. émerveillé

---

3 Practice

Independent Practice

Assign any of the following:
1. Activities on this page
2. Workbook, **Journalisme**

TOULOUSE, MON FRÈRE ◆◆◆

National Standards

Cultures
Federico Fellini shares his reactions to Toulouse-Lautrec and his works.

Connections
Students learn about an exceptional French artist and illustrator.

1 Preparation

Resource Manager

Audio Activities Booklet TE, Activity C, page 206
Audiocassette 8/CD 15
Workbook, Activities D–E, page 183

2 Presentation

Note: Some of the vocabulary in this selection is a bit difficult. It is not necessary that students learn it.

Step 1 Have students look at the title and subtitle of the article and at the pictures by Fellini and Toulouse-Lautrec on pages 400–401. Ask them why Fellini gave his article this title.

Step 2 It is suggested that you have students read this selection silently as if they were browsing through the magazine.

Step 3 After you have finished the reading, have students look at the works by Toulouse-Lautrec on pages 397, 400, and 401. Ask them which of the things Fellini talks about in the article they can see in the art. (**le goût de Lautrec pour la caricature, son amour pour le monde du spectacle, sa façon de peindre les femmes, son effort**

400

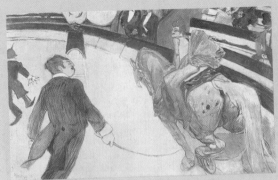

Toulouse-Lautrec: *Au cirque Fernando, l'écuyère* (1888)

Fellini: *Le dompteur de rêves*
© Diogenes Verlag AG Zürich

LA FAMILLE DU SPECTACLE
Toulouse, mon frère
—par Federico Fellini

«Il avait une mentalité de cinéaste...»

Comme Toulouse-Lautrec, j'ai toujours été fasciné par le cirque, les foires, les marionnettes, le music-hall. Comme lui aussi, je fais partie de la famille des clowns, des trapézistes, des écuyers et des chanteurs de cabaret. Enfant, je ne me demandais jamais si je serais avocat, médecin ou prêtre[1], mais peintre, oui, parce que les peintres ont gardé ce privilège de pouvoir se barbouiller de[2] couleurs sans que personne n'ose[3] protester.

Lautrec adorait le spectacle. Il avait une mentalité de cinéaste, une façon d'exprimer à travers[4] ses cadrages[5] un sentiment, une émotion, une idée qui sont ceux du metteur en scène. Toulouse n'a jamais voulu jouer les peintres aristocratiques. Il a préféré un autre genre: faiseur de BD[6], de posters, de caricatures. Toutes choses qui me le rendent très proche et me donnent l'impression de l'avoir connu.

Il aimait les femmes. Mais les autres aussi, au fond[7]. Il avait pour eux le regard émerveillé de l'enfant. Il leur serrait la taille[8], leur allongeait le nez, colorait leurs habits, enrichissait leurs regards et leurs gestes.

Il voulait faire voir le monde tel qu'[9]il le voyait. Et il le voyait en perspective. Avec cette affectueuse déformation de ceux qui regardent d'en bas.

Pas plus que Toulouse-Lautrec, je n'ai le goût du grotesque. Il se trouve simplement que toute vision artistique est stylisation, synthèse, concentration, et ne peut donc être objective. Comme Toulouse encore, je gomme[10] beaucoup et je reconstruis. Quand j'ai refait le visage lisse[11] et marécageux[12] de Donald Sutherland pour «Casanova», je me suis senti tel un peintre qui récrit l'essentiel d'un personnage; tel Toulouse-Lautrec réinventant Valentin le Désossé.

C'est peut-être pour cela que, par-delà les rhétoriques faciles, cet homme incroyable ne peut que susciter[13] ma sympathie: ce visage trop lourd sur un corps trop petit, ces évidents complexes d'infériorité et d'infirmité, qui ont à coup sûr stimulé sa créativité... Il est béni des dieux[14], l'artiste qui naît avec une disgrâce, une blessure psychologique, une humiliation mortifiante qui, parce qu'il est marginal, le rendent pour ainsi dire illégitime. Ces traumatismes sont une richesse, un magasin de stockage[15] où le créateur puise[16] indéfiniment. Comme un rentier qui vivrait de ses rentes!

Propos recueillis par Marcelle Padovani

---

[1] prêtre *priest*
[2] se barbouiller de *to daub themselves with*
[3] n'ose *dare*
[4] à travers *through*
[5] ses cadrages *his way of centering, framing*
[6] faiseur de BD *comic-strip artist*
[7] au fond *basically*
[8] leur serrait la taille *made their waists smaller*
[9] tel qu' *as*
[10] gomme *rub out, erase*
[11] lisse *smooth*
[12] marécageux *marshlike*
[13] susciter *arouse*
[14] béni des dieux *blessed by the gods*
[15] un magasin de stockage *warehouse*
[16] puise *draws from*

Après la lecture

A Deux artistes Répondez.
1. Qui parle dans cet article?
2. De qui nous parle-t-il?
3. Qu'est-ce qui a toujours fasciné les deux hommes?
4. Faites une liste des comparaisons entre ces deux hommes.

B Oui ou non? Répondez d'après le texte.
1. Toulouse-Lautrec regardait le monde comme une vieille personne.
2. Toulouse-Lautrec adorait le grotesque.
3. Il croyait que toute vision artistique devait être objective.
4. Il voyait le monde tel qu'il était.
5. Quand il était petit, Fellini voulait être avocat.
6. Toulouse-Lautrec était cinéaste.

C Que veut dire... ? Expliquez les phrases suivantes tirées du texte.
1. «Toulouse-Lautrec n'a jamais voulu jouer les peintres aristocratiques.»
2. «Il voulait faire voir le monde tel qu'il le voyait.»
3. «Il voyait le monde avec cette affectueuse déformation de ceux qui regardent d'en bas.»
4. «Comme Toulouse-Lautrec, je gomme et je reconstruis.»

Toulouse-Lautrec: *Portrait d'Yvette Guilbert* (1894)

pour faire voir le monde tel qu'il le voyait avec cette affectueuse déformation de quelqu'un qui regarde d'en bas...) (To expand this analysis, you may also wish to bring in other examples of Lautrec paintings.)

Post–reading

Après la lecture

C If desired, have students work in pairs to prepare an oral presentation for the class. They choose a work by Lautrec and one of the statements in **Activité C.** Students show how the remark applies to the work of art chosen.

FUN FACTS

Yvette Guilbert, qui apparaît sur le tableau de Toulouse-Lautrec, était une chanteuse de music-hall contemporaine du peintre. Son nom reste attaché à la chanson «Madame Arthur».

ANSWERS TO *Après la lecture*

A
1. Federico Fellini.
2. De Toulouse-Lautrec.
3. Le cirque, les foires, les marionnettes, le music-hall.
4. Tous les deux font partie de la famille du cirque et du cabaret. Enfant, Fellini voulait être peintre; Lautrec avait une mentalité de cinéaste. Ils ont préféré faire des caricatures. Ils avaient tous les deux le regard émerveillé de l'enfant pour les autres. Ils gommaient beaucoup et reconstruisaient.

B
1. Non, il avait pour les autres le regard émerveillé de l'enfant.
2. Non, mais il voulait faire voir le monde tel qu'il le voyait, et il le voyait en perspective, avec cette affectueuse déformation de ceux qui regardent d'en bas.
3. Non, il croyait que toute vision artistique ne pouvait pas être objective.
4. Non, il le voyait en perspective.
5. Non, il voulait être peintre.
6. Non, mais il avait une mentalité de cinéaste.

C *Answers will vary but may include:*
1. Il préférait un autre genre: faiseur de BD, de posters, de caricatures.
2. Il ne voulait pas donner une image objective du monde.
3. Il voyait le monde un peu comme un petit enfant qui regarderait les adultes.
4. Fellini refait le visage de ses acteurs tout comme un peintre qui récrit l'essentiel d'un personnage.

Journalisme

Post–reading (continued)

Communication libre
Have students select the activity they want to do.

Independent Practice
Assign any of the following:
1. **Après la lecture** and **Communication libre** activities on pages 401–402
2. Workbook, **Journalisme**

Assessment

Use these resources at the end of the **Toulouse Lautrec vu par Fellini** section for review and assessment:
- Quiz 8
- Test Booklet, pages 184–186
- ExamView Pro®
- Situation Cards

FUN FACTS

Gérard Philipe fut l'acteur le plus admiré des années 50. Il connut une prestigieuse carrière de théâtre où il joua dans des pièces classiques comme *Le Cid* de Corneille. Au cinéma, il fut le héros de films adaptés de romans célèbres comme *Les liaisons dangereuses* et *Le rouge et le noir*.

DATES ET HORAIRES DE PROGRAMMATION

FEVRIER

Me 20	MONTPARNASSE 19	(2)
Je 21	MONTPARNASSE 19	(2)
Ve 22	MONTPARNASSE 19	(2)
Sa 23	MONTPARNASSE 19	(2)
Di 24	MONTPARNASSE 19	(2)
Lu 25	MONTPARNASSE 19	(2)
Ma 26	MONTPARNASSE 19	(2)
Me 27	LE JOUEUR	(1)
Je 28	LE JOUEUR	(1)

MARS

Ve 1er	LE JOUEUR	(1)
Sa 2	LE ROUGE ET LE NOIR	(3)
Di 3	LE ROUGE ET LE NOIR	(3)
Lu 4	LE JOUEUR	(1)
Ma 5	LE ROUGE ET LE NOIR	(3)
Me 6	LE ROUGE ET LE NOIR	(3)
Je 7	LE JOUEUR	(1)
Ve 8	LE ROUGE ET LE NOIR	(3)
	LE DIABLE AU CORPS *	(1)
Sa 9	LE ROUGE ET LE NOIR	(3)
Di 10	LE JOUEUR	(1)
Lu 11	LE JOUEUR	(1)
Ma 12	LE ROUGE ET LE NOIR	(3)
Me 13	POT BOUILLE	(1)
Je 14	POT BOUILLE	(1)
Ve 15	POT BOUILLE	(1)
Sa 16	Les LIAISONS DANGEREUSES	(1)
Di 17	POT BOUILLE	(1)
Lu 18	Les LIAISONS DANGEREUSES	(1)
Ma 19	POT BOUILLE	(1)
Me 20	LA CHARTREUSE DE PARME	(3)
Je 21	LA CHARTREUSE DE PARME	(3)
Ve 22	LA CHARTREUSE DE PARME	(3)
Sa 23	L'IDIOT	(3)
Di 24	LA CHARTREUSE DE PARME	(3)
Lu 25	LA CHARTREUSE DE PARME	(3)
Ma 26	L'IDIOT	(1)
Me 27	LA RONDE	(1)
Je 28	LA RONDE	(1)
Ve 29	LA RONDE	(1)
Sa 30	LA MEILLEURE PART	(1)
Di 31	LA RONDE	(1)

AVRIL

Lu 1er	LA MEILLEURE PART	(1)
Ma 2	LA RONDE	(1)
Me 3	MONSIEUR RIPOIS	(1)
Je 4	MONSIEUR RIPOIS	(1)
Ve 5	MONSIEUR RIPOIS	(1)
Sa 6	LA CHARTREUSE DE PARME	(3)
Di 7	MONSIEUR RIPOIS	(1)
Lu 8	LA CHARTREUSE DE PARME	(3)
Ma 9	MONSIEUR RIPOIS	(1)
Me 10	FANFAN LA TULIPE	(1)
Je 11	Les GRANDES MANOEUVRES	(1)
Ve 12	LA BEAUTE DU DIABLE	(1)
Sa 13	LA BEAUTE DU DIABLE	(1)
Di 14	LES BELLES DE NUIT	(1)
Lu 15	Les GRANDES MANOEUVRES	(1)
Ma 16	LES BELLES DE NUIT	(1)
Me 17	Les AVENTURES DE TILL	(1)
Ve 19	UNE SI JOLIE PETITE PLAGE	(1)
Sa 20	MONSIEUR RIPOIS	(1)
Di 21	LE PAYS SANS ETOILES	(1)
Lu 22	MONSIEUR RIPOIS	(1)
Ma 23	LES AVENTURES DE TILL....	(1)
Me 24	LA FIEVRE MONTE A EL PAO	(1)
Je 25	LES ORGUEILLEUX	(1)
Ve 26	LA FIEVRE MONTE A EL PAO	(1)
Sa 27	LA FIEVRE MONTE A EL PAO	(1)
Di 28	LES ORGUEILLEUX	(1)
Lu 29	LA FIEVRE MONTE A EL PAO	(1)
Ma 30	LES ORGUEILLEUX	(1)

MAI

Me 1er	LE PAYS SANS ETOILES	(1)
Je 2	TOUS LES CHEMINS MENENT..	(1)
Ve 3	LA FIEVRE MONTE A EL PAO	(3)
Sa 4	LA CHARTREUSE DE PARME	(3)
Di 5	FANFAN LA TULIPE	(1)
Lu 6	LA FIEVRE MONTE A EL PAO	(1)
Ma 7	SOUVENIRS PERDUS	(1)
Me 8	POT BOUILLE	(1)
Je 9	JULIETTE OU LA CLEF	(1)
Ve 10	LES ORGUEILLEUX	(2)
Sa 11	MONTPARNASSE 19	(1)
Di 12	POT BOUILLE	(2)
Lu 13	MONTPARNASSE 19	(2)
Ma 14	MONSIEUR RIPOIS	(1)

HORAIRES SEANCES : (1) 12 h - 14h - 16h - 18h - 20h - 22h   (2) 12h - 14h30 - 17h - 19h15 - 21h35   (3) 14h - 17h15 - 20h40   * Séance unique 22 h

Communication libre

A **Le cinéma** En France, il y a beaucoup de ciné-clubs et les rétrospectives sont très populaires. Imaginez que vous et votre camarade allez ouvrir un ciné-club. Choisissez les films que vous allez présenter.

B **Débat** Fellini dit que l'infirmité de Toulouse-Lautrec «a stimulé sa créativité». On dit aussi souvent qu'on ne peut pas être créatif si on ne souffre pas. Qu'en pensez-vous?

ANSWERS TO Communication libre

A, **B** *Answers will vary.*

LES AVENTURES DE TINTIN

Introduction

La bande dessinée est universelle. Elle s'adresse à des publics très différents. Il y a des bandes dessinées pour enfants, il y a celles pour adultes. Il y a des bandes dessinées qui n'ont aucune prétention intellectuelle ou artistique, d'autres qui sont de véritables œuvres d'art. En France, la bande dessinée est très appréciée. Tous les enfants connaissent les aventures de Tintin, et celle du cowboy Lucky Luke, «l'homme qui tire plus vite que son ombre» (*the man who shoots faster than his shadow*).

Vous allez lire un épisode d'une aventure de Tintin: On a marché sur la Lune. Comme dans toutes les aventures de Tintin, on y retrouve ses fidèles compagnons: Milou, son chien; le capitaine Haddock, un ancien marin qui jure (*swears*) tout le temps—ses jurons favoris étant «Tonnerre de Brest!» et «Mille millions de mille sabords!» (*Blistering barnacles!*); les Dupont et Dupont, deux policiers jumeaux (*twins*) qui font gaffe (*blunder*) sur gaffe. Tout ce petit monde se retrouve dans de nombreuses aventures qui se passent aux quatre coins de la planète. Mais dans l'épisode qui suit, ils viennent d'atterrir sur une autre planète: la Lune!

Vocabulaire

la Lune
une fusée
la Terre

une étoile
un paysage lunaire

FUN FACTS

- Devant le succès des personnages tels que Tintin, Lucky Luke ou Astérix, le dessinateur n'est plus libre de changer le profil de son héros. Ceux-ci deviennent des sortes de mythes. Ainsi Tintin aura-t-il toujours besoin de Milou, Lucky Luke se battra toujours contre les Dalton et Astérix sera toujours le débrouillard que l'on connaît.

- Dans les bandes dessinées, on trouve de nombreuses onomatopées qui sont une manière d'introduire le son dans l'image de la B.D. et la rendre plus réaliste. Certaines sont empruntées à l'anglais. Un bruit d'eau fait *splatch*. Tandis qu'une voiture fait *vroâar* ou *rac pout pout* selon sa marque, et le galop d'un cheval *cataclop, cataclop*.

LES AVENTURES DE TINTIN

1 Preparation

Resource Manager

Vocabulary Transparencies 8.5–8.6
Audio Activities Booklet TE, Activity D, page 207
Audiocassette 8/CD 15
Workbook, Activities A–B, page 184
Quiz 9, page 105
ExamView Pro®

2 Presentation

Introduction

Step 1 Have students bring to class some comics from a newspaper. Ask: **Quelles sont vos B.D. préférées? Pourquoi? Y a-t-il des B.D. pour enfants? pour adultes? Qu'est-ce qu'on apprend sur la société par les B.D.?**

Step 2 Bring in some copies of Tintin, Astérix, Lucky Luke, etc. Compare the French comics with those the students brought in. Ask: **Quels sont les héros? Quels sont les différents genres de B.D., par exemple, y a-t-il des B.D. historiques, d'aventures, fantastiques, policières?**

Step 3 Talk about how sounds are illustrated. (See the second item in FUN FACTS below.)

Step 4 Encourage students to use the images to guess meaning. Describe one of the cartoon frames on pages 405–407 and see if students can guess which frame you are describing.

Step 5 As you read the **Introduction,** point out Dupont and Dupont (page 405) and Tintin, Milou, and Capitaine Haddock on page 407.

Journalisme

Vocabulaire

Step 1 After presenting the new words you may wish to ask: **Comment peut-on aller à la Lune? Est-ce qu'on a déjà marché sur la Lune? En quelle année? (1969) Voulez-vous aller à la Lune? Est-ce que le paysage lunaire est joli? La nuit, voit-on beaucoup d'étoiles dans le ciel? Quand il n'y a pas de lune, est-ce que le ciel est d'un noir d'encre?**

Step 2 Ask: **Vous ronflez quand vous dormez? Est-ce qu'il y a quelqu'un qui ronfle dans votre famille? Faites-vous quelquefois des cauchemars? Quand vous vous réveillez d'un mauvais rêve, êtes-vous content(e) d'être sain(e) et sauf(ve)? Vous affolez-vous facilement ou restez-vous calme? Avez-vous quelquefois des taches d'encre sur les mains? Pourquoi?**

3 Practice

Communication guidée

These activities can be done immediately after the new vocabulary has been presented.

Vocabulary Expansion

Give students the following expressions with **lune** and **terre** and see if they can come up with the equivalent expression in English.
être dans la lune
une lune de miel
demander (promettre) la lune
il y a bien des lunes...
être six pieds sous terre
remuer ciel et terre

Independent Practice

Assign any of the following:
1. Activities on this page
2. Workbook, **Journalisme**

Journalisme

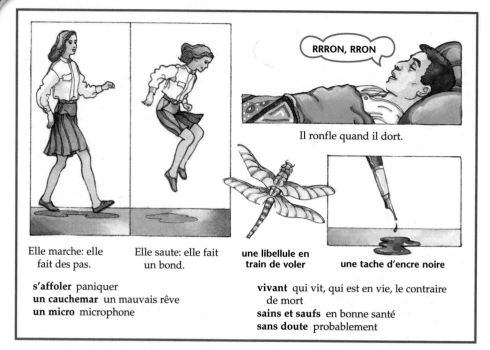

RRRON, RRON

Il ronfle quand il dort.

Elle marche: elle fait des pas.

Elle saute: elle fait un bond.

une libellule en train de voler

une tache d'encre noire

s'affoler paniquer
un cauchemar un mauvais rêve
un micro microphone

vivant qui vit, qui est en vie, le contraire de mort
sains et saufs en bonne santé
sans doute probablement

Communication guidée

A **Associations** Quels mots vont ensemble?

1. ronfler	a. marcher
2. une étoile	b. la peur
3. de l'encre	c. l'espace
4. un pas	d. un bond
5. une libellule	e. le ciel
6. une fusée	f. parler
7. s'affoler	g. dormir
8. sauter	h. voler
9. un micro	i. un stylo

B **L'espace** Complétez.

1. Pour aller de la ____ à la ____, il faut une fusée.
2. Sur la Lune, il n'y a pas de végétation. Le ____ est lunaire.
3. Rien ne vit sur la Lune; rien n'est ____. Tout semble ____.
4. Le paysage lunaire ressemble à un mauvais rêve, à un ____.
5. Le voyage des astronautes n'a pas été facile, mais ils sont arrivés ____ et ____.
6. On construira sans ____ prochainement une station spatiale sur la Lune.

CHAPITRE 8

ANSWERS TO Communication guidée

A	B
1. g	1. Terre, Lune
2. e	2. paysage
3. i	3. vivant, mort
4. a	4. cauchemar
5. h	5. sains, saufs
6. c	6. doute
7. b	
8. d	
9. f	

ON A MARCHÉ SUR LA LUNE

¹ avaries *damage*
² trépidations *vibrations*
³ ont secoué *shook*
⁴ fouler *to tread*
⁵ scaphandre *space suit*
⁶ faire le vide *create a vacuum*
⁷ les échelons mobiles *accommodation ladder*

JOURNALISME

quatre cent cinq 🌸 **405**

Journalisme

ON A MARCHÉ SUR LA LUNE ◆◆◆

🌸 National Standards

Communication
Students will talk about comic strips, which are popular in both France and North America.

Comparisons
Students will have a chance to compare French and American comic strips.

1 Preparation

Resource Manager

Audio Activities Booklet TE, Activities E–F, page 208
Audiocassette 8/CD 15
Workbook, Activities C–F, page 185

2 Presentation

Step 1 Give students a copy of this reading with blank speech bubbles. Have them work in groups to write what they think the dialogue should be for different sections of the comic strip, based solely on the pictures. After the reading, you can compare the students' versions with the actual story.

Step 2 Have students read this selection silently as if they were actually reading a comic book.

Step 3 Tell students to read the selection once. Have them read it a second time as they look for the information in **Après la lecture Activité A** on page 408. It is recommended that this be done as a homework assignment.

CHAPITRE 8

(À suivre…)

[8] prodigieux *prodigious, fantastic*
[9] la pesanteur *gravity*
[10] moindre *less*
[11] le plus fort… c'est que *the amazing thing . . . is*
[12] pourvu que *let's hope that*
[13] me dégourdir les (jambes) pattes *to stretch my legs*
* Nom d'un homme! *Milou's version (a dog's) of the expression "Nom d'un chien!" (Golly! Gee!)*

 Group Activity
Have students do the following in groups:
1. Trouvez un titre pour ces pages.
2. Jouez les rôles des personnages.
3. Racontez l'histoire d'un autre point de vue.

Journalisme

Post-reading

Communication libre

 This activity can be done as an individual assignment or as a group activity.

Note: You may wish to tell students the following: **Tintin et le capitaine Haddock ressentent un tremblement de terre ou plutôt de lune. C'est une météorite qui vient de s'abattre juste à l'endroit où ils se trouvaient quelques instants plus tôt.**

Class Motivator

1. Have students work in groups. Give each group a French comic-book page that you have cut up into sections. Each student must read his or her section silently then describe it to the others. The object of the activity is to reassemble the page in its correct sequence. Then ask students to give a résumé of their page.
Hint: Use pages from the same book and have the class put the groups' pages in order as well.
2. Give each group another French comic-book page with blank speech bubbles. Have students work together to write the dialogue. The group whose version most resembles the original "wins."

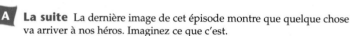

Après la lecture

A Suspense Répondez d'après le texte.
1. Pourquoi les ingénieurs sur la Terre s'inquiètent-ils?
2. Qui répond à l'appel de la Terre?
3. Où sont nos amis?
4. Qui ronfle?
5. Qui va sortir le premier de la fusée? Pourquoi?
6. Comment Tintin décrit-il le paysage lunaire?
7. Quelle est la réaction du capitaine Haddock quand il met le pied sur la Lune?
8. Quelle est celle de Milou?
9. Quel est l'effet de la pesanteur lunaire sur nos trois amis?

B On a marché sur la Lune. Cette bande dessinée a été écrite bien avant que l'homme n'ait vraiment marché sur la Lune. Essayez de deviner en quelle année cette bande dessinée a paru. Vous savez certainement en quelle année et qui a marché sur la Lune pour la première fois. Pour savoir la réponse à ces deux questions, regardez en bas de la page.
   Imaginez maintenant que c'est vous qui marchez sur la Lune pour la première fois. Utilisez le vocabulaire de ce texte pour décrire vos impressions.

Communication libre

A La suite La dernière image de cet épisode montre que quelque chose va arriver à nos héros. Imaginez ce que c'est.

B Vos héros Avec un(e) camarade, vous discutez des mérites de vos héros de bande dessinée préférés.

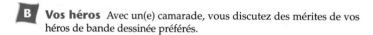

Réponses
• *Cette bande dessinée a paru en 1953.*
• *Neil Armstrong a été le premier être humain à marcher sur la Lune, le 21 juillet 1969.*

ANSWERS TO *Après la lecture*

A
1. Parce qu'ils ont appelé la fusée lunaire pendant plus d'une demi-heure sans obtenir de réponse.
2. Tournesol.
3. Sur la Lune.
4. Les deux policiers.
5. Tintin, parce qu'il est le plus jeune.
6. Un paysage de cauchemar, un paysage de mort, effrayant de désolation…
7. Il est enthousiasmé: il marche, il court, il saute.
8. Il a un peu peur, mais il est content de pouvoir se dégourdir les pattes.
9. Ils sont six fois plus légers que sur la Terre.

B *Answers will vary.*

ANSWERS TO *Communication libre*

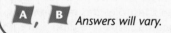 *Answers will vary.*

C **Votre propre BD** Avec un groupe de camarades, faites votre propre BD. Il vous faudra combiner trois éléments:

—une histoire courte racontée en images
—un personnage central ou un groupe de personnages centraux
—un texte ou des dialogues écrits à l'intérieur des dessins.

D **Débat: les bandes dessinées** Les parents et les professeurs n'aiment pas toujours que les jeunes lisent des bandes dessinées. En effet, ils trouvent souvent que les bandes dessinées ne sont pas éducatives et qu'au lieu de développer l'esprit, elles le déforment. Qu'en pensez-vous? Préparez vos arguments avant de débattre avec vos camarades.

C **Extension:** Use a comic-strip from a local newspaper and mask the words in the bubbles. Students fill in the conversation in French. You may wish to display the best comic strips on the bulletin board.

Independent Practice

Assign any of the following:
1. Après la lecture and **Communication libre** activities on pages 408–409
2. Workbook, Journalisme

 Assessment

Use these resources at the end of the **Les aventures de Tintin** section for review and assessment.
Quiz 9
Test Booklet, pages 187–189
ExamView Pro®
Situation Cards

ANSWERS TO
Communication libre

C , **D** *Answers will vary.*

Structure II

1 Preparation

Resource Manager

Workbook, Activities A–H, pages
  186–189
Audio Activities Booklet TE,
  Activities A–C, pages 212–213
Audiocassette 8/CD 15
Quizzes 10–12, pages 106–108
ExamView Pro®

Bellringer Review

Write the following on the board or
use BRR Transparency 8.7.
Complétez au passé composé.
1. J'y ___. (aller)
2. J'___ le voyage avec un copain. (faire)
3. Nous nous ___ bien ___. (s'a-
   muser)
4. Nous ___ beaucoup de
   choses intéressantes. (voir)
5. J'___ beaucoup ___.
   (apprendre)
6. Nous ___ hier. (rentrer)

2 Presentation

Le conditionnel
passé ◆

Step 1 Have students read the
explanatory material aloud.

Step 2 Have them repeat the
verb forms and the model
sentences.

3 Practice

Independent Practice

Assign any of the following:
1. Activity on this page
2. Workbook, **Structure II**

Structure II

Expressing what would have happened under certain conditions
Le conditionnel passé

1. The conditional perfect is formed by using the present conditional of **avoir** or **être** and the past participle of the verb.

Infinitive	FINIR	SORTIR
Past conditional	j' aurais fini	je serais sorti(e)
	tu aurais fini	tu serais sorti(e)
	il aurait fini	il serait sorti
	elle aurait fini	elle serait sortie
	nous aurions fini	nous serions sorti(e)s
	vous auriez fini	vous seriez sorti(e)(s)
	ils auraient fini	ils seraient sortis
	elles auraient fini	elles seraient sorties

2. The conditional perfect is used to express what would have happened or what the situation would have been, if conditions had been different.

> **Dans ce cas-là, j'aurais refusé.**
> **Je serais bien allée avec vous, mais j'avais du travail**
> **à faire.**

Communication guidée

Pas possible Complétez.
1. J'____ essayer, mais j'avais peur de ne pas réussir. (pouvoir)
2. J'____ dormir mais je n'avais pas sommeil. (vouloir)
3. J'____ quelque chose, mais le frigidaire était vide. (manger)
4. Je l'____ mais je n'avais pas d'argent. (acheter)
5. J'____ quelque chose, mais le café était fermé. (boire)
6. J'____ quelque chose, mais j'avais peur de prendre la parole. (dire)

410 ⚜ *quatre cent dix*   CHAPITRE 8

ANSWERS TO
Communication guidée

1. aurais pu
2. aurais voulu
3. aurais mangé
4. aurais acheté
5. aurais bu
6. aurais dit

410

Expressing conditions
Les propositions avec si

A clause beginning with **si** is often used in conditional sentences. In French, sentences with **si** use a particular sequence of tenses.

Si + Présent	Futur/Impératif
Si elle a le temps,	elle ira au cinéma.
Si vous avez le temps,	allez au cinéma!

Si + Imparfait	Conditionnel présent
Si elle avait le temps,	elle irait au cinéma.

Si + Plus-que-parfait	Conditionnel passé
Si elle avait eu le temps,	elle serait allée au cinéma.

Do not confuse **si** *(if)* with the **si** that means *whether.* **Si** meaning *whether* can take any tense.

Je ne sais pas si Paul viendra avec nous.

Communication guidée

A **Oui ou non?** Répondez personnellement.

1. Si tu as le temps, tu iras au théâtre?
2. Si tu avais le temps, tu irais au théâtre?
3. Si tu avais eu le temps, tu serais allé(e) au théâtre?
4. Si tu as de l'argent, tu iras en Chine?
5. Si tu avais de l'argent, tu irais en Chine?
6. Si tu avais eu de l'argent, tu serais allé(e) en Chine?

B **Avec des *si*** Dites ce que vous feriez si…

1. vous aviez un an de vacances.
2. vous aviez beaucoup d'argent.
3. vous parliez vingt langues étrangères.
4. vous étiez président des États-Unis.

C **Dans le passé** Dites ce que vous auriez pu faire, voir, aimer, si…

1. vous aviez vécu au XVIIe siècle.
2. vous étiez né(e) en 1850.
3. vous aviez eu 20 ans en 1910.

---

1 Presentation

Les propositions avec si ◆◆◆

Step 1 Write the sequence of tenses on the board.

Step 2 Have students read the model sentences.

Step 3 Assign the activities for homework and go over them in class the next day.

2 Practice

Additional Practice

Have students answer the following questions giving as many answers as possible:
1. Qu'est-ce que vous auriez fait l'année dernière si vous aviez eu plus d'argent?
2. Qu'est-ce que vous auriez fait le mois dernier si vous aviez eu plus de temps?

 Paired Activity
Have students work in pairs. The first student begins a sentence with a **si** clause and the partner must finish the sentence with an appropriate ending in the correct tense.

Independent Practice

Assign any of the following:
1. Activities on this page
2. Workbook, **Structure II**

Answers to
Communication guidée

A through **C** *Answers will vary.*

Structure II

1 Preparation

 Le **faire**
causatif ◆◆◆

Note: Although many students find this point somewhat difficult, it is of quite high frequency in French.

Bellringer Review

Write the following on the board or use BRR Transparency 8.8.
Faites une liste de toutes les expressions que vous connaissez qui utilisent le verbe *faire*.

2 Presentation

Step 1 Read the explanatory material aloud.

Step 2 Call on students to read the model sentences aloud.

Step 3 Give as many examples as possible. This is one of those points that students learn better through examples than explanation. **Je fais chanter (danser) les enfants. Mes parents me font travailler (étudier, bien manger, dormir huit heures, me coucher de bonne heure).**

Telling what you have others do
Le **faire** causatif

An important use of the verb **faire** in French is in causative constructions.

1. A causative construction is used to express what one makes another do. In a causative construction, the verb **faire** is followed by an infinitive.

Je **fais chanter les enfants.**	*I make (have) the children sing.*
Je **fais restaurer un tableau.**	*I have a painting restored.*
Il **fait construire une maison.**	*He's having a house built.*

2. When object pronouns are used, they precede the verb **faire.**

Je fais chanter **la chanson.**	Je **la** fais chanter.
Je fais chanter **les enfants.**	Je **les** fais chanter.
Je fais chanter **la chanson aux enfants.**	Je **la leur** fais chanter.

3. In the **passé composé**, the past participle of the verb **faire** does not agree with the preceding direct object pronoun since the pronoun is actually the object of the infinitive that follows the verb **faire.**

Il a fait restaurer **la statue.**	Il **l'**a fait restaurer.

4. A causative construction is often reflexive. In that case, the auxiliary **être** is used in the **passé composé**. Note that again, there is no agreement of the past participle **fait.**

Elle **s'est fait faire une robe.**	*She had a dress made for herself.*
Il **s'est fait couper les cheveux.**	*He had his hair cut.*

Un homme restaurant un tableau ancien

FUN FACTS

Les rapports entre la science et l'art ont une longue histoire. Peu après la Première Guerre mondiale, des médecins utilisent déjà des appareils de radiographie médicale pour regarder à travers les tableaux. On peut, grâce à ces techniques, reconstituer l'approche de l'artiste et souvent dater l'œuvre. C'est sur ces techniques d'analyse que s'appuie la restauration des tableaux.

En sculpture, certaines statues sont nettoyées et restaurées dans les ateliers du Louvre. Les marbriers nébulisent la pierre, comblent les fissures et quelquefois enlèvent un élément parasite. «Nos ancêtres ne supportaient pas les statues anciennes incomplètes», explique Alain Pasquier, conservateur. «Alors, ils ajoutaient des bras, des jambes, des torses. Depuis Rodin nous acceptons beaucoup mieux les œuvres incomplètes.»

Le musée d'Orsay

Communication guidée

 A **Historiette** **Leur nouvelle maison** Ils ne vont pas le faire eux-mêmes. Dites ce qu'ils vont faire.

1. restaurer la façade
2. réparer les meubles
3. repeindre les pièces
4. nettoyer la cave
5. planter des fleurs dans le jardin
6. refaire la route

 B **Encore une fois** Récrivez les phrases de l'Activité A en remplaçant les noms par des pronoms.

 C **Ils ont tout fait faire.** Complétez.

1. Les peintures qu'il a fait_____, je les ai vu_____. Je les ai trouvé_____ magnifiques.
2. Les peintures qu'il a fait_____ restaurer, je les ai vu_____. Je les ai trouvé_____ magnifiques.
3. La robe qu'elle a fait_____, je l'ai vu_____. Je l'ai trouvé_____ très belle.
4. La robe qu'elle a fait_____ faire, je l'ai vu_____. Je l'ai trouvé_____ très belle.
5. Les maisons qu'ils ont fait_____, je les ai vu_____. Je les ai trouvé_____ très belles.
6. Les maisons qu'ils ont fait_____ construire, je les ai vu_____. Je les ai trouvé_____ très belles.

---

3 Practice

Communication guidée
Go over these activities in class as soon as the grammar point has been presented, then assign them for homework.

Learning from Photos
Bottom photo: Cette photo est prise depuis la terrasse du musée d'Orsay qui offre une belle vue sur Paris. La statue représente la ville d'Orléans. En effet lorsque le musée était encore une gare, les trains effectuaient la ligne Paris-Orléans. La gare du Nord à Paris, construite à la même époque, comporte aussi des statues qui représentent les villes desservies.

Independent Practice
Assign any of the following:
1. Activities on this page
2. Workbook, **Structure II**

✓ Assessment
Use these resources at the end of the **Structure II** section for review and assessment.
Quizzes 10–12
Test Booklet, pages 190–191
ExamView Pro®

ANSWERS TO Communication guidée

A
1. Ils vont faire restaurer la façade.
2. Ils vont faire réparer les meubles.
3. Ils vont faire repeindre les pièces.
4. Ils vont faire nettoyer la cave.
5. Ils vont faire planter des fleurs dans le jardin.
6. Ils vont faire refaire la route.

B
1. Ils vont la faire restaurer.
2. Ils vont les faire réparer.
3. Ils vont les faire repeindre.
4. Ils vont la faire nettoyer.
5. Ils vont en faire planter dans le jardin.
6. Ils vont la faire refaire.

C
1. es, es, es
2. -, es, es
3. e, e, e
4. -, e , e
5. es, es, es
6. -, es, es

National Standards

Connections
The three short literary pieces in this section all deal with the themes of art and science.

Le jet d'eau

1 Preparation

Resource Manager

Vocabulary Transparency 8.7
Audio Activities Booklet TE, Activity A, page 213
Audiocassette 8/CD 16
Workbook, Activity A, page 190
Quiz 13, page 109
ExamView Pro®

Bellringer Review

Write the following on the board or use BRR Transparency 8.9.
Faites une liste des choses qui vous rendent mélancolique.

2 Presentation

Avant la lecture

Step 1 Have students look at the poem *Le jet d'eau* on page 416 before they read **Avant la lecture.** (You may also wish to show them the poem *La cravate* on page 241, Level 1.)

Step 2 Then ask students to explain Apollinaire's statement: **«Moi aussi, je suis peintre.»**

Vocabulaire

Have students repeat the new words and expressions after you.

Le jet d'eau Guillaume Apollinaire

Avant la lecture

Le poète Guillaume Apollinaire disait: «Moi aussi, je suis peintre.» Dans ses *Calligrammes,* Apollinaire allie la poésie et le dessin. Connaissez-vous d'autres artistes qui allient plusieurs formes d'art?

Vocabulaire

La guerre de 1914: les Français se battent contre les Allemands.

Les blessés saignent. Ils perdent beaucoup de sang. Le combat a été sanglant.

Elle pleure.

un laurier-rose

un jet d'eau

une fleur

Le soleil va se lever. C'est l'aube. L'eau jaillit de la fontaine.

History Connection

La Première Guerre mondiale, déclenchée en 1914 par l'assassinat de l'archiduc d'Autriche, se transforme très vite, par jeu des alliances, en un immense conflit armé. Cette guerre, très meurtrière, fut surnommée la «der des der» parce que tout le monde pensait qu'elle serait la dernière.

Communication guidée

À la guerre Complétez.

1. Pendant une guerre, les gens se _____.
2. Il y a beaucoup de blessés: les combats sont _____.
3. Quand on est blessé, on _____.
4. Le blessé saigne. Il perd beaucoup de _____.
5. Il est triste. Il _____.
6. Quand le soleil est sur le point de se lever, c'est l'_____.
7. Le laurier-rose a de grandes _____.
8. L'eau _____ de la fontaine.

Introduction

Guillaume de Kostrowitzky, «Kostro» pour ses amis, a écrit sous le pseudonyme d'«Apollinaire».

Il est né à Rome en 1880 et a eu une vie très fantaisiste et mouvementée, au cours de laquelle il s'est lié avec de nombreux poètes, peintres et musiciens de son époque. C'est la période de l'avant-guerre de 14, une période riche en idées en tous genres. C'est le début du cubisme, par exemple, qui ne laisse aucun artiste indifférent. Apollinaire est l'ami du poète Max Jacob et des peintres Braque, Derain et Picasso.

En décembre 1914, Apollinaire s'engage volontairement dans l'armée. Il est blessé à la tête en mars 1916 et subit une trépanation. Affaibli par sa blessure, il meurt en novembre 1918 pendant l'épidémie de «grippe espagnole».

Jean Metzinger: *Apollinaire en 1914*

1 Preparation

Resource Manager

Audio Activities Booklet TE, Activities B–C, pages 214–215
Audiocassette 8/CD 16
Workbook, Activity B, page 190

2 Presentation

Introduction

Step 1 Call on students to read the **Introduction** aloud.

Step 2 You may wish to give more able groups the additional information about Apollinaire in the **Literature Connection** below.

Step 3 You may wish to explain **une trépanation: une opération chirurgicale consistant à pratiquer une ouverture dans un os de la boîte crânienne.**

Literature Connection

Apollinaire
À Paris le jeune «Kostro», pour subvenir à ses besoins, travaille à des emplois médiocres et envoie sans se décourager des poèmes et des contes à des revues qui les refusent.

En 1901, Guillaume, lors d'un voyage en Allemagne, tombe amoureux d'une jeune gouvernante anglaise. La Rhénanie (région d'Allemagne) et la jeune fille lui inspireront de nombreux poèmes qui seront publiés dans *Alcools*.

De retour à Paris, Apollinaire fonde une revue littéraire dans laquelle paraît *L'enchanteur pourrissant,* poème illustré par le peintre Derain.

Apollinaire écrit de nombreux articles de critique d'art. En 1912, il fonde avec André Salmon, André Billy et René Dalize une revue où s'exprime l'avant-garde cubiste. *Calligrammes* paraît en 1918.

ANSWERS TO
Communication guidée

1. battent
2. sanglants
3. saigne
4. sang
5. pleure
6. aube
7. fleurs
8. jaillit

Art Connection

Jean Metzinger, peintre français cubiste, fut un ami d'Apollinaire. Son tableau *Dessin pour le portrait de Guillaume Apollinaire* se trouve au Musée national d'art moderne.

Littérature

2 Presentation (continued)

Lecture ◆◆

Step 1 Before going over the poem, tell students that Apollinaire wrote this poem after being wounded in World War I. He thinks of his friends who are still at the battle front. (You may wish to ask students to research who Braque, Max Jacob, and Derain were.)

Step 2 Have students read the **Après la lecture** questions on page 417 so they can look for the information as they read the poem.

Step 3 Read the poem once aloud to the class or have the students listen to Audiocassette 8/CD 16.

Step 4 Call on a student to read aloud.

Step 5 You may wish to paraphrase the poem to help students understand its meaning.

Step 6 Have students find the names of Apollinaire's friends in the poem.

Step 7 Have students think how they would feel if these names were those of their friends.

Step 8 With more able groups, you may wish to ask the analytical questions in **Literary Analysis** at the bottom of this page.

Lecture 🎧

Le Jet d'eau

Tous les souvenirs de naguère¹
Ô mes amis partis en guerre
Jaillissent vers le firmament²
Et vos regards en l'eau dormant
Meurent mélancoliquement

Où sont-ils Braque et Max Jacob
Derain aux yeux gris comme l'aube
Où sont Raynal Billy Dalize
Dont les noms se mélancolisent
Comme des pas dans une église
Où est Cremnitz qui s'engagea³
Peut-être sont-ils morts déjà
De souvenirs mon âme⁴ est pleine
Le jet d'eau pleure sur ma peine⁵

CEUX QUI SONT PARTIS A LA GUERRE AU NORD SE BATTENT MAINTENANT

Le soir tombe Ô sanglante mer
Jardins où saigne abondamment le laurier rose fleur guerrière

Guillaume Apollinaire, *Calligrammes*, © Éditions Gallimard

---

¹ naguère *yore*
² le firmament *le ciel*
³ s'engagea *enlisted*
⁴ âme *soul*
⁵ peine *sorrow*

CHAPITRE 8

Literary Analysis

1. Quelle atmosphère se dégage de ce calligramme?
2. Que devient le jet d'eau à la fin du poème?
3. Regardez la deuxième partie du poème. («Ceux qui sont partis» jusqu'à «fleur guerrière») À quoi vous fait penser la forme de cette partie? Comment interprétez-vous ce choix?

Gromaire: *La guerre*

Après la lecture

Images
1. Notez tous les mots qui suggèrent une fontaine.
2. Notez tous les mots qui suggèrent la guerre et la mort.
3. Étudiez comment ces deux thèmes finissent par se mêler (*mixing*).

Communication libre

Calligramme Écrivez votre propre calligramme. Choisissez d'abord un thème, puis une forme qui conviendrait à ce thème.

LITTÉRATURE

quatre cent dix-sept ✤ **417**

Post–reading

Independent Practice

Assign any of the following:
1. Activities on this page
2. Workbook, **Littérature**

Art Connection

 Gromaire
Peintre français de la première moitié du XXᵉ siècle, son style se caractérise par des formes robustes et sobres. Ses thèmes sont tirés de la vie quotidienne: ouvriers, paysans, soldats. Le Musée d'art moderne de la ville de Paris conserve un grand nombre de ses œuvres.

✓ Assessment

Use these resources after completing the *Le jet d'eau* reading for review and assessment.
Quiz 13
Test Booklet, pages 192–193
ExamView Pro®

ANSWERS TO Après la lecture

Answers will vary but may include:
1. jaillissent, l'eau, le jet d'eau, pleure, mer
2. la guerre, meurent, mélancoliquement, gris, l'aube, se mélancolisent, une église, morts, pleure, souvenirs, peine, partis, se battent, le soir, tombe, sanglante, saigne, guerrière
3. *Answers will vary.*

ANSWERS TO Communication libre

Answers will vary.

Littérature

Sans dessus dessous

1 Preparation

Resource Manager

Vocabulary Transparency 8.8
Audio Activities Booklet TE, Activity D, page 215
Audiocassette 8/CD 16
Workbook, Activity A, page 191
Quiz 14, page 110
ExamView Pro®

Bellringer Review

Write the following on the board or use BRR Transparency 8.10.
Écrivez une phrase originale avec chacun des mots suivants.
1. pleuvoir
2. neiger
3. souffler
4. les nuages
5. des éclaircies

2 Presentation

Avant la lecture
Have students do the pre-reading activity on page 419.

Vocabulaire
Follow the presentation suggestions outlined in other chapters.

Vocabulary Expansion
You may wish to tell students that Norway, Sweden, Denmark, and Finland are called **les pays scandinaves** in French. You may also wish to give students the following adjectives that correspond to these countries: **norvégien(ne), suédois(e), danois(e),** and **finlandais(e).**

418

Sans dessus dessous Jules Verne

Avant la lecture

On dit que la science a progressé plus vite ces 50 dernières années qu'elle ne l'avait fait en 500 ans. Quels sont les «événements» scientifiques que vous avez vécus?

Vocabulaire

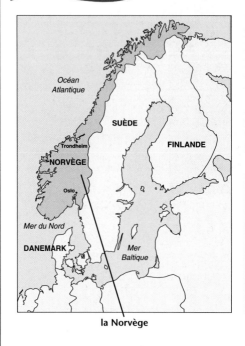

la Norvège

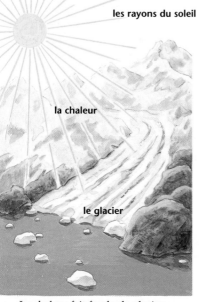

les rayons du soleil

la chaleur

le glacier

La chaleur fait fondre le glacier.

ajouter dire en plus
jouir de avoir
les Joviens *(m.)* les habitants de Jupiter
les Terrestriens *(m.)* les habitants de la Terre

diurne pendant le jour, pendant la journée
enchanté(e) très content(e)
accru(e) augmenté(e)
amoindri(e) diminué(e)

CHAPITRE 8

Littérature

Communication guidée

Quel est le mot? Complétez.

1. Oslo est la capitale de la _____.
2. Le soleil émet des _____.
3. Quand il fait chaud, il n'est pas content: il n'aime pas la _____.
4. Il aime le froid: quand il fait froid, il est _____.
5. Quand il fait chaud, les glaciers _____.
6. Il va faire beau cet été: nous allons _____ d'un bel été.
7. Il fait plus chaud depuis hier: la chaleur s'est _____.
8. Il fait moins froid depuis hier: le froid s'est _____.
9. Il fera chaud pendant la journée: les températures _____ seront comprises entre 20° et 25°.
10. Elle ne peut pas s'arrêter de parler, il faut toujours qu'elle _____ quelque chose.
11. On ne peut pas vivre sur Jupiter; il ne peut pas y avoir de _____.
12. Il y a de plus en plus d'habitants sur la Terre; il y a maintenant 5 billions de _____.

Introduction

L'extrait que vous allez lire est tiré de *Sans dessus dessous*, un roman de Jules Verne qui n'est pas aussi connu que *Vingt mille lieues sous les mers*, *De la Terre à la Lune* ou *Le tour du monde en quatre-vingts jours*.

Jules Verne (1828–1905) est l'écrivain qui a introduit en France le roman de science-fiction. Des années plus tard, les explorations que Jules Verne avaient décrites dans ses romans sont devenues réalités: la conquête de l'air, celle de l'espace et l'exploration sous-marine, entre autres.

Dans *Sans dessus dessous**, il s'agit d'un projet encore plus grandiose: redresser *(straighten)* l'axe terrestre. Les membres du prestigieux Gun-Club de Baltimore et son président, Mr. Barbicane, ont acheté le Pôle nord à cette fin. Dans l'extrait qui suit, Jules Verne décrit les changements qu'entraînerait le redressement de l'axe terrestre.

_____

* *Sans dessus dessous translated literally means "without top or bottom." It is also a play on words referring to the expression* sens dessus dessous, *"topsy turvy."*

Caricature de Jules Verne par Gill, 1874

Answers to Communication guidée

1. Norvège
2. rayons
3. chaleur
4. enchanté
5. fondent
6. jouir
7. accrue
8. amoindri
9. diurnes
10. ajoute
11. Joviens
12. Terrestriens

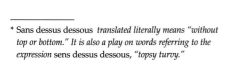

FUN FACTS

La caricature politique a joué à la fin du XIXe et au debut du XXe siècle un role semblable à celui du pamphlet. André Gill et Forain ont été, dans le domaine de l'image, de virulents critiques de leur société. Balzac lui-même considérait les caricatures de Daumier comme un complément de son œuvre.

---

1 Preparation

Resource Manager

Audio Activities Booklet TE, Activities E–F, pages 216–217
Audiocassette 8/CD 16
Workbook, Activities B–C, page 191

2 Presentation

Introduction

Step 1 Call on students to read the **Introduction** aloud. You can have the other students listen with books closed or follow along in their books.

Step 2 You may wish to give more able groups the additional information about Jules Verne in the **Literature Connection** below.

Independent Practice

Assign any of the following:
1. Activity on this page
2. Workbook, **Littérature**

Literature Connection

Jules Verne

Les principaux héros de Jules Verne sont d'abord les plus merveilleuses découvertes de la science et de la technique. Des dizaines de volumes vont naître sous un titre général: Voyages extraordinaires dans les mondes connus et inconnus.

Alors que ses héros parcourent le monde, connu ou inconnu, alors qu'ils explorent les fonds sous-marins ou les espaces infinis du cosmos, Jules Verne, lui, voyage peu. Sa vie est plutôt une vie de travail entrecoupée de lectures. C'est dans la solitude de son cabinet de travail qu'il accomplit une œuvre immense.

2 **Presentation** (continued)

Lecture ◆◆◆

Step 1 Before going over the selection, have students read the **Après la lecture** questions on page 421 so they can look for the information as they read the excerpt.

Step 2 With more able groups, you may wish to ask the analytical questions in **Literary Analysis** at the bottom of this page.

Critical Thinking Activity

Supporting Arguments with Reasons
Sujet à débattre en petits groupes:
«**Science sans conscience n'est que ruine de l'âme.**» (Rabelais)
Pouvez-vous appliquer ce jugement à ce texte? Justifiez votre réponse.

Lecture 🎧

SANS DESSUS DESSOUS

Ainsi donc, d'après le problème résolu par le calculateur du Gun-Club, un nouvel axe de rotation allait être substitué à l'ancien axe, sur lequel la Terre tourne «depuis que le monde est monde» suivant l'adage vulgaire°. En outre°, ce nouvel axe de rotation serait perpendiculaire au plan de son orbite. Dans ces conditions, la situation climatérique de l'ancien Pôle nord serait exactement égale à la situation actuelle de Trondjhem en Norvège au printemps. Sa cuirasse paléocrystique° fondrait donc naturellement sous les rayons du Soleil. En même temps, les climats se distribueraient sur notre sphéroïde comme à la surface de Jupiter. […]

Jupiter, qui fait partie du monde solaire, comme Mercure, Vénus, la Terre, Mars, Saturne, Uranus et Neptune, circule à près de deux cents millions de lieues° du foyer° commun, son volume étant environ° quatorze cents fois celui de la Terre.

Or°, s'il existe une vie «jovienne», c'est-à-dire s'il y a des habitants à la surface de Jupiter, voici quels sont les avantages certains que leur offre ladite planète. […]

En premier lieu, pendant la révolution diurne de Jupiter qui ne dure que 9 heures 55 minutes, les jours sont constamment égaux aux nuits par n'importe quelle° latitude—soit 4 heures 57 minutes pour le jour, 4 heures 57 minutes pour la nuit.

«Voilà, firent observer les partisans de l'existence des Joviens, voilà qui convient aux gens d'habitudes régulières. Ils seront enchantés de se soumettre à cette régularité!»

Eh bien! c'est ce qui se produirait sur la Terre, si le président Barbicane accomplissait son œuvre. Seulement, comme le mouvement de rotation sur le nouvel axe terrestre ne serait ni accru ni amoindri, comme vingt-quatre heures sépareraient toujours deux midis successifs, les nuits et les jours seraient exactement de douze heures en n'importe quel point de notre sphéroïde. Les crépuscules° et les aubes° allongeraient les jours d'une quantité toujours égale. On vivrait au milieu d'un équinoxe perpétuel, tel qu'il se produit le 21 mars et le 21 septembre sur toutes les latitudes du globe, lorsque l'astre radieux° décrit sa courbe° apparente dans le plan de l'Équateur.

«Mais le phénomène climatérique le plus curieux, et non le moins intéressant, ajoutaient avec raison les enthousiastes, ce sera l'absence de saisons!»

En effet, c'est grâce à l'inclinaison de l'axe sur le plan de l'orbite, que se produisent ces variations annuelles, connues sous les noms de printemps,

l'adage vulgaire *the common saying*
en outre *in addition*

cuirasse paléocrystique *ancient polar ice sheet*

lieues *leagues*
foyer *center*
environ *about*
or *now*

n'importe quelle *any*

le crépuscule *dusk*
l'aube *dawn*

astre radieux *radiant star*
décrit sa courbe *follows its orbit*

Literary Analysis

1. Relevez dans ce texte le vocabulaire scientifique.
2. D'après cet extrait, faites la liste des conséquences de la mise en place de ce nouvel axe de rotation.
3. Dans ce texte, l'emploi du conditionnel est abondant. Justifiez cet emploi.

d'été, d'automne et d'hiver. Or, les Joviens ne connaissent rien de ces saisons. Donc les Terrestriens ne les connaîtraient plus. Du moment que le nouvel axe serait perpendiculaire à l'écliptique, il n'y aurait plus de zones glaciales ni de zones torrides, mais toute la Terre jouirait d'une zone tempérée. […]

Le Soleil se maintiendrait immuablement° dans le plan de l'Équateur. Durant toute l'année, il tracerait pendant douze heures sa course imperturbable, en montant jusqu'à une distance du zénith égale à la latitude du lieu, par conséquent d'autant plus haut que° le point est plus voisin de° l'Équateur. […]

Donc les jours conserveraient une régularité parfaite, mesurés par le Soleil, qui se lèverait et se coucherait toutes les douze heures au même point de l'horizon.

«Et voyez les avantages! répétaient les amis du président Barbicane. Chacun, suivant son tempérament, pourra choisir le climat invariable qui conviendra à ses rhumes ou à ses rhumatismes, sur un globe où l'on ne connaîtra plus les variations de chaleur actuellement si regrettables!» […]

À la vérité°, l'observateur y perdrait quelques-unes des constellations ou étoiles qu'il est habitué à voir sur le champ du ciel. […] Mais, en somme, quel profit pour la généralité des humains!

Jules Verne, *Sans dessus dessous*

immuablement *perpetually*

d'autant plus haut que *ever higher*
plus voisin de *closer to*

à la vérité *to be honest*

Post-reading

Independent Practice

Assign any of the following:
1. Activities on this page
2. Workbook, **Littérature**

 Assessment

Use these resources after completing the *Sans dessus dessous* reading for review and assessment.
Quiz 14
Test Booklet, pages 194–195
ExamView Pro®

Après la lecture

A Comme sur Jupiter Décrivez ce qui se passe sur Jupiter, d'après le calculateur du Gun-Club.

B Résumé Résumez à votre façon ce qui se passerait sur la Terre si son axe était redressé.

Communication libre

 Changements Décrivez les changements qui se produiraient dans votre vie s'il n'y avait plus de saisons.

 Découverte Quelle est la découverte scientifique de ces cinquante dernières années qui vous a le plus impressionné(e)? Pour quelles raisons? Discutez avec vos camarades et faites un sondage dans la classe.

Un membre du Gun-Club regarde la Terre.

ANSWERS TO Après la lecture

A
Pendant la révolution diurne de Jupiter qui ne dure que 9 heures 55 minutes, les jours sont constamment égaux aux nuits par n'importe quelle latitude—soit 4 heures 57 minutes pour le jour, 4 heures 57 minutes pour la nuit.
B
Answers will vary.

ANSWERS TO Communication libre

, *Answers will vary.*

Littérature

La légende de la peinture

Littérature

1 Preparation

Resource Manager

Vocabulary Transparencies
  8.9–8.10
Audio Activities Booklet TE, Activity
  G, page 217
Audiocassette 8/CD 16
Workbook, Activity A, page 192
Quiz 15, page 111
ExamView Pro®

Bellringer Review

*Write the following on the board or
use BRR Transparency 8.11.*
Identifiez.
1. une mosquée
2. un souk
3. une médina
4. un minaret
5. le Maghreb
6. le Sahara

2 Presentation

Note: This reading selection has a
surprise ending that the students
will enjoy.

Avant la lecture

Have students do the pre-reading
activities on page 423.

Vocabulaire

Have students repeat the new
words and expressions after you.

La légende de la peinture

Michel Tournier

Avant la lecture

En France, la collection «Contes et Légendes (de tous les pays)» est une des
lectures préférées des jeunes enfants. Les contes inspirés de mythologies
grecques et latines sont aussi bien connus des enfants. Quels contes avez-vous
lus? Quels contes vous sont familiers? Comparez vos réponses à celles de vos
camarades. Quelle(s) conclusion(s) pouvez-vous tirer? Y a-t-il des contes que la
plupart des jeunes Américains connaissent?

Vocabulaire

le plafond

un mur

le sol

un Chinois

la foule

le vainqueur

un rêve

le surlendemain deux jours après
jeter un coup d'œil regarder vite

bouger ne pas rester en place
émouvant qui fait pleurer

Independent Practice

Assign any of the following:
1. Activities on this page
2. Workbook, **Littérature**

Communication guidée

 Définitions Trouvez le mot qui correspond.

1. celui qui arrive le premier dans une course
2. là où on marche
3. ce qui est au-dessus de nous dans une pièce
4. beaucoup de gens
5. ce que l'on voit quand on dort
6. ce qui divise un appartement en pièces
7. un habitant de la Chine

 Contraires Trouvez le contraire.

1. jeter un coup d'œil	a. froid
2. bouger	b. deux jours avant
3. émouvant	c. regarder fixement
4. le surlendemain	d. rester en place

LITTÉRATURE

 ANSWERS TO
Communication guidée

A

1. le vainqueur
2. le sol
3. le plafond
4. la foule
5. un rêve
6. un mur
7. un Chinois

B

1. c
2. d
3. a
4. b

Littérature

1 Preparation

Resource Manager

Audio Activities Booklet TE,
   Activities H-I, pages 218–219
Audiocassette 8/CD 16
Workbook, Activity B, pages
   192–193

2 Presentation

Introduction

Step 1 Call on students to read
the **Introduction** aloud.

Step 2 You may wish to give students the additional information
about *Le médianoche amoureux* in
the **Literature Connection** below.

Literature Connection

 Un médianoche est un
repas fait peu avant minuit.
Dans *Le médianoche amoureux*,
Nadège et Yves forment un
couple qui ne s'entend plus. Ils
décident de se séparer et invitent
leurs amis à un médianoche au
cours duquel ils leur annonceront
la nouvelle. Mais chacun des
invités, tout comme les convives
du *Décaméron* de Boccace,
raconte une histoire et ces 19
récits qui sont tantôt des contes,
tantôt des nouvelles, modifient
les relations d'Yves et de Nadège.
Après le départ de leurs invités,
Nadège et Yves savent qu'ils ne
se sépareront pas.

Introduction

Michel Tournier est né à Paris en 1924. Il est
d'abord professeur de philosophie, puis, à l'âge
de 43 ans, il décide de devenir écrivain. Il reçoit le
prix Goncourt en 1970 pour son roman *Le roi des
Aulnes*.

«*La légende de la peinture*» est extraite de son
livre de contes et nouvelles intitulé *Le médianoche
amoureux*, publié en 1989.

Lecture 🎧

LA LÉGENDE
DE LA PEINTURE

Il était une fois° un calife° de Bagdad qui voulait faire décorer les deux
murs de la salle d'honneur° de son palais. Il fit venir deux artistes, l'un
d'Orient, l'autre d'Occident. Le premier était un célèbre peintre chinois
qui n'avait jamais quitté sa province. Le second, grec, avait visité toutes
les nations, et parlait apparemment toutes les langues. Ce n'était pas
qu'un peintre. Il était également versé dans l'astronomie, la physique, la
chimie, l'architecture. Le calife leur expliqua son propos° et confia à°
chacun l'un des murs de la salle d'honneur.

—Quand vous aurez terminé, dit-il, la cour° se réunira en grande
pompe. Elle examinera et comparera vos œuvres, et celle qui sera jugée la
plus belle vaudra à son auteur une immense récompense.

Puis, se tournant vers le Grec, il lui demanda combien de temps il lui
faudrait pour achever sa fresque. Et mystérieusement le Grec répondit:
«Quand mon confrère° chinois aura terminé, j'aurai terminé.» Alors le
calife interrogea le Chinois, lequel demanda un délai° de trois mois.

—Bien, dit le calife. Je vais faire diviser la pièce en deux par un rideau
afin que vous ne vous gêniez° pas, et nous nous reverrons dans trois
mois.

Les trois mois passèrent, et le calife convoqua les deux peintres. Se
tournant vers le Grec, il lui demanda: «As-tu terminé?» Et
mystérieusement le Grec lui répondit: «Si mon confrère chinois a terminé,
j'ai terminé.» Alors le calife interrogea à son tour le Chinois qui répondit:
«J'ai terminé.»

il était une fois *once upon
   a time*
un calife *caliph (Moslem
   ruler)*
la salle d'honneur
   reception hall

son propos *what he
   wanted*
confia à *entrusted with*
la cour *court*

confrère *colleague*
un délai *time-limit*

vous ne vous gêniez pas
   *you don't get in each
   other's way*

CHAPITRE 8

Literary Analysis

1. Notez tous les mots et toutes les expressions qui contribuent au pittoresque de ce
   conte.
2. Relevez les éléments qui appartiennent à l'univers merveilleux du conte.
3. Que symbolise la fin de ce conte?
4. Montrez comment, par sa description des deux peintres dans le premier
   paragraphe, l'auteur nous annonce lequel des deux gagnera le concours.

La cour se réunit le surlendemain et se dirigea en grand arroi vers° la salle d'honneur afin de juger et comparer les deux œuvres. C'était un cortège° magnifique où l'on ne voyait que robes brodées°, panaches de plumes°, bijoux d'or°, armes ciselées°. Tout le monde se rassembla d'abord du côté du mur peint par le Chinois. Ce ne fut alors qu'un cri d'admiration. La fresque figurait en effet un jardin de rêve planté d'arbres en fleurs avec des petits lacs en forme de haricot qu'enjambaient° de

se dirigea en grand arroi vers *made its way in great array toward*
un cortège *procession*
brodées *embroidered*
plumes *feathers*
bijoux d'or *gold jewelry*
ciselées *chiseled*
enjambaient *spanned*

Eugène Delacroix: *Le sultan du Maroc avec son entourage,* 1845

LITTÉRATURE

quatre cent vingt-cinq ✦ 425

Littérature

2 Presentation *(continued)*

Lecture ◆◆

Step 1 You may wish to ask some comprehension questions as students are going over this selection (pages 424–425): **Qui voulait faire décorer les deux murs de son palais? D'où a-t-il fait venir deux artistes? Qui était le plus connu des deux? Combien de murs chaque artiste allait-il peindre? Qui déterminera quelle peinture est la plus belle? Combien de temps faudrait-il au Grec pour faire sa fresque? Combien de temps faudrait-il au Chinois? Pourquoi les deux artistes n'ont-ils pas pu voir l'œuvre de l'autre? Le jour du concours, qui a exposé son œuvre le premier? Comment la cour a-t-elle réagi? Qu'est-ce que le Chinois avait peint?**

Art Connection

Delacroix
L'engouement pour l'Orient se manifeste en Europe dès le XVIIe siècle, mais ce n'est qu'après la campagne d'Égypte de Napoléon Ier en 1798 que de nombreux peintres ont représenté les foules grouillantes et les couleurs éclatantes du Moyen-Orient. Ce même enthousiasme atteignit Delacroix qui séjourna en Algérie où il découvrit un monde fastueux. À son retour, il peignit ses toiles les plus célèbres parmi lesquelles *Femmes d'Alger dans leur appartement.*

Critical Thinking Activity

Supporting Arguments with Reasons
Sujet à débattre en petits groupes:
«**Pour créer des œuvres d'art valables, l'artiste doit quitter sa province, c'est-à-dire qu'il doit voyager pour connaître le monde**».
En appliquant cette idée au conte que vous venez de lire ou bien à des artistes (romanciers, etc.) que vous connaissez, dites pourquoi vous êtes ou vous n'êtes pas d'accord.

Art Connection

Chassériau

Chassériau est un peintre français né à Haïti en 1819. Dès l'âge de 11 ans il entre dans l'atelier du peintre Ingres qui l'encourage. Sous l'influence de Delacroix et après sa découverte de l'Algérie en 1846, et d'un certain exotisme, il s'oriente vers des scènes mythologiques, bibliques ou orientales, par exemple *Le tepidarium* en 1853, qui montre comment les Européens se représentaient l'Orient.

2 Presentation *(continued)*

Step 2 Ask (page 426): **Quand la foule (la cour) a-t-elle laissé échapper une exclamation de stupeur? Qu'avait peint le Grec? Qu'avait-il établi? Pourquoi l'image créée était-elle plus belle? Qui a été le vainqueur? Êtes-vous d'accord avec la décision de la cour? Pourquoi?**

Step 3 With more able groups, you may wish to ask the analytical questions in **Literary Analysis** at the bottom of page 424.

Intérieur d'un palais, peinture de Théodore Chassériau (1819–1856)

gracieuses passerelles°. Une vision paradisiaque dont on ne se lassait pas° de s'emplir° les yeux. Si grand était l'enchantement que d'aucuns° voulaient qu'on déclarât le Chinois vainqueur du concours°, sans même jeter un coup d'œil à l'œuvre du Grec.

Mais bientôt le calife fit tirer le rideau qui séparait la pièce en deux, et la foule se retourna. La foule se retourna et laissa échapper une exclamation de stupeur émerveillée.

Qu'avait donc fait le Grec? Il n'avait rien peint du tout. Il s'était contenté d'établir un vaste miroir qui partait du sol et montait jusqu'au plafond. Et bien entendu ce miroir reflétait le jardin du Chinois dans ses moindres° détails. Mais alors, direz-vous, en quoi cette image était-elle plus belle et plus émouvante que son modèle? C'est que le jardin du Chinois était désert et vide° d'habitants, alors que, dans le jardin du Grec, on voyait une foule magnifique avec des robes brodées, des panaches de plumes, des bijoux d'or et des armes ciselées. Et tous ces gens bougeaient, gesticulaient et se reconnaissaient avec ravissement°.

À l'unanimité, le Grec fut déclaré vainqueur du concours.

Michel Tournier, *La légende de la peinture,* © Éditions Gallimard

passerelles	*small bridges*
ne se lassait pas	*didn't tire*
s'emplir	*to fill*
d'aucuns	*some people*
un concours	*competition*
moindres	*smallest*
vide	*empty*
ravissement	*rapture*

Après la lecture

L'art À votre avis.
1. Avant de connaître la fin de l'histoire, comment expliquiez-vous la réponse mystérieuse du peintre grec?
2. D'après vous, pour quelles raisons le peintre grec a-t-il gagné?
3. Quelle est, d'après vous, la morale de cette histoire?

Communication libre

 Débat La décision finale est-elle juste? Préparez vos arguments avant de débattre avec vos camarades.

 Le paradis Décrivez ce que serait pour vous le paradis.

Henri Matisse: *Fenêtre ouverte sur Tanger*

quatre cent vingt-sept ❖ **427**

Post–reading

Independent Practice

Assign any of the following:
1. Activities on this page
2. Workbook, **Littérature**

 Assessment

Use these resources after completing the *La légende de la peinture* reading for review and assessment.
   Quiz 15
   Test Booklet, pages 196–198
   ExamView Pro®

Use these resources after completing Chapter 8.
   Quizzes
   Test Booklet: Comprehensive Chapter Test, Listening Comprehension Test
   ExamView Pro®
   Situation Cards

Art Connection

 Matisse
   Henri Matisse est un des plus brillants peintres du XXᵉ siècle. Il est avant tout le peintre de la couleur. Il séjourna au Maroc d'où il rapporta une série de tableaux inspirés par les paysages et les couleurs vives de l'Afrique du Nord.

ANSWERS TO *Après la lecture*

Answers will vary.

ANSWERS TO *Communication libre*

 Answers will vary.

427

REFLETS DE LA POLYNÉSIE FRANÇAISE

Preview

The section **Reflets de la Polynésie française** was prepared by the National Geographic Society. Its purpose is to give students greater insight, through these visual images, into the culture and people of French Polynesia. Have students look at the photographs on pages 428–429 for enjoyment.

National Standards

Cultures

The **Reflets de la Polynésie française** photos and the accompanying captions allow students to gain insights into the people and culture of French Polynesia.

About the Photos

1. Vue aérienne de Bora Bora, un ancien volcan Bora Bora is one of the Leeward Islands **(les îles Sous le Vent)** in a group of islands called the Society Islands **(les îles de la Société)** in French Polynesia. It is a volcanic island situated in a vast lagoon 165 miles northwest of Tahiti. Its population is only several thousand people. Lacy breakers lap the coral reefs that surround Bora Bora. The island is a South Seas paradise, with some very expensive resort hotels.

2. Un frangipanier en fleurs The islands of the South Pacific are known for their lush tropical vegetation and beautiful flowers. Like the frangipani, many have an exotic scent.

3. Vue aérienne du port de Papeete à Tahiti Papeete is the capital of French Polynesia. Located on the northwest coast of Tahiti, it is one of the largest urban areas in the South Pacific, with a population of 78,800. Tourism is its main industry, but it is also an active port. Its main exports are copra and vanilla.

1. Vue aérienne de Bora Bora, un ancient volcan
2. Un frangipanier en fleurs
3. Vue aérienne du port de Papeete à Tahiti
4. Des fidèles en habits du dimanche écoutent le sermon dominical
5. Triage des perles noires sur l'atoll de Marutea
6. Jeune fille polynésienne portant une couronne de fleurs
7. La maison du peintre Paul Gauguin à Tahiti

428

NATIONAL GEOGRAPHIC   Teacher's Corner

Index to the NATIONAL GEOGRAPHIC MAGAZINE

The following related articles may be of interest:
- "Charting a New Course: French Polynesia," by Peter Benchley, June 1997.
- "Black Pearls of French Polynesia," by David Doubilet, June 1997.
- "The Greening of the Empire: Sir Joseph Banks," by T.H. Watkins, November 1996.

NATIONAL GEOGRAPHIC

REFLETS
de la Polynésie française

4. Des fidèles en habit du dimanche écoutent le sermon dominical The women in this photo in Papeete, Tahiti, are dressed in their Sunday church-going finery. Because of the tropical heat they all have hand-held fans. The worshipers sit in same-sex groups and sing beautiful **himènes**—Tahitian-style hymns.

5. Triage des perles noires sur l'atoll de Marutea The oyster harvest in Marutea takes place in May. Thousands of gleaming black pearls are plucked from the oysters. They are graded for quality and then sold in the U.S., Europe, and Japan. In some years French Polynesia exports more than a million pearls.

6. Jeune fille polynésienne portant une couronne de fleurs Sometimes young Polynesian women wear a hibiscus flower or a gardenia behind their right ear to signify that they are unmarried and available.

7. La maison du peintre Paul Gauguin à Tahiti The artist Paul Gauguin (1848–1903) became enamored of the tropics when he visited Martinique in 1887. In 1891 the French government gave him a grant to observe and paint Tahitian customs. He returned to Paris two years later, but he moved back to the South Pacific permanently in 1895. He lived in Tahiti and then in the Marquesas Islands **(les îles Marquises),** where he died in 1903. This photo shows his home in Tahiti, where he painted many of his works.

**Products available from
GLENCOE/MCGRAW-HILL**

To order the following products, call Glencoe/McGraw-Hill at 1-800-334-7344.
CD-ROMs
• Picture Atlas of the World
• The Complete National Geographic: 112 Years of National Geographic Magazine
Transparency Set
• NGS PicturePack: Geography of Oceania and Antarctica

**Products available from
NATIONAL GEOGRAPHIC SOCIETY**

To order the following products, call National Geographic Society at 1-800-368-2728.
Books
• National Geographic World Atlas for Young Explorers
• National Geographic Satellite Atlas of the World
Software
ZingoLingo: French Diskette

Verb Charts

VERBES RÉGULIERS

	parler *to talk*		**finir** *to finish*	
PARTICIPE PRÉSENT	parlant		finissant	
PARTICIPE PASSÉ	parlé		fini	
PRÉSENT	je parle	nous parlons	je finis	nous finissons
	tu parles	vous parlez	tu finis	vous finissez
	il parle	ils parlent	il finit	ils finissent
IMPÉRATIF		parlons		finissons
	parle	parlez	finis	finissez
PASSÉ COMPOSÉ	j'ai parlé	nous avons parlé	j'ai fini	nous avons fini
	tu as parlé	vous avez parlé	tu as fini	vous avez fini
	il a parlé	ils ont parlé	il a fini	ils ont fini
PASSÉ SIMPLE	je parlai	nous parlâmes	je finis	nous finîmes
	tu parlas	vous parlâtes	tu finis	vous finîtes
	il parla	ils parlèrent	il finit	ils finirent
IMPARFAIT	je parlais	nous parlions	je finissais	nous finissions
	tu parlais	vous parliez	tu finissais	vous finissiez
	il parlait	ils parlaient	il finissait	ils finissaient
PLUS-QUE-PARFAIT	j'avais parlé	nous avions parlé	j'avais fini	nous avions fini
	tu avais parlé	vous aviez parlé	tu avais fini	vous aviez fini
	il avait parlé	ils avaient parlé	il avait fini	ils avaient fini
FUTUR	je parlerai	nous parlerons	je finirai	nous finirons
	tu parleras	vous parlerez	tu finiras	vous finirez
	il parlera	ils parleront	il finira	ils finiront
FUTUR ANTÉRIEUR	j'aurai parlé	nous aurons parlé	j'aurai fini	nous aurons fini
	tu auras parlé	vous aurez parlé	tu auras fini	vous aurez fini
	il aura parlé	ils auront parlé	il aura fini	ils auront fini
CONDITIONNEL	je parlerais	nous parlerions	je finirais	nous finirions
	tu parlerais	vous parleriez	tu finirais	vous finiriez
	il parlerait	ils parleraient	il finirait	ils finiraient
CONDITIONNEL PASSÉ	j'aurais parlé	nous aurions parlé	j'aurais fini	nous aurions fini
	tu aurais parlé	vous auriez parlé	tu aurais fini	vous auriez fini
	il aurait parlé	ils auraient parlé	il aurait fini	ils auraient fini
SUBJONCTIF PRÉSENT	que je parle	que nous parlions	que je finisse	que nous finissions
	que tu parles	que vous parliez	que tu finisses	que vous finissiez
	qu'il parle	qu'ils parlent	qu'il finisse	qu'ils finissent
SUBJONCTIF PASSÉ	que j'aie parlé	que nous ayons parlé	que j'aie fini	que nous ayons fini
	que tu aies parlé	que vous ayez parlé	que tu aies fini	que vous ayez fini
	qu'il ait parlé	qu'ils aient parlé	qu'il ait fini	qu'ils aient fini

VERBES RÉGULIERS

répondre
to answer

PARTICIPE PRÉSENT	répondant	
PARTICIPE PASSÉ	répondu	
PRÉSENT	je réponds	nous répondons
	tu réponds	vous répondez
	il répond	ils répondent
IMPÉRATIF		répondons
	réponds	répondez
PASSÉ COMPOSÉ	j'ai répondu	nous avons répondu
	tu as répondu	vous avez répondu
	il a répondu	ils ont répondu
PASSÉ SIMPLE	je répondis	nous répondîmes
	tu répondis	vous répondîtes
	il répondit	ils répondirent
IMPARFAIT	je répondais	nous répondions
	tu répondais	vous répondiez
	il répondait	ils répondaient
PLUS-QUE-PARFAIT	j'avais répondu	nous avions répondu
	tu avais répondu	vous aviez répondu
	il avait répondu	ils avaient répondu
FUTUR	je répondrai	nous répondrons
	tu répondras	vous répondrez
	il répondra	ils répondront
FUTUR ANTÉRIEUR	j'aurai répondu	nous aurons répondu
	tu auras répondu	vous aurez répondu
	il aura répondu	ils auront répondu
CONDITIONNEL	je répondrais	nous répondrions
	tu répondrais	vous répondriez
	il répondrait	ils répondraient
CONDITIONNEL PASSÉ	j'aurais répondu	nous aurions répondu
	tu aurais répondu	vous auriez répondu
	il aurait répondu	ils auraient répondu
SUBJONCTIF PRÉSENT	que je réponde	que nous répondions
	que tu répondes	que vous répondiez
	qu'il réponde	qu'ils répondent
SUBJONCTIF PASSÉ	que j'aie répondu	que nous ayons répondu
	que tu aies répondu	que vous ayez répondu
	qu'il ait répondu	qu'ils aient répondu

Verb Charts

VERBES RÉFLÉCHIS

se laver
to wash oneself

PARTICIPE PRÉSENT	se lavant	
PARTICIPE PASSÉ	lavé(e)(s)	
PRÉSENT	je me lave tu te laves il se lave	nous nous lavons vous vous lavez ils se lavent
IMPÉRATIF	 lave-toi	lavons-nous lavez-vous
PASSÉ COMPOSÉ	je me suis lavé(e) tu t'es lavé(e) il s'est lavé	nous nous sommes lavé(e)s vous vous êtes lavé(e)(s) ils se sont lavés
PASSÉ SIMPLE	je me lavai tu te lavas il se lava	nous nous lavâmes vous vous lavâtes ils se lavèrent
IMPARFAIT	je me lavais tu te lavais il se lavait	nous nous lavions vous vous laviez ils se lavaient
PLUS-QUE-PARFAIT	je m'étais lavé(e) tu t'étais lavé(e) il s'était lavé	nous nous étions lavé(e)s vous vous étiez lavé(e)(s) ils s'étaient lavés
FUTUR	je me laverai tu te laveras il se lavera	nous nous laverons vous vous laverez ils se laveront
FUTUR ANTÉRIEUR	je me serai lavé(e) tu te seras lavé(e) il se sera lavé	nous nous serons lavé(e)s vous vous serez lavé(e)(s) ils se seront lavés
CONDITIONNEL	je me laverais tu te laverais il se laverait	nous nous laverions vous vous laveriez ils se laveraient
CONDITIONNEL PASSÉ	je me serais lavé(e) tu te serais lavé(e) il se serait lavé	nous nous serions lavé(e)s vous vous seriez lavé(e)(s) ils se seraient lavés
SUBJONCTIF PRÉSENT	que je me lave que tu te laves qu'il se lave	que nous nous lavions que vous vous laviez qu'ils se lavent
SUBJONCTIF PASSÉ	que je me sois lavé(e) que tu te sois lavé(e) qu'il se soit lavé	que nous nous soyons lavé(e)s que vous vous soyez lavé(e)(s) qu'ils se soient lavés

VERBES AVEC CHANGEMENTS D'ORTHOGRAPHE

	acheter *to buy*[1]		appeler *to call*	
PARTICIPE PRÉSENT	achetant		appelant	
PARTICIPE PASSÉ	acheté		appelé	
PRÉSENT	j'achète tu achètes il achète	nous achetons vous achetez ils achètent	j'appelle tu appelles il appelle	nous appelons vous appelez ils appellent
IMPÉRATIF	achète	achetons achetez	appelle	appelons appelez
PASSÉ COMPOSÉ	j'ai acheté tu as acheté il a acheté	nous avons acheté vous avez acheté ils ont acheté	j'ai appelé tu as appelé il a appelé	nous avons appelé vous avez appelé ils ont appelé
PASSÉ SIMPLE	j'achetai tu achetas il acheta	nous achetâmes vous achetâtes ils achetèrent	j'appelai tu appelas il appela	nous appelâmes vous appelâtes ils appelèrent
IMPARFAIT	j'achetais tu achetais il achetait	nous achetions vous achetiez ils achetaient	j'appelais tu appelais il appelait	nous appelions vous appeliez ils appelaient
PLUS-QUE-PARFAIT	j'avais acheté tu avais acheté il avait acheté	nous avions acheté vous aviez acheté ils avaient acheté	j'avais appelé tu avais appelé il avait appelé	nous avions appelé vous aviez appelé ils avaient appelé
FUTUR	j'achèterai tu achèteras il achètera	nous achèterons vous achèterez ils achèteront	j'appellerai tu appelleras il appellera	nous appellerons vous appellerez ils appelleront
FUTUR ANTÉRIEUR	j'aurai acheté tu auras acheté il aura acheté	nous aurons acheté vous aurez acheté ils auront acheté	j'aurai appelé tu auras appelé il aura appelé	nous aurons appelé vous aurez appelé ils auront appelé
CONDITIONNEL	j'achèterais tu achèterais il achèterait	nous achèterions vous achèteriez ils achèteraient	j'appellerais tu appellerais il appellerait	nous appellerions vous appelleriez ils appelleraient
CONDITIONNEL PASSÉ	j'aurais acheté tu aurais acheté il aurait acheté	nous aurions acheté vous auriez acheté ils auraient acheté	j'aurais appelé tu aurais appelé il aurait appelé	nous aurions appelé vous auriez appelé ils auraient appelé
SUBJONCTIF PRÉSENT	que j'achète que tu achètes qu'il achète	que nous achetions que vous achetiez qu'ils achètent	que j'appelle que tu appelles qu'il appelle	que nous appelions que vous appeliez qu'ils appellent
SUBJONCTIF PASSÉ	que j'aie acheté que tu aies acheté qu'il ait acheté	que nous ayons acheté que vous ayez acheté qu'ils aient acheté	que j'aie appelé que tu aies appelé qu'il ait appelé	que nous ayons appelé que vous ayez appelé qu'ils aient appelé

---

[1] Verbes similaires: **emmener, peser, soulever**

Verb Charts

	commencer *to begin*[2]		manger *to eat*[3]	
PARTICIPE PRÉSENT	commençant		mangeant	
PARTICIPE PASSÉ	commencé		mangé	
PRÉSENT	je commence tu commences il commence	nous commençons vous commencez ils commencent	je mange tu manges il mange	nous mangeons vous mangez ils mangent
IMPÉRATIF	commence	commençons commencez	mange	mangeons mangez
PASSÉ COMPOSÉ	j'ai commencé tu as commencé il a commencé	nous avons commencé vous avez commencé ils ont commencé	j'ai mangé tu as mangé il a mangé	nous avons mangé vous avez mangé ils ont mangé
PASSÉ SIMPLE	je commençai tu commenças il commença	nous commençâmes vous commençâtes ils commencèrent	je mangeai tu mangeas il mangea	nous mangeâmes vous mangeâtes ils mangèrent
IMPARFAIT	je commençais tu commençais il commençait	nous commencions vous commenciez ils commençaient	je mangeais tu mangeais il mangeait	nous mangions vous mangiez ils mangeaient
PLUS-QUE-PARFAIT	j'avais commencé tu avais commencé il avait commencé	nous avions commencé vous aviez commencé ils avaient commencé	j'avais mangé tu avais mangé il avait mangé	nous avions mangé vous aviez mangé ils avaient mangé
FUTUR	je commencerai tu commenceras il commencera	nous commencerons vous commencerez ils commenceront	je mangerai tu mangeras il mangera	nous mangerons vous mangerez ils mangeront
FUTUR ANTÉRIEUR	j'aurai commencé tu auras commencé il aura commencé	nous aurons commencé vous aurez commencé ils auront commencé	j'aurai mangé tu auras mangé il aura mangé	nous aurons mangé vous aurez mangé ils auront mangé
CONDITIONNEL	je commencerais tu commencerais il commencerait	nous commencerions vous commenceriez ils commenceraient	je mangerais tu mangerais il mangerait	nous mangerions vous mangeriez ils mangeraient
CONDITIONNEL PASSÉ	j'aurais commencé tu aurais commencé il aurait commencé	nous aurions commencé vous auriez commencé ils auraient commencé	j'aurais mangé tu aurais mangé il aurait mangé	nous aurions mangé vous auriez mangé ils auraient mangé
SUBJONCTIF PRÉSENT	que je commence que tu commences qu'il commence	que nous commencions que vous commenciez qu'ils commencent	que je mange que tu manges qu'il mange	que nous mangions que vous mangiez qu'ils mangent
SUBJONCTIF PASSÉ	que j'aie commencé que tu aies commencé qu'il ait commencé	que nous ayons commencé que vous ayez commencé qu'ils aient commencé	que j'aie mangé que tu aies mangé qu'il ait mangé	que nous ayons mangé que vous ayez mangé qu'ils aient mangé

---

[2] Verbe similaire: **effacer**

[3] Verbes similaires: **changer, exiger, nager, voyager**

VERBES AVEC CHANGEMENTS D'ORTHOGRAPHE

	payer to pay[4]		préférer to prefer[5]	
PARTICIPE PRÉSENT	payant		préférant	
PARTICIPE PASSÉ	payé		préféré	
PRÉSENT	je paie tu paies il paie	nous payons vous payez ils paient	je préfère tu préfères il préfère	nous préférons vous préférez ils préfèrent
IMPÉRATIF	paie	payons payez	préfère	préférons préférez
PASSÉ COMPOSÉ	j'ai payé tu as payé il a payé	nous avons payé vous avez payé ils ont payé	j'ai préféré tu as préféré il a préféré	nous avons préféré vous avez préféré ils ont préféré
PASSÉ SIMPLE	je payai tu payas il paya	nous payâmes vous payâtes ils payèrent	je préférai tu préféras il préféra	nous préférâmes vous préférâtes ils préférèrent
IMPARFAIT	je payais tu payais il payait	nous payions vous payiez ils payaient	je préférais tu préférais il préférait	nous préférions vous préfériez ils préféraient
PLUS-QUE-PARFAIT	j'avais payé tu avais payé il avait payé	nous avions payé vous aviez payé ils avaient payé	j'avais préféré tu avais préféré il avait préféré	nous avions préféré vous aviez préféré ils avaient préféré
FUTUR	je paierai tu paieras il paiera	nous paierons vous paierez ils paieront	je préférerai tu préféreras il préférera	nous préférerons vous préférerez ils préféreront
FUTUR ANTÉRIEUR	j'aurai payé tu auras payé il aura payé	nous aurons payé vous aurez payé ils auront payé	j'aurai préféré tu auras préféré il aura préféré	nous aurons préféré vous aurez préféré ils auront préféré
CONDITIONNEL	je paierais tu paierais il paierait	nous paierions vous paieriez ils paieraient	je préférerais tu préférerais il préférerait	nous préférerions vous préféreriez ils préféreraient
CONDITIONNEL PASSÉ	j'aurais payé tu aurais payé il aurait payé	nous aurions payé vous auriez payé ils auraient payé	j'aurais préféré tu aurais préféré il aurait préféré	nous aurions préféré vous auriez préféré ils auraient préféré
SUBJONCTIF PRÉSENT	que je paie que tu paies qu'il paie	que nous payions que vous payiez qu'ils paient	que je préfère que tu préfères qu'il préfère	que nous préférions que vous préfériez qu'ils préfèrent
SUBJONCTIF PASSÉ	que j'aie payé que tu aies payé qu'il ait payé	que nous ayons payé que vous ayez payé qu'ils aient payé	que j'aie préféré que tu aies préféré qu'il ait préféré	que nous ayons préféré que vous ayez préféré qu'ils aient préféré

[4] Verbes similaires: **appuyer, employer, essayer, essuyer, nettoyer, tutoyer**

[5] Verbes similaires: **accélérer, célébrer, espérer, oblitérer, récupérer, sécher, suggérer**

VERBES IRRÉGULIERS

	aller *to go*		avoir *to have*	
PARTICIPE PRÉSENT	allant		ayant	
PARTICIPE PASSÉ	allé(e)(s)		eu	
PRÉSENT	je vais tu vas il va	nous allons vous allez ils vont	j'ai tu as il a	nous avons vous avez ils ont
IMPÉRATIF	va	allons allez	aie	ayons ayez
PASSÉ COMPOSÉ	je suis allé(e) tu es allé(e) il est allé	nous sommes allé(e)s vous êtes allé(e)(s) ils sont allés	j'ai eu tu as eu il a eu	nous avons eu vous avez eu ils ont eu
PASSÉ SIMPLE	j'allai tu allas il alla	nous allâmes vous allâtes ils allèrent	j'eus tu eus il eut	nous eûmes vous eûtes ils eurent
IMPARFAIT	j'allais tu allais il allait	nous allions vous alliez ils allaient	j'avais tu avais il avait	nous avions vous aviez ils avaient
PLUS-QUE-PARFAIT	j'étais allé(e) tu étais allé(e) il était allé	nous étions allé(e)s vous étiez allé(e)(s) ils étaient allés	j'avais eu tu avais eu il avait eu	nous avions eu vous aviez eu ils avaient eu
FUTUR	j'irai tu iras il ira	nous irons vous irez ils iront	j'aurai tu auras il aura	nous aurons vous aurez ils auront
FUTUR ANTÉRIEUR	je serai allé(e) tu seras allé(e) il sera allé	nous serons allé(e)s vous serez allé(e)(s) ils seront allés	j'aurai eu tu auras eu il aura eu	nous aurons eu vous aurez eu ils auront eu
CONDITIONNEL	j'irais tu irais il irait	nous irions vous iriez ils iraient	j'aurais tu aurais il aurait	nous aurions vous auriez ils auraient
CONDITIONNEL PASSÉ	je serais allé(e) tu serais allé(e) il serait allé	nous serions allé(e)s vous seriez allé(e)(s) ils seraient allés	j'aurais eu tu aurais eu il aurait eu	nous aurions eu vous auriez eu ils auraient eu
SUBJONCTIF PRÉSENT	que j'aille que tu ailles qu'il aille	que nous allions que vous alliez qu'ils aillent	que j'aie que tu aies qu'il ait	que nous ayons que vous ayez qu'ils aient
SUBJONCTIF PASSÉ	que je sois allé(e) que tu sois allé(e) qu'il soit allé	que nous soyons allé(e)s que vous soyez allé(e)(s) qu'ils soient allés	que j'aie eu que tu aies eu qu'il ait eu	que nous ayons eu que vous ayez eu qu'ils aient eu

VERBES IRRÉGULIERS

	s'asseoir *to sit*		boire *to drink*	
PARTICIPE PRÉSENT	s'asseyant		buvant	
PARTICIPE PASSÉ	assis(e)(es)		bu	
PRÉSENT	je m'assieds	nous nous asseyons	je bois	nous buvons
	tu t'assieds	vous vous asseyez	tu bois	vous buvez
	il s'assied	ils s'asseyent	il boit	ils boivent
IMPÉRATIF		asseyons-nous		buvons
	assieds-toi	asseyez-vous	bois	buvez
PASSÉ COMPOSÉ	je me suis assis(e)	nous nous sommes assis(es)	j'ai bu	nous avons bu
	tu t'es assis(e)	vous vous êtes assis(e)(es)	tu as bu	vous avez bu
	il s'est assis	ils se sont assis	il a bu	ils ont bu
PASSÉ SIMPLE	je m'assis	nous nous assîmes	je bus	nous bûmes
	tu t'assis	vous vous assîtes	tu bus	vous bûtes
	il s'assit	ils s'assirent	il but	ils burent
IMPARFAIT	je m'asseyais	nous nous asseyions	je buvais	nous buvions
	tu t'asseyais	vous vous asseyiez	tu buvais	vous buviez
	il s'asseyait	ils s'asseyaient	il buvait	ils buvaient
PLUS-QUE-PARFAIT	je m'étais assis(e)	nous nous étions assis(es)	j'avais bu	nous avions bu
	tu t'étais assis(e)	vous vous étiez assis(e)(es)	tu avais bu	vous aviez bu
	il s'était assis	ils s'étaient assis	il avait bu	ils avaient bu
FUTUR	je m'assiérai	nous nous assiérons	je boirai	nous boirons
	tu t'assiéras	vous vous assiérez	tu boiras	vous boirez
	il s'assiéra	ils s'assiéront	il boira	ils boiront
FUTUR ANTÉRIEUR	je me serai assis(e)	nous nous serons assis(es)	j'aurai bu	nous aurons bu
	tu te seras assis(e)	vous vous serez assis(e)(es)	tu auras bu	vous aurez bu
	il se sera assis	ils se seront assis	il aura bu	ils auront bu
CONDITIONNEL	je m'assiérais	nous nous assiérions	je boirais	nous boirions
	tu t'assiérais	vous vous assiériez	tu boirais	vous boiriez
	il s'assiérait	ils s'assiéraient	il boirait	ils boiraient
CONDITIONNEL PASSÉ	je me serais assis(e)	nous nous serions assis(es)	j'aurais bu	nous aurions bu
	tu te serais assis(e)	vous vous seriez assis(e)(es)	tu aurais bu	vous auriez bu
	il se serait assis	ils se seraient assis	il aurait bu	ils auraient bu
SUBJONCTIF PRÉSENT	que je m'asseye	que nous nous asseyions	que je boive	que nous buvions
	que tu t'asseyes	que vous vous asseyiez	que tu boives	que vous buviez
	qu'il s'asseye	qu'ils s'asseyent	qu'il boive	qu'ils boivent
SUBJONCTIF PASSÉ	que je me sois assis(e)	que nous nous soyons assis(es)	que j'aie bu	que nous ayons bu
	que tu te sois assis(e)	que vous vous soyez assis(e)(es)	que tu aies bu	que vous ayez bu
	qu'il se soit assis	qu'ils se soient assis	qu'il ait bu	qu'ils aient bu

VERBES IRRÉGULIERS

	conduire *to drive*		connaître *to know*	
PARTICIPE PRÉSENT	conduisant		connaissant	
PARTICIPE PASSÉ	conduit		connu	
PRÉSENT	je conduis tu conduis il conduit	nous conduisons vous conduisez ils conduisent	je connais tu connais il connaît	nous connaissons vous connaissez ils connaissent
IMPÉRATIF	conduis	conduisons conduisez	connais	connaissons connaissez
PASSÉ COMPOSÉ	j'ai conduit tu as conduit il a conduit	nous avons conduit vous avez conduit ils ont conduit	j'ai connu tu as connu il a connu	nous avons connu vous avez connu ils ont connu
PASSÉ SIMPLE	je conduisis tu conduisis il conduisit	nous conduisîmes vous conduisîtes ils conduisirent	je connus tu connus il connut	nous connûmes vous connûtes ils connurent
IMPARFAIT	je conduisais tu conduisais il conduisait	nous conduisions vous conduisiez ils conduisaient	je connaissais tu connaissais il connaissait	nous connaissions vous connaissiez ils connaissaient
PLUS-QUE-PARFAIT	j'avais conduit tu avais conduit il avait conduit	nous avions conduit vous aviez conduit ils avaient conduit	j'avais connu tu avais connu il avait connu	nous avions connu vous aviez connu ils avaient connu
FUTUR	je conduirai tu conduiras il conduira	nous conduirons vous conduirez ils conduiront	je connaîtrai tu connaîtras il connaîtra	nous connaîtrons vous connaîtrez ils connaîtront
FUTUR ANTÉRIEUR	j'aurai conduit tu auras conduit il aura conduit	nous aurons conduit vous aurez conduit ils auront conduit	j'aurai connu tu auras connu il aura connu	nous aurons connu vous aurez connu ils auront connu
CONDITIONNEL	je conduirais tu conduirais il conduirait	nous conduirions vous conduiriez ils conduiraient	je connaîtrais tu connaîtrais il connaîtrait	nous connaîtrions vous connaîtriez ils connaîtraient
CONDITIONNEL PASSÉ	j'aurais conduit tu aurais conduit il aurait conduit	nous aurions conduit vous auriez conduit ils auraient conduit	j'aurais connu tu aurais connu il aurait connu	nous aurions connu vous auriez connu ils auraient connu
SUBJONCTIF PRÉSENT	que je conduise que tu conduises qu'il conduise	que nous conduisions que vous conduisiez qu'ils conduisent	que je connaisse que tu connaisses qu'il connaisse	que nous connaissions que vous connaissiez qu'ils connaissent
SUBJONCTIF PASSÉ	que j'aie conduit que tu aies conduit qu'il ait conduit	que nous ayons conduit que vous ayez conduit qu'ils aient conduit	que j'aie connu que tu aies connu qu'il ait connu	que nous ayons connu que vous ayez connu qu'ils aient connu

VERBES IRRÉGULIERS

	croire *to believe*		**devoir** *to have to, to owe*	
PARTICIPE PRÉSENT	croyant		devant	
PARTICIPE PASSÉ	cru		dû	
PRÉSENT	je crois tu crois il croit	nous croyons vous croyez ils croient	je dois tu dois il doit	nous devons vous devez ils doivent
IMPÉRATIF	crois	croyons croyez	dois	devons devez
PASSÉ COMPOSÉ	j'ai cru tu as cru il a cru	nous avons cru vous avez cru ils ont cru	j'ai dû tu as dû il a dû	nous avons dû vous avez dû ils ont dû
PASSÉ SIMPLE	je crus tu crus il crut	nous crûmes vous crûtes ils crurent	je dus tu dus il dut	nous dûmes vous dûtes ils durent
IMPARFAIT	je croyais tu croyais il croyait	nous croyions vous croyiez ils croyaient	je devais tu devais il devait	nous devions vous deviez ils devaient
PLUS-QUE-PARFAIT	j'avais cru tu avais cru il avait cru	nous avions cru vous aviez cru ils avaient cru	j'avais dû tu avais dû il avait dû	nous avions dû vous aviez dû ils avaient dû
FUTUR	je croirai tu croiras il croira	nous croirons vous croirez ils croiront	je devrai tu devras il devra	nous devrons vous devrez ils devront
FUTUR ANTÉRIEUR	j'aurai cru tu auras cru il aura cru	nous aurons cru vous aurez cru ils auront cru	j'aurai dû tu auras dû il aura dû	nous aurons dû vous aurez dû ils auront dû
CONDITIONNEL	je croirais tu croirais il croirait	nous croirions vous croiriez ils croiraient	je devrais tu devrais il devrait	nous devrions vous devriez ils devraient
CONDITIONNEL PASSÉ	j'aurais cru tu aurais cru il aurait cru	nous aurions cru vous auriez cru ils auraient cru	j'aurais dû tu aurais dû il aurait dû	nous aurions dû vous auriez dû ils auraient dû
SUBJONCTIF PRÉSENT	que je croie que tu croies qu'il croie	que nous croyions que vous croyiez qu'ils croient	que je doive que tu doives qu'il doive	que nous devions que vous deviez qu'ils doivent
SUBJONCTIF PASSÉ	que j'aie cru que tu aies cru qu'il ait cru	que nous ayons cru que vous ayez cru qu'ils aient cru	que j'aie dû que tu aies dû qu'il ait dû	que nous ayons dû que vous ayez dû qu'ils aient dû

Verb Charts

VERBES IRRÉGULIERS				
	dire *to say*		**dormir** *to sleep*	
PARTICIPE PRÉSENT	disant		dormant	
PARTICIPE PASSÉ	dit		dormi	
PRÉSENT	je dis tu dis il dit	nous disons vous dites ils disent	je dors tu dors il dort	nous dormons vous dormez ils dorment
IMPÉRATIF	dis	disons dites	dors	dormons dormez
PASSÉ COMPOSÉ	j'ai dit tu as dit il a dit	nous avons dit vous avez dit ils ont dit	j'ai dormi tu as dormi il a dormi	nous avons dormi vous avez dormi ils ont dormi
PASSÉ SIMPLE	je dis tu dis il dit	nous dîmes vous dîtes ils dirent	je dormis tu dormis il dormit	nous dormîmes vous dormîtes ils dormirent
IMPARFAIT	je disais tu disais il disait	nous disions vous disiez ils disaient	je dormais tu dormais il dormait	nous dormions vous dormiez ils dormaient
PLUS-QUE-PARFAIT	j'avais dit tu avais dit il avait dit	nous avions dit vous aviez dit ils avaient dit	j'avais dormi tu avais dormi il avait dormi	nous avions dormi vous aviez dormi ils avaient dormi
FUTUR	je dirai tu diras il dira	nous dirons vous direz ils diront	je dormirai tu dormiras il dormira	nous dormirons vous dormirez ils dormiront
FUTUR ANTÉRIEUR	j'aurai dit tu auras dit il aura dit	nous aurons dit vous aurez dit ils auront dit	j'aurai dormi tu auras dormi il aura dormi	nous aurons dormi vous aurez dormi ils auront dormi
CONDITIONNEL	je dirais tu dirais il dirait	nous dirions vous diriez ils diraient	je dormirais tu dormirais il dormirait	nous dormirions vous dormiriez ils dormiraient
CONDITIONNEL PASSÉ	j'aurais dit tu aurais dit il aurait dit	nous aurions dit vous auriez dit ils auraient dit	j'aurais dormi tu aurais dormi il aurait dormi	nous aurions dormi vous auriez dormi ils auraient dormi
SUBJONCTIF PRÉSENT	que je dise que tu dises qu'il dise	que nous disions que vous disiez qu'ils disent	que je dorme que tu dormes qu'il dorme	que nous dormions que vous dormiez qu'ils dorment
SUBJONCTIF PASSÉ	que j'aie dit que tu aies dit qu'il ait dit	que nous ayons dit que vous ayez dit qu'ils aient dit	que j'aie dormi que tu aies dormi qu'il ait dormi	que nous ayons dormi que vous ayez dormi qu'ils aient dormi

VERBES IRRÉGULIERS

	envoyer *to send*[1]		écrire *to write*	
PARTICIPE PRÉSENT	envoyant		écrivant	
PARTICIPE PASSÉ	envoyé		écrit	
PRÉSENT	j'envoie tu envoies il envoie	nous envoyons vous envoyez ils envoient	j'écris tu écris il écrit	nous écrivons vous écrivez ils écrivent
IMPÉRATIF	envoie	envoyons envoyez	écris	écrivons écrivez
PASSÉ COMPOSÉ	j'ai envoyé tu as envoyé il a envoyé	nous avons envoyé vous avez envoyé ils ont envoyé	j'ai écrit tu as écrit il a écrit	nous avons écrit vous avez écrit ils ont écrit
PASSÉ SIMPLE	j'envoyai tu envoyas il envoya	nous envoyâmes vous envoyâtes ils envoyèrent	j'écrivis tu écrivis il écrivit	nous écrivîmes vous écrivîtes ils écrivirent
IMPARFAIT	j'envoyais tu envoyais il envoyait	nous envoyions vous envoyiez ils envoyaient	j'écrivais tu écrivais il écrivait	nous écrivions vous écriviez ils écrivaient
PLUS-QUE-PARFAIT	j'avais envoyé tu avais envoyé il avait envoyé	nous avions envoyé vous aviez envoyé ils avaient envoyé	j'avais écrit tu avais écrit il avait écrit	nous avions écrit vous aviez écrit ils avaient écrit
FUTUR	j'enverrai tu enverras il enverra	nous enverrons vous enverrez ils enverront	j'écrirai tu écriras il écrira	nous écrirons vous écrirez ils écriront
FUTUR ANTÉRIEUR	j'aurai envoyé tu auras envoyé il aura envoyé	nous aurons envoyé vous aurez envoyé ils auront envoyé	j'aurai écrit tu auras écrit il aura écrit	nous aurons écrit vous aurez écrit ils auront écrit
CONDITIONNEL	j'enverrais tu enverrais il enverrait	nous enverrions vous enverriez ils enverraient	j'écrirais tu écrirais il écrirait	nous écririons vous écririez ils écriraient
CONDITIONNEL PASSÉ	j'aurais envoyé tu aurais envoyé il aurait envoyé	nous aurions envoyé vous auriez envoyé ils auraient envoyé	j'aurais écrit tu aurais écrit il aurait écrit	nous aurions écrit vous auriez écrit ils auraient écrit
SUBJONCTIF PRÉSENT	que j'envoie que tu envoies qu'il envoie	que nous envoyions que vous envoyiez qu'ils envoient	que j'écrive que tu écrives qu'il écrive	que nous écrivions que vous écriviez qu'ils écrivent
SUBJONCTIF PASSÉ	que j'aie envoyé que tu aies envoyé qu'il ait envoyé	que nous ayons envoyé que vous ayez envoyé qu'ils aient envoyé	que j'aie écrit que tu aies écrit qu'il ait écrit	que nous ayons écrit que vous ayez écrit qu'ils aient écrit

---

[1] Verbe similaire: **renvoyer**

Verb Charts

VERBES IRRÉGULIERS				
	être *to be*		**faire** *to make, to do*	
PARTICIPE PRÉSENT	étant		faisant	
PARTICIPE PASSÉ	été		fait	
PRÉSENT	je suis tu es il est	nous sommes vous êtes ils sont	je fais tu fais il fait	nous faisons vous faites ils font
IMPÉRATIF	sois	soyons soyez	fais	faisons faites
PASSÉ COMPOSÉ	j'ai été tu as été il a été	nous avons été vous avez été ils ont été	j'ai fait tu as fait il a fait	nous avons fait vous avez fait ils ont fait
PASSÉ SIMPLE	je fus tu fus il fut	nous fûmes vous fûtes ils furent	je fis tu fis il fit	nous fîmes vous fîtes ils firent
IMPARFAIT	j'étais tu étais il était	nous étions vous étiez ils étaient	je faisais tu faisais il faisait	nous faisions vous faisiez ils faisaient
PLUS-QUE-PARFAIT	j'avais été tu avais été il avait été	nous avions été vous aviez été ils avaient été	j'avais fait tu avais fait il avait fait	nous avions fait vous aviez fait ils avaient fait
FUTUR	je serai tu seras il sera	nous serons vous serez ils seront	je ferai tu feras il fera	nous ferons vous ferez ils feront
FUTUR ANTÉRIEUR	j'aurai été tu auras été il aura été	nous aurons été vous aurez été ils auront été	j'aurai fait tu auras fait il aura fait	nous aurons fait vous aurez fait ils auront fait
CONDITIONNEL	je serais tu serais il serait	nous serions vous seriez ils seraient	je ferais tu ferais il ferait	nous ferions vous feriez ils feraient
CONDITIONNEL PASSÉ	j'aurais été tu aurais été il aurait été	nous aurions été vous auriez été ils auraient été	j'aurais fait tu aurais fait il aurait fait	nous aurions fait vous auriez fait ils auraient fait
SUBJONCTIF PRÉSENT	que je sois que tu sois qu'il soit	que nous soyons que vous soyez qu'ils soient	que je fasse que tu fasses qu'il fasse	que nous fassions que vous fassiez qu'ils fassent
SUBJONCTIF PASSÉ	que j'aie été que tu aies été qu'il ait été	que nous ayons été que vous ayez été qu'ils aient été	que j'aie fait que tu aies fait qu'il ait fait	que nous ayons fait que vous ayez fait qu'ils aient fait

VERBES IRRÉGULIERS

	lire to read		mettre to put[2]	
PARTICIPE PRÉSENT	lisant		mettant	
PARTICIPE PASSÉ	lu		mis	
PRÉSENT	je lis tu lis il lit	nous lisons vous lisez ils lisent	je mets tu mets il met	nous mettons vous mettez ils mettent
IMPÉRATIF	lis	lisons lisez	mets	mettons mettez
PASSÉ COMPOSÉ	j'ai lu tu as lu il a lu	nous avons lu vous avez lu ils ont lu	j'ai mis tu as mis il a mis	nous avons mis vous avez mis ils ont mis
PASSÉ SIMPLE	je lus tu lus il lut	nous lûmes vous lûtes ils lurent	je mis tu mis il mit	nous mîmes vous mîtes ils mirent
IMPARFAIT	je lisais tu lisais il lisait	nous lisions vous lisiez ils lisaient	je mettais tu mettais il mettait	nous mettions vous mettiez ils mettaient
PLUS-QUE-PARFAIT	j'avais lu tu avais lu il avait lu	nous avions lu vous aviez lu ils avaient lu	j'avais mis tu avais mis il avait mis	nous avions mis vous aviez mis ils avaient mis
FUTUR	je lirai tu liras il lira	nous lirons vous lirez ils liront	je mettrai tu mettras il mettra	nous mettrons vous mettrez ils mettront
FUTUR ANTÉRIEUR	j'aurai lu tu auras lu il aura lu	nous aurons lu vous aurez lu ils auront lu	j'aurai mis tu auras mis il aura mis	nous aurons mis vous aurez mis ils auront mis
CONDITIONNEL	je lirais tu lirais il lirait	nous lirions vous liriez ils liraient	je mettrais tu mettrais il mettrait	nous mettrions vous mettriez ils mettraient
CONDITIONNEL PASSÉ	j'aurais lu tu aurais lu il aurait lu	nous aurions lu vous auriez lu ils auraient lu	j'aurais mis tu aurais mis il aurait mis	nous aurions mis vous auriez mis ils auraient mis
SUBJONCTIF PRÉSENT	que je lise que tu lises qu'il lise	que nous lisions que vous lisiez qu'ils lisent	que je mette que tu mettes qu'il mette	que nous mettions que vous mettiez qu'ils mettent
SUBJONCTIF PASSÉ	que j'aie lu que tu aies lu qu'il ait lu	que nous ayons lu que vous ayez lu qu'ils aient lu	que j'aie mis que tu aies mis qu'il ait mis	que nous ayons mis que vous ayez mis qu'ils aient mis

[2] Verbe similaire: **remettre**

Verb Charts

VERBES IRRÉGULIERS

	ouvrir to open[3]		partir to leave[4]	
PARTICIPE PRÉSENT	ouvrant		partant	
PARTICIPE PASSÉ	ouvert		parti(e)(s)	
PRÉSENT	j'ouvre	nous ouvrons	je pars	nous partons
	tu ouvres	vous ouvrez	tu pars	vous partez
	il ouvre	ils ouvrent	il part	ils partent
IMPÉRATIF		ouvrons		partons
	ouvre	ouvrez	pars	partez
PASSÉ COMPOSÉ	j'ai ouvert	nous avons ouvert	je suis parti(e)	nous sommes parti(e)s
	tu as ouvert	vous avez ouvert	tu es parti(e)	vous êtes parti(e)(s)
	il a ouvert	ils ont ouvert	il est parti	ils sont partis
PASSÉ SIMPLE	j'ouvris	nous ouvrîmes	je partis	nous partîmes
	tu ouvris	vous ouvrîtes	tu partis	vous partîtes
	il ouvrit	ils ouvrirent	il partit	ils partirent
IMPARFAIT	j'ouvrais	nous ouvrions	je partais	nous partions
	tu ouvrais	vous ouvriez	tu partais	vous partiez
	il ouvrait	ils ouvraient	il partait	ils partaient
PLUS-QUE-PARFAIT	j'avais ouvert	nous avions ouvert	j'étais parti(e)	nous étions parti(e)s
	tu avais ouvert	vous aviez ouvert	tu étais parti(e)	vous étiez parti(e)(s)
	il avait ouvert	ils avaient ouvert	il était parti	ils étaient partis
FUTUR	j'ouvrirai	nous ouvrirons	je partirai	nous partirons
	tu ouvriras	vous ouvrirez	tu partiras	vous partirez
	il ouvrira	ils ouvriront	il partira	ils partiront
FUTUR ANTÉRIEUR	j'aurai ouvert	nous aurons ouvert	je serai parti(e)	nous serons parti(e)s
	tu auras ouvert	vous aurez ouvert	tu seras parti(e)	vous serez parti(e)(s)
	il aura ouvert	ils auront ouvert	il sera parti	ils seront partis
CONDITIONNEL	j'ouvrirais	nous ouvririons	je partirais	nous partirions
	tu ouvrirais	vous ouvririez	tu partirais	vous partiriez
	il ouvrirait	ils ouvriraient	il partirait	ils partiraient
CONDITIONNEL PASSÉ	j'aurais ouvert	nous aurions ouvert	je serais parti(e)	nous serions parti(e)s
	tu aurais ouvert	vous auriez ouvert	tu serais parti(e)	vous seriez parti(e)(s)
	il aurait ouvert	ils auraient ouvert	il serait parti	ils seraient partis
SUBJONCTIF PRÉSENT	que j'ouvre	que nous ouvrions	que je parte	que nous partions
	que tu ouvres	que vous ouvriez	que tu partes	que vous partiez
	qu'il ouvre	qu'ils ouvrent	qu'il parte	qu'ils partent
SUBJONCTIF PASSÉ	que j'aie ouvert	que nous ayons ouvert	que je sois parti(e)	que nous soyons parti(e)s
	que tu aies ouvert	que vous ayez ouvert	que tu sois parti(e)	que vous soyez parti(e)(s)
	qu'il ait ouvert	qu'ils aient ouvert	qu'il soit parti	qu'ils soient partis

[3] Verbes similaires: **couvrir, découvrir, offrir, souffrir**

[4] Verbe similaire: **sortir**

Verb Charts

VERBES IRRÉGULIERS

	pouvoir *to be able to*		prendre *to take*[5]	
PARTICIPE PRÉSENT	pouvant		prenant	
PARTICIPE PASSÉ	pu		pris	
PRÉSENT	je peux tu peux il peut	nous pouvons vous pouvez ils peuvent	je prends tu prends il prend	nous prenons vous prenez ils prennent
IMPÉRATIF	(pas d'impératif)		prends	prenons prenez
PASSÉ COMPOSÉ	j'ai pu tu as pu il a pu	nous avons pu vous avez pu ils ont pu	j'ai pris tu as pris il a pris	nous avons pris vous avez pris ils ont pris
PASSÉ SIMPLE	je pus tu pus il put	nous pûmes vous pûtes ils purent	je pris tu pris il prit	nous prîmes vous prîtes ils prirent
IMPARFAIT	je pouvais tu pouvais il pouvait	nous pouvions vous pouviez ils pouvaient	je prenais tu prenais il prenait	nous prenions vous preniez ils prenaient
PLUS-QUE-PARFAIT	j'avais pu tu avais pu il avait pu	nous avions pu vous aviez pu ils avaient pu	j'avais pris tu avais pris il avait pris	nous avions pris vous aviez pris ils avaient pris
FUTUR	je pourrai tu pourras il pourra	nous pourrons vous pourrez ils pourront	je prendrai tu prendras il prendra	nous prendrons vous prendrez ils prendront
FUTUR ANTÉRIEUR	j'aurai pu tu auras pu il aura pu	nous aurons pu vous aurez pu ils auront pu	j'aurai pris tu auras pris il aura pris	nous aurons pris vous aurez pris ils auront pris
CONDITIONNEL	je pourrais tu pourrais il pourrait	nous pourrions vous pourriez ils pourraient	je prendrais tu prendrais il prendrait	nous prendrions vous prendriez ils prendraient
CONDITIONNEL PASSÉ	j'aurais pu tu aurais pu il aurait pu	nous aurions pu vous auriez pu ils auraient pu	j'aurais pris tu aurais pris il aurait pris	nous aurions pris vous auriez pris ils auraient pris
SUBJONCTIF PRÉSENT	que je puisse que tu puisses qu'il puisse	que nous puissions que vous puissiez qu'ils puissent	que je prenne que tu prennes qu'il prenne	que nous prenions que vous preniez qu'ils prennent
SUBJONCTIF PASSÉ	que j'aie pu que tu aies pu qu'il ait pu	que nous ayons pu que vous ayez pu qu'ils aient pu	que j'aie pris que tu aies pris qu'il ait pris	que nous ayons pris que vous ayez pris qu'ils aient pris

[5] Verbes similaires: **apprendre, comprendre**

Verb Charts

VERBES IRRÉGULIERS

	recevoir *to receive*		rire *to laugh*[6]	
PARTICIPE PRÉSENT	recevant		riant	
PARTICIPE PASSÉ	reçu		ri	
PRÉSENT	je reçois	nous recevons	je ris	nous rions
	tu reçois	vous recevez	tu ris	vous riez
	il reçoit	ils reçoivent	il rit	ils rient
IMPÉRATIF		recevons		rions
	reçois	recevez	ris	riez
PASSÉ COMPOSÉ	j'ai reçu	nous avons reçu	j'ai ri	nous avons ri
	tu as reçu	vous avez reçu	tu as ri	vous avez ri
	il a reçu	ils ont reçu	il a ri	ils ont ri
PASSÉ SIMPLE	je reçus	nous reçûmes	je ris	nous rîmes
	tu reçus	vous reçûtes	tu ris	vous rîtes
	il reçut	ils reçurent	il rit	ils rirent
IMPARFAIT	je recevais	nous recevions	je riais	nous riions
	tu recevais	vous receviez	tu riais	vous riiez
	il recevait	ils recevaient	il riait	ils riaient
PLUS-QUE-PARFAIT	j'avais reçu	nous avions reçu	j'avais ri	nous avions ri
	tu avais reçu	vous aviez reçu	tu avais ri	vous aviez ri
	il avait reçu	ils avaient reçu	il avait ri	ils avaient ri
FUTUR	je recevrai	nous recevrons	je rirai	nous rirons
	tu recevras	vous recevrez	tu riras	vous rirez
	il recevra	ils recevront	il rira	ils riront
FUTUR ANTÉRIEUR	j'aurai reçu	nous aurons reçu	j'aurai ri	nous aurons ri
	tu auras reçu	vous aurez reçu	tu auras ri	vous aurez ri
	il aura reçu	ils auront reçu	il aura ri	ils auront ri
CONDITIONNEL	je recevrais	nous recevrions	je rirais	nous ririons
	tu recevrais	vous recevriez	tu rirais	vous ririez
	il recevrait	ils recevraient	il rirait	ils riraient
CONDITIONNEL PASSÉ	j'aurais reçu	nous aurions reçu	j'aurais ri	nous aurions ri
	tu aurais reçu	vous auriez reçu	tu aurais ri	vous auriez ri
	il aurait reçu	ils auraient reçu	il aurait ri	ils auraient ri
SUBJONCTIF PRÉSENT	que je reçoive	que nous recevions	que je rie	que nous riions
	que tu reçoives	que vous receviez	que tu ries	que vous riiez
	qu'il reçoive	qu'ils reçoivent	qu'il rie	qu'ils rient
SUBJONCTIF PASSÉ	que j'aie reçu	que nous ayons reçu	que j'aie ri	que nous ayons ri
	que tu aies reçu	que vous ayez reçu	que tu aies ri	que vous ayez ri
	qu'il ait reçu	qu'ils aient reçu	qu'il ait ri	qu'ils aient ri

---

[6] Verbe similaire: **sourire**

VERBES IRRÉGULIERS

	savoir *to know*		servir *to serve*	
PARTICIPE PRÉSENT	sachant		servant	
PARTICIPE PASSÉ	su		servi	
PRÉSENT	je sais tu sais il sait	nous savons vous savez ils savent	je sers tu sers il sert	nous servons vous servez ils servent
IMPÉRATIF	sache	sachons sachez	sers	servons servez
PASSÉ COMPOSÉ	j'ai su tu as su il a su	nous avons su vous avez su ils ont su	j'ai servi tu as servi il a servi	nous avons servi vous avez servi ils ont servi
PASSÉ SIMPLE	je sus tu sus il sut	nous sûmes vous sûtes ils surent	je servis tu servis il servit	nous servîmes vous servîtes ils servirent
IMPARFAIT	je savais tu savais il savait	nous savions vous saviez ils savaient	je servais tu servais il servait	nous servions vous serviez ils servaient
PLUS-QUE-PARFAIT	j'avais su tu avais su il avait su	nous avions su vous aviez su ils avaient su	j'avais servi tu avais servi il avait servi	nous avions servi vous aviez servi ils avaient servi
FUTUR	je saurai tu sauras il saura	nous saurons vous saurez ils sauront	je servirai tu serviras il servira	nous servirons vous servirez ils serviront
FUTUR ANTÉRIEUR	j'aurai su tu auras su il aura su	nous aurons su vous aurez su ils auront su	j'aurai servi tu auras servi il aura servi	nous aurons servi vous aurez servi ils auront servi
CONDITIONNEL	je saurais tu saurais il saurait	nous saurions vous sauriez ils sauraient	je servirais tu servirais il servirait	nous servirions vous serviriez ils serviraient
CONDITIONNEL PASSÉ	j'aurais su tu aurais su il aurait su	nous aurions su vous auriez su ils auraient su	j'aurais servi tu aurais servi il aurait servi	nous aurions servi vous auriez servi ils auraient servi
SUBJONCTIF PRÉSENT	que je sache que tu saches qu'il sache	que nous sachions que vous sachiez qu'ils sachent	que je serve que tu serves qu'il serve	que nous servions que vous serviez qu'ils servent
SUBJONCTIF PASSÉ	que j'aie su que tu aies su qu'il ait su	que nous ayons su que vous ayez su qu'ils aient su	que j'aie servi que tu aies servi qu'il ait servi	que nous ayons servi que vous ayez servi qu'ils aient servi

Verb Charts

VERBES IRRÉGULIERS				
	suivre *to follow*		**venir** *to come*[7]	
PARTICIPE PRÉSENT	suivant		venant	
PARTICIPE PASSÉ	suivi		venu(e)(s)	
PRÉSENT	je suis tu suis il suit	nous suivons vous suivez ils suivent	je viens tu viens il vient	nous venons vous venez ils viennent
IMPÉRATIF	suis	suivons suivez	viens	venons venez
PASSÉ COMPOSÉ	j'ai suivi tu as suivi il a suivi	nous avons suivi vous avez suivi ils ont suivi	je suis venu(e) tu es venu(e) il est venu	nous sommes venu(e)s vous êtes venu(e)(s) ils sont venus
PASSÉ SIMPLE	je suivis tu suivis il suivit	nous suivîmes vous suivîtes ils suivirent	je vins tu vins il vint	nous vînmes vous vîntes ils vinrent
IMPARFAIT	je suivais tu suivais il suivait	nous suivions vous suiviez ils suivaient	je venais tu venais il venait	nous venions vous veniez ils venaient
PLUS-QUE-PARFAIT	j'avais suivi tu avais suivi il avait suivi	nous avions suivi vous aviez suivi ils avaient suivi	j'étais venu(e) tu étais venu(e) il était venu	nous étions venu(e)s vous étiez venu(e)(s) ils étaient venus
FUTUR	je suivrai tu suivras il suivra	nous suivrons vous suivrez ils suivront	je viendrai tu viendras il viendra	nous viendrons vous viendrez ils viendront
FUTUR ANTÉRIEUR	j'aurai suivi tu auras suivi il aura suivi	nous aurons suivi vous aurez suivi ils auront suivi	je serai venu(e) tu seras venu(e) il sera venu	nous serons venu(e)s vous serez venu(e)(s) ils seront venus
CONDITIONNEL	je suivrais tu suivrais il suivrait	nous suivrions vous suivriez ils suivraient	je viendrais tu viendrais il viendrait	nous viendrions vous viendriez ils viendraient
CONDITIONNEL PASSÉ	j'aurais suivi tu aurais suivi il aurait suivi	nous aurions suivi vous auriez suivi ils auraient suivi	je serais venu(e) tu serais venu(e) il serait venu	nous serions venu(e)s vous seriez venu(e)(s) ils seraient venus
SUBJONCTIF PRÉSENT	que je suive que tu suives qu'il suive	que nous suivions que vous suiviez qu'ils suivent	que je vienne que tu viennes qu'il vienne	que nous venions que vous veniez qu'ils viennent
SUBJONCTIF PASSÉ	que j'aie suivi que tu aies suivi qu'il ait suivi	que nous ayons suivi que vous ayez suivi qu'ils aient suivi	que je sois venu(e) que tu sois venu(e) qu'il soit venu	que nous soyons venu(e)s que vous soyez venu(e)(s) qu'ils soient venus

---

[7] Verbes similaires: **devenir, revenir, se souvenir**

VERBES IRRÉGULIERS

	vivre *to live*		voir *to see*	
PARTICIPE PRÉSENT	vivant		voyant	
PARTICIPE PASSÉ	vécu		vu	
PRÉSENT	je vis	nous vivons	je vois	nous voyons
	tu vis	vous vivez	tu vois	vous voyez
	il vit	ils vivent	il voit	ils voient
IMPÉRATIF		vivons		voyons
	vis	vivez	vois	voyez
PASSÉ COMPOSÉ	j'ai vécu	nous avons vécu	j'ai vu	nous avons vu
	tu as vécu	vous avez vécu	tu as vu	vous avez vu
	il a vécu	ils ont vécu	il a vu	ils ont vu
PASSÉ SIMPLE	je vécus	nous vécûmes	je vis	nous vîmes
	tu vécus	vous vécûtes	tu vis	vous vîtes
	il vécut	ils vécurent	il vit	ils virent
IMPARFAIT	je vivais	nous vivions	je voyais	nous voyions
	tu vivais	vous viviez	tu voyais	vous voyiez
	il vivait	ils vivaient	il voyait	ils voyaient
PLUS-QUE-PARFAIT	j'avais vécu	nous avions vécu	j'avais vu	nous avions vu
	tu avais vécu	vous aviez vécu	tu avais vu	vous aviez vu
	il avait vécu	ils avaient vécu	il avait vu	ils avaient vu
FUTUR	je vivrai	nous vivrons	je verrai	nous verrons
	tu vivras	vous vivrez	tu verras	vous verrez
	il vivra	ils vivront	il verra	ils verront
FUTUR ANTÉRIEUR	j'aurai vécu	nous aurons vécu	j'aurai vu	nous aurons vu
	tu auras vécu	vous aurez vécu	tu auras vu	vous aurez vu
	il aura vécu	ils auront vécu	il aura vu	ils auront vu
CONDITIONNEL	je vivrais	nous vivrions	je verrais	nous verrions
	tu vivrais	vous vivriez	tu verrais	vous verriez
	il vivrait	ils vivraient	il verrait	ils verraient
CONDITIONNEL PASSÉ	j'aurais vécu	nous aurions vécu	j'aurais vu	nous aurions vu
	tu aurais vécu	vous auriez vécu	tu aurais vu	vous auriez vu
	il aurait vécu	ils auraient vécu	il aurait vu	ils auraient vu
SUBJONCTIF PRÉSENT	que je vive	que nous vivions	que je voie	que nous voyions
	que tu vives	que vous viviez	que tu voies	que vous voyiez
	qu'il vive	qu'ils vivent	qu'il voie	qu'ils voient
SUBJONCTIF PASSÉ	que j'aie vécu	que nous ayons vécu	que j'aie vu	que nous ayons vu
	que tu aies vécu	que vous ayez vécu	que tu aies vu	que vous ayez vu
	qu'il ait vécu	qu'ils aient vécu	qu'il ait vu	qu'ils aient vu

Verb Charts

VERBES IRRÉGULIERS

vouloir
to want

PARTICIPE PRÉSENT	voulant	
PARTICIPE PASSÉ	voulu	
PRÉSENT	je veux	nous voulons
	tu veux	vous voulez
	il veut	ils veulent
IMPÉRATIF		veuillons
	veuille	veuillez
PASSÉ COMPOSÉ	j'ai voulu	nous avons voulu
	tu as voulu	vous avez voulu
	il a voulu	ils ont voulu
PASSÉ SIMPLE	je voulus	nous voulûmes
	tu voulus	vous voulûtes
	il voulut	ils voulurent
IMPARFAIT	je voulais	nous voulions
	tu voulais	vous vouliez
	il voulait	ils voulaient
PLUS-QUE-PARFAIT	j'avais voulu	nous avions voulu
	tu avais voulu	vous aviez voulu
	il avait voulu	ils avaient voulu
FUTUR	je voudrai	nous voudrons
	tu voudras	vous voudrez
	il voudra	ils voudront
FUTUR ANTÉRIEUR	j'aurai voulu	nous aurons voulu
	tu auras voulu	vous aurez voulu
	il aura voulu	ils auront voulu
CONDITIONNEL	je voudrais	nous voudrions
	tu voudrais	vous voudriez
	il voudrait	ils voudraient
CONDITIONNEL PASSÉ	j'aurais voulu	nous aurions voulu
	tu aurais voulu	vous auriez voulu
	il aurait voulu	ils auraient voulu
SUBJONCTIF PRÉSENT	que je veuille	que nous voulions
	que tu veuilles	que vous vouliez
	qu'il veuille	qu'ils veuillent
SUBJONCTIF PASSÉ	que j'aie voulu	que nous ayons voulu
	que tu aies voulu	que vous ayez voulu
	qu'il ait voulu	qu'ils aient voulu

VERBES IMPERSONNELS

	falloir *to be necessary*	pleuvoir *to rain*
PARTICIPE PRÉSENT	(pas de participe présent)	pleuvant
PARTICIPE PASSÉ	fallu	plu
PRÉSENT	il faut	il pleut
IMPÉRATIF	(pas d'impératif)	(pas d'impératif)
PASSÉ COMPOSÉ	il a fallu	il a plu
PASSÉ SIMPLE	il fallut	il plut
IMPARFAIT	il fallait	il pleuvait
PLUS-QUE-PARFAIT	il avait fallu	il avait plu
FUTUR	il faudra	il pleuvra
FUTUR ANTÉRIEUR	il aura fallu	il aura plu
CONDITIONNEL	il faudrait	il pleuvrait
CONDITIONNEL PASSÉ	il aurait fallu	il aurait plu
SUBJONCTIF PRÉSENT	qu'il faille	qu'il pleuve
SUBJONCTIF PASSÉ	qu'il ait fallu	qu'il ait plu

VERBES AVEC ÊTRE AU PASSÉ COMPOSÉ

aller	*to go*	je suis allé(e)
arriver	*to arrive*	je suis arrivé(e)
descendre	*to go down, to get off*	je suis descendu(e)
devenir	*to become*	je suis devenu(e)
entrer	*to enter*	je suis entré(e)
monter	*to go up*	je suis monté(e)
mourir	*to die*	je suis mort(e)
naître	*to be born*	je suis né(e)
partir	*to leave*	je suis parti(e)

VERBES AVEC ÊTRE AU PASSÉ COMPOSÉ

passer	*to go by*	je suis passé(e)
rentrer	*to go home*	je suis rentré(e)
rester	*to stay*	je suis resté(e)
retourner	*to return*	je suis retourné(e)
revenir	*to come back*	je suis revenu(e)
sortir	*to go out*	je suis sorti(e)
tomber	*to fall*	je suis tombé(e)
venir	*to come*	je suis venu(e)

The following dictionary includes all vocabulary—receptive and productive—introduced in **Bon voyage! 1, 2, 3.**

à at, to
  à moins que unless
  à peine hardly, barely
  à peu près about
  à pied on foot
  à point medium-rare (*meat*)
  à propos by the way
  à propos de concerning, as regards
  à titre de as
  à tort wrongly
  À tout à l'heure. See you later.
abattre to chop down
abattu(e) exhausted, despondent
l' **abbaye** (*f.*) abbey
l' **abbé** (*m.*) abbot
l' **abécédaire** (*m.*) elementary reader
l' **abeille** (*f.*) bee
abîmer to destroy
abolir to abolish
l' **abomination** (*f.*) horror
abondant(e) abundant
l' **abonnement** (*m.*) subscription, phone service
l' **abri** (*m.*): **nul ne sera à l'abri** no one will escape
abriter to house, shelter
absolu(e) absolute
absolument absolutely
l' **Acadie** (*f.*) Acadia
acadien(ne) Acadian
accablant(e) overwhelming
accablé(e) (par) overwhelmed by
l' **accalmie** (*f.*) lull
accélérer to speed up, go faster
accepter to accept
l' **accès** (*m.*) access

l' **accessoire** (*m.*) accessory
l' **accident** (*m.*) accident
accidenté(e) hilly
acclamer to acclaim
accompagner to go with, accompany
accomplir to accomplish
l' **accord** (*m.*) agreement
accorder to tune
accourir to rush up to, to come running
accoutumé(e) accustomed
l' **accroissement** (*m.*) growth; increase
accru(e) increased
l' **accueil** (*m.*) welcome
  la capacité d'accueil number of beds available
accueillant(e) welcoming; friendly
accueillir to welcome
l' **achat** (*m.*) purchase
  faire des achats to shop
  le pouvoir d'achat buying power
acheter to buy
achever to complete
  achever (quelqu'un) to finish (someone) off
l' **acidité** (*f.*) acidity
l' **acier** (*m.*) steel
l' **acte** (*m.*) act
l' **acteur** (*m.*) actor (*m.*)
actif, active active
l' **action** (*f.*) action
l' **activité** (*f.*) activity
l' **actrice** (*f.*) actress
l' **actualité** (*f.*) current events
actuel(le) current, present
actuellement currently
l' **adage** (*m.*) saying
l' **addition** (*f.*) check, bill (*restaurant*)
l' **adepte** (*m. et f.*) follower
adieux: faire ses adieux to say good-bye

admettre to admit
l' **adolescent(e)** adolescent, teenager
adorer to love
l' **adresse** (*f.*) address
l' **adulte** (*m. et f.*) adult
adverse opposing
aérien(ne) air, flight; aerial
  les tarifs aériens airfares
l' **aérogare** (*f.*) terminal with bus to airport
l' **aérogramme** (*m.*) airgram
l' **aéroport** (*m.*) airport
aérospatial(e) aerospace
affaibli(e) weakened
les **affaires** (*f. pl.*) business
  l'homme d'affaires businessman
affectueux(-se) affectionate
l' **affiche** (*f.*) poster
afficher to put up (a poster, etc.); to parade, sport
affolé(e) panic-stricken
s' **affoler** to panic
affreux, affreuse terrible, horrible
l' **affrontement** (*m.*) confrontation
s' **affronter** to collide
afin que so that
africain(e) African
l' **âge** (*m.*) age
  Tu as quel âge? How old are you?
  âgé(e) old
l' **agence** (*m.*) **de voyages** travel agency
l' **agenda** (*m.*) datebook
l' **agent** (*m.*) agent (*m. and f.*)
  l'agent (*m.*) **de police** police officer (*m. and f.*)
l' **agglomération** (*f.*) populated area
agir to act; to produce a result

s'agir de to be a matter of, to be about
l' **agitation** (f.) disturbance, unrest
agité(e) agitated; rough, stormy
agiter to agitate
l' **agneau** (m.) lamb
s' **agrandir** to get larger
agréable pleasant
agricole agricultural, farm
l' **agriculteur** (m.) farmer (m. and f.)
l' **agriculture biologique** organic farming
l' **aide** (f.) help
aider to help
l' **aide-soignant(e)** auxiliary nurse
aigu(ë) high-pitched
l' **aile** (f.) wing
ailleurs elsewhere
aimable nice (person)
aimer to like, love
l' **aîné(e)** elder
ainsi thus
l' **air** (m.) air; manner, expression
en plein air outdoor(s)
aise pleased
aisé(e) well-off
ajouter to add
l' **alcool-test** (m.) test for drunk driving
alerte alert
l' **algèbre** (f.) algebra
l' **aliment** (m.) food
l' **alimentation** (f.) nutrition, diet
alimenter to feed
allécher to attract
l' **Allemagne** (f.) Germany
allemand(e) German
l' **allemand** (m.) German (language)
aller to go
aller au bout d'eux-mêmes to push themselves to the limit
aller ça et là to go here and there
ça va de soi of course, it goes without saying

s'en aller to go away
l' **aller simple** (m.) one-way ticket
l' **allergie** (f.) allergy
allergique allergic
l' **aller-retour** (m.) round-trip ticket
l' **alliance** (f.) wedding ring
l' **allié** (m.) ally
allier to combine
allô hello (telephone)
allonger to stretch out; to lengthen
allouer to allow, allocate
allumer to light; to turn on (a TV, etc.)
l' **allumeur** (m.) **de réverbères** gas-lamp lighter
l' **allure** allure, attractiveness
alors so, then, well then
l' **alpinisme** (m.) mountain climbing
alsacien(ne) Alsatian
l' **altitude** (f.) altitude
amaigri(e) emaciated, thin
l' **amant, l'amante** lover
l' **amateur** (m.): **l'amateur d'art** art lover
l' **ambassade** (f.) embassy
l' **ambiance** (f.) surroundings, environment
l' **ambulance** (f.) ambulance
ambulant(e) strolling, traveling
l' **âme** (f.) soul
l' **amélioration** (f.) improvement
améliorer to improve
aménager to renovate, transform
l' **amende** (f.) fine
américain(e) American
l' **ami(e)** friend
l' **amitié** (f.) friendship
amoindri(e) diminished
l' **amour** (m.) love
amoureux, amoureuse in love
tomber amoureux (amoureuse) de to fall in love with

l' **ampoule** (f.) light bulb
amusant(e) funny
s' **amuser** to have fun
l' **an: avoir... ans** to be ... years old
le jour de l'An New Year's Day
l' **analyse** (f.) **de sang** blood test
analyser to analyze
l' **ancêtre** (m.) ancestor
ancien(ne) old; former
l' **âne** (m.) donkey
l' **anesthésiste** (m. et f.) anesthesiologist
l' **angine** (f.) throat infection, tonsillitis
l' **anglais** (m.) English (language)
l' **anglaise** (f.) ringlet
l' **angle** (m.) corner
l' **Angleterre** (f.) England
l' **angoisse** (f.) anguish
l' **animal** (m.) animal
l' **animateur, l'animatrice** camp counselor
animé(e) lively, animated
l' **anneau** (m.) ring
l' **année** (f.) year
Bonne Année! Happy New Year!
l' **anniversaire** (m.) birthday
Bon (Joyeux) anniversaire! Happy birthday!
l' **annonce** (f.) announcement
l'annonce publicitaire commercial
la petite annonce classified ad
annoncer to announce
l' **annuaire** (m.) telephone book
annuel(le) annual
annuler to cancel
l' **anorak** (m.) ski jacket
antérieur(e) previous, former
l' **anthropologie** (f.) anthropology
l' **antibiotique** (m.) antibiotic
l' **anticonformisme** (m.) nonconformism

l' **anticyclone** (*m.*) high pressure area

antillais(e) West Indian

l' **antilope** (*f.*) antelope

l' **antipathie** (*f.*) dislike

antipathique unpleasant

l' **Antiquité** (*f.*) ancient times

anxieux, anxieuse anxious

apercevoir to catch sight of

s'apercevoir to notice

apparaître to appear

l' **appareil** (*m.*) machine, appliance; system; aircraft

l'appareil auditif auditory system

l'appareil circulatoire circulatory system

l'appareil respiratoire respiratory system

l' **apparence** (*f.*) (physical) appearance

l' **apparition** (*f.*) appearance

l' **appartement** (*m.*) apartment

appartenir to belong

l' **appel** (*m.*) call; an appeal

l'appel interurbain long-distance call

appeler to call

s'appeler to be called, be named

l' **appétit** (*m.*) appetite

avoir un appétit d'oiseau to eat like a bird

applaudir to applaud

s' **appliquer** to work hard

apporter to bring

apprécier to appreciate

l' **appréhension** (*f.*) apprehension

apprendre (à) to learn (to); to teach

s' **approcher de** to approach

approprié(e) appropriate

s' **approprier** to take for one's own

l' **appui** (*m.*) sill

appuyer sur to press

s'appuyer contre to lean (against)

après after

l' **après-demain** (*m.*) the day after tomorrow

l' **après-guerre** (*m.*) post-war period

l' **après-midi** (*m.*) afternoon

l' **arabe** (*m.*) Arabic (*language*)

l' **arbitre** (*m.*) referee

l' **arbre** (*m.*) tree

l' **arc** (*m.*) arch

l'arc de triomphe triumphal arch

l' **arche** (*f.*) arch

l' **archipel** (*m.*) archipelago

l' **architecte** (*m. et f.*) architect

l' **argent** (*m.*) money; silver

l'argent liquide cash

l'argent de poche allowance

les couverts (*m. pl.*) **en argent** silverware

l' **argenterie** (*f.*) silverware

l' **argot** (*m.*) slang

l' **argument** (*m.*) argument

aride arid

l' **aristocrate** (*m. et f.*) aristocrat

l' **arme** (*f.*) weapon

armé(e) armed

l' **armée** (*f.*) army

arracher to tear or pull out

l' **arrêt** (*m.*) stop

l' **arrêté** (*m.*) **préfectoral** administrative order

arrêter to stop; to arrest

s'arrêter to stop oneself

l' **arrière** (*m.*) back (*of an object*)

l' **arrivée** (*f.*) arrival; finish line

arriver to arrive; to happen

l' **arroi** (*m.*): **en grand arroi** in great array

l' **arrondissement** (*m.*) district (*in Paris*)

arroser to water

l' **art** (*m.*) art

s' **articuler** to be expressed

l' **artisan(e)** craftsperson

artistique artistic

l' **ascenseur** (*m.*) elevator

l' **asile** (*f.*) asylum

aspiré(e) pulled in

l' **aspirine** (*f.*) aspirin

s' **assembler** to gather

s' **asseoir** to sit (down)

assez fairly, quite; enough

assez de enough

en avoir assez (de) to be fed up (with)

l' **assiette** (*f.*) plate

ne pas être dans son assiette to be feeling out of sorts

assis(e) seated

l' **assistant(e)** assistant

l'assistante sociale social worker

assister (à) to attend

l' **association** (*f.*) association

associer to associate; to link

l' **assurance** (*f.*) insurance

assurant used by

assurer to insure; to assure; to carry out

l' **astre** (*m.*) star

l' **astronome** (*m. et f.*) astronomer

l' **atelier** (*m.*) workshop

l' **atmosphère** (*f.*) atmosphere

atmosphérique atmospheric

l' **atout** (*m.*) advantage, asset

attacher to attach

l' **attaque** (*f.*) attack, assault

s' **attaquer à** to attack

attendre to wait (for)

s'attendre à to expect

l' **attentat** (*m.*) (murder/assassination) attempt

l' **attente: la salle d'attente** waiting room

l' **attention: faire attention** to pay attention; be careful

atterrir to land

l' **atterrissage** (*m.*) landing (*plane*)

attirer to attract

l' **attraction** (*f.*) attraction

attraper un coup de soleil to get a sunburn

l' **aube** (*f.*) dawn

l' **auberge** (*f.*) inn

l'auberge de jeunesse youth hostel

l' **aubergine** (*f.*) eggplant

aucun(e) any, none; no, not any

d'aucuns some people

l' **audace** (f.) daring

audacieux, audacieuse audacious, bold

au-delà beyond

au-dessous below

au-dessus above

l' **auditeur, l'auditrice** listener

auditif(-ve) auditory

une prothèse auditive hearing aid

l' **audition** (f.) hearing

l' **augmentation** (f.) increase

augmenter to increase

aujourd'hui today

auprès de close to; among

l' **aurore** (f.) dawn

ausculter to listen with a stethoscope

aussi also, too; as

autant de as many

d'autant (plus) que all the more so since

l' **auteur** (m.) author (m. and f.)

l'auteur dramatique playwright

l' **autobus** (m.) bus

l' **autocar** (m.) bus, coach

l' **auto-école** (f.) driving school

l' **automobiliste** (m. et f.) motorist

autoritaire authoritarian

l' **autorité** (f.) authority

l' **autoroute** (f.) highway

autour de around

autre other

autrefois formerly, in the past

autrement dit in other words

l' **Autriche** (f.) Austria

l' **avance: à l'avance** in advance

en avance early, ahead of time

avancé(e) advanced

l' **avancée** (f.) advance

(s') **avancer** to go ahead, move forward

avant before

l' **avant** (m.) front

vers l'avant forward, ahead

l' **avantage** (m.) advantage

l' **avant-bras** (m.) forearm

avant-hier the day before yesterday

l' **avarie** (f.) damage

avec with

l' **avenir** (m.) future

dans un proche avenir in the near future

l' **aventure** (f.) adventure

aventureux, aventureuse adventurous

l' **averse** (f.) downpour

avertir to warn

l' **aveugle** (m. et f.) blind person

l' **avion** (m.) airplane

en avion (by) plane

l' **avis** (m.) opinion

à mon avis in my opinion

l' **avocat(e)** lawyer

l' **avoine** (f.) oats

avoir to have

avoir l'air to seem

avoir… ans to be . . . years old

avoir besoin de to need

avoir de la chance to be lucky

avoir droit à to be entitled to

avoir envie de to feel like (doing something)

avoir faim to be hungry

avoir une faim de loup to be very hungry

avoir lieu to take place

avoir du mal à to have difficulty (doing something)

avoir mal à to have a(n) . . . -ache, to hurt

avoir l'occasion de to have the opportunity to

avoir peur (de) to be afraid (of)

avoir raison to be right

avoir soif to be thirsty

avoir tendance à to tend to

avoir tort to be wrong

ne pas avoir un sou to be penniless

avouer to admit

l' **axe** (m.) axis, street

dans l'axe on the same line

l' **azote** (m.) nitrogen

B

le **baccalauréat (bac, bachot)** French high school exam

la **bactérie** bacteria

bactérien(ne) bacterial

les **bagages** (m. pl.) luggage

les bagages à main carry-on luggage

le **bagne** prison with hard labor

la **baguette** loaf of French bread

la **baie** bay

baigner: ça baigne everything's cool

se **baigner** to swim

le **bain** bath

prendre un bain de soleil to sunbathe

la **baisse** decrease; fall, decline

baisser to lower

se baisser to bend over

le **bal** ball, formal dance

le **baladeur** Walkman

la **balance** scale

le **balcon** balcony

la **baleine** whale

la **balle** ball (tennis, etc.); franc (slang)

le **ballon** ball (soccer, etc.)

banal(e) commonplace, ordinary

la **banane** banana

le **banc** bench

la **bande dessinée (BD)** comic strip

la **banlieue** suburbs

le/la **banlieusard(e)** suburbanite

la **banque** bank

le **banquier, la banquière** banker

barbant(e) boring *(slang)*
la **barbe** beard
se **barbouiller (de)** to daub oneself (with)
bardé(e) (de) filled (with)
bas(se) low
  à voix basse quietly, in a low voice
le **bas** bottom
  en bas down(stairs)
la **base: à la base** basically
  de base basic; basically
le **base-ball** baseball
le **basket(-ball)** basketball
la **basilique** basilica
le **basque** Basque *(language)*
le **bateau** boat
le **bâtiment** building
le **bâtisseur** builder
le **bâton** ski pole; stick
la **batterie** drums
  battre to beat, strike
  battre un record to break a record
  battre en retraite to retreat in battle
  se battre to fight
  bavard(e) talkative
  bavarder to chat
  beau (bel) beautiful *(m.)*
  Il fait beau. It's nice weather.
  beaucoup a lot, many
  beaucoup de monde a lot of people, a crowd
la **beauté** beauty
les **beaux-arts** *(m. pl.)* fine arts
le **bec** beak
  le bec de gaz gas lamp
  beige beige
  belge Belgian
la **Belgique** Belgium
  belle beautiful *(f.)*
la **bénédiction** blessing
  béni des dieux blessed by the gods
la **béquille** crutch
  bercail: au bercail at home
le **berceau** barrel vault
  bercer to lull
le **besoin** need
  avoir besoin de to need

la **bêtise** stupid thing, nonsense
le **beurre** butter
la **bibliothèque** library
le **bicentenaire** bicentennial
  bien fine, well
  bien cuit(e) well-done *(meat)*
  bien élevé(e) well-mannered
  bien entendu of course; that's understood
  bien que although
  bien sûr of course
le **bien** possession; good
le **bien-être** well-being
  bienfaisant(e) charitable, kind
  bientôt soon
  Bienvenue! Welcome!
la **bière** beer
les **bijoux** *(m. pl.)* jewels, jewelry
le **bilan** appraisal
la **bille** marble
le **billet** bill *(currency)*; ticket
  le billet aller-retour round-trip ticket
la **biologie** biology
le/la **biologiste** biologist
  bizarre strange, odd
  bizarrement oddly
la **blague: Sans blague!** No kidding!
  blanc, blanche white
le **blé** wheat
le/la **blessé(e)** injured person
se **blesser** to hurt oneself
la **blessure** cut, wound
  bleu(e) blue
  bleu marine navy blue
  blond(e) blond
  bloquer to block; to jam
la **blouse** smock
le **blouson** jacket
le **bœuf** beef; ox
  boire to drink
le **bois** wood; woods
la **boisson** beverage
la **boîte** box
  la boîte aux lettres mailbox

la **boîte de conserve** can of food
  bon(ne) correct; good
  le bon numéro the right number
  bon marché inexpensive
  bond leap
  faire un bond to leap
  bondé(e) packed
le **bonheur** happiness
  bonjour hello
la **bonne** maid
le **bonnet** ski cap, hat
la **bonté** goodness
le **bord: à bord de** aboard *(plane, etc.)*
  au bord de la mer by the ocean, seaside
  bordé(e) de bordered, lined with
la **bosse** mogul *(ski)*
la **botanique** botany
la **botte** boot
la **bouche** mouth
la **boucherie** butcher shop
le **bouchon** traffic jam
la **boucle** curl, ringlet
  bouclé(e) wavy, curly
le **boudin blanc** white sausage
la **boue** sludge
la **bouffe: faire une bouffe** to prepare a meal *(slang)*
  bouger to move
la **bougie** candle
la **boulangerie-pâtisserie** bakery
le **boulot** job *(slang)*
  bouleverser to stun; to change drastically
le **bouquin** book
la **bourgeoisie** middle class
le **bourgeon** bud
la **bourse** grant, scholarship
  bousculer to shove
le **bout** piece, bit, scrap; end
  au bout de at the end of
la **bouteille** bottle
le **bouton** button; bud
  boutonné(e) buttoned
le **bowling** bowling alley
le **brancard** stretcher

la **branche** branch
branché(e) plugged in; "with it," cool
le **bras** arm
brave good, decent
bravo! Good! Well done!
le **break** station wagon
le **Brésil** Brazil
la **Bretagne** Brittany
breton(ne) from Brittany
bricoler to tinker with things around the house
le **brigadier** (police) sergeant
brillant(e) brillant, shining
briller to shine
le **brin (d'herbe)** blade (of grass)
la **brioche** sweet roll
la **brise** breeze, wind
briser to break
brodé(e) embroidered
la **broderie** embroidery
bronzé(e) tan
bronzer to tan
la **brosse** brush
se **brosser (les dents, etc.)** to brush (one's teeth, etc.)
le **brouillard** fog
brouter to graze
la **bruine** drizzle
le **bruissement** rustling
le **bruit** noise
brûlant(e) hot, burning
brûler to burn
la **brume** haze, mist
brun(e) brunette; brown
brutaliser to brutalize
bruyant(e) noisy
la **bûche: la bûche de Noël** Christmas cake in shape of a log
le **budget** budget
le **bulletin de notes** report card
le **bulletin de remboursement** credit slip
le **bulletin météorologique** weather report
le **bureau** desk; office; bureau
à bureaux fermés sold out (performance)

le **bureau de change** foreign exchange office
le **bureau de placement** employment agency
le **bureau de poste** post office
le **bureau de tabac** tobacco shop
le **bus: en bus** by bus
le **but** goal
marquer un but to score a goal

ça that
Ça va. Fine., OK.
Ça va? How's it going?, How are you?
Ça y est! That's it.
le **cabaret** cabaret
la **cabine** cabin (airplane or boat)
la cabine téléphonique telephone booth
le **cabinet** office (doctor's)
caché(e) dark, hidden
se **cacher** to hide
le **cadeau** gift, present
cadet(te) younger, youngest
le **cadrage** way of centering a picture (photography, movie)
le **cadran** dial
le téléphone à cadran dial phone
le **cadre, la femme cadre** executive
cafard: avoir le cafard to be down in the dumps
le **café** café; coffee
la **cafétéria** cafeteria
le **cahier** notebook
la **caisse** cash register, checkout counter
le **caissier, la caissière** cashier
la **calamité** disaster
le **calcium** calcium
la **calculatrice** calculator
calculer to calculate
le **calendrier** calendar

le/la **camarade** companion, friend
le **cambriolage** burglary
le **cambrioleur** burglar
le **camion** truck
le **camp** side (in a sport or game)
le camp adverse opponents, other side
le camp de fortune makeshift refugee camp
le camp d'internement internment camp
la **campagne** country(side); campaign
en rase campagne in the middle of the countryside
le **campeur** camper
le **camping** campground
faire du camping to go camping
canadien(ne) Canadian
le **canal** canal
le **canard** duck
le/la **candidat(e)** applicant
la **candidature** candidacy
poser sa candidature to apply for a position
le **canne à sucre** sugar cane
le **canot** canoe
la **cantine** school lunchroom
la **capacité: la capacité d'accueil** number of beds available
le **capitaine** captain
la **capitale** capital
capituler to capitulate
capter to collect, receive
la **captivité** captivity
car because, for
le **car** bus (coach)
le **caractère** personality; letter
à caractère familial family-style
la **caractéristique** characteristic
la **caravane** caravan; trailer
le **carburant** fuel
carcéral(e) prison
cardiaque cardiac
le **carnet** book of ten subway tickets; notebook, booklet

le carnet d'adresses
address book
le carnet du jour
personal announcements
la **carotte** carrot
carré(e) square
le **carrefour** crossroads
la **carrière** career
la **carte** card; menu; map
à la carte free-choice
la carte de crédit credit
card
la carte de débarquement
landing card
la carte d'embarquement
boarding pass
la carte postale postcard
la carte routière road map
la carte de vœux greeting
card
le **carton: en carton**
cardboard (adj.)
le **cas** case
en tout cas in any case
casanier, casanière
homebody
le **casier** cubbyhole
le **casque** helmet
la **casquette** cap
le **casse-cou** daredevil
casser to break
à tout casser at the most
**casser les pieds à
quelqu'un** to get on
somebody's nerves
(slang)
se casser to break (an arm,
a leg, etc.)
la **cassette** cassette
le **catalan** Catalan (language)
la **cathédrale** cathedral
le/la **catholique** Catholic
le **cauchemar** nightmare
causer to cause
le **cavalier, la cavalière** rider
la **cave** basement
la **caverne** cavern
ce (cet), cette this, that
Ce n'est rien. You're
welcome.
céder to cede
la **ceinture de sécurité** seat
belt

célèbre famous
célébrer to celebrate
la **célébrité** fame
célibataire single,
unmarried
la **cellule** cell
la cellule nerveuse nerve
cell
celui, celle this one, that
one
les **centaines** (f. pl.) hundreds
le **centimètre** centimeter
centralisé(e) centralized
le **centre: le centre
commercial** shopping
center
au centre de in the heart
of
cependant still,
nevertheless
les **céréales** (f. pl.) cereal,
grains
la **cérémonie** ceremony
certainement certainly
ces these, those
cesser to stop
le **cétacé** whale
ceux, celles these, those
chacun(e) each (one)
la **chaîne** chain; channel
la chaîne de télévision
television channel
la **chair** flesh
la **chaire** seat, chair
la **chaise** chair
le **châle** shawl
le **chalet** chalet
la **chaleur** warmth, heat
chaleureux, chaleureuse
warm
la **chambre** room (hotel)
la chambre à coucher
bedroom
le **chameau** camel
le **champ** field
le champ de manœuvres
parade ground
le/la **champion(ne)** champion
le **championnat**
championship
la **chance** luck
avoir de la chance to be
lucky

le **chandelier** candelabra
changeant(e) changeable,
variable
le **changement** change
changer (de) to change; to
exchange
la **chanson** song
le **chant** song
le chant de Noël
Christmas carol
un chant d'oiseau
birdsong
chanter to sing
le **chanteur, la chanteuse**
singer
le **chantier** construction site
**le chantier de fouilles
archéologiques**
archaeological site
le **chapeau** hat
chaque each, every
le **charbon** coal
le charbon de bois
charcoal
la **charcuterie** deli
charger to put in charge
le **chariot** shopping cart
le chariot à bagages
luggage cart
le **charlatanisme** quackery
charmant(e) charming
le **charpentier** carpenter
la **charrette** cart
chasse: aller à la chasse to
go hunting
chasser to hunt; to chase
le **chasseur** hunter
le **chat** cat
**avoir un chat dans la
gorge** to have a frog in
one's throat
châtain brown (hair)
le **château** castle, mansion
le château fort fortified
castle
le **châtiment** punishment
le **chaton** kitten
chatouiller to tickle
chatouilleux(-se) ticklish
la **chatte** female cat
chaud(e) warm, hot
Il fait chaud. It's hot.
(weather)

chauffer to heat
le **chauffeur** driver
la **chaussette** sock
la **chaussure** shoe
chauvin fanatically
   patriotic
la **chaux** quicklime
le **chef** head, boss, chief
   le chef d'équipe team
      leader
le **chef-d'œuvre** masterpiece
le **chemin** way, route
   suivre son chemin de petit
      bonhomme to carry on in
      one's own sweet way
la **cheminée** fireplace
la **chemise** shirt
la **chemisette** sports shirt
le **chemisier** blouse
le **chèque** check
   le chèque de voyage
      traveler's check
cher, chère dear;
   expensive,
   coûter cher to be
      expensive
chercher to look for, seek
le **chercheur, la chercheuse**
   researcher
le **cheval** (*pl.* **chevaux**) horse
le **chevalier** knight
le **chevet** head of a bed
les **cheveux** (*m. pl.*) hair
la **cheville** ankle
la **chèvre** goat
le **chevron** top tile
   chez at the home
      (business) of
   chic chic, stylish
le **chien** dog
le **chiffon** rag
   chiffonné(e) wrinkled
le **chiffonnier** ragpicker
le **chiffre** number
le **Chile** Chile
la **chimie** chemistry
   chimique chemical
le/la **chimiste** chemist
la **Chine** China
   chinois(e) Chinese
le **chirurgien** surgeon
   (*m. and f.*)

le **chirurgien-orthopédiste**
   orthopedic surgeon
le **chocolat** chocolate
   choisir to choose
le **choix** choice
le **chômage** unemployment
   être au chômage to be
      unemployed
le/la **choriste** backup singer
la **chose** thing
   chouette great
le **chou-fleur** cauliflower
   chrétien(ne) Christian
la **chronique** chronicle
   ciao goodbye
   ci-contre opposite
   ci-dessous below
   ci-dessus above
le **ciel** sky; heaven
   un ciel d'encre ink-black
      sky
le **cinéaste** filmmaker
le **cinéma** movie theatre,
   movies
le/la **cinéphile** movie buff
   cinquantaine fifty or so
le **cintre** hanger
la **circonstance** circumstance
la **circulation** traffic;
   circulation
   circulatoire circulatory
   circuler to circulate
le **cirque** circus
les **ciseaux** (*m. pl.*) scissors
   ciselé(e) chiseled
la **cité U** student dorms
   citer to cite, mention
le/la **citoyen(ne)** citizen
le **citron pressé** lemonade
le/la **civilisé(e)** civilized person
le **civisme** public-
   spiritedness
   clair(e) light; clear
le **clairon** bugle
   clandestinement secretly
la **classe** class (*people*)
le **classement** classification
   classer to classify
le **clavier** keyboard
la **clé** key
la **clef** key
   clément(e) mild

le/la **client(e)** customer
la **clientèle** practice
   (*physician*)
le **climat** climate
le **clin d'œil** wink (of the eye)
la **clinique** private hospital
le **coca** cola
le **cocher** coachman
le **cochon** pig
le **code postal** zip code
le **cœur** heart
   avoir le cœur gros to
      have a heavy heart
   avoir des maux de cœur
      to feel sick, nauseous
   par cœur by heart
le **coffre** trunk (*car*)
   le coffre à bagages
      luggage compartment
   coi: rester coi to remain
      silent
le **coin** corner; spot
   du coin neighborhood
   coincé(e) stuck in a tight
      spot
   coincer to trap, to jam
la **colère** anger
   en colère angry
le **colis** package
le **collaborateur, la**
   collaboratrice co-worker,
   associate
le **collant** pantyhose
la **collation** snack
le **collège** junior high, middle
   school
le/la **collègue** colleague
   coller to stick
le **collet** scruff of the neck
la **colline** hill
la **colonie de vacances**
   summer camp
le **colonisateur** colonizer
la **colonisation** colonization
   coloniser to colonize
le **combat** fight; battle
   combattre to combat, fight
   combien (de) how much,
      how many
la **combinaison** wetsuit
la **combine** system, method
le **combiné** telephone
   receiver

comble packed (stadium)

la **combustion** combustion

la **comédie** comedy

faire une comédie to make a fuss, a scene

le/la **comédien(ne)** actor

comique funny

commander to order

comme like, as; since

comme ci, comme ça so-so

le **commencement** beginning

commencer to begin

comment how; what

le/la **commerçant(e)** merchant

le **commerce** business

commettre to commit

le **commissariat** police station

commode convenient

commun(e) common

la **communauté** community

la **commune** (small administrative) district

la **compagnie aérienne** airline

le **compagnon** companion, co-worker

la **comparaison** comparison

le **compartiment** compartment

le **complément** complement

complet, complète full; complete

le **complet** suit (man's)

complètement completely

compléter to complete

le/la **complice** accomplice

le **comportement** behavior

composer to compose

composer le numéro to dial a telephone number

le **compositeur, la compositrice** composer

composter to stamp, validate (a ticket)

comprendre to understand; to include; to be made up of

le **comprimé** pill, tablet

compris(e) included

le/la **comptable** accountant

le **compte: le compte d'épargne** savings account

être à son compte to be self-employed

le **compte-chèque postal** postal checking account

compte-gouttes: au compte-gouttes sparingly

compter to count

le **compte-rendu** report, review

le **compteur** meter

le **comptoir** counter

le **concentré** concentration

concerné(e) involved

concerner to concern

le/la **concierge** concierge, caretaker

conclure to conclude

le **concours** competition, contest

le/la **concurrent(e)** competitor

condamner to condemn

les **condoléances** (f. pl.) condolences

le **conducteur, la conductrice** driver

conduire to drive

la **conduite** behavior, conduct

des leçons de conduite driving lessons

confiant(e) confident

confier to confide, entrust

confondre to mix up, confuse

le **conformisme** conformity

le **confort** comfort

confortable comfortable

le **confrère** colleague

la **confrérie** brotherhood

confus(e) embarrassed

confusément vaguely

le **congé** day off, vacation day; leave of absence

le jour de congé day off

conjugué(e) joint

la **connaissance** knowledge

faire la connaissance de to meet

connaître to know

la **conquête** conquest

conquis(e) conquered

consacrer to dedicate; to devote

conscient(e) conscious

le **conseil** advice

conseiller to advise

la **conséquence** consequence

conséquent: par conséquent consequently

conservateur, conservatrice conservative

le **conservatoire** music school

conserve: la boîte de conserve can (food)

la **consigne** checkroom

la **consommation** consumption

consommer to consume

la **constatation** proof, verification

constater to notice

constituer to make up

construire to build

se construire to be built

le **consulat** consulate

la **consultation** consultation, medical visit

contagieux, contagieuse contagious

le **conte** story, tale

contempler to gaze upon

contemporain(e) contemporary

contenir to contain

content(e) happy

le **contenu** contents

continu(e) continual, ongoing

continuer to continue

le **contraire** opposite

au contraire on the contrary

contrairement contrary, as opposed (to)

contrasté(e) different

la **contravention** traffic ticket

contre against

contre le gré de quelqu'un against somebody's will

par contre on the other hand, however

le **contrôle de sécurité** security (airport)

le **contrôleur** conductor

convaincu(e) convinced

convenable correct

les **convenances** (f. pl.) social customs, conventions
convenir to fit; to be appropriate; to suit
convoquer to summon
coordonner to coordinate
le **copain** friend, pal (m.)
la **copine** friend, pal (f.)
le **corbeau** crow
la **corbeille** dress circle (theater)
la **corde** rope
 la corde à linge clothesline
la **corne** horn (animal)
le **corps** body
correspondre to correspond
corriger to correct
le **cortège** procession, party
le **costume** costume
cote: avoir la cote to be very popular
la **côte** coast; rib
 la Côte d'Azur French Riviera
le **côté** side
le **coton** cotton
le **cou** neck
la **couche** cover; layer
 la couche de peinture coat of paint
se **coucher** to go to bed
le **coucher du soleil** sunset
la **couchette** berth
le **coude** elbow
couler to flow
la **couleur** color
les **coulisses** (f. pl.) backstage
le **couloir** aisle, corridor
le **coup** blow
 le coup d'œil glance
 à coup sûr definitely
 tout à coup suddenly
coupable guilty
la **coupe** winner's cup
couper to cut
 c'est à vous couper le souffle it takes your breath away
la **cour** courtyard; court
courageux, courageuse courageous, brave

couramment fluently
courant(e) common; current; running
le **courant** current
 être au courant to be informed
le **coureur** runner
 le coureur cycliste racing cyclist
la **courgette** zucchini
courir to run
 faire courir to be a big hit
couronné(e) crowned
le **courrier** mail
le **cours** course, class
 le cours du change exchange rate
la **course** race
les **courses** (f. pl.): **faire les courses** to go grocery shopping
court(e) short
le/la **cousin(e)** cousin
le **couteau** knife
coûter to cost
 coûter cher to be expensive
la **coutume** custom
le **couturier** designer (clothes)
 couver quelque chose to be coming down with something
couvert(e) overcast (sky)
le **couvert** table setting
 les couverts en argent silverware
 mettre le couvert to set the table
la **couverture** blanket
couvrir to cover
 bien se couvrir to dress warm
le **crabe** crab
la **craie: le morceau de craie** piece of chalk
craindre to fear
la **crainte** fear
 de crainte que for fear that
la **cravate** tie
le **crayon** pencil
la **crèche** day-care center
la **crédulité** gullibility

créer to create
la **crème** cream
 la crème solaire suntan lotion
le **crème** coffee with cream
la **crémerie** dairy store
la **crêpe** crepe, pancake
le **crépuscule** dusk
le **crétin** (m.) jerk
creusé(e) burrowed
crevé(e) exhausted
la **crevette** shrimp
le **cri** sound; shout
crier to shout
le **crime** crime (specific act)
 le crime de sang violent crime
la **criminalité** crime (in general)
le/la **criminel(le)** criminal
la **crise** crisis
crisser to screech
critique critical
la **critique** criticism
le/la **critique** critic
critiquer to criticize
croire to believe, think
la **croisade** crusade
la **croisée** window
le **croisement** intersection
croiser (quelqu'un) to pass someone
 se croiser to cross (intersect)
la **croissance** growth
croissant(e) growing, increasing
la **croix d'honneur** school medal, award
le **cross** cross country race
crotté(e) covered with mud
la **croyance** belief
cueillir to pick, gather
la **cuiller** spoon
la **cuillère** spoon
le **cuir** leather
la **cuisine** kitchen; cooking
 faire la cuisine to cook
la **cuisson des confitures** jam-making
 cuit(e): bien cuit(e) well-done (meat)
le **cul-de-jatte** legless cripple

le **cul-terreux** yokel
(*pejorative*)
cultiver to cultivate
la **culture** culture; farming
la **cure** cure
le **curé** priest
le **curriculum vitae (CV)**
résumé
le **cyclisme** cycling, bicycle
riding
le **cycliste** cyclist
les **cymbales** (*f. pl.*) cymbals

d'abord first (*adv.*)
d'accord OK
être d'accord to agree
d'ailleurs moreover
la **dame** lady
le **Danemark** Denmark
le **danger: en danger** in
danger
dangereux, dangereuse
dangerous
dans in
dans mes cinquante-deux
going on fifty-two (years
old)
la **danse** dance
danser to dance
le **danseur, la danseuse**
dancer
d'après according to
dater de to date from
la **datte** date (*fruit*)
davantage more
de from; of, belonging to
débarrasser la table to
clear the table
le **débarquement** landing,
deplaning
débarquer to get off (*an
airplane*)
le **débat** debate
débile stupid, idiotic
debout standing
débrancher to unplug
débrouillard(e) resourceful
se **débrouiller** to manage, get
out of trouble
le **début** beginning

le/la **débutant(e)** beginner
débuter to begin
le **décalage horaire** time
difference
la **décapotable** convertible
décéder to die
le **décès** death
le **déchet** waste
déchirer to tear
décider (de) to decide (to)
déclarer to declare, call; to
report (*a crime*)
déclencher launched
le **décollage** take-off
(*airplane*)
décoller to take off
(*airplane*)
déconcertant(e)
disconcerting, surprising
décontracté(e) relaxed,
informal
le **décor** set (*for a play*)
les **décorations** (*f. pl.*)
decorations
découvert(e) uncovered
à découvert exposed,
uncovered
la **découverte** discovery
le **découvreur** discoverer
découvrir to discover
décrire to describe
décrire sa courbe to
follow its orbit
décrocher to pick up a
telephone receiver
déçu(e) disappointed
dedans inside
dédié(e) dedicated
se **dédier** to dedicate (oneself)
le **défaut** negative trait
se **défendre** to defend oneself
le **défilé** parade
défiler to march
définir to define
définitif(-ve) permanent
définitivement
permanently
déformer to warp, corrupt
dégagé(e) cleared, clearing
(*weather*)
dégager to free
se **dégager** to clear
(*weather*); to clear up

dégoûté(e) disgusted
le **degré** degree
la **dégustation** tasting
déguster to savor
dehors outside
en dehors de outside (of)
déjà already
déjeuner to eat lunch
le **déjeuner** lunch
le **délai** time-limit
délicieux, délicieuse
delicious
la **délinquance** delinquency
le **delta** delta
demain tomorrow
la **demande d'emploi** job
application
demander to ask (for)
se **demander** to wonder
la **démangeaison** itch
avoir des démangeaisons
to be itchy
démanger to itch
ça la démange she is
itchy
la **démarche** process
déménager to move (one's
residence)
se **démener** to exert oneself
demeurer to stay
demi(e) half
et demie half past (*time*)
le **demi-cercle** semi-circle
la **démission: donner sa
démission** to resign
la **démocratie** democracy
se **démoder** to go out of style
la **demoiselle** young woman
la demoiselle d'honneur
maid of honor
dénoncer to denounce
la **dent** tooth
le **dentifrice** toothpaste
le **départ** departure
le **département** department
(*regional division of France*)
**le département d'outre-
mer** French overseas
department
dépassé(e) outmoded
dépasser to pass, surpass
dépaysé: être dépaysé(e) to
feel like a fish out of water

le **dépaysement** disorientation

se **dépêcher** to hurry

dépendre (de) to depend (on)

la **dépense** expense

dépenser to spend (money)

dépérir to wither

dépister to detect

dépit: en dépit de in spite of

déplacer to move
  se déplacer to move (around)

déplaire to displease
  Ça me déplaît. I don't like that.

se **déposer** to be put (down) on

la **dépression** low-pressure area (weather)

déprimé(e) depressed

depuis since, for

le **dérangement** displacement

déranger to disturb

dériver to derive

dernier, dernière last

derrière behind

dès que as soon as

désagréable unpleasant

désapprouver to disapprove

descendre to get off; to take down; to go down
  descendre en spirale to spiral down

la **descente** getting off (a bus)

le **désert** desert

désertique desert

se **déshabiller** to get undressed

désirer to want

désolé(e) sorry; sad

désossé(e) boneless, supple

le **dessert** dessert

desservir to serve, fly to, etc. (transportation)

le **dessin** illustration; design
  le dessin animé cartoon

le **dessous** bottom

le **dessus** top

le **destin** fate, destiny

la **destruction** destruction

désuète old-fashioned

désuni(e) apart, separated

détenir to keep (a person)

la **détente** relaxation

détester to hate

détourner l'attention de quelqu'un to divert someone's attention

détruire to destroy

détruit(e) destroyed

le **deuil** death, loss

deux: tous (toutes) les deux both

deuxième second
  la Deuxième Guerre mondiale World War II

deuxièmement second of all, secondly

devant in front of; ahead of

le **développement** development

se **développer** to develop

devenir to become

le **déversement** pouring

deviner to guess

la **devise** currency

le **devoir** homework (assignment); duty

diable: Que diable! For Pete's sake!

le **diagnostic** diagnosis

le **diamant** diamond

la **diarrhée** diarrhea

la **dictée** dictation

dicter to dictate

le **dictionnaire** dictionary

le **dieu** god

différencier to distinguish, differentiate

différent(e) different

difficile difficult

diffusé(e) broadcasted

digérer to digest

la **digue** dike

diluvien(ne) torrential

diminuer to diminish

la **diminution** decrease, thinning

la **dinde** turkey (for eating)

le **dindon** turkey (animal)

dîner to eat dinner

le **dîner** dinner

dingue crazy

être dingue de to be crazy about

la **diplomatie** diplomacy

le **diplôme** diploma

diplômé(e): être diplômé(e) (de) to get a degree from

dire to say, tell
  Dis donc! Hey!, Say!, Listen!
  Ben dis donc! No kidding!
  dire que to think that
  on dirait que it seems that
  pour ainsi dire so to speak

directement directly

le **directeur, la directrice** manager; principal

le/la **dirigeant(e)** director (of a company)

diriger to direct, manage
  se diriger (vers) to head (toward)

discerner to discern, distinguish

discuter to discuss

disparaître to disappear

la **disparition** disappearance

disponible available

disposer to have at hand

se **disputer** to argue

le **disque** record

distingué(e) distinguished

la **distraction** entertainment

distraire to distract

distribuer to distribute, to deliver (mail)

le **distributeur automatique** stamp machine; ticket machine; ATM

diurne diurnal

divers(es) various

diviser to divide

divorcer to divorce

la **dizaine** around ten

le **docteur** doctor (title)

la **doctrine** doctrine

le **documentaire** documentary

le **doigt** finger
  le doigt de pied toe

le **domaine** domain, field

le **domicile** home
  à domicile to the home
dominer to dominate
le **dommage** damage
  c'est dommage it's a shame
donc so, therefore
les **données** (*f. pl.*) facts; data
donner to give
  donner à manger à to feed
  donner un coup de fil to call (on the phone)
  donner un coup de pied to kick
  donner une fête to throw a party
  donner sur to face, overlook
  se donner la peine to take the trouble
dont of which, from which, whose
doré(e) golden
dormir to sleep
  dormir debout to be asleep on one's feet
le **dos** back (*body*)
le **dossier** file
  le dossier du siège back of the seat
la **douane** customs
doublé(e) dubbed (*movies*)
doubler to pass (*car*)
doucement gently
la **douceur** gentleness
la **douche** shower
douillet(te) cozy
la **douleur** pain
douloureux, douloureuse painful
doute: sans aucun doute without a doubt
  sans doute probably
douter to doubt
doux, douce soft; mild; sweet
la **douzaine** dozen
le **drame** drama
le **drap** sheet
le **drapeau** flag
se **draper** to cover (oneself) with cloth

dresser to draw up (*a list*)
  dresser les oreilles to prick up one's ears
  se dresser (contre) to rise up (against)
la **drogue** drug(s)
le **droit** right
  le droit de vote right to vote
droite: à droite de to, on the right of
drôle funny, strange
le **duc** duke
duper to trick, fool
dur(e) hard
la **durée** length (of time)
durer to last

l' **eau** (*f.*) water
  l'eau minérale mineral water
s' **écailler** to flake off
ecclésiastique clerical, church
l' **échange** (*m.*) exchange
échanger to exchange
échapper (à) to escape
s'échapper to escape
l' **écharpe** (*f.*) scarf
les **échecs** (*m. pl.*) chess
l' **échelon** (*m.*) rung (*ladder*)
  les échelons mobiles accommodation ladder
échouer à un examen to fail an exam
l' **éclair** (*m.*) lightning
l' **éclairage** (*m.*) lighting
l' **éclaircie** (*f.*) clearing, break (*in clouds*)
éclaircir to clear
éclairer to light
l' **école** (*f.*) school
  l'école maternelle pre-school
  l'école primaire elementary school
  l'école secondaire junior high, high school
l' **écolier, l'écolière** pupil, schoolchild

l' **écologie** (*f.*) ecology
l' **écologiste** (*m. et f.*) ecologist
l' **économie** (*f.*) economy
les **économies** (*f. pl.*): faire des économies to save money
  économique economic, economical
  la classe économique coach class (*plane*)
l' **écoute** (*f.*) listening
  écouter to listen (to)
les **écouteurs** (*m. pl.*) headphones
l' **écran** (*m.*) screen
s' **écraser** to crash
s' **écrier** to exclaim
écrire to write
l' **écrit** (*m.*) writing
l' **écriteau** (*m.*) sign
l' **écriture** (*f.*) handwriting, penmanship
l' **écrivain** (*m.*) writer (*m. and f.*)
l' **écuyer, l'écuyère** (circus) rider
  éducatif, éducative educational
l' **éducation** (*f.*) **physique** physical education
effacer to erase
effectivement in fact; that's true; indeed, certainly
effectuer to accomplish, carry out
l' **effet** (*m.*) effect
  en effet yes, indeed; in fact
  est-ce que ça serait un effet de votre bonté would you be so kind
efficace efficient; effective
effrayant(e) terrifying, dreadful
s' **effriter** to crumble away
égal: Ça m'est égal. I don't care.
  également as well, also
égaliser to tie (score)
l' **égalité** (*f.*) equality
  égard: à l'égard de regarding
égaré(e) distraught

l' **église** (f.) church
égorger to cut the throat (of)
l' **Égypte** (f.) Egypt
élaboré(e) worked on, refined
l' **électricien** (m.) electrician
l' **électricité** (f.) electricity
électrifié(e) electrified
l' **électrocardiogramme** (m.) electrocardiogram
électronique electronic
l' **élevage** (m.) farming (raising livestock)
l' **élève** (m. et f.) student
élevé(e) high
bien élevé(e) well brought-up
éliminer to eliminate
l' **élite** (f.) elite
s' **éloigner (de)** to withdraw, move away (from)
emballé(e) thrilled
l' **embarquement** (m.) boarding, leaving
embarquer to board (a plane, etc.)
embêtant(e) boring, annoying
embêter to bore, annoy
l' **embouteillage** (m.) traffic jam
s' **embrasser** to kiss (each other)
s' **embrouiller** to get mixed up
émerveillé(e) filled with wonder
émigrer to emigrate
l' **émission** (f.) TV show
emmener to bring, take (a person somewhere)
émotif, émotive emotional
émouvant(e) moving, touching
émouvoir to move (emotionally)
s'émouvoir to get excited
s' **emparer** to take
l' **empereur** (m.) emperor
empirer to get worse
s' **emplir** to fill
l' **emploi** (m.) job

la **demande d'emploi** job application
l' **emploi** (m.) **du temps** schedule
l' **employé(e)** employee
l' **employé(e) des postes** postal employee
employer to use
l' **employeur, l'employeuse** employer
emporter to bring (something); to carry off
l'emporter to win
emprunter to borrow
en in; to; as, by
enceinte pregnant
l' **enceinte** (f.) confines
enchanté(e) delighted
encombré(e) congested (road)
encore still (adv.); another; again
l' **encre** (f.) ink
l' **encyclopédie** (f.) encyclopedia
s' **endetter** to go into debt
endommager to damage
endormi(e) sleepy
s' **endormir** to fall asleep
l' **endroit** (m.) place
l' **énergie** (f.) energy
énergique energetic
énervé(e) irritated; nervous, edgy
énerver to annoy, get on (someone's) nerves
s'énerver to get irritated; to get (all) worked up
l' **enfance** (f.) childhood
l' **enfant** (m.) child (m. and f.)
enfermer to lock up, enclose, confine
enfin finally
enfoncer to press
enfoui(e) buried, hidden
s' **enfuir** to run away
engager to hire
s'engager to commit oneself; to enlist (in the army)
l' **engin** (m.) machine; tool; (large) vehicle; aircraft
l' **engouement** (m.) craze

l' **engrais** (m.) fertilizer
enjamber to step over
enlaidir to make ugly
enlever to lift
enneigé(e) covered with snow
l' **ennemi** (m.) enemy
l' **ennui** (m.) trouble, problem; boredom, annoyance
ennuyer to bore; to annoy; to bother
s'ennuyer to be bored
s'ennuyer (de quelqu'un) to miss (someone)
ennuyeux, ennuyeuse boring
c'est ennuyeux à mourir it's deadly dull
énorme enormous
énormément enormously
l' **enquête** (f.) survey, opinion poll; investigation
enragé(e) rabid, enraged
enregistrer to record
enrhumé(e): être enrhumé(e) to have a cold
l' **enseignement** (m.) education; teaching
enseigner to teach
ensemble together
ensoleillé(e) sunny
ensuite then
s' **entasser** to be crammed
entendre to hear
bien s'entendre to get along well
entendu: Bien entendu. Of course.
C'est entendu. Agreed.
l' **entente** (f.) understanding
l' **enterrement** (m.) funeral, burial
entêté(e) stubborn
l' **enthousiasme** (m.) enthusiasm
enthousiasmé(e) filled with enthusiasm
entier, entière entire, whole
entourer to surround
l' **entracte** (m.) intermission
l' **entraide** (f.) mutual help

entraîné(e) trained
entraîner to carry along; to lead to, cause
  s'entraîner to practice (on)
entre between, among
l' **entrée** (f.) entrance; admission
entreposer to store
entreprendre to launch
l' **entreprise** (f.) company
entrer to enter
  entrer par effraction to break into (a house, etc.)
entretenir to keep up, maintain
l' **entretien** (m.) interview; upkeep, care
entrevoir to catch a glimpse of
envahir to invade
l' **enveloppe** (f.) envelope
s' **envelopper dans** to wrap oneself up (in)
envers toward
envie: avoir envie de to feel like
environ around, about
l' **environnement** (m.) environment
envisager to consider, contemplate
envoler to fly away
envoyer to send
envoyé(e) en exil sent into exile
épais(se) thick, heavy
épargner to spare
l' **épaule** (f.) shoulder
l' **épave** (f.) wreckage
l' **épée** (f.) sword
épeler to spell
éperonner to ram
éphémère ephemeral, short-lived
l' **épice** (f.) spice
épicé(e) spicy
l' **épicerie** (f.) grocery store
l' **épilogue** (m.) epilogue, ending
l' **épine** (f.) thorn
l' **épingle** (f.) **à linge** clothespin
l' **épisode** (m.) episode

l' **époque** (f.) period, times, age, era
  à l'époque at that time
épouser to marry
épouvantable horrible, dreadful
épuisé(e) exhausted
l' **équilibre** (m.) balance
équilibré(e) balanced
l' **équipe** (f.) team
équipé(e) equipped
l' **équipement** (m.) equipment
  les équipements sportifs sports facilities
équitablement fairly
l' **équitation** (f.): **faire de l'équitation** to go horseback riding
l' **erreur** (f.) mistake; wrong number
l' **escalade** (f.) climb
escalader to climb over
l' **escalator** (m.) escalator
l' **escalier** (m.) staircase
  l'escalier mécanique (m.) escalator
escamoter to skip
l' **espace** (m.) space
espagnol(e) Spanish
  l'espagnol (m.) Spanish (language)
l' **espèce** (f.) species, group
  une espèce de a kind/sort of
  payer en espèces to pay cash
espérer to hope
l' **espionnage** (m.) spying
l' **espoir** (m.) hope
l' **esprit** (m.) spirit
l' **essai** (m.) attempt
essayer to try
l' **essence** (f.) gas(oline)
essentiel(le) essential
l' **essentiel** (m.) the essential(s)
essentiellement essentially
s' **essuyer** to wipe (one's hands, etc.)
l' **est** (m.) east
estimer to consider
l' **estomac** (m.) stomach

l' **estuaire** (m.) estuary
et and
l' **étable** (f.) cowshed
établir to establish
l' **établissement** (m.) establishment
l' **étage** (m.) floor (of a building)
l' **étain** (m.) pewter
l' **étal** (m.) (market) stall
l' **étang** (m.) pond
l' **état** (m.) state
l' **été** (m.) summer
éteindre to turn off (the T.V., etc.)
étendu(e) extended
éternel(le) eternal
éternuer to sneeze
l' **ethnie** (f.) ethnic group
l' **étoile** (f.) star
étonnant(e) surprising
étonné(e) astonished
étonner to surprise
  s'étonner (de) to be very surprised (at)
étouffer to suffocate, smother
  s'étouffer to choke
étrange strange
étranger, étrangère foreign
  à l'étranger abroad, in a foreign country
être to be
  Ça y est! That's it. Finished! I've done it!
  J'y suis! I get it!
  Vous y êtes? Are you ready?
l' **être** (m.) **humain** human being
étroit(e) tight (shoes), narrow
les **études** (f. pl.) education, studies
  faire des études to study
l' **étudiant(e)** (university) student
  l'étudiant(e) en licence undergraduate student
étudier to study
l' **euro** (m.) euro
européen(ne) European (adj.)

évangélique evangelical
s' évanouir to faint
s' évaporer to evaporate
éveiller to awaken
l' événement (m.) event
éventuellement possibly
l' évêque (m.) bishop
évidemment obviously
évident: il est évident it's
obvious
l' évier (m.) sink
éviter to avoid
évoquer to evoke
exact: C'est exact. That's
correct.
exactement exactly
l' exactitude (f.) exactness,
promptness
exagérer to exaggerate
l' examen (m.) test, exam
examiner to examine
excéder to exceed
excellent(e) excellent
l' excentrique (m. et f.)
eccentric person
exceptionnel(le)
exceptional
exclus impossible
exécuter to carry out
l' exemple (m.) example
par exemple for example
Ça par exemple! My
word!
exercer to exert, to exercise
s'exercer to practice
exigeant(e) exacting,
particular
l' exigence (f.) strictness
exiger to require
l' existence (f.) existence
existentialiste existentialist
existentiel(le) existential
exister to exist
l' exorcisme (m.) exorcism
l' expansion (f.) expansion
l' expédition (f.) expedition
l' explication (f.) explanation
expliquer to explain
exploiter to exploit
l' explorateur (m.) explorer
l' explosion (f.) explosion
l' exposé (m.) oral report

faire un exposé to give
an oral report
exposer to exhibit
l' exposition (f.) exhibit,
show
l' express (m.) espresso, black
coffee
expressément expressly,
purposely
expressif, expressive
expressive
l' expression (f.) expression
exprimer to express
expulser to expel, to drive
out
l' expulsion (f.) expulsion
exquis(e) exquisite
exténué(e) exhausted
l' extérieur (m.) exterior,
outside
l' extermination (f.)
extermination, killing
extra terrific
l' extrait (m.) extract, excerpt
extraordinaire
extraordinary
extrêmement extremely

la fabrication manufacture
la fabrique factory
fabriqué(e) made
fabriquer to make
fabuleux, fabuleuse
fabulous
face: en face de across
from
fâché(e) angry; sorry
se fâcher to lose one's temper
facile easy
facilement easily
la facilité skill, ease
la façon way, manner
de façon que so that
de toute façon anyway
d'une façon générale
generally speaking
le facteur, la factrice mail
carrier
la facture bill (hotel, etc.)
la fac(ulté) university

faible weak; faint, feeble
faiblir to weaken
faillir to almost (have done
something)
la faim hunger
avoir faim to be hungry
avoir une faim de loup
to be starving
faire to do, make
faire (+ infinitive) to have
something done for
oneself
faire attention to pay
attention; to be careful
faire le compte to count
faire connaissance to
meet, get acquainted
faire la connaissance de
to meet
faire cuire to cook
faire la cuisine to cook
faire du (+ nombre) to
take size . . .
faire des économies to
save money
faire enregistrer to check
(luggage)
faire face à to face up to
faire du français (etc.) to
study French (etc.)
faire son manger to
prepare food and eat it
faire mal to hurt
faire de la marche to do a
bit of walking
faire le maximum to do
one's best
faire le ménage to do
housework
faire de la monnaie to
make change
faire la morale to scold,
lecture
faire de la natation to
swim, go swimming
faire le numéro to dial a
telephone number
faire une ordonnance to
write a prescription
faire part to announce
faire partie de to be a
part of
faire du patin to skate

faire de la peine à quelqu'un to hurt someone *(emotionally)*
faire peur à to frighten
faire une piqûre to give an injection
faire plaisir (à) to please
faire de la planche à voile to go windsurfing
faire le plein to fill up *(the gas tank)*
faire une prise de sang to take a blood sample
faire une promenade to take a walk
faire la queue to wait in line
faire de la randonnée to go hiking
faire une radio(graphie) to take an X-ray
faire une rédaction to write a composition or paper
faire un régime to go on a diet
faire du ski to ski
faire du sport to play sports
faire du surf to go surfing
faire le tour du monde to go around the world
faire la vaisselle to do the dishes
faire les valises to pack (suitcases)
faire un voyage to take a trip
faire du yoga to do yoga
s'en faire to worry
le **faire-part** announcement *(birth, marriage, death)*
le **faiseur (de)** maker (of)
  le **faiseur de BD** comic-strip artist
le **fait** fact
  en fait in fact
  les **faits divers** *(m. pl.)* local news items
familial(e) family
se **familiariser (avec)** to familiarize oneself with

familier, familière informal
la **famille** family
le/la **fana** fan
fanatique fanatical
la **fanfare** marching band
la **fantaisie** imagination
fantaisiste whimsical, eccentric
farci(e) stuffed
fasciner to fascinate
fatigué(e) tired
fauché(e) broke *(slang)*
faut: il faut (+ *noun*) *(noun)* is (are) necessary
  il faut (+ *infinitive*) one must, it is necessary to
  il faut que it is necessary that
la **faute** error
le **fauteuil** seat *(in a theater)*
  le **fauteuil roulant** wheelchair
faux, fausse false
favorable in favor of
favori(te) favorite
favoriser to favor; to promote
le **fax** fax; fax machine
les **félicitations** *(f. pl.)* congratulations
féliciter to congratulate
la **femme** woman; wife
la **fenêtre** window
  côté fenêtre window *(seat on plane, etc.)*
la **fente** slot
le **fer** iron
la **ferme** farm
  fermé(e) closed
le **fermier** farmer
la **fertilité** fertility
les **festivités** *(f.)* festivities
la **fête** holiday; party
  la **fête des Lumières** Festival of Lights
le **feu** traffic light; fire
  les **feux d'artifice** fireworks
  le **feu de détresse** hazard light *(on a car)*
la **feuille** leaf

la **feuille de papier** sheet of paper
le **feutre** felt-tip pen
  feutré(e) filtered
le **fiacre** hackney cab
les **fiançailles** *(f. pl.)* engagement
le/la **fiancé(e)** fiancé(e)
la **fiche d'enregistrement** registration card *(hotel)*
  fidèle faithful
  fier, fière proud
se **fier** to go by
  fièrement proudly
la **fierté** pride
la **fièvre** fever
la **figue** fig
la **figure** face
  figurer to represent, show
la **file (de voitures)** line (of cars)
la **filiale** branch office
le **filet** net
la **fille** girl; daughter
la **fillette** little girl
le **film** film, movie
  le **film d'amour** love story
  le **film d'aventures** adventure movie
  le **film étranger** foreign film
  le **film d'horreur** horror film
  le **film policier** detective movie
  le **film de science-fiction** science-fiction movie
le **fils** son
la **fin** end
  en fin de compte finally
  fin(e) fine
  finalement finally
  finances: le ministère des Finances the Treasury Department
les **fines herbes** *(f. pl.)* herbs
  finir to finish
le **firmament** sky *(literary)*
  fiscal(e) financial
  fixe: à prix fixe at a fixed price
  fixer to stare at

le **flacon** bottle
flambé(e) flaming
le **flambeau** candlestick
la **flamme** flame
flâner to stroll, wander
le **flatteur** flatterer
le **fléau** plague, evil
la **flèche** arrow
la **fleur** flower
fleuri(e) decorated with flowers
le **fleuve** river
flotter to float
la **foi** faith
le **foie** liver
avoir mal au foie to have indigestion
le **foin** hay
la **foire** fair
la **fois** time *(in a series)*
le/la **fonctionnaire** government worker, civil servant
la **fonction** function
en fonction de in accordance with
le **fonctionnement** functioning
fonctionner to function, work
le **fond** bottom, back; essence
à fond completely
au fond basically
au fond de at the bottom of; at the back of
dans le fond really
fondamental(e) basic, fundamental
le **fondateur, la fondatrice** founder
fonder to found
fondre to melt
la **fontaine** fountain
le **foot(ball)** soccer
le football américain football
le **forage** drilling, boring
la **force** force, power
forcer to force
la **forêt** forest
le **forgeron** blacksmith
la **formation** education
la **forme** form, shape

la **forme (physique)** physical fitness
le **club de forme** health club
être en (pleine) forme to be in (great) shape
rester en forme to stay in shape
se mettre en forme to get in shape
former to form; to train
se **former** to form
formidable great, tremendous
le **formulaire** form, data sheet
la **formule** formula
fort *(adv.)* hard
fort(e) good; strong; loud
le plus fort, c'est que… the amazing thing is that . . .
le **fort** fort
fortement strong, hard
fou, folle crazy
les **fouilles** *(f. pl.)* excavation(s), dig
la **foule** crowd
venir en foule to crowd (into)
la **foulée** stride
fouler to tread upon
se fouler to sprain
le **four solaire** solar furnace
la **fourchette** fork
la **fourmi** ant
fournir to produce; to provide
la **fourniture** supply, equipment
la **fourrure** fur
le **foyer** fire(side); household; lobby *(of a theater)*; center
le foyer (des artistes) green room *(of a theater)*
la **fracture (compliquée)** (compound) fracture
frais, fraîche fresh, cool
les **frais** *(m. pl.)* expenses, charges
partager les frais to share expenses
le **franc** franc

français(e) French
le **français** French *(language)*
la **France** France
franchement frankly
franchir to pass beyond
francophone French-speaking
frapper to hit; to strike
être frappé(e) to be struck by, notice
frapper à la porte to knock on the door
le **frein à main** emergency brake
freiner to brake, put on the brakes
frémir to shudder
fréquemment frequently
la **fréquence** frequency
fréquenter to frequent, patronize
le **frère** brother
le **fric** money, dough *(slang)*
avoir plein de fric to have lots of money *(slang)*
frisé(e) curly
les **frissons** *(m. pl.)* chills
les **frites** *(f. pl.)* French fries
froid(e) cold
avoir froid to be cold
Ça me laisse froid(e). That leaves me cold.
Il fait froid. It's cold. *(weather)*
le **fromage** cheese
le **front** front *(weather)*; forehead
la **frontière** border
le **fruit** fruit
les fruits de mer seafood
le **fruitier** fruit tree
fuir to flee, escape from
la **fuite** flight, escape
la **fumée** smoke
fumer to smoke
fumeurs smoking (section)
non fumeurs no-smoking (section)
les **funérailles** *(f. pl.)* funeral
furax livid, hopping mad
furibard(e) livid, hopping mad

furieux, furieuse furious
la **fusée** rocket

gâché(e) wasted
le **gadget** gadget
le/la **gagnant(e)** winner
gagner to earn; to win; to reach
gaiement cheerfully
la **gaieté** cheerfulness, joy
la **galaxie** galaxy
la **galerie** upper balcony *(in a theater)*
le **galet** small stone
galeux, galeuse covered with scabs
le **gamin (des rues)** urchin
le **gant** glove
le gant de toilette washcloth
le **garage** garage
le **garçon** boy
le garçon d'honneur best man
garder to guard; to keep
garder le lit to stay in bed
le **gardien de but** goalie
la **gare** train station
garer la voiture to park the car
gastronomique gastronomic, gourmet
le **gâteau** cake
gauche: à gauche de to, on the left of
gaulois(e) Gallic
le **gaz** gas
le gaz carbonique carbon dioxide
le gaz d'échappement exhaust *(fumes)*
gazeux, gazeuse gaseous
géant(e) gigantic
le **gel** gel
geler to freeze
Il gèle. It's freezing. *(weather)*
le **gémissement** moan
le **gendarme** police officer
la **gendarmerie** police force

le **gendre** son-in-law
gênant(e) bothersome, annoying
gêner to bother
se gêner to be in each other's way
généraliser to generalize
la **génération** generation
généreux, généreuse generous
la **générosité** generosity
génial(e) superb; fantastic
le **génie** genius
le **genou** knee
le **genre** type, kind
les **gens** *(m. pl.)* people
les brav's gens decent people
gentil(le) nice *(person)*
le **gentilhomme** gentleman
le **géographe** geographer
la **géographie** geography
la **géométrie** geometry
le **geste** gesture
la **geste** exploit, heroic achievement
la **gigue** jig
giguer to jig
le **gilet de sauvetage** life vest
la **glace** ice; ice cream; mirror
glacé(e) frozen
le **glacier** glacier
la **glande** gland
glisser to slip, slide
globalement in a mass, taken as a whole
la **gloire** glory
le **glucide** carbohydrate
le **golfe** gulf
gominé(e) plastered down
la **gomme** eraser
gommer to erase, rub out
les **gonds** *(m. pl.)* hinges
la **gorge** throat
avoir la gorge qui gratte to have a scratchy throat
avoir un chat dans la gorge to have a frog in one's throat
avoir mal à la gorge to have a sore throat
gothique Gothic
goulu(e) glutton

gourmand(e) greedy
le **goût** taste
la **goutte (de pluie)** (rain)drop
le **gouvernement** government
gouverner to govern
grâce à thanks to
le **gradin** bleacher (stadium)
les **graffitis** *(m. pl.)* graffiti
le **grain (de maïs)** (corn) kernel
la **graisse** fat
la **grammaire** grammar textbook
le **gramme** gram
grand(e) tall, big
le grand couturier clothing designer
le grand magasin department store
de grand standing luxury
les Grands *(m. pl.)* **Lacs** The Great Lakes
le/la **grand(e)** grown-up
grand-chose: pas grand-chose not much
la **Grande-Bretagne** Great Britain
grandeur: Votre Grandeur Your Grace
grandir to grow up *(children);* to grow, get larger
la **grand-mère** grandmother
le **grand-père** grandfather
les **grands-parents** *(m. pl.)* grandparents
la **grange** barn
le **gratte-ciel** skyscraper
gratter to itch
ça la gratte she has an itch
gratter (de l'argent) sur to scrimp on
se gratter to scratch
grattouiller to itch a bit
Ça me grattouille. I've got a bit of an itch.
gratuit(e) free
la **gratuité** costing no money
grave serious
Ce n'est pas grave. Don't worry about it.; It's not important.

la **gravité** seriousness
**gré: contre le gré de
quelqu'un** against
somebody's will
grec(que) Greek
la **grêle** hail
la **griffe** label
le **grignotage** nibbling
grignoter to nibble (at)
la **grimace** grimace
grimper to climb
la **grippe** flu
gris(e) gray
griser to thrill
le **Groenland** Greenland
grogner to grunt
grommeler to grumble
grommeler sourdement
to grumble to oneself
gronder to scold
gros(se) large, big
le gros titre headline
grossir to gain weight
la **Guadeloupe** Guadeloupe
guérir to cure
la **guerre** war
**la Deuxième Guerre
mondiale** World War II
**la guerre franco-
allemande** Franco-
Prussian War
**la Première Guerre
mondiale** World War I
le **guerrier** warrior
guetter to watch, lie in wait
le **gui** mistletoe
le **guichet** ticket window; box
office; counter window (in
a post office)
le **guide** guidebook
guillotiner to guillotine
la **guirlande** garland
la **guitare** guitar
le **gymnase** gym(nasium)
la **gymnastique** gymnastics

habillé(e) dressy
s' **habiller** to get dressed
l' **habit** (m.) suit jacket,
morning coat

l' **habitant(e)** resident
l' **habitat** (m.) habitat
habiter to live (in a city,
house, etc.)
l' **habitude** (f.): **avoir
l'habitude de** to be in the
habit of
comme d'habitude as
usual
d'habitude usually
habitué(e) à used to,
accustomed to
l' **habitué(e)** frequent
customer
s' **habituer (à)** to get used to
la **haine** hatred
hallucinant(e) staggering,
incredible
handicapé(e) handicapped
le **hangar** shed
Hanouka Hanukkah
le **haricot** bean
les haricots verts green
beans
hasard: par hasard by
chance
l' **hâte** (f.): **en hâte** in hasten
a hurry
la **hausse** increase
hausser to shrug
haut (adv.) loudly
haut(e) high
avoir... mètres de haut to
be . . . meters high
du haut de from the top of
en haut up(stairs)
en haut de to, at the top of
la haute couture high
fashion
le **haut** top
le **haut-parleur** loudspeaker
l' **hebdomadaire** (m.) weekly
magazine or newspaper
l' **hectare** (m.) hectare (2.47
acres)
hélas alas
l' **hélicoptère** (m.) helicopter
l' **hémisphère** (m.)
hemisphere
l' **hémorragie** (f.)
hemorrhage
l' **herbe** (f.) grass
herbivore plant-eating

l' **héritier** (m.) heir
le **héros** hero
hésiter to hesitate
l' **heure** (f.) time (of day)
à l'heure actuelle
nowadays
à quelle heure? at what
time?
À tout à l'heure. See you
later.; Talk to you later.
de bonne heure early
être à l'heure to be on
time
les heures (f.) **de pointe;
les heures d'affluence**
rush hour
heureusement fortunately
heureux, heureuse happy
l' **hexagone** (m.) hexagon
l' **Hexagone** (f.) France
hier yesterday
hier matin yesterday
morning
hier soir last night
l' **histoire** (f.) history; story
l' **historien(ne)** historian
l' **hiver** (m.) winter
en hiver in winter
l' **H.L.M.** low-income
housing
le **hockey** hockey
le hockey sur glace ice
hockey
l' **homicide** (m.) homicide,
murder
l' **homme** (m.) man
l'homme d'affaires
businessman
honnête honest
l' **honnêteté** (f.) honesty
l' **honneur** (m.) honor
les **honoraires** (m. pl.) fees
(doctor)
la **honte** shame, disgrace
l' **hôpital** (m.) hospital
l' **horaire** (m.) schedule,
timetable
la **horde** pack (of animals)
l' **horloge** (f.) clock
hors de portée out of reach
hors des limites out of
bounds
hospitalier, hospitalière
hospital (adj.)

hospitaliser to hospitalize
l' **hospitalité** *(f.)* hospitality
l' **hôte** *(m.)* host
l' **hôtel** *(m.)* hotel
l' **hôtesse** *(f.)* **de l'air** flight attendant *(f.)*
le/la **huguenot(e)** Huguenot *(French Protestant)*
l' **huître** *(f.)* oyster
humain(e) human
humanitaire humanitarian
l' **humeur** *(f.)* mood
humide wet, humid
humoristique humorous
l' **humour** *(m.)* humor
hurler to shout
hurler de rire to roar with laughter
l' **hydrate** *(m.)* **de carbone** carbohydrate
l' **hydravion** *(m.)* hydroplane
l' **hymne** *(m.)* hymn, song
l'hymne national national anthem
hyper extremely
l' **hypermarché** *(m.)* large supermarket
hypocrite hypocritical
l' **hypocrite** *(m. et f.)* hypocrite
hystérique hysterical

l' **idée** *(f.)* idea
une idée de génie a bright idea
identifier to identify
l' **identité** *(f.)* identity
idiot(e) stupid, foolish
ignorant(e) ignorant, uninformed
il the
Il est... heure(s). It's . . . o'clock
il faut (+ *noun*) *(noun)* is (are) needed
il faut (+ *infinitive*) it is necessary, one must
Il n'y a pas de quoi. You're welcome.
il vaut mieux it is better

il y a there is, there are; ago
l' **île** *(f.)* island
l' **Île-du-Prince-Édouard** Prince Edward Island
illustrer to illustrate
l' **îlot** *(m.)* small island, plot of land
l' **image** *(f.)* image
l' **imbécile** *(m.)* imbecile
imiter to imitate
immense immense
l' **immeuble** *(m.)* apartment building
l' **immigration** *(f.)* immigration
passer à l'immigration to go through immigration (airport)
immigré(e) immigrant *(adj.)*
l' **immigré(e)** immigrant
immobile unmoving
immobiliser to immobilize, stop
impatient(e) impatient
l' **impératrice** *(f.)* empress
l' **imper(méable)** *(m.)* raincoat
implanter to establish oneself *(business)*
impliqué(e) implicated
impoli(e) impolite
importer: n'importe no matter
n'importe quel(le) any one *(of them)*
n'importe quoi any old thing; anything and everything
imposer to impose
impressionnant(e) impressive
impressionner to impress
les **impressionnistes** *(m. pl.)* Impressionists
imputable (à) attributable (to)
inarticulé(e) inarticulate
inauguré(e) inaugurated
incarner to bring to life
l' **incendie** *(m.)* fire
l' **incitation** *(f.)* encouragement

s' **incliner** to slope
inclure to include
incolore colorless
l' **inconditionnel** *(m.)* fan, advocate
inconnu(e) unknown
inconscient(e) unconscious
l' **inconvénient** *(m.)* disadvantage
incroyable incredible
l' **Inde** *(f.)* India
l' **indépendance** *(m.)* independence
l' **indicatif** *(m.)* **régional** area code
l'indicatif du pays country code
l' **indication** *(f.)* cue
l' **indifférence** *(f.)* indifference
indiquer to indicate
l' **individu** *(m.)* individual
individuel(le) individual
industrialisé(e) industrialized
l' **industrie** *(f.)* industry
industriel(le) industrial
l' **industriel** *(m.)* manufacturer
inédit(e) new, original
l' **inégalité** *(f.)* inequality
l' **infâme** *(m. et f.)* villain, criminal
infectieux, infectieuse infectious
infect(e) horrible *(slang)*
l' **infection** *(f.)* infection
l' **infériorité** *(f.)* inferiority
infiltrer to seep (into)
infini(e) infinite
l' **infinité** *(f.)* infinity
l' **infirmier, l'infirmière** nurse
l' **infirmité** *(f.)* disability, being a cripple
influencer to influence
l' **info** *(f.)* info(rmation)
l' **informaticien(ne)** computer scientist
informatique computer *(adj.)*
l' **informatique** *(f.)* computer science

s' **informer** to get informed
l' **infortuné(e)** unfortunate person
les **infos** (f. pl.) news
l' **infra-son** (m.) infrasonic vibration
l' **ingénieur** (m.) engineer
l' **initiation** (f.) initiation
s' **initier** to take up (a hobby)
l' **injure** (f.) insult
　se dire des injures to insult each other
injuste unfair
l' **injustice** (f.) injustice
inodore odorless
l' **inondation** (f.) flood
inquiet, inquiète worried
inquiéter to concern, to worry
　s'inquiéter to worry
l' **inquiétude** (f.) worry, concern
s' **inscrire** to register
l' **insecte** (m.) insect
s' **insérer (dans)** to become part (of)
inspirer to inhale
installer to settle (someone)
　s'installer to get settled
l' **institut** (m.) institute
l' **instituteur, l'institutrice** elementary school teacher
l' **institution** (f.) institution
l' **institutrice** (f.) schoolteacher
les **instructions** (f. pl.) instructions
instruit(e) educated
l' **instrument** (m.) instrument
insuffisament inadequately, insufficiently
l' **intensité** (f.) intensity
interdire to forbid
interdit(e) forbidden, prohibited
　rester interdit(e) to be taken aback
intéressant(e) interesting
intéresser to interest
　Ça ne m'intéresse pas. I'm not interested in that.

s' **intéresser à** to be interested in
l' **intérêt** (m.) interest
intérieur(e) interior; domestic (flight) (adj.)
l' **intérieur** (m.) interior, inside
l' **interlocuteur, l'interlocutrice** person being spoken to
interne boarding (student), resident; inner
　l'oreille interne inner ear
interpréter to interpret
interroger to question, interrogate
interrompre to interrupt
l' **interruption** (f.) **publicitaire** commercial break
interurbain long-distance (phone call)
interviewer to interview
l' **intimité** (f.): **dans l'intimité** in a private ceremony
intitulé(e) entitled
introduire to introduce
introduire (une pièce) to put in (a coin)
inutile useless
inventer to invent
l' **inverse** (m.) opposite
l' **investissement** (m.) investment
inviter to invite
l' **Irlande** (f.) Ireland
l' **islam** (m.) Islam
islamique Islamic
isolé(e) isolated
isoler to isolate
l' **Israël** (m.) Israel
l' **issue** (f.) **de secours** emergency exit
l' **Italie** (f.) Italy
italien(ne) Italian (adj.)
l' **ivoire** (m.) ivory

jaillir to gush
jamais ever
　ne... jamais never

la **jambe** leg
le **jambon** ham
le **Japon** Japan
japonais(e) Japanese
le **jardin** garden
le **jasmin** jasmine
jaune yellow
le **jean** jeans
　en jean denim (adj.)
la **jeep** jeep
le **jersey: en jersey** jersey (adj.)
le **jet d'eau** fountain, spray
jeter to throw; to throw away
　jeter un coup d'œil to glance
le **jeton** token
le **jeu** game
　le jeu vidéo video game
jeune young
　les jeunes (m. pl.) young people, the young
　la jeune fille girl
la **jeunesse** youth
le **job d'été** summer job
le **jogging: faire du jogging** to jog
la **joie** joy
joindre to join
joli(e) pretty
la **joue** cheek
jouer to play, to perform
　jouer à (un sport) to play (a sport)
　jouer d'un instrument de musique to play a musical instrument
　se jouer to be performed
le **jouet** toy
le **joueur** player
jouir (de) to enjoy
le **jour** day
　c'est quel jour? What day is it?
　de nos jours today, nowadays
　le jour de l'An New Year's Day
　par jour a (per) day
　tous les jours every day
le **journal** newspaper
　le journal intime diary

le journal télévisé newscast

le/la journaliste journalist

la journée day

joyeux, joyeuse happy

Joyeux Noël! Merry Christmas!

le judaïsme Judaism

le/la juge judge (m. and f.)

juger to judge

juif, juive Jewish

les Juifs (m. pl.) Jews

juillet (m.) July

le 14 juillet July 14 (French national holiday)

juin (m.) June

la jupe skirt

la jupette tennis skirt

le Jura Jura Mountains

jurer to swear

le juron swear word

le jury selection committee

jus: le jus d'orange orange juice

jusqu'à (up) to, until

jusqu'à ce que until

juste right, exact(ly); fair

il est juste que it's right that

le kabyle Berber dialect of the Kabyles

le kilo(gramme) kilogram

le kilomètre kilometer

le kiosque newsstand

le klaxon horn (car)

le kleenex tissue, Kleenex

là there

là-bas over there

le laborantin, la laborantine lab technician

le laboratoire laboratory

le lac lake

le lac salé salt lake

le lacet (boot)lace

lâcher to release

là-haut up there

laïc, laïque lay, non-religious

laid(e) ugly

la laine wool

en laine wool

laisser to leave (something behind); to let, allow

Ça me laisse froid(e). That leaves me cold.

laisser un message to leave a message

laisser un pourboire to leave a tip

laisser tomber to drop

le lait milk

laitier: le produit laitier dairy product

la laitue lettuce

la lame de fond groundswell

lamentable awful

lancer to throw;

lancer un appel to make an appeal

lancer la patte (à quelqu'un) to trip (someone)

se lancer to get started

la langue language

la langue maternelle native language

le lapin rabbit

la laque hairspray

large loose, wide

au large de off

largement widely

se lasser to tire

la lassitude weariness

le laurier-rose oleander

le lavabo sink

la lavande lavender

laver to wash

se laver to wash oneself

se laver les cheveux (la figure, etc.) to wash one's hair (face, etc.)

la machine à laver washing machine

le lave-vaisselle dishwasher (machine)

lécher to lick

la leçon lesson

la leçon de conduite driving lesson

la lecture reading

légendaire legendary

la légende legend, caption; legend, fairy tale

léger, légère light

léguer to bequeath, leave

le légume vegetable

le lendemain the next day

lent(e) slow

lentement slowly

lépreux, lépreuse peeling

lequel, laquelle, lesquel(le)s which one(s)

la lessive laundry

faire la lessive to do the laundry

la lettre letter

levant rising

le soleil levant rising sun

le levé: faire le levé topographique to survey

se lever to get up; to rise (sun)

le lever du jour daybreak

le lever du soleil sunrise

la lèvre lip

le lexique vocabulary

la liaison liaison

la libellule dragonfly

la liberté liberty, freedom

libre free

être libre immédiatement to be available immediately

librement freely

libre-service self-service

la Libye Libya

le lien connection

le lieu place

au lieu de instead of

avoir lieu to take place

le lieu de travail workplace

les lieues (f. pl.) leagues

la ligne line

les lignes de banlieue commuter trains

les grandes lignes main lines (trains)

la limitation de vitesse speed limit

les **limites** (*f. pl.*) boundaries (*on tennis court*)
  hors de limites out of bounds
la **limonade** lemon-lime drink
le **linge** laundry
le **lion** lion
le **lipide** fat
  lire to read
  lisse smooth
le **lit** bed
le **litre** liter
  littéraire literary
la **littérature** literature
la **livre** pound
le **livre** book
  le livre scolaire textbook
  localiser to locate
le/la **locataire** renter
la **location** rental; box office
le **logement** rent, boarding expenses
  loger to put someone up, give shelter
la **loi** law
  loin de far from
  de loin by far
  lointain(e) far away
le **loisir** leisure, spare time; leisure activity
  Londres London
  long: le long de along
  tout au long de all the way through; throughout
  long(ue) long
  de longue portée long-range
  longtemps (for) a long time
la **longueur** length
le **loquet** latch
  lorsque when; while
  louer to rent; to reserve (*train seat*)
le **loup** wolf
  lourd(e) heavy
la **lumière** light
  lunaire lunar
la **lune** moon
les **lunettes** (*f. pl.*) (eye)glasses; goggles
  les lunettes de soleil sunglasses

la **lutte** fight, struggle
  lutter to fight
le **luxe** luxury
  luxueux, luxueuse luxurious
le **lycée** high school
le/la **lycéen(ne)** high school student
  lyonnais(e) from Lyon

  machinalement mechanically
la **machine** machine
  la machine à laver washing machine
  madame (Mme) Mrs., Ms.
  mademoiselle (Mlle) Miss, Ms.
le **magasin** store
  le magasin de stockage warehouse
le **magazine** magazine
le **Maghreb** Maghreb (North African region including Algeria, Morocco, and Tunisia)
  maghrébin(e) from the Maghreb
  magique magic
le **magnétophone** tape recorder
le **magnétoscope** video recorder
  magnifique magnificent
  maigrir to lose weight
le **maillot de bain** bathing suit
la **main** hand
  se serrer la main to shake hands
  se tenir la main to hold hands
  tendre la main to hold out one's hand
  maintenant now
le **maire** mayor
la **mairie** town hall
  mais but
  mais oui (non)! Of course (not)!

le **maïs** corn
  le grain de maïs corn kernel
la **maison** house
le **maître** master
  le maître d'hôtel maitre d'
  le maître (d'école) schoolteacher
la **maîtresse d'école** schoolteacher
la **maîtrise** mastery, command
  majestueux, majestueuse majestic
la **majorité** majority
  mal badly
  avoir mal à to have a(n) . . . -ache, to hurt
  faire mal to hurt
  mal élevé(e) rude
  où avez-vous mal? Where does it hurt?
  pas mal de a lot, quite a few
  pas mal de fois rather often
le **mal** evil
  avoir des maux de cœur to feel sick, nauseous
  dire du mal de to speak ill of
le/la **malade** sick person, patient
  malade sick
la **maladie** illness
  maladroit(e) clumsy
le **malaise** dissatisfaction
  malchanceux(-se) unlucky
le **malentendu** misunderstanding
  malfaisant(e) harmful
  malgré in spite of
le **malheur** unhappiness, misfortune, misery
  malheureusement unfortunately
  malheureux, malheureuse unfortunate
  c'est malheureux it's unfortunate
  malhonnête dishonest
la **malle** trunk
la **manade** herd of cattle (or horses)

la **Manche** English Channel
la **manche** sleeve
  à manches longues (courtes) long- (short-) sleeved
la **manchette** headline
le **manchot** penguin
le/la **manchot(e)** one-armed person, person with no arms
  manger to eat
la **manie** mania
  manier to handle
la **manière** manner, way
  avoir de bonnes manières to have good manners
  de manière que so that
la **manifestation** demonstration
se **manifester** to be shown
la **manivelle** crank
  manquer to lack
  il manque (+ *noun*) *(noun)* is missing
le **maquillage** makeup
se **maquiller** to put on make-up
le **maquisard** Resistance fighter
le **marathon** marathon
le **marbre** marble
le/la **marchand(e) (de fruits et légumes)** (produce) seller
  la marchande des quatre saisons produce seller
  marchander to bargain
la **marchandise** merchandise
la **marche** walking
  faire de la marche to do a bit of walking
le **marché** market
  faire le marché to go to the market, to go grocery shopping
  le Marché Commun Common Market
  marcher to walk
  marcher au pas to march in step
  mardi *(m.)* Tuesday
  marécageux(-se) marshy
la **marée** tide
le **mari** husband

le **mariage** marriage; wedding
  marié(e) married
le **marié** groom
la **mariée** bride
se **marier** to get married
les **mariés** *(m. pl.)* bride and groom
le **marin** sailor
la **marionnette** puppet
  un spectacle de marionnettes puppet show
le **Maroc** Morocco
la **marque** make *(of car)*
  marquer un but to score a goal
la **marquise** French noblewoman
  marrant(e) very funny, hilarious *(slang)*
  marre: en avoir marre (de) to be fed up (with) *(slang)*
  marron *(inv.)* brown
le **marron** chestnut
le **marteau** hammer
le **marteau-piqueur** jackhammer
la **Martinique** Martinique
  martiniquais(e) from Martinique
le **mascara** mascara
le **masque à oxygène** oxygen mask
la **masse** mass
  massif, massive massive
le **match** game
le **matelas** mattress
le **matériau** material
le **matériel agricole** farm equipment
le **matériel scolaire** school supplies
  maternel(le): l'école maternelle pre-school
les **mathémathiques** *(f. pl.)* mathematics
les **maths** *(f. pl.)* math
la **matière** subject *(school)*; matter; material
  la matière première raw material
le **matin** morning, in the morning

  du matin A.M. *(time)*
la **matinée** morning
la **maturité** adulthood
  mauvais(e) bad; wrong
  Il fait mauvais. It's bad weather.
  le mauvais numéro the wrong number
  mauve mauve
le **mazout** fuel oil
le **mec** guy *(slang)*
la **mèche** lock of hair
la **Mecque** Mecca
le **médecin** doctor
  chez le médecin at, to the doctor's
la **médecine** medicine *(medical profession)*
les **médias** *(f. pl.)* media
  médical(e) medical
le **médicament** medicine *(remedy)*
la **médina** old Arab section of northwest African towns
  médire (de quelqu'un) to badmouth (someone)
  méditer to meditate (on)
  meilleur(e) better
le/la **meilleur(e),** the best
  mélangé(e) (à) mixed (with)
se **mêler** to mix
  mélo(drame): Quel mélo! What a soap opera!
le **membre** member
  même same *(adj.)*; even *(adv.)*; itself
  être à même de to be able to
  la lettre même the letter itself
  lui-même (moi-même, etc.) himself (myself, etc.)
  tout de même all the same
  menacer to threaten
le **ménage** household
  ménager, ménagère household *(adj.)*
  mener to lead, carry on
le **menhir** menhir *(prehistoric stone monument)*
la **menorah** menorah
le **mensonge** lie

mensuel(le) monthly

mental(e) mental

menteur, menteuse lying, dishonest

mentionner to mention

mentir to lie

le **menu: le menu touristique** fixed-price meal

le **mépris** contempt, scorn

la **méprise** misunderstanding

méprisé(e) scorned

la **mer** sea

la mer des Caraïbes Caribbean Sea

la mer Méditerranée Mediterranean Sea

merci thank you

la **mère** mother

la mère poule mother hen

le **méridien** meridian

la **mérite** merit

mériter to deserve

merveille: C'est une merveille! It's marvelous!

merveilleux, merveilleuse marvelous

la **mésentente** dissension

le **message** message

la **messe de minuit** midnight mass

la **mesure** measurement; measure

dans la mesure où insofar as

mesurer to measure

le **métabolisme** metabolism

la **météo** weather forecast

météorologique meteorological

le **métier** profession, trade; craft

le **mètre** meter

métrique metric

le **métro** subway

en métro by subway

la station de métro subway station

métropolitain(e) metropolitan

le **mets** food, dish

le **metteur en scène** (movie) director

mettre to put (on), to place; to put on (clothes); to turn on (appliance)

mettre au jour to bring to light

mettre au point to come out with, develop

mettre de l'argent de côté to put money aside, save

mettre de l'huile dans les rouages to oil the gears, to make things run smoothly

mettre en scène to direct (a play); to present

mettre fin à to put an end to

mettre la main à la pâte to pitch in

mettre le contact to start the car

mettre le couvert to set the table

mettre une lettre à la poste to mail a letter

se mettre à table to sit down for a meal

se mettre au premier rang to get in the front row

se mettre d'accord to agree

se mettre en forme to get in shape

le **meuble** piece of furniture

le **meurtre** murder

le **Mexique** Mexico

la **microbiologie** microbiology

le **micro(phone)** microphone

le **microscope** microscope

midi (m.) noon

mieux better

le mieux (the) best

la **mi-journée** midday

le **milieu** middle; environment

militaire military

le **militaire** soldier

mille (one) thousand

les **milliers** (m. pl.) thousands

le **million** million

le/la **millionnaire** millionaire

mi-long(ue) medium length

le **mimosa** mimosa

minable pathetic, terrible

le **minaret** minaret, tower of a mosque

mince thin

le **minéral** mineral

le **ministère** ministry

minuit (m.) midnight

miraculeux, miraculeuse miraculous

se **mirer** to look at oneself or each other, to be reflected

le **miroir** mirror

la **mise** putting, setting

la mise au jour bringing to light

la mise au point adjusting

miser sur to bet on

le/la **misérable** poor person; miserable person

la **misère** (extreme) poverty

la **mission** mission

le **mistral** strong cold north wind that blows toward the Mediterranean

la **mi-temps** half (sporting event)

à mi-temps part-time

mixte co-ed (school)

le **mobile** motive

moche terrible, ugly

la **mode** fashion

à la mode in style

le **mode** form, mode

le mode de vie lifestyle

le **modèle** model

moderne modern

moderniser to modernize

modeste modest, reasonably priced

moi de même likewise (responding to an introduction)

moi-même myself

moindre less, lesser

le/la moindre the least

la moindre des choses the least one can do

le **moine** monk

moins less

à moins que unless

au moins at least

du moins at least
moins... que less . . . than
le **mois** month
les **moissons** (f. pl.) harvest
la **moitié** half
le/la **môme** kid (slang)
le **moment: en ce moment** right now
la **monarchie** monarchy
le **monarque** monarch
le **monastère** monastery
le **monde** world, people
   beaucoup de monde a lot of people
   faire le tour du monde to go around the world
   un monde fou crowds of people
   le Nouveau Monde the New World
   tout le monde everyone, everybody
   tout ce petit monde this little group (of people)
mondial(e) world
le **moniteur, la monitrice** instructor; camp counselor
la **monnaie** change; currency
   faire de la monnaie to make change
monseigneur His Grace (My Lord)
monsieur (m.) Mr., sir
le **montagnard** mountain-dweller
la **montagne** mountain
   à la montagne in the mountains
le **montant** amount
   monter to go up, get on; to take upstairs
   monter en voiture to board (a train)
   monter une pièce to put on a play
montrer to show
se **moquer de** to make fun of; to not care about
la **moquerie** ridicule
moral(e) moral
le **moral** morale
   avoir le moral to be in good spirits

avoir le moral à zéro to be feeling down in the dumps
la **morale** moral
   faire la morale to scold, lecture
la **moralité** morality
le **morceau** piece
   le morceau de craie piece of chalk
mordu(e) bitten
morne glum
mort(e) dead
la **mort** death
mortel(le) fatal
moscou Moscow
la **mosquée** mosque
le **mot** word
   le mot apparenté cognate
le **motard** motorcycle cop
le **moteur** engine (car, etc.)
   le moteur à explosion internal combustion engine
la **moto(cyclette)** motorcycle
le/la **motocycliste** motorcyclist
le **mouchoir** handkerchief
mouillé(e) wet
mourir to die
la **moutarde** mustard
le **mouton** sheep
le **mouvement** movement
   le mouvement de regret pang of remorse
mouvementé(e) eventful
moyen(ne) average, intermediate
   en moyenne on average
   le Moyen-Âge the Middle Ages
le **moyen de transport** mode of transportation
moyennement moderately
les **moyens médicaux** medical personnel
multiplier to multiply
municipal(e) municipal
le **mur** wall
musclé(e) muscular
le **musée** museum
le/la **musicien(ne)** musician
la **musique** music
musulman(e) Muslim (adj.)

les **musulmans** (m. pl.) Muslims
muter to transfer
le **mutilé de guerre** wounded veteran
la **mythologie** mythology

nager to swim
le **nageur, la nageuse** swimmer
naguère yore
la **naissance** birth
naître to be born
la **nana** gal (slang)
la **nappe** tablecloth
natal(e) native
   la maison natale house where someone was born
la **natation** swimming
la **nation** nation
la **natte** braid; straw mat
nature plain
la **nausée** nausea
naviguer to sail
ne... guère hardly
ne... jamais never
ne... ni... ni neither . . . nor
ne... pas not
ne... personne no one, nobody
ne... plus no longer
ne... que only
ne... rien nothing
né: il est né he was born
nécessaire necessary
   il est nécessaire de it is necessary to
   il est nécessaire que it's necessary that
néfaste unfortunate, disastrous, harmful
négatif, négative negative
la **négritude** black pride
la **neige** snow
neiger: Il neige. It's snowing.
le **néophyte** beginner
nerf: être sur les nerfs to be all keyed up

nerveux, nerveuse nervous; emotional *(illness)*

les cellules nerveuses *(f. pl.)* nerve cells

n'est-ce pas? isn't it, doesn't it (he, she, etc.)?

nettement clearly

le **nettoyage à sec** dry-cleaning

nettoyer à sec: faire nettoyer à sec to dry-clean

neuf, neuve new

neutraliser to neutralize

neutre neutral

le **neveu** nephew

le **nez** nose

avoir le nez qui coule to have a runny nose

la **nièce** niece

nippon(e) Japanese

le **nitrate** nitrate

le **niveau** level

avoir un bon niveau to be experienced

vérifier les niveaux to check under the hood

la **noblesse** nobility

les **noces** *(f. pl.)* nuptials

le **voyage de noces** honeymoon

nocif, nocive harmful, toxic

Noël Christmas

Joyeux Noël! Merry Christmas!

le **nœud** knot

noir(e) black

le **tableau noir** blackboard

le **nom** name; noun

nomade nomadic

le **nombre** number

nombreux, nombreuse numerous

nommer to name, mention

non no

non fumeurs no-smoking (section)

non seulement not only

le **nord** north

normalement normally, usually

la **Norvège** Norway

la **nostalgie** nostalgia; longing

le **notable** dignitary

notamment notably

la **note** bill *(currency)*; grade *(on a test, etc.)*

recevoir de bonnes notes to get good grades

noter to note

nouer: nouer une relation to form a relationship

nourri(e) fed

nourrir to feed

se nourrir to get food, nourishment

la **nourriture** food, nutrition

nouveau (nouvel), nouvelle new

à nouveau again

le **Nouveau Monde** the New World

la **nouvelle** short story

les nouvelles news

La **Nouvelle-Orléans** New Orleans

le **nuage** cloud

nuageux, nuageuse cloudy

nuancer to vary slightly

la **nuit** night

à la nuit tombante at nightfall

nul(le) hopeless, worthless

nullement not at all

le **numéro** number; issue *(of a magazine)*

le **bon (mauvais) numéro** the right (wrong) number

le **numéro de téléphone** telephone number

numéroté(e) numbered

la **nuque** nape of the neck

nutritif, nutritive nutritive

l' **oasis** *(f.)* oasis

obéir (à) to obey

l' **obéissance** *(f.)* obedience

l' **objet** *(m.)* object

obligatoire mandatory; required

obligatoirement necessarily

obligé(e) required

obliger to oblige, require

les **obsèques** *(f. pl.)* funeral

obtenir to obtain; to get

l' **occasion** *(f.)*: **les grandes occasions** special occasions

l' **Occident** *(m.)* the West

occidental(e) western

occupé(e) busy

sonner occupé to be busy *(telephone)*

occuper to occupy

s'occuper de to take care of

l' **océan** *(m.)* ocean

l' **odeur** *(f.)* scent, smell; odor

l' **œil** *(m., pl.* **yeux***)* eye

l' **œuf** *(m.)* egg

l'œuf dur hard-boiled egg

l' **œuvre** *(f.)* work *(of art)*

officiel(le) official

l' **officier** *(m.)* officer

offrir to offer, give

l' **ogive** *(f.)* pointed Gothic arch

l' **oignon** *(m.)* onion

c'est pas tes oignons! None of your business!

l' **oiseau** *(m.)* bird

un chant d'oiseau birdsong

l' **ombre** *(f.)* shadow

l' **omelette** *(f.)* omelette

l'omelette aux fines herbes omelette with herbs

l'omelette nature plain omelette

l' **omnibus** *(m.)* omnibus

omniprésent(e) omnipresent

on we, they, people

On y va(?) Let's go.; Shall we go?

l' **oncle** *(m.)* uncle

l' **onde** *(f.)* wave

l' **ondée** *(f.)* shower *(rain)*

l' **ongle** *(m.)* nail *(finger, toe)*

l' **opéra** *(m.)* opera

opérer to operate

l' **oppidum** *(m.)* citadel
opposer to oppose
s'opposer à to be opposed to
l' **or** *(m.)* gold
or now
l' **orage** *(m.)* storm
orageux, orageuse stormy
orange *(inv.)* orange *(color)*
l' **orange** *(f.)* orange *(fruit)*
l' **oranger** *(m.)* orange tree
l' **oratoire** *(m.)* private chapel
l' **orchestre** *(m.)* band; orchestra *(seats)*
l' **orchidée** *(f.)* orchid
ordinaire ordinary, regular
d'ordinaire usually
l' **ordinateur** *(m.)* computer
l' **ordonnance** *(f.)* prescription
faire une ordonnance to write a prescription
l' **ordre** *(m.)* order
les **ordures** *(f. pl.)* garbage
l' **oreille** *(f.)* ear; hearing
avoir mal aux oreilles to have an earache
l'oreille interne inner ear
l' **oreiller** *(m.)* pillow
les **oreillons** *(m. pl.)* mumps
l' **organisateur, l'organisatrice** organizer
organisé(e) organized
l' **organisme** *(m.)* organism; body
orienter to turn
originairement originally
original(e) original
l' **origine** *(f.)*: **à l'origine** originally
orner to decorate
l' **os** *(m.)* bone
oser to dare
ôter to take off *(clothing)*
ou or
où where
ouais yeah
l' **oubli** *(m.)* oblivion
oublier to forget
l' **oued** *(m.)* wadi
l' **ouest** *(m.)* west
oui yes
l' **ouïe** *(f.)* hearing

l' **ours** *(m.)* bear
l' **oursin** *(m.)* sea urchin
l' **outil** *(m.)* tool, instrument
outre: en outre in addition
ouvert(e) open
l' **ouverture** *(f.)* opening
l' **ouvrage** *(m.)* work *(of art)*
l' **ouvrier, l'ouvrière** worker
ouvrir to open
ovale oval
l' **oxyde** *(m.)* oxide
l' **oxygène** *(m.)* oxygen
l' **ozone** *(m.)* ozone

les **pages** *(f. pl.)* **jaunes** yellow pages
le **paillasson** doormat
le **pain** bread
se vendre comme des petits pains to sell like hotcakes
la **paire** pair
la **paix** peace
le **palais** palace
le **palier** landing *(of staircase)*
la **palmeraie** palm grove
le **palmier** palm tree
le **panache** plume
la **pancarte** sign
le **panier** basket
paniquer to panic
le **panneau** backboard *(basketball)*; road sign
le panneau d'affichage bulletin board
le **pansement** bandage
le **pantalon** pants
le **Pape** Pope
la **papeterie** stationery store
le **papier** paper
le papier hygiénique toilet paper
la feuille de papier sheet of paper
le **paquet** package
par by
par avion (by) airmail
par conséquent consequently

par exemple for example
par hasard by chance
par jour a (per) day
par rapport à compared with
par semaine a (per) week
par la suite eventually
paraître to appear, to be published
il paraît it appears; apparently
le **parallèle** parallel
le **parapluie** umbrella
le **parc** park
le parc d'attractions amusement park
parce que because
le **parcmètre** parking meter
parcourir to travel, go through
par-delà beyond
par-dessus over
pardon excuse me, pardon me
le **pardon** pardon, forgiveness
le **parebrise** windshield
pareil(le) similar, like
le **parent** relative
les parents parents
parer à to take care of
paresseux, paresseuse lazy
parfait(e) perfect
parfaitement exactly
parfois at times
le **parfum** perfume
parisien(ne) Parisian
la **parité** equality
le **parking** parking lot
le **parlement** parliament
parler to speak, talk
parler au téléphone to talk on the phone
parmi among
la **parole** word
les paroles lyrics
prendre la parole to begin to speak
part: à part apart
d'une part... d'autre part... on the one hand . . . on the other hand . . .

le **partage** sharing
partager to share
partager les frais to share expenses
se partager to divide (among themselves)
le **partenariat** work in partnership
le **participe** participle
participer (à) to participate (in)
particulier, particulière specific
particulièrement particularly
la **partie** game, match; part
en partie partly
faire partie de to be a part of
partir to leave
à partir de from . . . on (date); based on
partout everywhere
parvenir to arrive, to reach
parvenir à to manage to, succeed in
pas: ne... pas not
pas de... no . . .
Pas de quoi. You're welcome.
pas du tout not at all
pas forcément not necessarily
pas mal not bad
pas mal de quite a few
pas question no way
le **pas** (foot)step
faire un pas to take a step
le **passage: être de passage** to be passing through
passager, passagère passing, temporary
le **passager, la passagère** passenger
le **passé** past
le **passeport** passport
passer to spend (time); to pass, go through; to show (a movie); to stop by
passer à la douane to go through customs
passer avant tout to come first

passer par le contrôle de sécurité to go through security (airport)
passer un examen to take an exam
se passer to happen
la **passerelle** small bridge
passionnant(e) exciting
passionné(e) de excited by
passionner to excite, fascinate; (sport) to be a passion for
le **pasteur** shepherd
patati: et patati et patata and so on and so forth
la **pâte: mettre la main à la pâte** to pitch in
le **pâté** pâté
patient(e) patient
le/la **patient(e)** patient
le **patin à glace** ice skate; ice skating
faire du patin to skate
faire du patin à glace to ice-skate
le **patinage** skating
le **patineur, la patineuse** skater
la **patinoire** skating rink
le **pâtre** shepherd
la **patrie** native country, homeland
le **patrimoine** heritage
patriotique patriotic
le **patriotisme** patriotism
le/la **patron(ne)** boss
la **patte** leg, paw
lancer la patte to trip (someone)
les pattes sideburns
le **pâturage** pasture
pauvre poor
la **pauvreté** poverty
le **pavillon** small house, bungalow
payant(e) requiring payment
payer to pay
payer en espèces to pay cash
le **pays** country
le **paysage** landscape
le **paysan** peasant

les **Pays-Bas** (m. pl.) the Netherlands
le **péage** toll
la **peau** skin
la **pêche** fishing
aller à la pêche to go fishing
le **pêcheur** fisherman
le port de pêcheurs fishing village
le **peigne** comb
se peigner to comb (one's hair)
peindre to paint
la **peine** sorrow
à peine hardly, only just
avoir de la peine to be sad, upset
Ce n'est pas la peine. It's not worth it. Don't bother.
faire de la peine à quelqu'un to hurt someone (emotionally)
la peine de mort death penalty
se donner la peine to take the trouble
peiner to work hard, make great efforts
le/la **peintre** painter, artist
la **peinture** painting
péjoratif, péjorative pejorative, disparaging
pékin Beijing
le **pèlerinage** pilgrimage
la **pelle** shovel
le **peloton** the pack (of runners)
dans le peloton de tête at the top of the list
le **penalty** penalty (soccer)
penché(e) slanting
pendant during, for (time)
pendant que while
pendu hanged
pénétrer to penetrate
la **pénicilline** penicillin
la **pensée** thought
penser to think
la **pension** small hotel
la **percée** breakthrough
percevoir to perceive, detect

perché(e) perched

la **perdition** despair

perdre to lose

  perdre des kilos to lose weight

le **père** father

  le Père Noël Santa Claus

perfectionné(e) sophisticated

le **perfectionnement** perfecting

perfectionner to perfect

périlleux, périlleuse dangerous

la **périphérie** outskirts

périphérique: le boulevard périphérique beltway, ring road

la **perle** pearl

permettre to permit, allow

  Vous permettez? May I (sit here)?

le **permis** permit

  le permis de conduire driver's license

perpétuer to perpetuate

le **personnage** character

la **personne** person

  ne... personne no one, nobody

  personne ne... no one

personnel(le) personal

le **personnel de bord** flight crew

personnellement personally

la **perspective** perspective, view

  à la perspective at the prospect

la **perte** loss

la **perturbation** disturbance

la **pesanteur** gravity

peser to weigh

le **pétale** petal

petit(e) short, small

  le petit ami boyfriend

  la petite amie girlfriend

  la petite annonce classified ad

  le petit déjeuner breakfast

  petit à petit little by little

  prendre le petit déjeuner to eat breakfast

la **petite-fille** granddaughter

le **petit-fils** grandson

le **pétrolier** oil tanker

peu little, not much

  peu (de) few, little

  à peu près about

  un peu (de) a little

le **peuple** people, nation

peur: avoir peur (de) to be afraid (of)

  de peur de for fear of

  de peur que for fear that

  faire peur à to frighten

peut-être maybe, perhaps

la **pharmacie** pharmacy

le/la **pharmacien(ne)** pharmacist

le **phénomène** phenomenon

le **philosophe** philosopher

la **philosophie** philosophy

le **phosphate** phosphate

la **photo** photograph

photographier to photograph

la **photosynthèse** photosynthesis

la **phrase** sentence

le/la **physicien(ne)** physicist

la **physique** physics

physique physical

  la forme physique physical fitness

physiquement physically

picorer to peck

la **pièce** room; play; coin; piece

le **pied** foot

  à pied on foot

  un pied d'égalité an equal footing

  la plante du pied sole of the foot

le **piège** trap, snare

la **pierre** stone

le/la **piéton(ne)** pedestrian

piétonnier(-ère) pedestrian (adj.)

pieux, pieuse pious, religious

le **pilier** pillar

piller to pillage

le/la **pilote** pilot

le/la **pilote de ligne** airline pilot

piloter to pilot

pincer to pinch

piquant(e) spicy

piquer to sting

la **piqûre** injection, shot

  faire une piqûre to give (someone) a shot

le **piratage** piracy

pire worse

la **piscine** pool

  la piscine couverte indoor pool

la **piste** track; ski trail

la **pitié** pity

pittoresque picturesque

le **placard** closet

la **place** seat (plane, etc.); parking space; place

  les places debout standing room

  à ta place if I were you

le **plafond** ceiling

la **plage** beach

la **plaie** plague

se **plaindre** to complain

la **plaine** plain

la **plaisanterie** joke

le **plan** map

  le plan du métro subway map

  le plan de la ville street map

  au premier plan in the foreground

  de tout premier plan of the first rank, foremost

la **planche à voile: faire de la planche à voile** to windsurf

la **planche (de surf)** surfboard

la **planète** planet

la **plantation** grove

la **plante** plant

la **plante du pied** sole of the foot

planté(e) set up

le **plastique: en plastique** plastic

le **plateau** plateau; tray

la **plate-bande** flower bed

la **platine** platinum
le **plâtre** (plaster) cast
plein(e) full
  avoir plein de fric to have lots of money *(slang)*
  faire le plein to fill up *(a gas tank)*
  le terrain de plein air playing field *(sports)*
pléthorique excessive
pleurer to cry
pleurer comme une madeleine to cry one's heart out
C'est bête à pleurer. It's pitifully stupid.
pleuvoir to rain
  Il pleut. It's raining.
plier to bend; to fold
le **plomb** lead
la **plongée sous-marine: faire de la plongée sous-marine** to go deep-sea diving
plonger to dive; to plunge
la **pluie** rain
  les pluies acides acid rain
la **plume** feather, pen
la **plupart (des)** most (of)
le **pluriel** plural
plus more
  de plus moreover
  de plus en plus more and more
  en plus besides, in addition
  plus que quelques échelons only a few rungs left
  plus tard later
plusieurs several
plutôt quite, rather
pluvieux, pluvieuse rainy
le **pneu** tire
  le pneu à plat flat tire
la **poche** pocket
le **poème** poem
la **poésie** poetry
le **poète** poet
le **poids** weight
le **poignet** wrist

poil: être de bon (mauvais) poil to be in a good (bad) mood *(slang)*
le **point** point; period
  le point de suture (surgical) stitch
  le point de vue point of view
  point: ne... point not *(literary)*
la **pointure** size *(shoes)*
le **poisson** fish
la **poissonnerie** fish store
le **pôle** pole
  le pôle Nord North Pole
poli(e) polite; polished
la **police secours** emergency aid
le **policier** police officer
poliment politely
la **politesse** politeness
la **politique** politics; policy
le **polluant** pollutant
polluer to pollute
la **pollution** pollution
la **pomme** apple
  la pomme de terre potato
le **pommier** apple tree
le **pompier** firefighter
le/la **pompiste** gas station attendant
le **pont** bridge
populaire popular
la **porcelaine** porcelaine, china
le **port** port; wearing *(n.)*
  le port de pêche fishing port
  le port de pêcheurs fishing port
la **porte** gate *(airport)*; door
le **portefeuille** wallet
le **porte-monnaie** change purse
le **porte-plume** penholder
porter to take (carry); to wear
  porter un toast to toast, make a toast
le **porteur** porter
la **portière** door *(of a vehicle)*
le **portrait** portrait
le **Portugal** Portugal

poser: poser sa candidature to apply for a position
  poser une question to ask a question
possédé(e) possessed
la **poste** post office
  mettre à la poste to mail
le **poste** position
le **poster** poster
le **pot** jar
  le pot catalytique catalytic converter
  le pot d'échappement muffler
le **pot-au-feu** braised beef with vegetables
le **pouce** inch; thumb
la **poule** hen, chicken *(animal)*
le **poulet** chicken *(for eating)*
le **pouls** pulse
le **poumon** lung
pour for; in order to
  pour que so that
le **pourboire** tip *(restaurant)*
le **pourcentage** percentage
pourchasser to chase
pourquoi why
poursuivre to pursue
pourtant yet, still, nevertheless
pourvu que provided that; let's hope that
la **poussée** push, shove
pousser to grow; to push
la **poussière** dust
pouvoir to be able to
le **pouvoir** power
  le pouvoir d'achat buying power
pratique practical
la **pratique** method
  pratiquer un sport to play a sport
le **pré** meadow
précieux, précieuse precious
se **précipiter à** to rush towards
précis(e) precise, exact
  à l'heure précise right on time
préciser to specify
la **prédominance** predominance

préféré(e) favorite
préférer to prefer
le **préfixe** prefix
prélevé(e) deducted
prélever to deduct
premier, première first
  les tout premiers very first
premièrement first of all
prendre to take; to have (*to eat or drink*)
  prendre un bain de soleil to sunbathe
  prendre un billet to buy a ticket
  prendre conscience de to become aware of
  prendre la correspondance to change trains
  prendre une décision to make a decision
  prendre des kilos to gain weight
  prendre en note to take note
  prendre part à to take part in
  prendre la parole to begin to speak
  prendre le pas sur to pass, surpass
  prendre le petit déjeuner to eat breakfast
  prendre rendez-vous to make an appointment
  prendre les rênes to take command, be in charge
  prendre des rides to get wrinkles
le **préparatif** preparation
préparer to prepare
près de near
prescrire to prescribe
le **présentateur, la présentatrice** announcer
les **présentations** (*f. pl.*) introductions
présenter to introduce; to present
la **préservation** preservation
préserver to preserve
presque almost

la **presse** press
pressé(e) in a hurry
la **pression (artérielle)** blood pressure
prêt(e) ready
le **prêt** loan
prêter to lend
le **prêtre** priest
la **preuve** proof
prévenir to prevent
la **prévision** forecast
prévoir to foresee; to predict
prier to pray
  je vous prie de please
la **prière: en prière** at prayer, praying
primaire: l'école (*f.*) **primaire** elementary school
primordial(e) essential, utmost
le **prince** prince
principal(e) main, principal
principalement mainly
le **principe** principle
le **printemps** spring
priorité: en priorité first and foremost
pris(e) taken; busy
la **prise: faire une prise de sang** to take a blood sample
le **prisonnier** prisoner
la **privation** deprivation
privé(e) private
privilégier to favor
le **prix** price, cost; prize
  à prix fixe at a fixed price
probable: il est probable que it's probable
probablement probably
le **problème** problem
prochain(e) next; approaching, immediate
proche close; closely related
proclamer to proclaim
produire to produce
le **produit** product
  le produit laitier dairy product

le/la **prof** teacher (*informal*)
le **professeur** (*m.*) teacher
la **profession** profession
professionnel(le) professional
profit: tirer profit de to benefit from
profiter de to take advantage of, profit from
profond(e) deep
profondément profoundly, deeply
la **progéniture** offspring
la **programmation** computer programming
le **programme** TV program
le **progrès** progress
progressif, progressive progressive
le **projecteur** projector
le **projet** project, plan
le **prolongement** extension
la **promenade: faire une promenade** to take a walk
se **promener** to walk
le **promeneur, la promeneuse** walker
prononcer to pronounce, utter
le **pronostic** prediction
proportionellement proportionately
les **propos** (*m. pl.*) remarks
le **propos** intention
proposer to suggest
propre clean; own (*adj.*)
le/la **propriétaire** owner
la **propriété** property
le **prospectus** brochure, leaflet
la **protection** protection
protéger to protect
la **protéine** protein
le **protestantisme** Protestantism
provenance: en provenance de arriving from (*train, plane, etc.*)
provençal(e) from Provence, the south of France
la **Provence** region in the South of France

provenir to come from
la **province** province
les **provisions** (f. pl.) groceries
   muni de provisions with
   food
   provisoire provisional
   provoquer to cause
   prudemment carefully
la **prudence** prudence,
   caution
le **prunier** plum tree
   prussien(ne) Prussian
le/la **psychologue** psychologist
la **puberté** puberty
le **public** public; audience
la **publicité** advertisement
   publier to publish
les **puces: le marché aux puces**
   flea market
   puiser to draw from
   puisque since
   puissant(e) powerful
le **puits** well
le **pull** sweater
   pulluler to proliferate
   pulmonaire pulmonary, of
   the lungs
   punir to punish
la **punition** punishment
le **pupitre** student's desk in a
   school
   pur(e) pure
la **pureté** purity
le **pyjama** pajamas
la **pyramide** pyramid

le **quai** platform (railroad);
   pier
la **qualité** quality; positive
   trait
   quand when
   quant à as for
le **quart: et quart** a quarter
   past (time)
   moins le quart a quarter
   to (time)
le **quartier** neighborhood,
   district
la **quasi-totalité** almost the
   whole of

que that, which, whom
   que diable! For Pete's
   sake!
quel(le) which, what
quelque some
   à quelques pointes
   d'accent près apart from
   the hint of an accent
   quelque chose à manger
   something to eat
   quelquefois sometimes
   quelques some
le **qu'en-dira-t-on** gossip
   qu'est-ce que what
   qu'est-ce qui what
la **question: poser une**
   question to ask a
   question
   hors question out of the
   question
   Il n'en est pas question.
   It's out of the question.
   pas question no way
la **quête** search, quest
la **queue: faire la queue** to
   wait in line
   qui who; whom; which,
   that
   quinze: tous les quinze
   jours every two weeks
   quitter to leave (a room,
   etc.)
   Ne quittez pas. Hold on.
   (telephone)
   quoi what
   de quoi wherewithal;
   means
   quoique although
le **quotidien** everyday life
   quotidien(ne) daily
le **quotidien** daily newspaper

   raccrocher to hang up
   (telephone)
la **racine** root
   raconter to tell (about)
   radicalement radically
   radieux(-se) radiant
la **radio** radio
la **radio(graphie)** X-ray

   radioactif, radioactive
   radioactive
la **radioscopie** radioscopy
la **rafale** gust of wind
la **rage** rabies
le **raisin** grape(s)
   les raisins secs raisins
la **raison** reason
   ralentir to slow down
le **ralentissement** slowing
   ramasser to collect; to pick
   up
   ramener to bring (back)
le **ramoneur** chimney-sweep
la **randonnée (pédestre)**
   backpacking
   en randonnée
   backpacking, hiking
   faire de la randonnée to
   go backpacking, hiking
le **randonneur, la**
   randonneuse hiker
le **rang** row
   rangé(e) ordered; arranged
   in rows
le **rapatriement** repatriation
   rapide quick, fast
   rapidement quickly
   rappeler to call back
   se rappeler to remember
le **rapport** relationship; report
   par rapport à in
   comparison with
   rapporter to report; to
   bring back
le **rapprochement**
   reconciliation
la **raquette** racket
se **raréfier** to become less
   frequent, become rare
   rarement rarely
   raser to bore
   Ça me rase! It bores me
   stiff.
se **raser** to shave
   rasoir boring (slang)
le **rasoir** razor, shaver
   rassembler to collect,
   gather together
   rassurer to reassure
la **rate** spleen
   rater to miss (train, etc.)
   ratisser to comb

rattraper to catch up with

le **ravissement** rapture

le **rayon** department *(in store)*; ray of light

    les rayons X X-rays

le **rayonnement** ray

la **réaction** reaction

réagir to react

la **réalisation** achievement

réaliser to realize *(an ambition)*, achieve

la **réalité** reality

rebelotte here we go again

récemment recently

la **réception** front desk *(hotel)*

    la réception par câble cable television

le/la **réceptionniste** desk clerk

recevoir to receive, to get

se **réchauffer** to get warm(er)

la **recherche** research, search

recherché(e) sought after

le **récipient** recipient

réciproque reciprocal

le **récit** story, account

réciter to recite

réclamer to demand

la **réclusion solitaire** solitary confinement

la **récolte** harvest

récolter to harvest

recommander to recommend

la **récompense** reward

la **réconciliation** reconciliation

reconnaître to recognize; to admit

reconnu(e) recognized

reconstruire to rebuild

la **récréation** recess

recréer to re-create

récrire to rewrite

le **recueil** collection

recueillir to take down, to take note of

reculé(e) distant, remote

reculer to draw back

récupérer to claim *(luggage)*; to collect

le **recyclage** recycling

la **rédaction** paper, composition; writing

faire une rédaction to write a paper

redistribuer to redistribute, pass (something) out again

redresser to straighten up

réduire to reduce

réduit(e) reduced

refaire to do over, make over

réfléchi(e) reflexive

réfléchir to think

le **reflet** reflected light

refléter to reflect

se **réfugier** to take shelter

le **regard** look

regarder to look at, watch

    cela ne me regarde pas that doesn't concern me

se **regarder** to look at oneself, look at one another

le **régime** diet

    suivre un régime to go on a diet

la **règle** rule; ruler

le **règlement** rule; regulations

régler to direct *(traffic)*

le **règne** reign

régner to reign

le **regret** regret

regretter to be sorry; to miss

régulier, régulière regular

le **rejet** emission

rejeter to give off

rejoindre to join

réjouir to delight

le **réjouissance** festivity

le **relâche** respite, dark *(theater)*

la **relation** relationship

relax(e) carefree

le **relevé (de compte)** statement *(bank)*

relever to raise again

    se relever to get up

relié(e) connected

relier to connect

religieux, religieuse religious

relire to reread

se **remarier** to remarry

remarquer to notice

le **remboursement** reimbursement

rembourser to pay back, reimburse

remédier to remedy

le **remembrement** regrouping

les **remerciements** *(m. pl.)* thank-you messages

remercier to thank

remettre to put back, to replace

    remettre en place to reset *(a bone)*

se **remettre** to recover *(from an illness)*

    se remettre en route to get back on the road

remise: la remise en question calling into question

les **remparts** *(m. pl.)* ramparts

remplir to fill out

remporter to take back

    remporter la victoire to be victorious

la **rémunération** payment

renaître to be reborn

le **renard** fox

la **rencontre** meeting

rencontrer to meet

    se rencontrer à mi-chemin to meet someone halfway

le **rendez-vous** meeting, appointment

    prendre rendez-vous to make an appointment

rendre to give back; to make

rendre compte to tell about

    se rendre compte to realize

se **renforcer** to grow stronger

renoncer (à) to give up (on)

renouveau: le renouveau de popularité renewed popularity

renouveler to renew, revive

    se renouveler to be repeated

les **renseignements** *(m. pl.)* information

les **rentes** *(f. pl.)* private income

le **rentier** person of independent means
la **rentrée des classes** beginning of school year
rentrer to go home
renverser to overthrow
renvoyer to send back
réparateur, réparatrice refreshing
reparler to talk again
réparti(e) divided, distributed
repartir to go away again; to answer, retort
répartir to divide up, distribute
  se répartir to be divided, distributed
la **répartition** distribution
le **repas** meal
le **repassage** ironing
repasser to iron
repeindre to repaint
le **répertoire** repertory
répéter to repeat
la **répétition** rehearsal
se **replacer** to regain one's position
le **répondeur automatique** answering machine
répondre to answer
la **réponse** answer
le **repos** rest
reposer to place
  se reposer to rest
repoussé(e) pushed back
reprendre to take again
la **représaille** reprisal
le/la **représentant(e)** representative
la **représentation** performance (play)
représenter to represent
  représenter une pièce to stage a play
la **répression** repression
la **reprise** reshowing
le **reproche** reproach
reproduire to reproduce
la **république** republic, democracy
répudier to repudiate, cast off

le/la **rescapé(e)** survivor
le **réseau** system
la **réserve** reserve, supply; nature preserve
réserver to reserve
le **réservoir** gas tank
résidentiel(le) residential
la **résistance** resistance
résoudre to solve
respecter to respect
respectif, respective respective
la **respiration** breathing
respiratoire respiratory
respirer (à fond) to breathe (deeply)
resplendissant(e) glittering
responsable responsible
resquiller to cut ahead (in line)
ressembler à to resemble
ressentir to feel
resservir to be reused
le **ressortissant** citizen, national
la **restauration** food service
  la restauration rapide fast food
reste: du reste moreover
rester to stay, remain
  rester en forme to stay in shape
  rester interdit(e) to be taken aback
le **restoroute** roadside restaurant
le **résultat** result
résumer to summarize
rétablir to reinstate
le **rétablissement** reinstatement; recovery (from an illness)
le **retard** delay
  en retard late
retarder to delay
retenu(e) cautious
retirer to take away
  se retirer to retire
retomber to fall back down
le **retour** return
se **retourner** to turn round
la **retraite** retirement
la **retransmission** rebroadcast

rétrécir to shrink
retrouver to find again
  se retrouver to meet (again)
la **réunion** meeting
réunir to bring together; to reunite
  se réunir to meet, to get together
réussir (à) to succeed, to pass (exam)
la **réussite** success
réutiliser to use
revanche: en revanche on the other hand
le **rêve** dream
  de rêve dream (adj.)
réveiller to reawaken
  se réveiller to wake up
le **réveillon** Christmas or New Year's dinner
la **révélation** revelation
révéler to reveal
revenir to come back
  je n'en reviens pas! I can't get over it!
le **revenu** revenue, income
rêver to dream; to daydream
le **réverbère** gas lamp
revêtir to don, put on
revoir to see again
la **révolution** revolution
révolutionner to revolutionize
le **rez-de-chaussée** ground floor
le **rhinocéros** rhinoceros
le **rhume** cold (illness)
  avoir un rhume to have a cold
riche rich
la **richesse** wealth; blessing, boon
la **ride** wrinkle
le **rideau** curtain
  le lever du rideau curtain time (theater)
ridicule ridiculous
rien nothing
  rien ne... nothing
  ne... rien nothing, anything

rien à voir avec nothing to do with

rien d'autre nothing else

rien que just, alone

rieur, rieuse merry

rigoler to joke around

Tu veux rigoler! Are you kidding!

rigolo funny, hilarious *(slang)*

rigueur: de rigueur necessary, obligatory

rincer to rinse

rire to laugh

le **rire** laugh

risquer to risk

le **rite** rite, ritual

la **rivière** river

la **robe** dress

le **robinet** faucet

le **rocher** rock

le **roi** king

le **rôle** role

romain(e) Roman

roman(e) Romanesque

le **roman** novel

le roman policier detective novel, mystery

le **romancier, la romancière** novelist

rompre to break

rond(e) round

le **rond** circle

le **ronflement** throbbing; snoring

ronfler to snore

rose pink

la **rosée** dew

le **rosier** rosebush

roucouler to coo

la **roue** wheel

la roue de secours spare tire

les deux roues two-wheeled vehicles

rouge red

le **rouleau** roll

rouler (vite) to go, drive (fast)

roumain(e) Romanian

la **route** road

En route! Let's go!

routier, routière road *(adj.)*

roux, rousse redheaded

le **royaume** kingdom

le **Royaume-Uni** United Kingdom

le **ruban** ribbon

la **rubéole** German measles

la **rubrique** heading, column

la **rue** street

la **ruelle** alley

se **ruer (sur)** to throw oneself (into); to pounce (on)

le **rugby** rugby

se **ruiner** to be financially ruined

les **ruines** *(f.)* ruins

le **ruisseau** brook, stream

la **rupture** departure, break

rural(e) rural

russe Russian

le **rythme** rhythm

le **sable** sand

le **sac** bag; pocketbook, purse

le sac à dos backpack

le sac de couchage sleeping bag

sacré(e) holy

sacrer to crown

la **sacrifice** sacrifice

le **safari** safari

sage good *(child's behavior)*

le **Sahara** Sahara

saignant(e) rare *(meat)*

saigner to bleed

sain: sain et sauf safe and sound

saint(e) holy

saisir to seize

la **saison** season

la belle saison summer

la **salade** salad

le **salaire** salary

le **salarié** full-time employee

sale dirty

salir to make dirty

la **salle à manger** dining room

la **salle d'attente** waiting room

la **salle de bains** bathroom

la **salle de cinéma** movie theater

la **salle de classe** classroom

la **salle d'honneur** reception hall

la **salle de séjour** living room

la **salle des urgences** emergency room

saluer to greet

le **salut** salute

Salut! Hi!

le **sandwich** sandwich

le **sang** blood

une analyse de sang blood test

faire une prise de sang to take a blood sample

le **sang-froid** calm

garder son sang-froid to keep calm

sanglant(e) bloody

sans without

sans aucun doute without a doubt

sans blague! No kidding!

sans escale nonstop *(flight)*

sans que without

les **sans-abri** *(m. pl.)* the homeless

la **santé** health

le **sapin** pine tree

le sapin de Noël Christmas tree

le **sas** airlock

satisfait(e) satisfied

la **sauce piquante** spicy sauce

la **saucisse de Francfort** hot dog

le **saucisson** salami

sauf except

sauter to jump

sauvage wild

sauver to save

le **sauveteur** rescue worker

la **savane** savanna

le **savant** scientist

la **saveur** flavor

savoir to know *(information)*

le **savoir** knowledge

le **savoir-vivre** good manners

le **savon** soap

scandalisé(e) scandalized, shocked

le **scaphandre** space-suit

la **scène** scene; stage

les **sciences** (f. pl.) science

les sciences humaines social sciences

les sciences naturelles natural sciences

le/la **scientifique** scientist

la **scierie** sawmill

le **scintillement** twinkling

scintiller to glitter

scolaire school

la **scolarité** school attendance; schooling

le **scorbut** scurvy

le **score** score

le **sculpteur** sculptor

la **sculpture** sculpture

la **séance** show (movie)

sec, sèche dry

le **sèche-linge** clothes dryer

sécher to dry

se sécher to dry (off)

la **sécheresse** dryness, drought

second(e) second

en seconde in second class

secondaire: l'école (f.) **secondaire** junior high, high school

la **seconde** second (time)

secouer to shake

le **secourisme** first aid

le/la **secouriste** emergency medical technician

les **secours** (m. pl.) emergency crews

le/la **secrétaire** secretary

sécurisant(e) reassuring

la **sécurité** safety

la Sécurité civile air rescue team

sédentaire settled, stationary

le **séjour** stay

le **sel** salt

la croûte de sel salt crust

le sel minéral mineral salt

selon according to

la **semaine** week; allowance

par semaine a (per) week

semblable similar, alike

sembler to seem

semer to sow

le **Sénégal** Senegal

le **sens** direction; meaning; sense

le sens de commandement leadership abilities

sensass sensational (slang)

sensationnel, sensationnelle sensational

sensible sensitive; noticeable

le **sentiment** feeling

sentir to feel; to take (slang)

je ne peux pas le sentir. I can't take him.

se sentir to feel (well, etc.)

séparer to separate

la **série** series

sérieusement seriously

sérieux, sérieuse serious

le **serpentin** streamer

serré(e) tight

être serré(e)(s) to be packed

serrer to grip, to squeeze

serrer la main to shake hands

serrer la taille to make the waist smaller

se serrer la ceinture to tighten one's belt

la **serrure** lock

la **servante** maid

le **serveur, la serveuse** waiter, waitress

le **service** tip; service

le service du personnel personnel department

Le service est compris. The tip is included.

la **serviette** napkin; towel

servir to serve

servir à to be used for

se servir de to use

le **serviteur** servant

le **seuil** doorstep, threshold

seul(e) alone; single; only (adj.)

tout(e) seul(e) all alone, by himself/herself

seulement only

sévère strict

le **sexe** sex

le sexe opposé opposite sex

le **shampooing** shampoo

le **shampooing-crème** shampoo-conditioner

le **short** shorts

si if, whether; yes

le **sida (syndrome immuno-déficitaire acquis)** AIDS

le **siècle** century

le **siège** seat

le siège réglable adjustable seat

la **sieste** nap

siffler to (blow a) whistle

le **sifflet** whistle

le **signal** sign

la **signalisation** signaling (in a car)

signer to sign

la **signification** meaning

signifier to mean

silencieux, silencieuse silent; still

s'il te (vous) plaît please

simplement simply

simplifier to simplify

sincère sincere

sinon otherwise, or else

la **sirène** siren

la sirène d'alarme fire alarm

situé(e) located

le **ski** ski; skiing

le ski alpin downhill skiing

le ski de fond cross-country skiing

faire du ski to ski

faire du ski nautique to water-ski

le **skieur, la skieuse** skier

la **société** company; society

la grosse société large company

la **sociologie** sociology

la **sœur** sister
soi oneself
  chez soi home
  en soi in itself
la **soie** silk
soigner to take care of
soigneusement carefully
soi-même himself, herself, oneself
le **soir** evening, in the evening
  du soir P.M.
  ce soir tonight
la **soirée** evening; evening party
  la soirée dansante dance (party)
soit is, exists; let's say
  soit... soit either . . . or
le **sol** ground, soil; floor
solaire solar
le **soldat** soldier
le **solde** (bank) balance
  en solde on sale
  les soldes sale (store)
le **soleil** sun
  le coucher du soleil sunset
  le lever du soleil sunrise
  le soleil levant rising sun
  Il fait du soleil. It's sunny.
solennel(le) solemn
la **solennité** solemnity
solide solid
sombre dark
la **somme** sum
  en somme in short
le **sommeil** sleep
  tirer quelqu'un du sommeil to arouse someone from sleep
le **sommet** summit, mountaintop
le **son** sound
le **sondage** survey
songer (à) to think (about)
sonner to ring; to sound
sonner occupé to be busy (telephone)
sonner le clairon to sound the bugle
la **sonnerie** bell
sonore resonant

sorcier: Ce n'est pas sorcier! It's not hard!
le **sort** fate
la **sorte** sort, kind
  de sorte que so that
la **sortie** exit
  la sortie de secours emergency exit
sortir to go out, take out
  s'en sortir to get out of a bad situation
le **sou** copper coin worth 5 centimes
  ne pas avoir un sou to be penniless
le **souci** worry
soudain suddenly
soudanien(ne) from Sudan
souffler to blow
la **souffrance** suffering
souffrant(e) unwell, poorly
souffrir to suffer
le **souhait** wish
souhaiter to wish
  se souhaiter to wish each other
soulager to relieve
soulever to lift
  se soulever to rise up
les **souliers** (m. pl.) shoes
soumettre to submit
soumis(e) submitted
la **soupe à l'oignon** onion soup
le **souper** supper
le **souper-spectacle** dinner theater
soupir to sigh
la **source** source
sourd deaf
le **sourd-muet, la sourde-muette** deaf-mute
sourire to smile
le **sourire** smile
la **souris** mouse
sous under
sous-estimer to underestimate
le **sous-marin** submarine
le **sous-sol** underground, basement
les **sous-titres** (m. pl.) subtitles
soutenir to support

soutenu(e) supported
souterrain(e) underground
le **soutien** support
le **souvenir** memory
se **souvenir de** to remember
souvent often
spatial(e) space
se **spécialiser** to specialize
le **spectacle** show
  le monde du spectacle show business, entertainment
spectaculaire spectacular
le **spectateur** spectator
la **splendeur** splendor
le **sport: faire du sport** to play sports
  pratiquer un sport to play a sport
  le sport collectif team sport
  le sport d'équipe team sport
  les sports d'hiver winter sports, skiing
sport casual (clothes) (adj.)
sportif, sportive athletic
le **sportif, la sportive** participant (in a sport)
le **stade** stadium; stage (of a process)
le **stage** training
la **station balnéaire** seaside resort
la **station de métro** subway station
la **station de sports d'hiver** ski resort
la **station de radio** radio station
la **station de taxis** taxi stand
la **station-service** gas station
la **station thermale** spa
le **stationnement** parking
stationner to park
la **statue** statue
steak frites steak and French fries
le **steward** flight attendant
stipuler to stipulate
la **stratosphère** stratosphere
stressé(e) stressed out
strict(e) strict

la **strophe** stanza
stupéfait(e) dumbfounded
la **stupeur** astonishment, amazement
le **style** style
le **stylo** (ballpoint) pen
le **stylo-bille** ballpoint pen
subir to suffer; to undergo (operation)
subitement suddenly
subventionner to subsidize
se **succéder** to follow one another
le **succès** success
la **succession** succession
le **sud** south
sudaméricain(e) South American (adj.)
le **sud-est** southeast
le **sud-ouest** southwest
la **sueur** sweat
à la sueur de son front by the sweat of one's brow
suffire to suffice, be enough
suggérer to suggest
se **suicider** to commit suicide
suisse Swiss
la **Suisse** Switzerland
suite: par la suite eventually
suivre to follow
à suivre... to be continued
le **sujet** subject
au sujet de about
super terrific, super
super chouette fantastic (slang)
la **superficie** area (geography)
supérieur(e) upper
la **supériorité** superiority
le **supermarché** supermarket
superposé(e) on top of each other
supersonique supersonic
le **supplément** surcharge (train fare)
supporter to stand; to withstand
Je ne peux pas le supporter. I can't stand him.

la **suppression** abolition
supprimer to abolish, to eliminate
suprême supreme
sur on
sûr(e) sure; safe
être sûr(e) to be sure
il est sûr que it's sure that
la **surface** surface
le **surf-board** surfboard
le **surfeur, la surfeuse** surfer
surgelé(e) frozen
le **surlendemain** two days later
le **surnom** nickname
surnommé(e) nicknamed
surpasser to surpass
surprenant surprising
surprendre to surprise
surpris(e) surprised
la **surprise** surprise
surtout especially, above all
le/la **surveillant(e)** monitor
surveiller to watch, keep an eye on
le **survêtement** warmup suit
le/la **survivant(e)** survivor
survivre to survive
susceptible likely
susciter to arouse
le **sweat-shirt** sweatshirt
sympa(thique) nice (person)
le **symptôme** symptom
le **syndicat d'initiative** tourist office
le **synonyme** synonym
le **système** system

la **table** table
le **tableau** blackboard; painting
le tableau des départs et arrivées arrival and departure board
le **tablier** apron
la **tache** spot, stain
la **tâche** task, work
les tâches ménagères domestic chores, housework

la **taille** size; waist
tailler to trim; to sharpen (a pencil)
le **tailleur** suit (woman's); tailor
le tailleur de pierre stone cutter
taire (quelque chose) to hush (something) up
le **talc** talcum powder
le **talon** heel
le **tambour** drum
le tambour de ville town crier
tandis que while
tant so much
en tant que as
tant pis too bad
la **tante** aunt
taper to tap
la **tapis** carpet, rug
tard late
plus tard later
le **tarif** fare
à tarif réduit at a discount
les tarifs aériens airfares
la **tarte** pie, tart
la tarte aux fruits fruit tart, pie
la **tartine** slice of bread (with butter, jam, etc.)
tas: des tas de lots of, many
la **tasse** cup
le **taureau** bull
le **taux** level, rate
le **taxi** taxi
le **technicien, la technicienne** technician
technique technical
technologiquement technologically
le **tee-shirt** T-shirt
teinté(e) dyed
la **teinture** dye
tel(le) such, like, as
tel(le) que as, such as
la **télé** TV
à la télé on TV
la **télécarte** prepaid telephone card
la **télécommande** television remote control

le **télécopieur** fax machine
le **téléphone** telephone
téléphoner to telephone
téléphonique telephone *(adj.)*
le **télésiège** chairlift
le **téléspectateur, la téléspectatrice** television viewer
le **téléviseur** television (set)
la **télévision** television
tellement so much
témoigner (de) to attest (to)
le **témoin** witness
la **température** temperature
la **tempête** tempest, storm
le **temps** weather; time
de temps en temps from time to time
il est temps que it's time that
tenace strong, tough
la **tendance: avoir tendance à** to tend to
tendre tender; affectionate
tendre à to tend
tendre la main to hold out one's hand
la **tendresse** fondness
tenir to hold
Ça ne tient pas debout. It makes no sense.
tenir à to be determined to
tenir compte de to take into account
se tenir bien/mal to behave well/badly
se tenir informé(e) to keep informed
le **tennis** tennis
la **tension** blood pressure
la **tente** tent
tenter to tempt
tenter de to try to
le **terminal** terminal *(bus, etc.)*
terminale: en terminale in the last year of school
terminer to finish
se terminer to end, finish
le **terminus** last stop *(of bus, train line)*
le **terrain de basket** basketball court

le **terrain de camping** campground
le **terrain de football** soccer field
le **terrain de plein air** playing field *(sports)*
le **terrain de sport** playing field
la **terrasse** terrace
la terrasse d'un café sidewalk café
la **terre** earth, soil
la Terre Earth
Terre-Neuve Newfoundland
terrible terrible; terrific *(informal)*
le **territoire** territory
le **terrorisme** terrorism
la **tête** head
avoir mal à la tête to have a headache
avoir mal dans la tête to be mentally ill
en tête in the head
la tête de veau calf's head
le **texte** passage, text
le **TGV** high-speed train
la **Thaïlande** Thailand
le **thé citron** tea with lemon
le **théâtre** theater
la **théorie** theory
la **thèse** theme
le **thym** thyme
le **ticket** bus or subway ticket
le **ticket-restaurant** restaurant voucher
tiède lukewarm
tiens! Hey! Well! Look!
le **tiers** one-third
le **tigre** tiger
le **timbre** stamp
timide timid, shy
le **tir à l'arc** archery
tirer to pull
tirer de to take from
tirer des feux d'artifice to shoot off fireworks
tirer quelqu'un du sommeil to arouse somebody from sleep
se tirer d'affaire to get out of trouble

se tirer d'une mauvaise situation to get out of trouble
le **tissu** fabric
le **titre** title
à titre de by way of
le gros titre title of a newspaper article, headline
la **toilette: faire sa toilette** to wash and groom oneself
les **toilettes** *(f. pl.)* bathroom
le **toit** roof
le **toit-terrasse** rooftop-terrace
tolérer to tolerate
la **tomate** tomato
tomber to fall
laisser tomber to drop
tomber amoureux (amoureuse) de to fall in love with
tomber en panne to break down (car)
tomber sur quelqu'un à bras raccourcis to jump all over someone
la **tonalité** dial tone
la **tondeuse** clipper
la **tonne** ton
le **tonnerre** thunder
se tordre to twist (one's knee, etc.)
le **tort** wrong
à tort ou à raison rightly or wrongly
faire du tort to harm
la **torture** torture
tôt early
la **touche** key *(on a keyboard)*
à touches touch-tone *(adj.)*
toucher to cash *(a check)*; to touch
toujours always
la **tour** tower
la tour Eiffel Eiffel Tower
le **tour** lap *(of a race)*
à son tour in turn
à votre tour (it's) your turn
faire le tour du monde to go around the world
le/la **touriste** tourist

tourner to turn; to stir
  sa chance tourne his luck changes
  se tourner to turn
le **tournesol** sunflower
tous, toutes all, every
  tous (toutes) les deux both
tout(e) the whole, the entire
  C'est tout? Is that all?
  pas du tout not at all
  tout à fait exactly
  tout autour de all around
  tout de même all the same
  Tout de même! Well now! Come on!
  tout de suite right away
  tout droit straight ahead
  tout le monde everyone, everybody
  tout(e) seul(e) all alone
  les tout premiers *(m.)* the very first
toutefois still, nevertheless
la **toxicomanie** drug addiction
toxique toxic
tracer to trace
le **tracteur** tractor
traduire to translate
  se traduire to be translated
le **trafic** trafficking, trade
la **tragédie** tragedy
tragique tragic
le **train** train
  être en train de faire quelque chose to be in the middle of doing something
le **traité** treaty
traiter to treat
le **trajet** distance; trip
la **tramontane** strong cold north wind that blows toward the Mediterranean
tranquillement peacefully
transformer to change, transform
le **transistor** (transistor) radio
transporter to transport

les **transports** *(m. pl.)* **en commun** public transportation
le/la **trapéziste** trapeze artist
le **traumatisme** traumatism
le **travail** work
  travailler to work
  travailler à mi-temps to work part-time
  travailler à plein temps to work full-time
  travailleur, travailleuse hardworking
le **travailleur** worker
les **travaux** *(m. pl.)* construction work, road work
  les travaux forcés hard labor
travers: à travers through
  de travers backwards
traverser to cross
trembler to shake
trempé(e) soaked
tremper to dunk
la **trépidation** vibration
très very
la **tribu** tribe
le **tribunal** court
la **tribune** grandstand
le **tricolore: le drapeau tricolore** French flag
le **tricot** knit
la **trigonométrie** trigonometry
trinquer to clink glasses
triste sad
troisième third
le **trombone** trombone
tromper to fool, trick
  se tromper to be mistaken
la **trompette** trumpet
le **tronc** trunk
trop too *(excessive)*
  trop de too many, too much
le **trophée** trophy
le **trottoir** sidewalk
  le trottoir roulant moving sidewalk
le **trou** hole
le **troubadour** troubadour
se **troubler** to become flustered

les **troubles** *(m. pl.)* problems
  les troubles digestifs digestive troubles
la **troupe** troop
le **troupeau** herd
  trouver to find; to think *(opinion)*
se **trouver** to be located, found
  il se trouve que what happens is that
le **trouvère** wandering minstrel in medieval northern France
le **truc** trick
la **tuberculose** tuberculosis
tuer to kill
la **Tunisie** Tunisia
tunisien(ne) Tunisian
le/la **Tunisien(ne)** Tunisian man, woman
turquoise turquoise
la **tutelle** supervision
le **tutoiement** informal address using **tu**
se **tutoyer** to address (each other) as **tu**
le **type** guy
la **typhoïde** typhoid
typique typical

l' **ultra-son** *(m.)* ultrasonic sound
ultraviolet(te) ultraviolet
un, une a, one
unanimité: à l'unanimité unanimously
la **une** front page *(newspaper)*
unir to unite
l' **unité** *(f.)* unit
l' **univers** *(m.)* universe
universitaire university *(adj.)*
l' **université** *(f.)* university
urbain(e) urban
urbanisé(e) urban, developed
l' **usage** *(m.)* use
l' **usager, l'usagère** user

l'usager de la route motorist
l' **usine** (*f.*) factory
l' **ustensile** (*m.*) utensil
utiliser to use

les **vacances** (*f. pl.*) vacation
 en vacances on vacation
le **vacancier, la vacancière** vacationer
le **vaccin** vaccination (*shot*)
la **vaccination** vaccination
 vacciner to vaccinate
la **vache** cow
 vachement really
la **vague** wave
 vainement in vain
le **vainqueur** winner
le **vaisseau** vessel
la **vaisselle** dishes
 faire la vaisselle to do the dishes
la **valeur** value
 valider to validate
la **valise** suitcase
 faire les valises to pack
la **vallée** valley
 valoir to be worth; to earn
 Ça lui a valu le prix Nobel. It earned him the Nobel prize.
 valoriser to enhance the value of
la **vanille: à la vanille** vanilla (*adj.*)
la **vapeur d'eau** water vapor
la **variation** variation
 varié(e) varied
 varier to vary
la **variété** variety
 vaste vast, enormous
 vaut: Il vaut mieux que It's better that
le **veau** calf
 la tête de veau calf's head
la **vedette** star (*actor or actress*)
le **végétal** vegetable, plant
 végétarien(ne) vegetarian
la **veille** the night before
la **veillée** evening gathering

veiller to watch, to guard
 veiller à to guard against
 veiller sur to watch over, guard
le **veinard** lucky devil
le **vélo** bicycle
 le vélo tout terrain (VTT) mountain bike
le **vélodrome** bicycle racing track
le **vélomoteur** moped
les **vendanges** (*f. pl.*) grape harvest
le **vendeur, la vendeuse** salesperson
 vendre to sell
 se vendre comme des petits pains to sell like hotcakes
 vendredi (*m.*) Friday
se **venger** to take revenge
 venir to come
 venir de (+ *infinitive*) to have just (done something)
le **vent** wind
 Il fait du vent. It's windy.
la **vente** sale
le **ventre** abdomen, stomach
 avoir mal au ventre to have a stomachache
le **ver à soie** silkworm
le **verbe** verb
 vérifier to check, verify
 vérifier les niveaux to check under the hood
 véritable real
la **vérité** truth
 à la vérité to be honest
le **vermouth sec** dry vermouth
le **vernis à ongles** nail polish
le **verre** glass
le **verrier** glass-maker
 vers around (*time*); toward
le **vers** line (of a poem or song)
le **versement** deposit
 verser to empty, pour (out)
 verser (de l'argent) to deposit (money)
la **version originale (V.O.)** original language version (*of a movie*)

vert(e) green
 vertical(e) vertical
la **vertu** virtue
 en vertu de in accordance with
la **veste** (sport)jacket
les **vestiges** (*m. pl.*) remains
 vestimentaire: normes vestimentaires dress code
le **veston** (suit) jacket
les **vêtements** (*m. pl.*) clothes
se **vêtir** to dress
la **veuve** widow
la **viande** meat
la **victime** victim
la **victoire** victory
 vide empty
le **vide** vacuum, space
 faire le vide to create a vacuum
la **vidéo** video(cassette)
 vider to empty (out)
 vider les ordures to empty the trash
se **vider** to empty
la **vie** life
la **vieillesse** old age
 vieillir to get old
 vieux (vieil), vieille old
 vieux jeu old-fashioned
 vif, vive bright (color)
 vigilant(e) vigilant, watchful
le **vignoble** vineyard
la **villa** house
le **village** village, small town
le/la **villageois(e)** villager
la **ville** city, town
le **vin (rouge, blanc)** (red, white) wine
 vingtaine: une vingtaine de about twenty
 violent(e) violent
 violet(te) violet
la **violette** violet
le **violon** violin
 viral(e) viral
la **virgule** comma
le **virus** virus
la **visite** visit
 faire une visite à, rendre visite à to visit (*a person*)

visiter to visit *(a place)*
la **vitamine** vitamin
vite fast
la **vitesse** speed
  en perte de vitesse losing momentum
  la limitation de vitesse speed limit
le **vitrail** *(pl. les vitraux)* stained-glass window
la **vitre** windowpane
le **vitrier** glass-maker
la **vitrine** (store) window
la **vivacité** liveliness
vivant(e) living, alive
Vive... ! Long live. . .!, Hooray for . . . !
vivement vigorously
vivre to live
vivre en solitaire to live alone
la **vocation** hobby, pastime
les **vœux** *(m. pl.)* good wishes
voici here is, here are
la **voie** track *(railroad)*; lane *(road)*
  en voie de in the process of
voilà there is, there are
  nous y voilà here we are
le **voile** veil
se **voiler** to cloud over
voir to see
  voir rouge to "see red"
  voir tout en rose to look at things through rose-colored glasses
voisin(e) (de) next (to)
la **voiture** car

en voiture by car; All aboard!
  monter en voiture to board the train
  la voiture de sport sports car
la **voix** voice
le **vol** flight; theft, robbery
  le vol libre hang-gliding
le **volant** steering wheel
le **volcan** volcano
  le volcan en activité active volcano
  le volcan éteint extinct volcano
voler to fly
le **voleur, la voleuse** thief, robber
  Au voleur! Stop, thief!
le **volley-ball** volleyball
la **volonté** willpower; will
volontiers willingly
le **volume** volume
la **volupté** pleasure
voter to vote
votre grandeur Your Grace
voudrais: je voudrais I would like
voué(e) devoted, dedicated
vouloir to want
  s'en vouloir to hold something against someone
la **voûte** vault, arch
le **vouvoiement** formal address as **vous**
se **vouvoyer** to address (each other) as **vous**
le **voyage** trip
  faire un voyage to take a trip

le **voyage de noces** honeymoon (trip)
voyager to travel
le **voyageur, la voyageuse** passenger
vrai(e) true, real
vraiment really
vu que seeing as how
la **vue** view
vulgaire common
la **vulgarité** vulgarity

le **walkman** Walkman
le **week-end** weekend

y there
le **yaourt** yogurt
les **yeux** *(m. pl; sing. œil)* eyes
  avoir les yeux qui piquent to have itchy eyes

le **zappeur** television remote control
zéro zero
la **zone** area, zone, section
  la zone tempérée temperate zone
la **zoologie** zoology
Zut! Darn!

This English-French Dictionary contains all productive vocabulary from
Bon voyage! Levels 1, 2, and 3.

A

a un, une
  a day (week) par jour (semaine)
  a lot beaucoup
abdomen le ventre
to **abide by** respecter
  able: to be able to pouvoir; être à même de
  aboard à bord (de)
  abolition la suppression
  about *(approximately)* à peu près; *(on the subject of)* de; au sujet de
  above au-dessus (de)
    above all surtout
  abroad à l'étranger
  absolutely absolument
to **accelerate** accélérer
  accident l'accident *(m.)*
to **accompany** accompagner
  accomplice le complice
  according to selon
  accountant le/la comptable
to **achieve** réaliser
  across from en face de
  act l'acte *(m.)*
to **act** agir
  active actif, active
  actor l'acteur *(m.)*; le comédien
  actress l'actrice *(f.)*; la comédienne
to **add** ajouter; additionner
  address l'adresse, *(f.)*
to **admire** admirer
  admission l'entrée *(f.)*
to **admit** avouer
  adult l'adulte *(m. et f.)*
  advance: in advance à l'avance
  advantage l'avantage *(m.)*
  adventure l'aventure *(f.)*

advertisement la publicité
  classified advertisement la petite annonce
aerobics: to do aerobics faire de l'aérobic
afraid: to be afraid avoir peur
Africa l'Afrique *(f.)*
after après
afternoon l'après-midi *(m.)*
again à nouveau
against contre
age l'âge *(m.)*
agent *(m. and f.)* l'agent *(m.)*
ago: ten years ago il y a dix ans
to **agree** être d'accord
agricultural agricole
ahead of time à l'avance
aid l'aide *(f.)*; le secours
air l'air *(m.)*; aérien(ne) *(adj.)*
  air conditioning la climatisation
  air terminal l'aérogare *(f.)*
aircraft l'appareil *(m.)*
airgram l'aérogramme *(m.)*
airline la compagnie aérienne
airmail la poste par avion
airplane l'avion *(m.)*
airport l'aéroport *(m.)*
  airport terminal l'aérogare *(f.)*
aisle le couloir
  aisle seat (une place) côté couloir
album l'album *(m.)*
algebra l'algèbre *(f.)*
Algeria l'Algérie *(f.)*
alive vivant(e)
all tous, toutes
  "All aboard!" «En voiture!»
  all alone tout(e) seul(e)
  all right d'accord
  all the same tout de même

  all told tout compris
  not at all pas du tout
allergic allergique
allergy l'allergie *(f.)*
alley la ruelle
to **allow** laisser; permettre
almost presque
alone seul(e)
along le long de
already déjà
also aussi
although bien que
always toujours
ambulance l'ambulance *(f.)*
  ambulance driver l'ambulancier *(m.)*
American américain(e) *(adj.)*
among entre
amount le montant; la quantité
and et
anesthesia: to give anesthesia faire une anesthésie
anesthesiologist l'anesthésiste *(m. et f.)*
angry fâché(e); en colère
ankle la cheville
to **announce** faire part; annoncer
announcement l'annonce *(f.)*; le faire-part *(birth, death, marriage)*
announcer le présentateur, la présentatrice
annually annuellement
another un(e) autre; encore
answer la réponse
to **answer** répondre
answering machine le répondeur automatique
antibiotic l'antibiotique *(m.)*
Anything else? Autre chose?
apartment l'appartement *(m.)*

apartment building l'immeuble (m.)
apparently il paraît
appear: it appears il paraît
to **applaud** applaudir
apple la pomme
appliance l'appareil (m.)
applicant (for a job) le candidat, la candidate
application: job application la demande d'emploi
to **apply for a position** poser sa candidature, être candidat(e) à un poste
appointment le rendez-vous
  to make an appointment prendre rendez-vous; fixer un rendez-vous
to **approach** s'approcher de
apron le tablier
archery le tir à l'arc
architect l'architecte (m. et f.)
area code l'indicatif (m.) régional
arm le bras
  one-armed person/person with no arms le/la manchot(e)
around environ; autour de
to **arouse (somebody from sleep)** tirer (quelqu'un du sommeil)
to **arrange to meet someone** avoir (donner) rendez-vous
to **arrest** arrêter
arrival l'arrivée (f.)
to **arrive** arriver
arriving from (flight) en provenance de
arrow la flèche
art le dessin (m.)
artist l'artiste (m. et f.)
as aussi (comparisons); comme
  as many autant de
  as usual comme d'habitude
  as well as ainsi que
to **ask (for)** demander
  to ask a question poser une question

to ask for directions demander son chemin
aspirin l'aspirine (f.)
astonished étonné(e)
at à; chez
  at last enfin
  at times parfois
athletic sportif, sportive
to **attack** attaquer
to **attend** assister à
to **attract** attirer
auditory auditif(-ve)
aunt la tante
author l'auteur (m.)
autumn l'automne (m.)
auxiliary nurse l'aide-soignant(e)
available disponible; libre
  to be available immediately être libre immédiatement
average moyen(ne)
to **avoid** éviter
award la croix d'honneur

baby le bébé
back (of an object) l'arrière (m.); (of a person) le dos
  in back of derrière
  in the back of au fond de
backboard (basketball) le panneau
backpack le sac à dos
backpacking la randonnée (pédestre)
  to go backpacking faire de la randonnée
backstage les coulisses (f. pl.)
bacterial bactérien(ne)
bad mauvais(e)
  It's bad weather. Il fait mauvais.
bag le sac
baggage les bagages (m. pl.)
bakery la boulangerie-pâtisserie
balcony le balcon
  upper balcony (in a theater) la galerie

ball la balle (tennis, etc.); le ballon (soccer, etc.)
banana la banane
band: marching band la fanfare
bandage le pansement
bank la banque
barely à peine
to **bargain** marchander
barn la grange
baseball le base-ball
basket le panier
basketball le basket(-ball)
  basketball court le terrain de basket
bath le bain
bathing suit le maillot (de bain)
bathroom la salle de bains (f.), les toilettes
bay la baie
to **be** être
  to be able to pouvoir; être à même de
  to be better soon être vite sur pied
  to be a big hit faire courir
  to be born naître
  to be called s'appeler
  to be careful faire attention
  to be dizzy avoir le vertige
  to be hungry avoir faim
  to be located se trouver
  to be out of sorts ne pas être dans son assiette
  to be tightly packed être serré(e)(s)
  to be performed se jouer
  to be struck by être frappé(e) de
  to be thirsty avoir soif
  to be victorious remporter la victoire
  to be . . . years old avoir… ans
beach la plage
bear l'ours (m.)
to **beat** battre
beautiful beau (bel), belle
because parce que
  because of à cause de

to **become** devenir
bed le lit
  to go to bed se coucher
bedroom la chambre à coucher
bee l'abeille *(f.)*
beef le bœuf
before *(prep.)* avant; *(conj.)* avant que
to **begin** commencer, débuter
beginner le débutant, la débutante
beginning le début
  in the beginning au début
to **behave well/badly** se tenir bien/mal
behind *(prep.)* derrière
beige beige
to **believe** croire
below au-dessous (de)
beltway le boulevard périphérique
bench le banc
to **benefit (from)** tirer profit (de)
best le mieux
  best man le garçon d'honneur
better meilleur(e) *(adj.)*; mieux *(adv.)*
  it's better that il vaut mieux que; il est préférable que
between entre
beverage la boisson
bicycle le vélo
  bicycle racer le coureur cycliste
  by bicycle à vélo
big grand(e); gros, grosse
bill le billet *(currency)*; la facture *(invoice)*; *(hotel)* la note
biology la biologie
bird l'oiseau *(m.)*
birdsong le chant d'oiseau
birth la naissance
birthday l'anniversaire *(m.)*
birthplace la maison natale
bishop l'évêque *(m.)*
black noir(e)
blacksmith le forgeron
blanket la couverture

bleacher le gradin
to **bleed** saigner
blind person l'aveugle *(m. et f.)*
to **block** bloquer
blond blond(e)
blood le sang
  blood pressure la tension
  to take a blood sample faire une prise de sang
  to take someone's blood pressure prendre la tension de quelqu'un
bloody sanglant(e)
blouse le chemisier
to **blow** souffler
  to blow a whistle siffler
blow le coup
blue bleu(e)
  navy blue bleu marine
board: arrival board le tableau des arrivées
  departure board le tableau des départs
to **board** embarquer *(plane)*; monter *(train)*; monter en voiture *(train)*
boarding pass la carte d'embarquement
boat le bateau
body le corps
to **boil** bouillir
bone l'os *(m.)*
book le livre; le bouquin *(slang)*
  book of ten tickets (subway) le carnet
bookbag le cartable
bootlace le lacet
border la frontière
bored: to be bored s'ennuyer
boring ennuyeux, ennuyeuse
born: to be born naître
to **borrow** emprunter
boss le chef; le/la patron(ne)
both tous (toutes) les deux
bottle la bouteille
bottom le bas
  at the bottom of au fond de

box la boîte
  box office le guichet
boy le garçon
boyfriend le petit ami
braid la natte
to **brake** freiner
branch la branche
brand la marque
brave courageux, courageuse; brave
bread le pain
  loaf of French bread la baguette
  slice of bread (with butter, jam, etc.) la tartine
break *(in clouds)* l'éclaircie *(f.)*
to **break** casser; rompre; *(an arm, leg, etc.)* se casser; briser; freiner *(slow down a car)*
  to break down *(car)* tomber en panne
  to break into *(a house, etc.)* entrer par effraction
breakfast le petit déjeuner
to **breathe (deeply)** respirer (à fond)
bride la mariée
  bride and groom les mariés
bridge le pont
to **bring** apporter; emmener (a person); emporter
brochure le prospectus
broke *(slang)* fauché(e)
brook le ruisseau
brother le frère
brown brun(e), marron *(inv.)*; châtain *(hair)*
brunette brun(e)
to **brush (one's teeth, hair, etc.)** se brosser (les dents, les cheveux, etc.)
  brush cut les cheveux en brosse
bugle le clairon
to **build** construire; fabriquer
building le bâtiment; l'édifice *(m.)*
bulletin board le panneau d'affichage
bun (hair) le chignon

cooking la cuisine
cordless: cordless
  telephone le téléphone
  sans fil
corn le maïs
  corn kernels les grains
  (m.) de maïs
corner le coin
  at the corner of au coin de
corporation la société
correct bon(ne)
corridor le couloir
cosmetic le produit de
  beauté
cost le prix
to cost coûter
costume le costume
cotton le coton
to cough tousser
to count compter
counter le comptoir
country le pays
  country(side) la
  campagne
  out in the country en
  rase campagne
  country code l'indicatif
  (m.) du pays
  native country la patrie
course le cours
court le tribunal
courtyard la cour
couscous le couscous
cousin le cousin, la cousine
to cover couvrir
cow la vache
cowshed l'étable (f.)
crab le crabe
crazy fou, folle
cream la crème
credit card la carte de crédit
crepe la crêpe
cripple: legless cripple le
  cul-de-jatte
croissant le croissant
to cross (intersect) se croiser;
  (a street) traverser
cross-country race le cross
crossroads le carrefour
crosswalk le passage pour
  piétons
crowd la foule

crown la couronne
crutches les béquilles (f. pl.)
to cry pleurer
to cultivate cultiver
cup la tasse
  winner's cup la coupe
to cure guérir
curl la boucle
curly frisé(e), bouclé(e)
currency la monnaie
current events l'actualité (f.)
curtain le rideau
customer le client, la cliente
customs la douane
  to go through customs
  passer à la douane
cut (on a person) la blessure
to cut couper
  to cut ahead (in line)
  resquiller
  to cut the throat (of)
  égorger
cycling le cyclisme
cyclist (in a race) le coureur
  cycliste
cymbals les cymbales (f. pl.)

daily newspaper le
  quotidien
dairy store la crémerie
to damage endommager
to dance danser
dancer le danseur, la
  danseuse
dangerous dangereux,
  dangereuse; périlleux,
  périlleuse
Darn! Zut!
date (fruit) la datte; (day) la
  date; (outing) la sortie
daughter la fille
dawn l'aube (f.)
day le jour
  a (per) day par jour
  two days later le
  surlendemain
deaf sourd(e)
deaf-mute le/la sourd(e)
  -muet(te)

dean of discipline le
  conseiller, la conseillère
  d'éducation
dear cher, chère
death la mort; le décès
  death penalty la peine de
  mort
decorations les décorations
  (f. pl.)
to dedicate consacrer
to defeat battre
  degree: It's . . . degrees
  Celsius. Il fait… degrés
  Celsius.
delay le retard
delicatessen la charcuterie
delicious délicieux,
  délicieuse
delighted enchanté(e)
to deliver (mail) distribuer
demanding exigeant(e)
denim (adj.) en jean
dentist le/la dentiste
deodorant le déodorant
department (in a store)
  le rayon; (in a company)
  e service
  department head le chef
  de service
  department store le
  grand magasin
departure le départ
to deposit verser
to descend descendre
to describe décrire
desert le désert
desk le bureau
  desk clerk le/la
  réceptionniste
  student's desk in a school
  le pupitre
to destroy abîmer
detergent la lessive
diagnosis le diagnostic
dial le cadran
to dial composer le numéro;
  faire le numéro
dictionary le dictionnaire
to die mourir; décéder
diet l'alimentation (f.),
  le régime
  to be on a diet être au
  régime, suivre un régime

difficult difficile
dig (archaeology) les fouilles (f. pl.)
dignitary le notable
diminished amoindri(e)
dining car la voiture-restaurant
dining room la salle à manger
dinner le dîner
  to eat dinner dîner
diploma le diplôme
direction le sens
directions: to ask for directions demander son chemin
directly directement
director (movie, theater) le metteur en scène (m. et f.)
dirty sale
  dirty clothes le linge sale
disastrous néfaste
to discover découvrir
discovery la découverte
to discuss discuter
dish (food) le mets
dishes la vaisselle
  to do the dishes faire la vaisselle
dishwasher le lave-vaisselle
disorientation le dépaysement
displacement le dérangement
to distribute distribuer; répartir
district le quartier
disturbance le dérangement
diurnal diurne
to dive plonger
to divert someone's attention détourner l'attention de quelqu'un
to divide (up) répartir
diving: to go deep-sea diving faire de la plongée sous-marine
dizzy: to be dizzy avoir le vertige
to do faire
  to do the shopping faire les courses

to do the dishes faire la vaisselle
doctor (m. and f.) le médecin
documentary le documentaire
dog le chien
dollar le dollar
domestic (flight) intérieur(e)
donkey l'âne (m.)
door la porte; (of a vehicle) la portière
doormat le paillasson
to doubt douter
downpour l'averse (f.)
down(stairs) en bas
downtown le centre-ville
dozen la douzaine
dragonfly la libellule
drama le drame
to draw (crowds) faire courir
drawing le dessin
dream le rêve
dress la robe
dress circle (of a theater) la corbeille
dressed: to get dressed s'habiller
dressy habillé(e)
to dribble (a basketball) dribbler
drink: to have a drink prendre un verre
to drink boire
to drive conduire
driver le conducteur, la conductrice; l'automobiliste (m. et f.)
driver's license le permis de conduire
driving lesson la leçon de conduite
driving school l'auto-école (f.)
drizzle la bruine
drop la goutte
drought la sécheresse
drugstore la pharmacie
drum le tambour
drums la batterie
dry sec, sèche
to dry sécher
  to dry (off) se sécher

to dry-clean faire nettoyer à sec
dry-cleaner's le pressing, la teinturerie
dry-cleaning le nettoyage à sec
dryness la sécheresse
dubbed (movie) doublé(e)
duck le canard
dune la dune
during pendant

E

each chaque
each (one) chacun(e)
ear l'oreille (f.)
earache: to have an earache avoir mal aux oreilles
early en avance; de bonne heure; tôt
  to be early être en avance
to earn gagner
earth la terre
  Earth la Terre
easily facilement
easy facile
to eat manger
  to eat breakfast prendre le petit déjeuner
  to eat dinner dîner
  to eat lunch déjeuner
egg l'œuf (m.)
eggplant l'aubergine (f.)
elbow le coude
elective le cours facultatif
elevator l'ascenseur (m.)
emergency: emergency aid la police secours
emergency exit l'issue (f.) de secours, la sortie de secours
  emergency room la salle des urgences
employee l'employé(e)
  postal employee l'employé(e) des postes
employer l'employeur, l'employeuse
employment agency le bureau de placement
empty vide

to **empty** vider
to **enclose** enfermer
encyclopedia l'encyclopédie (f.)
end la fin; le bout
ending le dénouement
enemy l'ennemi(e)
energetic énergique
engagement les fiançailles (f. pl.)
engineer (m. and f.) l'ingénieur (m.)
English (language) l'anglais (m.)
to **enjoy** jouir (de)
enormous énorme
enough assez
to **ensure** assurer
to **enter** entrer
enthusiastic enthousiaste
entire entier, entière
entrance l'entrée (f.)
to **entrust** confier
envelope l'enveloppe (f.)
environment l'ambiance (f.)
equipment l'équipement (m.); le matériel
to **erase** effacer
eraser (pencil) la gomme
escalator l'escalator (m.), l'escalier (m.) mécanique
to **escape** échapper
especially surtout
espresso l'express (m.)
essential primordial(e); essentiel(le)
European européen(ne)
evening le soir
  in the evening (P.M.) du soir
event l'événement (m.)
ever jamais
every tous, toutes, chaque
  every day tous les jours
everybody, everyone tout le monde
everything tout
everywhere partout
evil le mal
to **exaggerate** exagérer
exam l'examen (m.)
  to fail an exam échouer à un examen

  to pass an exam être reçu(e) à un examen; réussir à un examen
  to take an exam passer un examen
to **examine** examiner
excavation(s) les fouilles (f. pl.)
except sauf
to **exchange** (money) changer; échanger
exchange office (for foreign currency) le bureau de change
exchange rate le cours du change
Excuse me. Excusez-moi.; Pardon.
executive (m. and f.) le cadre
to **exercise** faire de l'exercice
exhausted crevé(e); épuisé(e)
exhaust (fumes) le gaz d'échappement
exhibit l'exposition (f.)
exit la sortie
expense la dépense
  expenses les frais (m. pl.)
  to share expenses partager les frais
expensive cher, chère
  to be expensive coûter cher
experience l'expérience
to **explain** expliquer
explanation l'explication (f.)
to **express** exprimer
extraordinary extraordinaire
eye l'œil (m. pl., yeux)
  to have itchy eyes avoir les yeux qui piquent

fabric le tissu
face la figure
to **face** donner sur
facing en direction de
factory la fabrique, l'usine (f.)

to **fail an exam** échouer à un examen
faint faible
fair la foire
fairly assez; équitablement
faith la foi
faithful fidèle
to **fall** faire une chute; tomber
  to fall asleep s'endormir
fall (season) l'automne (m.)
false faux, fausse
family la famille
famous célèbre
fan le/la fana
fantastic fantastique
far from loin de
farm l'exploitation (f.); la ferme
  farm animal l'animal domestique
  farm equipment le matériel agricole
farmer l'agriculteur, l'agricultrice; l'exploitant (m.), le fermier, la fermière
farming (raising crops) la culture; (raising animals) l'élevage (m.)
fast (adv.) vite; (adj.) rapide
father le père
faucet le robinet
fault la faute
to **favor** privilégier
favorite favori(te); préféré(e)
fear la crainte; la peur
to **fear** craindre
to **feel (well, etc.)** se sentir
  to feel better aller mieux
  to feel guilty s'en vouloir
  to feel like a fish out of water être dépaysé(e)
  to feel like (doing something) avoir envie de
  to feel out of sorts ne pas être dans son assiette
  to feel strange être dépaysé(e)
  to not feel well ne pas se sentir dans son assiette
feeling le sentiment; la sensation

Festival of Lights la fête des Lumières
festivities les festivités (f. pl.)
fever la fièvre
  to have a high fever avoir une fièvre de cheval
few peu (de); peu nombreux (nombreuse)
  a few quelques
field le champ; le domaine; la carrière
  playing field le terrain de plein air
fig la figue
fight le combat; la lutte
to **fight (against)** se battre (contre); lutter
to **fill out** remplir
to **fill up** (gas tank) faire le plein
film le film
  adventure film/movie le film d'aventures
  detective film/movie le film policier
  foreign film le film étranger
  horror film/movie le film d'horreur
  science fiction film/movie le film de science-fiction
filmmaker le/la cinéaste
finally enfin; en fin de compte; finalement
financial financier, financière
to **find** trouver
  to find again retrouver
fine (adj.) ça va bien
fine l'amende (f.)
finger le doigt
to **finish** finir
  to finish (someone) off achever (quelqu'un)
  finish line l'arrivée (f.)
fir (tree) le sapin
fire le feu
  fire alarm la sirène d'alarme
  firefighter le pompier
  fireplace la cheminée

fireworks le feu d'artifice
  to shoot off fireworks tirer des feux d'artifice
firm l'entreprise (f.)
first premier, première (adj.); d'abord (adv.)
  in first class en première
fish le poisson
  fish store la poissonnerie
fisherman le pêcheur
fishing (n.) la pêche
  fishing port le port de pêcheurs
  to go fishing aller à la pêche
fitness (physical) la forme physique
to **fix** réparer; arranger
flag le drapeau
flat tire le pneu à plat
flavor le parfum
flea market le marché aux puces
flesh la chair
flight le vol
  flight attendant l'hôtesse (f.) de l'air, le steward
  flight crew le personnel de bord
floor le sol; (story) l'étage (m.)
flower la fleur
flu la grippe
fluently couramment
to **fly** voler
fog le brouillard
to **fold** plier
to **follow** suivre
food le mets; la nourriture, l'alimentation
foot le pied
  on foot à pied
footstep le pas
for pour; (time) pendant; depuis
forbidden interdit(e)
forearm l'avant-bras (m.)
forehead le front
foreign étranger, étrangère
  in a foreign country à l'étranger

foreman, forewoman le contremaître, la contremaîtressse
forewoman la contremaîtresse
to **forget** oublier
fork la fourchette
form la forme; le formulaire
to **form** former
former ancien(ne)
formerly autrefois
fortunately heureusement
fountain la fontaine, le jet d'eau
fracture la fracture
  compound fracture la fracture compliquée
franc le franc
France la France; l'Hexagone (f.)
free libre; gratuit(e) (costing no money)
freedom la liberté
freezing: It's freezing. (weather) Il gèle.
French français(e) (adj.); le français (language)
  French fries les frites (f. pl.)
  French noblewoman la marquise
frequently fréquemment
friend l'ami(e); le copain, la copine (pal)
to **frighten** faire peur à
from de
  from then on désormais
front l'avant
  in front of devant
  front desk la réception
frozen surgelé(e)
fruit le fruit
full complet, complète (train car); plein(e)
full-time à plein temps
fun (adj.) amusant(e)
  to have fun s'amuser
funeral les obsèques (f. pl.), l'enterrement (m.)
funny amusant(e); comique; rigolo

fur la fourrure
furious furieux, furieuse
further plus loin

to **gain a few pounds** prendre des kilos
to **gain weight** grossir
game le jeu; le match
garage le garage
garbage les ordures (*m. pl.*)
garden le jardin
garland la guirlande
garlic l'ail
gas lamp le bec de gaz; le réverbère
  gas-lamp lighter l'allumeur (*m.*) de réverbères
gas(oline) l'essence (*f.*)
gas station la station-service
  gas station attendant le/la pompiste
gas tank le réservoir
gate (*airport*) la porte
to **gather** se rassembler
gem la pierre précieuse
generally généralement; en général
  generally speaking d'une façon générale
gentleman le gentilhomme
geography la géographie
geometry la géométrie
German allemand(e)
gesture le geste
to **get** recevoir; obtenir; se procurer
  to get along well bien s'entendre
  to get back on the road se remettre en route
  to get a sunburn attraper un coup de soleil
  to get in shape se mettre en forme
  to get in the front row se mettre au premier rang
  to get irritated s'énerver

to **get off** (*bus, train, etc.*) descendre; débarquer (*airplane*)
to **get on** monter
to **get out of trouble** se tirer d'une mauvaise situation; s'en sortir; se débrouiller
to **get together** se retrouver
to **get up** se lever
to **get (all) worked up** s'énerver
to **get wrinkles** prendre des rides
getting off (*a bus*) la descente
gift le cadeau
girl la fille
girlfriend la petite amie
to **give** donner
  to give back rendre
glacier le glacier
glad content(e)
glance le coup d'œil
to **glance** jeter un coup d'œil
glass le verre
  glass-maker le vitrier
  pane of glass la vitre
glove le gant
to **go** aller
  to go (in a car, etc.) rouler
  to go ahead (s')avancer
  to go deep-sea diving faire de la plongée sous-marine
  to go down descendre
  to go fast rouler vite
  to go fishing aller à la pêche
  to go (and) get aller chercher
  to go home rentrer
  to go hunting aller à la chasse
  to go out sortir
  to go out of style se démoder
  to go surfing faire du surf
  to go through parcourir
  to go through customs passer à la douane
  to go to bed se coucher

  to go to the market/shopping faire le marché
  to go up monter
  to go windsurfing faire de la planche à voile
  to go with accompagner
  it goes without saying ça va de soi
  Shall (Should) we go? On y va?
goal le but
goalie le gardien de but
goat la chèvre
gold l'or (*m.*)
good (*adj.*) bon(ne); (*a child's behavior*) sage; (*n.*) le bien
  good manners le savoir-vivre
  good wishes les vœux (*m. pl.*)
  it's not a good idea to il n'est pas prudent de…
good-bye au revoir, ciao
  to say good-bye faire ses adieux
gossip le qu'en-dira-t-on
government worker le/la fonctionnaire
grade (*on a test, etc.*) la note
  to get good grades recevoir de bonnes notes
grains les céréales (*f. pl.*)
gram le gramme
granddaughter la petite-fille
grandfather le grand-père
grandmother la grand-mère
grandparents les grands-parents (*m. pl.*)
grandson le petit-fils
grandstand la tribune
grant la bourse
grape(s) le raisin
grapefruit le pamplemousse
grass l'herbe (*f.*)
to **grate** râper
gray gris(e)
to **graze** brouter
great grand(e); chouette
green vert(e)

green beans les haricots (*m. pl.*) verts

greenroom (of a theater) le foyer (des artistes)

to **greet** saluer

greeting la salutation

greeting card la carte de vœux

grilled ham and cheese sandwich le croque-monsieur

grocery store l'épicerie (*f.*)

groom le marié

ground le sol

ground floor le rez-de-chaussée

group le groupe

growing (*adj.*) croissant(e)

growth l'accroissement; la croissance

to **guard** veiller (sur); garder

to **guess** deviner

guest l'invité(e)

guidance counselor le conseiller, la conseillère d'orientation

guide(book) le guide

guilty: to feel guilty s'en vouloir

guitar la guitare

to **gush** jaillir

gust (of wind) la rafale

guy le type

gym(nasium) le gymnase

gymnastics la gymnastique

habit: to be in the habit of avoir l'habitude de

hackney cab le fiacre

hail la grêle

hair les cheveux (*m. pl.*)

half demi(e), I

half brother le demi-frère

half hour la demi-heure

half past (*time*) et demie

half price le demi-tarif

half sister la demi-sœur

ham le jambon

hamburger le hamburger

hammer le marteau

hand la main

handkerchief le mouchoir

handsome beau (bel)

handwriting l'écriture (*f.*)

hang-gliding le vol libre

to **hang up** (*telephone*) raccrocher

hanger le cintre

Hanukkah Hanouka

to **happen** arriver; se passer

happiness le bonheur

happy content(e); heureux, heureuse; joyeux(-se)

Happy New Year! Bonne Année!

hard dur(e); (*adv.*) fort

It's not hard. Ce n'est pas sorcier.

hardly ne… guère; à peine

harmful malfaisant(e); nocif, nocive, néfaste

harvest (*n.*) la récolte

to harvest récolter

hat le chapeau

to **hate** détester

to **have** avoir

to **have a(n) . . . -ache** avoir mal à…

to have a cold être enrhumé(e)

to have difficulty (doing something) avoir du mal à (+ *inf.*)

to have a drink prendre un verre

to have a picnic faire un pique-nique

to have just (done something) venir de (+ *inf.*)

to have to devoir

hay le foin

haze la brume

he il

head la tête; (*of department or company*) le chef

head of a bed le chevet

headache: to have a headache avoir mal à la tête

headline la manchette, le gros titre

headphone l'écouteur (*m.*)

health la santé

to be in good (poor) health être en bonne (mauvaise) santé

To your health! Bonne Santé!

health club le club de forme

to **hear** entendre

hearing l'oreille (*f.*), l'ouïe (*f.*), l'audition (*f.*)

heart le cœur

heat la chaleur

heavy lourd(e)

heel le talon

high (low)-heeled (shoes) à talons hauts (bas)

hello (when answering telephone) allô.; bonjour

helmet le casque

to **help** aider; (*n.*) l'aide (*f.*); le secours

her son, sa, ses; elle; la; lui

herd le troupeau

here is, here are voici; voilà

heritage (cultural) le patrimoine

hero le héros

hers le sien, la sienne, les sien(ne)s

hi salut

to **hide** cacher

high élevé(e); haut(e)

high-pitched aigu(ë)

high school le lycée

high school student le lycéen, la lycéenne

high-traffic area le point noir

highway l'autoroute (*f.*)

hiker le randonneur, la randonneuse

hiking la randonnée

to go hiking faire de la randonnée

him le; lui

his sa, son; ses; le sien, la sienne, les sien(ne)s

history l'histoire (*f.*)

to **hit** frapper; donner un coup (de pied, de tête, etc.)

to **hold: Please hold.** *(tel.)* Ne quittez pas.
  to hold out one's hand tendre la main
hole le trou
holiday la fête
  national holiday la fête nationale
home: at home au bercail; chez soi
  at the home of chez
  to go home rentrer
homeland la patrie
homework *(assignment)* le devoir
  to do homework faire les devoirs
hope l'espoir *(m.)*
to **hope** espérer
horn la corne *(animal)*; le klaxon *(car)*
horrible épouvantable; affreux(-se)
horse le cheval
hospital l'hôpital *(m.)*
hot: It's hot. *(weather)* Il fait chaud.
  hot dog la saucisse de Francfort
hotel l'hôtel *(m.)*
house la maison
to **house** abriter; loger
household un ménage
housework les tâches ménagères *(f. pl.)*
housing le logement
how comment
  How beautiful they are! Qu'elles (ils) sont belles (beaux)!
  how much combien
human being l'être *(m.)* humain
hundred cent
hungry: to be hungry avoir faim
to **hunt** chasser
  hunter le chasseur, la chasseuse
  hurry: in a hurry pressé(e)
to **hurry** se dépêcher
to **hurt** avoir mal à

to hurt oneself se blesser; se faire mal
  to hurt someone *(emotionally)* faire de la peine à quelqu'un
  It hurts. Ça fait mal.
  Where does it hurt (you)? Où avez-vous mal?
husband le mari

I je
ibex le bouquetin
ice la glace
  ice cream la glace
  ice skate le patin à glace
  (ice) skating le patinage
to **(ice) skate** faire du patin (à glace)
idea l'idée *(f.)*
  bright idea une idée de génie
if si
  if I were you (him, her, etc.) à ta (sa, votre, etc.) place
ill malade
illness la maladie
to **imagine** imaginer
immediate immédiat(e)
immediately immédiatement; tout de suite
immigration l'immigration *(f.)*
impatient impatient(e)
impolite impoli(e); mal élevé(e)
important: it's important that il est important que
impossible: it's impossible that il est impossible que
impressed impressionné(e)
in dans; à; en
  in addition to en plus de
  in back of derrière
  in fact en fait
  in first (second) class en première (seconde)
  in front of devant
  in general en général

  in particular en particulier
  in search of à la recherche de
  in spite of malgré
  in vain en vain
incarceration la réclusion
included compris(e)
income: private income les rentes *(f. pl.)*
increase la hausse; l'accroissement *(m.)*
increased accru(e)
increasing croissant(e)
incredible incroyable
independent: person of independent means le rentier, la rentière
to **indicate** indiquer
individual l'individu *(m.)*; *(adj.)* individuel(le)
industrial industriel(le)
inexpensive bon marché
infection l'infection *(f.)*
infinite infini(te)
to **influence** influencer
info(rmation) l'info *(f.)*; l'information; les renseignements *(m. pl.)*
informed: to be informed être au courant
  to keep informed se tenir au courant
inhabitant l'habitant(e)
injection la piqûre
  to give an injection faire une piqûre
injury la blessure
ink l'encre *(f.)*
inn l'auberge *(f.)*
insane fou (folle)
insect l'insecte *(m.)*
to **insert** introduire
to **insist (that)** insister (pour que)
instructor le moniteur, la monitrice
instrument l'outil *(m.)*
to **insure** assurer
  insult l'injure *(f.)*
to **insult (each other)** se dire des injures
  intelligent intelligent(e)

interesting intéressant(e)
intermission l'entracte (*m.*)
international
international(e)
to **interrogate** interroger
intersection le croisement;
le carrefour
interview l'entretien (*m.*)
to **introduce** présenter
introduction la
présentation
to **invent** inventer
to **invite** inviter
iron (metal) fer
island l'île (*f.*)
it il; le, la
it is, it's . . . c'est…
It's expensive. Ça coûte
cher.
it is necessary il faut
Italian italien(ne)
Italy l'Italie (*f.*)
to **itch** démanger, gratter
to itch a bit grattouiller
itch: She's got an itch. Ça
la gratte.
itching la démangeaison
itchy: to be itchy avoir
des démangeaisons
She is itchy. Ça la
démange.

jacket le blouson
(suit) jacket la veste;
l'habit (*m.*)
ski jacket l'anorak (*m.*)
jam la confiture
in a jam coincé(e)
to **jam** coincer
Japanese japonais(e)
jar le pot
jealous jaloux, jalouse
jeans le jean
jeep la jeep
jersey jersey; (*adj.*) en
jersey
Jewish juif, juive
jig la gigue
to **jig** giguer

job le boulot (*slang*);
l'emploi (*m.*); la poste
job application la
demande d'emploi
job applicant le candidat,
la candidate
to **jog** faire du jogging
to **joke around** rigoler
journaliste le/la
journaliste
joy la joie; le bonheur
judge le/la juge
July juillet (*m.*)
July 14 (*French national
holiday*) le quatorze
juillet
to **jump** sauter
to jump all over someone
tomber sur quelqu'un à
bras raccourcis

to **keep** garder
to keep informed se tenir
au courant
to keep in touch rester en
contact
to keep up maintenir
key la clé; la clef; (*on a
keyboard*) la touche
keyboard le clavier
to **kick** donner un coup de
pied
to **kid: You're kidding!** Tu
rigoles!
to **kill** tuer
kilogram le kilo
kind le genre, la sorte;
(*adj.*) bienfaisant(e)
a kind of une espèce de
king le roi
to **kiss (each other)**
s'embrasser
kitchen la cuisine
kitten le chaton
kleenex le kleenex
knee le genou
knife le couteau
knit le tricot; (*adj.*) en tricot
to **knock on the door** frapper
à la porte

knot le nœud
to **know** (*be acquainted with*)
connaître; (*information*)
savoir

laboratory le laboratoire
lab technician le
laborantin, la laborantine
lamb l'agneau (*m.*)
land la terre
landing (of an airplane)
l'atterrissage (*m.*)
landing card la carte de
débarquement
landscape le paysage
lane (*of a road*) la voie
language la langue
large grand(e); ample;
gros(se)
last dernier, dernière
last name le nom de
famille
last night hier soir
last stop le terminus
last year l'année (*f.*)
dernière
to **last** durer
late en retard; (*adv.*) tard
to be late être en retard;
avoir du retard (*plane,
train, etc.*)
later plus tard
Latin le latin
to **laugh** rire
laundromat la laverie
automatique
laundry le linge
to do the laundry faire la
lessive
lawyer l'avocat(e)
lazy paresseux, paresseuse
to **lead** mener
lead (*metal*) le plomb
leaf la feuille
leaflet le prospectus
to **lean against** s'appuyer
contre
leap le bond
to leap faire un bond

to **learn (to)** apprendre (à)
  to learn one's lessons apprendre ses leçons
leather le cuir; *(adj.)* en cuir
  leather goods les objets *(m. pl.)* en cuir
  leather tanner le maroquinier
to **leave** partir
  to leave *(a room, etc.)* quitter
  to leave *(something behind)* laisser
left à gauche
leftovers les restes *(m. pl.)*
leg la jambe
legend la légende
lemon le citron
lemonade le citron pressé
to **lend** prêter
  length la longueur
less moins (de)
  less . . . than moins… que
lesson la leçon
to **let** laisser; permettre
letter la lettre
lettuce la salade
level le niveau
librarian (school) le/la documentaliste
library (school) le Centre de Documentation et d'Information (CDI)
to **lick** lécher
lie le mensonge
to **lie** mentir
life la vie
  life vest le gilet de sauvetage
to **lift** soulever
light *(traffic)* le feu
light *(adj.)* léger, légère
to **light** allumer
light bulb l'ampoule *(f.)*
lighthouse le phare
like comme
to **like** aimer
  I would like je voudrais
likewise *(responding to an introduction)* moi de même
line la ligne; *(of people)* la queue

finish line l'arrivée *(f.)*
line of cars la file de voitures
  to take the . . . line prendre la direction…
  to wait in line faire la queue
lip la lèvre
lipstick le rouge à lèvres
list la liste
to **listen (to)** écouter
  to listen with a stethoscope ausculter
listener l'auditeur, l'auditrice
listening l'écoute *(f.)*
liter le litre
literature la littérature
little: a little un peu (de)
to **live** *(in a city, house, etc.)* habiter; vivre
liver le foie
livestock le bétail
living vivant(e)
  living room la salle de séjour
to **load** charger
loan l'emprunt *(m.)*
lobby le hall
lobster le homard
local local(e)
  local news items les faits divers *(m. pl.)*
to **locate** localiser
  located: to be located se trouver
lock la serrure
  lock of hair la mèche
to **lock** fermer à clé
  to lock up enfermer
locker la consigne automatique
long long(ue)
  (for) a long time longtemps
  (for) too long trop longtemps
  Long live . . . ! Vive… !
long-distance *(phone call)* interurbain
longer: no longer ne… plus
look le regard
to **look** *(seem)* avoir l'air

  to look at regarder
  to look at oneself or each other se mirer
  to look for chercher
to **lose** perdre
  to lose patience perdre patience
  to lose one's temper se fâcher
  to lose weight maigrir
lot: a lot (of) beaucoup (de)
  a lot of people beaucoup de monde
  lots of des tas de
loud fort(e)
loudspeaker le haut-parleur
love l'amour *(m.)*
  love story (movie) le film d'amour
to **love** aimer; adorer
low bas(se)
  in a low voice à voix basse
lower inférieur(e)
luck la chance
  to be in luck avoir de la chance
lucky: to be lucky avoir de la chance
luggage les bagages *(m. pl.)*
  carry-on luggage les bagages à main
  luggage car (on a train) le fourgon à bagages
  luggage carousel le tapis roulant
  luggage cart le chariot à bagages
  luggage compartment le coffre à bagages
lukewarm tiède
lunar lunaire
lunch le déjeuner
lung le poumon
lyrics les paroles *(f. pl.)*

ma'am madame
machine l'appareil *(m.)*; la machine; l'engin *(m.)*
magazine le magazine

weekly magazine
l'hebdomadaire (m.)
magic (adj.) magique
magnificent magnifique
maid la bonne
   maid of honor la
   demoiselle d'honneur
mail le courrier
   mail carrier le facteur, la
   factrice
to **mail** mettre à la poste
   mailbox la boîte aux lettres
   main principal(e)
to **maintain** maintenir
   maitre d' le maître d'hôtel
to **make** faire; fabriquer
   to make a phone call
   faire un appel
   (téléphonique),
   téléphoner, donner un
   coup de fil
   to make great efforts
   peiner
   to make up inventer
   make (of car) la marque
   makeup le maquillage
   to put on makeup se
   maquiller
   mall le centre commercial
   man l'homme (m.)
to **manage** diriger
   to manage to arriver à;
   parvenir à
   manager le cadre; le
   directeur, la directrice
   mandatory obligatoire
   manner la façon
   good manners le savoir-
   vivre
   mantelpiece la cheminée
   manufacturer (person)
   l'industriel (m.)
   many beaucoup de
   map: street map le plan de
   la ville
   road map la carte routière
   subway map le plan du
   métro
   marathon le marathon
   marble (toy) la bille
   March mars (m.)
to **march** défiler; marcher
   au pas

to march in step défiler
   au pas
marching band la fanfare
market le marché
   Arab market le souk
marriage le mariage
married marié(e)
   to get married se marier
marvel la merveille
marvelous merveilleux,
   merveilleuse
mascara le mascara
mass transit les transports
   (m. pl.) en commun
material la matière
math les maths (f. pl.)
**matter: What's the matter
   with you?** Qu'est-ce que
   tu as?
May mai (m.)
may: May I (sit here)?
   Vous permettez?
   May I speak to . . . ?
   Pourrais-je parler à… ?
maybe peut-être
mayor le maire
me me moi (stress pron.)
meadow le pré
meal le repas; la bouffe
to **mean** signifier; vouloir dire
   meaning la signification; le
   sens
   means le mode; le moyen
to **measure** mesurer
   measure(ment) la mesure
   meat la viande
   Mecca la Mecque
   medical médical(e)
   medicine (medical
   profession) la médecine;
   (remedy) le médicament
to **meditate** méditer
   medium: medium-length
   mi-long(ue)
   medium-rare (meat) à
   point
to **meet** rencontrer; retrouver
   (get together with); (for the
   first time) faire la
   connaissance de; connaître;
   venir chercher (quelqu'un)
   to meet (again) se
   retrouver

to meet halfway se
   rencontrer à mi-chemin
meeting le rendez-vous
to **melt** fondre
member le membre
membership card la carte
   d'adhésion
memorable mémorable
memory le souvenir; la
   mémoire
menorah la menorah
to **mention** citer; mentionner
menu la carte
merchant le/la
   commerçant(e); le
   marchand, la marchande
   produce merchant le
   marchand, la marchande
   de fruits et légumes
merry rieur, rieuse
message le message
   to leave a message laisser
   un message
messenger le messager,
   la messagère
meter le compteur
   meter maid la
   contractuelle
   method la combine
microphone le
   micro(phone)
middle le milieu
midnight minuit (m.)
   midnight mass la messe
   de minuit
milk le lait
military militaire
minaret le minaret
mine le mien, la mienne,
   les mien(ne)s
mineral water l'eau (f.)
   minérale
minute la minute
mirror la glace
   Miss (Ms.) Mademoiselle
   (Mlle)
to **miss** (the train, etc.) rater
   to miss (someone)
   regretter
   missing: (noun) is missing
   il manque (+ noun)
mist la brume
mistake la faute; l'erreur (f.)

mistaken: You're mistaken.
Vous vous trompez.
misunderstanding la
méprise
mixture le mélange
modern moderne
mogul la bosse
mom la maman
moment le moment;
l'instant *(m.)*
money l'argent *(m.)*; le fric
(slang)
  to have lots of money
    avoir plein de fric *(slang)*
  pocket money l'argent de
    poche
monitor le surveillant, la
surveillante
monster le monstre
month le mois
monthly mensuel(le)
moon la lune
  the Moon la Lune
moped le vélomoteur
more davantage; plus
  more or less plus ou
    moins
  more and more de plus
    en plus
  more than plus... que
morning le matin
  in the morning le matin;
    (A.M.) du matin
Morocco le Maroc
mosque la mosquée
most (of) la plupart (des)
  the most . . . le (la, les)
    plus...
mother la mère
motorcycle la moto; la
motocyclette
  motorcycle cop le motard
motorcyclist le/la
motocycliste
motorist l'automobiliste
(m. et f.)
mountain la montagne
  in the mountains à la
    montagne
mouse la souris
mouth la bouche
to **move** bouger; *(change one's
residence)* déménager

to move forward
(s')avancer
movement le mouvement
movie le film
  movies le cinéma
  movie theater le cinéma,
    la salle de cinéma
moving émouvant(e)
  moving sidewalk le
    trottoir roulant
Mr. Monsieur
Mrs. (Ms.) Madame (Mme)
museum le musée
music la musique
musician le musicien, la
musicienne
Muslims les musulmans
(m. pl.)
must devoir
  one must il faut
  one must not il ne faut
    pas
mustard la moutarde
my ma, mon, mes
myself moi-même

name le nom
  first name le prénom
  last name le nom de
    famille
nape (of the neck) la
nuque
napkin la serviette
narrow étroit(e)
national national(e)
  national anthem l'hymne
    (m.) national
  national holiday la fête
    nationale
native natal(e)
  native country la patrie
  native language la
    langue maternelle
nature preserve la réserve
nauseous: to feel nauseous
avoir des maux de cœur
navy blue bleu marine
near près de
  very near tout près
necessary: it is necessary
il faut; il est nécessaire de

to **need** avoir besoin de
  neighbor le voisin, la
    voisine
  neighborhood le quartier
  nephew le neveu
  nervous nerveux, nerveuse
  net le filet
  net bag le filet
  never ne... jamais
  new nouveau (nouvel),
    nouvelle
  New Year's Day le jour
    de l'An
  Happy New Year! Bonne
    Année!
  news les nouvelles *(f. pl.)*;
    (TV or radio) les infos *(f. pl.)*
  newspaper le journal
  daily newspaper le
    quotidien
  weekly newspaper
    l'hebdomadaire *(m.)*
  newsstand le kiosque
  next prochain(e)
  next to à côté de
to **nibble (at)** grignoter
  nibbling le grignotage
  nice *(person)* aimable,
    sympathique; gentil(le)
  niece la nièce
  night la nuit
  last night hier soir
  nightclub le cabaret
  nightmare le cauchemar
  no non; aucun(e)
  no longer ne... plus
  no one ne... personne;
    personne ne...
  no smoking (section) (la
    zone) non fumeurs
  nobody ne... personne;
    personne ne...
  noise le bruit
  noisy bruyant(e)
  nonstop *(flight)* sans escale
  noon midi *(m.)*
  north le nord
  Norway la Norvège
  nose le nez
  to have a runny nose
    avoir le nez qui coule
  not ne... pas
  not any aucun(e)

not at all pas tu tout
not bad pas mal
note la note
notebook le cahier
nothing ne… rien; rien ne…
  Nothing else. Rien d'autre.
  nothing (good) rien de (bon)
  nothing to do with rien à voir avec
to **notice** remarquer; s'apercevoir; constater
novel le roman
novelist le romancier, la romancière
now maintenant
  right now en ce moment
nowadays de nos jours; actuellement
number le numéro; le chiffre
  the right (wrong) number le bon (mauvais) numéro
  You have the wrong number. C'est une erreur.
numerous nombreux, nombreuse
nurse l'infirmier, l'infirmière
nutrition la nourriture, l'alimentation (f.)

oasis l'oasis (f.)
oats l'avoine (f.)
to **obey** obéir (à); respecter
object l'objet (m.)
obsessed obsédé(e)
to **obtain** obtenir; se procurer
obvious: it's obvious that il est évident que
obviously évidemment
occasionally de temps en temps
ocean l'océan (m.)
o'clock: it's . . . o'clock il est… heure(s)
odd curieux, curieuse
of de

of course bien sûr; mais oui
of course not mais non
to **offer** offrir
office le bureau
official officiel(le)
offspring la progéniture
often souvent
OK (health) ça va; (agreement) d'accord
oil l'huile (f.)
okay (health) Ça va.; (agreement) d'accord
old vieux (vieil), vieille; âgé(e)
oleander le laurier-rose
omelette (with herbs/plain) l'omelette (f.) (aux fines herbes/nature)
on sur
  on board à bord de
  on foot à pied
  on sale en solde
  on time à l'heure
  on Tuesdays le mardi
one un, une
  one-way ticket l'aller simple (m.)
oneself soi
onion l'oignon (m.)
  onion soup la soupe à l'oignon
only ne… que, seulement; uniquement
open ouvert(e)
to **open** ouvrir
opera l'opéra (m.)
  opera glasses les lorgnettes (f. pl.)
operating room la salle d'opération
operator le/la standardiste
opinion: in my opinion à mon avis
opportunity l'occasion (f.)
to **oppose** opposer
opposing adverse
opposite le contraire; (prep.) en face de
or ou
  or else sinon
oral report l'exposé

to give an oral report faire un exposé
orange (fruit) l'orange (f.); (color) orange (inv.)
orchestra l'orchestre (m.)
  orchestra (front rows in a theater) l'orchestre (m.)
to **order** commander
  in order to pour
ordinary ordinaire
to **organize** organiser
original language version (of a film) la version originale
other autre
  in other words autrement dit
  on the other hand par contre; d'autre part
  some other d'autres
otherwise sinon
our notre, nos
ours le/la nôtre, les nôtres
outdoors en plein air; dehors
outgoing sociable
outing la sortie; l'excursion (f.)
outside (adv.) dehors; à l'extérieur; (prep.) au dehors de
over (prep.) par-dessus
  over there là-bas
overcast (cloudy) couvert(e)
to **overlook** donner sur
to **owe** devoir
to **own** posséder
owner le/la propriétaire
ox le bœuf
oxygen mask le masque à oxygène

pack (of runners) le peloton
to **pack (suitcases)** faire les valises
package le paquet; le colis
packed bondé(e); (stadium) comble

to be tightly packed être serré(e)(s)
page one la une
pain la douleur
painful douloureux, douloureuse
to paint peindre
painter le/la peintre
painting la peinture; le tableau
pair la paire
pal le copain, la copine
palace le palais
palm grove la palmeraie
palm tree le palmier
pancake la crêpe
pane of glass la vitre
to panic s'affoler
pants le pantalon
pantyhose le collant
paper le papier
  sheet of paper la feuille de papier
parade le défilé
parents les parents (m. pl.)
Parisian parisien(ne)
park le parc
to park garer la voiture; stationner
parking lot le parking
parking meter le parcmètre
part la partie
  to be part of faire partie de
to participate (in) participer (à)
part-time à mi-temps
party la fête
to pass passer; prendre le pas; dépasser; (car) doubler
  to pass someone croiser (quelqu'un)
  to pass an exam réussir à un examen
passenger le passager, la passagère; le voyageur, la voyageuse (train)
passport le passeport
past passé(e)
  in the past autrefois
pasta les pâtes (f. pl.)
pasture le pâturage

pâté le pâté
path le sentier; le chemin
patient (adj.) patient(e); (n.) un/une patient(e)
patriotic (fanatically) chauvin
to pay payer
  to pay attention faire attention
  to pay back rembourser
  to pay cash payer en espèces
payment le paiement; la rémunération
peace la paix
to peck (at) picorer
pedestrian le piéton, la piétonne; (adj.) piétonnier(-ère)
pen le stylo
  ballpoint pen le stylo-bille
  felt-tip pen le feutre
pencil le crayon
penguin le manchot
penholder le porte-plume
penicillin la pénicilline
people les gens (m. pl.)
perfect parfait(e)
perfume le parfum
period l'époque (f.); la période
permanent définitif (-ve)
permanently définitivement
to permit permettre
person la personne
personal personnel(le)
personality la personnalité
pharmacist le pharmacien, la pharmacienne
pharmacy la pharmacie
photo la photo
physical education l'éducation (f.) physique
physics la physique
piano le piano
to pick up (a telephone receiver) décrocher; (an object) ramasser; (a person) venir chercher
pickpocket le pickpocket
picture le tableau

picturesque pittoresque
pie la tarte
piece le bout
pier le quai
pig le cochon
pill le comprimé
pillow l'oreiller (m.)
pilot le/la pilote
to pilot piloter
pink rose
to pitch in mettre la main à la pâte
place l'endroit (m.)
  to take place avoir lieu
to place mettre
plague le fléau
plain (adj.) nature
plan le projet
plane l'avion (m.)
plant la plante
plastic le plastique
plate l'assiette (f.)
platform (railroad) le quai
to play, perform jouer
  to play (a sport) jouer à; pratiquer un sport
  play la pièce (de théâtre)
  to put on a play monter une pièce
player le joueur, la joueuse
pleasant agréable
please s'il te (vous) plaît
pleasure le plaisir
plentiful abondant(e)
pneumatic drill le marteau-piqueur
pocket la poche
pocketbook, purse le sac
police officer l'agent (m.) de police; le gendarme; le policier
police station le commissariat
polite poli(e)
pond l'étang (m.)
ponytail la queue de cheval
pool la piscine
poor pauvre
  poor thing le/la pauvre
popular populaire
  to be very popular avoir la cote

populated area l'agglomération (f.)
porter le porteur
position le poste
possession le bien
possibility la possibilité
possible: it's possible that il est possible que
post office le bureau de poste, la poste
postcard la carte postale
poster l'affiche (f.)
potato la pomme de terre
pound la livre
practical pratique
to **practice** pratiquer; travailler
to **pray** prier
to **prefer** préférer
preferable: it's preferable that il est préférable que; il vaut mieux que
to **prepare** préparer
prepared préparé(e)
to **prescribe** prescrire
prescription l'ordonnance (f.)
  to write a prescription faire une ordonnance
present le cadeau
to **press** appuyer sur
pressure la pression
pretty joli(e)
to **prevent** prévenir
price le prix
pride la fierté
probable: it's probable that il est probable que
probably sans doute
problem le problème; la difficulté
to **produce** fournir
  to produce a result agir
product le produit
production la production
profession la profession
program (TV) l'émission
progress le progrès
prohibited: ... is prohibited il est interdit de…
projector le projecteur
promise la promesse
property la propriété

proud fier, fière
to **provide** fournir
provided that pourvu que
public public, publique
  public transportation les transports (m. pl.) en commun
public-spiritedness le civisme
pulmonary pulmonaire
pulse: to take someone's pulse prendre le pouls
to **punch (a ticket)** poinçonner
to **punish** punir
puppet la marionnette
  puppet show le spectacle de marionnettes
purchase l'achat (m.)
to **push** pousser; (button, etc.) appuyer sur
  to push and shove bousculer
to **put (on)** mettre
  to put in (a coin) introduire (une pièce)
  to put money aside mettre de l'argent de côté
  to put on (clothes) mettre
  to put on makeup se maquiller

quality la qualité
to **quarrel** se fâcher
quarter: quarter after (time) et quart
  quarter to (time) moins le quart
  Arab quarter la médina
queen la reine
question: to ask a question poser une question
to **question** interroger; interpeller
quick rapide
quickly rapidement; vite
quietly à voix basse
quite assez

rabbit le lapin
race la course
racket la raquette
radio la radio
  radio station la station de radio
  rag le chiffon
ragpicker le chiffonnier
railroad le chemin de fer
rain la pluie
to **rain** pleuvoir
  It's raining. Il pleut.
raincoat l'imper(méable) (m.)
raindrop la goutte de pluie
rainy pluvieux, pluvieuse
to **raise** lever
raisins les raisins secs
to **ram** éperonner
rare (meat) saignant(e)
rather plutôt
ray le rayon
razor le rasoir
  razor cut une coupe au rasoir
to **read** lire
ready prêt(e)
ready-to-wear department le rayon prêt-à-porter
real vrai(e); véritable
reality la réalité
to **realize** se rendre compte
really vraiment
reason la raison
to **receive** recevoir
recently récemment
to **recognize** reconnaître
to **recommend** recommander
record le disque
to **record** enregistrer
to **recover** (from an illness) se remettre
red rouge
redheaded roux, rousse
referee l'arbitre (m.)
registration card (hotel) la fiche d'enregistrement
regular régulier, régulière
relationship la relation

religious religieux, religieuse

to **remain** rester

remains *(archaeology)* les vestiges *(m. pl.)*

to **remember** se rappeler; se souvenir de

remote control le zappeur, la télécommande

to **rent** louer

to **repair** réparer

repatriation la rapatriement

to **replace** remplacer

to **report (a crime)** déclarer

to **represent** représenter

to **require** exiger

required obligatoire

research la recherche

to do research faire de la recherche

researcher le chercheur, la chercheuse

to **resemble** ressembler à

reservations office le bureau de location

to **reserve (train seat)** louer; réserver

to **reset (a bone)** remettre en place

respiratory system l'appareil *(m.)* respiratoire

responsible responsable

rest le repos

restaurant le restaurant

company restaurant le restaurant d'entreprise

restaurant voucher le ticket-restaurant

result le résultat

as a result par conséquent

résumé le curriculum vitae (CV)

return le retour

to **return** rentrer; *(tennis ball, etc.)* renvoyer

reward la récompense

rhinoceros le rhinocéros

rhythm le rythme

rib une côte

ribbon le ruban

rider le cavalier, la cavalière; *(circus)* l'écuyer *(m.)*, l'écuyère *(f.)*

ridiculous ridicule

riding l'équitation

to go horseback riding faire de l'équitation

right le droit; *(adv.)* à droite

to the right of à droite de

it's right that il est juste que

right away tout de suite

ring: wedding ring l'alliance *(f.)*

to **ring** sonner

ringlet l'anglaise *(f.)*; la boucle

to **rinse** rincer

to **rise** *(sun)* se lever

rising sun le soleil levant

to **risk** risquer

rival le rival, la rivale

river le fleuve; la rivière

road la route

road map la carte routière

road sign le panneau (routier)

to **roar with laughter** hurler de rire

to **rob** voler

robber le voleur, la voleuse

robbery le vol

rock le rocher

rocket la fusée

role le rôle

roof le toit

room la pièce; *(hotel)* la chambre

greenroom *(theater)* le foyer (des artistes)

double room la chambre à deux lits

single room la chambre à un lit

rooster le coq

rough agité(e)

round rond(e)

round-trip ticket le billet aller-retour

route le chemin

rude mal élevé(e)

rule la règle

ruler la règle

to **run** courir

to run away s'enfuir

runner le coureur

rush hour les heures *(f. pl.)* de pointe, les heures d'affluence

sad triste, désolé(e)

safe sûr(e)

safe and sound sain(e) et sauf (sauve)

Sahara le Sahara

sailor le marin

salad la salade

salami le saucisson

salary le salaire

sales les soldes *(f. pl.)*

salesperson le vendeur, la vendeuse

salt le sel; *(adj.)* salé(e)

salt crust la croûte de sel

salt lake le chott, le lac salé

same même

all the same tout de même

It's all the same to me. Ça m'est égal.

sand le sable

sandwich le sandwich

grilled ham and cheese sandwich le croque-monsieur

Santa Claus le Père Noël

to **satisfy** satisfaire

Saturday samedi *(m.)*

sauce: spicy sauce la sauce piquante

to **save** sauver; sauvegarder

to save money faire des économies

to save money on gratter sur

savings account le compte d'épargne

to **savor** déguster

to **say** dire

to **say good-bye** faire ses adieux

scale la balance

scarf l'écharpe *(f.)*

scene la scène

schedule l'emploi (m.) du temps; l'horaire (m.)
scholarship la bourse
school l'école (f.); (adj.) scolaire
  high school le lycée
  school supplies le matériel scolaire
schoolteacher l'instituteur, l'institutrice; la maîtresse d'école; le maître d'école
science les sciences (f. pl.)
scientist le savant
to **scold** gronder
  score le score
to **score a goal** marquer un but
to **scratch** se gratter
  screen l'écran (m.)
sculptor (m. and f.) le sculpteur
sculpture la sculpture
sea la mer
  by the sea au bord de la mer
search la recherche
seashore le bord de la mer
seaside resort la station balnéaire
season la saison
seat le siège; (plane, movies, etc.) la place; (theater) le fauteuil
  adjustable seat le siège réglable
  back of the seat le dossier du siège
  numbered seat la place numérotée
  seat belt la ceinture de sécurité
seated assis(e)
second (adj.) deuxième; (of two) second(e)
secret le secret; (adj.) secret, secrète
secretary le/la secrétaire
section la zone
  smoking (no smoking) section la zone (non) fumeurs
security (airport) le contrôle de sécurité
to **see** voir

See you later. À tout à l'heure.
See you tomorrow. À demain.
to **seem** avoir l'air; sembler
seldom très peu
self-employed: to be self-employed être à son compte
to **sell** vendre
semi-circle le demi-cercle
semolina wheat la semoule de blé
to **send** envoyer
sender l'expéditeur, l'expéditrice
to **separate** séparer
serious grave; sérieux, sérieuse
seriously sérieusement
to **serve** servir; desservir (transportation)
service le service
service station la station-service
  service station attendant le/la pompiste
set (for a play) le décor
to **set the table** mettre le couvert; mettre la table
several plusieurs
shadow l'ombre (f.)
to **shake hands** se serrer la main
Shall we go? On y va?
shampoo le shampooing
to **share** partager, se partager
to **sharpen** (a pencil) tailler
to **shave** se raser
shawl le châle
she elle
shed le hangar
sheep le mouton
sheet le drap
  sheet of paper la feuille de papier
to **shelter** abriter
shepherd le pasteur
to **shine** briller
shirt la chemise
shoe la chaussure; le soulier
shop la boutique
  to shop faire des achats

shopping: to go shopping faire des courses
  shopping center le centre commercial
short petit(e); court(e)
shorts le short
to **shout** crier; hurler
to **shove** bousculer
shovel la pelle
show (movies) la séance; (TV) l'émission
to **show** montrer
  to show a movie passer un film
shower: to take a shower prendre une douche
shrimp la crevette
to **shrink** rétrécir
shy timide
sick malade
  sick person le/la malade
  to feel sick avoir des maux de cœur
  to get sick tomber malade
side le côté; (in a sporting event) le camp
sidewalk le trottoir
  sidewalk café la terrasse (d'un café)
to **sign** signer
  sign la pancarte; l'écriteau (m.)
silk (n.) la soie; (adj.) en soie
silver l'argent (m.)
silverware l'argenterie (f.); les couverts (m. pl.) en argent
similar semblable
since depuis
sincere sincère
to **sing** chanter
  singer le chanteur, la chanteuse
single (unmarried) célibataire
sink l'évier (m.); le lavabo
sir monsieur
sister la sœur
to **sit (down)** s'asseoir
  to sit down for a meal se mettre à table

site: archaeological site le chantier de fouilles archéologiques

size (clothes) la taille; (shoes) la pointure

skate (ice) le patin à glace

to (ice) skate faire du patin (à glace)

skater le patineur, la patineuse

skating le patinage

skating rink la patinoire

to **ski** faire du ski

ski le ski

ski boot la chaussure de ski

ski jacket l'anorak (m.)

ski pole le bâton

ski resort la station de sports d'hiver

skier le skieur, la skieuse

skiing le ski

downhill skiing le ski alpin

cross-country skiing le ski de fond

to **skip** escamoter

skirt la jupe

sky le ciel

slanting penché(e)

sleep le sommeil

to **sleep** dormir

sleeping car le wagon-couchette

sleeve la manche

long-(short-)sleeved à manches longues (courtes)

slice la tranche

slide (photo) la diapo(sitive)

to **slip** glisser

slot la fente

to **slow down** ralentir

slowing le ralentissement

small petit(e)

to **smile** sourire

smock la blouse

to **smoke** fumer

smoking (section) (la zone) fumeurs

to **smother** étouffer

snack la collation

sneaker la basket

to **sneeze** éternuer

to **snore** ronfler

snow la neige

to **snow** neiger

It's snowing. Il neige.

snowball la boule de neige

so alors; donc; si (adv.)

so that pour que

soap le savon

soccer le foot(ball)

soccer field le terrain de football

social worker l'assistante (f.) sociale

sock la chaussette

soil la terre

sold out (performance) à bureaux fermés

soldier le soldat

sole (of the foot) la plante (du pied)

solitary confinement la réclusion solitaire

some quelques

somebody, someone quelqu'un

something quelque chose

something else autre chose

something special quelque chose de spécial

something to eat quelque chose à manger

sometimes quelquefois

somewhere quelque part

son le fils

song la chanson

soon bientôt

sophisticated (object) perfectionné(e)

sore throat l'angine (f.)

sorry désolé(e)

to be sorry être désolé(e), regretter

I'm sorry. Excusez-moi.; Je regrette.

sort: a sort of une espèce de

sound le son; (of an animal) le cri

to **sound** sonner

to sound the bugle sonner le clairon

south le sud

to **sow** semer

space l'espace (m.); (parking) la place

Spanish (language) l'espagnol (m.)

to **speak** parler

to speak ill of dire du mal de

to speak on the telephone parler au téléphone

specific précis(e)

to **specify** préciser

spectator le spectateur

speech le discours

speed limit la limitation de vitesse

to **speed up** accélérer

to **spell** épeler

to **spend** (money) dépenser; (time) passer

spicy épicé(e)

to **spill** déverser

spirit l'esprit (m.)

spite: in spite of malgré

spoon la cuillère

spot la tache

to **sprain** se fouler

spray le jet d'eau

spring (season) le printemps

stadium le stade

stage la scène

stain la tache

to **stain** faire une tache

staircase l'escalier (m.)

stairs: on the stairs sur les marches

stamp (postage) le timbre

stamp machine le distributeur automatique

to **stamp (a ticket)** composter

standing debout

star l'étoile (f.); la vedette (actor, actress)

starch l'amidon (m.)

to **start** commencer

to start the car mettre le contact

state l'état (m.)

station wagon le break

statue la statue

to **stay** rester

to stay in bed garder le lit
to stay in shape rester en forme
steak and French fries le steak frites
to **steal** voler
steel l'acier (m.)
steep raide
steering wheel le volant
step le pas; la marche (staircase)
  to take a step faire un pas
stereo la chaîne stéréo
still toujours; encore
to **sting** piquer
stitch le point de suture
  to give stitches faire des points de suture
stomach le ventre
stomachache: to have a stomachache avoir mal au ventre
stone la pierre
stop l'arrêt (m.)
to **stop** (someone) arrêter (oneself) s'arrêter; cesser
  Stop, thief! Au voleur!
storage l'entreposage (m.)
store le magasin
to **store** entreposer
storm l'orage (f.); la tempête
stormy agité(e)
story l'histoire (f.)
straight ahead tout droit
straw mat la natte
stream le ruisseau
streamer le serpentin
street la rue
  street map le plan de la ville
strength la force
stretcher le brancard
strictness l'exigence (f.)
to **stroll** flâner
strolling ambulant(e)
strong fort(e)
student l'élève (m. et f.); (university) l'étudiant(e)
  high school student le lycéen, la lycéenne
to **study** étudier; faire des études

to study French (math, etc.) faire du français (des maths, etc.)
stupid thing la bêtise
style le style
  in style à la mode
subject le sujet; la matière (school)
subscription l'abonnement (m.)
subtitles les sous-titres (m. pl.)
suburbs la banlieue
subway le métro
  by subway en métro
  subway station la station de métro
to **succeed** réussir (à)
  to succeed in doing something parvenir à (+ inf.); arriver à (+ inf.)
success le succès
suddenly soudain
to **suffer** souffrir
to **suffocate** étouffer
sugar le sucre
to **suggest** proposer; suggérer
suit (men's) le complet; (women's) le tailleur
  (suit) jacket la veste
suitcase la valise
summer l'été (m.)
  summer camp la colonie de vacances
summit le sommet
sun le soleil
  in the sun au soleil
  rising sun le soleil levant
to **sunbathe** prendre un bain de soleil
sunglasses les lunettes (f. pl.) de soleil
sunny: It's sunny. Il fait du soleil.
sunrise le lever du soleil
sunset le coucher du soleil
suntan lotion la crème solaire
super extra, super
superb génial(e)
supermarket le supermarché

large supermarket l'hypermarché (m.)
sure sûr(e)
  it's sure il est sûr
to **surf** faire du surf
surfboard la planche (de surf), le surf-board
surfer le surfeur, la surfeuse
surgeon le chirurgien
  orthopedic surgeon le chirurgien-orthopédiste
to **surpass** prendre le pas; dépasser
to **surprise** surprendre; étonner
surprised surpris(e)
  to be surprised s'étonner
to **surround** entourer
surroundings l'ambiance (f.)
survey (opinion) le sondage
to **swallow** avaler
sweater le pull
sweatshirt le sweat-shirt
sweatsuit le survêtement
to **swim** nager
swimmer le nageur, la nageuse
swimming la natation
system le système; la combine

table la table
  table setting le couvert
  to clear the table débarrasser la table
  to set the table mettre le couvert
tablecloth la nappe
tailor le tailleur
to **take** prendre; (to take a person somewhere) emmener
  to take a bath (a shower) prendre un bain (une douche)
  to take care of soigner; s'occuper de
  to take an exam passer un examen

to take off (*airplane*) décoller

to take out sortir; retirer

to take place avoir lieu

to take size (*number*) faire du (+ nombre)

to take something upstairs monter

to take a trip faire un voyage

to take up (*a hobby*) s'initier

to take a walk faire une promenade

taken pris(e); occupé(e)

takeoff (*plane*) le décollage

talcum powder le talc

talent le talent

to **talk** parler

to talk on the phone parler au téléphone

to **tan** bronzer

to **tape** enregistrer

tape recorder le magnétophone

tart la tarte

taste le goût

to **taste** goûter

taxi le taxi

tea with lemon le thé citron

mint tea le thé à la menthe

to **teach** enseigner

to teach someone to do something apprendre à quelqu'un à faire quelque chose

teacher le professeur; le/la prof (*informal*)

elementary school teacher l'instituteur, l'institutrice

team l'équipe (*f.*)

to **tear** déchirer

technician le technicien, la technicienne

teenager l'adolescent(e)

telephone le téléphone

cordless telephone le téléphone sans fil

dial telephone le téléphone à cadran

touch-tone telephone le téléphone à touches

pre-paid telephone card la télécarte

telephone book l'annuaire (*m.*)

telephone booth la cabine téléphonique

telephone operator le/la standardiste

to **telephone** téléphoner

television la télé; (*programming*) la télévision; (*set*) le poste de télévision, le téléviseur

television remote control la télécommande, le zappeur

television viewer le téléspectateur, la téléspectatrice

to **tell** dire; raconter

temperature la température

tempest la tempête

temporary passager(ère)

tennis le tennis

tennis court le court de tennis

tennis shoes les chaussures (*f. pl.*) de tennis

tennis skirt la jupette

tent la tente

terminal (with bus to airport) le terminal; l'aérogare (*f.*)

terrace la terrasse

terrible terrible

test l'examen (*m.*)

to take a test passer un examen

to pass a test réussir à un examen

textbook le livre scolaire

to **thank** remercier

thank you merci

thanks to grâce à

that ce (cet), cette; que; qui; ça

That's expensive. Ça coûte cher.

that is (to say) c'est-à-dire

that one celui, celle

the la, le; les

theater le théâtre

theft le vol

their leur(s)

theirs le/la leur, les leurs

them eux, elles; les; leur

then (*adv.*) ensuite

there là; y

there is, there are il y a; voilà

over there là-bas

therefore donc

these ces

they elles, ils; on

thief le voleur, la voleuse

Stop, thief! Au voleur!

thing la chose

to **think** penser; (*opinion*) trouver, croire; réfléchir

third troisième

this ce (cet), cette

this one celui, celle

thorn l'épine (*f.*)

those ces; ceux, celles

thousand mille

three trois

throat la gorge

to have a frog in one's throat avoir un chat dans la gorge

to have a scratchy throat avoir la gorge qui gratte

to have a throat infection avoir une angine

to **throw** lancer

to throw a party donner une fête

thumb le pouce

thunder le tonnerre

Thursday jeudi (*m.*)

ticket (*train, theater, etc.*) le billet; (*bus, subway*) le ticket

one-way ticket l'aller simple (*m.*)

round-trip ticket le billet aller-retour

ticket machine le distributeur automatique

ticket window le guichet

traffic ticket la contravention

tickle chatouiller

ticklish chatouilleux (-se)

tie la cravate

tight serré(e); *(shoes)* étroit(e)

to **tighten one's belt** se serrer la ceinture

time *(of day)* l'heure *(f.)*
 at the same time à la fois
 at times parfois
 it's time that il est temps que
 on time à l'heure

to **tinker (with things around the house)** bricoler

tip *(restaurant)* le pourboire
 to leave a tip laisser un pourboire
 The tip is included. Le service est compris.

tire le pneu
 flat tire le pneu à plat
 spare tire la roue de secours

tired fatigué(e)

to **à**; à destination de *(flight, etc.)*
 to the left (of), à gauche (de)
 to the right (of) à droite (de)

today aujourd'hui; de nos jours

toe le doigt de pied

together ensemble

toilet les toilettes *(f. pl.)*
 toilet paper: roll of toilet paper le rouleau de papier hygiénique

token le jeton

toll highway l'autoroute *(f.)* à péage

tollbooth le poste de péage

tomato la tomate

tomorrow demain
 See you tomorrow. À demain.

ton la tonne

tonight ce soir

too *(also)* aussi; trop *(excessively)*

tool l'outil *(m.)*

tooth la dent

toothpaste le dentifrice

top le haut

on top of each other superposé(e)

totally complètement; totalement

to **touch** toucher
 to be in touch with être en contact avec

touching émouvant(e)

touch-tone à touches

tourist le/la touriste

tow truck la dépanneuse

toward vers

towel la serviette

town la ville
 small town le village
 town hall la mairie

toxic nocif, nocive

toy le jouet

track la piste; *(for running)* la piste de course; la voie *(train)*

tractor le tracteur

trade le métier; le commerce

traffic la circulation
 high-traffic area le point noir
 traffic jam le bouchon; l'embouteillage *(m.)*
 traffic light le feu

tragedy la tragédie

trail la piste
 slalom trail la piste de slalom

trailer la caravane

train le train
 train station la gare

training le stage

to **transfer (train, subway)** prendre la correspondance

to **transport** transporter

trap le piège

trapeze le trapèze
 trapeze artist le/la trapéziste

to **travel** voyager
 traveler le voyageur, la voyageuse

tray le plateau

treasure le trésor

tree l'arbre *(m.)*
 Christmas tree l'arbre de Noël *(m.)*

trigonometry la trigonométrie

to **trim** tailler

trip le voyage; le trajet
 to take a trip faire un voyage

to **trip (someone)** lancer la patte

trombone le trombone

truck le camion
 tow truck la dépanneuse

true vrai(e)

trumpet la trompette

trunk la malle

truth la vérité

T-shirt le tee-shirt

Tunisia la Tunisie

Tunisian tunisien(ne)

turkey le dindon

to **turn** tourner
 to turn off *(the TV, etc.)* éteindre
 to turn on *(the TV, etc.)* allumer, mettre

turquoise turquoise

TV la télé, *(set)* le poste de télévision, le téléviseur

to **twist** *(one's knee, etc.)* se tordre

type la sorte; le type; le genre

to **type** taper à la machine
 typewriter la machine à écrire

uncle l'oncle

uncovered découvert(e)

under sous

underground *(adj.)* souterrain(e)

to **understand** comprendre

unemployed: to be unemployed être au chômage

unemployment le chômage

unfortunately malheureusement

unisex unisexe

United States les États-Unis *(m. pl.)*
university la fac(ulté)
unleaded sans plomb
unless à moins que
unmarried célibataire
unpleasant désagréable, antipathique (person)
until *(prep.)* jusqu'à (+ noun); *(conj.)* jusqu'à ce que
up to jusqu'à
up(stairs) en haut
upper balcony *(in a theater)* la galerie
urchin le gamin (des rues)
us nous
to **use** utiliser; se servir de
useful utile
usual: as usual comme d'habitude
utmost primordial
U-turn: to make a U-turn faire demi-tour

vacation les vacances *(f. pl.)*
to **validate** valider
valley la vallée
value la valeur
vanilla *(adj.)* à la vanille
variable changeant(e)
varied varié(e)
variety la variété
various divers(es)
vegetable le légume
veil le voile
very très
vice-principal le censeur
videocassette la vidéo(cassette)
videocassette recorder (VCR) le magnétoscope
vineyard le vignoble
viral viral(e)
visit la visite
to **visit** *(a place)* visiter; *(a person)* rendre visite à
voice la voix
volleyball le volley-ball

to **wait (for)** attendre
  to wait in line faire la queue
waiter le serveur
waiting room la salle d'attente
waitress la serveuse
to **wake up** se réveiller
walk: to take a walk faire une promenade
to **walk** se promener; marcher
walking la marche
  to do a bit of walking faire de la marche
Walkman le walkman; le baladeur
wall le mur
wallet le portefeuille
to **wander** flâner
to **want** vouloir; désirer; avoir envie de
war la guerre
warm chaleureux, chaleureuse
warm-up suit le survêtement
to **wash** laver; *(one's face, hair, etc.)* se laver (la figure, les cheveux, etc.)
washcloth le gant de toilette
washing machine la machine à laver
wasted gâché(e)
to **watch** regarder; surveiller
  to watch (over) veiller (sur)
water l'eau *(f.)*
to **water-ski** faire du ski nautique
wave la vague
wavy bouclé(e)
way la façon; le chemin
we nous
weak faible
weapon l'arme *(m.)*
to **wear** porter
weariness la lassitude
weather le temps

It's bad weather. Il fait mauvais.
It's nice weather. Il fait beau.
What's the weather like? Quel temps fait-il?
wedding le mariage
  wedding ring l'alliance *(f.)*
wedged coincé(e)
Wednesday mercredi *(m.)*
week la semaine
  a (per) week par semaine
weekend le week-end
weekly magazine or newspaper l'hebdomadaire *(m.)*
to **weigh** peser
weight le poids
  to gain weight grossir
  to lose weight maigrir
welcome l'accueil *(m.)*
to **welcome** accueillir
welcoming accueilant(e)
well bien; *(n.)* le puits
  well-done (meat) bien cuit(e)
  well-mannered bien élevé(e)
  well off aisé(e)
west l'ouest *(m.)*
wet mouillé(e)
whale la baleine
what quel(le); qu'est-ce que; qu'est-ce qui; quoi; ce qui, ce que
wheat le blé
  semolina wheat la semoule de blé
wheel la roue
wheelchair le fauteuil roulant
when quand
where où
which quel(le)
  which one(s) lequel, laquelle, lesquel(le)s
  of which dont
whistle le sifflet
to **whistle** siffler
white blanc, blanche
who qui
  Who's calling? C'est de la part de qui?

whole entier, entière
whom qui; que
whose dont
why pourquoi
wide large
wife la femme
will: against somebody's will contre le gré de quelqu'un
to **win** gagner; l'emporter
wind le vent
gust of wind la rafale
window la fenêtre; *(in post office, bank, etc.)* le guichet; *(seat in airplane, train, etc.)* côté fenêtre
window pane la vitre
to **windsurf** faire de la planche à voile
windy: It's windy. Il fait du vent.
wine le vin
wing l'aile *(f.)*
winner le gagnant, la gagnante; le vainqueur
winter l'hiver *(m.)*
to **wipe** *(one's hands, etc.)* s'essuyer
to **wish** souhaiter
wishes: good wishes les vœux *(m. pl.)*
with avec
without *(prep.)* sans; *(conj.)* sans que
wonder: filled with wonder émerveillé(e)
to **wonder** se demander

wool la laine; *(adj.)* en laine
word processor la machine à traitement de texte
work le travail
work in partnership le partenariat
work (of art) l'œuvre *(f.)*
to **work** travailler
to work full-time travailler à plein temps
to work hard peiner
to work part-time travailler à mi-temps
worker l'ouvrier, l'ouvrière
workplace le lieu de travail
workshop l'atelier *(m.)*
world le monde
to **worry** s'en faire
Don't worry about it. *(after an apology)* Ce n'est pas grave.
wound la blessure
wounded le blessé, la blessée
to **wrap oneself up in** s'envelopper dans
wrinkle la ride
to get wrinkles prendre des rides
wrinkled *(clothing)* chiffonné(e)
wrist le poignet
to **write** écrire
to write a paper faire une rédaction
writer l'écrivain *(m.)*
wrong mauvais(e)

What's wrong with him? Qu'est-ce qu'il a?

X-ray la radio(graphie)
to take an X-ray faire une radio(graphie)

year l'année *(f.)*; l'an *(m.)*
Happy New Year! Bonne année!
yellow jaune
yes oui; si *(after a negative)*
yesterday hier
the day before yesterday avant hier
yesterday morning hier matin
yogurt le yaourt
you tu, vous; toi
young jeune
young people les jeunes
your ta, ton, tes; votre, vos
youth la jeunesse

zero zéro
zip code le code postal
zucchini la courgette

Index

comprendre, subjunctive of, 93 (2) (*see also* prendre)

conditional
    past conditional, 410 (8)
    present, regular verbs, 392 (8)
    uses of, 392 (8)

conduire
    passé composé of, 18 (1)
    passé simple of, 251 (5)
    subjunctive of, 34 (1)

conjunctions requiring the subjunctive, 254 (5)

connaître
    future of, 175 (4)
    passé composé of, 18 (1)
    passé simple of, 250 (5)
    subjunctive of, 34 (1)

conquérir, passé simple of, 250 (5)

construire, passé simple of, 251 (5)

courir
    future of, 176 (4)
    passé simple of, 250 (5)
    subjunctive of, 34 (1)
    craindre, passé simple of, 251 (5)

croire
    passé composé of, 18 (1)
    passé simple of, 250 (5)
    subjunctive of, 93 (2)

dans, with geographical names, 171 (4)

de (preposition), introducing phrases replaced by en, 283 (6)

découvrir, passé simple of, 248 (5)

de crainte que, subjunctive after, 254 (5)

de façon que, subjunctive or indicative after, 254 (5)

definite article
    with names of cities, 170 (4)
    in a negative sentence, 281 (6)
    with nouns used in a general sense, 281 (6)
    vs. partitive, 281 (6)

de manière que, subjunctive or indicative after, 254 (5)

demonstrative pronouns, 354 (7)

depuis
    with imperfect tense, 199 (4)
    with present tense, 199 (4)

de sorte que, subjunctive or indicative after, 254 (5)

dès que
    with future tense, 198 (4)
    with future perfect tense, 198 (4)

devenir, passé simple of, 251 (5)
    (*see also* venir)

devoir
    future of, 176 (4)
    passé composé of, 18 (1)
    passé simple of, 250 (5)
    subjunctive of, 93 (2)

dire
    passé composé of, 18 (1)
    passé simple of, 250 (5)
    subjunctive of, 34 (1)

direct object
    agreement of past participles with, 231 (5); 336–7 (7)
    in causative constructions, 412 (8)
    pronouns, 231 (5)

disjunctive pronouns (*see* stress pronouns)

dont, 286, 297–8 (6)
    vs. de + lequel, 297–298 (6)
    meaning whose, 286 (6)

dormir
    passé composé of, 16 (1)
    passé simple of, 248 (5)

doubt, expressions of, with subjunctive, 299 (6)

écrire
    passé composé of, 18 (1)
    passé simple of, 251 (5)
    subjunctive of, 34 (1)

emotion, expressions of, with subjunctive, 145 (3)

en (preposition)
    with geographical names, 170 (4)
    with present participle, 395 (8)

en (pronoun), 283 (6)
    with expressions of quantity, 283 (6)
    position of, 283 (6)
    position of, with other pronouns, 283 (6)
    position of, with y, 173 (4)
    replacing nouns referring to persons, 283 (6)
    replacing partitive, 283 (6)
    replacing phrases introduced by de, 283 (6)
    vs. stress pronouns, 283 (6)

envoyer, future of, 176 (4)

-er verbs
    conditional of, 392 (8)
    future of, 175 (4)
    passé composé of, 16 (1)
    passé simple of, 248 (5)
    subjunctive of, 33 (1)

est-ce que, 67 (2)

être
    future of, 176 (4)
    passé composé of, 18 (1)

Index